# TOUT PEUT CHANGER

NAOMI KLEIN

# TOUT PEUT CHANGER

*Capitalisme et
changement climatique*

*Essai traduit de l'anglais (Canada) par
Geneviève Boulanger et Nicolas Calvé*

**LUX**
*ACTES SUD*

Déjà parus dans la collection « Futur proche »

- Noam Chomsky, *Comprendre le pouvoir*
- Noam Chomsky, *Futurs proches. Liberté, indépendance et impérialisme au xxi<sup>e</sup> siècle*
- Francis Dupuis-Déri (dir.), *Québec en mouvements. Idées et pratiques militantes contemporaines*
- Chris Hedges, *La mort de l'élite progressiste*
- Chris Hedges, *L'empire de l'illusion. La mort de la culture et le triomphe du spectacle*
- Edward S. Herman et David Peterson, *Génocide et propagande. L'instrumentalisation politique des massacres*
- Institut de recherche et d'informations socio-économiques, *Dépossession : une histoire économique du Québec contemporain. Tome 1 : Les ressources*
- Razmig Keucheyan, *Hémisphère gauche. Une cartographie des nouvelles pensées critiques*
- Linda McQuaig, *Les milliardaires. Comment les ultra-riches nuisent à l'économie*
- Luc Rabouin, *Démocratiser la ville. Le budget participatif : de Porto Alegre à Montréal*
- Sherene H. Razack, *La chasse aux Musulmans. Évincer les Musulmans de l'espace politique*
- Jeremy Scahill, *Le nouvel art de la guerre. Dirty Wars*
- Astra Taylor, *Démocratie.com. Pouvoir, culture et résistance à l'ère des géants de la Silicon Valley*

© Lux Éditeur, 2015, pour l'édition française au Canada et aux États-Unis

© Actes Sud, 2015, pour l'édition française en tous pays à l'exception du Canada et des États-Unis

© Klein Lewis Productions, 2014
Titre original : *This Changes Everything: Capitalism vs the Climate*

Dépôt légal : 1<sup>er</sup> trimestre 2015
Bibliothèque et Archives Canada
Bibliothèque et Archives nationales du Québec
ISBN : 978-2-89596-193-2
ISBN (ePub) : 978-2-89596-682-1
ISBN (pdf) : 978-2-89596-882-5

Ouvrage publié avec le concours du Conseil des arts du Canada, du Programme de crédit d'impôt du gouvernement du Québec et de la SODEC. Nous reconnaissons l'aide financière du gouvernement du Canada par l'entremise du Fonds du livre du Canada (FLC) pour nos activités d'édition.

*Il nous faut garder à l'esprit que l'œuvre à laquelle nous travaillons est plus vaste que la crise du climat. Nous devons porter notre regard plus loin, plus en profondeur. Pour être honnête, il est question ici de transformer complètement notre façon d'habiter cette planète.*

Rebecca TARBOTTON,
directrice générale du Rainforest Action Network, 1973-2012[1]

*Dans mes livres, j'ai imaginé des gens qui salent le Gulf Stream, construisent des barrages pour empêcher l'inlandsis du Groenland de glisser dans la mer, pompent l'eau des océans dans les cuvettes asséchées du Sahara et de l'Asie pour créer des lacs salés, pompent la glace fondue de l'Antarctique vers le nord pour l'alimenter en eau douce, créent des bactéries génétiquement modifiées pour que les racines des arbres puissent capter plus de carbone, soulèvent la Floride de dix mètres pour la sauver de l'engloutissement et, chose la plus difficile d'entre toutes, transforment le capitalisme de fond en comble.*

Kim Stanley ROBINSON, auteur de science-fiction, 2012[2]

# Liste des sigles et acronymes

ABC
American Broadcasting Company
(un des trois grands réseaux privés de télévision aux États-Unis)

ACCP
Association canadienne des producteurs pétroliers

AECG
Accord économique et commercial global
(traité de libre-échange entre l'Union européenne et le Canada)

AEI
American Enterprise Institute
(organisation politique conservatrice américaine)

AFP
Americans for Prosperity
(organisation politique conservatrice américaine)

AGU
American Geophysical Union
(société scientifique américaine de géophysique)

AIE
Agence internationale de l'énergie

AIG
American International Group
(multinationale américaine de l'assurance)

ALENA
Accord de libre-échange nord-américain
(en anglais, NAFTA)

AMAP
Association pour le maintien d'une agriculture paysanne

AMC
American Multi-Cinema Theater
(chaîne de multiplexes américaine)

APEN
Asian Pacific Environmental Network
(réseau américain d'organisations de défense de l'environnement)

ASC
agriculture soutenue par la communauté

BA
British Airways

BBC
British Broadcasting Corporation

BNSF
Burlington Northern Santa Fe
(compagnie de chemin de fer américaine)

BP
British Petroleum

BPC
biphényles polychlorés
(aussi appelés polychlorobiphényles, PCB)

CBC
Canadian Broadcasting Corporation
(réseau public de radio et de télévision canadien)

CBS
Columbia Broadcasting System
(un des trois grands réseaux privés de télévision aux États-Unis)

CCNUCC Convention-cadre des Nations Unies sur les changements climatiques

| | |
|---|---|
| CEPALC | Commission économique pour l'Amérique latine et les Caraïbes |
| CIA | Central Intelligence Agency (agence fédérale américaine de renseignement) |
| CNN | Cable News Network (réseau de télévision américain d'information continue) |
| CSSD | Center for Sustainable Shale Development (centre pour le développement durable du gaz de schiste) |
| CTV | Canadian Television Network (réseau de télévision privé de langue anglaise au Canada) |
| DAES | Département des affaires économiques et sociales des Nations Unies |
| DDT | dichloro-diphényl-trichloroéthane (puissant insecticide) |
| DLR | Deutsche Zentrum für Luft- und Raumfahrt (centre allemand de recherche aérospatiale) |
| EA | Environment Agency (agence britannique pour l'environnement) |
| EDF | Environmental Defense Fund (organisation non gouvernementale de protection de l'environnement) |
| EIA | Energy Information Administration (agence de la statistique du département américain de l'Énergie) |
| EPA | United States Environmental Protection Agency (agence de protection de l'environnement des États-Unis) |
| FIV | fécondation in vitro |
| FMI | Fonds monétaire international |
| GATT | Accord général sur les tarifs douaniers et le commerce (d'après l'anglais, General Agreement on Tariffs and Trade) |
| GES | gaz à effet de serre |
| GIEC | Groupe d'experts international sur l'évolution du climat (en anglais, voir IPCC) |
| GM | General Motors (grand constructeur d'automobiles américain) |
| GMO | Grantham, Mayo, Van Otterloo & Co. (firme de gestion de placements) |
| GNL | gaz naturel liquéfié |
| GRC | Gendarmerie royale du Canada |
| GRS | gestion du rayonnement solaire |
| HAP | hydrocarbures aromatiques polycycliques |
| ICCC | International Conference on Climate Change (lobby climatosceptique américain) |
| IMMS | Institute for Marine Mammals Studies |
| IPCC | International Panel on Climate Change (en français, voir GIEC) |
| IYC | Ijaw Youth Council |
| LEED | Leadership in Energy and Environmental Design (certification écologique des bâtiments) |
| MDP | mécanisme de développement propre |

| | |
|---|---|
| MIT | Massachusets Institute of Technology |
| MMA | Montreal, Maine & Atlantic (compagnie ferroviaire) |
| MOSOP | Movement for the Survival of the Ogoni People |
| NAFTA | North American Free Trade Agreement (en français, ALENA) |
| NASA | National Aeronautics and Space Administration (agence spatiale américaine) |
| NBC | National Broadcasting Company (un des trois grands réseaux privés de télévision aux États-Unis) |
| NOAA | National Oceanic and Atmospheric Administration (agence fédérale américaine d'étude des océans et de l'atmosphère) |
| NRDC | Natural Resources Defense Council (ONG américaine pour la protection de l'environnement) |
| OCDE | Organisation de coopération et de développement économique |
| OIT | Organisation internationale du travail |
| OMC | Organisation mondiale du commerce |
| ONG | organisation non gouvernementale |
| ONU | Organisation des Nations Unies |
| OSLI | Oil Sands Leadership Initiative (association corporative de compagnies pétrolières) |
| PBS | Public Broadcasting Service (réseau de télévision public américain) |
| PCB | polychlorobiphényles (aussi appelés BPC) |
| PDG | président-directeur général |
| PIB | produit intérieur brut |
| PNB | produit national brut |
| PNUE | Programme des Nations Unies pour l'environnement |
| RAH | récupération assistée des hydrocarbures |
| S&P | Standard & Poor's (une des trois grandes agences de notation dans le monde) |
| SCARS | Comité de surveillance des activités de renseignement de sécurité (organisme fédéral canadien chargé de surveiller les activités du SCRS) |
| SCEQE | Système communautaire d'échange de quotas d'émission |
| SCRS | Service canadien du renseignement de sécurité |
| SEC | Securities and Exchange Commission (autorité des marchés financiers américaine) |
| SRMGI | Solar Radiation Management Governance Initiative (initiative pour la gouvernance de la gestion du rayonnement solaire) |
| TCA | Travailleurs canadiens de l'automobile |
| TED | Technology, Entertainment and Design (organisation à but non lucratif de conférences internationales) |
| TNC | The Nature Conservancy (organisme américain de protection de l'environnement) |

TRG      tarifs de rachat garantis

TWAS    The World Academy of Sciences

UE       Union européenne

UPI      United Press International
         (agence de presse américaine)

UNESCO  Organisation des Nations Unies pour l'éducation, la science et la culture

USCAP   United States Climate Action Partnership
         (coalition environnementaliste américaine d'entreprises
         et d'organisations)

WWF     World Wildlife Fund
         (en français, Fonds pour la vie sauvage mondiale. Devenu World Wide
         Fund for Nature, en français, Fonds mondial pour la nature)

ZAD      zone à défendre

# D'une manière ou d'une autre, tout est en train de changer

*En matière d'évolution du climat, la plupart des projections présupposent que les changements à venir (les émissions de gaz à effet de serre, la hausse des températures et leurs conséquences, comme l'augmentation du niveau de la mer) se produiront graduellement. Telle quantité d'émissions provoquera telle hausse des températures qui entraînera telle augmentation progressive du niveau de la mer. Toutefois, les données climatiques tirées des profils géologiques font état de cas où un changement relativement mineur touchant à un seul élément du climat bouleverse le système dans son ensemble. Autrement dit, au-delà d'un certain seuil, une augmentation des températures pourrait provoquer des changements brusques, imprévisibles et potentiellement irréversibles dont les conséquences, à grande échelle, seraient dévastatrices. À cette étape, même en admettant qu'on cesse complètement d'ajouter du $CO_2$ dans l'atmosphère, des processus potentiellement irréversibles seraient déjà enclenchés. On peut comparer la situation à une panne soudaine de la direction et des freins d'une voiture: dès lors, le conducteur n'a plus la moindre prise ni sur le problème ni sur ses conséquences.*

Rapport de l'Association américaine pour l'avancement des sciences, le plus grand regroupement de scientifiques du monde, 2014[3]

*J'adore cette odeur d'émissions!*

Sarah PALIN, 2011[4]

UNE VOIX SORT de l'interphone: «Les passagers du vol 3935 au départ de Washington et à destination de Charleston sont priés de bien vouloir récupérer leurs bagages à main et de descendre de l'avion.»

Rassemblés sur le tarmac brûlant, les passagers constatent un phénomène insolite: les roues du jet de US Airways se sont enfoncées dans l'asphalte comme dans du ciment frais. Et si profondément que la dépanneuse n'a pas réussi à dégager l'appareil. La compagnie espère que, délesté de ses 35 passagers, l'avion sera assez léger pour être déplacé. Mais la manœuvre échoue. Un passager poste une photo: «Pourquoi mon vol est-il annulé? Parce qu'il fait une telle chaleur à Washington que notre avion s'est englué dans l'asphalte[5] ! »

Plus tard, un camion plus puissant viendra remorquer l'appareil, avec succès cette fois. L'avion finira par décoller, avec trois heures de retard. Un porte-parole de la compagnie aérienne attribuera l'incident à « une température très inhabituelle[6] ».

L'été 2012, en effet, s'est avéré exceptionnellement chaud (tout comme le précédent et le suivant, d'ailleurs). Et la cause n'en est guère mystérieuse : l'usage massif de combustibles fossiles auxquels, tant par obligation que par nécessité, la compagnie US Airways persiste à recourir malgré de fâcheux inconvénients tels que la liquéfaction du tarmac. L'ironie de la situation, à savoir que l'utilisation de ces combustibles modifie si radicalement le climat que ce dernier en vient à entraver le recours auxdits combustibles) n'a empêché ni les passagers du vol 3935 de remonter à bord et de poursuivre leur voyage, ni les grands médias qui couvraient l'incident de s'abstenir de faire mention de la crise du climat.

Rien ne m'autorise à juger ces passagers : en ultra-consommateurs que nous sommes et où que nous habitions, nous étions tous symboliquement à bord du vol 3935. Confrontés à une crise qui menace notre survie en tant qu'espèce, nous persistons avec zèle dans les activités mêmes qui l'ont provoquée. À l'instar de la compagnie aérienne affrétant un remorqueur plus puissant pour libérer son avion, l'économie mondiale redouble d'ardeur. Les ressources classiques ne suffisant plus, elle se tourne vers des types encore plus néfastes de combustibles fossiles : pétrole issu des sables bitumineux de l'Alberta ou des forages en eaux profondes, gaz obtenu par fracturation hydraulique, charbon extrait de montagnes fracassées à l'explosif, et ainsi de suite.

Pendant ce temps, chaque mégacatastrophe naturelle prodigue son lot d'instantanés sardoniques d'un climat de plus en plus inhospitalier pour des industries précisément responsables du réchauffement planétaire. Qu'on pense aux inondations historiques de Calgary qui, en 2013, ont paralysé les sièges sociaux des sociétés pétrolières exploitant les sables bitumineux et bloqué un convoi chargé d'hydrocarbures inflammables sur un pont ferroviaire en train de céder. Ou à la sécheresse qui, un an auparavant, a frappé le Mississippi, faisant baisser le niveau du fleuve au point que des barges de pétrole et de charbon sont restées immobilisées pendant des jours, jusqu'à ce que le corps des ingénieurs de l'armée de terre vienne leur draguer un chenal (en puisant dans les fonds alloués à la reconstruction des infrastructures endommagées lors de l'inondation historique qui avait touché ce même fleuve l'année précédente). Qu'on pense encore aux centrales au charbon qui, en divers endroits des États-Unis, ont été fermées temporairement parce que les rivières servant à leur refroidissement étaient soit trop chaudes, soit à sec.

De tels paradoxes font désormais partie de la vie quotidienne en cette époque troublée où une crise que nous avons résolument ignorée nous éclate au visage – sans toutefois nous empêcher de continuer à nous livrer, plus frénétiquement que jamais, aux pratiques qui en sont la cause même.

J'ai nié l'ampleur de la crise du climat pendant plus longtemps que je n'oserais l'admettre. J'étais bien sûr consciente de son existence, contrairement à Donald Trump et aux sympathisants du Tea Party, pour qui le retour de l'hiver apporte chaque année la preuve de la mystification qui serait à l'œuvre. Mais je n'en avais qu'une vague idée, me contentant de survoler la plupart des reportages sur le sujet, en particulier les plus terrifiants. Je me disais que la climatologie était une science trop complexe et que les environnementalistes étaient là pour s'en occuper. Et je continuais à faire comme s'il n'y avait rien de mal à disposer, bien rangée dans mon portefeuille, d'une rutilante carte plastifiée attestant de mon appartenance à l'« élite » des grands voyageurs.

Nous sommes nombreux à être, de la sorte, dans le déni du changement climatique, nous contentant de lui accorder un instant d'attention avant d'en détourner le regard – quand nous ne choisissons pas d'en faire un motif de plaisanterie (« L'apocalypse est à nos portes ! »), ce qui revient à peu près au même.

Il nous arrive également de nous raconter des histoires rassurantes sur le génie humain et sa capacité à enfanter de miraculeuses technologies susceptibles d'aspirer sans encombre tout le gaz carbonique du ciel ou d'atténuer par magie la chaleur du soleil. C'est là une autre forme de déni, allais-je découvrir au cours des recherches engagées pour ce livre.

Une autre option consiste à envisager dûment la crise, mais sur le mode hyper-rationnel : « Dollar pour dollar, mieux vaut accorder la priorité au développement économique sur le changement climatique, puisque la richesse constitue le meilleur bouclier contre des conditions météorologiques extrêmes. » Comme si le fait de posséder quelques dollars de plus pouvait faire la différence quand la ville où vous habitez est sous les eaux ! Encore une forme de déni, très caractéristique, quant à elle, de la politique politicienne.

Une autre option consiste à nous dire trop accaparés par notre propre vie pour nous soucier d'un problème aussi lointain, aussi abstrait. (Et ce, même si nous avons vu l'eau envahir les tunnels du métro de New York et les habitants de La Nouvelle-Orléans se réfugier sur leurs toits, même si nous savons que nul n'est à l'abri – et les plus démunis encore moins.) Aussi compréhensible soit-elle, cette attitude est encore une forme de déni.

Une autre option encore consiste à prendre la crise en compte tout en se disant que la seule solution est de modifier nos comportements – en recourant à la méditation, aux marchés « bios », et en prônant la suppression de la voiture, mais en « oubliant », ce faisant, d'essayer de changer pour de bon le système responsable de la crise, au motif qu'un tel projet serait irréaliste ou véhiculerait trop d'« énergie négative ». C'est ainsi que, même si nous sommes persuadés de garder les yeux grand ouverts dans la mesure où nombre de ces modifications apportées à notre mode de vie font, de fait, partie de la solution, l'un de nos yeux demeure bel et bien fermé.

Il nous arrive aussi d'avoir *vraiment* les yeux ouverts, sauf que, immanquablement, cela ne dure pas, et que nous continuons ainsi d'osciller entre prise de conscience et amnésie. Car le dérèglement climatique est une réalité qu'il est difficile de garder à l'esprit bien longtemps. Cette amnésie écologique intermittente est parfaitement rationnelle : nous nions la crise du climat parce que nous craignons qu'elle ne vienne tout bouleverser. Ce en quoi nous n'avons d'ailleurs pas tort[7].

Nous savons que, si nous continuons, comme à présent, à laisser les émissions de gaz à effet de serre (GES*) augmenter d'année en année, le réchauffement planétaire va bouleverser tout ce dont est fait notre monde. Il est plus que probable que de grandes villes se verront englouties et des cultures ancestrales immergées sous les flots, que nos enfants passeront une bonne partie de leur vie à fuir ou à tenter de se remettre de tempêtes effroyables et de sécheresses extrêmes. Et nous n'avons pas grand-chose à faire pour qu'un tel avenir se concrétise. En fait, il suffit de ne rien faire et de poursuivre sur notre lancée, à savoir attendre le salut des technologies, continuer à cultiver notre potager ou nous raconter

---

* Sauf indication contraire (comme c'est le cas ici), les notes en bas de page sont de Naomi Klein. La mention « [NdÉ] » en fin de note indique qu'il s'agit d'une note de l'éditeur, la mention « [NdT] » désigne une note des traducteurs. Tous les sigles et acronymes utilisés dans le texte sont définis dans la liste intégrée en début d'ouvrage. [NdÉ]

que nous sommes malheureusement trop occupés pour prendre la situation en main.

Il suffit que nous ne réagissions *pas* comme s'il s'agissait d'une crise avérée. Il suffit de continuer à nier l'ampleur de notre effroi. C'est ainsi que, petit à petit, nous atteindrons le point de bascule que nous redoutons par-dessus tout, et dont nous avons systématiquement détourné le regard. Sans avoir rien de particulier à faire.

Il existe des moyens de se prémunir contre un avenir aussi sombre ou, du moins, d'en atténuer significativement le caractère funeste. À condition de tout changer de fond en comble. Ce qui implique, pour les consommateurs à outrance que nous sommes devenus, une mutation complète, tant de notre mode de vie que du fonctionnement de l'économie, voire des discours que nous tenons quant à notre place sur la Terre. La bonne nouvelle, c'est que bon nombre de ces moyens n'ont rien de catastrophique. Qu'ils sont même absolument passionnants. Mais il m'a fallu beaucoup de temps pour en prendre conscience.

Je me souviens du moment précis où j'ai cessé de détourner mon regard des enjeux climatiques, ou, du moins, où je l'ai laissé s'y attarder. C'était en avril 2009, à Genève. Je devais rencontrer, à l'Organisation mondiale du commerce (OMC), l'ambassadrice bolivienne, une femme étonnamment jeune répondant au nom d'Angélica Navarro Llanos. Parce que la Bolivie est un pays pauvre dont le budget consacré aux affaires internationales est très modeste, Navarro Llanos venait de se voir confier le dossier du climat, qui s'ajoutait à ses responsabilités relatives au commerce extérieur. Alors que nous déjeunions dans un restaurant chinois presque désert, elle m'a expliqué (en se servant de ses baguettes pour dessiner un graphique de l'évolution des émissions de GES) qu'elle considérait le dérèglement climatique comme une terrible menace pour son peuple, mais aussi comme une opportunité.

Une menace pour des raisons évidentes: la Bolivie dépend en grande partie de glaciers pour son approvisionnement en eau potable et l'irrigation de ses terres, et les blancs sommets des montagnes qui en surplombent la capitale sont en train de virer au gris-brun à un rythme alarmant. Quant à l'opportunité, m'a expliqué Navarro Llanos, elle résidait dans le fait que les pays comme le sien, ayant peu contribué à l'emballement des émissions, étaient dès lors en position de se déclarer «créanciers climatiques», de sorte que l'argent et le soutien technique des grands émetteurs allaient leur permettre de couvrir les coûts exorbitants induits par les catastrophes attribuables au climat et de se développer en empruntant la voie des énergies vertes.

Dans le cadre d'une conférence des Nations Unies sur le climat, l'ambassadrice venait de prononcer un discours où elle exposait ses arguments en faveur de tels transferts de richesse, discours dont elle m'a remis une copie et où on lisait :

> Des millions de personnes qui vivent sur de petites îles, dans les pays les moins avancés ou dans des États enclavés, de même que des collectivités vulnérables du Brésil, de l'Inde, de la Chine et d'un peu partout dans le monde subissent les conséquences néfastes d'un problème auquel elles n'ont pas contribué. [...] Pour inverser la courbe des émissions d'ici dix ans, il nous faut une mobilisation massive, la plus importante de tous les temps. Il nous faut un plan Marshall pour la planète. Ce plan devra prévoir des transferts financiers et technologiques d'une ampleur inédite ; il devra apporter la technologie sur le terrain, dans chaque pays, pour assurer à la fois la réduction des émissions et l'amélioration de la qualité de vie des populations. Nous n'avons qu'une dizaine d'années devant nous[8].

Un plan Marshall pour la planète coûterait évidemment très cher : des centaines, voire des milliers de milliards de dollars (Navarro Llanos s'est montrée réticente à énoncer des chiffres précis). On aurait pu penser qu'un tel coût, à lui seul, vouait le plan à l'échec dans la mesure où, en 2009, la crise financière mondiale battait son plein. Cela étant, l'implacable logique de l'austérité consistant à faire assumer le sauvetage des banques par les populations en procédant à des licenciements dans le secteur public, en fermant des écoles, etc., n'était pas encore entrée dans les mœurs, de sorte que loin de faire apparaître les idées de Navarro Llanos comme irréalistes, la crise avait l'effet inverse.

Nous venions tous d'assister à la mobilisation de milliers de milliards de dollars organisée par les élites dès lors que ces dernières eurent décidé de déclarer l'état de crise. Si on laissait les banques faire faillite, nous avait-on affirmé, le reste de l'économie s'effondrerait. C'était une question de survie collective, et il fallait donc trouver l'argent sans attendre. Dans le processus, des mythes économiques parmi les plus tenaces furent mis à nu (« Besoin d'argent ? Imprimez-en ! »). Quelques années auparavant, dans la foulée des attentats du 11-Septembre, nombre de gouvernements avaient fait appel au trésor public dans un esprit similaire et, dans nombre de pays occidentaux, les contraintes budgétaires ne les avaient empêchés ni de multiplier les mesures de surveillance et les politiques sécuritaires sur leur propre territoire, ni de se lancer dans de coûteuses guerres à l'étranger.

Jamais le dérèglement climatique n'a fait l'objet de pareil traitement de la part de nos dirigeants, quand bien même il risquerait de faire beaucoup plus de morts que l'effondrement de grandes banques et autres gratte-ciel. La réduction des émissions de GES (qui selon les scientifiques permettrait d'atténuer considérablement le risque de catastrophe) se voit considérée comme une simple recommandation ou relevant d'actions que l'on peut reporter indéfiniment. Manifestement, pour qu'une crise devienne une crise, les rapports de pouvoir et les priorités établies ont autant d'importance que les faits concrets. Mais, en l'occurrence, nous n'avons pas à nous contenter d'agir en spectateurs : les politiciens ne sont pas seuls à détenir le pouvoir de déclarer une crise. Les mouvements citoyens de masse sont également en mesure de le faire.

L'esclavage n'avait rien d'une crise aux yeux des élites britanniques et américaines avant que le mouvement abolitionniste n'établisse qu'il en était bien une. Même chose pour la ségrégation raciale, la discrimination sexuelle et l'apartheid avant que le mouvement des droits civiques, le féminisme et le mouvement antiapartheid n'entrent en scène.

De la même façon, si suffisamment d'entre nous cessons de détourner les yeux et décidons que le dérèglement climatique constitue bel et bien une crise nécessitant une intervention de l'ordre du plan Marshall, alors elle sera perçue comme telle, et la classe politique n'aura d'autre choix que de réagir, tant en rendant possible l'allocation de ressources qu'en infléchissant les lois du libre marché qui se révèlent si flexibles dès que les intérêts de l'élite sont en jeu – ce dont nous avons parfois un aperçu lorsqu'une catastrophe met un temps les enjeux climatiques sur le devant de la scène. « Pour une opération de secours de cette ampleur, l'argent n'est en aucun cas la question. Nous y mettrons tout l'argent qu'il faudra », déclarait le premier ministre britannique David Cameron (M. Austérité en personne) en février 2014, alors que de vastes régions d'Angleterre subissaient des inondations historiques et que la population reprochait son incurie au gouvernement[9].

En écoutant Navarro Llanos m'exposer la situation du point de vue de la Bolivie, j'ai commencé à comprendre à quel point le dérèglement climatique pourrait, si on le considérait, au même titre que ces terribles inondations, comme une véritable urgence planétaire, devenir une force dynamisante pour l'espèce humaine. Grâce aux ressources qu'il conviendrait d'investir pour mettre fin sans délai à l'ère des combustibles fossiles et se préparer à des épisodes météorologiques extrêmes, des pans entiers de l'humanité pourraient sortir de la pauvreté en obtenant des services qui leur font cruellement défaut aujourd'hui, comme l'eau potable et l'électricité. Une telle vision de l'avenir va bien au-delà de la question de la simple survie ou de la résistance aux bouleversements climatiques, bien au-delà des mesures d'«atténuation» et d'«adaptation» dont les rapports des Nations Unies font état dans leur lugubre jargon. C'est une vision qui nous incite à nous servir collectivement de cette crise pour faire le grand saut et bâtir un monde autrement plus accueillant que celui d'aujourd'hui.

Après ma conversation avec l'ambassadrice bolivienne, je me suis rendu compte que je ne redoutais plus de m'immerger dans la réalité scientifique de la menace climatique et, cessant d'éviter les travaux sur le sujet, je me suis mise à lire tout ce qui me tombait sous la main. J'ai également cessé de considérer le problème comme la chasse gardée des environnementalistes et de me dire qu'il s'agissait d'une question qui en concernait d'autres. Et, en discutant avec des membres du mouvement pour la justice climatique, qui compte de plus en plus de sympathisants, j'ai découvert en quoi l'enjeu pouvait devenir, à bien des égards, un catalyseur de changements bénéfiques et le meilleur argument dont les progressistes aient jamais disposé pour faire valoir leurs revendications. La crise du climat pouvait en effet offrir la possibilité de rebâtir et de raviver les économies locales, de libérer nos démocraties de l'emprise destructrice des géants du secteur privé, d'empêcher l'adoption d'accords de libre-échange néfastes et de renégocier ceux qui étaient déjà en vigueur, d'investir dans les infrastructures publiques les plus mal en point, tels les transports en commun et le logement social, de se réapproprier des services publics essentiels comme l'énergie et l'eau potable, d'assainir le secteur agricole, d'ouvrir les frontières aux réfugiés climatiques et de respecter les droits territoriaux des peuples autochtones[†]. Autant de mesures susceptibles de contribuer à mettre fin aux extravagantes inégalités sociales et territoriales qui déchirent le monde actuel.

---

[†] Au Québec et au Canada, les premiers occupants du territoire nord-américain sont aujourd'hui généralement désignés sous le nom d'«Autochtones» (plutôt que d'Amérindiens, d'Indiens, d'indigènes ou d'aborigènes), et les peuples auxquels ils appartiennent sont appelés «premières nations» ou «peuples autochtones». Au singulier, le terme «première nation» peut désigner une aire culturelle (par exemple, les Cris) ou un groupe plus précis (par exemple, la première nation crie de Beaver Lake), qui, dans certains cas, se qualifie de «bande» (par exemple, la bande Neskonlith). Les termes retenus dans le présent ouvrage sont ceux sous lesquels se désigne elle-même chaque première nation. [NdT]

C'est ainsi que j'ai commencé à déceler des signes sous la forme d'alliances inédites ou de nouveaux arguments, qui laissaient entrevoir en quoi, à condition de mieux comprendre les liens entre tous ces enjeux, l'urgence de la crise du climat pouvait jeter les bases d'un puissant mouvement de masse capable de conjuguer des revendications en apparence disparates sous l'égide d'un programme cohérent destiné à protéger l'humanité à la fois des ravages d'un système économique d'une injustice féroce et d'un système climatique déstabilisé. Et si j'ai écrit ce livre, c'est parce que j'en suis venue à la conclusion que la crise du climat pouvait devenir ce précieux catalyseur dont le monde a tant besoin.

## Un sursaut citoyen

Mais j'ai aussi écrit ce livre parce que le changement climatique pourrait au contraire devenir le catalyseur d'un ensemble de transformations sociales, politiques et économiques nettement moins souhaitables.

J'ai passé les quinze dernières années plongée dans des recherches sur les sociétés qui ont subi des chocs extrêmes découlant de l'effondrement de leurs économies, de catastrophes naturelles, d'attentats terroristes et de guerres. J'ai analysé en profondeur les changements sociaux qui se produisent dans ces moments d'extrême tension. Je me suis penchée sur les façons dont de tels événements altèrent la perception collective des possibles, pour le meilleur et, surtout, pour le pire. Ainsi que je l'explique dans mon essai intitulé *La Stratégie du choc*[10], les milieux d'affaires, durant ces quarante dernières années, ont systématiquement tiré parti de ces divers types de crises pour imposer des politiques destinées à enrichir une petite minorité: déréglementations, réduction des dépenses sociales, privatisations à grande échelle... Les crises ont aussi servi à justifier de graves atteintes aux libertés civiles et d'épouvantables violations des droits de l'homme.

De nombreux signes laissent entrevoir que la crise du climat risque de ne pas faire exception à la règle: au lieu d'inspirer des politiques par lesquelles on pourrait prévenir un réchauffement désastreux ou protéger les populations d'inévitables catastrophes, cette crise pourrait elle aussi être utilisée pour allouer encore plus de ressources au « 1 % ». Cette tendance se manifeste déjà: partout dans le monde, on privatise des forêts communales pour en faire des fermes forestières ou des réserves écologiques permettant à leurs propriétaires d'accumuler des « crédits-carbone », une arnaque très lucrative sur laquelle je reviendrai plus loin. Il existe aussi un marché en plein essor dit des « dérivés climatiques » où des entreprises et des banques spéculent sur des épisodes météorologiques, traitant des catastrophes meurtrières comme s'il s'agissait d'une vulgaire partie de dés sur les tables de jeu de Las Vegas (de 2005 à 2006, le marché des dérivés climatiques a vu sa valeur presque quintupler, passant de 9,7 milliards à 45,2 milliards de dollars). Des firmes mondiales de réassurance font des profits qui se chiffrent en milliards en vendant entre autres des plans de protection à des pays en développement n'ayant pratiquement aucune responsabilité dans la crise du climat, mais dont les infrastructures sont éminemment vulnérables[11].

Et, dans un accès de franchise, le géant de l'armement Raytheon d'admettre que « les affaires ne manqueront sans doute pas de connaître un bel essor lorsque les consommateurs entreprendront d'adapter leurs comportements et leurs besoins au changement climatique ». Cet essor ne sera pas seulement dû à une hausse de la demande en services privés d'intervention en cas de catastrophe, mais découlera également de la « demande en produits et services militaires, car des problèmes de sécurité pourraient se multiplier en raison des sécheresses, des inondations et des tempêtes provoquées par le changement climatique[12] ». Quiconque serait tenté de remettre en question l'urgence de la crise ferait bien de garder cette réalité à l'esprit : les milices privées sont déjà en train de se mobiliser.

En plus de stimuler une croissance de la demande en individus bardés d'armes, sécheresses et inondations procurent toutes sortes de bonnes occasions de faire des affaires. De 2008 à 2010 ont été déposés au moins 261 brevets portant sur des semences « adaptées aux changements climatiques », c'est-à-dire prétendument capables de résister à des conditions météorologiques extrêmes. Environ 80 % de ces brevets sont détenus par seulement six géants de l'agroalimentaire, dont Monsanto et Syngenta. L'ouragan Sandy a été un pactole pour les promoteurs immobiliers du New Jersey, qui ont empoché des millions de dollars pour de nouvelles constructions dans des zones peu endommagées, alors que le cauchemar des locataires de logements sociaux des secteurs les plus touchés est encore loin d'être terminé. Il en est allé de même avec l'ouragan Katrina à La Nouvelle-Orléans[13].

Rien de tout cela n'est très surprenant. Le système actuel est conçu pour inventer de nouvelles façons de privatiser les biens communs et de mettre les catastrophes au service du profit ; livré à lui-même, il n'est capable de rien d'autre. Les sociétés peuvent toutefois réagir aux crises autrement qu'en appliquant la stratégie du choc. Nous en avons tous été témoins ces dernières années, alors que la crise financière qui avait éclaté à Wall Street en 2008 se propageait dans le reste du monde : une hausse subite du prix des aliments a contribué à créer les conditions du Printemps arabe, et les politiques d'austérité ont suscité des mouvements de masse de la Grèce au Chili, en passant par l'Espagne, les États-Unis et le Québec. Nombre de gens hésitent de moins en moins à se dresser contre ceux qui profitent sans vergogne des crises pour piller le domaine public. Mais toutes ces manifestations ont aussi montré qu'il ne suffit pas de dire non. Pour être autre chose que des feux de paille, les mouvements d'opposition devront élaborer une vision globale et approfondie de ce qui devrait émerger pour remplacer ce système en déroute, et développer des stratégies politiques cohérentes et efficaces pour concrétiser leurs objectifs.

Les progressistes ont déjà su comment s'y prendre. L'histoire des luttes populaires pour la justice économique et sociale est riche d'éclatantes victoires en situation de crise majeure. Mentionnons, parmi elles, les politiques du New Deal adoptées aux États-Unis dans la foulée du krach de 1929 et les innombrables programmes sociaux mis en place après la Deuxième Guerre mondiale. Ces politiques étaient vues d'un si bon œil par les électeurs que leur mise en œuvre n'a jamais nécessité de recours au genre de supercheries autoritaires dont j'ai fait état dans *La Stratégie du choc*. L'essentiel était de bâtir de puissants mouvements de masse capables de résister aux défenseurs d'un statu quo défaillant et de revendiquer un meilleur partage de la richesse au bénéfice du plus grand nombre. Bien qu'ils soient menacés, des fruits de ces moments historiques exceptionnels subsistent encore de nos jours en de nombreux pays : ainsi des régimes publics d'assurance-maladie, des pensions de retraite, du logement social et du financement public des arts.

Je suis convaincue que le dérèglement climatique représente une occasion historique à une échelle plus grande encore. Dans le cadre d'un projet de réduction des émissions de GES aux niveaux recommandés par de nombreux scientifiques, nous sommes en effet de nouveau en position de proposer des politiques susceptibles d'améliorer considérablement la vie de bien des gens, de diminuer l'écart entre riches et pauvres, de créer une multitude d'emplois dignes de ce nom et de régénérer les fondements de la démocratie. Loin d'entraîner un durcissement de la stratégie du choc, où l'accaparement des ressources et la répression atteindraient leur comble, la crise du climat pourrait susciter un sursaut citoyen, une secousse venue de la base, capable de répartir le pouvoir entre les mains du plus grand nombre et d'élargir considérablement le domaine des biens communs, lesquels cesseraient ainsi d'être vendus au plus offrant, morceau par morceau. Les stratèges du choc misent sur les situations de crise (tant réelles que forgées de toutes pièces) pour faire adopter des politiques exposant la population à de nouvelles crises ; les transformations dont il est question dans ce livre auraient, elles, précisément l'effet inverse : elles s'attaqueraient à la racine du problème qui provoque des crises à répétition, et nous permettraient d'envisager des conditions climatiques plus hospitalières que celles vers lesquelles nous nous dirigeons, tout en dotant l'économie d'assises plus équitables.

Toutefois, pour qu'une telle évolution puisse avoir lieu, c'est-à-dire pour qu'on puisse croire que la crise du climat est en mesure de nous transformer, il nous faudra d'abord cesser de détourner les yeux.

\*

\* \*

« Vous négociez depuis que je suis née. » Ainsi s'exprimait l'étudiante canadienne Anjali Appadurai devant les délégués des gouvernements réunis pour la conférence des Nations Unies sur le climat tenue en 2011 à Durban, en Afrique du Sud. La jeune femme n'exagérait pas. Les gouvernements discutaient de prévention du changement climatique depuis déjà plus de deux décennies : ils avaient commencé à négocier l'année où Anjali était née. « Pendant tout ce temps, vous avez failli à respecter des objectifs, manqué des cibles et rompu des promesses », poursuivait-elle lors de ce discours mémorable prononcé au nom de tous les jeunes qui assistaient à la conférence[14]. En vérité, l'organisation intergouvernementale chargée de prévenir « toute perturbation anthropique dangereuse du système climatique[15] » s'est non seulement montrée incapable du moindre progrès en vingt ans de travaux (et plus de 90 réunions de négociation), mais elle a aussi supervisé un processus pratiquement ininterrompu de rupture d'engagements. Les gouvernements ont perdu des années à trafiquer les chiffres et à se quereller sur les dates d'entrée en vigueur des mesures, cherchant sans cesse à obtenir des délais supplémentaires, à la manière d'étudiants en retard dans la remise de leur copie.

Les conséquences, catastrophiques, de ces faux-fuyants et de cette procrastination sont indéniables. Selon des données préliminaires, les émissions mondiales de dioxyde de carbone ont été plus élevées de 61 % en 2013 par rapport à 1990, année où ont été amorcées des négociations sérieuses pour la mise au point d'un traité sur le climat. «Plus on parle de la nécessité de limiter les émissions, plus elles augmentent», constate John Reilly, économiste au Massachusetts Institute of Technology (MIT). D'ailleurs, la seule chose qui s'accroît plus vite que les émissions, c'est la quantité de mots par lesquels on s'engage à les réduire. Entre-temps, le sommet annuel des Nations Unies, qui demeure le meilleur espoir de percée en matière d'action sur le climat, en est venu à ressembler moins à un forum où l'on négocie activement qu'à une thérapie de groupe aussi coûteuse que polluante, à un cabinet où les délégués des pays les plus vulnérables extériorisent leur colère et leur désarroi cependant que les représentants subalternes d'États largement responsables de leur triste sort contemplent le bout de leurs chaussures[16].

Cette ambiance règne depuis l'échec de la conférence hautement médiatisée de 2009 à Copenhague. J'ai passé la dernière soirée de cet imposant rassemblement en compagnie d'un groupe de militants pour la justice climatique. Parmi eux se trouvait l'un des militants les plus en vue du Royaume-Uni. Tout au long du sommet, le jeune homme avait incarné le flegme et la confiance en soi, discutant chaque jour avec des dizaines de journalistes de l'évolution des négociations et de la signification concrète des objectifs de réduction des émissions. Malgré l'ampleur des défis, son optimisme quant aux chances de réussite de la conférence était resté inébranlable. Mais une fois les pourparlers terminés et le semblant d'accord conclu, s'effondrant devant nous, il a éclaté en sanglots sous les néons blafards d'un restaurant italien. «Et moi qui croyais vraiment qu'Obama avait compris», répétait-il inlassablement.

Avec le recul, j'en suis venue à penser que cette soirée avait constitué le passage à l'âge adulte du mouvement, le moment où chacun a vraiment réalisé que personne ne viendrait nous sauver. La psychanalyste et climatologue Sally Weintrobe considère cette prise de conscience comme la «contribution essentielle» de ce sommet: un douloureux constat du fait que «les dirigeants ne s'occupent pas de nous [...], qu'ils vont jusqu'à ne pas même se soucier de notre simple survie[17]». Peu importe à quel point nous nous sommes habitués à la médiocrité des politiciens, une telle conclusion n'en est pas moins un coup dur à encaisser. Oui, nous sommes livrés à nous-mêmes; et, dans cette crise, tout espoir digne de ce nom ne pourra venir que d'en bas.

À Copenhague, les gouvernements des principaux pays émetteurs, dont les États-Unis et la Chine, ont signé un accord non contraignant par lequel ils se sont engagés à stabiliser l'augmentation de la température moyenne à 2 °C au-dessus du niveau d'avant l'ère industrielle. Cet objectif bien connu, qui représente prétendument une limite «sûre» au dérèglement climatique, a toujours été un choix hautement politique qui vise davantage à tempérer les perturbations de l'économie qu'à protéger le plus grand nombre de personnes possible. Lorsqu'on a officialisé cet objectif à Copenhague, de nombreux délégués s'en sont indignés, affirmant qu'il condamnait de petits États insulaires de faible altitude aussi bien que de vastes régions d'Afrique subsaharienne à la «peine capitale». Cet objectif est en fait très risqué pour tout le monde : à ce jour, la température moyenne n'a grimpé que de 0,8 °C, et on en constate déjà les conséquences alarmantes – parmi lesquelles la fonte sans précédent de la calotte glaciaire du Groenland à l'été 2012 et l'acidification beaucoup plus rapide que prévue des océans. Laisser la hausse des températures atteindre plus du double de cet écart aura immanquablement de graves répercussions[18].

Dans un rapport publié en 2012, la Banque mondiale présente les risques que comporte l'«objectif des 2 °C» :

> En approchant et en dépassant les 2 °C, le réchauffement planétaire risque de déclencher des phénomènes non linéaires irréversibles. Parmi ceux-ci, mentionnons la désintégration de la calotte glaciaire de l'Antarctique occidental, qui pourrait accélérer la hausse du niveau de la mer, et la dégradation à grande échelle du fleuve Amazone, lequel aurait un effet dévastateur sur les écosystèmes, les cours d'eau, l'agriculture, la production d'énergie et les moyens de subsistance des populations. De tels phénomènes, qui pourraient contribuer à leur tour au réchauffement planétaire au cours du xxie siècle, auraient un impact sur tous les continents[19].

Autrement dit, au-delà d'un certain seuil, on n'a plus la moindre prise sur l'augmentation de la température.

Un problème plus grave se pose toutefois (et explique pourquoi la conférence de Copenhague a désespéré tant de gens) : en ne parvenant pas à se mettre d'accord sur des objectifs contraignants, les gouvernements sont libres d'ignorer l'essentiel de leurs engagements. Et c'est précisément ce qui est en train de se produire. En fait, les émissions augmentent si rapidement que, à moins d'un changement radical de la structure même de notre économie, l'objectif des 2 °C fait d'ores et déjà figure de rêve utopique. Les environnementalistes ne sont pas seuls à sonner l'alarme. Lorsqu'elle a publié son rapport, la Banque mondiale elle-même a émis cette mise en garde : «Au train où vont les choses, le monde [de la fin du siècle] sera plus chaud de 4 °C et sera marqué par des vagues de chaleur extrême, un déclin des réserves mondiales de nourriture, la perte d'écosystèmes, l'appauvrissement de la biodiversité et une hausse du niveau de la mer qui mettra des vies en danger. [...] De plus, il n'existe aucune certitude que l'adaptation à un monde plus chaud de 4 °C soit possible.» Kevin Anderson, directeur adjoint du centre de recherche sur le climat Tyndall, qui s'est rapidement établi comme l'un des plus importants instituts de ce genre au Royaume-Uni, est encore plus direct: à ses yeux, un réchauffement de 4 °C est «incompatible avec toute représentation raisonnable d'une communauté mondiale organisée, équitable et civilisée[20]».

Nous ne savons pas précisément à quoi ressemblerait un monde plus chaud de 4 °C, mais même les scénarios les plus optimistes laissent présager une situation catastrophique. En 2100, le niveau moyen de la mer pourrait avoir augmenté d'un mètre, voire de deux (auxquels viendraient irréversiblement s'ajouter quelques mètres supplémentaires au cours des siècles suivants). Des États insulaires tels que les archipels des Maldives et des Tuvalu pourraient se voir engloutis, tout comme de nombreuses zones côtières d'Équateur, du Brésil, des Pays-Bas, de Californie et du nord-est des États-Unis, ainsi que de vastes régions d'Asie du Sud et du Sud-Est. Parmi les grandes villes potentiellement en péril, mentionnons Boston, New York, Los Angeles, Vancouver, Londres, Bombay, Hong-Kong et Shanghai[21].

D'ici là, de fortes vagues de chaleur capables de tuer des dizaines de milliers de personnes, même dans les pays riches, deviendraient des événements estivaux tout à fait banals sur tous les continents sauf l'Antarctique. Partout dans le monde, la chaleur provoquerait également des baisses de rendement spectaculaires des cultures de base (les récoltes de sarrasin en Inde et de maïs aux États-Unis pourraient diminuer de 60 %), alors même que les besoins en aliments exploseraient en raison de la croissance démographique et d'une demande de plus en plus forte de viande. Et parce que les cultures ne subiraient pas seulement un stress thermique, mais aussi des événements météorologiques extrêmes comme des sécheresses, des inondations ou des invasions de parasites à grande échelle, les pertes pourraient s'avérer plus importantes que ne l'ont prédit les modèles. Et si l'on ajoute à tout cela les ouragans dévastateurs, les feux de forêt incontrôlables, l'effondrement des pêcheries, l'assèchement des canaux d'irrigation, les extinctions d'espèces et les épidémies planétaires, il devient difficile de concevoir qu'une société où règnent l'ordre et la paix puisse se maintenir (en admettant qu'une telle société ait jamais existé[22]).

Il faut garder à l'esprit qu'il s'agit là de scénarios optimistes selon lesquels le réchauffement se serait plus ou moins stabilisé à 4 °C et n'aurait pas franchi le seuil d'irréversibilité au-delà duquel il serait devenu impossible à maîtriser. Selon les modélisations les plus récentes, on juge plus prudent de postuler qu'un réchauffement de 4 °C pourrait provoquer des boucles de rétroaction extrêmement dangereuses – par exemple un océan Arctique régulièrement libre des glaces au mois de septembre ou, ainsi que l'avance une étude récente, une végétation mondiale qui, devenue trop saturée pour jouer son rôle de « puits », pourrait entraîner une croissance des émissions de gaz carbonique plutôt qu'une absorption plus grande. Une fois de tels phénomènes enclenchés, toute tentative de prédire les impacts du réchauffement serait vaine. Or, le processus pourrait s'amorcer plus vite que prévu. En mai 2014, des scientifiques de la NASA et de l'université de Californie à Irvine ont révélé que la fonte de glaciers d'une région de l'Antarctique occidental dont la taille est comparable à celle de la France « a atteint un point de non-retour ». Toute la calotte glaciaire de l'Antarctique occidental serait ainsi condamnée. Selon Eric Rignot, l'un des principaux auteurs de l'étude, sa fonte « pourrait provoquer une augmentation de trois à cinq mètres du niveau de la mer, entraînant le déplacement de millions de personnes à travers le monde ». La désintégration pourrait cependant s'étaler sur plusieurs siècles, ce qui laisserait le temps à une éventuelle réduction des émissions de ralentir le processus et d'empêcher le pire[23].

Plus terrifiant encore : selon de nombreux observateurs, si la tendance actuelle de l'augmentation des émissions se maintient, le réchauffement pourrait dépasser 4 °C. En 2011, l'Agence internationale de l'énergie (AIE), dont le discours est d'ordinaire assez mesuré, a publié un rapport où elle affirme que la planète s'apprête à connaître un réchauffement de l'ordre de 6 °C. « Même un écolier est en mesure de comprendre qu'un réchauffement d'une telle ampleur aurait des conséquences catastrophiques pour chacun d'entre nous », commente l'économiste en chef de l'agence. (Les données indiquent qu'un réchauffement de 6 °C risque de déclencher plusieurs processus irréversibles d'importance, dont certains seraient plutôt lents – comme la désintégration de la calotte glaciaire de l'Antarctique –, mais d'autres plus précipités – comme le dégagement de grandes quantités de méthane emmagasinées dans le pergélisol des régions arctiques.) Le géant de la comptabilité PricewaterhouseCoopers a aussi publié un rapport prévenant les milieux d'affaires que nous pouvons nous attendre à un réchauffement « de 4 °C, voire de 6 °C[24] ».

On peut comparer ces diverses projections à une situation où tous les systèmes d'alarme d'un immeuble retentiraient en même temps, suivis de ceux de tous les bâtiments voisins. Pour dire les choses en toute simplicité : le dérèglement climatique est devenu une crise existentielle pour l'humanité. Le seul précédent historique de cette ampleur remonte à la guerre froide et à la crainte qu'elle a provoquée d'un holocauste nucléaire capable de rendre inhabitable la plus grande partie de la planète. Mais il ne s'agissait (et il ne s'agit encore) que d'une menace hypothétique, d'une mince possibilité qui n'aurait pu se concrétiser qu'en cas de dérapage géopolitique incontrôlé. Contrairement à ce que font les climatologues depuis des années, l'immense majorité des physiciens nucléaires ne nous a jamais affirmé que nous mettions presque assurément la civilisation en péril en continuant à vaquer à nos occupations quotidiennes comme si de rien n'était.

« À l'instar des autres scientifiques, la plupart des climatologues sont du genre flegmatique », explique Lonnie G. Thompson, professeur à l'université d'État de l'Ohio et spécialiste de renommée mondiale de la fonte des glaciers. « Nous ne sommes guère portés sur l'envolée lyrico-apocalyptique. En général, nous sommes beaucoup plus à l'aise à travailler dans nos laboratoires ou à recueillir des données sur le terrain qu'à donner des interviews à des journalistes ou à témoigner devant des commissions parlementaires. Dès lors, pourquoi des climatologues parlent-ils haut et fort des dangers du réchauffement planétaire ? La réponse, c'est que nous sommes aujourd'hui pratiquement tous convaincus que ce réchauffement représente un danger réel et immédiat pour la civilisation[25]. »

Difficile d'être plus clair. Et pourtant, au lieu de faire tout ce qui est en notre pouvoir pour infléchir la tendance, nous continuons délibérément – du moins pour une large part – dans la même voie. Et, à l'image des passagers du vol 3935, avec le concours d'un moteur plus puissant et plus polluant.

Alors c'est quoi, notre problème ?

## Au mauvais moment

Les réponses ne manquent pas. Elles tiennent aussi bien à l'immense difficulté qu'ont les gouvernements du monde à s'entendre sur quoi que ce soit qu'à quelque dimension profonde de la nature humaine qui nous empêcherait d'agir collectivement devant des menaces en apparence éloignées ou à l'absence de solutions technologiques viables, en passant par l'idée, plus récemment émise, selon laquelle les jeux seraient faits et qu'il ne resterait donc plus qu'à contempler le spectacle de l'effondrement. Si certaines de ces explications ont leur part de vérité, elles sont toutes insuffisantes en dernière analyse. Prenons la thèse voulant qu'il soit trop difficile pour un si grand nombre d'États de s'entendre sur des mesures à adopter. Aussi ardue que soit effectivement la tâche, il se trouve qu'en maintes circonstances, les Nations Unies ont aidé les gouvernements à collaborer les uns avec les autres pour régler des problèmes qui dépassaient leurs frontières, qu'il s'agisse du trou dans la couche d'ozone ou de la prolifération nucléaire. Loin, certes, d'être parfaits, les accords ainsi conclus représentaient tout de même un réel progrès. De surcroît, alors même qu'ils se montraient incapables de mettre en place un cadre juridique contraignant pour assurer une réduction des émissions en arguant de la complexité de la mise en œuvre d'une coopération, les gouvernements réussissaient à créer l'OMC, dispositif qui régit la circulation des biens et des services à l'échelle de la planète et punit sévèrement les contrevenants à ses règles quant à elles clairement établies.

L'affirmation selon laquelle on ne disposerait pas de solutions technologiques adéquates n'est pas plus convaincante. L'énergie issue de sources renouvelables telles que le vent et l'eau, et antérieures aux combustibles fossiles, coûte de moins en moins cher et se révèle d'année en année plus efficace et plus facile à stocker. Les deux dernières décennies ont été marquées par un remarquable essor du design et de l'urbanisme écologiques. Aux multiples outils permettant de tourner le dos aux combustibles fossiles s'ajoute l'expérience de nombreux petits groupes qui adoptent avec un phénoménal succès des modes de vie à faibles émissions de gaz carbonique. Et pourtant, le genre de transition à grande échelle qui nous permettrait d'éviter collectivement la catastrophe n'a pas lieu.

Serait-ce alors tout simplement la nature humaine qui nous empêche d'agir ? En fait, nous autres, humains, nous montrons souvent disposés à faire des sacrifices collectifs face à une menace, comme l'ont prouvé avec éclat, lors des deux grands conflits du xxe siècle, des phénomènes comme l'attitude face au rationnement ou aux obligations de guerre et autres jardins de la victoire. Pour économiser le carburant durant la Deuxième Guerre mondiale, le Royaume-Uni a pratiquement interdit les promenades en automobile et, de 1938 à 1944, l'utilisation des transports en commun a grimpé de 87 % aux États-Unis et de 95 % au Canada. En 1943, 20 millions de ménages américains (soit 60 % de la population) cultivaient des jardins de la victoire, dont les récoltes ont fourni 42 % des légumes consommés cette année-là. Détail intéressant : toutes ces activités rassemblées entraînent une diminution spectaculaire des émissions de dioxyde de carbone[26].

Il est vrai que la menace de la guerre semblait immédiate et concrète, mais ne devrait-on pas s'effrayer tout autant d'une crise du climat qui a déjà contribué de façon substantielle à de colossales catastrophes ayant frappé certaines des plus grandes villes du monde ? Cela dit, ne nous serions-nous pas quelque peu ramollis depuis cette époque de sacrifices en temps de guerre ? Il se dit que l'être humain est de nos jours bien trop égocentrique et assoiffé de plaisirs immédiats pour accepter de se priver de la pleine liberté de satisfaire ses moindres caprices. Dans les faits, pourtant, nous n'avons pas cessé de faire de constants sacrifices collectifs au nom d'un bien supérieur abstrait. Nous sacrifions nos pensions de retraite, nos droits de travailleurs acquis de haute lutte et nos programmes de soutien aux arts et aux activités parascolaires. Nos enfants fréquentent des écoles de plus en plus bondées dont les enseignants sont de plus en plus débordés. Nous acceptons de payer de plus en plus cher pour les sources d'énergie destructrices qui alimentent nos moyens de transport et nos vies. Nous acceptons les hausses de tarifs de transports en commun dont la qualité du service plafonne ou se dégrade. Nous acceptons que l'obtention d'un diplôme universitaire soit grevée d'une dette qui demandera, pour la rembourser, la moitié d'une vie, chose impensable il y a tout juste une génération. Au Canada, où je vis, nous sommes en voie d'accepter que le courrier ne soit plus livré à domicile.

Les trente dernières années ont été marquées par l'affaiblissement constant de la sphère publique. Ce travail de sape se mène au nom de l'austérité, qui a succédé à d'autres notions tout aussi abstraites et déconnectées de la vie quotidienne (équilibre budgétaire, amélioration de l'efficacité, stimulation de la croissance économique, etc.) pour justifier ces incessants appels au sacrifice collectif, qui servent tous le même objectif de croissance économique.

Selon moi, si les humains peuvent accepter de sacrifier autant d'acquis sociaux à la stabilité d'un système économique qui rend leur existence de plus en plus contraignante et précaire, ils sont certainement capables d'apporter d'importants changements à leur mode de vie pour stabiliser les systèmes physiques dont dépend toute vie. Sans parler du fait qu'une bonne partie des transformations nécessaires à la réduction considérable des émissions améliorerait les conditions de vie de la majorité des habitants de la planète, que ce soit en permettant aux enfants de Pékin de jouer dehors sans masque antipollution ou en créant des millions d'emplois dans le secteur des énergies vertes. En matière de politique climatique, les idées de mesures à court terme et à moyen terme ne manquent pas.

Le temps est compté. Mais dès demain, on pourrait entreprendre une réduction draconienne des émissions de GES en amorçant une grande transition vers les sources d'énergie renouvelables, étalée sur la décennie à venir. Les outils nécessaires pour y parvenir sont déjà à notre portée. Si nous les utilisons, le niveau de la mer continuerait certes à grimper et les tempêtes à se multiplier, mais nous aurions beaucoup plus de chances de prévenir un réchauffement vraiment catastrophique. En fait, des pays entiers pourraient être sauvés des eaux. Ainsi que le déclarait Pablo Solón, ex-ambassadeur de la Bolivie aux Nations Unies : « Si j'ai causé l'incendie de votre maison, la moindre des choses que je puisse faire est de vous accueillir dans la mienne. Et si je viens de mettre le feu à votre maison, je devrais tout de suite tenter de l'éteindre[27]. » Mais on jette plutôt de l'huile sur le feu. Après la baisse tout aussi brève qu'exceptionnelle induite par la crise financière en 2009, les émissions mondiales ont brusquement grimpé de 5,9 % en 2010, ce qui représente incontestablement la hausse annuelle la plus importante depuis la révolution industrielle[28].

C'est pourquoi je reviens à cette question insistante : mais c'est quoi, notre problème ? Qu'est-ce qui nous empêche vraiment d'éteindre l'incendie qui menace de ravager notre maison collective ?

À mon avis, la réponse est plus simple qu'on tente de nous le faire croire. Si le nécessaire n'a pas encore été fait pour réduire les émissions, c'est parce que les politiques à mettre en œuvre sont fondamentalement incompatibles avec le capitalisme déréglementé dont l'idéologie a dominé toute la période durant laquelle nous nous sommes démenés pour trouver une issue à la crise du climat. Si la situation ne se débloque pas, c'est parce que les mesures grâce auxquelles on aurait le plus de chances d'éviter la catastrophe (et qui profiteraient à l'immense majorité de la population) représentent une grave menace pour la minorité qui a la haute main sur l'économie, la sphère politique et la majorité des grands médias. Le problème n'aurait peut-être pas été aussi insurmontable s'il s'était présenté à un autre moment de l'histoire. Mais, pour notre plus grand malheur à tous, la communauté scientifique a établi son diagnostic décisif à une époque où l'élite des milieux d'affaires jouissait, depuis les années 1920, d'un pouvoir politique, culturel et intellectuel plus considérable que jamais. En effet, gouvernements et climatologues ont commencé à discuter sérieusement d'une réduction des émissions de GES en 1988, soit l'année même de la signature, par le Canada et les États-Unis, de l'accord bilatéral de libre-échange le plus important jamais conclu, auquel s'est joint le Mexique quelques années plus tard et qui a pris le nom d'Accord de libre-échange nord-américain (ALENA[29]).

Quand ils se pencheront sur les négociations internationales du dernier quart de siècle, les historiens du futur constateront deux processus déterminants. L'un relatif aux difficiles négociations sur le climat, qui s'enlisent avant d'échouer lamentablement, et l'autre menant à la mondialisation de l'économie, qui vole de victoire en victoire : du premier grand accord de libre-échange à la création de l'OMC, en passant par la privatisation massive des économies de l'ancien bloc de l'Est, la transformation de vastes parties de l'Asie en zones franches et l'«ajustement structurel» de l'Afrique. Si ce processus rencontre quelques revers, parmi lesquels une résistance populaire capable de paralyser tel ou tel cycle de négociations ou de faire échouer tel ou tel projet d'accord de libre-échange, il connaît néanmoins un vif succès sur le front idéologique. En effet, l'enjeu n'est pas tant le commerce transfrontalier (comme la vente de vin français au Brésil ou de logiciels américains en Chine) que l'établissement d'un cadre politique mondial qui garantisse un maximum de liberté aux multinationales. Grâce à ces traités de grande envergure et à un ensemble d'autres outils, ces entreprises peuvent produire leurs biens au moindre coût possible, les vendre en répondant aux exigences réglementaires les plus flexibles possible et payer le moins d'impôt possible. En répondant à leurs exigences, prétend-on, on alimente une croissance économique dont est censé profiter l'ensemble de la population. Les accords commerciaux n'ont d'autre intérêt que celui de mettre en œuvre ce programme d'une portée beaucoup plus large.

Les trois piliers de cette nouvelle ère nous sont devenus familiers : privatisation du secteur public, déréglementation des marchés et allègement du fardeau fiscal des entreprises financé par la réduction de la dépense publique. On a beaucoup écrit sur les coûts réels de ces politiques, qu'il s'agisse de l'instabilité des marchés financiers, des excès des ultra-riches, du désarroi des indigents traités comme des moins que rien ou de la dégradation des infrastructures et des services publics. Mais rares sont les auteurs qui se sont intéressés au sabotage systématique, entrepris dès la première heure par les fondamentalistes du marché, de la réponse collective au dérèglement climatique, une menace dont on prenait conscience au moment même où l'idéologie néolibérale connaissait son apogée.

L'essentiel du problème tient au fait que la logique marchande dans laquelle on a enfermé la vie publique a relégué les mesures climatiques les plus immédiates et les plus évidentes au domaine de l'hérésie politique. Comment investir massivement dans des services publics et des infrastructures carboneutres à l'heure où le secteur public se voit systématiquement démantelé et privatisé ? Comment réglementer, imposer et sanctionner les entreprises du secteur pétrolier à l'heure où de telles politiques sont qualifiées de survivances du communisme autoritaire ? Comment soutenir et protéger le secteur des énergies renouvelables de manière à ce que celles-ci puissent se substituer aux énergies fossiles à l'heure où le terme de « protectionnisme » fait figure de gros mot ?

Les environnementalistes auraient pu, en se joignant à d'autres mouvements davantage préoccupés par les ravages qu'un capitalisme débridé produit sur la planète, combattre les défenseurs extrémistes du marché qui avaient tout fait pour empêcher ces mesures de bon sens. Au lieu de quoi, des acteurs décisifs de ce courant ont gaspillé de précieuses décennies à tenter de résoudre la quadrature du cercle en se demandant comment le marché pourrait par lui-même régler la crise du climat. (Ce n'est cependant qu'au bout de quelques années de travail sur ce projet que j'ai pris conscience de l'ampleur de la collusion entre grands pollueurs et grandes organisations environnementalistes.)

Mais ce n'est pas uniquement en bloquant des actions vigoureuses que le fondamentalisme marchand a aggravé la crise. De façon encore plus directe, les politiques qui ont libéré les multinationales de presque toute contrainte ont aussi grandement contribué à ce qui est la cause même du réchauffement planétaire : la hausse des émissions de GES. Les chiffres sont éloquents : dans les années 1990, alors que le processus d'intégration des marchés s'accélérait, les émissions mondiales augmentaient de 1 % par an en moyenne ; dans les années 2000, une fois les « marchés émergents » comme la Chine pleinement intégrés à l'économie mondiale, la croissance des émissions s'est accélérée de façon catastrophique, atteignant 3,4 % pendant l'essentiel de la décennie. Ce taux s'est maintenu jusqu'à nos jours, si l'on fait exception de la brève interruption de 2009 dans la foulée de la crise financière[30].

Avec le recul, il est difficile d'imaginer que les choses auraient pu se passer autrement. L'époque en question se caractérise tant par l'exportation massive de produits sur de très longues distances (brûlant sans relâche des combustibles fossiles) que par la généralisation au monde entier d'un modèle de production, de consommation et d'agriculture fondé sur le gaspillage (et sur l'utilisation massive de combustibles fossiles).

Par conséquent, l'humanité se retrouve dans une situation périlleuse et pour le moins paradoxale. Après des décennies d'émissions débridées qu'il aurait plutôt fallu réduire, les mesures à prendre pour éviter un réchauffement catastrophique ne vont plus seulement à l'encontre du capitalisme dérégulé qui a triomphé à partir des années 1980, mais contredisent désormais le fondement même du système économique : la croissance à tout prix. Une fois émis dans l'atmosphère, le gaz carbonique persiste pendant des siècles (voire plus longtemps), retenant la chaleur. Ses effets sont cumulatifs et s'aggravent au fil du temps. Selon des experts comme Kevin Anderson, on en a laissé s'accumuler une telle quantité ces vingt dernières années que, pour que le réchauffement ne dépasse pas l'objectif des 2 °C, les pays riches devraient réduire leurs émissions de 8 à 10 % par an environ. Il va sans dire que le «libre» marché ne pourra jamais y parvenir[31]. En fait, des réductions de cette ampleur n'ont eu lieu par le passé que dans un contexte d'effondrement de l'économie ou de grandes dépressions.

J'examine ces données de façon plus approfondie dans le chapitre 2, mais l'essentiel peut se résumer ainsi : le système économique et la planète sont en guerre l'un contre l'autre. Ou, plus précisément, l'économie est en guerre contre de nombreuses formes de vie sur terre, y compris la vie humaine. Pour éviter l'effondrement, le climat commande une diminution de l'utilisation des ressources par l'humanité ; pour éviter l'effondrement, le système économique commande une croissance sans entrave. Il n'est possible de changer qu'un seul de ces ensembles de règles, et ce n'est pas celui des lois de la nature.

Heureusement, il est éminemment possible de transformer l'économie pour qu'elle devienne moins gourmande en ressources, et de procéder de façon équitable en protégeant les plus vulnérables et en faisant porter l'essentiel du fardeau aux principaux responsables de la situation. On pourrait par exemple soutenir l'expansion des secteurs de l'économie qui émettent le moins de gaz carbonique et la décroissance de ceux qui en émettent le plus. Le problème, c'est que, à une telle échelle, la planification et la gestion de l'économie sont, dans le cadre de l'idéologie dominante, tout à fait impensables. La seule contraction gérable par le système actuel est un effondrement brutal dont feront surtout les frais les plus vulnérables. D'où le dilemme suivant : soit on laisse le bouleversement du climat transformer radicalement le monde, soit on transforme radicalement l'économie pour éviter le bouleversement du climat. Une précision s'impose cependant : en raison du déni collectif à l'œuvre durant ces dernières décennies, aucune solution graduelle ne pourra régler le problème. En matière de climat, depuis que le rêve américain a été dopé aux stéroïdes et mondialisé, de modestes aménagements du statu quo ne suffisent plus. D'ailleurs, la nécessité d'un changement radical n'est plus seulement prônée par les militants les plus radicaux. En 2012, 21 lauréats du prestigieux prix Blue Planet, dont James Hansen, ex-directeur du Goddard Institute for Space Studies de la NASA, et Gro Harlem Brundtland, ex-première ministre de la Norvège, ont cosigné un rapport qui a fait date. «Face à cette urgence sans précédent, la société n'a d'autre choix que de prendre des mesures extraordinaires pour éviter l'effondrement de la civilisation. Soit nous transformons nos façons de faire et créons une société mondiale d'un nouveau genre, soit celles-ci se transformeront sans nous[32].»

Bien des gens qui occupent des postes importants regimbent devant de telles affirmations, car elles mettent en cause une réalité sans doute encore plus puissante que le capitalisme : l'obsession de la modération, du juste milieu, de la circonspection, bref, le centrisme. Au fond, c'est cet état d'esprit qui domine l'époque actuelle, plus encore chez les progressistes s'intéressant à ces questions que chez les conservateurs, nombreux à nier l'existence même de la crise. La crise du climat représente tout un défi pour ce centrisme prudent, car les demi-mesures ne viendront jamais à bout du problème : une politique énergétique comme celle menée par Barack Obama a à peu près aussi peu de chances de donner des résultats que le régime prescrit plus haut, et les échéances inéluctables dont font état les scientifiques montrent qu'il est plus que temps d'agir.

En présentant les enjeux climatiques comme une guerre entre le capitalisme et la planète, je n'affirme rien qu'on ne sache déjà. La bataille fait rage, mais, pour le moment, le capitalisme est en train de l'emporter haut la main. Il gagne chaque fois qu'un gouvernement reporte l'adoption de mesures pour le climat ou renie des engagements de réduction des émissions en brandissant l'impératif de la croissance économique. Il gagne quand on explique aux Grecs que la seule façon de sortir de la crise économique consiste à autoriser l'exploitation pétrolière et gazière à haut risque dans leurs mers magnifiques. Il gagne quand on explique aux Canadiens qu'ils doivent laisser la forêt boréale de l'Alberta se faire écorcher pour qu'on puisse y exploiter les sables bitumineux. Il gagne quand on démolit un parc d'Istanbul pour faire place à un énième centre commercial. Il gagne quand on explique aux parents pékinois que le port de masques antipollution ornés de mignons personnages de bandes dessinées par leurs enfants sur le chemin de l'école est un prix acceptable à payer pour le progrès économique. Il gagne chaque fois que nous acceptons d'aussi sinistres alternatives : austérité ou extraction, empoisonnement ou pauvreté...

Dans ces conditions, le défi ne consiste pas simplement à investir de fortes sommes et à revoir quantité de politiques. Pour que les changements nécessaires aient la moindre chance de se concrétiser, nous devrons avant tout apprendre à penser de façon différente, radicalement différente. Pour l'instant, avec sa culture de la domination et de la concurrence sans partage, la logique marchande paralyse tout effort sérieux de lutte contre le dérèglement climatique. La compétition acharnée que se livrent les États bloque les négociations internationales sur le climat depuis des décennies : les pays riches campent sur leurs positions en déclarant qu'ils ne réduiront pas leurs émissions par crainte de perdre leur rang enviable dans la hiérarchie mondiale ; les pays pauvres refusent de renoncer à leur droit de polluer comme l'ont fait les pays riches lorsqu'ils voguaient vers la prospérité, même si cela implique d'aggraver une catastrophe dont les pauvres sont les victimes les plus touchées. Pour que le moindre changement puisse se produire, une nouvelle vision du monde devra s'imposer, en vertu de laquelle la nature et les autres peuples ne seront plus considérés comme des adversaires, mais comme les partenaires d'un grand projet de réinvention collective.

La barre est haute. Mais elle ne cesse de grimper. Et parce que nous avons constamment remis à plus tard cette énorme transformation, il est grand temps de nous y atteler. Selon l'AIE, si les émissions ne sont pas maîtrisées d'ici 2017 (autant dire demain matin !), l'économie fondée sur les combustibles fossiles aura rendu irréversible un réchauffement extrêmement dangereux. « Les infrastructures énergétiques alors existantes produiront tout le $CO_2$ » autorisé par le bilan carbone pour limiter le réchauffement à 2 °C, «ne laissant aucune place à de nouvelles centrales électriques, usines et infrastructures, à moins que celles-ci soient carboneutres, ce qui coûterait excessivement cher». Cette mise en garde présuppose, sans doute à raison, que les gouvernements n'envisageront pas la fermeture de centrales et d'usines toujours rentables. Fatih Birol, économiste en chef de l'AIE, ne mâche pas ses mots: «La fenêtre permettant de respecter l'objectif des 2 °C est sur le point de se fermer. En 2017, elle sera fermée pour de bon.» En résumé, nous sommes entrés dans ce que des militants appellent la «décennie zéro» de la crise du climat: soit nous changeons immédiatement, soit nous perdons notre chance[33].

Autant dire que les promesses habituelles des apôtres du libre marché («une solution technologique est à portée de main»; «le développement polluant n'est jamais qu'une étape sur la route qui mène à un environnement propre: regardez de quoi Londres avait l'air au xixᵉ siècle!») ne tiennent pas debout. L'humanité n'a pas un siècle à perdre pour permettre à la Chine et à l'Inde de dépasser leur phase dickensienne. À cause des décennies qu'on a perdues, c'est maintenant qu'il faut renverser la situation. Est-ce possible? Absolument. Est-ce possible sans s'en prendre à la logique fondamentale du capitalisme dérégulé? Aucunement.

Parmi les personnes que j'ai rencontrées sur le parcours ayant conduit à ce livre et avec lesquelles vous ferez connaissance au fil des pages se trouve Henry Red Cloud, un éducateur et entrepreneur lakota qui forme de jeunes Autochtones aux technologies solaires. À ses étudiants, il explique qu'il est des moments où il faut accepter de faire de petits pas, et d'autres où «il faut courir comme un bison[34]». Nous vivons aujourd'hui un de ces moments où il faut courir.

## Au-delà de la technique: un enjeu politique

Dernièrement, je suis tombée sur un article qui m'a étonnée, un genre de *mea culpa* rédigé en 2012 par Gary Stix, rédacteur en chef de la revue *Scientific American*. En 2006, raconte-t-il, il avait publié un numéro spécial sur les solutions à la crise du climat dont le contenu, comme c'est souvent le cas, mettait essentiellement en valeur des technologies carboneutres fort prometteuses. En revenant sur ce dossier, Stix admet qu'il y avait négligé une dimension fondamentale du sujet: la nécessité de créer un contexte social et politique au sein duquel de telles solutions auraient une chance de remplacer des technologies pour l'heure trop rentables. «Pour vraiment s'attaquer au dérèglement climatique, il faut privilégier des solutions radicales sur le plan social. En comparaison, l'efficacité relative de la prochaine génération de cellules solaires est une question futile[35].»

Ce livre traite de ces solutions radicales, sur le plan social comme sur les plans politique, économique et culturel. J'y aborde moins la mécanique de la transition (le passage des énergies «grises» aux énergies vertes, de l'automobile individuelle au transport collectif, de la vaste banlieue aux villes denses et à échelle humaine, etc.) que les obstacles politiques et idéologiques qui, jusqu'ici, ont empêché la mise en œuvre à grande échelle de ces solutions, connues depuis longtemps.

Je considère en effet que le problème est moins technique que politique : la question consiste à savoir si le pouvoir peut changer de mains, passer des milieux d'affaires aux milieux de vie. Pour qu'une mutation de cet ordre se produise, il faudrait que les masses de gens qui pâtissent du système actuel s'unissent afin de former une force suffisamment déterminée et plurielle pour rompre l'équilibre des pouvoirs. Au fil de mes recherches, je me suis rendu compte que cela implique de repenser la nature même de la puissance de l'humanité, son droit d'extraire toujours plus de ressources sans en subir les conséquences, sa capacité à soumettre des écosystèmes complexes à sa volonté. Un tel changement met en cause non seulement le capitalisme, mais aussi ses assises matérialistes, que certains qualifient d'«extractivisme».

Car derrière toutes ces considérations se cache une vérité qu'on évite de regarder en face : la crise du climat n'est pas un «enjeu» parmi d'autres, une question qui viendrait s'ajouter à celles des soins de santé ou de la fiscalité. Il s'agit d'un signal d'alarme, d'un avertissement ferme qui s'exprime dans un langage de feux de forêt, d'inondations, de sécheresses et d'extinction d'espèces, et qui nous presse d'adopter un modèle économique complètement différent et une nouvelle façon de partager la planète. Qui nous presse de considérer l'absolue nécessité d'évoluer.

## En finir avec le déni

D'aucuns disent qu'une transformation de cette ampleur demanderait trop de temps : la crise est trop urgente, et le temps fuit à toute allure. Il serait effectivement irresponsable de refuser toute avenue moins radicale qu'une révolution de l'économie et une redéfinition en profondeur de notre vision du monde. Dès aujourd'hui, on pourrait appliquer toute une série de mesures pour diminuer considérablement les émissions. Mais nous nous en gardons bien, n'est-ce pas ? Et pourquoi donc ? Tout simplement parce que, peu à peu, en l'absence de luttes farouches pour provoquer un changement d'orientation idéologique et une redistribution des pouvoirs, s'est mis en place un contexte dans lequel toute réponse vigoureuse à la crise du climat paraît politiquement impossible, en particulier quand l'économie est en crise (ce qui, depuis quelques années, semble être une situation permanente). C'est pourquoi ce livre propose une autre stratégie, qui consiste à voir grand, à agir en profondeur et à rompre avec le fondamentalisme marchand, cette idéologie suffocante qui est devenue le pire ennemi de la santé de la planète. S'il évoluait ne serait-ce qu'un peu, le contexte culturel pourrait devenir propice à l'adoption de politiques réformistes judicieuses. Et – qui sait ? – nous prendrions peut-être goût à la victoire ? Et peut-être que, dans quelques années, certaines idées qui semblent aujourd'hui trop radicales et impossibles à concrétiser (telles que le revenu minimum garanti pour tous, la redéfinition du droit commercial ou une véritable reconnaissance du droit des Autochtones à protéger de vastes parties du monde contre l'exploitation minière polluante) auront commencé à être considérées comme réalistes, voire essentielles.

Pendant vingt-cinq ans, nous avons opté pour la politique des petits pas, pour la modération, en tentant d'adapter les besoins physiques de la planète au besoin de croissance infinie d'un système économique regorgeant de nouvelles occasions de faire du profit. Les résultats se sont révélés catastrophiques et ont placé l'humanité dans une situation plus périlleuse que jamais.

Bien entendu, rien ne garantit qu'une solution plus globale ait plus de chances de réussir, même si, comme nous le verrons plus loin, des précédents historiques permettent de l'espérer. Il reste que ce livre est celui que j'ai trouvé le plus difficile à écrire, précisément parce que mes recherches m'ont menée à envisager des ripostes à ce point radicales. Je ne doute pas de leur nécessité, mais je m'interroge chaque jour sur la possibilité de leur mise en œuvre, en particulier dans un contexte où la crise du climat impose des délais très serrés, incompressibles.

\*

\* \*

Si ce livre m'a été difficile à écrire, c'est aussi pour des raisons personnelles.

Ce ne sont pas les études scientifiques terrifiantes sur la fonte des glaciers (celles que j'évitais autrefois) qui me touchent le plus. Ce sont les livres que je lis à mon fils de deux ans. *As-tu déjà vu un orignal ?* est l'un de ses favoris. Il raconte l'histoire d'une bande de gamins qui rêvent de voir un orignal. Partout, dans une forêt, près d'un marais, dans des fourrés couverts de ronces, en haut d'une montagne, ils cherchent « un orignal aux longues pattes, au gros museau et aux bois aplatis ». Le gag, c'est qu'on voit des orignaux cachés sur toutes les pages. À la fin, ils sortent tous de leur cachette, et les enfants, ravis, s'exclament : « Nous n'avons jamais vu autant d'orignaux ! »

C'est à la soixante-quinzième lecture, ou à peu près, que je me suis soudain rendu compte que mon fils ne verrait peut-être jamais d'orignal ! Tentant de dissimuler mon désarroi, je suis retournée à mon ordinateur pour commencer à écrire sur mon séjour dans le nord de l'Alberta, le pays des sables bitumineux, où des membres de la nation crie de Beaver Lake m'avaient appris que les orignaux avaient changé : une femme m'avait raconté que, lors d'une expédition de chasse, la chair d'un orignal qu'elle venait de tuer avait déjà tourné au vert. On m'avait aussi parlé d'animaux atteints de tumeurs étranges, que les habitants de la région attribuent à la consommation d'eau contaminée par les effluents toxiques des sables bitumineux. Mais ce qu'on m'avait surtout dit, c'est que les orignaux avaient tout bonnement disparu.

Et pas seulement en Alberta. En 2012, le *Scientific American* publiait un article intitulé « De rapides changements climatiques transforment la forêt laurentienne en cimetière d'orignaux ». Un an et demi plus tard, le *New York Times* rapportait le déclin marqué d'une des deux populations d'orignaux du Minnesota, passée de 4 000 individus en 1990 à une centaine à peine aujourd'hui[36].

Mon fils ne verra-t-il jamais d'orignal ?

Coup de grâce le lendemain, à la lecture d'un livre miniature, qui a achevé de me chambouler. Ce dernier montre divers animaux en train de se faire des câlins, chacune de leurs postures se voyant qualifiée par une expression parfaitement ridicule : « Comment les chauves-souris se font-elles des câlins ? Sens dessus dessous, sens dessus dessous ! » Pour une raison que j'ignore, mon fils se tord de rire chaque fois qu'il regarde cette page. Je lui ai expliqué que cela signifie « à l'envers » et que les chauves-souris dorment ainsi. Mais je n'ai pas pu m'empêcher de penser aux 100 000 chauves-souris tombées du ciel mortes ou moribondes lors d'une vague de chaleur record dans le Queensland, en Australie. Des colonies entières ont alors disparu[37].

Verra-t-il un jour une chauve-souris?

Enfin, j'ai réalisé que quelque chose ne tournait vraiment pas rond chez moi quand je me suis surprise en plein plaidoyer devant des étoiles de mer. Les rouges et les violettes sont omniprésentes sur les côtes rocheuses de Colombie-Britannique, où vivent mes parents, où mon fils est né et où j'ai passé environ la moitié de ma vie adulte. Les enfants les adorent, car on peut facilement les saisir délicatement pour les observer. «C'est le plus beau jour de ma vie!» a lancé un jour ma nièce Miriam, sept ans, qui vit à Chicago, après un long après-midi passé à explorer les cuvettes laissées par la marée.

Cependant, à l'automne 2013, on a commencé à entendre parler d'une étrange maladie à laquelle certaines espèces d'étoiles de mer de la côte du Pacifique succombaient par dizaines de milliers. Les individus atteints de ce qu'on a qualifié de «syndrome du dépérissement de l'étoile de mer» se désintégraient vivants, leurs corps normalement vigoureux devenant globuleux et informes, leurs bras se tordant et se détachant, sous le regard perplexe de la communauté scientifique[38].

En apprenant cette histoire, je me suis surprise à implorer ces invertébrés de survivre ne serait-ce qu'une année de plus, assez longtemps pour que mon fils ait l'occasion de s'en émerveiller. Puis j'ai commencé à avoir des doutes: mieux valait peut-être qu'il ne voie jamais d'étoiles de mer, du moins pas dans cet état...

Autrefois, quand une telle crainte s'insinuait dans mon armure climatosceptique, je faisais tout mon possible pour la refouler, pour passer à autre chose. Aujourd'hui, j'essaie de la ressentir pleinement. Je crois que je me dois de le faire vis-à-vis de mon fils, tout comme nous nous le devons tous les uns aux autres.

Mais que faire de cette peur née de la conscience de vivre sur une planète moribonde, que chaque jour qui passe rapproche un peu plus de l'agonie? D'abord admettre qu'elle ne se dissipera pas. La peur est une réponse parfaitement rationnelle à l'insoutenable fait de vivre dans un monde qui se meurt, un monde à la mort duquel nous sommes nombreux à contribuer, que ce soit en préparant du thé, en allant faire ses courses en voiture ou bien, je l'admets, en faisant des enfants.

Une fois la peur acceptée, nous devons en tirer parti. La peur est un réflexe de survie; elle nous fait courir, elle nous fait faire des bonds en avant, elle nous donne une force surhumaine. Mais il nous faut quelque part où aller, sans quoi la peur ne fera que nous tétaniser. C'est pourquoi notre seul espoir consiste à adoucir la hantise d'un avenir invivable en la contrebalançant par la possibilité de bâtir un monde à la hauteur de nos rêves.

Certes, bien des choses disparaîtront, certains luxes devront être bannis, des industries entières seront rayées de la carte. Et il est trop tard pour prévenir le dérèglement climatique : il est déjà en cours, et, quoi que nous fassions, des catastrophes de plus en plus terribles surviendront. Cependant, il n'est pas trop tard pour éviter le pire, et il nous reste suffisamment de temps pour nous transformer nous-mêmes afin de nous découvrir solidaires quand se produiront ces désastres. Et le jeu, selon moi, en vaut largement la chandelle.

Car ce qu'une crise d'une telle ampleur a de particulier, c'est qu'elle change tout. Tout ce que nous pouvons faire, tout ce que nous pouvons espérer, tout ce que nous pouvons attendre de nos dirigeants et de nous-mêmes. Elle fait en sorte que des réalités prétendument incontournables ne peuvent tout simplement plus se maintenir, et que des objectifs prétendument impossibles à atteindre doivent être envisagés toutes affaires cessantes.

Pourrons-nous y parvenir ? Tout ce que j'en sais, c'est que rien n'est inéluctable. Hormis le fait que le changement climatique change tout. Pour peu de temps encore, la nature de ce changement est entre nos mains.

Première partie

# Deux solitudes

*En vérité, le charbon ne se situe pas à côté, mais totalement au-dessus de toutes les autres matières premières. C'est l'énergie matérielle du pays – l'aide universelle – l'élément à la base de tout ce que nous faisons.*

William Stanley JEVONS, économiste, 1865[1]

*C'est une triste chose de songer que la nature parle et que le genre humain n'écoute pas.*

Victor HUGO, 1840[2]

## Chapitre 1

# La droite voit juste

### Le pouvoir révolutionnaire
### du changement climatique

*Les climatologues sont tous d'accord : le changement climatique est en train de se produire, ici et maintenant. Sur la base de données avérées, environ 97 % des climatologues ont conclu au caractère anthropique de l'origine du phénomène. Ce consensus ne s'appuie pas sur une seule étude, mais sur un flux de données convergentes issues d'études scientifiques, d'analyses du contenu d'études révisées par des pairs et de déclarations publiques émises par quasiment toutes les organisations d'experts de ce domaine, en l'espace d'une vingtaine d'années.*

Rapport de l'Association américaine pour l'avancement des sciences, 2014[3]

*Il n'y a aucun moyen d'y parvenir sans modifier radicalement le mode de vie américain, juguler le développement économique et forcer de vastes secteurs de notre économie à mettre la clé sous la porte.*

Thomas J. Donohue, président de la Chambre de commerce des États-Unis, à propos d'un ambitieux programme de réduction des émissions de gaz carbonique[4]

U NE MAIN SE LÈVE au quatrième rang. Il se présente – Richard Rothschild – et explique à l'assistance qu'il a été candidat au poste de commissaire du comté de Carroll au Maryland, après en être venu à la conclusion que les politiques de lutte contre le changement climatique constituent en réalité une «attaque contre le capitalisme américain et la classe moyenne». La question qu'il adresse aux panélistes est la suivante: «Dans quelle mesure ce mouvement n'est-il pas en réalité un cheval de Troie "vert" dont les rouges entrailles sont pétries de doctrine socioéconomique marxiste[5] ?»

Lors de cette sixième conférence internationale sur le changement climatique organisée au Marriott de Washington, fin juin 2011, par le Heartland Institute – le principal rassemblement des négateurs zélés de l'écrasant consensus scientifique selon lequel l'activité humaine entraîne le réchauffement de la planète –, pareille question demeure purement rhétorique. Un peu comme si l'on demandait à un groupe de banquiers allemands si les Grecs sont dignes de confiance. Quoi qu'il en soit, les panélistes vont sauter sur l'occasion pour souligner la pertinence de la remarque de l'intervenant.

Le premier à répondre est Marc Morano, rédacteur en chef de l'incontournable site d'actualités climatosceptiques *Climate Depot*. « Aujourd'hui, aux États-Unis, nous sommes en proie à des régulations qui régissent jusqu'à nos pommes de douche, nos ampoules électriques ou nos machines à laver », déclare-t-il. Et d'ajouter : « nous laissons le 4 x 4 américain agoniser sous nos yeux ». Si les verts arrivent à leurs fins, prévient Morano, « nous aurons affaire, sous le contrôle d'un organe international, à un bilan carbone pour chaque homme, chaque femme et chaque enfant de la planète[6] ».

La parole échoit ensuite à Chris Horner, illustre membre du Competitive Enterprise Institute, dont la spécialité consiste à harceler les climatologues en leur intentant d'éprouvantes poursuites judiciaires et en leur imposant des demandes tous azimuts au nom du Freedom of Information Act (loi sur le libre accès à l'information). Il incline le micro vers sa bouche : « On pourrait croire qu'il s'agit du climat, et plusieurs personnes en sont convaincues, mais une telle croyance est sans fondement », déclare-t-il gravement. Horner, que ses cheveux prématurément blanchis font ressembler à Anderson Cooper, mais en plus arrogant, aime à citer l'icône de la contre-culture des années 1960, Saul Alinsky : « Le problème n'est pas celui qu'on croit. » Le problème, semble-t-il, réside dans le fait qu'« aucune société libre n'accepterait de se soumettre à un tel programme [...] dont la première étape consiste à se débarrasser de toutes ces libertés encombrantes qui lui barrent le chemin[7] ».

À l'aune des critères du Heartland Institute, affirmer que le changement climatique est issu d'un complot visant la liberté américaine relève d'une position modérée. Durant les deux jours de la conférence, on entendra des propos comparant les environnementalistes d'aujourd'hui aux protagonistes de la quasi-totalité des épisodes les plus sanglants de l'histoire de l'humanité, de la période de l'Inquisition catholique à l'Allemagne nazie, en passant par la Russie stalinienne. On apprendra que la promesse électorale de Barack Obama de soutenir les usines de biocarburants locales s'apparentait au plan de Mao Tsé-toung consistant à installer « un haut-fourneau dans la cour arrière de chaque maison » (Patrick Michaels, Cato Institute). Que le changement climatique sert « de prétexte au national-socialisme » (Harrison Schmitt, ancien sénateur républicain et astronaute retraité). Ou encore que les environnementalistes sont semblables aux prêtres aztèques, sacrifiant d'innombrables victimes pour apaiser les dieux et modifier les conditions météorologiques (Marc Morano, derechef[8]).

Mais on entendra surtout différentes versions de l'opinion exprimée par le commissaire de comté du quatrième rang, à savoir que le changement climatique est un cheval de Troie conçu pour abolir le capitalisme et le remplacer par une sorte de « communautarisme vert ». Comme l'explique succinctement l'un des conférenciers, l'architecte spatial Larry Bell, dans son livre intitulé *Climate of Corruption*, il semble que le changement climatique « n'ait pas grand-chose à voir avec l'état de l'environnement, mais vise plutôt à enchaîner le capitalisme et à transformer le mode de vie américain dans le but de redistribuer la richesse à l'échelle mondiale[9] ».

Certes, les délégués soutiennent, de façon fallacieuse, que le mépris qu'ils ressentent à l'égard de la climatologie s'ancre dans un profond désaccord sur les données. Les organisateurs se sont d'ailleurs donné beaucoup de mal pour imiter la crédibilité des conférences scientifiques, en intitulant leur rassemblement « Pour la restauration d'un modèle scientifique ». Ils sont même allés jusqu'à choisir un nom, International Conference on Climate Change, dont l'acronyme, ICCC, ne se distingue que par une lettre de celui qui désigne la principale autorité mondiale en matière de changement climatique, IPCC (pour International Panel on Climate Change ; en français : Groupe d'experts intergouvernemental sur l'évolution du climat, GIEC), à laquelle participent des milliers de scientifiques et des représentants de 195 États. Sauf que les diverses thèses antagonistes présentées à la conférence du Heartland Institute (anneaux de croissance des arbres, taches solaires, optimum climatique médiéval) ont de longue date été rigoureusement réfutées. Qui plus est, la majorité des intervenants ne sont même pas des scientifiques, mais des amateurs : des ingénieurs, des économistes et des avocats, auxquels se sont joints un météorologue, un astronaute et un « architecte spatial » – tous convaincus d'être plus malins, avec leurs calculs gribouillés au dos d'une enveloppe, que 97 % des climatologues du monde[10].

Le géologue australien Bob Carter se demande si le réchauffement a bel et bien lieu. S'il reconnaît une partie du phénomène, l'astrophysicien Willie Soon soutient que, loin d'être lié aux émissions de GES, celui-ci serait plutôt la conséquence de fluctuations naturelles de l'activité du Soleil. Patrick Michaels, du Cato Institute, les contredit tous les deux en concédant que le $CO_2$ est en effet responsable de l'augmentation des températures, sauf que les conséquences en sont à ce point mineures que l'on « ne devrait rien faire » pour les contrer. Le débat constitue l'énergie vitale de tout forum intellectuel, mais, à la conférence du Heartland Institute, ces réfutations frénétiques du consensus scientifique n'en déclenchent aucun parmi les climatosceptiques : personne ne tente de défendre une position par rapport à une autre ni de déterminer qui a véritablement raison. D'ailleurs, au moment où l'on présente des courbes de température à l'assistance, plusieurs des participants parmi les plus âgés semblent s'être assoupis[11].

Mais l'assistance reprend vie lorsque le gotha du mouvement climatosceptique monte sur scène ; il ne s'agit pas d'une bande de scientifiques de troisième ordre, mais bien de guerriers idéologiques de premier plan tels Morano et Horner. Ainsi se confirme la véritable fonction de ce rassemblement : offrir à ces indéfectibles climatosceptiques un forum où forger les massues rhétoriques avec lesquelles ils tenteront d'assommer les environnementalistes et les climatologues au cours des semaines et des mois à venir. Les arguments testés ici viendront saturer la section des commentaires sous chaque article et chaque vidéo de YouTube comportant les mots-clés « changement climatique » ou « réchauffement planétaire ». Ces mêmes arguments sortiront de la bouche de centaines de commentateurs et de politiciens de droite – des candidats républicains à la présidentielle jusqu'aux commissaires de comté du genre de Richard Rothschild. Dans une interview accordée en marge des séances, le président du Heartland Institute, Joseph Bast, s'arroge le mérite des « milliers d'articles, de lettres d'opinion et de discours [...] qui ont été inspirés ou motivés par quelqu'un ayant assisté à l'une de ces conférences[12] ».

Bien qu'il n'en soit jamais question, la quantité de nouvelles qu'on n'a jamais publiées ni diffusées est encore plus impressionnante. Malgré la recrudescence d'événements climatiques extrêmes, les années qui ont précédé le rassemblement des membres du Heartland Institute ont été marquées par une baisse soudaine de la couverture médiatique des changements climatiques. En 2007, les trois principaux réseaux de télévision américains (CBS, NBC et ABC) avaient diffusé 147 reportages sur le sujet ; en 2011, on en était à 14. Cette diminution découle également de la stratégie des climatosceptiques : si leur objectif a toujours consisté à semer le doute, ils cherchent également à attiser la peur. Car chacun doit comprendre que le fait de se prononcer sur le changement climatique est le plus sûr moyen de retrouver sa boîte de réception ou sa page Facebook éclaboussée d'un corrosif filet de vitriol[13].

Le Heartland Institute, un groupe de réflexion établi à Chicago qui se consacre à « promouvoir des solutions fondées sur le libre marché », tient ce genre de rassemblement depuis 2008, une ou deux fois par an. Et, au moment où se tient celui de 2011, la stratégie en question semble avoir porté ses fruits. Dans son allocution, Morano – dont le principal fait d'armes consiste à avoir publié la catilinaire fomentée par le Swift Boat Veterans for Truth\*, qui a contribué à saborder la candidature de John Kerry lors de la course à la présidence de 2004 – fait, devant l'assistance, une liste de victoires. Législation sur le climat au Sénat : morte et enterrée ! Conférence de Copenhague sur le climat organisée par les Nations Unies : échec cuisant ! Mouvement de protection du climat : au bord du suicide ! Morano va jusqu'à projeter sur écran quelques citations de militants du climat en train de s'autoflageller (comme les progressistes savent si bien le faire) avant d'exhorter l'auditoire à « fêter ça[14] » !

Il ne manquait plus que la pluie de ballons et de confettis.

\*

\*    \*

L'évolution de l'opinion publique sur les questions sociales et politiques d'importance est un phénomène progressif. Les changements soudains, lorsqu'ils surviennent, sont habituellement provoqués par des événements graves. C'est pourquoi les sondeurs ont été si surpris par ce qu'il est advenu, en seulement quatre ans, de la perception du changement climatique. En 2007, d'après un sondage Harris, 71 % des Américains croyaient que la consommation ininterrompue de carburants d'origine fossile pourrait altérer le climat. En 2009, cette proportion était tombée à 51 %. En juin 2011, elle avait encore chuté pour atteindre 44 %.

---

\* L'association Swift Boat Veterans for Truth (vétérans des bateaux patrouilleurs pour la vérité) a été mise sur pied par de soi-disant vétérans de la guerre du Vietnam pendant la campagne présidentielle de 2004 dans le but de nuire au candidat John Kerry en contestant l'authenticité de ses décorations militaires et en mettant en doute son patriotisme. [NdT]

On a constaté des tendances similaires au Royaume-Uni et en Australie. Scott Keeter, directeur de la recherche par sondage au Pew Research Center for People & the Press, considère l'évolution de ces statistiques comme «l'un des plus importants changements à court terme jamais observés dans l'histoire récente du sondage d'opinion[15]».

La reconnaissance du changement climatique au sein de la population a néanmoins légèrement rebondi depuis le creux observé en 2010-2011 aux États-Unis. (Selon certains observateurs, des épisodes météorologiques extrêmes ont pu contribuer à cette évolution, même si «les preuves sont, dans le meilleur des cas, incomplètes à ce stade», indique Riley Dunlap, sociologue à l'université d'État de l'Oklahoma spécialisé dans les politiques du climat.) Il est toutefois frappant de constater que la proportion de gens reconnaissant l'existence du phénomène ne cesse de baisser sur le flanc droit du spectre politique[16].

On a du mal à le croire aujourd'hui, mais, en 2008, la nécessité de lutter contre le changement climatique semblait encore faire consensus d'un bout à l'autre du spectre politique, même aux États-Unis. Cette année-là, le pilier républicain Newt Gingrich et la parlementaire démocrate Nancy Pelosi (alors présidente de la Chambre des représentants) se sont montrés dans un spot télévisé, promettant d'unir leurs forces pour combattre le changement climatique. De son côté, en 2007, Rupert Murdoch – dont le réseau Fox News travaille sans relâche à amplifier le mouvement climatosceptique – lançait auprès de ses employés un programme d'incitation à l'achat de voitures hybrides (tout en annonçant qu'il en avait lui-même acquis une).

À l'évidence, cette unanimité des deux grands partis américains est aujourd'hui révolue. Aujourd'hui, plus de 75 % des gens se disant démocrates ou progressistes croient que les humains modifient le climat ; malgré certaines fluctuations d'une année à l'autre, ce chiffre n'a que peu augmenté depuis 2001. De manière fortement contrastée, l'écrasante majorité des républicains a choisi de récuser le consensus scientifique. Dans certaines régions, environ 20 % seulement des personnes qui se disent républicaines se rallient au consensus scientifique. Ce clivage politique s'observe également au Canada. D'après un sondage mené par Environics en octobre 2013, seulement 41 % des répondants qui s'identifient au Parti conservateur au pouvoir croient que le changement climatique est réel et d'origine humaine, alors que 76 % des sympathisants du Nouveau Parti démocratique (centre gauche) et 69 % des partisans du Parti libéral (centre) croient qu'ils sont effectifs. On constate le même phénomène en Australie, au Royaume-Uni et en Europe occidentale[17].

Sitôt constatée, cette polarisation relative au changement climatique a suscité d'importants efforts de recherche en sciences sociales, en vue de déterminer avec précision pourquoi et comment les convictions politiques façonnent les attitudes des gens envers le phénomène. Selon le Cultural Cognition Project de l'université Yale, la «vision culturelle du monde» propre à un individu donné permet d'expliquer «ses croyances quant au changement climatique mieux que n'importe quelle autre caractéristique individuelle». C'est-à-dire mieux que l'âge, l'origine ethnique, l'éducation ou l'allégeance politique[18].

Les chercheurs de Yale expliquent que les personnes dotées de visions du monde fortement «égalitaristes» et «collectivistes» (caractérisées par un penchant pour l'action collective et la justice sociale, le souci des inégalités et la méfiance envers le pouvoir du monde des affaires) se rallient massivement au consensus scientifique sur le changement climatique. Au contraire, celles dont les visions du monde sont fortement «hiérarchisantes» et «individualistes» (caractérisées par une opposition à l'assistance publique aux pauvres et aux minorités, un fort soutien à l'industrie et la conviction que tout un chacun mérite tout ce qui lui arrive) le rejettent massivement[19].

Les chiffres sont éloquents. Dans le segment de la population américaine qui fait montre des visions les plus «hiérarchisantes», seulement 11 % des répondants considèrent que le changement climatique constitue un «risque élevé», contre 69 % des répondants partageant les visions les plus «égalitaristes[20]».

Le principal auteur de cette étude, le professeur de droit à Yale Dan Kahan, attribue l'étroite corrélation entre «vision du monde» et adhésion aux thèses de la climatologie à la «cognition culturelle», un processus par lequel chacun, peu importe ses tendances politiques, filtre toute information nouvelle de manière à protéger sa «vision préférée d'une bonne société». Si l'information nouvelle semble confirmer cette vision, il l'accepte et l'intègre facilement. Si elle menace son système de croyances, son cerveau se met immédiatement à produire des anticorps intellectuels afin de repousser cette invasion importune[21].

«Les gens trouvent déconcertante l'idée qu'un comportement qu'ils considèrent comme noble nuise à la société et qu'un comportement qu'ils considèrent comme vil lui soit bénéfique. Parce que l'adhésion à une affirmation allant dans ce sens risque de créer une division entre eux et leurs pairs, ils manifestent une forte prédisposition émotionnelle à la rejeter[22]», explique Kahan dans la revue *Nature*. En d'autres termes, il est toujours plus facile de nier la réalité que de laisser sa vision du monde voler en éclats, fait qui se vérifie tout autant chez les staliniens purs et durs au plus fort des grandes purges que chez les climatosceptiques libertariens d'aujourd'hui. Néanmoins, les tenants de la gauche sont eux aussi capables de nier des données scientifiques dérangeantes. Si les conservateurs sont les défenseurs naturels du système économique dominant, ce qui les porte à se cabrer devant des faits qui le remettent en question, la plupart des gens de gauche sont des contestataires naturels de ce système, ce qui les pousse à faire preuve de scepticisme face à des faits avancés par les entreprises et les gouvernements. Ce genre de déni peut être observé, par exemple, chez les personnes convaincues que les sociétés pharmaceutiques dissimulent les liens entre vaccination infantile et autisme. Quelles que soient les preuves rassemblées pour discréditer leurs élucubrations, ces zélateurs n'y prêtent aucune attention : à leurs yeux, le système tente simplement par là de se couvrir lui-même.

Ce type de raisonnement défensif contribue à expliquer l'intensité émotionnelle grandissante qui entoure aujourd'hui la question du climat. Dès 2007, la plupart des gens admettaient la réalité du changement climatique, mais semblaient ne pas s'en préoccuper outre mesure. (Lorsqu'on demande aux Américains de hiérarchiser leurs préoccupations politiques, le changement climatique arrive toujours bon dernier[23].)

Aujourd'hui, en de nombreux pays, un nombre significatif d'électeurs se passionnent, parfois même jusqu'à l'obsession, pour le phénomène. Ce qui les intéresse avant tout, cependant, c'est de présenter la crise du climat comme un «canular» fomenté par les gauchistes pour les obliger à changer d'ampoules électriques, à vivre dans des immeubles de style soviétique et à renoncer à leurs 4 x 4. Pour ces tenants de la droite, le déni du changement climatique a pris, au sein de leur système de croyances, la même importance que la baisse des impôts, le droit de posséder une arme à feu et l'opposition à l'avortement. Voilà pourquoi certains climatologues disent subir le type de harcèlement habituellement réservé aux médecins pratiquant l'avortement. Dans la région de San Francisco, les militants locaux du Tea Party ont interrompu des réunions de représentants municipaux où l'on discutait de stratégies mineures en matière de durabilité, affirmant que ces dernières faisaient partie d'un complot des Nations Unies pour l'instauration d'un gouvernement mondial.

Ce qu'Heather Gass, du East Bay Tea Party, exprime ainsi, dans une lettre ouverte : « Un jour [en 2035], vous vous réveillerez dans un logement subventionné par l'État, vous mangerez des aliments subventionnés par l'État, vos enfants seront emmenés dans des autobus étatiques pour être endoctrinés dans des camps de formation pendant que vous occuperez l'emploi que vous aura assigné l'État dans un sous-sol de votre quartier planifié en fonction des transports en commun puisque vous n'aurez pas de voiture, et qui sait où vos parents vieillissants seront placés, mais, à ce moment-là, il sera déjà trop tard ! RÉVEILLEZ-VOUS[24] ! ! ! »

À n'en point douter, certaines personnes se sentent particulièrement menacées par la question du changement climatique !

## Des vérités inconcevables

Quand on longe les tables alignées par les commanditaires de la conférence du Heartland Institute, il n'est guère difficile de saisir ce qui est en jeu. La Heritage Foundation distribue des rapports, tout comme le Cato Institute et l'Ayn Rand Institute. Tout le mouvement climatosceptique – qui n'a rien d'un rassemblement spontané de scientifiques « sceptiques » – est une créature entièrement conçue par la mouvance idéologique qui s'expose en ces lieux, celle-là même à qui revient une grande part du mérite d'avoir redessiné la mappemonde idéologique au cours des quatre dernières décennies. Une étude menée en 2013 par Riley Dunlap et le politologue Peter Jacques a révélé une statistique pour le moins impressionnante sur les ouvrages niant l'existence du changement climatique, dont la plupart ont été publiés à partir des années 1990 : 72 % d'entre eux sont liés à des groupes de réflexion de droite, une proportion qui passe à 87 % si l'on exclut les livres publiés à compte d'auteur (de plus en plus courants[25]).

La création de bon nombre de ces groupes de réflexion remonte à la fin des années 1960 et au début des années 1970, alors que l'élite économique américaine craignait que l'opinion publique ne se retourne dangereusement contre le capitalisme pour embrasser, sinon le socialisme, du moins un keynésianisme radical. En réaction, elle fomentera une contre-révolution, un mouvement idéologique grassement financé affirmant que nul n'a à présenter d'excuses pour sa cupidité et sa quête infinie du profit, lesquelles sont porteuses des plus grands espoirs d'émancipation que le monde ait jamais connus. En brandissant l'étendard de la liberté, elle se battra pour des politiques comme la réduction des impôts, le libre-échange et la mise aux enchères d'actifs publics essentiels, dont les télécommunications, la production d'énergie et la gestion de l'eau. Bref, pour promouvoir cet ensemble de valeurs plus couramment désigné sous le terme de « néolibéralisme ».

Les années 1980, marquées au Royaume-Uni et aux États-Unis par le thatchérisme et le reaganisme, s'achèvent avec l'effondrement des régimes communistes. Les guerriers idéologiques s'apprêtent à crier victoire : la fin de l'histoire est officiellement arrivée. « *There is no alternative* » (« Nous n'avons pas le choix »), martèle Thatcher : la seule voie possible est celle du fondamentalisme marchand. La tâche suivante de ces guerriers, forts de leur assurance, consistera à implanter le projet de libération des entreprises dans tous les pays qui y avaient jusqu'alors résisté, opération en général favorisée par un contexte de bouleversements politiques et économiques à grande échelle et parachevée ensuite à travers les ententes de libre-échange et la création de l'OMC.

Un parcours sans faute : le projet est même parvenu à survivre tant bien que mal à la crise financière de 2008, conséquence directe d'un secteur bancaire affranchi des pénibles entraves réglementaires d'autrefois. Mais, aux yeux des personnes rassemblées à la conférence du Heartland Institute, le changement climatique représente une tout autre forme de menace, dépassant les idéologies républicaines ou démocrates et causée par les limites physiques de l'atmosphère et des océans. Si les terribles prédictions du GIEC se confirment – et si le maintien du statu quo nous amène effectivement à franchir des seuils d'irréversibilité menaçant la civilisation –, les conséquences seront alors évidentes : les groupes de réflexion comme le Heartland Institute, le Cato Institute et la Heritage Foundation devront mettre un terme à leur croisade idéologique. Ces derniers ne sont d'ailleurs pas dupes des nombreuses tentatives d'adoucissement destinées à rendre les mesures climatiques compatibles avec la logique de marché (bourse du carbone, mécanismes de compensations, monétisation des « services » rendus par la nature). Ils savent très bien que l'économie mondiale repose sur la consommation de combustibles fossiles. Ils sont également conscients qu'une dépendance aussi forte ne peut être rompue à l'aide de quelques timides mécanismes financiers, et qu'elle exige plutôt des interventions musclées comme l'interdiction généralisée de certaines activités polluantes, l'octroi de généreuses subventions aux solutions écologiques, l'imposition d'amendes salées aux contrevenants, l'instauration de nouvelles taxes, la mise en œuvre de nouveaux programmes de travaux publics, la renationalisation de sociétés privatisées : autant d'affronts idéologiques dont la liste est longue et qui correspondent, en bref, à toutes les cibles que ces groupes de réflexion – qui ont toujours agi comme les intermédiaires d'intérêts commerciaux beaucoup plus puissants – se sont consciencieusement employés à attaquer depuis des décennies.

Et que dire du concept d'«équité internationale», qu'on ne cesse d'invoquer dans les négociations entourant le climat! Le débat sur l'équité se fonde sur un fait scientifique : le changement climatique est causé par l'accumulation de GES dans l'atmosphère au cours des deux derniers siècles. Ce qui veut dire que les pays qui ont une bonne longueur d'avance sur le plan de l'industrialisation ont émis beaucoup plus de $CO_2$ que la plupart des autres pays. Et pourtant, bon nombre des plus petits émetteurs sont les premiers à subir les pires conséquences du phénomène (résultat de la malchance géographique aussi bien que de la vulnérabilité découlant de la pauvreté). Afin de renverser cette inégalité structurelle suffisamment pour persuader les pays en forte croissance comme la Chine et l'Inde de ne pas déstabiliser davantage le système climatique mondial, il incombe aux émetteurs initiaux comme l'Amérique du Nord et l'Europe d'assumer une part plus importante du fardeau. De plus, un transfert substantiel de ressources et de technologies sera évidemment nécessaire pour combattre la pauvreté à l'aide d'outils à faibles émissions de GES. Tel était le message de la négociatrice bolivienne Angélica Navarro Llanos demandant la mise en place d'un plan Marshall pour la Terre. Or, aux yeux des membres du Heartland Institute, envisager une telle redistribution de la richesse constitue le plus impardonnable des délits d'opinion.

À leurs yeux suspicieux, même les mesures de lutte contre le changement climatique mises en œuvre aux États-Unis ressemblent à du socialisme. Toutes les revendications pour la construction de logements abordables à haute densité et le développement des transports en commun ne sont à l'évidence que des moyens d'accorder des subventions déguisées à des pauvres qui ne les méritent pas. Et ne songeons même pas à ce qu'implique cette guerre contre les GES pour le principe même du libre-échange mondial selon lequel la distance géographique n'est qu'une illusion dont se jouent les poids lourds de Walmart et les porte-conteneurs de Maersk.

Il existe toutefois une réalité encore plus fondamentale : la crainte viscérale, chez ces adeptes du libre marché, que toute leur croisade pour la rédemption du capitalisme se révèle vaine s'il se confirme que leur idéal a réellement déclenché des processus physiques et chimiques qui, si on les laisse se développer de manière incontrôlée, menacent l'existence même de vastes pans de l'humanité. À l'aune de tels enjeux, la cupidité n'est franchement pas une si bonne chose, tout compte fait. Voilà ce qui se cache derrière l'abrupte montée du climatoscepticisme chez les conservateurs purs et durs : ces derniers ont compris que, le jour où ils reconnaîtront la réalité du changement climatique, ils auront perdu la bataille idéologique décisive de notre temps, à savoir s'il s'agit pour nous d'organiser la société de manière à ce qu'elle reflète les objectifs et les valeurs de la majorité de ses membres, ou d'abandonner cette besogne à la magie du marché.

Imaginons un instant ce que tout cela évoque pour un type comme Joseph Bast, président du Heartland Institute, un barbu affable qui a étudié l'économie à l'université de Chicago et se dit persuadé que sa vocation consiste à « libérer des gens de la tyrannie d'autres gens[26] ». Aux yeux de Bast, la lutte contre le changement climatique a des airs de fin du monde. Ce n'est pas le cas et ce ne devrait pas l'être, mais, concrètement, la réduction draconienne des émissions de GES que recommandent les scientifiques est bien la fin de *son* monde. Le changement climatique fait voler en éclats l'échafaudage idéologique sur lequel repose le conservatisme contemporain. Un système de croyances qui vilipende l'action collective, dénigre le secteur public et pourfend toute réglementation des marchés est fondamentalement inconciliable avec la résolution d'une crise qui réclame justement une mobilisation collective à une échelle sans précédent et une répression spectaculaire des forces du marché, ces dernières étant aussi responsables de la crise que de son aggravation.

Pour beaucoup de conservateurs, en particulier ceux qui sont religieux, le défi est encore plus difficile à relever, car il menace non seulement leur foi dans le marché, mais aussi les grands récits fondateurs sur le rôle de l'être humain en ce monde. Sommes-nous des maîtres destinés à soumettre et à dominer la création ici-bas ? Ou ne sommes-nous qu'une espèce parmi d'autres, à la merci de puissances complexes et imprévisibles que même nos plus puissants ordinateurs sont incapables de modéliser ? Aux yeux de plusieurs conservateurs, la climatologie constitue « un affront à leur croyance la plus profonde et la plus chère : la capacité – à vrai dire le droit – pour l'"espèce humaine" de soumettre la Terre et tous ses fruits, d'imposer sa "maîtrise" sur la nature », explique Robert Manne, politologue à l'université La Trobe, à Melbourne. Pour eux, poursuit-il, « la perspective de la climatologie n'est pas seulement erronée. Elle est aussi intolérable que profondément répugnante. Dès lors, il convient de résister à ceux qui prêchent une pareille doctrine et, de fait, de les dénoncer[27] ».

Et pour dénoncer, ils dénoncent, sans lésiner sur les attaques personnelles, qu'il s'agisse des luxueuses propriétés de l'ancien vice-président Al Gore ou des honoraires de conférencier que touche le célèbre climatologue James Hansen. Sans parler du « *Climategate* », un scandale fabriqué de toutes pièces à partir des courriels de climatologues, piratés et falsifiés par les membres du Heartland Institute et leurs alliés, et de prétendues preuves de manipulation de données (les scientifiques ayant, à plusieurs reprises, été disculpés de toute faute). En 2012, le Heartland Institute s'est lui-même mis dans une fâcheuse posture en organisant une campagne de dénigrement qui, à l'aide de panneaux d'affichage géants, comparait les gens qui croient au changement climatique (appelés « réchauffistes » dans le jargon des climatosceptiques) à Charles Manson, le gourou meurtrier, et à Ted Kaczynski, alias Unabomber. « Je crois encore au réchauffement planétaire. Et vous ? » demandait la première annonce en grosses lettres rouges sous une photo de Kaczynski. Pour les membres du Heartland Institute, le déni de la climatologie s'inscrit dans une véritable guerre, et ils agissent en conséquence[28].

Plusieurs climatosceptiques, en fait, sont disposés à admettre que leur méfiance envers la science découle d'une profonde appréhension : si le changement climatique est réel, ses conséquences politiques seront catastrophiques. « L'environnementalisme moderne parvient à faire progresser plusieurs causes chères à la gauche, comme la redistribution de la richesse, l'augmentation des impôts, une plus grande intervention de l'État et le resserrement de la réglementation », constate le blogueur britannique James Delingpole, qui donne régulièrement des conférences au Heartland Institute. Quant à Joseph Bast, il mâche encore moins ses mots : pour la gauche, « le changement climatique est l'argument parfait. [...] Il justifie que nous fassions tout [ce que la gauche] a de toute façon toujours voulu[29] ».

Moins arrogant que la plupart des autres climatosceptiques, Bast avoue tout aussi honnêtement que ce ne sont pas les lacunes de la science qui les ont incités, ses collègues et lui, à s'intéresser aux enjeux climatiques. C'est plutôt le caractère alarmant des conséquences économiques et politiques entraînées par les constats scientifiques qui les a amenés à vouloir les réfuter. « Devant cette question, nous nous sommes dit : "Voilà une stratégie qui vise à accroître massivement le pouvoir du gouvernement." Avant d'aller plus loin, nous avons jugé bon de réévaluer les faits. C'est alors, à mon avis, que les groupes conservateurs comme libertariens ont pris du recul et se sont dit : "Ne nous contentons pas d'un *credo* et menons nos propres recherches[30]."»

Nigel Lawson, qui est allé jusqu'à déclarer que «les verts sont les nouveaux rouges», a suivi une trajectoire intellectuelle similaire. Ancien chancelier de l'Échiquier de Margaret Thatcher, Lawson s'enorgueillit d'avoir privatisé divers actifs clés de l'État britannique, réduit les impôts des plus riches et maté la puissance des grands syndicats. Toutefois, pour reprendre ses propres mots, le changement climatique favorise «l'émergence d'une nouvelle occasion [pour l'État] de s'imposer, d'interférer et de réglementer». Il doit s'agir d'une conspiration, de l'inversion téléologique classique qui consiste à inverser le moyen et la fin, conclut-il[31].

Le mouvement climatosceptique fourmille de personnages empêtrés dans ce genre de raisonnement. On y trouve de vieux physiciens comme S. Fred Singer, qui a travaillé à la mise au point de technologies pour les missiles de l'armée américaine et qui perçoit, dans la réglementation des émissions, un écho du communisme qu'il a combattu pendant la guerre froide (ainsi que l'ont documentée de manière saisissante Naomi Oreskes et Erik Conway dans leur livre *Les Marchands de doute*). Dans la même veine, mentionnons l'ex-président tchèque Václav Klaus, qui a prononcé une allocution au Heartland Institute alors qu'il était encore à la tête de son pays. Chez Klaus, dont la carrière a débuté sous le régime communiste, le changement climatique semble avoir réactivé tous les spectres du temps de la guerre froide. Au point de comparer les tentatives de le prévenir «aux ambitions des planificateurs centraux communistes de contrôler la totalité de la société», avant d'ajouter : «Pour quelqu'un qui a passé la majeure partie de sa vie dans la "noble" ère du communisme, pareille chose est inacceptable[32].»

On peut comprendre l'incroyable injustice que doit représenter, d'un tel point de vue, la réalité scientifique du changement climatique. Après tout, les participants à la conférence du Heartland Institute croyaient avoir remporté ces batailles idéologiques, sinon honnêtement, du moins catégoriquement. Et voici que le changement climatique vient maintenant tout remettre en cause : comment peut-on pourfendre l'intervention de l'État si l'habitabilité même de la planète dépend de ladite intervention? À court terme, on pourrait soutenir que les coûts économiques du passage à l'action seront, pour quelques décennies encore, plus élevés que ceux du statu quo (et certains économistes néolibéraux s'emploient avec zèle à peaufiner ce genre d'arguments à coups de calculs de rentabilité et d'évaluation de la valeur marchande). Toutefois, la plupart des gens ne montrent guère d'enthousiasme à voir la vie de leurs enfants « évaluée » dans un tableau Excel, et tendent à éprouver quelque répugnance éthique à voir des pays entiers disparaître sous prétexte qu'il serait trop coûteux de les sauver.

Voilà pourquoi les guerriers idéologiques rassemblés au Marriott ont conclu qu'il n'existait qu'une seule manière de combattre une aussi grande menace : affirmer que des milliers de scientifiques mentent et que le changement climatique n'est qu'un canular. Que les tempêtes ne sont pas en train de prendre de l'ampleur, que nous l'imaginons seulement, ou que la prolifération des événements météorologiques extrêmes n'a rien à voir avec ce que font les humains – ou ce qu'ils pourraient cesser de faire. En d'autres termes, ces climatosceptiques nient la réalité parce que les implications de la réalité en question leur sont tout simplement inconcevables.

Voici donc une autre vérité qui dérange : ces idéologues purs et durs saisissent les véritables répercussions du changement climatique mieux que la plupart des « réchauffistes » qui occupent le centre du spectre politique, ceux-là mêmes qui persistent à marteler que la réponse au problème peut être graduelle et indolore et qu'il n'est pas nécessaire de déclarer la guerre à quiconque, surtout pas aux entreprises pétrolières. Avant d'aller plus loin, mettons les choses au clair : comme l'attestent 97 % des climatologues du monde, les membres du Heartland Institute font complètement fausse route en ce qui a trait à la science. Toutefois, en ce qui concerne les conséquences politiques et économiques de ces conclusions scientifiques (notamment le type de changements en profondeur à apporter non seulement à notre consommation d'énergie, mais également à la logique même d'un système économique axé sur la libéralisation et la quête de profit), ils ne pourraient voir plus clair. Les climatosceptiques mésinterprètent une foule de détails (que quelqu'un les détrompe : la lutte contre le changement climatique n'est pas un complot communiste ; comme nous le verrons, le socialisme d'État autoritaire se caractérisait par un extractivisme sauvage et a eu de terribles conséquences sur l'environnement), mais lorsqu'il est question de l'ampleur du changement requis pour prévenir la catastrophe, ils voient juste.

## Les caisses occultes à la rescousse

Lorsqu'une puissante idéologie se heurte à de solides faits, il est rare qu'elle meure complètement. Elle devient plutôt sectaire, marginale. Quelques fidèles s'y accrochent en se disant que le problème n'était pas l'idéologie en soi, mais plutôt la faiblesse de dirigeants n'ayant pas su appliquer les règles avec suffisamment de rigueur. (Dieu sait que subsiste encore une poignée de groupuscules staliniens d'extrême gauche!) En ce moment de l'histoire – soit après l'effondrement de Wall Street en 2008 et au beau milieu d'un enchevêtrement de crises écologiques –, ce sont les fondamentalistes du libre marché qui devraient être relégués à une telle marginalité, où ils pourraient tripoter dans le noir leurs exemplaires de *La Liberté du choix* de Milton et Rose Friedman et de *La Grève* d'Ayn Rand. Si ce sort infâme leur est épargné, ce n'est que parce que leurs idées sur la libération des entreprises, peu importe qu'elles contredisent la réalité, demeurent tellement profitables aux milliardaires de ce monde que Koch Industries (géant des énergies polluantes dont les propriétaires sont Charles et David Koch), ExxonMobil et leurs semblables veillent à leur subsistance en finançant leurs groupes de réflexion.

C'est ainsi, par exemple, que, selon une étude récente, les groupes de réflexion climatosceptiques et les autres organismes qui constituent ce que le sociologue Robert Brulle appelle le « contre-mouvement sur le changement climatique » touchent collectivement plus de 900 millions de dollars par an pour des travaux portant sur une variété de causes chères à la droite. La majeure partie de cette somme provient de « caisses occultes », soit de fondations conservatrices dont les contributions restent d'une traçabilité malaisée[33].

Cet exemple met en lumière les limites de théories comme celle de la cognition culturelle, qui ne s'intéressent qu'à la psychologie individuelle. Les climatosceptiques, en effet, ne font pas que protéger leur vision personnelle du monde: ils protègent aussi de puissants groupes d'intérêts politiques et économiques qui profitent à fond de la manière dont le Heartland Institute et d'autres organisations ont enfumé le débat sur le climat. Les liens qui unissent les climatosceptiques à ces milieux sont bien connus et bien documentés. Le Heartland Institute a reçu plus d'un million de dollars de la part d'ExxonMobil, de fondations associées aux frères Koch et du défunt investisseur conservateur Richard Mellon Scaife. Il est difficile de savoir exactement combien le Heartland Institute reçoit de la part d'entreprises, de fondations et d'individus associés à l'industrie des combustibles fossiles, car ce groupe de réflexion ne divulgue pas les noms de ses donateurs, reconnaissant que ce genre d'information nuirait à la «crédibilité de [ses] positions». Des documents internes ayant fait l'objet de fuites ont d'ailleurs révélé qu'un des donateurs du Heartland Institute était anonyme: un individu tapi dans l'ombre a fait un don de plus de 8,6 millions de dollars dans le but précis de soutenir les attaques du groupe contre la climatologie[34].

De leur côté, la plupart des scientifiques qui interviennent lors des conférences de l'institut trempent tellement dans l'argent des combustibles fossiles qu'on peut presque en sentir les effluves. Pour ne donner que deux exemples, Patrick Michaels, du Cato Institute, qui a prononcé le discours d'ouverture de la conférence de 2011, a déjà indiqué à CNN que 40 % des revenus de sa firme d'experts-conseils provenaient d'entreprises pétrolières (le Cato Institute, pour sa part, a bénéficié du financement tant d'Exxon-Mobil que de fondations rattachées aux frères Koch). Par ailleurs, une enquête menée par Greenpeace a révélé que, de 2002 à 2010, la totalité des nouvelles subventions de recherche d'un autre conférencier, l'astrophysicien Willie Soon, provenait de milieux liés aux combustibles fossiles[35].

Les individus payés pour soutenir les vues de ces scientifiques – sur des blogs, dans des lettres d'opinion ou à la télévision – sont financés par bon nombre de ces mêmes sources. L'argent des grandes compagnies pétrolières finance le Committee for a Constructive Tomorrow, qui héberge le site web de Marc Morano, tout comme il soutient le Competitive Enterprise Institute, l'un des foyers intellectuels de Chris Horner. De 2002 à 2010, affirme un rapport publié en 2013 par *The Guardian,* un réseau anonyme de milliardaires américains a donné près de 120 millions de dollars à des «groupes mettant en doute les données scientifiques qui corroborent l'existence du changement climatique [...]. [Ce] flux de liquidités a déclenché chez les conservateurs une levée de boucliers contre le programme environnemental de Barack Obama, laquelle a anéanti toute possibilité pour le Congrès de lútter contre le changement climatique[36]».

Il est impossible d'évaluer avec précision l'influence de cet argent sur le débat en cours. On sait néanmoins qu'une personne ayant d'importants intérêts économiques dans l'industrie des combustibles fossiles est plus encline à nier la réalité du changement climatique, peu importe son affiliation politique. Par exemple, les régions des États-Unis où le clivage des avis reflète le moins l'allégeance politique sont celles qui dépendent fortement de l'extraction des combustibles fossiles, comme la région houillère des

Appalaches et la côte du golfe du Mexique. Dans ces régions, l'immense majorité des républicains nient l'existence du changement climatique comme c'est le cas partout ailleurs aux États-Unis, mais bon nombre de leurs collègues démocrates partagent leur opinion (dans certaines parties des Appalaches, seulement 49 % des démocrates croient à l'origine anthropique du phénomène, contre de 72 à 77 % dans d'autres régions du pays). On constate le même type de clivage régional au Canada : en Alberta, où les revenus ont grimpé en flèche grâce aux sables bitumineux, seulement 41 % des répondants à un sondage considèrent que les humains ont une part de responsabilité dans les changements climatiques. Dans les provinces de l'Atlantique, région qui n'a pas tiré profit de manière aussi importante de l'extraction des combustibles fossiles, ils sont 68 % à admettre que les humains contribuent au réchauffement de la planète[37].

Une fracture similaire s'observe chez les scientifiques. Alors que 97 % des climatologues en activité considèrent les humains comme l'une des principales causes du changement climatique, cette proportion diffère radicalement chez les scientifiques qui pratiquent la « géologie économique », soit l'étude des formations géologiques naturelles pour le compte des industries extractivistes : seulement 47 % d'entre eux donnent crédit à l'origine anthropique du changement climatique. D'où l'on peut conclure que l'être humain est fortement enclin à nier une vérité qui se révèle trop coûteuse sur le plan émotionnel, intellectuel ou financier. Selon la célèbre remarque d'Upton Sinclair : « Il est difficile de faire comprendre quelque chose à un homme lorsque son gagne-pain dépend précisément du fait qu'il ne la comprenne pas[38] ! »

## Plan B : s'enrichir dans un monde en voie de réchauffement

Une des conclusions les plus intéressantes des nombreuses études récentes sur la perception du changement climatique réside dans le lien entre le refus d'accorder du crédit à la climatologie et les privilèges d'ordre social et économique. Une imposante majorité de climatosceptiques ne sont pas seulement d'allégeance conservatrice, ils sont également de race blanche et de sexe masculin. Les hommes blancs jouissent de revenus plus élevés que la moyenne et, par rapport aux autres adultes, ils sont plus fermement convaincus de la pertinence de leur propre vision du monde, qu'elle soit fondée ou non. Un article notoire des sociologues

Aaron McCright et Riley Dunlap sur le sujet (portant le titre mémorable de *Cool Dudes*\*) conclut que, collectivement, les hommes blancs et conservateurs qui font montre d'une grande confiance envers leur propre compréhension de la question du changement climatique affichent une probabilité de croire que celui-ci « ne se produira jamais » jusqu'à six fois supérieure aux autres adultes. McCright et Dunlap fournissent une explication simple à cette divergence : « Les hommes blancs qui embrassent l'idéologie conservatrice occupent un nombre disproportionné de postes de pouvoir dans le système économique. Considérant l'imposant défi que pose le changement climatique au capitalisme industriel, il n'est guère surprenant de constater que la propension des hommes blancs conservateurs à justifier farouchement le système les porte à nier l'existence du phénomène[39]. »

Les privilèges sociaux et économiques des climatosceptiques ne les mettent pas seulement en position de perdre davantage que d'autres en cas de mutations sociales et économiques ; ils leur permettent également d'envisager avec plus d'optimisme, si leurs thèses à contre-courant devaient se révéler fausses, les risques inhérents au changement climatique. C'est ainsi que, lors de la conférence du Heartland Institute, l'orateur Larry Bell a fait preuve d'un manque flagrant d'empathie pour les victimes du changement climatique. En lançant à la foule qu'un peu de chaleur ne peut pas faire de mal, il a déclenché une tempête de rires : « C'est intentionnellement que j'ai déménagé à Houston ! » (Houston vivait alors ce qui allait devenir l'année la plus sèche jamais enregistrée au Texas.) Le géologue australien Bob Carter a pour sa part affirmé que, « en réalité, du point de vue des humains, le monde se porte mieux durant les périodes plus chaudes ». Patrick Michaels a ajouté que les personnes préoccupées par le changement climatique devraient faire la même chose que les Français après la canicule qui a frappé l'Europe en 2003 et causé la mort de près de 15 000 personnes en France seulement : « Ils ont découvert Walmart et l'air conditionné[40]. »

Ces déclarations pour le moins surprenantes étaient faites au moment même où environ 13 millions d'habitants de la Corne de l'Afrique devaient affronter la famine sur leurs terres arides. Cette insensibilité des climatosceptiques n'est possible que parce qu'ils croient fermement qu'un réchauffement de quelques degrés n'est pas une chose dont les riches habitants des pays industrialisés devraient se soucier, s'il advenait qu'ils se soient trompés sur le

---

\* Le mot « *cool* » en anglais signifie « décontracté », mais aussi « frais », d'où le jeu de mots des auteurs. [NdT]

compte de la climatologie*. («Lorsqu'il pleut, nous trouvons un abri. Lorsqu'il fait chaud, nous trouvons de l'ombre», a expliqué le parlementaire Joe Barton lors de l'audition du sous-comité de l'énergie et de l'environnement[41].)

Quant aux autres, qu'ils cessent de demander la charité et s'activent pour gagner de l'argent! (Qu'importe si, dans un rapport de 2012, la Banque mondiale a prévenu que, dans les pays pauvres, les coûts attribuables aux tempêtes, aux sécheresses et aux inondations, toujours croissants, sont déjà si élevés qu'ils «risquent d'anéantir les résultats de décennies de développement durable».) Les pays riches n'ont-ils pas le devoir d'aider les pays pauvres à financer la coûteuse mise en place de mesures d'adaptation à un climat plus chaud? À cette question que je lui posais, Patrick Michaels a répondu d'un ton moqueur qu'il n'y avait aucune raison de procurer des ressources à ces pays «parce que leur système politique est incapable, pour une raison ou pour une autre, de s'adapter» avant d'affirmer que la véritable solution résidait dans l'essor du libre-échange[42].

Michaels sait certainement que le libre-échange parviendrait difficilement à aider les habitants des îles menacées d'engloutissement, tout comme il est sans doute au courant que la plupart des gens les plus durement touchés par la chaleur et la sécheresse sur la planète ne peuvent résoudre leurs problèmes en s'achetant de nouveaux climatiseurs avec leur carte de crédit. C'est sur ce point précis que la convergence entre extrémisme idéologique et climatoscepticisme devient vraiment dangereuse. Pas seulement parce que ces *cool dudes* rejettent la climatologie au motif qu'elle met en doute leur vision du monde fondée sur la domination, mais parce que leur vision du monde leur fournit les outils théoriques leur permettant de faire une croix sur des pans entiers de l'humanité et de se justifier de tirer profit de la débâcle.

Il est urgent de prendre conscience de la menace que représente cette mentalité éradicatrice de toute forme d'empathie (que les théoriciens de la culture qualifient de «hiérarchisante» et d'«individualiste»), parce que le changement climatique va mettre notre sens moral à l'épreuve comme rarement auparavant. Dans sa tentative d'empêcher l'Environmental Protection Agency

---

* Cette confiance est largement illusoire. Bien que les ultra-riches soient en mesure de s'offrir des mesures de protection temporaires, même le pays le plus riche du monde peut s'effondrer en cas de bouleversement majeur (comme l'a illustré l'ouragan Katrina). De plus, aucune société, si riche et bien administrée soit-elle, ne peut véritablement s'adapter aux grandes catastrophes naturelles lorsque celles-ci se succèdent à un rythme effréné.

(EPA, agence de protection de l'environnement des États-Unis) de réglementer les émissions de gaz carbonique, la Chambre de commerce des États-Unis a déposé une requête soutenant qu'en cas de bouleversement du climat, «les populations peuvent s'adapter à des climats plus chauds par un ensemble de stratégies comportementales, de réponses physiologiques et de solutions technologiques[43]».

C'est précisément cette notion d'adaptation qui est éminemment préoccupante. À moins que les valeurs dominantes ne subissent quelque changement fondamental, comment peut-on sincèrement penser qu'il est possible de s'«adapter» à la présence de gens mis au chômage ou à la rue par l'augmentation de l'intensité et de la fréquence des catastrophes naturelles? Comment traiterons-nous les réfugiés climatiques qui débarqueront sur nos côtes dans des bateaux qui prennent l'eau? Comment nous tirerons-nous d'affaire quand l'eau douce et les aliments deviendront de plus en plus rares?

Nous connaissons les réponses à ces questions parce que le processus est déjà enclenché. La ligne de conduite des entreprises en quête de ressources naturelles deviendra de plus en plus rapace, de plus en plus violente. L'accaparement des terres arables en Afrique se poursuivra afin que celles-ci fournissent aliments et combustibles aux sociétés les plus prospères, déclenchant ainsi une nouvelle vague de razzias néocolonialistes dans les endroits qui comptent déjà parmi les plus pillés de la planète (comme l'a si bien montré le journaliste Christian Parenti dans *Tropic of Chaos*). Lorsque les vagues de chaleur et les tempêtes destructrices auront décimé les petites fermes et les villages de pêcheurs, la terre sera cédée à de gros promoteurs immobiliers qui y feront construire de vastes installations portuaires, de luxueux complexes touristiques et des fermes industrielles. Les paysans, jusqu'alors autosuffisants, perdront leurs terres et seront exhortés à déménager dans des bidonvilles de plus en plus surpeuplés – pour leur propre sécurité, leur expliquera-t-on. La sécheresse et la famine continueront à servir de prétexte à l'utilisation de semences génétiquement modifiées, aggravant ainsi l'endettement des agriculteurs[44].

Dans les pays mieux nantis, on protégera les grandes villes à l'aide de digues et de barrières antitempêtes, et on laissera de vastes étendues littorales aux pauvres et aux Autochtones, qui seront à la merci du gros temps et de la hausse du niveau de la mer. On pourrait éventuellement appliquer cette logique à toute la planète en abaissant les températures mondiales à l'aide de solutions technologiques comportant beaucoup plus de risques pour les habitants des tropiques que pour ceux du Nord (cet aspect sera détaillé plus loin). Au lieu de reconnaître la dette des pays riches envers les migrants forcés d'abandonner leurs terres du fait de nos actions (et de notre inaction), nos gouvernements construiront toujours plus de forteresses sophistiquées et adopteront des lois de plus en plus draconiennes pour contrer l'immigration. Au nom de la « sécurité nationale », enfin, ils interviendront à l'étranger dans des conflits en cours relatifs à l'eau, au pétrole et aux terres arables, si toutefois ils ne les déclenchent pas eux-mêmes. En bref, notre culture continuera à faire ce qu'elle fait déjà, mais de manière plus violente et barbare, car telle est la finalité du système.

Ces dernières années, bon nombre de grandes sociétés multinationales ont commencé à s'exprimer ouvertement sur la façon dont le changement climatique pourrait compromettre leurs affaires. Les compagnies d'assurance, elles, surveillent de très près la fréquence accrue des catastrophes naturelle et n'hésitent pas à s'exprimer sur le sujet. C'est ainsi que le PDG de Swiss Re Americas a admis que « les changements climatiques nous donnent des insomnies », alors que des chaînes comme Starbucks et Chipotle Mexican Grill se préoccupent de la possibilité que des températures extrêmes affectent la disponibilité d'ingrédients indispensables à leurs activités. En juin 2014, Risky Business (un projet mené par Michael Bloomberg, milliardaire et ex-maire de New York, Henry Paulson, ancien secrétaire au Trésor des États-Unis, et Tom Steyer, fondateur d'un fonds spéculatif et philanthrope environnemental) nous mettait en garde contre les dommages dus à la hausse du niveau de la mer, susceptibles, à eux seuls, de coûter des milliards de dollars par an à l'économie américaine, coûts que le monde des affaires devait prendre au sérieux[45].

Ce genre de discours est souvent perçu comme pouvant favoriser une action d'envergure pour contrer le réchauffement. Or, il n'en est rien. Le simple fait que des entreprises reconnaissent les effets probables du changement climatique ne signifie pas qu'elles favorisent les mesures draconiennes qui, en empêchant la température mondiale de s'élever de plus de 2 °C, permettraient de réduire considérablement ces risques. Aux États-Unis, par exemple, le lobby de l'assurance a été de loin le secteur qui s'est le plus fait entendre quant à l'impact croissant du phénomène, les plus grandes compagnies étant allées jusqu'à employer des équipes de climatologues pour les aider à se préparer aux catastrophes à venir. Pour autant, le secteur industriel ne s'est guère employé à développer des politiques climatiques plus offensives : bien au contraire, de nombreuses sociétés ont prodigué un financement substantiel aux groupes de réflexion à l'origine du mouvement climatosceptique[46].

Cette dynamique apparemment contradictoire a régné pendant un certain temps au sein même des différents secteurs du Heartland Institute, lequel, en tant que plus importante institution climatosceptique au monde, abrite en ses murs un centre de recherche sur la finance, l'assurance et l'immobilier. Jusqu'en mai 2012, celui-ci faisait essentiellement office de porte-voix pour l'industrie de l'assurance et était dirigé par un habitué des lobbys conservateurs de Washington, Eli Lehrer. Ce qui distinguait cependant Lehrer de ses collègues du Heartland Institute, c'était sa capacité à affirmer sans ambages : « Les changements climatiques sont manifestement réels et, en grande partie, manifestement causés par les humains. Je ne pense pas vraiment qu'il y ait matière à un débat sérieux quant à la véracité de l'un ou l'autre de ces faits[47]. »

Ainsi donc, au moment où ses collègues du Heartland Institute organisaient des conférences mondiales expressément conçues pour donner l'illusion d'un débat scientifique sérieux, Lehrer et sa division travaillaient avec le lobby des assureurs en vue de protéger les bénéfices nets de ces derniers face au chaos climatique à venir. D'après Lehrer, il n'y avait, entre le travail qu'il menait et celui qu'effectuaient ses collègues climatosceptiques, « en général, rien de vraiment conflictuel, au quotidien[48] ». Car ce qu'une bonne partie du secteur de l'assurance attendait du Heartland Institute, ce n'était pas des mesures destinées à éviter le chaos, mais des politiques qui permettraient de maintenir, voire d'augmenter, leurs profits, indépendamment du climat. Parmi celles-ci, mentionnons l'abolition des régimes publics d'assurance et l'octroi aux assureurs privés d'une plus grande liberté pour relever leurs tarifs et leurs franchises tout en abandonnant leurs clients habitant des zones à haut risque, ainsi que l'adoption d'autres mesures de « libéralisation des marchés ».

Lehrer a fini par quitter le Heartland Institute après que ce dernier eut lancé sa campagne d'affichage comparant ceux et celles qui croient au changement climatique à des tueurs en série. Or, dans la mesure où les compagnies d'assurance qui finançaient généreusement le Heartland Institute y croyaient également, pareil coup de pub n'était pas du tout approprié. Lors d'une entrevue, Lehrer s'est néanmoins empressé de préciser que les désaccords n'étaient pas d'ordre politique, mais portaient sur la communication. «La plupart des politiques publiques soutenues par le Heartland Institute font toujours partie de celles que je préconise», a-t-il indiqué[49]. Dans les faits, toutefois, la compatibilité n'était pas si évidente. D'un côté, la faction climatosceptique du Heartland Institute s'acharnait à mettre en doute les fondements scientifiques du changement climatique, au point de contribuer à paralyser toute tentative sérieuse de réglementer les émissions de GES. De l'autre, la faction des assureurs élaborait des politiques susceptibles de permettre au secteur de rester rentable, au mépris des conséquences réelles des émissions en question.

Tout cela met en lumière ce qui se cache vraiment derrière cette désinvolture à l'égard du changement climatique, qu'elle s'exprime sous la forme d'un déni du désastre ou d'un capitalisme du désastre. Les acteurs concernés se sentent libres d'adhérer à l'un ou l'autre de ces scénarios à haut risque parce qu'ils sont persuadés qu'eux-mêmes et leurs proches resteront à l'abri des ravages anticipés, au moins pour une génération encore.

Plusieurs modèles climatiques régionaux prévoient que les pays les plus riches – dont la plupart sont situés à de hautes latitudes – pourraient tirer, sur une vaste échelle, certains bénéfices économiques d'un climat légèrement plus chaud, dont une saison de croissance prolongée et des routes commerciales plus courtes à travers l'Arctique libéré de ses glaces. Malgré cela, les nantis de ces régions s'emploient déjà à trouver des moyens de plus en plus sophistiqués de se protéger des phénomènes climatiques extrêmes à venir. Stimulés par des événements tels que l'ouragan Sandy, les promoteurs immobiliers vantent à d'éventuels acheteurs les luxueuses infrastructures d'urgence privées qu'on intègre aux nouveaux complexes d'habitation, lesquelles vont des systèmes d'éclairage de secours aux portes anti-inondation de quatre mètres et aux pièces étanches comme un sous-marin (dans le cas d'un nouvel immeuble situé à Manhattan), en passant par les pompes et les génératrices fonctionnant au gaz naturel. «Je crois que les acheteurs sont disposés à payer pour avoir l'assurance relative qu'ils ne subiront pas de terribles désagréments en cas de catastrophe naturelle», a indiqué au *New York Times* Stephen G. Kliegerman, directeur général du marketing de développement à Halstead Property[50].

En attendant, bon nombre de grandes entreprises possèdent leurs propres génératrices auxiliaires pour maintenir leur éclairage en fonction lors des pannes généralisées (comme l'a fait Goldman Sachs durant l'ouragan Sandy, bien que la compagnie n'ait, de fait, jamais subi de panne); elles ont également la capacité d'ériger des fortifications à l'aide de leurs propres sacs de sable (ce que Goldman Sachs a également fait en prévision de Sandy); elles possèdent enfin leurs propres équipes de météorologues (FedEx). Les compagnies d'assurance américaines ont même commencé à envoyer des équipes privées de pompiers à leurs riches clients dont les luxueuses maisons de Californie et du Colorado sont menacées par les feux de broussaille – un nouveau service de gardiennage lancé par American International Group (AIG[51]).

Le secteur public, lui, continue à s'effriter, en grande partie grâce au travail de sape des guerriers idéologiques si bien représentés à la conférence du Heartland Institute. Leur idéologie a déjà érodé d'innombrables éléments du domaine public, y compris sa capacité à intervenir en cas de catastrophe. Ces fervents destructeurs de l'État ont néanmoins été heureux de faire porter les conséquences de la crise du budget fédéral aux autorités politiques de niveau inférieur, qui se sont ainsi vues forcées de renoncer à la réparation de ponts ou au remplacement de camions d'incendie. La « liberté » qu'ils tentent désespérément de protéger des preuves scientifiques est l'une des raisons pour lesquelles les collectivités seront incontestablement moins bien préparées aux catastrophes qui surviendront.

Il y a longtemps que les environnementalistes considèrent le changement climatique comme un remarquable facteur d'égalisation qui n'épargnera personne, riche ou pauvre. Voilà qui aurait dû nous réunir. Or tout indique que c'est précisément le contraire qui se produit. La société se divise toujours plus entre les riches, qui disposent de moyens appréciables de se protéger de la fureur du climat, et le reste des gens, laissés à la merci d'États de plus en plus dysfonctionnels.

## La face obscure du déni

À mesure que les effets du changement climatique deviendront impossibles à ignorer, l'aspect le plus cruel – et pour le moment tapi dans l'ombre – du projet climatosceptique ne tardera pas à devenir patent. À la fin du mois d'août 2011, au moment où de vastes régions du monde subissaient de nouveaux records de chaleur, le blogueur conservateur Jim Geraghty publiait, dans le *Philadelphia Inquirer,* un article où il affirmait que le changement climatique « aidera l'économie américaine à de multiples égards, et que, loin de la réduire, il accroîtra l'influence des États-Unis sur la scène internationale». Parce que le phénomène frappera plus durement les pays en voie de développement, expliquait-il, «plusieurs pays potentiellement menaçants se trouveront dans des situations particulièrement désespérées». Ce qui est une bonne chose, soulignait-il : «Au lieu de nous mener à notre perte, le changement climatique pourrait être la clé de voûte d'un deuxième siècle américain consécutif.» Le message est-il bien clair ? Puisque les peuples qui effraient les Américains sont assez malchanceux pour vivre dans des pays aussi pauvres que torrides, le changement climatique en fera des rôtis, ce qui permettra aux États-Unis de renaître, tel le phénix, des cendres du réchauffement planétaire*[52].

Il faut s'attendre à une prolifération de ce genre de propos monstrueux. Alors que le monde se réchauffe, l'idéologie tant mise à mal par la climatologie – celle qui prône le chacun pour soi, déclare que les victimes méritent leur sort et prétend qu'on peut maîtriser la nature – nous promet des lendemains particulièrement glacés. Et de plus en plus froids, à mesure que les théories sur la supériorité raciale, à peine refoulées dans certaines composantes du mouvement climatosceptique, referont violemment surface†[53]. Dans le monde profondément inégalitaire que cette idéologie a tant contribué à façonner et à perpétuer, ces théories sont nécessaires à la justification du durcissement des sentiments envers les victimes innocentes du changement climatique dans les pays du Sud, de même que dans les villes majori-

* Début 2011, Joe Read, un représentant nouvellement élu à l'Assemblée législative du Montana, est entré dans l'histoire en déposant le premier projet de loi à déclarer officiellement que le changement climatique est une bonne chose. «Le réchauffement planétaire est bénéfique pour le bien-être et le climat d'affaires du Montana», affirmait le projet de loi. Read a ainsi expliqué que, «même s'il fait plus chaud, nous aurons une saison de croissance prolongée. Cela pourrait être tout à l'avantage de l'État du Montana. Pourquoi chercher à contrer ce phénomène positif?» Finalement, le projet de loi n'a pas été adopté.

† Dans un geste éloquent, l'American Freedom Alliance a organisé à Los Angeles en juin 2011 sa propre conférence pour contester l'existence du changement climatique. Ayant entre autres pour mission d'«identifier les menaces pesant sur la civilisation occidentale», cette organisation est connue pour l'alarmisme dont elle fait preuve vis-à-vis de «l'envahissement de l'Europe par l'islam» et d'autres prétendus desseins similaires sur le territoire des États-Unis. Au même moment, un des livres mis en vente à la conférence du Heartland Institute était *Going Green*, de Chris Skates, un thriller dans lequel des militants luttant contre le changement climatique complotent avec des terroristes islamistes afin de détruire le réseau de distribution électrique des États-Unis.

tairement afro-américaines qui, comme La Nouvelle-Orléans, comptent parmi les plus vulnérables de l'hémisphère nord.

Dans un rapport sur les conséquences sécuritaires du changement climatique publié conjointement en 2007 par le Center for Strategic and International Studies et le Center for a New American Security, l'ancien directeur de la CIA Robert James Woolsey prédisait que, sur une planète au climat plus chaud, «l'altruisme et la générosité seraient probablement moins spontanés[54]». De l'Arizona à l'Italie, une telle atonie émotionnelle sévit déjà. Le changement climatique est en train de nous transformer, de nous rendre plus insensibles. Chaque nouvelle catastrophe semble susciter moins d'horreur et moins de téléthons. Dans les médias, les commentateurs évoquent une «lassitude compassionnelle», comme si c'était l'empathie, et non les combustibles fossiles, qui constituait une ressource limitée.

Comme pour faire la démonstration de ce processus d'insensibilisation, Americans for Prosperity (AFP), une organisation liée aux frères Koch, a lancé une campagne visant à bloquer l'aide fédérale destinée à New York et au New Jersey après que l'ouragan Sandy eut dévasté de grandes parties de ces États. «Nous devons encaisser le coup et assumer notre responsabilité de prendre soin de nous-mêmes», a déclaré Steve Lonegan, alors directeur de la section du New Jersey d'AFP[55].

Le cas du quotidien britannique *Daily Mail* est semblable. Dans une manchette parue au cours des inondations exceptionnelles de l'hiver 2014, ce tabloïd a invité ses lecteurs à signer une pétition demandant au gouvernement de «détourner une partie des 11 milliards de livres sterling de l'aide annuelle aux pays étrangers afin d'apaiser les souffrances des victimes d'inondation en Grande-Bretagne[56]». En quelques jours, plus de 200 000 personnes ont signé cet appel à privilégier l'aide locale au détriment de l'aide internationale. Évidemment, la Grande-Bretagne – pays qui a inventé la machine à vapeur alimentée au charbon – émet des quantités industrielles de gaz carbonique depuis plus longtemps que n'importe quel autre pays de la planète et a, par conséquent, la responsabilité d'assumer un rôle particulièrement important dans l'augmentation, et non la réduction, de l'aide aux pays étrangers. Mais bon, passons. Que les pauvres aillent se faire voir! Qu'ils se débrouillent! Chacun pour soi!

En l'absence d'un changement de cap radical, telles sont les valeurs appelées à régir notre orageux avenir, encore plus qu'elles ne régissent notre présent.

# Chouchouter les conservateurs

Certains militants ont tenté de convaincre les climatosceptiques de renoncer à leurs positions radicales en affirmant que tout report dans la mise en place de mesures de protection du climat ne ferait qu'accroître l'ampleur des interventions requises. Le célèbre blogueur spécialisé dans le climat, Joe Romm, écrit ainsi que, «si vous détestez que l'État s'immisce dans la vie des gens, vous feriez mieux de mettre un frein au changement climatique, parce que rien ne pousse autant un pays à se doter d'un gouvernement socialisant que la rareté et la pénurie. [...] Seul un État puissant – la bête noire des conservateurs – est en mesure de déplacer des millions de citoyens, de bâtir d'immenses digues, de rationner les ressources vitales telles que l'eau et les terres arables ou d'imposer une réduction rapide et draconienne de l'utilisation de certaines sources d'énergie – toutes mesures qui deviendront inévitables si nous ne passons pas à l'action dès maintenant[57]».

Il est vrai que de catastrophiques changements climatiques entraîneraient un accroissement du rôle de l'État à un degré qui mettrait probablement mal à l'aise la plupart des êtres sensés, qu'ils soient de gauche ou de droite. Il existe une peur légitime envers ce que certains appellent le «fascisme vert» – des forces autoritaires qui, prétextant une crise environnementale extrêmement sévère, prendraient le pouvoir en invoquant la nécessité impérieuse de restaurer un certain équilibre climatique. Mais il est également indéniable que, *en l'absence* des interventions gouvernementales abhorrées des idéologues de droite, il n'existe aucun moyen de réduire les émissions de manière suffisamment drastique pour éviter ces scénarios-catastrophes.

Il n'en a pas toujours été ainsi. Si les gouvernements, y compris celui des États-Unis, avaient entrepris de réduire les émissions dès l'instant où le consensus scientifique sur la question climatique avait émergé, les mesures permettant d'éviter un réchauffement catastrophique n'auraient pas été si incompatibles avec le modèle économique dominant. Prenons par exemple le premier grand rassemblement international où l'on a tenté d'établir des objectifs précis de réduction, la Conférence mondiale sur l'atmosphère en évolution, qui s'est tenue en 1988 à Toronto. S'y sont réunis plus de 300 scientifiques et décideurs politiques en provenance de 46 pays. En recommandant que les États visent l'horizon de 2005 pour réduire leurs émissions de 20 % par rapport au niveau de 1988, cette conférence, qui a jeté les bases du Sommet de la Terre à Rio, constituait alors une avancée. «Si nous choisissons de relever ce défi», avait observé un scientifique dans

l'assistance, « il semble que nous pourrons ralentir substantiellement le rythme du changement climatique, ce qui nous laissera le
temps de concevoir des mécanismes permettant de réduire les
coûts sociaux et les dommages infligés aux écosystèmes. Mais
nous pourrions au contraire décider de fermer les yeux en espérant que tout aille pour le mieux, pour n'assumer les coûts que
lorsque la facture arrivera à échéance[58] ».

Si l'on avait tenu compte de ce conseil et consenti de sérieux
efforts pour atteindre ce but immédiatement après la signature,
en 1992, de la Convention-cadre des Nations Unies sur les changements climatiques (CCNUCC), il aurait fallu réduire les émissions de $CO_2$ d'environ 2 % par an jusqu'en 2005[59]. À ce rythme,
les pays développés auraient eu davantage de temps pour déployer
des technologies de substitution aux combustibles fossiles,
réduire leurs propres émissions et lancer un ambitieux plan de
transition écologique planétaire. Précédant le rouleau compres-
seur de la mondialisation, ces initiatives auraient pu permettre à
la Chine, à l'Inde et à d'autres économies en croissance rapide de
combattre la pauvreté en n'émettant que de faibles quantités de
GES. (Tel était le but avoué du « développement durable » ainsi
qu'on l'a défendu à Rio.) Cette vision aurait pu façonner l'architecture du commerce mondial qu'on allait mettre en place au
début des années 1990. Si on avait continué à réduire les émissions à ce rythme, on serait parvenu à instaurer un système économique mondial totalement affranchi des combustibles fossiles
avant le milieu du XXIe siècle.

Mais il n'en a rien été. Et, comme l'indique le renommé climatologue Michael Mann, directeur du Earth System Science
Center de l'université d'État de Pennsylvanie, « l'amende à la procrastination est forte s'agissant des émissions de gaz carbonique
dans l'atmosphère » : plus on tarde, plus la facture sera salée, et
plus les changements qu'il faudra effectuer pour réduire les
risques d'un réchauffement catastrophique devront être radicaux. Et Kevin Anderson, directeur adjoint du Tyndall Centre for
Climate Change Research, de préciser :

> À l'époque du Sommet de la Terre de 1992, ou même au tournant
> du millénaire, il aurait été possible de respecter l'objectif des 2 °C
> en procédant à des changements progressifs au sein du système
> politique et économique dominant. Cependant, le changement cli-
> matique est le fruit de phénomènes cumulatifs ! Nous qui vivons
> actuellement dans des pays (post)industriels fortement émetteurs
> devons maintenant composer avec un tout autre destin. Notre
> continuelle surconsommation collective de combustibles fossiles
> nous a fait rater toute possibilité de procéder au « changement

progressif» qu'autorisait la situation antérieure, où la quantité de gaz carbonique qu'on pouvait encore émettre dans l'atmosphère sans dépasser l'objectif des 2 °C permettait un bilan d'émissions moins restrictif. Aujourd'hui, après vingt ans de simulacres et de mensonges, le respect de la limite de réchauffement de 2 °C nécessite d'apporter des changements révolutionnaires au système politique et économique dominant[60].

Pour le dire plus simplement : voilà plus de vingt ans que nous pratiquons la politique de l'autruche. Qui plus est, nos émissions de GES ont augmenté de manière considérable au cours de cette même période. Cette situation est en grande partie attribuable à l'idéologie radicale et hégémonique au nom de laquelle on a mis en place une économie mondiale unique, fondée sur les règles du fondamentalisme marchand, ces règles mêmes qui ont germé dans les groupes de réflexion de droite, lesquels sont aujourd'hui en première ligne du mouvement climatosceptique. Ironie de la chose : c'est précisément la réussite de cette dernière révolution qui fait d'une transformation révolutionnaire de l'économie de marché notre meilleur espoir d'éviter le chaos climatique.

*

* *

Pour ramener les idéologues de droite dans le droit chemin climatique, d'aucuns préconisent une autre stratégie : au lieu de les effrayer en brandissant l'épouvantail d'un interventionnisme qui deviendra inévitable si l'on persiste à procrastiner, ils proposent des méthodes de réduction des émissions qui heurtent moins les valeurs conservatrices.

Selon Dan Kahan, de l'université Yale, si les personnes qui se disent très attachées à la «hiérarchie» et à l'«individualisme» se cabrent dès qu'il est question de réglementation, elles ont aussi tendance à favoriser les technologies lourdes et centralisées qui ne remettent pas en question leur croyance en la capacité de l'être humain à dominer la nature. Dans l'une de leurs études, Kahan et ses collègues ont interrogé des individus sur leurs perceptions du changement climatique après leur avoir fait lire de faux articles de presse. À un premier groupe, on en a donné un expliquant que le réchauffement planétaire pourrait être contré par des mesures de «lutte contre la pollution»; à un deuxième groupe, on a fait lire un texte qui présentait l'énergie nucléaire comme une solution; et au groupe restant, on n'a pas donné d'article du tout. Dans chaque cas, les faits scientifiques énoncés par les articles en matière de changements climatiques étaient identiques. Les chercheurs ont ainsi constaté que les conservateurs purs et durs ayant lu l'article sur le nucléaire se sont montrés relativement ouverts à l'endroit des faits scientifiques attestant l'origine anthropique du changement climatique, tandis que ceux ayant lu l'article sur la lutte contre la pollution «se sont montrés encore plus sceptiques sur ces faits que ne l'étaient les tenants d'une vision hiérarchique et individualiste qui faisaient partie du groupe témoin n'ayant lu aucun article[61]».

Il n'est pas difficile de comprendre ces résultats. Le nucléaire constitue une technologie lourde reposant sur l'extraction de ressources, gérée de manière industrielle et qui entretient des liens de longue date avec le complexe militaro-industriel. Or, comme l'a noté Robert Jay Lifton, psychologue et auteur de renom, aucune autre technologie ne confirme davantage l'idée que l'être humain a dompté la nature que la capacité à fissionner l'atome[62].

Forts de ces résultats, Kahan et ses collaborateurs affirment que les environnementalistes devraient tenter de faire accepter la lutte contre le changement climatique en jouant sur les questions de sécurité nationale et en insistant sur des solutions telles que l'énergie nucléaire et la «géo-ingénierie» (un ensemble d'interventions technologiques à l'échelle planétaire visant à contrer le réchauffement et comprenant, entre autres procédés à haut risque, le blocage d'une fraction du rayonnement solaire ou la «fertilisation» des océans de manière à ce qu'ils puissent capter plus de carbone). Le raisonnement de Kahan est le suivant: si le changement climatique est perçu par plusieurs tenants de la droite comme un prétexte à l'adoption de politiques allant à l'encontre des intérêts industriels, la solution consiste à «éliminer ce qui rend [ces politiques] menaçantes». Dans la même veine, Irina Feygina et John T. Jost, qui ont effectué des travaux similaires à l'université de New York, conseillent aux décideurs politiques de présenter les mesures environnementales comme un moyen de protéger «notre mode de vie» ou comme une forme de patriotisme; ainsi maquillées, elles permettraient ce que ces chercheurs désignent sous le nom révélateur de «changements sanctionnés par le système[63]».

Ce genre de conseil a eu une influence considérable. Le Breakthrough Institute, un groupe de réflexion dont la spécialité consiste à décrier l'environnementalisme pour son manque de «modernité», suit ainsi depuis toujours cette prétendue voie médiane, proposant l'énergie nucléaire, le gaz naturel obtenu par fracturation hydraulique et les cultures génétiquement modifiées comme solutions au changement climatique, tout en rejetant les énergies renouvelables. Et, comme nous le verrons plus loin, certains environnementalistes commencent même à voir la géo-ingénierie d'un bon œil[64]. De plus, au motif de transcender les dissensions idéologiques, les groupes écologistes « reformulent » constamment les termes de la lutte contre le changement clima-tique, si bien que celle-ci a pratiquement perdu de vue son objec-tif premier, à savoir prévenir un réchauffement catastrophique afin de protéger la vie sur Terre. En lieu et place, la lutte contre le changement climatique se réduit souvent à la somme des causes les plus chères aux conservateurs, qu'il s'agisse de couper les vivres aux pays arabes ou encore de réaffirmer l'avantage économique des États-Unis sur la Chine.

Le premier problème avec la stratégie consistant à ne pas effa-roucher la droite, c'est qu'elle ne fonctionne pas. Nombreuses sont les grandes organisations environnementalistes américaines qui l'ont adoptée ces dernières années (« Oubliez le changement climatique », conseille Jonathan Foley, directeur de l'Institute on the Environment de l'université du Minnesota. « Aimez-vous les États-Unis[65] ? »). Pourtant, comme nous l'avons vu, l'opposition des conservateurs à la lutte contre le changement climatique n'a fait que se renforcer au fil de cette période.

Un autre problème de cette stratégie, bien plus troublant encore, réside dans le fait que, au lieu de mettre en cause les valeurs retorses qui alimentent à la fois le déni du désastre et le capitalisme du désastre, elle les consolide activement. L'énergie nucléaire et la géo-ingénierie ne sont pas des solutions à la crise écologique ; les adopter revient à cautionner le type de raisonne-ment téméraire et à courte vue qui nous a menés dans ce pétrin. Tout comme nous crachons des GES dans l'atmosphère en croyant le tout sans conséquence, ces technologies très risquées génèrent des déchets encore plus dangereux et sont en outre dépourvues de stratégie de retrait (sujets qui seront approfondis plus loin). De façon similaire, l'hyperpatriotisme représente un autre obstacle à la conclusion d'une quelconque entente mon-diale sur la question climatique puisqu'il favorise la concurrence entre les pays au lieu de les encourager à coopérer. Quant à l'idée de présenter la lutte contre le changement climatique comme un moyen de protéger le « mode de vie » des Américains, mode de vie basé sur une consommation effrénée, il s'agit d'une stratégie fal-lacieuse ou carrément malhonnête, tant un mode de vie fondé sur la promesse d'une croissance infinie est indéfendable ; à tout le moins, il ne peut certainement pas s'étendre à l'ensemble de la planète.

## Des visions du monde qui s'affrontent

Suis-je ici en train de faire la même chose que les climato-sceptiques, à savoir rejeter des solutions possibles parce qu'elles menacent ma vision du monde ? Comme je l'ai mentionné plus haut, je m'intéresse depuis longtemps à l'aspect scientifique du changement climatique, mais j'ai commencé à m'en préoccuper davantage quand j'ai compris que cette science pourrait servir de catalyseur à des formes de justice sociale et économique auxquelles j'étais déjà attachée.

Il importe de relever d'autres différences importantes. Tout d'abord, je ne demande à personne d'adhérer aveuglément à mon interprétation des conclusions issues de la climatologie. Il me semble évident que tout le monde devrait se ranger à l'avis de 97 % des climatologues, avis étayé par leurs innombrables publications révisées par des pairs et par ailleurs partagé par l'ensemble des organismes scientifiques nationaux de la planète, sans parler d'institutions établies telles la Banque mondiale et l'AIE. Leur message à tous est sans équivoque : nous allons droit vers un réchauffement catastrophique. Ensuite, je ne prétends pas que les solutions basées sur l'équité auxquelles j'adhère découlent de constats scientifiques.

Ce que je dis, c'est que la science nous oblige à *choisir* la manière dont nous voulons réagir à la situation actuelle. Si nous ne sortons pas de la voie dans laquelle nous nous sommes engagés, les réponses au changement climatique seront dictées par de puissants acteurs issus du milieu des affaires, des secteurs industriels et du domaine militaire, qui créeront un monde constitué d'une petite clique de ploutocrates entourés de légions de laissés-pour-compte, comme l'ont dépeint pratiquement tous les films et romans d'anticipation dystopiques, que ce soit *Mad Max*, *Les Fils de l'homme*, *Hunger Games* ou *Elysium*. Au contraire, nous pouvons choisir de réagir à ce signal d'alarme planétaire pour changer de cap, pour nous éloigner non seulement du gouffre des émissions, mais également de la logique qui nous pousse à y mettre le pied. Parce que, en réalité, la question que posent les « modérés » qui reformulent constamment les termes de la lutte contre le changement climatique dans le but de la rendre plus acceptable est la suivante : comment changer les choses sans que les responsables de la crise se sentent menacés ? Et comment rassurer les membres paniqués d'une élite mégalomane sur le fait qu'ils demeurent les maîtres de l'univers, malgré l'évidente preuve du contraire ?

La réponse est simple : ne faisons rien de tel. Assurons-nous que suffisamment de personnes appuient notre point de vue pour renverser le rapport de forces et nous battre contre les principaux responsables, sachant que les véritables mouvements populaires se nourrissent autant de la gauche que de la droite. Et, au lieu de faire des pieds et des mains pour tenter de tempérer une vision du monde rien de moins que funeste, efforçons-nous de renforcer les valeurs (d'« égalité » et de « solidarité », comme le décrivent les études de cognition culturelle citées plus haut) que les lois de la nature, loin de les réfuter, corroborent.

La culture demeure malléable, après tout. Elle s'est transformée maintes fois par le passé et peut encore le faire. Les participants à la conférence du Heartland Institute en sont conscients, et c'est pourquoi ils sont à ce point résolus à faire disparaître l'amoncellement de données scientifiques démontrant que leur vision du monde constitue une menace pour la vie sur Terre. Pour nous autres, la tâche consiste à croire, sur la base des mêmes données, qu'une vision du monde différente peut constituer notre planche de salut.

Les membres du Heartland Institute savent que la culture peut changer rapidement parce qu'ils font partie d'un mouvement qui en a fait la preuve. « L'économie fournit la méthode, disait Margaret Thatcher, et l'objectif consiste à transformer le cœur et l'âme. » Cette mission est en grande partie accomplie. Pour ne citer qu'un exemple, un sondage effectué en 1966 auprès d'étudiants américains nouvellement admis à l'université a révélé que seulement environ 44 % de ceux-ci considéraient comme « très important » ou « essentiel » de gagner beaucoup d'argent dans la vie. En 2013, cette proportion avait grimpé à 82 %[66].

En 1998, l'American Geophysical Union (AGU) a mis sur pied une série de groupes de discussion dans le but de sonder la position du public à l'égard du réchauffement climatique. Il est révélateur de constater que, à cette époque, « plusieurs participants à ces groupes de discussion étaient convaincus que la cause sous-jacente aux problèmes environnementaux (comme la pollution et les déchets toxiques) était un climat généralisé d'égoïsme et de cupidité, et que, puisque cette détérioration morale était irréversible, ils considéraient les problèmes environnementaux comme insolubles[67] ».

Or, de plus en plus de recherches dans les domaines de la psychologie et de la sociologie montrent que les participants aux groupes de discussion de l'AGU avaient raison : il existe un lien solide et direct entre l'hégémonie des valeurs intimement liées au capitalisme triomphant et la persistance d'opinions et de comportements anti-environnementaux. Bien qu'une grande quantité de recherches aient démontré que les personnes qui défendent le conservatisme, la « hiérarchie » et l'industrie sont particulièrement susceptibles de nier l'existence du changement climatique, un nombre encore plus important d'études établissent un lien entre les valeurs matérialistes (et même l'idéologie du libre marché) et l'insouciance vis-à-vis non seulement du changement climatique, mais également de nombreux risques environnementaux. À l'université Knox en Illinois, le psychologue Tim Kasser est à la pointe de ces recherches. « En fonction de l'importance qu'ils accordent à des valeurs et à des buts comme l'accomplissement personnel, l'argent, le pouvoir, le statut et l'image, les individus tendent à développer des comportements plus négatifs à l'égard de l'environnement, à être moins enclins à adopter des comportements environnementaux positifs, et à utiliser les ressources naturelles de manière moins durable », écrivaient en 2009 Kasser et le stratège en environnement britannique Tom Crompton dans leur livre intitulé *Meeting Environmental Challenges: The Role of Human Identity*[68].

En d'autres termes, la culture qui triomphe en cette ère d'hégémonie du marché oppose les êtres humains que nous sommes au monde naturel. On pourrait facilement trouver là des raisons de désespérer. Toutefois, si les mouvements sociaux existent, ce n'est certainement pas dans le but d'accepter l'immuabilité des valeurs dominantes, mais bien dans celui de proposer d'autres modes de vie, de faire triompher une vision du monde qui rivalise directement avec celle qui s'est exhibée à la conférence du Heartland Institute ainsi qu'en bien d'autres lieux de notre culture. Une vision qui entre en résonance avec la majorité de la population de la planète parce qu'elle dit vrai : nous ne sommes pas distincts de la nature, nous en faisons partie. Une vision qui soutient qu'agir collectivement pour un monde meilleur n'a rien de suspect, et que des projets collectifs d'entraide sont à l'origine des plus nobles réussites de notre espèce. Qui considère que la cupidité doit être réprimée et modérée tant par la règle que par l'exemple. Qui juge enfin que la pauvreté qui côtoie l'abondance est inadmissible.

Une telle vision implique aussi de défendre ce qui, dans notre société, exprime déjà ces valeurs étrangères au capitalisme, qu'il s'agisse d'une bibliothèque en difficulté, d'un parc public, d'un mouvement étudiant réclamant la gratuité scolaire ou d'un groupe de défense des droits des immigrants en lutte pour la dignité et l'ouverture des frontières. Et, par-dessus tout, une telle vision appelle l'établissement de liens systématiques entre ces combats apparemment disparates, en affirmant par exemple que la logique qui privilégie la réduction des pensions de retraite, de l'aide alimentaire et des soins de santé plutôt que l'augmentation des impôts des riches est la même que celle qui recommande de fracturer la roche-mère pour en extraire les dernières émanations de gaz et les ultimes gouttes de pétrole avant d'amorcer le virage vers les énergies renouvelables.

Si ceux qui, de maintes façons, tentent d'établir de tels liens et d'exprimer de telles valeurs sont nombreux, un solide mouvement exigeant des réactions à la crise climatique tarde à émerger. Pourquoi? Pourquoi ne nous montrons-nous pas, en tant qu'espèce, à la hauteur de pareil moment historique? Pourquoi avons-nous jusqu'ici laissé filer l'occasion de respecter l'objectif des 2 °C?

Pour les idéologues de la droite, il est sensé de nier l'existence du changement climatique: la reconnaître reviendrait pour eux à provoquer un cataclysme intellectuel. Mais qu'est-ce qui empêche la multitude de ceux qui rejettent cette idéologie d'exiger le type de mesures draconiennes tant redoutées par les membres du Heartland Institute? Pourquoi les partis politiques de gauche n'exigent-ils pas l'arrêt de l'extraction débridée des énergies fossiles et une transition complète vers une économie s'appuyant sur les ressources renouvelables? Pourquoi le changement climatique n'est-il pas au cœur même du programme progressiste – en tant que base essentielle permettant d'exiger une réorganisation vigoureuse de la gestion des biens communs – plutôt que relégué à une note de bas de page souvent ignorée? Pourquoi les médias progressistes confinent-ils les articles traitant de la fonte des calottes glaciaires aux rubriques consacrées aux questions environnementales, à côté de vidéos d'animaux aussi virales qu'attendrissantes? Pourquoi sommes-nous si nombreux à ne pas faire ce qui doit être fait pour empêcher le réchauffement d'atteindre une ampleur catastrophique?

La réponse tient en peu de mots: parce que les climatosceptiques ont remporté la première manche. S'ils n'ont pas gagné la bataille du changement climatique – leur influence dans cette arène est d'ailleurs déjà sur le déclin –, les climatosceptiques, de même que le mouvement idéologique dont ils participent, ont néanmoins remporté la bataille qui décide des valeurs dominantes. Leur vision, qui veut que la cupidité nous guide et qui considère, pour citer le défunt économiste Milton Friedman, que «la pire erreur» a été de «croire qu'il est possible de faire le bien avec l'argent d'autrui», a radicalement transformé le monde au cours des quarante dernières années, décimant virtuellement tout contre-pouvoir[69]. L'idéologie radicale du libre marché s'est entre autres imposée par l'entremise des conditions rigoureuses attachées aux indispensables prêts octroyés par la Banque mondiale et le Fonds monétaire international (FMI). Elle a façonné le modèle de développement basé sur l'exportation, qui a parsemé les pays en développement de zones franches. Elle a jeté les fondements d'innombrables accords commerciaux. Si tout le monde est loin de s'être laissé convaincre par cette idéologie, trop de gens ont toutefois adhéré tacitement à la maxime thatchérienne selon laquelle il n'existe pas d'autre option.

Entre-temps, le dénigrement de l'action collective et la vénération de l'appât du gain infiltraient la quasi-totalité des gouvernements de la planète, les grandes organisations médiatiques, les universités – et nos âmes elles-mêmes. Ainsi que l'a révélé l'étude effectuée par l'AGU mentionnée plus haut, chacun d'entre nous a laissé s'installer quelque part en lui-même le mensonge primordial selon lequel nous ne serions qu'égoïstes et cupides machines, obnubilées par la jouissance personnelle. Mais si cette vision reflète réellement la nature humaine, quel espoir nous reste-t-il devant l'immense travail collectif qu'il faudra entreprendre afin de tous nous sauver à temps? À n'en point douter, c'est là ce qui constitue le legs néolibéral le plus dommageable: cette sombre vision est parvenue à nous isoler suffisamment les uns des autres pour nous convaincre non seulement que nous sommes incapables de nous protéger nous-mêmes, mais aussi que nous *ne valons fondamentalement pas la peine d'être sauvés*.

Pourtant, beaucoup d'entre nous savent, en même temps, que ce miroir nous renvoie une image déformée de nous-mêmes, et que nous sommes en fait des êtres bourrés de contradictions: notre désir de satisfaction personnelle côtoie une profonde compassion, notre cupidité cohabite avec l'empathie et la solidarité. Comme l'a clairement expliqué Rebecca Solnit dans son livre *A Paradise Built in Hell,* paru en 2009, c'est précisément lorsque les crises humanitaires font rage que les valeurs qui dorment au fond de nous refont surface. On n'a qu'à penser aux incroyables élans internationaux de générosité provoqués par un tremblement de terre ou un tsunami, ou encore à la manière dont les New-Yorkais se sont spontanément rassemblés pour se réconforter mutuellement à la suite des attentats du 11 septembre 2001. Comme le craignent précisément les membres du Heartland Institute, la crise du climat recèle le pouvoir de libérer, à l'échelle mondiale et sur la longue durée, ces valeurs réprimées, et de nous donner l'occasion de nous évader en masse de la prison que l'idéologie néolibérale a bâtie – et qui présente déjà d'importantes fissures[70].

Avant que cela puisse advenir, nous devrons toutefois examiner plus en profondeur les façons dont le legs du fondamentalisme marchand et ses fondements culturels font encore obstacle à la lutte contre le changement climatique, et ce, sur presque tous les fronts. Le mantra du mouvement environnementaliste affirmant que le climat n'a rien à voir avec la gauche ou la droite, mais bien avec le fait « d'avoir raison ou d'avoir tort », ne nous a menés nulle part. Si la gauche politique traditionnelle est certes loin de détenir toutes les solutions à cette crise, il ne fait aucun doute que la droite politique contemporaine et l'idéologie triomphante qu'elle colporte constituent une entrave colossale au progrès.

Comme le montrent les quatre prochains chapitres, la véritable cause de l'inertie actuelle face au changement climatique tient au fait que les mesures nécessaires menacent directement le paradigme économique dominant (qui combine capitalisme déréglementé et austérité) et le mythe fondateur de la culture occidentale (selon lequel l'être humain ne fait pas partie de la nature et peut se jouer de ses limites), de même que bon nombre des activités qui forgent nos identités et définissent la vie collective (la consommation, le virtuel, un peu de consommation supplémentaire...). De telles mesures sont également synonymes d'extinction pour des industries – celles du pétrole et du gaz – dont la prospérité et le pouvoir sont sans précédent, mais qui ne pourront subsister dans leur forme actuelle si nous autres humains désirons éviter notre propre annihilation. Pour résumer : si nous n'avons pas relevé ce défi, c'est parce que nous sommes emprisonnés – politiquement, physiquement, culturellement. Et c'est seulement quand nous reconnaîtrons l'existence de nos chaînes que nous aurons une chance de nous en libérer.

## Chapitre 2

# Le commerce avant le climat

## Comment le fondamentalisme marchand
## contribue au réchauffement planétaire

*Nous avions toujours espoir que l'année suivante serait meilleure,
et même que l'année courante serait meilleure que la précédente.
Nous apprenions lentement et, si quelque chose ne marchait pas,
nous redoublions d'efforts l'année suivante. Nous n'essayions rien
de nouveau : nous redoublions d'efforts, tout simplement,
en refaisant la même chose que ce qui n'avait pas marché.*

Wayne Lewis, survivant du Dust Bowl, 2012[1]

*En tant que dirigeants, nous avons la responsabilité d'énoncer
clairement tous les risques qui pèsent sur nos peuples.
Et si le contexte politique n'est pas propice à la franchise,
alors nous devons en faire davantage pour le changer.*

Marlene Moses, ambassadrice de la République de Nauru
aux Nations Unies, 2012[2]

A**U TOURNANT DU SIÈCLE,** alors que la lutte contre la mondialisation faisait rage, j'ai suivi de très près l'évolution du droit commercial international. Toutefois, lorsque je me suis mise à naviguer dans les méandres scientifiques et politiques de la crise du climat, j'ai dû cesser de m'intéresser au commerce. Il y a une limite à la quantité de jargon bureaucratique abstrait qu'un individu peut absorber. J'étais personnellement arrivée à saturation s'agissant des objectifs de réduction des émissions, des tarifs de rachat garantis et de tout cet embrouillamini onusien en forme de CCNUCC et autres GIEC.

Puis, il y a trois ans environ, j'ai remarqué que les programmes de soutien aux énergies renouvelables (les plus ambitieux d'entre eux, essentiels à la réduction rapide des GES) subissaient de plus en plus d'attaques en vertu d'accords commerciaux internationaux, notamment des règles de l'OMC.

C'est ainsi qu'en 2010, les États-Unis ont contesté un programme chinois de subvention à l'énergie éolienne en arguant qu'il contenait des mesures protectionnistes de soutien à l'industrie locale. À son tour, la Chine a porté plainte en 2012 contre divers programmes d'énergie renouvelable de l'Union européenne, en ciblant particulièrement l'Italie et la Grèce (elle a aussi menacé de s'en prendre à des programmes similaires en vigueur dans cinq États américains). Pendant ce temps, Washington réclamait justice auprès de l'OMC contre l'Inde et son ambitieux programme de soutien en plusieurs phases à la production d'énergie solaire, programme appelé Jawaharlal Nehru National Solar Mission. Là encore, ce dernier contenait des mesures d'aide à l'industrie locale jugées protectionnistes. En conséquence de quoi des usines de fabrication de panneaux solaires flambant neuves se verront bientôt contraintes de fermer leurs portes. Pour ne pas être en reste, l'Inde a dans sa mire les programmes de soutien aux énergies renouvelables qu'ont adoptés certains États américains[3].

Dans un contexte d'urgence climatique, pareils comportements sont pour le moins curieux. Les gouvernements de ces pays ne manquent jamais de se dénoncer rageusement les uns les autres lors des conférences des Nations Unies sur le climat, se reprochant mutuellement de ne pas en faire assez pour réduire leurs émissions et attribuant leurs propres échecs au peu d'empressement de leurs vis-à-vis à respecter leurs engagements. Et pourtant, plutôt que de jouer la carte de l'émulation afin d'établir de meilleurs mécanismes de soutien aux énergies renouvelables, les plus grands émetteurs de GES du monde se précipitent à l'OMC pour faire abattre les éoliennes de leurs voisins.

À constater l'accumulation de telles occurrences, j'ai jugé bon d'en revenir à la question des guerres commerciales et, tandis que je poussais mes recherches plus avant, j'ai découvert qu'une affaire des plus décisives, qui pourrait créer un précédent dans la résistance du «libre-échange» à la lutte contre le déséquilibre climatique, était en train de se jouer en Ontario – autant dire sur le pas de ma porte. Soudain, le droit commercial devenait beaucoup moins abstrait.

*
*   *

Accoudé à une longue table de réunion surplombant son atelier, Paolo Maccario, élégant homme d'affaires italien venu à Toronto pour implanter une usine de panneaux solaires, arbore l'air à la fois fier et résigné d'un capitaine décidé à couler avec son navire :

certes, «le marché de l'Ontario n'existe pratiquement plus», m'explique-t-il en tentant de faire bonne figure, mais son entreprise ne manquera pas de trouver de nouveaux clients pour ses panneaux, en Europe ou aux États-Unis, peut-être. Ses produits sont d'excellente qualité, les meilleurs de leur catégorie, et ses «prix sont assez concurrentiels[4]».

En tant que PDG de Silfab Ontario, Maccario est tenu d'afficher un certain optimisme, sans quoi il manquerait de loyauté envers l'entreprise. Mais cela ne l'empêche pas d'admettre que les derniers mois ont été désastreux. Ses plus anciens clients sont maintenant convaincus que l'entreprise va fermer ses portes et jeter à la corbeille la garantie de 25 ans qui couvre leurs panneaux solaires. Quant aux clients potentiels, que les mêmes raisons retiennent de passer commande, ils se tournent vers des firmes chinoises offrant des modules moins chers, mais moins efficaces[*]. Ceux des fournisseurs qui envisageaient de déménager leurs usines dans les environs pour diminuer leurs frais de transport préfèrent désormais garder leurs distances.

Même la maison mère, en Italie (Silfab Ontario est une filiale de Silfab SpA, dont le fondateur est un pionnier de la fabrication de cellules photovoltaïques), semble abandonner le navire. Elle s'était engagée à investir quelque 7 millions de dollars dans une machine-outil sur mesure qui, selon Maccario, aurait permis la production de modules «d'une efficacité jamais atteinte par aucun fabricant, chinois ou occidental». Toutefois, à la dernière minute, alors que tout le travail de recherche et de conception était terminé, «nous avons conclu qu'il valait mieux ne pas engager les dépenses qui auraient permis de transférer cette technologie ici», raconte Maccario. Coiffés de résilles et vêtus de blouses de laboratoire, nous pénétrons dans l'usine où il me montre, sur le sol, l'espace rectangulaire vide qui aurait accueilli la machine-outil qui ne viendra jamais.

Compte tenu de tout ce qui s'est passé, quelles seraient les chances qu'une telle usine s'établisse ici aujourd'hui? À cette question, renonçant à tout boniment, l'homme d'affaires répond: «Je dirais inférieures à zéro, si c'est possible.»

Avec son complet de laine parfaitement ajusté et son bouc poivre et sel impeccablement taillé, Maccario ressemble davantage à un cadre de Fiat en train de siroter son *espresso* sur quelque

---

[*] La Chine, on le sait, est devenue le plus important fournisseur mondial de panneaux solaires bon marché. Ce faisant, elle a contribué à une chute spectaculaire des prix. Ces dernières années, ses modules bas de gamme ont inondé le marché, si bien que l'offre a dépassé la demande.

*piazza* de Turin qu'au gestionnaire qu'il est, captif d'un cube de béton sis au milieu de nulle part, entre un entrepôt d'Imperial Chilled Juice et un multiplexe AMC.

En 2010, pourtant, la décision de l'entreprise d'établir sa première usine nord-américaine de panneaux solaires en Ontario semblait parfaitement justifiée. Dans le secteur des énergies renouvelables de cette province canadienne régnait une atmosphère on ne peut plus fébrile : l'année précédente, au paroxysme de la crise financière de Wall Street, le gouvernement de l'Ontario avait dévoilé son plan d'action sur le climat, la Loi de 2009 sur l'énergie verte, en vertu de laquelle il s'engageait fermement à ce que la province la plus peuplée du Canada ait complètement abandonné le charbon en 2014[5].

Ce plan d'action avait suscité l'enthousiasme d'experts du monde entier, en particulier aux États-Unis, où de telles initiatives se faisaient attendre. En visite à Toronto, Al Gore lui avait donné sa bénédiction en proclamant qu'il était «largement reconnu comme le meilleur [programme] d'énergie renouvelable d'Amérique du Nord». Michael T. Eckhart, alors président de l'American Council on Renewable Energy, l'avait qualifié de «politique énergétique la plus complète jamais adoptée dans le monde[6]».

La loi en question, toujours en vigueur aujourd'hui, instituait le programme de tarifs de rachat garantis (TRG), un système permettant aux producteurs d'énergie renouvelable de revendre leurs surplus d'électricité au réseau ontarien à des prix préférentiels, garantis par des contrats à long terme. Elle comportait également des dispositions visant à ce que les projets n'émanent pas seulement de gros joueurs, mais aussi de municipalités, de coopératives et de collectivités autochtones, auxquelles elle donnait accès au marché de l'énergie propre et permettait de bénéficier de tarifs avantageux. Mais pour bénéficier de cette aide, les fournisseurs d'énergie devaient prouver qu'un pourcentage de leur main-d'œuvre et de leurs intrants était d'origine locale. Le gouvernement avait mis la barre très haut : pour certains projets d'énergie solaire, par exemple, ladite proportion devait atteindre 40 %, voire 60 %[7].

Cette disposition avait pour objectif de relancer un secteur manufacturier qui, après avoir longtemps reposé sur les «trois grands de l'automobile» (les sociétés américaines Chrysler, Ford et General Motors), tentait alors péniblement de se remettre de la faillite de General Motors et de la quasi-faillite de Chrysler. Le boom pétrolier des sables bitumineux de l'Alberta aggravait la situation, en faisant grimper en flèche la valeur du dollar canadien, et par conséquent le coût des produits ontariens[8].

Dans les années qui ont suivi le lancement du programme, des bourdes politiques sont venues mettre à mal les efforts de l'Ontario pour abandonner le charbon. En raison du peu de cas que l'industrie du gaz naturel et les promoteurs de projets éoliens faisaient des collectivités locales, le gouvernement provincial a gaspillé des centaines de millions de dollars (au bas mot) pour réparer des gâchis qu'on aurait pu éviter. Néanmoins, malgré ces ennuis, le programme a connu un succès indéniable. En 2012, l'Ontario était devenu le premier producteur de panneaux solaires du Canada et, en 2013, il ne s'y trouvait plus qu'une seule centrale au charbon en activité. Quant aux exigences relatives au « contenu provincial », elles ont également beaucoup aidé le secteur manufacturier à sortir de sa torpeur : de 2009 à 2014, plus de 31 000 emplois ont été créés, cependant que les entreprises d'énergie solaire et éolienne se mettaient à foisonner[9].

Silfab illustre très bien la façon dont fonctionnait le programme de TRG. Avant l'adoption de ce dernier, les propriétaires italiens de la société avaient déjà pris la décision d'implanter une usine de panneaux solaires en Amérique du Nord. Après avoir envisagé le Mexique, ils avaient jeté leur dévolu sur les États-Unis. Leurs choix évidents, précise Maccario, étaient la Californie, Hawaï et le Texas, des États qui ne manquaient pas d'ensoleillement, accordaient des avantages aux entreprises et constituaient pour leurs modules de vastes marchés en pleine expansion. Avec ses longs hivers nuageux et froids, l'Ontario « ne figurait pas sur l'écran radar », admet-il. L'opinion de Silfab a changé quand la province a lancé son plan d'action en matière d'énergies renouvelables, que Maccario considère comme « très audacieux et très bien conçu », en raison notamment de ses dispositions relatives au contenu local, grâce auxquelles les entreprises comme la sienne allaient trouver dans les collectivités optant pour les énergies renouvelables un marché stable pour leurs panneaux solaires, à l'abri de la concurrence des produits chinois bon marché. C'est ainsi que la firme avait choisi Toronto pour implanter sa première usine nord-américaine.

Silfab est vite devenue la coqueluche de la classe politique ontarienne. Le fait que l'immeuble acheté par l'entreprise pour y fabriquer ses panneaux était une ancienne usine de pièces d'automobile, laissée à l'abandon comme tant d'autres, n'était pas étranger à cet engouement. De plus, une bonne partie de la main-d'œuvre embauchée provenait du secteur automobile, des hommes et des femmes ayant acquis, chez Chrysler ou chez le géant de l'équipement automobile Magna, des années d'expérience sur des bras robotisés comparables à ceux utilisés par Silfab. Lors de l'inauguration de l'usine, Wayne Wright, travailleur de l'automobile au chômage devenu opérateur sur la nouvelle chaîne de montage, avait parlé avec émotion de son fils de 17 ans qui venait de lui dire que, grâce à son nouvel emploi, son père pourrait «enfin bâtir un meilleur avenir pour la jeunesse[10]».

Après quoi, les choses ont commencé à sérieusement tourner au vinaigre. Au moment même où les États-Unis contestaient les programmes chinois et indien de soutien aux énergies renouvelables, le Japon et l'Union européenne ont déclaré que l'imposition, par l'Ontario, d'exigences relatives au «contenu provincial» enfreignait les règles de l'OMC. Plus précisément, ils affirmaient que les dispositions stipulant qu'un pourcentage déterminé de l'équipement destiné aux énergies renouvelables devait provenir de l'Ontario établissaient «une discrimination à l'encontre du matériel pour installations de production d'énergie renouvelable produit à l'extérieur de l'Ontario[11]».

L'OMC ayant donné tort au Canada au motif que les exigences de l'Ontario étaient bel et bien illégales, la province s'est empressée d'abroger ces règles, pourtant essentielles à son programme[12], décision qui a conduit les investisseurs de Silfab à se retirer du projet d'expansion de l'usine. «Ces signaux contradictoires [...] ont été la goutte d'eau qui a fait déborder le vase», précise Maccario.

C'est pourquoi de nombreuses usines comme la sienne pourraient bien fermer, elles aussi, sans parler de celles qui ne viendront jamais s'installer.

## Le commerce avant le climat

En matière de climat, le jugement de l'OMC représente un véritable affront : pour que l'objectif des 2 °C ait la moindre chance d'être respecté, les pays riches comme le Canada devraient faire du passage aux énergies renouvelables leur priorité absolue. Pour le gouvernement fédéral, il s'agit d'un engagement moral inhérent à sa signature du protocole de Kyoto en 1997. Avec son programme de TRG, l'Ontario avait mis en place une véritable politique allant en ce sens (contrairement au gouvernement fédéral, qui, ayant laissé les émissions du pays grimper en flèche, a fini par se retirer du protocole de Kyoto pour ne pas s'exposer à l'opprobre international). Et, mieux encore, ce programme fonctionnaît. Il est donc absurde que l'OMC lui ait mis des bâtons dans les roues, laissant la planète plier devant le commerce international.

Néanmoins, sous un angle strictement juridique, le Japon et l'Union européenne ont parfaitement raison. La plupart des accords de libre-échange comportent une clause dite de « traitement réciproque » obligeant leurs parties à ne faire aucune distinction entre les biens produits par des entreprises locales et ceux produits à l'extérieur de leurs frontières par des firmes étrangères. C'est pourquoi toute mesure de soutien à l'industrie locale peut être considérée comme illégale parce que « discriminatoire ». Cet aspect a d'ailleurs été le déclencheur des luttes des années 1990 contre le libre-échange, précisément parce qu'une telle restriction empêchait les gouvernements de mettre en œuvre des programmes similaires à celui qu'a tenté de mettre en place l'Ontario – c'est-à-dire de stimuler la création d'emplois en exigeant, en échange du soutien de l'État, un contenu local. Ce n'est là qu'une des nombreuses batailles décisives que la gauche a perdues à cette époque.

Selon les défenseurs des accords commerciaux, les mesures de soutien comme l'exigence ontarienne de « contenu provincial » faussent le libre marché et doivent donc être supprimées. Certains acteurs du secteur des énergies renouvelables (généralement ceux qui achètent leurs produits en Chine) tiennent un discours similaire, affirmant que la provenance de leurs panneaux solaires ou de leurs turbines éoliennes est sans importance : à leurs yeux, le consommateur doit avoir accès aux produits les moins chers possible pour que la transition écologique puisse avoir lieu au plus vite.

La principale faiblesse de ces arguments réside dans l'idée voulant qu'il existe, en matière d'énergie, un libre marché à protéger des distorsions de la concurrence. Non seulement les sociétés pétrolières reçoivent des subventions oscillant entre 775 et 1 000 milliards de dollars par an à l'échelle mondiale, mais elles jouissent sans frais du privilège d'utiliser l'atmosphère – un bien collectif – comme un vaste dépotoir gratuit. Selon la *Stern Review on the Economics of Climate Change*, il s'agit là de la « pire défaillance du marché jamais constatée ». Si distorsion véritable il y a, c'est bien dans un tel cadeau qu'elle réside, et si subvention effective il y a, c'est bien dans le cambriolage de l'air ainsi opéré[13].

Pour s'attaquer à ces distorsions (que l'OMC n'a jamais tenté de corriger), les gouvernements devront prendre une série de mesures draconiennes (allant de la garantie des prix à la subvention pure et simple), faute de quoi les énergies renouvelables ne feront jamais le poids. On sait d'expérience qu'une telle stratégie fonctionne : le Danemark dispose d'une des politiques énergétiques les plus abouties du monde et tire 40 % de son électricité de sources renouvelables, essentiellement éoliennes. Fait significatif, le programme danois a été mis en œuvre dans les années 1980, avant l'ère du libre-échange, à une époque où personne n'aurait songé à contester les généreuses subventions accordées par l'État danois à des projets de construction d'éoliennes contrôlés par les collectivités locales (en 1980, les nouvelles installations pouvaient bénéficier de subsides allant jusqu'à 30 %[14]).

« Bon nombre des politiques que le Danemark a adoptées pour lancer son industrie des énergies renouvelables n'auraient pas été conformes aux [...] accords internationaux sur le commerce et l'investissement », confirme Scott Sinclair, du Centre canadien de politiques alternatives, car le soutien « aux coopératives locales contrevient aux dispositions antidiscriminatoires stipulant que les sociétés étrangères doivent bénéficier du même traitement que les fournisseurs nationaux[15] ».

Économiste du développement et spécialiste des enjeux commerciaux et climatiques, Aaron Cosbey, généralement bien disposé envers l'OMC, constate avec raison que la promesse de création d'emplois locaux joue souvent un rôle déterminant dans la mise en place de programmes de soutien aux énergies renouvelables. « Dans bon nombre de cas, l'argument de l'emploi est le facteur décisif qui pousse un gouvernement à donner son soutien. Mais si l'obtention d'une subvention ou d'un investissement est conditionnelle au respect de telles exigences, le programme contrevient alors aux règles de l'OMC[16]. »

C'est pourquoi les États qui appliquent ces politiques éprouvées (et beaucoup trop rares) se voient traduits devant les tribunaux, qu'il s'agisse de la Chine, de l'Inde, de l'Ontario ou de l'Union européenne.

Mais il y a pire. Ce ne sont pas seulement les indispensables mesures de soutien aux énergies renouvelables qui prêtent le flanc à de telles attaques. Toute tentative de la part d'un gouvernement de réglementer la vente ou l'extraction de types particulièrement polluants de combustibles fossiles s'expose à de semblables contestations judiciaires. L'Union européenne, par exemple, a envisagé d'imposer, dans le domaine des carburants, de nouvelles normes de qualité qui auraient eu pour effet de limiter ses importations de pétrole issu de filières émettant de grandes quantités de GES, comme les sables bitumineux de l'Alberta. Il s'agissait là d'une politique climatique tout à fait pertinente, du genre de celles dont nous aurions le plus grand besoin, mais son éventuelle adoption a été ralentie par des menaces de représailles assez peu nuancées de la part du Canada. Pendant ce temps, la même Union européenne menait des négociations commerciales bilatérales avec les États-Unis dans le but de contourner les restrictions américaines, établies de longue date, aux exportations de pétrole et de gaz, dont l'interdiction, remontant à plusieurs décennies, d'exporter du pétrole brut. En juillet 2014, un document de négociation ayant fait l'objet d'une fuite révélait que l'Union européenne faisait pression pour l'adoption d'une « convention ayant force d'obligation » qui garantirait son droit d'importer du gaz et du pétrole de schiste obtenus par fracturation dans la formation de Bakken, dans le Dakota du Nord, et ailleurs[17].

Il y a près de dix ans, un porte-parole de l'OMC affirmait que son organisation rendait possible la contestation « de pratiquement toute mesure de réduction des émissions de GES », déclaration qui avait suscité peu de réactions à l'époque, alors que l'indignation aurait dû s'imposer. D'autant que l'arsenal du commerce déréglementé ne se limite pas aux munitions de l'OMC : d'innombrables traités régionaux et bilatéraux sur le commerce et l'investissement s'avèrent tout aussi redoutables[18].

Comme nous le verrons plus loin, ces accords commerciaux pourraient même donner aux multinationales le pouvoir d'annuler des victoires populaires capitales contre des pratiques d'extraction hautement controversées, telle l'exploitation gazière par fracturation hydraulique. En 2012, une société pétrolière a entrepris de contester, en vertu de l'ALENA, un moratoire québécois sur l'extraction de gaz de schiste sous le fleuve Saint-Laurent, obtenu de haute lutte (la procédure est en cours[19]). Plus les citoyens obtiennent gain de cause, plus on doit s'attendre à de telles contestations judiciaires.

Il arrive à l'occasion qu'un État défende avec succès ses politiques de réduction des émissions devant les tribunaux. Trop souvent, toutefois, les gouvernements s'empressent de céder, craignant de passer pour des opposants au libre-échange (c'est sans doute la raison pour laquelle l'Ontario a consenti sans broncher au jugement de l'OMC contre sa politique énergétique). Pour autant, cette judiciarisation n'est pas en train de tuer les énergies renouvelables : aux États-Unis et en Chine, par exemple, le marché du solaire continue d'afficher une croissance impressionnante. Mais les choses ne vont pas assez vite. De plus, l'incertitude juridique qui entoure actuellement certains programmes de soutien aux énergies renouvelables parmi les plus importants du monde nous paralyse au moment même où la science nous enjoint d'en faire plus. Laisser des règles de droit commercial ésotériques, et qui plus est négociées loin des regards du public, avoir une telle incidence sur un enjeu à ce point déterminant pour l'avenir de l'humanité témoigne d'une forme particulière de folie. Joseph Stiglitz, lauréat du prix Nobel d'économie, ne mâche pas ses mots : « Doit-on, parce qu'ils ont concocté un système dont ils ne saisissent pas les enjeux, laisser une bande de juristes stupides faire obstacle au sauvetage de la planète[20] ? »

Certainement pas. Selon Steven Shrybman, avocat spécialisé dans le commerce international et les litiges d'intérêt public ayant collaboré avec de nombreux groupes d'opposants à ces contestations judiciaires, le problème est structurel : « Si le droit commercial international ne tolère pas certaines mesures essentielles à la lutte contre les changements climatiques, il faudra manifestement en redéfinir les règles. Jamais on ne pourra instituer une économie durable en maintenant les règles commerciales en l'état. C'est absolument impossible[21]. »

Ce sont précisément des conclusions de cet ordre qui suscitent l'inquiétude chez les membres du Heartland Institute. Le jour où les gens prendront conscience que la lutte contre les changements climatiques est entravée sur le plan juridique par des dizaines de traités conclus par leurs gouvernements, ils disposeront d'un puissant argument pour s'opposer à tout nouvel accord du genre, jusqu'à ce qu'on porte enfin attention à ce très négligeable problème que constitue l'habitabilité de la planète.

Il en va de même pour les diverses facettes de l'orthodoxie du marché qui compromettent la capacité de réagir activement à la crise, qu'il s'agisse de la logique suffocante de l'austérité qui empêche les gouvernements d'effectuer de nécessaires investissements dans les infrastructures à faibles émissions de GES (sans parler de la lutte contre les feux de forêt et les inondations) ou de la mise aux enchères des services publics d'électricité au profit de sociétés privées, lesquelles, dans bien des cas, refusent d'avoir recours à des sources d'énergie renouvelables, moins rentables.

Les trois piliers de l'ère néolibérale (privatisation du secteur public, déréglementation des marchés et allègement du fardeau fiscal des entreprises financé par la réduction des dépenses publiques) sont donc incompatibles avec une bonne partie des mesures à prendre pour ramener les émissions à des niveaux acceptables. Ces piliers soutiennent le mur idéologique qui, depuis des dizaines d'années, empêche le déploiement de solutions sérieuses pour endiguer le déséquilibre climatique. Mais avant d'étudier plus à fond les raisons pour lesquelles la crise du climat commande d'abattre ce mur, examinons d'un peu plus près l'impressionnant dossier de conjonctures défavorables ayant conduit à la situation actuelle.

## Un mur abattu, des émissions à la hausse

Si l'on devait assigner une date de fondation au mouvement de lutte contre la crise du climat – ce moment où la question a fait irruption dans la conscience collective pour ne plus en sortir –, ce serait le 23 juin 1988. Certes, les milieux politiques et scientifiques étaient au fait du réchauffement planétaire depuis longtemps déjà. Les intuitions fondamentales sur lesquelles reposent les connaissances actuelles remontent à la seconde moitié du $xix^e$ siècle, et les premières découvertes scientifiques ayant démontré que la combustion de matières carbonées était susceptible de réchauffer les températures mondiales ont eu lieu dans les années 1950 et, en 1965, le concept est assez largement accepté par les spécialistes pour que le comité consultatif scientifique du président américain Lyndon B. Johnson émette une mise en garde : « Avec sa civilisation industrielle qui s'étend partout dans le monde, l'humanité mène sans le savoir une vaste expérience de géophysique. [...] Les changements climatiques que l'augmentation des émissions de $CO_2$ risque d'induire pourraient s'avérer dévastateurs pour l'être humain[22]. »

Il faudra toutefois attendre le témoignage de James Hansen (alors directeur du Goddard Institute for Space Studies de la NASA) devant une commission du Sénat des États-Unis le 23 juin 1988 pour que la question du réchauffement planétaire s'immisce dans les talk-shows et les discours politiques. À Washington, par une chaleur accablante de 37 °C (un record), dans une salle dont le système de climatisation est en panne, Hansen déclare à des parlementaires en nage qu'il est « à 99 % certain de la réalité d'une tendance au réchauffement » liée aux activités humaines. Interviewé par le *New York Times*, il ajoute qu'« il est temps d'arrêter de baratiner ». Quelques jours plus tard, des centaines de scientifiques et de responsables politiques se réunissent à Toronto pour la Conférence mondiale sur l'atmosphère en évolution, où, pour la première fois, il est question de la réduction des émissions de GES. En novembre, le GIEC, principal organisme scientifique chargé de conseiller les gouvernements en matière de changement climatique, tient sa première séance. L'année suivante, 79 %

des Américains diront avoir déjà entendu parler de l'effet de serre, contre 38 % en 1981[23].

L'enjeu prend tant d'importance que, au moment de désigner sa «personnalité de l'année» 1988, la rédaction du magazine *Time* choisit de bousculer les règles et de libeller sa une «Planète de l'année: la Terre en péril», l'illustrant d'une image du globe enrobé de ficelle derrière lequel se devine un inquiétant coucher de soleil. «Aucun individu, aucun événement, aucun mouvement n'a autant frappé l'imagination ou fait les gros titres que cet amoncellement de roche, de terre, d'eau et d'air qui nous tient lieu de demeure», explique le journaliste Thomas Sancton[24].

L'article de Sancton est encore plus frappant que l'image de couverture: «Cette année, la Terre a parlé, tel Dieu prévenant Noé de l'imminence du déluge. Elle a parlé haut et fort et, soudain, on s'est mis à l'écouter, à réfléchir à ce qu'augure son message.» Ce message est si profond, si fondamental, affirme-t-il, qu'il met en question les mythes fondateurs de la culture occidentale moderne. Il vaut la peine de citer ce passage où le journaliste traite des racines de la crise:

> Bon nombre de sociétés païennes considéraient la Terre comme une mère fertile faisant don de la vie. La nature (la terre, la forêt, la mer) était d'essence divine, et les mortels y étaient soumis. La tradition judéo-chrétienne a introduit une vision du monde radicalement différente: la Terre est la création d'un dieu unique qui, après lui avoir donné forme, a ordonné à ses habitants, selon les mots de la Genèse: «Soyez féconds et prolifiques, remplissez la terre et dominez-la. Soumettez les poissons de la mer, les oiseaux du ciel et toute bête qui remue sur la terre!» L'idée de domination a pu être interprétée comme une invitation à envisager la nature comme un simple réservoir de ressources[25].

À l'époque, un tel diagnostic n'a rien d'original: son auteur y résume les principes fondateurs de la pensée écologiste. Cependant, le fait que ces propos se retrouvent dans le plus centriste des magazines américains est digne d'être remarqué. C'est entre autres pour cette raison que ce début d'année 1989 sera perçu par de nombreux militants écologistes comme un tournant historique, comme si le dégel qui a mis fin à la guerre froide et le réchauffement de la planète s'étaient unis pour donner naissance à une nouvelle conscience, où la coopération triompherait de la domination, où l'humilité devant la complexité de la nature s'élèverait contre la démesure technologique.

Alors que les gouvernements commencent à débattre entre eux des manières de réagir au dérèglement climatique, des voix fortes en provenance des pays en développement s'élèvent, soulignant que le problème découle essentiellement du mode de vie occidental, fondé sur la surconsommation. Dans un discours prononcé en 1989, le président indien Ramaswamy Venkataraman affirme que la crise mondiale de l'environnement est le résultat «de la consommation excessive des ressources et de l'industrialisation à grande échelle qui alimentent le mode de vie» des pays développés[26]. Si les pays riches consommaient moins, soutient-il, le monde serait plus en sécurité.

Si l'année 1989 commence ainsi, elle se terminera cependant sur une tout autre note. Au cours des mois qui suivent, des soulèvements populaires font tache d'huile d'un bout à l'autre du bloc de l'Est, contrôlé par l'Union soviétique. Partout, la révolte gronde, de la Pologne à la Hongrie, en passant par l'Allemagne de l'Est, où, en novembre, le mur de Berlin s'effondre. À Washington, portant fièrement l'étendard de «la fin de l'histoire», des idéologues de droite profitent de ce moment d'incertitude pour anéantir l'opposition politique, qu'elle soit socialiste, keynésienne ou écologiste radicale, en même temps qu'ils s'en prennent directement à la notion d'expérimentation politique, selon laquelle il pourrait exister d'autres modes viables d'organisation de la société que le capitalisme déréglementé.

En dix ans, leur idéologie extrémiste pro-entreprise va tout balayer sur son passage. Non content de rester intact, le mode de vie occidental fondé sur la surconsommation va devenir beaucoup plus fastueux; de 1980 à 2010, l'endettement des ménages attribuable aux cartes de crédit est multiplié par quatre[27]. Simultanément, la voracité de ce mode de vie s'étend aux classes moyennes et supérieures du monde entier, y compris en Inde, où il va causer des dommages environnementaux d'une ampleur difficile à évaluer. Ce nouveau paradigme connaît une progression plus rapide et plus marquée que ce que presque tout le monde avait imaginé. Des légions de perdants se voient contraintes de grappiller leur pitance sur des montagnes de déchets toujours plus hautes, dégageant toujours plus de méthane.

## Commerce et climat: deux solitudes

Au cours de cette période de changement rapide, les négociations sur le climat et sur le commerce évoluent en parallèle, les accords décisifs sur l'une ou l'autre de ces questions se succédant à vive allure. En 1992 a lieu le troisième Sommet de la Terre des Nations Unies, à Rio de Janeiro, qui se conclut par la signature de la

CCNUCC, un document qui servira de base aux négociations futures. La même année, les États-Unis, le Canada et le Mexique signent l'ALENA, qui entrera en vigueur deux ans plus tard. En 1994, les négociations pour la mise sur pied d'une instance de régulation du commerce mondial aboutissent, et l'OMC inaugure ses activités l'année suivante. En 1997 est adopté le protocole de Kyoto, qui comprend les premiers objectifs contraignants de réduction des émissions de GES. En 2001, l'accession à part entière de la Chine à l'OMC marque le point culminant d'un mouvement de libéralisation du commerce et de l'investissement amorcé des décennies plus tôt.

Il est frappant de constater à quel point ces deux processus parallèles sont indépendants l'un de l'autre. Chacun d'eux semble nier l'existence de l'autre, faisant fi des questions les plus flagrantes quant à leurs conséquences réciproques. En voici quelques exemples. Quels seront les effets de l'augmentation considérable des distances parcourues par les matières premières (dans des porte-conteneurs, des gros-porteurs et des camions vomissant du $CO_2$) sur les émissions de GES que les négociations sur le climat ont pour objectif de réduire? Inversement, en quoi les règles interdisant aux gouvernements d'accorder un traitement préférentiel aux entreprises nationales empiéteront-elles sur les efforts visant à raccourcir les routes commerciales pour réduire les émissions? Quelle incidence aura le régime de protection des brevets de l'OMC sur la revendication des pays en développement pour un libre transfert des technologies vertes, qui pourraient les aider à adopter des stratégies de développement à faibles émissions? Et, élément sans doute le plus crucial, jusqu'à quel point les dispositions permettant aux sociétés privées de poursuivre les États ayant promulgué des lois pouvant nuire à leur rentabilité dissuaderont-elles les gouvernements d'adopter des mesures antipollution strictes?

Jamais les négociateurs gouvernementaux n'ont tenté de répondre à ces questions ou de résoudre les contradictions manifestes qu'elles recèlent. Ils ne se sont pas demandé non plus de quel côté devrait pencher la balance si l'un ou l'autre des objectifs contradictoires que sont la réduction des émissions et l'élimination des barrières commerciales entraient directement en conflit : tous les engagements pris lors des négociations sur le climat reposent sur la bonne foi des parties, qui sont soumises à un régime de sanctions peu contraignant. Les accords commerciaux, eux, comportent de stricts mécanismes de règlement des différends : tout État qui ne respecte pas ses engagements peut être traduit devant les tribunaux, s'exposant ainsi à de lourdes pénalités.

En fait, la hiérarchie entre les deux objectifs est si évidente que, d'entrée de jeu, les responsables des négociations sur le climat ont reconnu officiellement leur subordination au système commercial. Signée à Rio en 1992, la CCNUCC le stipule noir sur blanc : « Il convient d'éviter que les mesures prises pour lutter contre les changements climatiques, y compris les mesures unilatérales, constituent un moyen d'imposer des discriminations arbitraires ou injustifiables sur le plan du commerce international, ou des entraves déguisées à ce commerce. » (Le protocole de Kyoto comprend des propos similaires.) La CCNUCC « a donné le ton aux rapports entre politique climatique et politique commerciale », explique la politologue australienne Robyn Eckersley : « Au lieu de faire pression pour obtenir une adaptation des règles du commerce international aux nécessités de la protection du climat [...], les parties à la convention ont veillé à ce que la libéralisation du commerce et la mondialisation de l'économie ne soient pas entravées par les politiques climatiques. » Par conséquent, les négociateurs sont pratiquement obligés d'ignorer – parce qu'elles « portent atteinte à la liberté de commerce » – certaines propositions audacieuses dont la mise en œuvre pourrait être coordonnée à l'échelle internationale, comme les programmes de soutien aux énergies renouvelables assortis d'exigences relatives au contenu local, ou encore la limitation du commerce de biens à forte empreinte carbone[28].

Au début des années 1990, quelques voix isolées avaient bien compris que les modestes gains obtenus lors des négociations sur le « développement durable » se voyaient systématiquement réduits à néant par la nouvelle architecture du commerce et de l'investissement. L'une d'elles était celle de Martin Khor, qui dirigeait alors le Third World Network et avait joué un rôle de premier plan comme conseiller auprès des gouvernements de certains pays en développement lors de négociations sur le commerce ou le climat. Au terme du Sommet de la Terre de 1992 à Rio, Khor s'est inquiété du « sentiment général des délégués des pays du Sud », selon lesquels « des événements extérieurs au processus [du sommet] menaçaient d'affaiblir le Sud encore davantage et de mettre en péril les éléments positifs » issus de la conférence de Rio. Parmi ces événements, il mentionnait les politiques d'austérité (imposées à l'époque par le FMI et la Banque mondiale) ainsi que les négociations commerciales qui mèneraient bientôt à la création de l'OMC[29].

Steven Shrybman était une autre de ces voix pionnières : au tournant du siècle, il constatait que l'extension à l'échelle mondiale de l'agriculture industrielle avait déjà porté un coup dévastateur aux possibilités de réduire les émissions. Dans un article paru en 2000, il affirmait que «la mondialisation des systèmes agricoles qui s'est déployée au cours des dernières décennies aura probablement été l'une des causes principales de la hausse globale des émissions de GES[30]».

Son inquiétude portait moins sur les distances parcourues par les denrées importées, aujourd'hui décriées par les défenseurs de l'agriculture locale, que sur la façon dont les règles commerciales, en satisfaisant les moindres désirs de sociétés comme Monsanto ou Cargill (du libre accès aux marchés à l'octroi de généreuses subventions, en passant par une protection implacable des brevets), contribuent au maintien et à la mondialisation d'un modèle agricole énergivore à forte empreinte carbone. Il s'agit là d'un des principaux facteurs expliquant pourquoi l'industrie agroalimentaire est responsable de 19 à 29 % des émissions mondiales de GES. «En ce qui concerne les systèmes alimentaires, les politiques et les règles commerciales contribuent aux changements climatiques de façon tout à fait structurelle», soulignait Shrybman dans une interview[31].

Cette propension à taire volontairement la crise du climat dans les accords commerciaux s'est maintenue jusqu'à nos jours. C'est ainsi qu'en janvier 2014, WikiLeaks et le groupe péruvien de défense des droits de la personne RedGE ont divulgué plusieurs documents de négociation du projet d'Accord de partenariat transpacifique (un nouveau traité de libre-échange controversé et semblable à l'ALENA, appelé à regrouper 12 pays). Un brouillon du chapitre sur l'environnement indique que les parties «admettent que le déséquilibre climatique est un problème mondial exigeant l'adoption de mesures collectives et reconnaissent l'importance de la mise en œuvre de leurs engagements respectifs en vertu de la CCNUCC». Le libellé est vague et dépourvu d'obligations, mais le texte aurait pu être invoqué par des gouvernements pour se défendre en cas de contestation de leurs politiques climatiques devant un tribunal commercial, comme en a fait l'objet le plan d'action ontarien. Toutefois, une version ultérieure du chapitre montre que les négociateurs américains ont proposé un amendement, à savoir éliminer tous les passages relatifs aux changements climatiques et à la CCNUCC. Autrement dit, alors qu'on laisse systématiquement le commerce prendre le dessus sur le climat, il est tout simplement hors de question de laisser le climat prendre le dessus sur le commerce[32].

Mais on ne peut attribuer l'échec de la lutte contre le déséquilibre climatique aux seuls négociateurs commerciaux. Les négociations sur le climat ont elles-mêmes été le théâtre d'une forme particulière de déni. Au début des années 1990, alors qu'ils préparaient la version préliminaire du premier protocole sur le climat, les responsables de ces négociations, épaulés par les experts du GIEC, ont mis au point une méthode précise d'évaluation et de surveillance des émissions de gaz carbonique. Parce que les gouvernements étaient à la veille de prendre leurs premiers engagements en la matière, un tel mécanisme était devenu indispensable.

Vestige d'une époque antérieure au libre-échange, le système de surveillance des émissions retenu ne pourrait tenir compte de la profonde mutation qui touchait alors les modes (et les lieux) de fabrication des biens, laquelle se déroulait pourtant sous les yeux des négociateurs. Pour ne donner qu'un exemple, les émissions provenant du transport international des marchandises (des années 1990 aux années 2010, le trafic de porte-conteneurs a augmenté de près de 400 %) ne sont officiellement attribuables à aucun État, si bien que personne n'a la responsabilité de les réduire. (Et les Nations Unies ont perdu l'essentiel de l'élan grâce auquel elles auraient pu corriger le tir, même si les émissions du secteur du transport de marchandises sont appelées à doubler, voire à tripler, d'ici 2050[33].)

Dès lors, les États sont uniquement tenus responsables des émissions générées sur leur propre territoire, et non de celles qui découlent de la fabrication des biens qu'ils importent, lesquelles sont attribuables aux pays exportateurs[34]. Les émissions générées par la production du téléviseur qui trône dans mon salon, par exemple, ne sont pas comptabilisées dans le bilan carbone du Canada, mais plutôt dans celui de la Chine, où il a été fabriqué ; quant à celles du porte-conteneurs sur lequel l'appareil a traversé l'océan Pacifique, elles ne figurent dans aucun bilan.

Ce mécanisme on ne peut plus déficient donne une image déformée de l'origine des émissions dans le monde. Il a permis à des pays riches ayant connu une désindustrialisation marquée de prétendre que leurs émissions se sont stabilisées ou ont diminué, alors que, dans les faits, les émissions inhérentes à leur consommation ont explosé depuis le début de l'ère du libre-échange. En 2011, la revue *Proceedings of the National Academy of Sciences* a publié une étude sur les émissions des pays industrialisés signataires du protocole de Kyoto. Selon ses auteurs, si les émissions de ces pays ont cessé d'augmenter, c'est en grande partie parce que la mondialisation du commerce leur a permis de délocaliser leur production à l'étranger. En fin de compte, la hausse des émissions attribuable à la production dans les pays en développement de biens consommés dans les pays industrialisés s'avère *six fois* plus importante que la baisse des émissions observée dans ces derniers pays[35].

## Main-d'œuvre bon marché et énergie sale : un tandem gagnant

Avec la généralisation du libre-échange et de la production délocalisée, les émissions n'ont pas simplement augmenté: elles se sont multipliées. Avant l'ère néolibérale, nous l'avons vu, la croissance des émissions avait ralenti, étant passée de 4,5 % par an dans les années 1960 à environ 1 % dans les années 1990. Mais l'arrivée du nouveau millénaire a marqué un tournant; de 2000 à 2008, cette croissance s'est élevée à 3,4 % par an, dépassant ainsi les prévisions les plus alarmistes du GIEC. En 2010, après l'éclipse de 2009 induite par la crise financière, le taux d'augmentation a atteint un sommet historique de 5,9 %, laissant les observateurs pantois. (À la mi-2014, soit vingt ans après la création de l'OMC, le GIEC a fini par admettre la réalité de la mondialisation dans son cinquième rapport: «La fabrication de produits destinés à l'exportation est à l'origine d'une part croissante de l'ensemble des émissions anthropiques de $CO_2$[36].»)

La cause de ce que le spécialiste suédois de l'histoire du charbon Andreas Malm qualifie d'«explosion des émissions du début du XXIe siècle» est assez évidente. En devenant l'«atelier du monde», la Chine, où le charbon occupe une place prépondérante, est aussi devenue la «cheminée du monde». À lui seul, ce pays a été responsable des deux tiers de l'augmentation des émissions mondiales observée en 2007. Ses émissions sont en partie attribuables à son propre développement interne (électrification des régions rurales, construction de routes, etc.), mais une proportion importante de celles-ci sont directement liées au commerce international: de 2002 à 2008, la production de biens destinés à l'exportation a généré 48 % du total des émissions chinoises, affirme une étude[37].

«Cette forme de mondialisation est une des causes de la crise du climat», juge Margrete Strand Rangnes, vice-présidente directrice de Public Citizen, un groupe de défense des consommateurs basé à Washington qui a été sur la ligne de front de la lutte contre le libre-échange. «Pour régler le problème convenablement, il faudra procéder à une redéfinition assez radicale de l'économie», estime-t-elle[38].

Les accords commerciaux internationaux ne sont bien sûr qu'une des raisons pour lesquelles les gouvernements ont opté pour ce mode de développement rapide et polluant, fondé sur les exportations, et chaque pays présente ses particularités propres. Dans bien des cas (mais pas celui de la Chine), les conditions rattachées aux prêts du FMI et de la Banque mondiale ont joué un rôle déterminant, de pair avec l'orthodoxie économique inculquée à la crème des étudiants d'institutions telles que Harvard et l'université de Chicago. Avec d'autres, ces éléments ont largement contribué à l'établissement de ce qu'il est convenu d'appeler (sans la moindre ironie) le «consensus de Washington». De plus, ce mode de développement est nourri par une course incessante à la croissance économique, qui, comme nous le verrons plus loin, a des racines beaucoup plus profondes que la mondialisation des dernières décennies. Néanmoins, l'architecture du commerce mondial et l'idéologie qui la sous-tend ont joué un rôle central dans la hausse vertigineuse des émissions.

Si tel est le cas, c'est parce qu'un des éléments-clés du système commercial conçu dans les années 1980 et 1990 consiste à permettre aux multinationales de ratisser la planète à la recherche d'une main-d'œuvre bon marché et facile à exploiter. Après un passage dans les *maquiladoras* du Mexique et d'Amérique centrale, elles ont fait une longue escale en Corée du Sud. À la fin des années 1990, toutefois, elles ont convergé vers la Chine, un pays où les salaires étaient extraordinairement bas, où les syndicats étaient durement réprimés, et où l'État souhaitait investir des fonds apparemment illimités dans d'imposants projets d'infrastructures (ports modernes, vastes réseaux d'autoroutes, innombrables centrales électriques au charbon, barrages colossaux), le tout pour que les lampes des usines restent allumées et que les marchandises passent des chaînes de montage aux porte-conteneurs dans les délais impartis. Le rêve de tout libre-échangiste qui se respecte ! Dans les faits : un cauchemar climatique.

Il existe en effet, pour reprendre les mots de Malm, «un lien de causalité entre la course à une main-d'œuvre bon marché bien disciplinée et l'augmentation des émissions de $CO_2$». Et pourquoi en irait-il autrement ? La logique selon laquelle on exploite des travailleurs jusqu'à l'os en ne leur versant qu'un maigre salaire est la même que celle qui préside à la combustion de montagnes de charbon au mépris de la lutte antipollution : la production au moindre coût possible. Ainsi, la délocalisation en Chine a-t-elle suscité l'implantation d'usines extrêmement polluantes. De 1995 à 2000, explique Malm, la consommation de charbon de ce pays avait connu un léger déclin, jusqu'à ce que l'explosion du secteur manufacturier la fasse grimper de nouveau. Non que les entreprises qui délocalisaient leur production en Chine eussent pour but d'augmenter leurs émissions: elles étaient simplement à la recherche d'une main-d'œuvre bon marché. Mais il s'avère que la surexploitation des travailleurs et celle de la planète vont de pair. La déstabilisation du climat est le prix à payer pour un capitalisme déréglementé et mondialisé, sa conséquence involontaire, mais inévitable[39].

Le lien entre pollution et exploitation de la main-d'œuvre remonte aux premiers jours de la révolution industrielle. Dans le passé, toutefois, lorsque les travailleurs revendiquaient de meilleurs salaires et que les citadins réclamaient un air plus sain, les entreprises se voyaient généralement contraintes d'améliorer leurs conditions de travail et leurs normes environnementales. Avec l'avènement du libre-échange, les choses ont changé: grâce à l'élimination de presque toutes les entraves aux mouvements de capitaux, les sociétés peuvent désormais déménager leurs activités au moindre signe d'augmentation du coût de la main-d'œuvre. C'est pour cette raison que beaucoup de fabricants importants ont quitté la Corée du Sud pour la Chine à la fin des années 1990, et que nombre d'entre eux désertent aujourd'hui la Chine, où les salaires vont croissant, pour s'établir au Bangladesh, où ceux-ci sont beaucoup plus faibles. Cependant, si nos vêtements, nos appareils électroniques et nos meubles sont souvent fabriqués en Chine, le modèle économique, lui, est essentiellement issu des États-Unis.

Pourtant, quand on aborde la question de la crise du climat dans les pays riches, on accuse spontanément la Chine (ou l'Inde, ou le Brésil) d'en être responsable. «À quoi bon réduire nos propres émissions si, comme chacun le sait, le véritable problème vient des économies en développement accéléré, qui inaugurent chaque mois plus de centrales au charbon que nous ne pourrons jamais en fermer[40]?» Comme si l'Occident n'était qu'un simple spectateur de ce modèle de croissance économique irresponsable et polluant, comme si ce n'étaient pas ses gouvernements et ses multinationales qui avaient réclamé l'adoption de ce mode de développement fondé sur les exportations, comme si ce n'étaient pas ses propres entreprises qui, armées d'une détermination inflexible (et activement soutenues par les despotes chinois), avaient transformé le delta de la rivière des Perles en zone économique spéciale à fortes émissions, où toutes les marchandises produites sont directement chargées sur des porte-conteneurs en direction des grandes surfaces des pays riches. Le tout pour alimenter, sur l'autel de la surconsommation, cette déesse qu'est la croissance économique.

Les victimes de ce système sont des gens ordinaires, tels ces ouvriers de Ciudad Juárez et de Windsor qui ont perdu leur gagne-pain, ou ceux de Shenzhen et de Dacca, qui travaillent dans des conditions si exécrables que certains patrons font installer des filets autour des toits des usines pour récupérer les employés se jetant dans le vide, et où les normes de sécurité sont si laxistes que des travailleurs meurent par centaines lorsqu'un atelier s'effondre. Les victimes, ce sont aussi ces jeunes enfants qui mordillent des jouets contenant du plomb ou ces employés de Walmart qui, contraints de travailler un jour férié, se font piétiner par une ruée de consommateurs en délire sans même gagner de quoi subvenir à leurs besoins. Ce sont également ces villageois chinois dont l'eau est contaminée par une de ces centrales au charbon invoquées par l'Occident pour justifier son inertie, ou ces enfants de la classe moyenne de Pékin obligés de jouer à l'intérieur parce que l'air de leur ville est complètement vicié[41].

## Un mouvement qui creuse sa propre tombe

Le plus tragique, dans cette histoire, c'est qu'une bonne partie de ces problèmes auraient pu être évités. Au moment où l'on fixait les règles du nouveau système, la crise du climat était un fait connu. L'ALENA n'a-t-il pas été signé moins d'un an après que les gouvernements, dont celui des États-Unis, eurent adopté la CCNUCC à Rio? Ce traité de libre-échange n'avait d'ailleurs rien d'inéluctable : une large coalition nord-américaine de syndicats et de groupes environnementalistes s'y était opposée précisément en raison des conséquences néfastes qu'il allait avoir sur les travailleurs et l'environnement; pendant un certain temps, elle a même semblé proche de remporter la bataille.

Tant au Canada qu'au Mexique et aux États-Unis, l'opinion publique était profondément divisée, si bien que, pendant la campagne présidentielle de 1992, Bill Clinton s'était engagé à ne pas entériner l'ALENA tant que ce dernier ne serait pas substantiellement amendé en fonction des préoccupations de la population. En vue des élections fédérales canadiennes de 1993, Jean Chrétien, qui aspirait au poste de premier ministre, avait fait campagne contre l'accord. Une fois élus, cependant, les deux hommes ont changé leur fusil d'épaule en laissant le traité intact,

tout en y annexant deux accords parallèles, non assortis de mécanismes de sanctions, sur le travail et sur l'environnement, tandis
que, peu impressionné par ce stratagème, le mouvement syndical
poursuivait sa lutte acharnée contre l'ALENA, à l'instar de nombreux membres du Parti démocrate américain.

Toutefois, pour
un ensemble de raisons où se conjuguaient réflexes politiques cen-
tristes et influence croissante de « partenaires » issus des milieux
d'affaires (raisons sur lesquelles nous reviendrons plus loin), plusieurs grandes organisations environnementalistes ont décidé de
jouer le jeu. « L'un après l'autre, des opposants et des sceptiques se
firent les farouches défenseurs de l'ALENA », écrit le journaliste
Mark Dowie dans son histoire critique du mouvement environnementaliste américain, *Losing Ground*. Ces groupes sont allés
jusqu'à créer un regroupement pro-ALENA, l'Environmental
Coalition for NAFTA (dont faisaient partie la National Wildlife
Federation, l'Environmental Defense Fund, Conservation International, la National Audubon Society, le Natural Resources Defense
Council [NRDC] et le World Wildlife Fund), lequel exprimerait
son « soutien inconditionnel à l'accord », relate Dowie. Jay Hair,
alors directeur de la National Wildlife Federation, s'est même
rendu au Mexique dans le cadre d'une mission commerciale officielle des États-Unis, afin de tenter d'influencer ses homologues
mexicains sans manquer de s'en prendre à ses détracteurs, à qui il
reprochait d'« accorder plus d'importance à leurs polémiques
protectionnistes qu'à la protection de l'environnement[42] ».

L'adhésion aux vertus du libre-échange ne faisait toutefois
pas l'unanimité chez les verts : de concert avec une multitude de
petits groupes, Greenpeace, les Amis de la Terre et le Sierra Club
ont maintenu leur opposition à l'ALENA. Mais leur ténacité
n'importunait guère l'administration Clinton, qui avait obtenu
ce qu'elle voulait : la possibilité de déclarer à un public sceptique
que « des groupes représentant 80 % des membres du mouvement
[environnementaliste] américain approuvent l'ALENA ». Ce soutien avait son importance, car Clinton n'allait pas avoir la tâche
facile au Congrès, où de nombreux parlementaires de son propre
parti s'étaient engagés à voter contre l'accord. John Adams, alors
directeur du NRDC, résumerait ainsi l'extraordinaire contribution des organisations comme la sienne : « Nous avons neutralisé
l'opposition environnementaliste à l'ALENA. Une fois notre position affirmée, Clinton n'avait plus que les syndicats dans les pattes :
nous lui avons rendu un fier service[43]. »

En 1993, au moment où il signait la loi ratifiant l'ALENA, le
président américain a pris soin de remercier tout particulièrement

«les environnementalistes qui, non sans prêter le flanc à la critique dans leur propre camp, ont manifesté leur soutien au projet».

Clinton n'a pas manqué de préciser également que cette victoire ouvrait la porte à d'autres traités du genre. «Aujourd'hui, nous avons la chance de faire ce que nos parents ont accompli avant nous. Nous avons la possibilité de changer le monde, déclarait-il. Nous sommes à l'aube d'une grande expansion de l'économie mondiale. [...] La confiance dont nous avons fait preuve en ratifiant l'ALENA a déjà commencé à porter ses fruits. Nous accomplissons maintenant de réels progrès en vue de l'adoption d'un accord commercial planétaire dont l'importance sera telle que les gains matériels réalisés grâce à l'ALENA paraîtront bien humbles en comparaison.» Le président faisait ainsi référence à l'OMC. Et, au cas où quiconque aurait conçu des inquiétudes quant aux conséquences potentielles du traité sur l'environnement, il s'est engagé personnellement en disant : «Nous mettrons en place de nouveaux dispositifs institutionnels pour veiller à ce que le commerce rende le monde plus propre qu'il ne l'était auparavant[44].»

Aux côtés de Clinton se tenait son vice-président, Al Gore, qui avait joué un rôle actif dans le ralliement des grandes organisations environnementales. Compte tenu de cet épisode, il n'est guère surprenant que les environnementalistes modérés ne se soient jamais empressés d'attirer l'attention sur les conséquences catastrophiques du libre-échange sur le climat. En le faisant, ils auraient mis l'accent sur l'aide considérable qu'ils avaient accordée à l'administration américaine dans son projet de «changer le monde», pour reprendre l'expression de Clinton. Ainsi que nous le verrons plus loin, il valait nettement mieux se contenter de disserter sur les ampoules électriques ou l'efficacité énergétique.

La ratification de l'ALENA a eu une portée historique, tragiquement historique. Si le mouvement environnementaliste n'avait pas été aussi accommodant, l'accord aurait peut-être été rejeté ou renégocié, ce qui aurait établi un précédent d'un tout autre ordre. On aurait pu mettre en place une architecture commerciale qui n'aurait pas systématiquement saboté le fragile consensus mondial sur le déséquilibre climatique. Cette architecture aurait pu reposer sur la double nécessité de lutter contre la pauvreté et de réduire les émissions de GES (une promesse du sommet de Rio de 1992 qui avait suscité beaucoup d'espoir). Ainsi, l'accès des acteurs économiques aux pays en développement aurait pu être conditionnel au transfert de ressources et de technologies propres en vue d'y construire d'indispensables infrastructures d'électricité et de transport, conçues dès le départ pour émettre de faibles quantités de GES. Les traités auraient aussi pu inclure des dispositions garantissant que toute mesure de soutien au développement des énergies renouvelables ne puisse faire l'objet de pénalités et se traduise par l'octroi d'avantages. L'économie mondiale n'aurait peut-être pas connu une croissance aussi fulgurante, mais elle n'aurait sans doute pas précipité l'humanité dans le gouffre climatique aussi rapidement. Jamais on ne pourra corriger les erreurs du passé, mais il est encore temps de bâtir un mouvement politique d'un nouveau genre, qui relancera la lutte contre un marché prétendument libre et entreprendra la création de cette architecture commerciale dont le monde a tant besoin. Il n'est pas question de mettre un terme aux échanges économiques internationaux, mais de repenser le commerce et ses objectifs en leur donnant des fondements plus équitables. Le système devra cesser d'avoir pour but la consommation frénétique et aveugle de produits essentiellement jetables. On devra renouer avec les biens durables. On devra également rationner le transport sur de longues distances, en le réservant aux marchandises qui ne peuvent être produites localement ou à celles dont la production locale émet plus de GES (dans les régions froides des États-Unis, par exemple, il est souvent plus énergivore de pratiquer la culture sous serre que de faire venir par train des légumes produits dans les régions plus chaudes[45]).

Pour Ilana Solomon, analyste commerciale au Sierra Club, il s'agit là d'une dimension incontournable de la lutte :

> Pour combattre efficacement le dérèglement climatique, il est impératif d'entreprendre un retour à l'économie locale et de réfléchir à ce qu'on achète, à la façon dont on consomme et aux modes de production. La règle la plus fondamentale du droit commercial actuel, c'est qu'on ne peut privilégier la production locale au détriment de la production à l'étranger. Dans un tel contexte, comment pourrait-on envisager d'encourager l'économie locale ou de lier une politique de l'emploi écologique à des mesures de soutien aux énergies renouvelables ? [...] Si l'on ne met pas en question la structure même de l'économie, on ne s'attaquera jamais à la véritable racine du problème[46].

La mise en œuvre de telles réformes économiques serait une bonne nouvelle pour les travailleurs au chômage, les agriculteurs incapables de rivaliser avec les produits d'importation à bas prix, et les collectivités dont les usines ont été délocalisées et dont les commerces de proximité ont été remplacés par de grandes surfaces. Dans la lutte visant à renverser cette tendance, vieille de trente ans, qui consiste à éliminer toutes les barrières imaginables à la puissance de la grande entreprise, la contribution de chacun vaut son pesant d'or.

## De l'expansion frénétique à la stabilité

Dans la culture politique actuelle, mettre en doute l'orthodoxie du libre-échange représente un sérieux défi dans la mesure où toute chose mise en place de longue date finit par revêtir un caractère d'inéluctabilité. Cependant, si essentielles soient-elles, les réformes évoquées ci-dessus ne suffiront pas à réduire les émissions de GES à temps. Pour y parvenir, il faut s'attaquer à une logique dont les racines sont encore plus profondes que celles du libre-échange : la croissance économique aveugle. Ce projet se heurte à une résistance considérable chez les observateurs du climat se réclamant de la gauche, pour qui il suffirait de repeindre en vert notre croissance actuelle. Il vaut donc la peine de se pencher sur qui se cache derrière.

C'est Kevin Anderson, directeur adjoint du Tyndall Centre for Climate Change Research et climatologue parmi les plus éminents du Royaume-Uni, qui a avancé les arguments les plus convaincants pour démontrer que l'économie de croissance se heurte aujourd'hui aux limites imposées par l'atmosphère. Par ses interventions auprès de diverses instances, qu'il s'agisse du ministère britannique du Développement international ou du conseil municipal de Manchester, Anderson s'est employé depuis plus de dix ans à expliquer aux parlementaires, aux économistes et aux militants les implications des dernières découvertes de la climatologie. Dans un langage clair et accessible, cet ancien ingénieur en mécanique, qui a déjà travaillé dans le secteur de la pétrochimie, propose un plan rigoureux de diminution des émissions grâce auquel on pourrait maintenir la hausse de la température moyenne sous la barre des 2 °C.

Depuis quelques années, toutefois, les communications d'Anderson se font de plus en plus alarmantes. Portant des titres comme « La crise du climat dépasse le seuil critique : une dure réalité qui suscite peu d'espoir », ses articles montrent que les chances de maintenir les températures dans des limites acceptables diminuent très rapidement. Selon Anderson et sa collègue Alice Bows-Larkin, physicienne de l'atmosphère et spécialiste des mesures d'atténuation du déséquilibre climatique au Tyndall Centre, les tergiversations politiques et la timidité des mesures adoptées (sur fond d'explosion des émissions) nous ont fait perdre tellement de temps qu'il faudrait désormais procéder à des réductions draco-niennes qui mettraient en cause la logique expansionniste consti-tutive de notre système économique[47].

Selon ces deux scientifiques, si les gouvernements des pays développés souhaitaient que l'objectif des 2 °C ait une chance sur deux d'être respecté, et si les réductions devaient être réparties avec un minimum d'équité entre pays pauvres et pays riches, ces derniers devraient diminuer leurs émissions de 8 à 10 % par an, et ce, dès maintenant. Encore récemment, la nécessité d'une réduction à ce point rapide ne faisait pas l'unanimité chez les cli-matologues, lesquels envisageaient des délais plus longs (une réduction de 80 % d'ici 2050, par exemple). Toutefois, constatant l'augmentation des émissions et le déclenchement de processus irréversibles, les scientifiques n'ont pas tardé à revoir leur posi-tion. Récemment, l'ex-secrétaire général de la CCNUCC Yvo de Boer a lui-même déclaré que «la seule façon» dont les négocia-teurs «pourraient parvenir au respect de l'objectif des 2 °C consis-terait à fermer l'ensemble de l'économie mondiale[48]».

Cette déclaration est nettement exagérée, mais elle souligne l'argument d'Anderson et Bows-Larkin voulant qu'il soit impos-sible de procéder à des réductions annuelles de 8 à 10 % en se contentant de mesures frileuses comme la tarification du carbone ou les technologies vertes, prisées des grandes organisations envi-ronnementales. Bien qu'elles soient incontestablement bénéfiques, de telles mesures ne pourront jamais suffire. Une diminution des émissions de 8 à 10 % par an constituerait un phénomène sans précédent depuis que nous avons commencé à alimenter nos éco-nomies au charbon. «Dans l'histoire», des baisses annuelles de plus de 1 % «n'ont eu lieu que lors de récessions économiques ou de soulèvements politiques», précise l'économiste Nicholas Stern dans son rapport de 2006 au gouvernement britannique[49].

Même l'effondrement de l'Union soviétique n'a pas entraîné de diminutions d'une telle ampleur (les anciennes républiques soviétiques ont connu une baisse annuelle moyenne de leurs émissions d'environ 5 % pendant dix ans). La diminution n'a pas été plus marquée pendant la courte pause d'un an qui a suivi la crise financière de 2008. C'est uniquement dans la foulée du krach de 1929 qu'on a vu les émissions des États-Unis chuter pendant plusieurs années consécutives, à raison de plus de 10 % par an. Mais il s'agissait là de la pire crise économique des temps modernes[50].

Pour éviter de telles catastrophes tout en respectant les objec-tifs de réduction des émissions, fondés, rappelons-le, sur des données scientifiques, « les États-Unis, l'Union européenne et d'autres pays riches devront mettre en œuvre des stratégies radicales et immédiates de décroissance », préviennent Anderson et Bows-Larkin*[51].

Ce tableau en apparence apocalyptique peut laisser entendre que la réduction des émissions exigera le déclenchement de crises économiques aux conséquences funestes pour le plus grand nombre. Mais cette impression découle simplement du fait que le système économique actuel fétichise la croissance du PIB sans tenir compte de ses conséquences humaines ou écologiques, tout en s'avérant incapable de conférer une valeur à ce que la plupart des gens chérissent par-dessus tout, soit un niveau de vie acceptable, une certaine confiance en l'avenir et des relations interpersonnelles épanouissantes. Ce qui ressort donc vraiment des propos d'Anderson et Bows-Larkin, c'est qu'il est encore temps d'éviter un réchauffement catastrophique, mais pas dans le cadre des règles actuelles du capitalisme. Ce qui est dans doute le meilleur argument dont on ait jamais disposé pour prôner le rejet de ces règles[52].

Au lieu de prétendre qu'on peut résoudre la crise du climat sans faire de vagues économiques, Anderson et Bows-Larkin affirment que le temps est venu de dire la vérité, de « libérer la science du joug de l'économie, de la finance et de l'astrologie, d'accepter ses conclusions même si elles sont pénibles. [...] Nous devons avoir l'audace de penser autrement, d'imaginer l'avenir autrement[53] ». Chose intéressante, quand Anderson présente ses conclusions radicales à ses pairs climatologues, les faits sur lesquels elles reposent sont rarement contestés. Les commentaires qu'il entend le plus souvent émanent de collègues lui confiant avoir perdu tout espoir de voir l'objectif des 2 °C respecté, précisément parce qu'un tel accomplissement exige une profonde remise en question de la croissance économique. « Cette opinion est partagée par bon nombre de scientifiques et d'économistes qui conseillent les gouvernements », rapporte Anderson[54].

Autrement dit, un bouleversement catastrophique du climat de la planète est plus facile à accepter que la perspective de rompre avec la logique fondamentale du capitalisme. Il n'est toutefois guère surprenant que certains climatologues soient quelque peu

---

* Les deux chercheurs n'épargnent pas la Chine et l'Inde. Selon leurs projections, les pays en développement ne disposeraient plus que d'une décennie pour augmenter leurs émissions en vue de sortir de la pauvreté, tout en effectuant leur transition vers les énergies renouvelables. À compter de 2025, ils devront réduire leurs émissions « au rythme sans précédent de 7 % » par an.

effrayés par les implications radicales de leurs propres découvertes. La plupart de ces chercheurs vaquaient tranquillement à leurs travaux consistant à mesurer des carottes de glace, à élaborer des modèles climatiques mondiaux ou à étudier l'acidification des océans lorsqu'ils se sont rendu compte que, en révélant l'ampleur de notre échec climatique collectif, « ils déstabilisaient involontairement l'ordre social et politique », explique le climatologue et auteur australien Clive Hamilton[55].

Quoi qu'il en soit, la déstabilisation de l'ordre social et politique est un fait accompli, ce qui signifie que le reste de la population devra rapidement trouver les moyens de faire en sorte que la « décroissance » ressemble moins à la Grande Dépression qu'à ce que certains économistes hétérodoxes ont déjà commencé à appeler « la grande transition[56] ».

*

*  *

Depuis quelques années, de nombreux promoteurs du capitalisme vert tentent de minimiser l'antagonisme entre logique du marché et limites écologiques en claironnant les merveilles de l'écotechnologie ou du « découplage » des dommages à l'environnement et de l'activité économique. Ils dépeignent ainsi un avenir assez similaire au présent, mais où l'énergie provient de sources renouvelables et où gadgets variés et autres véhicules sont devenus à ce point écoénergétiques qu'il ne nous reste plus qu'à consommer sans nous préoccuper des impacts sur l'environnement

Si seulement le rapport de l'humanité aux ressources naturelles était si simple ! Bien que ces technologies présentent un fort potentiel de réduction des émissions, les mesures nécessaires à leur généralisation à grande échelle impliquent la construction, souvent *ex nihilo*, de vastes réseaux électriques aussi bien que de systèmes de transport. Même si ces travaux commençaient demain matin, il est réaliste d'affirmer que leur achèvement et leur mise en service demanderaient des années, voire des décennies. De plus, parce qu'ils se dérouleraient dans le cadre d'une économie non encore alimentée par des énergies renouvelables, ils exigeraient la consommation d'une grande quantité de combustibles fossiles – une étape certes nécessaire, mais peu propice à une diminution assez rapide des émissions. Or, les pays riches doivent commencer à réduire substantiellement leurs émissions dès maintenant. S'ils attendent ce que Bows-Larkin qualifie de « technologies prodigieuses », « il sera trop tard[57] ».

Alors que faire entre-temps ? Eh bien, notre possible. Lequel, loin de requérir un renouveau des technologies et des infrastructures consiste à moins consommer, et tout de suite. Pour la classe politique actuelle, les mesures qui visent à inciter les gens à consommer moins sont beaucoup plus difficiles à envisager que celles qui ont pour but de les encourager à consommer « vert ». Consommer vert consiste simplement à remplacer une source d'énergie par une autre, ou un modèle par un autre, plus efficace. Si nous avons placé tous nos œufs dans le même panier de l'écotechnologie et de l'efficacité énergétique, c'est précisément parce que ces innovations s'inscrivent sans encombre dans la logique du marché : elles nous encouragent à acheter de nouvelles voitures et de nouvelles machines à laver, plus efficaces et plus écologiques.

Consommer moins implique au contraire une diminution de notre consommation d'énergie, qui touche à nos déplacements en automobile, à nos voyages en avion, aux distances parcourues par les aliments que nous mangeons, à la durabilité des biens que nous achetons ou à la taille de nos maisons. Ce sont là des éléments jusqu'ici négligés par les politiques climatiques. Par exemple, même si l'alimentation des familles est à l'origine de 12 % des émissions de GES du Royaume-Uni, « aucune politique n'a encore été adoptée qu'il s'agisse de transformer les modes de production, en incitant les agriculteurs à consommer moins d'énergie, ou les modes de consommation, en incitant le public à acheter des légumes de saison produits localement », affirme un rapport produit par Rebecca Willis et Nick Eyre pour le compte du groupe de recherche britannique Green Alliance. De la même façon, « on incite les gens à conduire des voitures plus écoénergétiques, mais on persiste à privilégier des modes d'occupation du territoire qui favorisent la dépendance à l'automobile[58] ».

De plus en plus de gens s'efforcent de changer leur mode de vie en réduisant leur consommation. Toutefois, pour qu'une telle stratégie de diminution des émissions par la demande ait la moindre possibilité d'atteindre la portée requise, elle ne doit pas être laissée à la bonne volonté de ces citadins qui, dans leurs vêtements recyclés, fréquentent le marché fermier du dimanche après-midi pour acheter leurs produits du terroir préférés. Seules des politiques de portée générale pourront faciliter l'adoption d'habitudes de consommation à faibles émissions par le plus grand nombre. Par-dessus tout, ces politiques devront être équitables : les personnes qui peinent déjà à subvenir à leurs besoins essentiels ne devraient pas être obligées de faire d'autres sacrifices pour compenser les excès des nantis. Parmi les mesures possibles, mentionnons l'établissement de réseaux de transport en commun électrifiés et accessibles à tous, la construction de logements abordables et écoénergétiques à proximité de ces réseaux, la planification de villes et de quartiers à haute densité, l'aménagement de pistes cyclables permettant de se rendre au travail en vélo sans risquer sa vie, une gestion du territoire agricole dissuadant l'étalement urbain et soutenant une production locale et peu énergivore, un urbanisme favorisant le regroupement de services essentiels comme les écoles et les centres de soins dans des zones piétonnières situées à proximité des lignes de transport collectif, et des mesures visant à rendre les fabricants responsables des déchets électroniques qu'ils génèrent ainsi qu'à éliminer une redondante multiplication des appareils tout en mettant un terme à l'obsolescence programmée*[59].

Quand des centaines de millions de personnes auront accès pour la première fois à des sources d'énergie modernes, les gens qui consomment beaucoup plus d'énergie qu'ils n'en ont besoin devront modérer leurs ardeurs. À quel point devront-ils réduire leur consommation ? Les climatosceptiques se plaisent à répéter que les environnementalistes souhaitent ramener l'humanité à l'âge de pierre. En vérité, pour respecter les limites écologiques, il nous faudrait plutôt revenir à un mode de vie comparable à celui qui avait cours dans les années 1970, avant l'explosion de la consommation amorcée dans les années 1980. On est loin des épreuves et des privations évoquées par les conférenciers du Heartland Institute ! Kevin Anderson explique ainsi :

> Il est nécessaire d'offrir aux pays nouvellement industrialisés la possibilité de se développer et d'améliorer le bien-être de leurs populations. Cela implique une importante diminution de la consommation d'énergie des pays développés, ainsi que des changements d'habitudes de vie qui seront davantage ressentis par les riches. [...] Nous l'avons déjà fait par le passé. Dans les années 1960 et 1970, nous avions un mode de vie aussi sain que modéré ; il nous faudra y revenir si nous voulons maîtriser les émissions. La diminution la plus considérable touchera les 20 % des individus les plus riches de la population. Les changements pourraient susciter l'avènement d'une société plus juste, où la majorité jouirait d'un mode de vie plus durable en émettant moins de GES[60].

---

\* La loi du Parlement européen qui forcerait les fabricants de téléphones mobiles à offrir un chargeur universel est un modeste pas dans la bonne direction, tout comme le fait d'obliger le secteur de l'électronique à utiliser des métaux recyclés comme le cuivre pourrait protéger un grand nombre de collectivités d'une des formes d'extraction minière les plus toxiques.

Indubitablement, les avantages de ce type de politiques ne se limiteraient pas à la diminution des émissions. Parmi leurs innombrables bienfaits, mentionnons la valorisation de la participation civique, de l'activité physique et de la solidarité, ainsi que l'assainissement de l'air et de l'eau. Les mesures contribueraient aussi largement à la réduction des inégalités sociales, car ce sont les plus démunis, souvent des gens de couleur, qui profiteraient le plus du développement du logement social et du transport collectif. De plus, si les programmes de transition comprenaient des mesures favorisant l'emploi local et des salaires décents, l'amélioration des services publics serait doublement bénéfique pour ces personnes : grâce aux emplois créés dans ce domaine, elles deviendraient moins dépendantes des branches les plus polluantes de l'industrie, jusqu'ici concentrées de façon disproportionnée dans les localités peuplées de gens de couleur à faible revenu.

Selon Phaedra Ellis-Lamkins, de l'association pour la justice environnementale Green for All :

> Les outils nécessaires à la lutte contre le déséquilibre climatique sont les mêmes que ceux avec lesquels on pourrait améliorer le sort des Américains à faible revenu et de couleur. Il faut que le Congrès procède aux investissements nécessaires à la modernisation et à la remise en état de nos infrastructures en ruine. Cela va de la construction de digues pour protéger les localités côtières à la réparation de nos collecteurs d'eaux pluviales. Ainsi seront créés des emplois locaux grâce auxquels des familles pourront subvenir à leurs besoins. À elle seule, l'amélioration du réseau de collecteurs d'eaux pluviales offrirait du travail à 2 millions d'Américains. Nous devons veiller à ce que des personnes de couleur fassent partie intégrante de la communauté économique et de la main-d'œuvre destinées à édifier ces nouveaux systèmes[61].

On peut aussi envisager la question sous un autre angle, en insistant sur la nécessité de réorganiser les composantes du produit intérieur brut. On calcule communément le PIB d'un pays en additionnant consommation, investissement, dépenses publiques et exportations nettes. Au cours des trente dernières années, le capitalisme de libre marché a mis l'accent sur la consommation et le commerce extérieur. En restructurant leur économie en fonction du respect de leur bilan carbone, les pays verraient diminuer leur consommation intérieure (sauf chez les démunis), leurs échanges commerciaux internationaux (en raison de la relocalisation de leur économie) et les investissements privés dans la production destinée à la surconsommation. Ces baisses seraient compensées par une augmentation des dépenses publiques et des investissements publics et privés dans les infrastructures et les activités nécessaires à la réduction des émissions à zéro. En découlerait une amélioration considérable de la redistribution de la richesse, si bien que de plus en plus de gens vivraient confortablement, dans le respect des capacités de la planète.

Quand les climatosceptiques affirment que le réchauffement planétaire est un complot visant à redistribuer la richesse, ils ne font pas seulement montre de paranoïa, mais aussi de lucidité.

## Croissance et décroissance sélectives

Depuis quelques années, de nombreux penseurs et militants s'interrogent sur les façons dont on pourrait réduire la consommation de ressources matérielles tout en améliorant la qualité de vie dans son ensemble – une notion qu'ils désignent sous le nom de « décroissance sélective ». Des mesures telles qu'une taxe de luxe pourraient être adoptées pour décourager le gaspillage. Les sommes ainsi recueillies pourraient être allouées au soutien des secteurs de l'économie dont les émissions sont déjà faibles et qui ne sont donc pas tenus de décroître. Il va sans dire qu'un grand nombre d'emplois seraient créés dans ceux qui s'inscrivent déjà dans la transition écologique, comme les transports en commun, les énergies renouvelables, la protection contre les intempéries et la restauration des écosystèmes. De plus, les établissements qui ne sont pas mus par la volonté de maximiser leurs profits – secteur public, coopératives, entreprises locales et organismes à but non lucratif – verraient leur part dans l'activité économique globale augmenter, au même titre que ceux dont les effets sur l'environnement sont minimes, à l'image des établissements de soins dont les effectifs, souvent constitués de femmes ou de personnes de couleur, sont, à l'heure actuelle, sous-rémunérés. « L'expansion de ces secteurs de l'économie présente toutes sortes d'avantages », écrit Tim Jackson, économiste à l'université du Surrey et auteur de *Prospérité sans croissance*. « En premier lieu, le travail des gens exerçant de tels métiers améliore directement la qualité de vie de tout un chacun. Au-delà d'un certain seuil, il n'est plus souhaitable d'améliorer leur productivité. À quoi bon demander à des professeurs qu'ils dispensent leur enseignement à des groupes toujours plus nombreux? À des médecins de traiter toujours plus de patients à l'heure[62]? »

La décroissance sélective pourrait avoir d'autres avantages, comme la diminution du temps de travail, qui favoriserait certes la création d'emplois, mais aussi la réduction des émissions, en donnant aux gens la possibilité de se consacrer à des activités peu énergivores telles que le jardinage et la cuisine, inaccessibles à des personnes surmenées. Des chercheurs se sont d'ailleurs penchés sur la question. Selon John Stutz, mathématicien associé au Tellus Institute de Boston, «le nombre d'heures rémunérées pourrait tendre vers l'uniformité à l'échelle mondiale, pour atteindre des niveaux substantiellement plus bas que ceux qu'on observe aujourd'hui dans les pays développés». Une réduction graduelle, sur quelques décennies, de la semaine de travail à trois ou quatre jours annulerait une bonne partie de la croissance des émissions projetée d'ici 2030 tout en améliorant la qualité de vie, soutient-il[63].

De nombreux intellectuels qui réfléchissent à la décroissance et à la justice économique prônent aussi l'instauration d'un revenu minimum garanti pour tous, sans égard au salaire. On admettrait ainsi que le système n'est pas en mesure de fournir un emploi à tout le monde et qu'il est contre-productif de contraindre les gens à occuper des emplois ne servant qu'à alimenter la surconsommation. «Contraindre les gens à accepter des boulots merdiques pour "gagner" leur vie a toujours été cruel, mais c'est maintenant en train de devenir suicidaire», écrit Alyssa Battistoni, membre du comité éditorial du magazine *Jacobin*[64].

Un revenu minimum garanti ayant un effet dissuasif sur la création d'emplois merdiques (et le gaspillage dû à la surconsommation) aurait aussi pour avantage d'apporter une indispensable sécurité économique à des collectivités aujourd'hui contraintes de sacrifier leur santé au raffinage des sables bitumineux ou à l'extraction du gaz par fracturation hydraulique. Nul ne souhaite voir son eau contaminée ou ses enfants souffrir d'asthme, mais les populations désespérées n'ont parfois d'autre choix que de consentir à des choix désespérés. Nous avons donc tous intérêt à nous entraider afin que de moins en moins de collectivités soient confrontées à de si cruelles alternatives, et à maintenir vivante l'idée d'un filet de sécurité sociale garantissant à tout le monde le minimum vital que constituent les soins de santé, l'éducation, l'alimentation et l'eau potable. La lutte contre les inégalités, sur tous les fronts et par divers moyens, devrait être une des principales stratégies de lutte contre le dérèglement climatique.

Ainsi planifiée, l'économie pourrait susciter l'émergence de modes de vie beaucoup plus humains et épanouissants que ceux que connaissent la plupart des gens dans le système actuel. C'est pourquoi la constitution d'un vaste mouvement social qui porterait de telles revendications apparaît comme tout à fait possible. Sur le plan politique, un tel programme représente toutefois un défi colossal.

Contrairement à la promotion de l'efficacité énergétique, les mesures à prendre pour amorcer une transition équitable et motivante sont fondamentalement incompatibles avec l'orthodoxie économique, et ce, à tous égards. Comme nous le verrons plus loin, ce projet contredit tous les dogmes de l'idéologie dominante : sa mise en œuvre exige une planification à long terme, une réglementation stricte de l'activité économique, une fiscalité plus lourde pour les plus aisés, des dépenses publiques élevées et, dans bien des cas, la renationalisation de sociétés privatisées en vue de rendre aux collectivités le pouvoir de procéder aux changements qu'elles jugeront opportuns. En résumé, pour éviter que la pollution ne transforme à jamais notre monde, il faut commencer par transformer du tout au tout notre façon de penser l'économie.

## Chapitre 3

# Pour une gestion publique de l'énergie

## Surmonter les obstacles idéologiques au paradigme économique à venir

*Nous n'avons d'autre choix que de réinventer les déplacements. [...]*
*Une bonne partie de la population indienne prend encore l'autobus,*
*marche ou se déplace en vélo ; ce dernier est utilisé dans un grand nombre*
*de villes par 20 % des citoyens. Ces choix découlent de notre pauvreté.*
*Le défi consiste maintenant à repenser les villes de façon à conserver*
*ces habitudes quand nous serons riches.*

Sunita Narain, directrice du Centre for Science and Environment, 2013[1]

*La dame à la Rolls entame bien plus le moral du pays qu'une flotte*
*de bombardiers dépêchée par Göring.*

George Orwell, *Le Lion et La Licorne*, 1941[2]

À L'ISSUE D'UN VOTE serré en date du 22 septembre 2013, la population de la deuxième ville d'Allemagne s'est réapproprié ce qui aurait toujours dû lui appartenir. Ce jour-là, en effet, 50,9 % des électeurs de Hambourg ont choisi de confier à leur municipalité la gestion de leurs réseaux d'électricité, de gaz et de chauffage, inversant ainsi une vague de privatisations survenue plus d'une décennie auparavant[3].

Ce processus a reçu quelques appellations alambiquées telles que «remunicipalisation» ou «communalisation», mais les citoyens concernés parlent plus simplement d'une réappropriation de l'énergie.

La coalition Unser Hamburg – Unser Netz (Notre Hambourg, notre réseau) à l'origine de ce virage a avancé un ensemble d'arguments convaincants: une gestion locale de l'approvisionnement en énergie fait passer les intérêts de la population avant les profits; dans un tel système, les citoyens prennent davantage part aux décisions plutôt que de les confier à de lointains conseils d'administration ; enfin, les revenus de la vente d'énergie profitent à la municipalité plutôt qu'aux actionnaires de sociétés multinationales – un avantage certain en cette ère d'austérité. « Il va de soi pour la population que les biens dont tout le monde dépend doivent appartenir à la collectivité », expliquait lors d'un entretien l'organisateur de la campagne, Wiebke Hansen[4].

Un autre facteur influait sur ce mouvement. De nombreux Hambourgeois souhaitaient prendre part à l'*Energiewende* (révolution énergétique), une transition vers les énergies vertes qui est en train de gagner tout le pays : en 2013, près de 25 % de l'approvisionnement en électricité provenait d'énergies renouvelables, principalement des énergies éolienne et solaire, du biogaz et de l'hydroélectricité, contre environ 6 % en 2000. En comparaison, l'éolien et le solaire ne représentaient aux États-Unis que 4 % du total de l'énergie produite en 2013. Les villes de Francfort et de Munich, qui n'avaient jamais cédé leur réseau électrique au secteur privé, participaient déjà au mouvement, prévoyant de mettre en place une production fondée uniquement sur les énergies renouvelables d'ici 2050 et 2025 respectivement. Ayant toutes deux opté pour la privatisation, les villes de Hambourg et de Berlin restaient à la traîne. C'était là un argument central en faveur de la gestion publique de l'énergie à Hambourg : ce virage allait leur permettre de se débarrasser du charbon et de l'énergie nucléaire au profit des énergies renouvelables[5].

La transition énergétique de l'Allemagne, et plus particulièrement la vitesse à laquelle elle s'effectue et le caractère ambitieux de ses objectifs (55 à 60 % d'énergies renouvelables d'ici 2035) ont fait couler beaucoup d'encre[6]. Les lacunes de ce programme ont également donné lieu à des débats animés, notamment au sujet du risque de résurgence du charbon à la suite de la décision d'éliminer l'énergie nucléaire. (Le chapitre 4 aborde cette question plus en détail.)

Dans toute cette analyse, cependant, on a peu prêté attention à un facteur clé qui a rendu possible cette transition d'une rapidité sans précédent : le fait que, aux quatre coins de l'Allemagne, les citoyens de centaines de villes ont voté pour la réappropriation, par la collectivité, de la gestion de l'énergie. « Cela marque un renversement indéniable des politiques néolibérales des années 1990, pendant lesquelles de nombreuses municipalités allemandes, en quête de fonds pour renflouer leurs caisses, avaient privatisé leurs services publics[7] », notait Anna Leidreiter, engagée dans la lutte contre les changements climatiques au sein du World

Future Council, à l'issue du référendum de Hambourg. Et il ne s'agit pas là d'une tendance mineure. En effet, selon un rapport publié par Bloomberg, « plus de 70 réseaux municipaux d'approvisionnement en énergie ont été mis en place depuis 2007, et le secteur public a repris le contrôle de plus de 200 concessions de gestion de l'énergie au cours de la même période ». Et, bien qu'on ne dispose pas de statistiques nationales sur ce mouvement, l'association allemande des services publics locaux avance que le nombre de municipalités ayant opté pour une gestion publique de l'énergie est beaucoup plus important que ne l'indique ce rapport[8].

L'ampleur du mouvement allemand d'opposition à la privatisation de l'énergie a de quoi impressionner. En 2013, par exemple, 83 % des électeurs berlinois se sont prononcés pour la mise en place d'un réseau géré localement et basé à 100 % sur les énergies renouvelables. Bien que le taux de participation n'ait pas été suffisant pour que la décision ait force exécutoire (il s'en est toutefois fallu de peu), ce référendum a mis en évidence l'opinion publique, incitant les défenseurs de ce virage à continuer de faire pression pour que la gestion de l'énergie soit confiée à une coopérative à but non lucratif au terme du présent contrat[9].

Au cours des dernières années, l'opposition à la privatisation de l'énergie – clairement liée à un désir de se tourner vers les énergies renouvelables – a commencé à se répandre ailleurs qu'en Allemagne, y compris aux États-Unis. Depuis le milieu des années 2000, par exemple, des résidants et des représentants de la ville de Boulder, au Colorado, réputée pour son progressisme, tentent de persuader leur fournisseur privé d'électricité – la Xcel Energy, dont le siège se situe à Minneapolis – de remplacer le charbon par des énergies renouvelables. L'entreprise se montrant peu disposée à entreprendre un tel virage, une coalition formée d'environnementalistes et d'un regroupement de jeunes gens dynamiques appelé le New Era Colorado en est venue à la même conclusion que les électeurs allemands : l'énergie doit être gérée par la collectivité. « Nos modalités d'approvisionnement en énergie comptent parmi celles qui émettent le plus de gaz carbonique aux États-Unis. Or [Boulder] est une collectivité consciente des enjeux environnementaux, et nous voulons inverser la tendance. Pour y arriver, nous devons reprendre le contrôle de l'énergie », explique Steve Fenberg, qui milite dans cette organisation[10].

En 2011, bien que Xcel ait disposé d'un financement dix fois plus important que le sien, la coalition pro-énergies renouvelables a remporté de justesse deux scrutins, appelant les autorités municipales de Boulder à racheter son réseau d'électricité[11]. Même si le vote n'a pas entraîné une action immédiate, il a donné à la mairie l'autorité et les fonds lui permettant d'envisager sérieusement ce virage (auquel elle travaille actuellement). En 2013, la coalition a remporté un autre référendum crucial – cette fois par une vaste majorité –, venant contrer un projet soutenu par Xcel qui aurait empêché la remunicipalisation.

Il s'agit là de votes historiques. Certes, d'autres villes avaient déjà annulé des privatisations antérieures parce que les services ou les tarifs en vigueur ne leur donnaient pas satisfaction. Toutefois, aucune ville américaine n'avait encore entrepris cette démarche «dans l'unique but de réduire son impact sur la planète», souligne l'ingénieur en environnement Tim Hillman, résidant de Boulder. En effet, les partisans de la gestion publique de l'énergie ont placé la lutte contre le déséquilibre climatique au cœur de leur campagne, accusant Xcel de faire partie de ces entreprises qui, misant sur les combustibles fossiles, font obstacle aux actions qui s'imposent pour contrer la crise du climat. Et leurs visées militantes vont bien au-delà de Boulder : « Nous voulons démontrer au monde qu'il est possible d'électrifier une ville de manière responsable et à coût abordable, explique Fenberg, Nous voulons servir de modèle, et non uniquement faire un geste positif pour nous-mêmes et notre population[12]. »

Ce qui distingue l'expérience de Boulder, c'est que, contrairement à certaines luttes menées en Allemagne, elle n'est pas née d'un mouvement d'opposition à la privatisation, mais d'une volonté de passer aux énergies propres, quels qu'en soient les fournisseurs. Les résidants de Boulder, toutefois, n'ont pas tardé à s'apercevoir que, pour y arriver, ils devaient renverser un pilier idéologique de l'économie de marché : la croyance en la supériorité des services privés sur les services publics. Ce constat fortuit n'est d'ailleurs pas sans rappeler celui des Ontariens qui ont compris que leur passage aux énergies renouvelables pouvait être entravé par des ententes de libre-échange conclues de longue date.

Bien que les discussions sur les politiques climatiques en fassent rarement mention, il existe un lien évident entre la gestion publique de l'énergie et la capacité d'une collectivité à tourner le dos aux énergies polluantes. Nombre des pays les plus avancés dans leur passage aux énergies renouvelables – dont les Pays-Bas, l'Autriche et la Norvège – sont ceux qui ont réussi à maintenir de larges pans de leur réseau électrique, souvent géré localement, entre les mains du secteur public. Aux États-Unis, il appert que certaines des villes qui se sont fixé des objectifs très ambitieux en matière d'énergie renouvelable jouissent également d'une gestion publique de l'énergie. La ville d'Austin, au Texas, par exemple, est en voie d'atteindre plus tôt que prévu son objectif d'approvisionnement en énergies renouvelables, de l'ordre de 35 % de sa consommation totale d'énergie d'ici 2020. De son côté, la ville de Sacramento, en Californie, est sur le point de surpasser ces résultats et s'est fixé l'objectif sans précédent de réduire ses émissions de 90 % d'ici le milieu du siècle. D'autre part, comme le souligne John Farrell, chercheur principal à l'Institute for Local Self-Reliance, basé à Minneapolis, l'attitude de la plupart des représentants du secteur privé se résume à l'approche suivante : « Nous comptons utiliser les revenus tirés de la vente de combustibles fossiles pour nous opposer farouchement à tout changement menaçant notre manière de faire des affaires[13]. »

Cela n'empêche pas certains monopoles privés d'offrir à leurs clients la possibilité d'acheter de l'électricité provenant d'une combinaison d'énergies renouvelables et de combustibles fossiles ; en fait, c'est là pratique courante, et cette énergie se vend généralement au prix fort. Certains proposent même de l'électricité produite en totalité à partir d'énergies renouvelables, bien qu'elle soit toujours fournie par de grandes centrales hydrauliques. Et il est à noter que toutes les sociétés publiques n'acceptent pas le virage vert : nombreuses sont celles qui se montrent réticentes et s'accrochent au charbon.

Plusieurs collectivités constatent cependant que, même s'il n'est pas toujours facile d'inciter les sociétés publiques à placer la réduction des émissions de GES au nombre de leurs priorités (certaines réformes s'imposent parfois pour rendre ces institutions plus démocratiques et les obliger à rendre des comptes à la collectivité), les monopoles privés n'offrent pas une telle possibilité. Servant d'abord les intérêts de leurs actionnaires et mues par des objectifs de rendement trimestriels, les entreprises privées ne passeront aux énergies renouvelables que si leurs recettes n'en souffrent pas, du moins à court terme, ou encore si la loi les y contraint. C'est pourquoi de plus en plus de gens en viennent à la conclusion que « les questions relatives à l'énergie et à l'environnement ne devraient pas être laissées entre les mains de groupes d'intérêt privés », affirme Ralf Gauger, militant antinucléaire allemand[14].

Il ne faut pas pour autant exclure le secteur privé de la transition vers les énergies renouvelables : des firmes privées œuvrant dans le solaire et l'éolien mettent déjà des énergies non polluantes à la disposition de millions de consommateurs partout dans le monde, notamment par des offres de location qui épargnent aux clients de lourdes dépenses liées à l'achat de panneaux solaires. Toutefois, ce marché reste très imprévisible et, selon les prévisions de l'AIE, il faudrait quadrupler les investissements dans les énergies renouvelables d'ici 2030 pour pouvoir respecter l'objectif des 2 °C[15].

D'autre part, il ne faut pas confondre un marché privé florissant des énergies renouvelables avec un plan d'action climatique digne de ce nom, bien que ces deux aspects soient liés. On peut être en présence d'un marché en plein essor, profitant à une nouvelle génération d'entrepreneurs qui font fortune dans le solaire et l'éolien, et, dans le même temps, voir nos gouvernements échouer lamentablement à atteindre les objectifs urgents de réduction des émissions établis par les climatologues. Pour ce faire, nous avons besoin de systèmes plus fiables qu'un marché en dents de scie dominé par le secteur privé. « À ce jour, le secteur privé a peu investi dans les énergies renouvelables. La plupart des investissements dans ce domaine proviennent de l'État. Partout dans le monde, y compris en Europe, la situation actuelle démontre que les firmes privées ne peuvent investir dans les énergies renouvelables à l'échelle requise », explique-t-on dans un article publié par une équipe de recherche de l'université de Greenwich[16].

Citant plusieurs exemples d'États qui se sont tournés vers le secteur public pour favoriser leur passage aux énergies vertes (en Allemagne, entre autres), et des cas de projets d'envergure lancés par des investisseurs privés et abandonnés en cours de route, les chercheurs de Greenwich parviennent à la conclusion suivante : « La participation du gouvernement et des services publics est donc une condition essentielle au développement des énergies renouvelables, bien plus que n'importe quel coûteux système de subventions publiques destinées à élargir le marché ou à encourager les investissements privés[17]. »

Quels sont les mécanismes les mieux à même de favoriser l'immense virage qui s'impose ? Cette question devient chaque jour plus pressante. Nous savons désormais qu'il est tout à fait possible, du moins sur le plan technique, de passer entièrement aux énergies renouvelables, et ce, sans délai. En 2009, Mark Z. Jacobson, professeur de génie civil et de génie de l'environnement à l'université Stanford, ainsi que Mark A. Delucchi, chercheur à l'Institute of Transportation Studies de l'université de Californie, ont élaboré, avec force détails, un programme révolutionnaire précisant « la façon dont 100 % de l'énergie *totale* consommée dans le monde pourrait être fournie d'ici 2030 par des installations éoliennes, hydroélectriques ou solaires ». Ils s'intéressent non seulement à la production de l'énergie, mais également au transport, au chauffage et aux besoins en matière de réfrigération et de climatisation. Présenté par la suite dans la revue *Energy Policy*, ce programme démontre, comme plusieurs autres études solides réalisées au cours des dernières années, que les pays et les régions les plus riches peuvent effectuer un virage à 180 degrés ou presque vers les énergies renouvelables en l'espace de vingt à quarante ans[18]. En voici quelques exemples :

– En Australie, l'Energy Institute de l'université de Melbourne, en collaboration avec l'organisme à but non lucratif Beyond Zero Emissions, a publié un plan directeur pour la mise en œuvre d'un système de production d'électricité fondé sur l'énergie éolienne (60 %) et solaire (40 %) en un laps de temps étonnant, soit une dizaine d'années[19].

– En 2013, la National Oceanic and Atmospheric Administration (NOAA) des États-Unis a conclu, à la lumière de ses propres recherches sur le climat, qu'une énergie rentable d'origine éolienne et solaire pourrait approvisionner 60 % du réseau électrique aux États-Unis d'ici 2030[20].

– Au nombre des projections plus conservatrices, une importante étude réalisée en 2012 par le National Renewable Energy Laboratory du département de l'Énergie américain estime que les énergies renouvelables déjà exploitées, dont le solaire et l'éolien, pourraient combler 80 % de la demande en électricité aux États-Unis d'ici 2050[21].

Les travaux les plus prometteurs sont ceux d'un groupe de chercheurs de l'université Stanford dirigé par Mark Z. Jacobson (l'un des auteurs du programme percutant présenté en 2009). En mars 2013, ils ont publié dans *Energy Policy* une étude démontrant que l'État de New York pourrait répondre à tous ses besoins en électricité par les énergies renouvelables d'ici 2030. Jacobson et ses collègues, qui sont en train d'élaborer des plans directeurs détaillés pour tous les États américains, ont déjà émis des projections pour l'ensemble du pays. « Il est totalement erroné de croire que nous avons besoin de gaz naturel, de charbon ou de pétrole ; selon nous, il s'agit là d'un mythe », a déclaré le chercheur au *New York Times*[22].

« Ce virage implique un changement d'envergure, une volonté semblable à celle qui a permis la réalisation du programme spatial Apollo ou la construction du réseau national d'autoroutes. Mais ce virage est possible, grâce à la technologie dont nous disposons déjà. En tant que société, il nous suffit de décider collectivement de prendre cette direction », affirme Jacobson, qui ne mâche pas ses mots. « Les principales entraves sont d'ordre social et politique. C'est une question de volonté[23]. »

Dans les faits, toutefois, la volonté ne suffit pas : comme nous l'avons vu, un virage idéologique majeur s'impose. En effet, le vent a tourné depuis l'époque où nos gouvernements lançaient et réalisaient d'ambitieux projets à l'échelle nationale. Comme sur plusieurs autres fronts, les défis engendrés par la crise du climat se heurtent aux diktats de l'idéologie qui règne aujourd'hui sur la sphère politique.

Dans ce contexte, chaque fois que les médias nous bombardent d'images horribles de catastrophes naturelles sans précédent, nous sommes placés devant l'urgence, à cause du changement climatique, de consolider l'ossature des biens communs, que des décennies d'incurie ont effritée.

## Revitaliser et redéfinir le secteur public

La première fois que j'ai aperçu Nastaran Mohit, elle était emmitouflée dans un long manteau molletonné noir, un bonnet blanc bien enfoncé sur la tête, et lançait des directives aux bénévoles rassemblés dans un entrepôt sans chauffage. « Prenez un bloc-notes et inscrivez tout ce qui est nécessaire », demandait la trentenaire au débit rapide à un groupe désigné comme l'équipe 1. « Ok, allez-y. Qui fait partie de l'équipe 2[24] ? »

Cette scène se déroule une dizaine de jours après le passage de l'ouragan Sandy, dans l'un des secteurs les plus dévastés des Rockaways, une étroite bande s'étalant le long de la côte dans le quartier du Queens, à New York. Les eaux se sont retirées, mais des centaines de sous-sols sont toujours inondés, et ni le téléphone ni l'électricité n'ont été rétablis. La garde nationale patrouille dans les rues à bord de camions et de jeeps pour faire respecter le couvre-feu. Toutefois, ni les autorités gouvernementales ni les grandes agences d'aide d'urgence n'offrent un grand secours aux gens grelottant chez eux dans le noir. (En fait, elles s'affairent plutôt dans les quartiers les plus aisés de la péninsule des Rockaways, y offrant réconfort et assistance[25].)

Constatant la négligence des autorités, des milliers de bénévoles, des jeunes pour la plupart, se sont organisés sous la bannière Occupy Sandy (bon nombre d'entre eux ayant aussi pris part au mouvement Occupy Wall Street) afin de distribuer vêtements, couvertures et repas chauds aux résidants des secteurs délaissés. En plus de mettre sur pied des services d'aide dans les églises et les centres communautaires, ils vont frapper à toutes les portes des grands immeubles en brique typiques du secteur, qui comptent parfois jusqu'à 22 étages, pour offrir aux occupants des sous-sols et des rez-de-chaussée de nettoyer leur logement. Les sinistrés voient rapidement surgir une équipe de jeunes bénévoles armés de serpillières, de gants, de pelles et de bouteilles d'eau de Javel, prêts à s'attaquer aux dégâts.

Mohit, arrivée dans les Rockaways avec l'intention d'aider à la distribution de produits de première nécessité, a vite constaté un besoin plus criant encore : dans certains secteurs, les gens n'ont accès à aucun service de santé. La situation est alarmante. Depuis les années 1950, les Rockaways, autrefois une destination vacances prisée, ont accueilli les laissés-pour-compte de New York : assistés sociaux, personnes âgées, patients abandonnés par les hôpitaux psychiatriques. Ces gens se sont entassés dans ces hauts immeubles, notamment dans le secteur de la péninsule que les résidants surnomment le « Bagdad du Queens[26] ».

Comme en tant d'endroits du genre, les services publics offerts dans les Rockaways se sont effrités au fil des années, pour finir pratiquement réduits à néant. Six mois seulement avant le passage de Sandy, l'un des deux seuls hôpitaux de la région, le Peninsula Hospital Center, qui s'occupait d'une population défavorisée et âgée, a fermé ses portes à la suite du refus du département de la Santé de le soutenir. Des cliniques offrant des consultations sans rendez-vous ont bien tenté de répondre aux besoins des résidants, mais elles n'ont pas été épargnées par les inondations et sont toujours fermées, comme les pharmacies d'ailleurs. « C'est une zone morte », soupire Mohit[27].

Mohit et ses camarades d'Occupy Sandy ont donc fait appel à tous les médecins et infirmiers qu'ils connaissaient, leur demandant d'apporter tout le matériel dont ils pourraient disposer. Ils ont ensuite persuadé le propriétaire d'un vieux magasin de fourrures, endommagé par la tempête, de les laisser convertir son commerce de la rue principale en une clinique de fortune. C'est à cet endroit, avec des fourrures suspendues au plafond, que médecins et infirmiers bénévoles ont commencé à recevoir des patients, à soigner des blessures, à faire des ordonnances et à offrir une assistance post-traumatique aux sinistrés.

Une chose est sûre, les patients ne manquaient pas. Selon les estimations de Mohit, les deux premières semaines, la clinique avait déjà permis de soigner des centaines de personnes. Le jour de ma visite, on commence toutefois à s'inquiéter sérieusement du sort des gens coincés dans les immeubles d'habitation. Les bénévoles qui, munis de lampes frontales, continuent de frapper aux portes des résidants toujours plongés dans la pénombre découvrent un nombre alarmant de malades. Les patients cancéreux, séropositifs ou sidéens n'ont plus de médicaments; les réserves d'oxygène sont vides, les diabétiques n'ont plus d'insuline et les toxicomanes sont en état de manque. Certaines personnes, trop mal en point pour s'aventurer dans les cages d'escaliers obscures reliant les nombreux étages, sont tout simplement incapables d'aller chercher de l'aide. D'autres restent terrées chez elles, car elles n'ont pas d'autre refuge, sans compter qu'il leur est impossible de quitter la péninsule, les services de métro et d'autobus étant interrompus. Certains craignent que leur appartement abandonné ne devienne la proie des voleurs. Et, comme les téléphones portables et les téléviseurs ne fonctionnent pas, nombreux sont ceux qui ne savent pas trop ce qui se passe à l'extérieur.

Plus consternant encore, des résidants racontent que personne n'avait encore frappé à leur porte jusqu'à ce que les bénévoles d'Occupy Sandy prennent les choses en main. Aucun représentant du département de la Santé, de l'office municipal d'habitation ou des grandes agences d'aide d'urgence comme la Croix-Rouge. «Foutu bordel! raconte Mohit. C'était le néant total question santé*[28].» Évoquant le sort tristement célèbre des laissés-pour-compte de La Nouvelle-Orléans lors des inondations de 2005, elle conclut: «C'est Katrina, le retour[29].»

Le plus frustrant, c'est lorsqu'un médecin rédige une ordonnance pour une urgence médicale, et que «la pharmacie nous la renvoie en exigeant plus de renseignements relatifs à l'assurance du patient. Et quand nous revenons à la charge après avoir recueilli un maximum d'informations, ils nous disent: "Maintenant, nous avons besoin du numéro de sécurité sociale[30]."»

D'après une étude réalisée en 2009 par la Harvard Medical School, quelque 45 000 personnes meurent chaque année aux États-Unis parce qu'elles ne possèdent pas d'assurance médicale adéquate. Comme le précise l'un des auteurs de l'étude, cela équivaut à un décès toutes les 12 minutes. L'avenir nous dira si la législation timide du président Obama adoptée en 2010 changera la donne, mais la propension des compagnies d'assurance à pour-

---

* Cette situation n'était pas exclusive aux Rockaways: on l'a constatée à tous les endroits où des logements sociaux se trouvaient dans la trajectoire de l'ouragan. À Red Hook, dans l'arrondissement de Brooklyn, de nombreux résidants ont été privés d'électricité pendant trois semaines, pendant lesquelles les autorités municipales n'ont jamais cherché à s'enquérir de leur sort. Comme l'a exprimé le résidant sexagénaire Wally Bazemore lors d'un rassemblement de citoyens en colère: «Nous étions plongés dans les ténèbres, au sens propre comme au sens figuré.»

suivre aveuglément leur quête de profit sans égard pour les citoyens sinistrés, victimes de la pire tempête de l'histoire de New York, révèle de façon prégnante l'injustice de la situation actuelle. «Nous avons besoin d'un système de santé universel, déclare Mohit. C'est une nécessité absolue, incontestable.» Les sceptiques devraient visiter la zone sinistrée, où ils ne pourront que constater «l'insensibilité, le caractère inhumain et la barbarie du système[31]».

Le mot «apocalypse» vient du grec *apokalypsis,* qui signifie «révélation». Outre l'urgence d'instaurer un meilleur système de santé, bien d'autres choses se sont révélées lors du retrait des eaux à New York en octobre 2012. La catastrophe a en effet mis en lumière le danger de la dépendance à des réseaux électriques centralisés pouvant être mis hors fonction en un éclair. Elle a révélé les coûts funestes de l'isolement social: les gens qui ne connaissaient pas leurs voisins ou s'en méfiaient se sont retrouvés en position particulièrement précaire, tandis que les collectivités plus solidaires s'en sont beaucoup mieux tirées.

L'ouragan Sandy a aussi fait ressortir les graves répercussions des inégalités sociales. Les groupes déjà plus vulnérables, tels les travailleurs clandestins, les ex-détenus et les résidants de logements sociaux, ont été les plus malmenés. Dans les secteurs à faible revenu, des maisons ont non seulement été dévastées par l'eau, mais inondées de produits chimiques toxiques et de détergents, héritage d'un système discriminatoire qui permettait aux industries délétères de s'installer dans les secteurs occupés majoritairement par des gens de couleur. Les logements sociaux, abandonnés à leur sort en attendant que la Ville ne se décide à les céder à des promoteurs immobiliers, sont devenus des pièges mortels, leur tuyauterie et leur réseau électrique désuets n'ayant pas résisté à ce nouvel assaut. Comme l'exprime Aria Doe, directrice de l'Action Center for Education and Community Development des Rockaways, la situation des résidants les plus démunis de la péninsule était déjà extrêmement critique avant le passage de Sandy, et elle s'est encore dégradée[32].

*
* *

Un peu partout sur la planète, la dure réalité du réchauffement planétaire se heurte à l'idéologie tout aussi implacable de l'austérité, révélant à quel point il est intenable de continuer à affamer le secteur public alors même que l'on en a tant besoin. Les inondations survenues au Royaume-Uni au cours de l'hiver 2013-2014, par exemple, auraient mis à l'épreuve n'importe quel gouvernement : des milliers de résidences et de lieux de travail ont été submergés, des centaines de milliers de maisons et d'autres bâtiments privés d'électricité, des terres agricoles noyées, et le service ferroviaire a été interrompu sur plusieurs voies pendant des semaines. Tout cela, comme l'a exprimé un représentant des autorités, a fait de ce sinistre « une catastrophe naturelle pratiquement sans précédent », alors même que le pays peinait à se relever du passage d'une autre tempête dévastatrice survenue tout juste deux mois auparavant[33].

Ces inondations, toutefois, ont été particulièrement éprouvantes pour le gouvernement de coalition dirigé par le premier ministre conservateur David Cameron. Au cours des trois années précédentes, en effet, celui-ci avait peu à peu affaibli l'Environment Agency (EA, agence britannique pour l'environnement), à laquelle incombe la gestion de telles catastrophes. Depuis 2009, on y avait licencié au moins 1 150 employés et précarisé l'emploi de quelque 1 700 autres, ce qui représentait environ le quart des effectifs de l'agence. En 2012, le quotidien *The Guardian* révélait que « près de 300 projets de construction de dispositifs de protection contre les inondations en Angleterre avaient dû être abandonnés en raison des restrictions budgétaires du gouvernement ». Le directeur de l'EA avait alors lui-même déclaré que « les infrastructures de protection contre les inondations en souffriraient[34] ».

Le premier ministre Cameron n'est pourtant pas un climato-sceptique. Comment expliquer qu'il ait amputé à ce point l'agence chargée de la protection du pays contre les tempêtes dévastatrices et la hausse du niveau de la mer, deux répercussions connues de la crise du climat ? Dans ce contexte, les éloges qu'il adresse aux membres du personnel de l'agence ayant échappé au couperet n'aident pas à faire passer la pilule. « C'est une véritable honte de voir le gouvernement chercher à réduire ses dépenses au détriment de la sécurité des citoyens et de la protection de leurs foyers », s'est enflammé le représentant du syndicat des employés de l'EA. « Ils ne peuvent continuer à vanter hypocritement le travail exceptionnel [de nos membres] avant d'annoncer tout de go d'autres restrictions budgétaires dévastatrices[35]. »

Quand tout va bien, il est facile de tourner en dérision l'État « tentaculaire » et de souligner l'inévitabilité des restrictions budgétaires. Lorsqu'une catastrophe survient, toutefois, la plupart des gens cessent de chanter les louanges du libre marché et se tournent vers le gouvernement en quête de soutien. Or, dans le contexte actuel, on doit s'attendre à subir d'autres événements météorologiques extrêmes tels l'ouragan Sandy, le typhon Haiyan aux Philippines et les inondations en Grande-Bretagne, qui ont dévasté des côtes, détruit des millions de résidences et tué des milliers de personnes.

Dans les années 1970, on a rapporté 660 catastrophes de ce type dans le monde, dont des sécheresses, des inondations, des records de température, des feux de forêt et des tempêtes. Dans les années 2000, on en a dénombré 3 322, soit cinq fois plus, une augmentation spectaculaire en trente ans. Le réchauffement climatique n'est certainement pas le seul facteur en cause, mais il s'agit néanmoins d'un signal d'alarme. «Il ne fait aucun doute que le dérèglement climatique a exacerbé les phénomènes météorologiques extrêmes en intensifiant les sécheresses, la fréquence et l'intensité des canicules, la violence des ouragans et des typhons et probablement d'autres phénomènes qui ne font toutefois pas encore l'unanimité au sein de la communauté scientifique», affirme le climatologue Michael Mann[36].

Au cours de ces trois mêmes décennies, pourtant, la plupart des gouvernements du monde se sont acharnés à miner le secteur public. C'est cet effritement constant qui fait des catastrophes naturelles de véritables sinistres. Les tempêtes malmènent les digues peu entretenues. Les pluies torrentielles font déborder les systèmes d'égout vétustes. Les feux de forêt se déchaînent en raison de la pénurie d'effectifs et d'équipement dans les services de lutte contre l'incendie. (En Grèce, par exemple, les pompiers n'ont même plus les moyens de munir de pneus de secours leurs camions qui luttent contre les feux de forêt.) Après le passage d'ouragans violents, les services d'urgence brillent par leur absence. Ponts et tunnels laissés en état de décrépitude s'effondrent sous ces nouveaux assauts.

Les coûts liés à l'intensification des phénomènes météorologiques extrêmes sont astronomiques. Aux États-Unis, on estime que chaque catastrophe majeure coûte plus d'un milliard de dollars aux contribuables. La facture associée à l'ouragan Sandy, par exemple, a été évaluée à quelque 65 milliards de dollars. L'année précédente, soit en 2011, l'ouragan Irene avait causé environ 10 milliards de dommages, et figurait parmi 14 catastrophes ayant chacune entraîné des coûts d'un milliard de dollars aux États-Unis cette année-là seulement. L'année 2011 détient d'ailleurs le record mondial des sinistres, avec un coût total d'au moins 380 milliards de dollars. Et, comme les décideurs persistent à appliquer une politique d'austérité, l'augmentation de ces dépenses d'urgence se heurte aux coupes budgétaires infligées au secteur public. La société devient ainsi de plus en plus vulnérable aux catastrophes, ce qui engendre un cercle vicieux[37]. Il est toujours risqué de négliger les piliers de la société. Dans le contexte de la crise du climat, toutefois, une telle attitude devient carrément suicidaire. À l'heure actuelle, une foule de questions restent sans réponse, et autant de débats s'imposent. Est-il plus urgent de consolider les digues ou de restaurer les écosystèmes? Devrait-on privilégier des unités de production d'énergie renouvelable décentralisées, une combinaison de gaz naturel et d'éolien à l'échelle industrielle, l'énergie nucléaire? Une agriculture biologique à petite échelle ou un système agroalimentaire industriel? Pour atténuer le réchauffement climatique et minimiser les dégâts des tempêtes à venir, le scénario choisi, quel qu'il soit, devra s'accompagner d'investissements dans le secteur public dignes de ceux auxquels on a procédé pendant la Deuxième Guerre mondiale.

La répartition idéale de ces investissements n'a rien de sorcier. Les fonds devraient être alloués en grande partie aux projets de réduction des émissions atmosphériques évoqués précédemment: réseau électrique «intelligent», métro léger, compostage en milieu urbain, rénovation écoénergétique, réseaux de transports collectifs novateurs, urbanisme éclairé visant à nous éviter de passer la moitié de notre vie coincés dans les bouchons... De tels projets ne devraient pas être confiés au secteur privé: si l'on veut que ces services demeurent efficaces et accessibles, on ne peut espérer en tirer de profits assez importants pour attirer les investisseurs privés.

Les transports en commun en offrent un bel exemple. En mars 2014, au moment où la pollution de l'air atteignait un niveau record dans les villes françaises, les autorités parisiennes ont pris d'urgence une décision, celle de décourager l'usage de la voiture en offrant un accès gratuit au réseau de transports en commun pendant trois jours. De toute évidence, une société de transport privée se serait sûrement indignée d'une telle mesure. Pourtant, n'est-il pas essentiel que les réseaux de transports collectifs puissent réagir prestement devant une telle urgence atmosphérique? Plutôt que d'autoriser la hausse des tarifs du métro ou de l'autobus tandis que le service se dégrade, ne devrait-on pas promouvoir le contraire – faire baisser les prix et augmenter la qualité de service –, même si cela semble moins rentable à court terme?

Un autre secteur aussi important, bien que plus discret, souffre d'un manque de financement public: la protection contre les événements météorologiques extrêmes. Cet aspect comprend le renforcement des effectifs de pompiers et l'amélioration des barrières antitempêtes, ainsi que la création de programmes d'assurance-sinistre à but non lucratif visant à éviter que des gens ayant tout perdu lors du passage d'un ouragan ou d'un feu de forêt ne soient à la merci de compagnies d'assurance privées qui, elles, s'adaptent rapidement aux changements climatiques en refusant des indemnisations ou en imposant aux victimes une augmentation considérable de leurs tarifs. L'assurance-sinistre s'apparente de plus en plus à l'assurance-maladie, fait observer Amy Bach, cofondatrice d'United Policyholders, un groupe de défense des droits des consommateurs basé à San Francisco : « Il va falloir la purger de son esprit mercantile de façon à en assurer l'efficacité, la libérer des salaires exorbitants et des primes faramineuses que reçoivent ses dirigeants, des profits que touchent ses actionnaires. [...] Car, dans le contexte de la crise du climat, une firme d'assurance cotée en Bourse ne sert pas les intérêts des citoyens[38]. » Si l'on ne repense pas le système actuel, ce sont les compagnies d'assurance-sinistre qui feront la loi.

Évidemment, ce besoin est encore plus urgent dans les pays en développement tels les Philippines, le Kenya et le Bangladesh, déjà sérieusement frappés par la crise du climat. Des centaines de milliards de dollars doivent être investis sans délai dans la mise en place de systèmes d'alerte rapide, de digues et d'abris contre les ouragans, les cyclones et les tsunamis, la création de réserves de denrées, d'eau et de nourriture et l'organisation de réseaux de distribution, ainsi que dans l'instauration de systèmes publics de santé capables de contrer la propagation de maladies associées au déséquilibre climatique, comme la malaria[39]. Bien que des mécanismes soient nécessaires pour protéger les citoyens contre la corruption, ces États ne devraient pas être contraints d'allouer leurs budgets de santé et d'éducation à d'onéreux régimes d'assurance offerts par des multinationales, comme c'est actuellement le cas. La population des régions les plus touchées par les changements climatiques a droit à une compensation directe de la part des pays (et des entreprises) qui en sont les principaux responsables.

## Le pollueur-payeur

Mais comment allons-nous payer tout cela ? C'est là une question tout à fait légitime. Dans une étude réalisée en 2011, le Département des affaires économiques et sociales des Nations Unies (DAES) a cherché à savoir combien il en coûterait à l'humanité pour « éradiquer la pauvreté, accroître la production alimentaire de façon à nourrir tout le monde sans dégrader les ressources terrestres et aquatiques, et contrer la crise climatique». La facture s'élèverait à 1 900 millions de dollars par an pour les quarante prochaines années. Notons qu'«au moins la moitié des investissements nécessaires devraient être faits dans les pays en voie de développement[40]».

Il va sans dire que les deniers publics sont rarement employés de la sorte dans la plupart des pays du monde, sauf dans quelques économies à la croissance rapide qu'on désigne comme «émergentes». En Amérique du Nord et en Europe, la crise économique qui a commencé à sévir en 2008 sert encore de prétexte pour sabrer les programmes d'aide internationale et de lutte contre le dérèglement climatique. Dans tout le sud de l'Europe, on a rogné sans vergogne sur les programmes et la réglementation en matière d'environnement, ce qui a eu des répercussions particulièrement désastreuses en Espagne: forcée d'adhérer à une politique d'austérité budgétaire, celle-ci a réduit considérablement le financement alloué au développement des énergies renouvelables, ce qui a fait péricliter les projets d'énergie solaire et éolienne. Sous David Cameron, le Royaume-Uni a également fait des coupes budgétaires drastiques dans ce domaine.

Donc, si nos gouvernements se disent fauchés et qu'il est peu probable qu'ils optent pour l'«assouplissement quantitatif» (la remise d'argent en circulation) pour contrer la crise climatique comme ils l'ont fait pour remettre les banques à flot, d'où viendront les fonds nécessaires? Comme la réduction des émissions atmosphériques est urgente, le seul recours réaliste se résume à un principe déjà bien établi dans le système juridique occidental: le pollueur-payeur.

On sait depuis plusieurs décennies que les combustibles fossiles sont en grande partie responsables du réchauffement climatique. Pourtant, les grandes sociétés pétrolières et gazières n'ont rien fait pour modifier leurs activités en conséquence, bien au contraire. En attendant, cette industrie reste l'une des plus lucratives de l'histoire, et ses cinq principaux acteurs ont engrangé des profits s'élevant à quelque 900 milliards de dollars de 2001 à 2010. ExxonMobil détient toujours le record des bénéfices les plus élevés enregistrés aux États-Unis, soit 41 milliards en 2011 et 45 milliards en 2012. Le secret de cette immense prospérité est simple: ces géants de l'industrie refilent simplement le coût des dégâts aux simples citoyens du monde entier. C'est cela qui doit changer[41].

Ce changement réclame toutefois une puissante mobilisation. Depuis plus d'une décennie, plusieurs grandes compagnies pétrolières se targuent d'investir de plein gré une partie de leurs recettes dans le secteur des énergies renouvelables. En 2000, BP a redoré son blason en adoptant le slogan « Beyond Petroleum » (par-delà le pétrole), ainsi qu'un logo représentant un soleil vert, qui évoque « Hélios, le dieu du Soleil dans la Grèce antique ». (« Nous ne sommes pas une compagnie pétrolière, déclarait à l'époque le président de BP John Browne. Nous sommes conscients que les gens réclament une réduction des carburants à haute teneur en carbone. Nous cherchons donc à élargir les possibilités qui s'offrent à eux. ») Chevron, de son côté, a lancé une campagne publicitaire d'envergure, affirmant que « le temps est venu pour les sociétés pétrolières d'offrir leur soutien aux énergies renouvelables. [...] Nous sommes du même avis. » Toutefois, d'après une étude réalisée par le Center for American Progress, seuls 4 % des 100 millions de dollars engrangés au total en 2008 par les cinq plus grandes compagnies pétrolières du monde a été investi dans « des projets liés aux énergies renouvelables ou alternatives ». Le reste remplit les poches de leurs actionnaires, gonfle les salaires exorbitants de leurs dirigeants (le PDG d'ExxonMobil Rex Tillerson gagne plus de 100 000 dollars par jour) ou est consacré à la mise au point de technologies permettant d'exploiter des sources de combustibles fossiles toujours plus dangereuses et polluantes[42].

Par ailleurs, bien que les énergies renouvelables soient de plus en plus populaires, la part du gâteau que leur consacrent les grandes compagnies pétrolières rétrécit. Déjà, en 2011, la plupart d'entre elles investissaient moins de 1 % de leurs dépenses totales dans les énergies alternatives, tandis que Chevron et Shell y allouaient une part presque aussi médiocre, soit 2,5 %. En 2014, Chevron allait encore plus loin. Le *Bloomberg Businessweek* rapporte qu'on a annoncé aux employés d'une division de l'entreprise chargée des énergies renouvelables qui avait pratiquement doublé ses objectifs de bénéfice net que « le financement de ce projet tirait à sa fin » et qu'ils feraient mieux « de chercher un autre emploi ». Chevron n'a pas tardé non plus à liquider ses filiales qui élaboraient des projets écologiques destinés aux États et aux instances scolaires. « Leur publicité donne l'illusion du contraire, mais les grandes compagnies pétrolières du monde se sont complètement désintéressées des énergies alternatives ou ont réduit considérablement leurs investissements dans ce domaine pour redoubler d'ardeur dans une exploitation de sources de pétrole et de gaz naturel de plus en plus risquée et destructrice», observe l'analyste Antonia Juhasz[43].

Tout porte donc à croire que si les compagnies pétrolières contribuent un jour au passage aux énergies renouvelables et à la lutte contre le dérèglement climatique, c'est parce que la loi les y aura contraintes. Tout comme les cigarettiers sont tenus de financer certaines mesures antitabacs, et comme BP a dû payer une bonne partie du nettoyage de la marée noire dans le golfe du Mexique, l'industrie doit maintenant assumer au moins une partie de la facture de la crise du climat. D'ailleurs, de plus en plus de signes montrent que le monde de la finance est tout à fait conscient des enjeux actuels. Dans le rapport de 2013 sur les risques mondiaux du Forum économique mondial (qui réunit l'élite de la finance à Davos chaque année), le message est clair : «Bien que la procédure judiciaire intentée par le village de Kivalina, en Alaska – que la crise du climat menace de rayer de la carte – ait échoué (celui-ci réclamait aux sociétés pétrolières et charbonnières une indemnisation de 400 millions de dollars), d'autres plaignants pourraient connaître plus de succès. Il y a cinquante ans, l'industrie du tabac américaine n'aurait pu imaginer qu'elle accepterait un jour de débourser 368 milliards de dollars, comme ce fut le cas en 1997, pour réparer les torts causés à la santé de la population[44].»

Cela dit, comment empêcher, avant que le passage aux énergies renouvelables ne fasse chuter les bénéfices des compagnies pétrolières, que ceux-ci ne servent qu'à gonfler les poches de leurs dirigeants et de leurs actionnaires ? Comme l'indique le rapport sur les risques mondiaux, plusieurs collectivités victimes de la crise du climat ont déjà intenté des poursuites contre ses principaux responsables, sans succès pour l'instant. L'instauration d'une lourde taxe carbone permettrait de récupérer une partie de ces recettes, si elle s'accompagnait d'un mécanisme de redistribution équitable – baisse ou crédit d'impôt – susceptible d'aider les consommateurs à faible et moyen revenus à composer avec la hausse du coût de l'essence et du chauffage. «Il est possible d'instaurer une taxe carbone progressive qui réduirait les inégalités tout en augmentant les coûts associés à l'émission de GES», souligne l'économiste canadien Marc Lee[45]. Il existe une mesure plus directe encore : imposer des taux de redevance beaucoup plus élevés sur l'exploitation du pétrole, du gaz naturel et du charbon, et investir ces revenus dans des fonds voués à l'édification d'une économie basée sur les énergies renouvelables de même qu'à l'implantation de mesures d'aide destinées aux collectivités et aux travailleurs touchés par la crise du climat.

L'industrie des combustibles fossiles, évidemment, risque de s'opposer à toute nouvelle réglementation susceptible de miner ses bénéfices ; toute violation devra donc faire l'objet de sanctions sévères, dont la révocation de la charte d'entreprise. Les entreprises menaceront sans doute de réduire leurs activités, mais une fois qu'une multinationale comme Shell a investi des milliards de dollars dans l'aménagement de mines et de plates-formes pétrolières, risque-t-elle vraiment d'abandonner ces infrastructures en raison de la hausse du taux de redevance? (Quoiqu'il faille s'attendre à ce qu'elle s'en indigne et cherche à être indemnisée par un tribunal d'arbitrage.)

Cependant, le principe du pollueur-payeur ne devrait pas s'appliquer qu'à l'industrie de l'extraction pétrolière. L'armée américaine, par exemple, compte parmi les plus grands consommateurs de pétrole du monde. En 2011, le département de la Défense a rejeté au moins 56,8 millions de tonnes métriques de gaz carbonique dans l'atmosphère, soit plus que les activités combinées d'ExxonMobil et de Shell en territoire américain[46]. La facture devrait donc échoir également aux secteurs de l'armement, de l'automobile et du transport maritime et aérien.

En outre, il existe un lien direct entre prospérité et émissions. Les personnes disposant d'un compte en banque bien garni circulent généralement davantage, que ce soit en avion, voiture ou bateau, et consomment plus d'énergie à domicile (surtout si elles en possèdent plus d'une). Une étude menée auprès de consommateurs allemands révèle que les habitudes de voyage des plus riches ont des répercussions sur le climat de 250 % supérieures à celles de leurs voisins à plus faible revenu[47].

Dans un tel contexte, toute mesure fiscale visant à mieux répartir la concentration ahurissante de richesses qui se trouve au sommet de la pyramide économique aurait pour effet de faire payer les pollueurs, comme le démontrent de façon éloquente Thomas Piketty et bien d'autres, à condition que ces revenus soient réinvestis en partie dans la lutte contre le dérèglement climatique. «Nous devons augmenter les impôts des plus riches dans un souci de justice, pour rehausser la qualité de vie de la majorité des gens et pour poser les bases d'une économie plus prospère. Et pourquoi pas pour sauver l'humanité?» suggère Gar Lipow, journaliste et spécialiste des enjeux climatiques et énergétiques. Le principe du pollueur-payeur, toutefois, ne devrait pas non plus s'appliquer qu'aux ultra-riches. On estime que les

500 millions de personnes les plus aisées de la planète sont responsables d'environ la moitié des émissions atmosphériques mondiales, précise Stephen Pacala, directeur de l'Environmental Institute de Princeton et codirecteur de la Carbon Mitigation Initiative. Cela englobe les classes prospères de tous les pays du monde, notamment de la Chine et de l'Inde, ainsi qu'une portion importante des classes moyennes nord-américaine et européenne[*48].

Bref, les stratégies ne manquent pas pour recueillir de façon équitable les fonds nécessaires aux mesures de prévention pour les tempêtes à venir et à la réduction des émissions de gaz carbonique.

En voici une liste, que je ne prétends pas exhaustive :

– L'introduction d'une taxe «à faible taux» sur les transactions financières, s'appliquant au commerce d'actions, de produits financiers dérivés et d'autres instruments financiers, permettrait d'amasser près de 650 milliards de dollars par an à l'échelle de la planète, selon une résolution adoptée par le Parlement européen[49]. Une telle taxe aurait en outre l'avantage de freiner la spéculation financière.

– L'élimination des paradis fiscaux créerait une véritable manne. La valeur des fortunes privées qui s'y entassent aux quatre coins du monde se situe entre 21 000 et 32 000 milliards de dollars. Si ces sommes étaient soumises à un taux d'imposition de 30 %, on en tirerait chaque année des revenus d'au moins 190 milliards de dollars[50].

– Une taxe de 1 % sur la fortune des milliardaires, telle que proposée par les Nations Unies, engendrerait des recettes de quelque 46 milliards de dollars par an[51].

– Une réduction de 25 % du financement alloué au secteur militaire dans les dix pays les plus militarisés fournirait 325 milliards de dollars additionnels, selon les chiffres présentés par l'International Peace Research Institute de Stockholm en 2012[52]. (Cette stratégie risque toutefois d'être la plus difficile à appliquer, en particulier aux États-Unis.)

– Une taxe de 50 dollars par tonne métrique de $CO_2$ rejeté dans les pays industrialisés permettrait de recueillir quelque 450 milliards de dollars par an, tandis qu'une taxe carbone plus modeste, de l'ordre de 25 dollars par tonne, fournirait un revenu

---

* C'est pourquoi le fait de voir dans la régulation des naissances un moyen de contrer la crise du climat est un leurre, en plus de mener à une impasse d'ordre éthique. Comme le démontre cette étude, la principale cause de la hausse des émissions atmosphériques n'est pas le taux de natalité des plus démunis, mais les habitudes de consommation des plus riches.

annuel de 250 milliards, selon un rapport publié en 2011 par un regroupement d'organisations dont la Banque mondiale, le FMI et l'Organisation de coopération et de développement économiques (OCDE[53]).

– L'élimination progressive des subsides à l'exploitation pétrolière permettrait aux gouvernements d'épargner au moins 775 milliards de dollars par an, selon les chiffres publiés en 2012 par Oil Change International et le NRDC[54].

En combinant ces mesures, on pourrait réunir plus de 2 000 milliards de dollars par an[55] (sans compter les revenus que pourrait générer une hausse des taux de redevance sur l'exploitation des ressources pétrolières), soit bien assez pour amorcer une grande transition (et éviter une autre Grande Dépression). Évidemment, pour que de telles mesures fiscales soient efficaces, il importe que les gouvernements coordonnent leurs politiques de façon à ce que les compagnies pétrolières ne puissent y échapper. C'est là une entreprise difficile, mais réalisable, dont on a souvent évoqué la possibilité lors de sommets du G20.

Outre l'urgence de réunir des fonds pour contrer la crise du climat, plusieurs raisons concrètes d'ordre politique légitiment le recours au principe du pollueur-payeur. Comme nous l'avons vu, la lutte qui s'impose bénéficiera à la plupart des gens, mais elle entraînera aussi certains sacrifices et inconvénients à court et moyen termes. Or, les expériences passées de sacrifices accomplis en période de crise – lors des deux grands conflits mondiaux, par exemple, marqués par des politiques de rationnement, de gestion serrée des ressources et de contrôle des prix – démontrent que le succès de telles mesures dépend totalement du sentiment de justice qu'elles suscitent.

En Grande-Bretagne et en Amérique du Nord, par exemple, toutes les strates de la société ont dû se rationner pendant la Deuxième Guerre mondiale, même les classes les plus prospères. En fait, bien que la consommation globale du Royaume-Uni ait chuté de 16 % pendant la guerre, l'apport calorique offert aux plus démunis a augmenté, parce que les coupons alimentaires permettaient aux citoyens à faible revenu de se procurer davantage de nourriture qu'en temps normal[56].

Évidemment, tricherie et commerce illicite étaient monnaie courante, mais les mesures de rationnement jouissaient néanmoins d'un large soutien, car les citoyens les percevaient comme justes, en théorie du moins. Dans la propagande du gouvernement, le thème de l'égalité était omniprésent : le slogan « Chacun fait sa part » circulait abondamment au Royaume-Uni, tandis que le gouvernement américain invitait la population à «partager, tous ensemble» et à «produire, conserver, partager et jouer équitablement[57]». Dans une brochure publiée en 1942 par le Bureau de l'administration des prix américain, on inscrit même le rationnement dans une longue tradition américaine. «Qu'est-ce que le rationnement?» demande-t-on.

> D'abord, on croit à tort que le rationnement est synonyme de famine, de longues files pour obtenir du pain, d'aliments de qualité médiocre; il s'agit plutôt d'une mesure collective qui vise à répartir équitablement les denrées disponibles entre tous ceux qui en ont besoin. Ensuite, précisons que le rationnement n'entre pas en conflit avec les valeurs américaines. Nos pionniers, face à la pénurie d'aliments et de vêtements, réunissaient leurs précieuses denrées et fournitures et les répartissaient en toute justice entre tous. Aujourd'hui comme hier, c'est là une valeur profondément américaine: partager à parts égales, et s'unir pour faire les sacrifices qui s'imposent, quand le bien du pays en dépend[58].

Notons également que, à l'époque, les gouvernements n'hésitaient pas à infliger des sanctions publiques aux individus aisés et haut placés qui enfreignaient les règles, de façon à faire passer un message clair: pas d'exception. Au Royaume-Uni, des vedettes de cinéma ainsi que de grandes firmes privées comme Woolworth et Sainsbury ont ainsi fait l'objet de poursuites pour avoir violé les mesures de rationnement[59]. Aux États-Unis, des procès ont été intentés contre certains géants du secteur privé. Certes, les politiques de rationnement ne plaisaient guère à bon nombre de grandes entreprises américaines, et celles-ci ont d'ailleurs tenté de s'y opposer, sous le prétexte que leur prestige était en jeu. Elles ont pourtant dû s'y conformer au même titre que tout le monde.

Un tel souci de justice, dans un jeu où les règles devraient s'appliquer à tous les joueurs, peu importe leur envergure, fait cruellement défaut dans les mesures prises jusqu'à maintenant pour contrer la crise climatique. Depuis plusieurs décennies, on demande aux simples citoyens d'éteindre leurs lumières, d'enfiler un pull de plus ou de payer plus cher des produits de nettoyage ou des appareils «écologiques», tout en autorisant les pires pollueurs à accroître leurs émissions sans aucune sanction. C'est là un schéma récurrent depuis le discours prononcé par le président américain Jimmy Carter en juillet 1979, où il a affirmé que «nous sommes trop nombreux aujourd'hui à nous vautrer dans la consommation et la jouissance personnelle. L'identité d'une personne n'est plus définie par ses actes, mais par ce qu'il possède». Carter avait exhorté ses compatriotes, «pour [leur] bien-être et la sécurité de la nation, à éviter tout déplacement inutile, à privilégier le covoiturage et les transports en commun, à [se] passer de [leur] voiture plus souvent, à respecter les limitations de vitesse et à baisser le thermostat à la maison. Chacun de ces actes incarne non seulement le bon sens, mais un véritable patriotisme[60]».

Cette allocution du président Carter, pourtant bien accueillie au départ, a été présentée par la suite comme le discours du «malaise» et l'une des causes de sa défaite contre Ronald Reagan lors des élections de 1980. Et, bien qu'il n'y ait pas été question de crise du climat, mais d'une plus vaste «crise de confiance» dans un contexte de pénurie d'énergie, on brandit encore aujourd'hui ce discours comme preuve que l'appel au sacrifice en faveur de l'environnement représente pour un politicien une véritable opération suicide. Cette interprétation a d'ailleurs façonné la tendance des environnementalistes à préconiser des solutions «avantageuses pour tous».

Il est à noter que le défunt Christopher Lasch, un des principaux conseillers de Carter à l'époque, a aussi été l'un de ses plus grands critiques. L'auteur de *La Culture du narcissisme*[61] avait en effet exhorté le président à tempérer son message d'austérité individuelle par l'assurance d'une justice sociale fondamentale. Comme l'a révélé Lasch lors d'une entrevue plusieurs années plus tard, il avait conseillé à Carter d'«insuffler une dimension plus populiste à son réquisitoire contre la soif de consommation des Américains. [...] Ce qui s'imposait, c'était un programme faisant appel au sacrifice, certes, mais qui aurait mis l'accent sur son caractère équitable [et] fait en sorte que ceux pour qui il était plus facile de le faire fussent plus sollicités. C'est ce que j'entends par populisme[62]».

La population aurait-elle réagi différemment si Carter avait suivi ce conseil et présenté un plan de conservation des ressources visant d'abord les véritables gagnants de la course à la consommation effrénée? Quoi qu'il en soit, on peut affirmer que les mesures de lutte contre les changements climatiques qui font porter tout le fardeau aux citoyens sont vouées à l'échec. Dans une enquête sur les attitudes sociales des Britanniques, par exemple, la firme indépendante NatCen Social Research a posé en 2000, puis en 2010, un ensemble de questions sur les politiques climatiques. Résultat: «Tandis qu'il y a dix ans 43 % affirmaient être d'accord pour payer un prix plus élevé pour protéger l'environnement, cette proportion avait chuté à 26 % [en 2010]. On a observé une dégringolade semblable (de 31 à 22 %) dans le pourcentage de gens prêts à payer davantage d'impôts, et une diminution plus restreinte (de 26 à 20 %) de la volonté des gens d'accepter une baisse de leur niveau de vie[63].»

De telles statistiques servent souvent à démontrer que, en période de récession économique, les préoccupations environnementales des citoyens semblent se volatiliser. Pourtant, un autre constat s'impose: certes, les gens ne sont plus aussi disposés qu'auparavant à porter le fardeau financier de la lutte contre le déséquilibre climatique, mais ce n'est pas uniquement pour des raisons économiques. En Occident, les gouvernements ont réagi à la récession – provoquée par la cupidité et la corruption qui rongent les strates les plus riches de la société – en demandant aux citoyens les moins responsables de la crise d'en payer le prix. Doit-on s'étonner qu'une population à bout de souffle, qui a fait les frais de la crise bancaire par la compression des fonds alloués à l'éducation, au système de santé et à la sécurité sociale, ne soit guère encline à venir à la rescousse des grandes compagnies pétrolières pour contrer la crise dont celles-ci sont non seulement responsables, mais qu'elles continuent d'aggraver?

Dans les sondages de ce type, en fait, on cherche rarement à savoir si les gens approuvent l'augmentation des impôts des mieux lotis ou la suppression des subventions à l'exploitation des combustibles fossiles, deux mesures qui jouissent pourtant d'un large soutien populaire. Par contre, lors d'une enquête menée aux États-Unis en 2010, alors que le pays tentait de se relever de la crise économique, on a demandé aux électeurs s'ils soutiendraient un programme qui «forcerait les sociétés pétrolières et charbonnières à fournir les fonds nécessaires pour réparer les dégâts causés par la pollution dont elles sont responsables, en encourageant la création d'emplois et le recours à des sources d'énergie comme l'éolien, le solaire et le nucléaire. Le programme en question ne pénaliserait pas les travailleurs ni leurs familles, car ces revenus seraient retournés à la population américaine, par exemple sous la forme d'un remboursement d'impôt». Résultat: les trois quarts des sondés, dont une large majorité de républicains, ont répondu en faveur du programme proposé, et seulement 11 % s'y sont fortement opposés. Ce dernier reprenait les éléments de base d'un «système de plafonnement et de compensation» qui a été présenté par quelques sénateurs américains, mais dont on n'a jamais débattu sérieusement au Sénat[64].

En juin 2014, lorsque le président Obama a enfin proposé d'avoir recours à l'EPA pour limiter les émissions de GES des centrales électriques, l'idée a été fort bien accueillie par la population, bien que les représentants de l'industrie du charbon s'en soient indignés. Un sondage a démontré que 64 % des Américains, dont un grand nombre de républicains, se disaient favorables à une telle politique, et ce, même si leur facture énergétique mensuelle risquait de grimper[65].

Tout compte fait, les citoyens sont-ils prêts à faire des sacrifices pour enrayer la crise climatique? Une chose est sûre, ils en ont assez de cette logique asymétrique où on demande au consommateur de payer au prix fort des produits «verts» tandis que l'industrie continue à esquiver la réglementation et à exacerber la crise environnementale. Tout cela entraîne inévitablement un effritement de l'enthousiasme qui a marqué les débuts du mouvement de protection du climat, et un refus des citoyens de faire des sacrifices en l'absence de politiques équitables. Cela ne veut pas dire pour autant que les classes moyennes s'en tireront à bon compte. Pour financer les programmes sociaux qui permettront un passage aux énergies renouvelables en toute justice, il faudra hausser les impôts pour tout le monde, sauf pour les plus démunis. Mais en réinvestissant ces impôts dans des programmes et des services visant à réduire l'écart entre riches et pauvres et à améliorer le sort de la population en général, ne leur confère-t-on pas une légitimité nouvelle?

*<br>*  *

À l'heure actuelle, un triste constat s'impose: aux quatre coins de la planète, les gouvernements rechignent de plus en plus à instaurer des mesures climatiques équitables. Le problème n'est pas tant qu'ils soient fauchés ou à court de solutions, mais qu'ils ne soient guère disposés à aller chercher l'argent là où il se trouve (sauf pour gonfler leur caisse électorale), et que l'industrie refuse de payer sa juste part.

Dans ce contexte, comment nous étonner que nos dirigeants n'aient pas encore pris de mesures efficaces pour contrer la crise du climat? Et même si le gouvernement appliquait à la lettre le principe du pollueur-payeur, saurait-il gérer avec discernement les sommes recueillies? Pour changer les fondements de notre société – l'énergie qui propulse notre économie et nos véhicules, la conception même de nos villes –, il ne suffit pas de signer quelques chèques. À chaque niveau de décision de leur gouvernement, les dirigeants devraient s'entendre sur une vision novatrice à long terme et s'engager à sévir contre les pollueurs qui mettent l'humanité en péril. Et, pour y parvenir, il faut enterrer à jamais l'idéologie néolibérale qui façonne le paysage politique depuis près de quarante ans.

Comme l'ont bien compris les climatosceptiques du Heartland Institute, les dogmes du libre marché ne sont pas compatibles avec des mesures climatiques dignes de ce nom. Pour relever collectivement le défi colossal que représente la crise du climat, on doit mettre en place un solide mouvement social capable de réclamer (et d'instituer) un leadership politique déterminé non seulement à faire porter aux pollueurs le fardeau collectif de la crise, mais à faire revivre deux arts relégués aux oubliettes : la gestion publique éclairée à long terme et la fermeté devant les géants du secteur privé.

## Chapitre 4

# Planifier et interdire

### Rejeter la main invisible
### et bâtir un mouvement

*Le postmodernisme a coupé le présent de tout avenir. Les moyens d'information quotidiens surenchérissent en le coupant du passé. Ce qui signifie que la critique est souvent abandonnée au présent comme une orpheline [...].*

John BERGER, *Fidèle au rendez-vous*, 1991[1]

*Une entreprise ne peut être vraiment écologique que si la loi l'y contraint.*

Gus SPETH, ex-doyen de l'École de foresterie et d'études environnementales de l'université Yale[2]

POUR MIEUX COMPRENDRE comment l'idéologie du libre marché parvient encore à faire obstacle aux politiques climatiques, il peut être utile de revenir sur un épisode de l'histoire récente où l'adoption de mesures de l'ampleur requise a semblé réellement possible, même aux États-Unis. C'était en 2009, au paroxysme de la crise financière mondiale, pendant la première année de la présidence Obama.

J'admets qu'il est facile de commenter les événements après coup, mais convenons qu'imaginer ce qui aurait pu se produire peut donner une meilleure idée de ce qui pourrait encore se produire dans l'avenir.

C'était un moment où l'histoire semblait vouloir s'accélérer, où presque tout semblait possible, le meilleur comme le pire. Si les scénarios les plus optimistes semblaient soudain réalistes, c'est en grande partie en raison du mandat clair que les électeurs américains venaient de confier à Obama. Ce dernier avait été élu sur la promesse de redonner vie à l'économie réelle et d'envisager la crise du climat comme «une occasion à saisir, car, en bâtissant une nouvelle économie de l'énergie, nous pouvons créer 5 millions d'emplois. [...] Cette crise peut devenir le moteur qui nous propulsera dans l'avenir, tout comme l'ordinateur a été le moteur de la croissance économique des dernières décennies», affirmait-il[3]. Tant les représentants du secteur des combustibles fossiles que les environnementalistes tenaient pour acquis que le nouveau président adopterait une législation sévère sur le climat au début de son mandat.

De son côté, la crise financière venait de faire voler en éclats, partout dans le monde, la confiance de la population en l'économie du laisser-faire : même aux États-Unis, l'idée de s'attaquer au tabou interdisant à l'État d'intervenir directement dans l'économie pour créer de bons emplois jouissait d'un soutien considérable. Obama avait ainsi obtenu la marge de manœuvre nécessaire à la mise en œuvre d'un plan de relance économique de 800 milliards de dollars (et il aurait sans doute pu demander plus de fonds).

La position de faiblesse dans laquelle se trouvaient les banques est un autre aspect extraordinaire de ce moment : en 2009, elles étaient encore à genoux, en quête de milliers de milliards de dollars en fonds de sauvetage et en garanties de prêt. On discutait ferme de la façon dont elles devraient se restructurer en contrepartie de l'immense générosité des contribuables, allant même jusqu'à envisager sérieusement leur nationalisation. Et n'oublions pas cet autre facteur : à partir de 2008, parce qu'ils avaient vraiment mal géré leurs affaires, deux des « trois grands de l'automobile» américaine (acteurs clés de l'économie des combustibles fossiles) ont été pris en main par l'État, qui se chargerait d'assurer leur viabilité.

En somme, trois moteurs économiques colossaux (les banques, les constructeurs automobiles et le plan de relance) étaient en jeu, si bien qu'Obama et son parti disposaient d'un plus grand pouvoir sur l'économie que tout gouvernement américain depuis celui de Franklin Delano Roosevelt. Imaginons un instant ce qui aurait pu se produire si l'administration Obama s'était appuyée sur sa légitimité démocratique toute fraîche pour bâtir la nouvelle économie promise en campagne électorale, pour se servir du plan de relance, des difficultés des banques et de la faillite des grands de l'auto pour établir les bases d'un avenir écologique. Imaginons qu'un puissant mouvement social (une solide coalition constituée de syndicalistes, d'immigrants, d'étudiants, d'environnementalistes et de tous ceux dont les rêves s'écroulaient devant la déconfiture du modèle économique dominant) ait exigé d'Obama qu'il n'en fasse pas moins.

Le plan de relance aurait pu contribuer à la mise en place de services de transports en commun et de réseaux électriques «intelligents» parmi les meilleurs au monde. L'industrie automobile aurait pu être entièrement réinventée afin que ses usines fabriquent les équipements nécessaires à la transition : non seulement quelques voitures électriques purement symboliques, mais aussi les tramways et réseaux ferroviaires à haute capacité qui font si cruellement défaut aux États-Unis. De la même manière qu'une ancienne fabrique ontarienne de pièces d'automobile a repris vie en devenant la fabrique de panneaux solaires Silfab, des usines fermées ou en voie de l'être auraient pu connaître ce type de transformation sur tout le continent. Un tel projet avait été proposé à l'époque par l'un des plus éminents penseurs du mouvement syndical nord-américain, Sam Gindin, qui a longtemps été directeur de recherche des Travailleurs canadiens de l'automobile (TCA, aujourd'hui partie prenante de la grande centrale syndicale Unifor) :

> Si nous voulons vraiment intégrer les contraintes environnementales à l'économie, nous devrons revoir de fond en comble nos façons de produire, de consommer, de nous déplacer, de vivre. Les tâches à accomplir pour ce faire (dans les ateliers d'outillage au bord de la fermeture et dans les usines de pièces capables de produire plus d'un type de composante, par une force de travail qui tient à faire œuvre utile) sont infinies.
>
> Équipement et compétences pourront être mis au service non seulement de la construction de voitures et de pièces d'un nouveau genre, mais aussi de l'expansion des services de transports collectifs existants et de la création de nouveaux réseaux. Ils pourront contribuer à la modification, conformément aux contraintes environnementales, de la machinerie et de ses sources d'énergie dans tous les ateliers. Ils pourront servir à la mise en place de nouveaux systèmes de production capables de recycler le matériel et les produits usagés (comme les autos). Les maisons devront être rénovées et les appareils électroménagers mis à niveau. On utilisera de plus en plus de panneaux solaires et d'éoliennes, et on devra bâtir de nouveaux réseaux électriques. Il faudra réinventer les infrastructures urbaines en fonction des changements que connaîtront les moyens de transport et l'utilisation de l'énergie.
>
> N'y a-t-il pas meilleur moment qu'aujourd'hui pour lancer un tel projet, alors qu'il nous faut surmonter à la fois la crise économique actuelle et la crise environnementale imminente? N'y a-t-il pas meilleure occasion que celle-ci pour affirmer avec force la nécessité d'éviter la perte d'installations et d'équipements de grande valeur et le gaspillage de la créativité, des connaissances et des compétences de nos ingénieurs, de nos ouvriers qualifiés et de nos travailleurs de production[4]?

Une aussi vaste campagne de modernisation d'usines coûterait assurément très cher, et c'est ici que les institutions financières renflouées auraient pu être mises à contribution. Si le gouvernement avait eu le courage d'utiliser son nouveau pouvoir, il aurait pu profiter de l'influence qu'il avait sur les banques (qu'il venait de sauver de l'abîme) pour les engager (de force, si nécessaire) dans cette grande transformation. Comme tout banquier le sait bien, quand on prête de l'argent à une personne, on acquiert un certain pouvoir sur elle. Une usine n'a-t-elle pas besoin de capitaux pour effectuer sa transition écologique? Ainsi, l'État aurait pu contraindre les banques à accorder des prêts aux entreprises qui disposaient d'un plan d'affaires solide, en particulier si ce dernier reflétait l'esprit du plan de relance. Celles qui auraient refusé auraient pu être nationalisées, comme l'ont été plusieurs banques du monde au cours de cette période.

Nombreux sont les industriels d'alors qui n'auraient pas souhaité rester en affaires s'il leur avait fallu s'engager dans une telle transition, car les marges bénéficiaires qui en auraient résulté auraient été faibles, du moins au début. Mais ce n'était pas une raison pour envoyer des machines en bon état de marche à la ferraille. Selon Gindin, on aurait pu offrir aux travailleurs de ces ateliers l'occasion de les relancer sous forme de coopératives, comme on l'avait vu en Argentine dans des centaines d'usines abandonnées après la crise économique ayant frappé ce pays en 2001. J'ai passé deux ans à Buenos Aires pour tourner un documentaire sur ces usines, intitulé *The Take*. Une des histoires qu'on y raconte était celle d'un groupe d'ouvriers qui, après que la fabrique de pièces d'automobile où ils travaillaient eut fermé ses portes, en avaient pris possession pour en faire une coopérative des plus dynamiques. L'aventure avait été haute en émotions : les ouvriers avaient pris de gros risques et s'étaient découvert des compétences qu'ils n'auraient jamais cru posséder. Après plus de dix ans, leur usine semble s'en tirer toujours très bien. La plupart de ces usines autogérées d'Argentine sont d'ailleurs encore en activité, et ce, dans une diversité de domaines, qu'il s'agisse de carreaux de céramique ou de complets pour hommes*. Cette forme décentralisée de propriété a aussi pour avantage de s'ins-

---

* Aux États-Unis et en Europe, des travailleurs ont fait des tentatives semblables ces dernières années, dans la foulée d'une vague de fermetures d'usines. L'expérience la plus remarquable est celle de la fabrique de portes et fenêtres Republic, à Chigago, fauchée par la crise économique puis occupée par ses employés. Aujourd'hui, bon nombre d'entre eux sont membres de ce qui est devenu la coopérative New Era Windows.

crire à contre-courant de l'intolérable tendance à la polarisation des revenus : au lieu d'entretenir un ordre mondial qui permet à 85 personnes de posséder une richesse équivalant à celle de la moitié de la population de la planète, elle répartit progressivement la richesse créée entre les travailleurs eux-mêmes, sans parler des collectivités qui bénéficient du maintien d'emplois bien rémunérés[5].

Si un projet d'une telle cohérence et d'une telle envergure s'était imposé aux États-Unis en cette période d'instabilité qu'était le début de la présidence Obama, les tentatives conservatrices de dépeindre la lutte contre le changement climatique comme un frein à l'économie seraient tombées à plat. Tout le monde aurait compris qu'elle était un important outil de création d'emploi et de redynamisation des collectivités, ainsi qu'une source d'espoir en ces temps où il se fait rare. Pour que les événements prennent cette tournure, toutefois, il aurait fallu un gouvernement assez courageux pour élaborer une audacieuse planification économique à long terme, et des mouvements sociaux capables de mobiliser des gens en masse pour revendiquer la concrétisation de projets du genre. (Au lieu de travailler à la constitution d'un vaste mouvement populaire, les grandes organisations environnementalistes cherchaient alors à convaincre le Congrès d'adopter une loi sur les échanges de droits d'émission, une tentative qui finirait par s'avérer vaine.)

En l'absence de telles conditions, ce moment historique des plus exceptionnels, riche de tant de possibilités, n'a fait que passer. Obama a laissé les banques agir à leur guise, même si leur gestion lamentable avait exposé l'ensemble de l'économie à des risques graves. Les fondements de l'industrie automobile ont aussi été laissés intacts, la crise n'y ayant suscité qu'une énième vague de restructurations ; de 2008 à 2014, ce secteur aura connu 115 000 pertes d'emplois[6].

Précisons néanmoins que le plan de relance d'Obama comprenait d'importantes mesures de soutien aux énergies solaire et éolienne ainsi qu'à des initiatives vertes comme la rénovation écoénergétique ; par l'ampleur des fonds qui lui avaient été alloués, il s'agissait sans doute de « la loi sur l'énergie la plus importante et la plus porteuse de changement de l'histoire des États-Unis », explique Michael Grunwald dans son essai *The New New Deal*. Cependant, chose encore inexpliquée, les transports en commun n'ont pas obtenu le financement auquel on aurait pu s'attendre : en matière d'infrastructures, c'est plutôt le réseau national d'autoroutes qui a reçu la plus grande part du gâteau, ce qui, dans une perspective climatique, constitue un pas dans la mauvaise direction. Obama n'est pas seul à avoir raté le virage : l'échec a été mondial, constate Julia Steinberger, économiste de l'écologie à l'université de Leeds. On aurait dû profiter de la crise financière qui a éclaté en 2008 « pour investir dans des infrastructures à faibles émissions de GES pour le xxi<sup>e</sup> siècle, mais on a plutôt engendré une situation dans laquelle tout le monde est perdant : les émissions atteignent aujourd'hui des niveaux sans précédent, sans parler de l'augmentation du chômage, des coûts de l'énergie et des disparités de revenus[7] ».

Si Obama n'a finalement pas saisi cette occasion historique de stabiliser à la fois le climat et l'économie, ce n'est pas par manque de ressources ou de pouvoir. Il en possédait en abondance. S'il s'est arrêté, c'est en raison de la contrainte invisible d'une puissante idéologie en vertu de laquelle il était convaincu (comme pratiquement tous ses homologues) qu'il est malsain de dire aux grandes entreprises comment elles devraient gérer leurs affaires (même lorsqu'elles courent à leur perte), et qu'il y a quelque chose de sinistre, voire de vaguement communiste, dans l'idée même d'un plan visant à bâtir l'économie dont on a grand besoin (même en pleine crise existentielle).

Il s'agit là, bien sûr, d'un autre legs de la contre-révolution du libre marché. Pas plus tard qu'au début des années 1970, un président républicain (en l'occurrence Richard Nixon) souhaitait imposer le contrôle des prix et des salaires pour faire sortir l'économie américaine de la crise. « Désormais, nous sommes tous keynésiens », avait-il déclaré[8]. Dans les années 1980, toutefois, les groupes de réflexion de Washington qui nient aujourd'hui le dérèglement climatique sont parvenus à imposer l'idée selon laquelle la notion même de planification industrielle se rapproche des plans quinquennaux de Staline. Les vrais capitalistes ne font pas de plans, affirment ces guerriers idéologiques ; ils exaltent la puissance de l'appât du gain et laissent le marché créer, dans son infinie sagesse, la meilleure société possible pour tous.

Obama ne partage manifestement pas cette position extrémiste : comme en témoignent sa réforme de la santé et ses autres politiques sociales, il semble plutôt d'avis qu'un gouvernement a la responsabilité d'orienter l'économie dans la bonne direction. Reste qu'il est le produit de son époque : alors qu'il avait les banques, l'industrie automobile et son plan de relance entre les mains, il les a considérés comme des fardeaux dont il lui fallait se débarrasser au plus vite, et non comme des outils qui lui donnaient une chance inouïe de bâtir un avenir prometteur.

Si l'on doit retenir quelque chose de cette occasion ratée, c'est ceci : pour que des mesures climatiques d'une portée adéquate soient mises en œuvre dans les plus brefs délais, la gauche devra s'empresser de tirer des leçons des succès de la droite. Les conservateurs sont parvenus à freiner et à faire reculer la lutte contre le changement climatique en pleine crise économique en prétendant qu'il fallait commencer par redresser l'économie, c'est-à-dire en insistant sur l'impérieuse nécessité de maintenir la croissance et l'emploi en ces temps difficiles (et les temps sont toujours difficiles). Les progressistes pourraient aisément faire la même chose en montrant que les véritables solutions à la crise du climat constituent aussi le meilleur espoir de bâtir un système économique plus stable et plus juste, qui renforcerait et transformerait la sphère publique, créerait des emplois décents à profusion et endiguerait la cupidité des milieux d'affaires.

Mais, avant d'en arriver là, ils devront à l'évidence mener un combat d'idées en vue de faire reconnaître le droit de la population de décider démocratiquement du type d'économie dont elle a besoin. Les politiques climatiques qui ne comptent que sur les forces du marché (en se limitant à des quotas d'émissions ou à des taxes) ne suffiront pas. Si nous voulons agir sur les fondements mêmes de l'économie, nous aurons besoin de tous les outils politiques que compte l'arsenal démocratique.

## Planifier pour créer de l'emploi

Certains responsables politiques ont déjà compris cette nécessité d'ancrage démocratique, ce qui explique pourquoi une si grande proportion des litiges liés aux politiques climatiques qui sont portés devant les tribunaux de l'OMC découle des tentatives de gouvernements, que ce soit en Ontario ou en Inde, de réintroduire des mesures de planification industrielle dans leurs économies. Ces gouvernements sont disposés à soutenir l'industrie, mais seulement si elle soutient à son tour, en créant des emplois bien payés et en s'approvisionnant localement, les populations grâce auxquelles elle s'enrichit.

Si des gouvernements adoptent des politiques d'achat ou d'emploi local, c'est parce qu'elles sont judicieuses sur le plan politique. Toute réponse à la crise du climat qui se veut un tant soit peu efficace ne fera pas que des gagnants, elle fera aussi un grand nombre de perdants – des industries qui ne pourront plus exister dans leur forme actuelle, des travailleurs qu'on licenciera. Il est fort peu probable que le secteur des combustibles fossiles, ayant trop à perdre avec un tel virage, se laisse convaincre des bienfaits d'une transition écologique. Ce n'est cependant pas le cas de ses employés et de ceux des secteurs connexes.

Il est de notoriété publique que les syndicats n'hésitent jamais à se battre bec et ongles pour protéger des emplois, même polluants, s'il n'y en a pas d'autres en vue. En revanche, si les travailleurs des industries polluantes se voient offrir des emplois dans des secteurs propres (comme les anciens ouvriers de l'automobile embauchés par Silfab) et deviennent parties prenantes de la transition écologique, les progrès peuvent être fulgurants.

Le potentiel de création d'emplois est énorme. Par exemple, selon un plan proposé par l'organisme américain BlueGreen Alliance, qui regroupe des syndicats et des groupes environnementalistes, un investissement annuel de 40 milliards de dollars en six ans dans le transport en commun et les trains à grande vitesse créerait plus de 3,7 millions d'emplois aux États-Unis pendant la période visée. Comme on le sait, les investissements dans les transports collectifs rapportent gros : en 2011, le groupe de recherche Smart Growth America a publié une étude montrant qu'ils créent 31 % plus d'emplois par dollar investi que la construction de nouvelles routes et de nouveaux ponts ; l'entretien et la réparation de routes et de ponts existants créent quant à eux 16 % plus d'emplois[9]. On peut en conclure que, tant d'un point de vue climatique qu'économique, l'amélioration des infrastructures de transport existantes représente un investissement plus judicieux que l'extension de la couverture d'asphalte.

Le secteur des énergies renouvelables est tout aussi prometteur, en partie parce qu'il s'y crée plus d'emplois par kilowattheure distribué que dans celui des combustibles fossiles. En 2012, l'Organisation internationale du travail (OIT) a estimé qu'environ 5 millions d'emplois avaient déjà été créés dans ce secteur à l'échelle mondiale, et ce, malgré un engagement tout aussi parcellaire qu'insuffisant des gouvernements dans la réduction des émissions[10]. Si l'on adaptait les politiques industrielles aux conclusions de la climatologie, l'approvisionnement en énergies renouvelables (éolienne et solaire, mais aussi géothermique, marémotrice, etc.) susciterait la création de quantité d'emplois dans tous les pays et dans de nombreux secteurs, comme la fabrication, la construction, l'installation, l'entretien et l'exploitation.

Une recherche similaire menée au Canada révèle qu'un investissement de 1,3 milliard de dollars (la somme que l'État fédéral canadien verse en subventions aux sociétés pétrolières) pourrait créer de 17 000 à 20 000 emplois dans les secteurs des énergies

renouvelables, des transports en commun et de l'efficacité énergétique, soit de six à huit fois plus que ce que ce montant génère
dans le domaine des combustibles fossiles. De plus, selon un rapport préparé en 2011 pour la Fédération européenne des travailleurs des transports, des politiques globales visant une réduction
de 80 % des émissions dans le secteur des transports créeraient
7 millions de nouveaux emplois sur tout le continent. La création
de 5 millions d'emplois supplémentaires dans les énergies renouvelables pourrait faire chuter de 90 % les émissions dues à la production d'électricité en Europe. En Afrique du Sud, la coalition
One million Climate Jobs réclame la mise sur pied d'un important
programme de création d'emplois dans des domaines allant des
énergies renouvelables à l'agriculture durable à petite échelle, en
passant par le transport en commun et la remise en état d'écosystèmes. «En plaçant les intérêts des travailleurs et des démunis au
premier plan des stratégies de lutte contre le changement climatique, on peut à la fois atténuer la crise du climat et juguler l'hémorragie d'emplois», affirme-t-on sur le site de la coalition[11].

Ces emplois ne sont cependant pas de ceux que le marché
pourrait créer par lui-même. À une telle échelle, on ne peut y
parvenir qu'à l'aide d'une planification réfléchie. Et, dans certains
cas, pour se doter des outils nécessaires à cette transition planifiée
vers les énergies renouvelables, les citoyens devront, comme les
habitants de nombreuses villes d'Allemagne, se réapproprier la
production d'électricité, dont les profits, au lieu d'aboutir dans
les poches d'actionnaires, seront alloués au financement de services publics qui en ont bien besoin.

Qui plus est, un tel traitement ne devrait pas se limiter à la
production d'électricité. Si les sociétés privées qui, dans de nombreux pays, ont accaparé les chemins de fer nationaux, réduisent
leur offre de services à l'heure où la crise du climat exige la multiplication des modes de transport interurbain à faibles émissions, il faudrait aussi en reprendre collectivement possession.
Échaudés par quelques décennies d'expériences difficiles avec les
privatisations (qui, dans bien des cas, ont été synonymes de
réduction de services et d'augmentation des prix), un grand
nombre de gens sont disposés à renverser la vapeur. Un sondage
effectué au Royaume-Uni en 2013 a permis de constater que «les
électeurs de toutes allégeances politiques sont en faveur de la
nationalisation de l'énergie et des chemins de fer. Ils sont 66 % à
considérer que la production d'énergie devrait relever du secteur
public, contre 21 % qui jugent qu'elle doit rester entre les mains
du secteur privé. Par ailleurs, 68 % d'entre eux sont pour la

nationalisation des sociétés ferroviaires, contre 23 % pour leur maintien dans le privé». Un des aspects les plus étonnants de ce sondage tient au taux d'électeurs favorables à la nationalisation chez ceux qui se disent conservateurs : 52 % d'entre eux sont pour le retour des secteurs de l'énergie et du transport ferroviaire dans le giron public[12].

## Planifier pour décentraliser

L'argument climatique plaidant pour une remise en question de la propriété privée est particulièrement solide en ce qui a trait au gaz naturel. De nombreux gouvernements considèrent maintenant le gaz comme un «combustible de transition». Selon cette thèse, celui-ci peut être utilisé comme solution de remplacement aux combustibles fossiles plus polluants comme le charbon et le pétrole pendant la période nécessaire à une transition complète vers des sources d'énergie carboneutres. Vu la vitesse à laquelle l'Allemagne est passée aux énergies renouvelables, on peut douter de la nécessité d'adopter un combustible de transition. De plus, comme nous le verrons plus loin, la notion même de gaz comme source d'énergie propre soulève la controverse. Quoi qu'il en soit, sous l'angle de la planification, l'objection la plus immédiate est la suivante : pour que le concept de combustible de transition soit valide, il faudrait que le gaz serve *uniquement* à remplacer le charbon et le pétrole, et non à freiner la progression des énergies renouvelables. Il s'agit là d'un enjeu très concret : aux États-Unis, le déluge de gaz à bas prix obtenu par fracturation cause déjà du tort au secteur de l'éolien, dont la part de marché des nouvelles sources d'électricité a chuté, étant passée de 42 % en 2009 à 25 % en 2010, pour ne remonter qu'à 32 % en 2011 (années où la fracturation a connu un essor considérable[13]). Enfin, si l'on a recours au gaz naturel (qui demeure un important émetteur de GES) comme combustible de transition, pourra-t-on mettre un terme ensuite à son extraction ? Autrement dit, une fois la passerelle construite, saura-t-on la démanteler ?

Il existe diverses façons de concevoir un système qui répondrait à ces objectifs. L'État pourrait favoriser le recours aux centrales à cycle combiné, dont on peut aisément accélérer ou diminuer la cadence pour laisser place à l'éolien et au solaire lorsque ces sources sont disponibles, et exiger que la construction de toute nouvelle centrale au gaz soit conditionnelle à la fermeture d'une centrale au charbon. Selon Ben Parfitt, spécialiste des conséquences de la fracturation au Centre canadien de politiques alternatives, les divers niveaux de gouvernement devraient impérativement se doter d'une «réglementation établissant un lien entre la provenance du gaz, sa méthode d'extraction et la production de l'électricité comme telle», ce qui obligerait les centrales électriques à acheter du gaz dont les émissions au cours de leur cycle de vie sont inférieures à celles du charbon[14]. Ce faisant, on pourrait mettre un terme à l'extraction de gaz par fracturation. Il serait aussi possible de limiter la capacité des entreprises à exporter du gaz, afin d'empêcher son utilisation par des pays dépourvus de semblables restrictions. De telles mesures permettraient de minimiser bon nombre des risques associés à ce combustible (pas tous, cependant), mais elles nuiraient grandement à la rentabilité du secteur.

Ce qui soulève une question: comment d'impitoyables sociétés à but lucratif pourraient-elles accepter qu'on leur impose un modèle d'affaires les contraignant à ne plus faire concurrence à de vastes pans du secteur de l'énergie (l'éolien et le solaire) et à se soumettre à une réglementation coûteuse et tentaculaire, et visant à ce qu'elles en viennent à fermer leurs portes? La réponse est simple: c'est là un scénario impossible. Traiter le gaz naturel comme un combustible de transition purement temporaire est une hérésie au regard du dogme de la course au profit. Car, après tout, qui pratique la fracturation? Il s'agit d'entreprises comme BP ou Chevron, qui affichent de lourds bilans en matière de contravention aux normes de sécurité et de contournement des règles. Selon leur modèle d'affaires, elles doivent suppléer au pétrole et au gaz qu'elles extraient par de nouvelles réserves de combustibles fossiles, sans quoi leurs actionnaires se révolteront. En vertu de cet impératif de croissance, elles doivent chercher à occuper le plus de place possible sur le marché de l'énergie, ce qui implique pour elles de livrer concurrence non seulement aux producteurs de charbon et de pétrole, mais aussi à tous les autres acteurs du secteur de l'énergie, y compris les producteurs d'énergies renouvelables, plutôt vulnérables. À l'époque où il était PDG de BP (il dirige maintenant le géant du gaz Cuadrilla), John Browne avait déclaré: «Les entreprises doivent être attentives aux signaux de prix. Nous ne sommes pas des services publics.» Il disait vrai. Mais il n'en pas toujours été ainsi des firmes du secteur de l'énergie, et la situation peut encore changer[15].

La nature du problème est facile à saisir. L'objectif d'une entreprise privée ne consiste évidemment pas à fermer ses portes, mais à conquérir des parts de marché. Par conséquent, si l'on fait du gaz naturel un combustible de transition à court terme, ladite transition devra être rigoureusement gérée par des instances publiques au service du bien commun, ce qui permettra de réinvestir les profits tirés des ventes immédiates dans les énergies renouvelables, à long terme, et d'empêcher le secteur de se prêter au jeu de la croissance exponentielle, dont il profite actuellement grâce au boom du gaz de schiste[16].

Nationaliser l'énergie comme on l'a fait par le passé n'est assurément pas la solution prometteuse. Les grandes sociétés pétrolières publiques (comme la brésilienne Petrobras, la norvégienne Statoil ou la chinoise PetroChina) se montrent tout aussi avides que leurs pendants privés dans leur quête de sources de combustibles fossiles à haut risque[17]. De plus, en l'absence d'un plan crédible de réinvestissement des profits dans la transition vers les énergies renouvelables, le fait que l'État soit le principal actionnaire de ces sociétés a des effets pervers, comme une dépendance aux pétrodollars faciles qui rend encore plus improbable l'adoption de mesures pouvant nuire à la rentabilité de l'extraction de combustibles fossiles. En résumé, ces monstres centralisés, qu'ils soient publics ou privés, tiennent eux-mêmes du fossile et devraient être démantelés ou supprimés progressivement.

Il serait plus judicieux d'instituer un nouveau type de service public géré démocratiquement par les collectivités qui l'utilisent, lequel prendrait la forme de coopératives ou de «biens communs», comme l'ont proposé le militant David Bollier et d'autres auteurs[18]. Une telle structure permettait aux citoyens d'exiger davantage de leurs fournisseurs d'énergie. Par exemple, au lieu d'allouer leurs profits à l'exploration pétrolière et gazière, à la rémunération obscène de leurs dirigeants ou aux dividendes versés à leurs actionnaires, les fournisseurs pourraient être tenus de réinvestir ceux-ci dans la mise en place de réseaux électriques alimentés par des sources d'énergie renouvelable qui, on le sait maintenant, pourraient commencer à approvisionner l'économie dans un délai assez court.

L'essor fulgurant des énergies renouvelables en Allemagne témoigne de la pertinence de ce modèle. La transition s'y est amorcée avec la mise en place d'un programme national de tarifs de rachat garantis assorti d'un ensemble de mesures d'incitation visant à assurer la simplicité, la stabilité et la rentabilité de tout projet de production d'électricité de source renouvelable. On a accordé aux fournisseurs un accès prioritaire au réseau électrique, et le tarif garanti les protège contre les risques de pertes financières.

Cette politique a encouragé des acteurs modestes et étrangers au monde de la grande entreprise, tels des agriculteurs, des municipalités et de nouvelles coopératives, à se lancer dans la production d'électricité. S'est ensuivie une décentralisation non seulement de l'électricité, mais aussi du pouvoir politique et de la richesse : environ la moitié des installations allemandes consacrées aux énergies renouvelables appartiennent aujourd'hui à des agriculteurs, à des associations de citoyens et à près de 900 coopératives. Ces nouveaux fournisseurs génèrent certes de l'énergie, mais aussi des revenus pour la collectivité grâce à la revente des surplus au réseau national. L'Allemagne compte maintenant 1,4 million de parcs photovoltaïques et environ 25 000 éoliennes. Près de 400 000 emplois ont été créés[19].

Toutes ces mesures sont en rupture avec l'orthodoxie néolibérale : l'État se livre à une planification à long terme, à l'échelle du pays, désigne délibérément des gagnants dans le marché (les sources renouvelables au détriment du nucléaire, qu'il démantèle simultanément), fixe les prix (une ingérence manifeste dans le marché) et crée un contexte équitable permettant à tout producteur potentiel d'énergie renouvelable de faire son entrée sur le marché. Pourtant, malgré (ou plutôt : grâce à) ces hérésies idéologiques, la transition allemande est l'une des plus rapides du monde. Hans Thie, responsable des politiques économiques du parti de gauche Die Linke au Parlement allemand, a participé activement à la transition. Selon lui, « pratiquement toutes nos estimations ont été dépassées. La transition progresse beaucoup plus vite que prévu[20] ».

On sous-estimerait cette réussite en n'y voyant qu'un cas isolé. Le programme allemand reproduit en fait une politique similaire mise en œuvre au Danemark dans les années 1970 et 1980, qui a permis à ce pays de faire reposer plus de 40 % de sa consommation d'électricité sur des sources renouvelables, essentiellement l'éolien. Jusqu'au tournant du siècle, à peu près 85 % des éoliennes du Danemark appartenaient à des acteurs économiques de petite taille, comme des agriculteurs et des coopératives. Il y a quelques années, le pays a ouvert son marché à de grandes entreprises étrangères. Néanmoins, le Danemark partage toujours avec l'Allemagne un trait commun frappant : ce ne sont ni des monopoles d'État ni de grands exploitants éoliens ou solaires qui ont obtenu les meilleurs résultats en matière de transition vers les énergies renouvelables, mais plutôt des municipalités, des coopératives et des agriculteurs, encadrés par une politique nationale ambitieuse et bien conçue[21]. Souvent dénigrée comme un fantasme irréaliste de rêveurs obsédés par le *small is beautiful*, la décentralisation fonctionne, et ce, non seulement à petite échelle, mais aussi à très grande échelle, dans des sociétés postindustrielles hautement développées.

Par ailleurs, ce n'est sans doute pas un hasard si le Danemark, un pays profondément social-démocrate, a instauré ces mesures longtemps avant d'adhérer sans grand enthousiasme au néolibéralisme, ou si l'Allemagne, tout en prônant une impitoyable austérité pour des pays débiteurs comme la Grèce ou l'Espagne, n'a jamais appliqué intégralement les préceptes du fondamentalisme marchand. Ces exemples illustrent le fait que, lorsqu'un gouvernement est disposé à mettre en œuvre des programmes audacieux et à accorder la priorité à d'autres objectifs que les profits d'acteurs privés, le changement peut se produire à une vitesse stupéfiante.

La gestion décentralisée de l'énergie comporte aussi des avantages très concrets. Beaucoup de projets privés de production d'énergie renouvelable à grande échelle ont avorté parce qu'on les avait imposés de l'extérieur aux collectivités, sans souci de l'éventuel apport local ou du partage des profits. Quand une population est ainsi exclue, elle risque fort de protester contre le bruit et la «laideur» des éoliennes ou contre les menaces (réelles ou imaginaires) qu'un parc de panneaux solaires fait peser sur la faune. On rejette souvent ces griefs en affirmant que leurs auteurs sont atteints du syndrome du «pas de ça chez moi» et en y voyant une preuve supplémentaire de la tendance de l'être humain à l'égoïsme et à l'insouciance.

En beaucoup d'endroits, cependant, on a évité de telles objections grâce à une planification rigoureuse. «Quand la population d'une région est propriétaire d'un parc d'éoliennes et a droit à sa part des bénéfices, elle accepte sa présence. Loin de le rejeter, elle en redemande», explique Preben Maegaard, ex-président de l'Association mondiale de l'énergie éolienne[22]. Ce constat se vérifie particulièrement en période d'austérité. «Pour certaines personnes, l'avenir est une question futile, car elles cherchent avant tout à survivre au jour le jour», constate la militante écologiste grecque Dimitra Spatharidou, actuellement engagée dans le mouvement plus large contre l'austérité. «Il est difficile de comprendre la notion de durabilité quand on se débat pour avoir assez de nourriture et d'énergie pour chauffer sa maison.» En raison de ces préoccupations immédiates, la tâche de Spatharidou consiste moins «à expliquer les conséquences de la crise du climat sur la Grèce qu'à insister sur le présent et sur les façons dont on pourrait transformer l'économie et la société en les rendant plus justes[23]». La militante s'emploie ainsi à montrer que, si elles sont gérées par les collectivités, les énergies renouvelables peuvent être plus abordables que leurs contreparties plus polluantes, voire devenir une source de revenus quand les surplus sont revendus au réseau électrique. Elle a aussi participé à une campagne de résistance contre une tentative de privatisation de l'approvisionnement des villes en eau par le gouvernement, préconisant plutôt que celui-ci devienne une propriété collective locale, une idée qui remporte une large adhésion en Grèce. Selon elle, la solution consiste à offrir aux gens ce que le système ne leur offre pas : les instruments et le pouvoir qui leur permettront de se bâtir une vie meilleure.

Ce rapport entre décentralisation du pouvoir et lutte efficace contre le changement climatique révèle à quel point le type de planification que requiert le contexte actuel diffère de sa variante centralisée d'autrefois. Tout bien considéré, si la droite a pu vilipender avec une telle aisance les sociétés d'État et la planification nationale, c'est parce que son message comportait un fond de vérité : le xxᵉ siècle a engendré une pléthore de sociétés publiques bureaucratiques, lourdes et statiques, sans parler des plans quinquennaux des États socialistes, imposés d'en haut et de loin, complètement déconnectés de l'expérience et des besoins des collectivités locales, comme le sont encore aujourd'hui ceux du comité central du Parti communiste chinois.

La crise du climat appelle une tout autre forme de planification. L'adoption de politiques nationales demeure certes essentielle (un pays peut ainsi se doter d'objectifs de réduction des émissions lui permettant de respecter son bilan carbone, ou lancer des programmes comme les tarifs de rachat garantis établis en Ontario et en Allemagne, par exemple). Et certains services publics offerts à l'échelle d'un pays, tels un réseau électrique ou un réseau ferroviaire efficaces, doivent aussi faire l'objet d'une planification nationale (au moins partiellement). Cependant, pour que la transition soit assez rapide, le meilleur moyen d'obtenir l'adhésion du plus grand nombre est de veiller à ce que la mise en œuvre d'une grande partie de ces plans soit la plus décentralisée possible. Les collectivités doivent obtenir les outils et les pouvoirs leur permettant de concevoir les méthodes qui leur conviennent le mieux, à la manière des coopératives de travailleurs, qui ont démontré qu'elles peuvent jouer un rôle considérable dans une conversion industrielle. Ce qui vaut pour l'énergie et la fabrication vaut aussi pour beaucoup d'autres secteurs : on peut ainsi imaginer des réseaux de transports en commun tenus de rendre des comptes à leurs usagers, des plans locaux d'urbanisme élaborés démocratiquement par les citoyens, etc.

Élément fondamental, l'agriculture (source importante d'émissions de GES) pourrait être décentralisée pour devenir un vecteur clé de l'autosuffisance et de la lutte contre la pauvreté, tout en jouant un rôle essentiel dans la réduction des émissions. Les débats actuels sur l'agriculture et la crise du climat se concentrent majoritairement sur les avantages et les inconvénients respectifs de l'agriculture industrielle et de son pendant local et biologique, un camp insistant sur le rendement élevé de la première, et l'autre soulignant la faible quantité d'intrants chimiques employée par la seconde ainsi que les courtes distances parcourues par ses produits (ce qui n'est pas toujours le cas). Entre ces deux pôles se trouve l'«agroécologie», une pratique moins connue où de petits exploitants agricoles appliquent des méthodes durables fondées sur une combinaison de science moderne et de savoirs locaux.

Reposant sur le principe selon lequel l'agriculture devrait maximiser la biodiversité et soutenir les systèmes naturels de protection des sols et de lutte contre les parasites, l'agroécologie prend des formes différentes selon le lieu où son approche holistique est mise en pratique. Un reportage du *National Geographic* en a récemment proposé un tour d'horizon, en divers contextes : «agroforesterie, qui intègre des arbres et des arbustes aux champs cultivés et aux pâturages; irrigation goutte-à-goutte alimentée à l'énergie solaire, qui amène l'eau directement aux racines des plantes; culture intercalaire, où l'on cultive plusieurs espèces à proximité les unes des autres en vue d'optimiser leur utilisation de la lumière, de l'eau et des nutriments; recours aux engrais verts, des plantes à croissance rapide qui aident à prévenir l'érosion et remplacent des nutriments dans le sol[24]».

Ces techniques, comme bien d'autres, préservent la fertilité des sols tout en produisant des aliments d'une plus grande valeur nutritive par unité de surface que l'agriculture industrielle et en réduisant (ou en éliminant) la nécessité pour les agriculteurs d'acheter des intrants coûteux comme les pesticides, les engrais chimiques et les semences brevetées. En outre, de nombreux exploitants agricoles ayant une longue expérience de l'agroécologie ont constaté que celle-ci présentait un triple avantage en matière de climat : elle favorise le stockage du carbone dans le sol, permet d'éviter le recours aux engrais à base de combustibles fossiles et réduit la consommation d'énergie liée au transport des denrées; à cela s'ajoute une amélioration de la résistance des sols aux conditions météorologiques extrêmes et aux autres conséquences de la crise du climat. Et les collectivités autosuffisantes sont beaucoup moins vulnérables aux importantes fluctuations des prix que connaît parfois le système agroalimentaire mondialisé. C'est pourquoi La Vía Campesina, un réseau mondial de petits exploitants agricoles qui compte 200 millions de membres, affirme que «l'agroécologie constitue la solution à la crise du climat» et que «les petits agriculteurs rafraîchissent la planète[25]».

Récemment, un groupe d'éminents spécialistes de l'agroalimentaire a tiré des conclusions similaires: «Une grande partie de la communauté scientifique reconnaît aujourd'hui les effets positifs de l'agroécologie sur la production alimentaire et la réduction de la pauvreté, ainsi que sa contribution à l'atténuation de la crise du climat; ce sont là des qualités nécessaires dans un monde aux ressources limitées», résume Olivier De Schutter, rapporteur spécial des Nations Unies sur le droit à l'alimentation de 2008 à 2014[26].

De même qu'ils rejettent la gestion décentralisée de l'énergie en insistant sur son prétendu manque d'envergure, les défenseurs de l'agriculture industrielle soutiennent que l'agriculture biologique de proximité n'est tout simplement pas en mesure de nourrir un monde qui compte déjà 7 milliards d'habitants et dont la croissance démographique va bon train. Ces affirmations se fondent généralement sur des comparaisons entre les rendements de monocultures industrielles, souvent génétiquement modifiées, et de monocultures biologiques. L'agroécologie, elle, est ignorée. Cette omission pose problème, explique De Schutter, car «les données scientifiques actuelles démontrent que les méthodes de l'agroécologie accroissent davantage la production alimentaire que le recours aux engrais chimiques dans les régions où vivent des populations affamées, en particulier là où l'environnement est défavorable». Il cite l'exemple du Malawi, où un récent virage agroécologique a fait doubler, voire tripler, la production de maïs dans certaines régions, et ajoute que, «à ce jour, les projets d'agroécologie ont suscité une augmentation moyenne de 80 % du rendement des cultures dans 57 pays en développement, et une hausse moyenne de 116 % en Afrique seulement. Des projets menés récemment dans 20 pays africains ont entraîné le doublement du rendement des cultures sur une période de trois à dix ans[27]».

Tous ces chiffres démentent la thèse, souvent formulée par de puissants philanthropes comme Bill Gates, selon laquelle les pays en développement (ceux d'Afrique en particulier) ont besoin d'une «nouvelle révolution verte» (en écho aux efforts déployés au milieu du XXᵉ siècle par des philanthropes et des gouvernements pour introduire l'agriculture industrielle en Asie et en

Amérique latine). Le sociologue Raj Patel, auteur d'un essai intitulé *Stuffed and Starved,* constate :

> On entend souvent, surtout de la bouche de ceux qui aimeraient qu'elle se répète, que la révolution verte a sauvé le monde de la faim. Pourtant, malgré la révolution verte, la faim persiste, en particulier en Inde, où ce virage a été le plus marqué. La faim n'a rien à voir avec la quantité de nourriture disponible : elle dépend des moyens dont on dispose pour manger et du pouvoir qu'on a sur l'alimentation. Après tout, les États-Unis disposent de plus de nourriture que nécessaire, et 50 millions de personnes y souffrent d'insécurité alimentaire. [...]
>
> Partout dans le monde, des milliers de projets témoignent de la possibilité d'une agriculture qui ne contribue pas au déséquilibre climatique. Ils ne se caractérisent pas par l'utilisation de coûteux engrais Yara ou de semences exclusives Monsanto, mais par des savoirs élaborés et partagés en toute liberté et en toute équité par les paysans. [...] Dans les meilleurs cas, l'agroécologie se combine à la « souveraineté alimentaire » et au contrôle démocratique du système agroalimentaire : non seulement on produit plus de nourriture, mais on la distribue aussi de manière à ce que *chacun* ait sa part[28].

## À propos du miracle allemand...

Les quelques modèles que nous venons de survoler démontrent qu'il est possible de mettre en œuvre, très rapidement, des solutions à la fois décentralisées et d'une portée considérable tout en luttant contre la pauvreté, la faim et le chômage. Si radicales soient-elles, toutefois, ces mesures et ces pratiques ne pourront à elles seules suffire à diminuer les émissions dans les délais prescrits. Ce qui nous amène à nous pencher sur ce qui n'a pas fonctionné dans la transition énergétique allemande.

En 2012, alors que son secteur des énergies renouvelables connaissait un essor inouï, l'Allemagne a vu ses émissions augmenter par rapport à l'année précédente (selon des données préliminaires, il semble qu'il en ait été de même en 2013). Celles-ci demeurent tout de même inférieures de 24 % à celles de 1990, si bien que ces deux années ne représentent peut-être qu'une anomalie passagère, mais le fait est que la hausse spectaculaire de l'utilisation des énergies renouvelables n'a pas pour corollaire une chute tout aussi spectaculaire des émissions de GES, ce qui suscite de vives inquiétudes[29]. Ce phénomène révèle un aspect essentiel des limites d'une planification économique fondée exclusivement sur les mesures d'incitation et les mécanismes de marché.

De nombreux observateurs attribuent cette augmentation des émissions à la décision de l'Allemagne de tourner le dos au nucléaire, mais les choses ne sont pas si simples. Il est vrai que, en 2011, dans la foulée de la catastrophe de Fukushima, le gouvernement de la chancelière Angela Merkel (qui subissait d'intenses pressions du puissant mouvement antinucléaire allemand) a annoncé que le pays abandonnerait complètement l'énergie nucléaire d'ici 2022, et a adopté des mesures vigoureuses pour lancer le processus. L'Allemagne n'a cependant rien fait de semblable pour renoncer au charbon, allant même jusqu'à autoriser les entreprises de ce secteur à exporter de l'électricité. Ainsi, même si les Allemands sont de plus en plus nombreux à recourir aux énergies renouvelables, la production d'électricité à partir de charbon a poursuivi sa croissance : une partie de celle-ci s'est substituée au nucléaire, une autre au gaz, tandis qu'une dernière a été destinée à l'exportation. En outre, parmi les divers types de charbon, l'Allemagne produit et consomme énormément de lignite, parfois désigné sous le nom de « charbon brun », un combustible de qualité inférieure émettant une quantité particulièrement élevée de gaz carbonique[30].

Comme nous l'avons vu, les dernières recherches sur le sujet, en particulier celles de l'équipe de Mark Z. Jacobson à l'université Stanford, montrent qu'une transition complète, partout dans le monde, vers les énergies renouvelables (éolienne, hydraulique et solaire) est techniquement et économiquement réalisable « d'ici 2030 ». Cela signifie qu'une diminution des émissions de GES qui respecterait les objectifs prescrits par la science ne nécessiterait pas la construction d'un réseau mondial de centrales nucléaires. Cette dernière option pourrait d'ailleurs ralentir la transition, car la construction d'installations nucléaires demande beaucoup plus de temps et d'argent que la mise en place d'infrastructures utilisant les énergies renouvelables, un critère fondamental vu les délais serrés dont on dispose. De plus, explique Jacobson, le nucléaire :

[...] n'est pas carboneutre à court terme, quoi qu'en disent ses défenseurs. L'extraction, le transport et l'enrichissement de l'uranium, de même que la construction d'une centrale nucléaire, exigent de grandes quantités de combustibles fossiles. Cette énergie polluante doit être consommée pendant les dix à dix-neuf années que requiert l'achèvement d'une centrale (en comparaison, l'érection d'un parc d'éoliennes requiert de deux à cinq ans de travail). [...] Si l'on opte pour le nucléaire au détriment des énergies renouvelables, les glaciers et les calottes polaires continueront assurément à fondre pendant qu'on attend encore et encore l'avènement de l'ère nucléaire. Sans parler des risques que cette filière fera peser sur l'avenir.

D'ailleurs, l'exploitation des énergies renouvelables est beaucoup moins risquée pour les personnes qui y travaillent ou qui vivent près des installations que celle des combustibles fossiles ou de l'atome. L'humoriste Bill Maher l'a bien résumé : «Vous savez ce qu'il se passe quand des éoliennes tombent dans la mer? Un plouf[*31].»

Cela dit, les réacteurs nucléaires produisent actuellement environ 12 % de l'électricité consommée dans le monde, et une bonne partie d'entre eux sont anciens et obsolètes[32]. Dans une perspective climatique, il serait sans aucun doute préférable que les gouvernements cessent de recourir aux sources d'énergie à haut risque comme le nucléaire tout en accordant la priorité à la diminution de la consommation de combustibles fossiles, la prochaine décennie étant cruciale si l'on souhaite éviter un réchauffement de 4 à 6 °C. Une telle politique serait compatible avec un moratoire sur la construction de toute nouvelle installation nucléaire et un déclassement des plus vieilles centrales, suivis d'une sortie définitive du nucléaire dès que les énergies renouvelables auront complètement remplacé les combustibles fossiles.

Il faut aussi reconnaître que c'est grâce au mouvement antinucléaire allemand que les conditions de la transition vers les énergies renouvelables ont été réunies (comme ce fut le cas au Danemark dans les années 1980); la possibilité d'un tel passage n'aurait peut-être jamais été évoquée sans cette volonté, largement partagée, de tourner le dos au nucléaire et à ses nombreux

---

* Une bonne partie du soutien à l'énergie nucléaire comme solution au réchauffement planétaire repose sur les promesses d'une «prochaine génération» de technologies nucléaires : réacteurs plus efficaces refroidis au gaz plutôt qu'à l'eau, réacteurs à neutrons rapides capables de fonctionner avec du combustible épuisé ou de «régénérer» le combustible tout en le consommant, voire fusion nucléaire, où des noyaux atomiques s'assemblent (comme c'est le cas à l'intérieur du Soleil) au lieu de se diviser. Selon leurs promoteurs, ces technologies novatrices permettraient d'éviter une bonne partie des risques associés à l'énergie nucléaire, comme la fusion du cœur d'un réacteur, la gestion à long terme des déchets radioactifs ou le trafic d'uranium enrichi à des fins d'armement. Sans doute ont-elles effectivement ce potentiel, mais, comme elles n'existent encore qu'à l'état de prototypes, il se peut également qu'elles recèlent des risques beaucoup plus grands. C'est pourquoi le fardeau de la preuve de leur innocuité repose sur leurs défenseurs, et non sur le reste de la population, d'autant plus qu'on dispose de technologies de transformation des énergies renouvelables dont le caractère non polluant est éprouvé, ainsi que de modèles démocratiques et participatifs pour leur adoption.

dangers. De plus, constatant la vitesse à laquelle se déroule la transition, de nombreux experts allemands de l'énergie sont maintenant convaincus qu'il est possible de renoncer simultanément à l'énergie nucléaire et aux combustibles fossiles. Par exemple, selon un rapport publié en 2012 par le Deutsches Zentrum für Luft- und Raumfahrt (DLR, centre allemand de recherche aérospatiale), 67 % de l'électricité consommée dans toute l'Union européenne pourrait être de source renouvelable en 2030, une proportion qui pourrait atteindre 96 % en 2050[33]. Cependant, de telles projections ne pourront manifestement se concrétiser que si des politiques allant dans ce sens sont adoptées.

Pour ce faire, il faudrait que le gouvernement allemand accepte de réserver le même sort à l'industrie du charbon qu'à l'industrie nucléaire, c'est-à-dire imposer une réglementation visant expressément son démantèlement. Cependant, perméable à la forte influence du lobby allemand du charbon, le gouvernement Merkel a préféré se fier au mécanisme européen d'échange de droits d'émissions, peu contraignant[34]. Quand le marché européen du carbone s'est effondré en entraînant le prix du carbone dans sa chute, cette stratégie s'est révélée désastreuse. Le charbon était bon marché, on pouvait l'utiliser sans pénalité et exporter en toute liberté l'électricité qu'il servait à produire, si bien qu'une période cruciale où l'Allemagne aurait pu triompher de la pollution a été le théâtre d'un échec.

Le chercheur et climatologue berlinois Tadzio Mueller résume le problème comme suit : « Les émissions de l'Allemagne ne grimpent pas parce qu'on est en train de sortir du nucléaire. Elles grimpent parce que personne n'a demandé aux producteurs d'électricité de cesser d'utiliser le charbon. Tant qu'ils pourront vendre à profit leur électricité quelque part, ils feront brûler du charbon, même si l'essentiel de l'électricité consommée en Allemagne est de source renouvelable. Ce dont le pays a besoin, ce sont des règles strictes interdisant l'extraction et la combustion de charbon. Point à la ligne[35]. »

Pour que les populations du monde disposent d'outils leur permettant d'adopter les énergies renouvelables, les gouvernements doivent impérativement mettre en place des mesures d'incitation novatrices. L'expérience allemande montre toutefois que tout progrès en ce sens demeurera précaire tant que les décideurs n'auront pas la ferme volonté de dire non à l'industrie rapace des combustibles fossiles.

# Savoir dire non

Avant même d'apercevoir les mines géantes, alors que défilait encore devant moi le paysage d'une luxuriante forêt boréale parsemée de marécages verdoyants, j'ai cru sentir leur odeur qui me prenait à la gorge. Puis, passée une petite colline, ils me sont apparus : les fameux sables bitumineux de l'Alberta s'étendaient devant moi, tel un désert gris, à perte de vue. Des montagnes de résidus si hautes que les travailleurs disent à la blague qu'ils ont leurs propres systèmes météorologiques. Des bassins de rejets si vastes qu'on peut les voir de l'espace. Un immense barrage, le deuxième plus grand au monde, destiné à contenir ces eaux toxiques. La terre écorchée vive.

La science-fiction regorge d'utopies de terraformation, où des humains colonisent des planètes sans vie qu'ils transforment en habitats semblables à la Terre. Les sables bitumineux canadiens en sont l'exact contraire : il s'agit d'une entreprise de « terradéformation », où l'on accapare un écosystème grouillant de vie pour le transformer en paysage lunaire où pratiquement rien ne peut vivre. Si les travaux se poursuivent, la zone touchée pourrait atteindre une taille comparable à celle de l'Angleterre. Le tout pour avoir accès à une forme semi-solide de pétrole non conventionnel connue sous le nom de bitume, dont l'extraction, très difficile, demande tant d'énergie qu'elle émet de trois à quatre fois plus de GES que celle du pétrole classique[36].

En juin 2011, j'ai cosigné une lettre rédigée par l'auteur et militant Bill McKibben où l'on invitait la population à se rendre à Washington « pendant l'une des semaines les plus chaudes et suffocantes de l'été » pour se faire arrêter en protestant contre le projet d'oléoduc Keystone XL. Étonnamment, plus de 1 200 personnes se sont présentées, participant ainsi à la plus grande action de désobéissance civile de l'histoire du mouvement nord-américain pour le climat[37].

Depuis plus d'un an, une coalition d'éleveurs et d'Autochtones vivant le long du trajet envisagé pour l'oléoduc menait une campagne acharnée contre le projet. L'action de Washington a donné à celle-ci une portée nationale, suscitant la renaissance du mouvement de protection du climat aux États-Unis.

Des données scientifiques indéniables justifiaient de s'en prendre à Keystone XL en particulier. Cet oléoduc acheminerait du pétrole tiré des sables bitumineux de l'Alberta, et James Hansen, qui travaillait alors encore pour la NASA, venait de déclarer que si tout le pétrole contenu dans les sables bitumineux était extrait, ce serait « la fin de la partie pour le climat[38] ». Mais la campagne comportait aussi un élément de stratégie politique : contrairement à tant de politiques climatiques ressortissant soit au Congrès, soit aux États américains, la décision d'approuver ou non la construction de l'oléoduc relevait du département d'État et, en dernière analyse, du président lui-même, qui aurait à déterminer si le projet était d'«intérêt national» ou non. La réponse d'Obama fût-elle positive ou négative, il y aurait quelque chose à en tirer, et c'est pourquoi nous jugions nécessaire qu'il se prononce au plus tôt.

Si le président disait non, le mouvement remporterait une victoire nécessaire sur laquelle s'appuyer à un moment où, ébranlé par l'absence de volonté du Congrès de légiférer adéquatement sur l'énergie, il avait désespérément besoin de bonnes nouvelles. S'il disait oui, sa réponse aurait au moins le mérite de clarifier la situation. Les militants pour le climat, qui avaient presque tous participé à la première campagne présidentielle d'Obama, pourraient renoncer une fois pour toutes à l'espoir qu'ils avaient placé dans ce jeune sénateur, qui avait déclaré qu'on se souviendrait de son élection comme du «moment où la hausse du niveau de la mer a commencé à ralentir et où notre planète a commencé à guérir[39]». Bon nombre de gens éprouveraient une grande désillusion, mais, au moins, le mouvement pourrait ajuster ses stratégies en conséquence. Tout indiquait que le verdict était imminent : le président aurait l'occasion de prendre sa décision au début du mois de septembre, et c'est pourquoi la désobéissance civile était planifiée pour la fin août.

Lors des premières réunions préparatoires tenues dans les locaux du mouvement de protection du climat 350.org (dont McKibben est un des cofondateurs et auquel je participe en tant qu'administratrice), jamais on n'aurait cru que, trois ans plus tard, la réponse d'Obama se ferait toujours attendre. Trois années de tergiversation et de procrastination de la part d'un président dont l'administration a commandé examen environnemental après examen environnemental, suivis d'examens de ces examens.

L'interprétation des signaux contradictoires du président à propos de Keystone XL a fait couler beaucoup d'encre : par moments, Obama semblait de toute évidence disposé à donner son approbation au projet, comme lorsqu'il s'est livré à une séance photo devant une pile de tuyaux métalliques prêts à assembler ; en d'autres circonstances, il semblait pencher vers un refus, comme lorsqu'il a déclaré, dans un de ses discours les plus enflammés sur le changement climatique, que Keystone XL ne serait approuvé «que si le projet n'aggravait pas de façon considérable le problème des émissions de gaz carbonique[40]».

Quelle que soit la décision que finira par prendre le président américain (on peut espérer que ce soit chose faite au moment où vous lisez ces lignes), cette interminable saga aura à tout le moins permis un constat clair : à l'instar d'Angela Merkel, Barack Obama semble incapable de refuser quoi que ce soit à l'industrie des combustibles fossiles. Il s'agit là d'un problème très grave, car, pour que la baisse des émissions soit assez rapide et importante, des réserves immenses et hautement rentables de combustibles fossiles devront être laissées sous terre, réserves que les sociétés gazières et pétrolières entendent bien exploiter.

Les gouvernements doivent plutôt envisager d'imposer des limites strictes à l'industrie, lesquelles peuvent prendre la forme d'un blocage de tout projet de pipeline associé à de nouvelles activités d'extraction, d'une limitation de la quantité de gaz carbonique qu'une entreprise est autorisée à émettre, d'une interdiction de construire de nouvelles centrales au charbon, d'un ralentissement des activités d'extraction de sources d'énergie polluantes comme les sables bitumineux de l'Alberta, ou d'un rejet de toute demande d'autorisation d'extraire des combustibles fossiles dans des zones jusqu'ici épargnées (comme le sous-sol de l'océan Arctique).

*

\* \*

Dans les années 1960 et 1970, alors que les États-Unis et d'autres pays industrialisés adoptaient une série de lois sur l'environnement, on admettait communément que le fait de dire non à des industries polluantes – bien que jamais facile – faisait partie des compromis inhérents à l'art de gouverner. Mais ce n'est plus du tout le cas de nos jours, comme le démontrent les cris d'orfraie des républicains et de nombreux démocrates devant la simple possibilité qu'Obama rejette le projet Keystone XL, une infrastructure de taille relativement modeste qui, de l'aveu même du président, créerait si peu d'emplois durables que ceux-ci ne combleraient qu'« une infime fraction des besoins[41] » en la matière. Vu les difficultés qu'il éprouve à prendre une décision dans ce dossier de nature purement réglementaire, le fait que des mesures plus générales et plus coercitives demeurent hors d'atteinte n'a rien de surprenant.

La décision prise par Obama, en juin 2014, de contraindre les centrales électriques à réduire leurs émissions a certainement constitué un pas dans la bonne direction, et on l'a d'ailleurs saluée à ce titre, mais de telles mesures sont encore trop timides pour s'inscrire dans l'objectif des 2 °C. « Le président Obama est mani-festement conscient de l'urgence de la crise du climat et a pris d'importantes mesures pour y faire face », constate l'auteur et observateur de longue date des enjeux climatiques Mark Hertsgaard. « Mais le destin a voulu qu'il soit au pouvoir à un moment de l'histoire où les bonnes intentions et les mesures importantes ne suffisent plus. [...] Peut-être est-il accablé d'un fardeau injuste, mais la science n'a rien à faire de la justice, et les dirigeants sont tenus d'accepter l'héritage que l'histoire leur lègue. » Néanmoins, les politiques qui s'imposent « semblent absurdes aux yeux des tenants du statu quo politique et écono-mique », admet Hertsgaard[42].

Encore une fois, cette situation est une résultante de la contre-révolution du libre marché. La classe politique de presque tous les pays accepte le postulat selon lequel le gouvernement n'a pas pour rôle de prescrire aux grandes entreprises ce qu'elles peuvent faire ou non, même si la santé publique ou le bien-être collectif, voire l'habitabilité même de notre maison commune, sont en jeu. Évidemment, le principe au nom duquel cette idéologie préco-nise une réglementation peu contraignante (ou, plus générale-ment, une déréglementation à tout crin) a laissé des séquelles dans toute l'économie, et plus particulièrement dans le secteur finan-cier. Systématiquement, ce dogme empêche aussi l'adoption de mesures adéquates de lutte contre le changement climatique, par-fois de manière explicite, quand des règles destinées à limiter l'ex-traction sont carrément rejetées, mais le plus souvent de manière implicite, quand on préfère d'emblée à une telle réglementation les mécanismes du marché, pourtant insuffisants.

Il est vrai que le marché est particulièrement fertile en matière d'innovation technologique. Livrés à eux-mêmes, les services de recherche et développement proposeront toujours de nouvelles manières, toutes plus impressionnantes les unes que les autres, de rendre les panneaux solaires et les appareils électriques plus effi-caces. Au même moment, toutefois, les forces du marché persis-teront à encourager la mise au point de méthodes novatrices d'extraction des combustibles fossiles difficiles d'accès, comme ceux qui se trouvent sous le plancher océanique ou dans le schiste dur. Du point de vue du climat, les bienfaits des nouvelles techno-logies vertes seront négligeables en regard des conséquences de ces innovations polluantes.

Pendant la conférence du Heartland Institute, le représentant du Cato Institute Patrick Michaels a d'ailleurs laissé entrevoir une sinistre perspective lorsqu'il a affirmé, en admettant la réalité du changement climatique, que la vraie solution consistait à ne rien faire et à attendre qu'un miracle technologique tombe du ciel. « Ne rien faire, c'est précisément faire quelque chose », a-t-il proclamé en assurant à l'auditoire que « les technologies de l'avenir » régleraient le problème. En vertu de quel argument ? « Le gaz de schiste. [...] C'est ce qui arrive quand on laisse les gens mettre leur intelligence, leur curiosité et leur volonté au service de l'exploitation de nouvelles sources d'énergie. » Bien entendu, la salle a salué par des applaudissements sincères cette percée intellectuelle que représente la fracturation hydraulique combinée au forage horizontal, une technologie qui permet aujourd'hui à l'industrie des combustibles fossiles de nous escroquer par la bande[43].

L'émergence de ces méthodes « non conventionnelles » d'extraction constitue le meilleur argument pour l'adoption d'une réglementation contraignante. Parmi toutes les idées fausses qui circulent dans le débat sur le climat, en effet, la plus grave est la thèse selon laquelle la société refuse de changer parce qu'elle est attachée au statu quo. En vérité, on peut difficilement parler de statu quo, car le secteur de l'énergie évolue constamment ; le hic, c'est que l'immense majorité des changements qu'il entreprend nous amènent précisément dans la mauvaise direction, soit vers des sources d'énergie qui contribuent encore plus au réchauffement planétaire que leurs équivalents classiques.

Prenons l'exemple du gaz obtenu par fracturation. La bonne réputation du gaz naturel comme solution de remplacement au charbon et au pétrole repose sur des calculs d'émissions de la ressource extraite selon des méthodes classiques. Cependant, en avril 2011, une recherche menée par d'éminents chercheurs de l'université Cornell a révélé un tout autre bilan carbone pour le gaz obtenu par fracturation[44].

Selon cette étude, la fracturation entraîne des émissions de méthane (principal constituant du gaz naturel) supérieures d'au moins 30 % à celles qui sont associées aux méthodes classiques d'extraction. Cela s'explique par le fait que cette méthode provoque des fuites importantes, qui s'ajoutent à celles qui ont lieu lors du transport, du traitement, de l'entreposage et de la distribution du gaz. Or, le méthane est un GES terriblement puissant, 34 fois plus efficace que le dioxyde de carbone pour retenir la chaleur, selon les dernières estimations du GIEC. Les chercheurs de Cornell en concluent que le gaz de schiste contribue davantage à l'effet de serre que le pétrole, et participe probablement autant au réchauffement planétaire que le charbon si l'on prend en compte l'ensemble du cycle de vie de ces deux ressources[45].

Le biogéochimiste Robert Howarth, qui a dirigé la recherche, ajoute que le méthane retient la chaleur encore plus efficacement pendant les dix à quinze premières années suivant son émission : son potentiel de réchauffement y est en fait 86 fois plus élevé que celui du dioxyde de carbone. Parce que nous avons atteint la «décennie zéro», il s'agit là d'un problème très important. «En raison de ce délai plus court, nous risquons d'être condamnés à un réchauffement très rapide», explique Howarth, en particulier parce que les immenses terminaux de gaz naturel liquéfié actuellement planifiés ou en construction en Australie, au Canada et aux États-Unis ne seront pas en service pendant dix ans seulement, mais pendant près d'un demi-siècle. Pour dire les choses plus crûment, pendant cette période cruciale où l'on devrait trouver les moyens de réduire les émissions le plus vite possible, le boom mondial du gaz suscite la mise en place d'un réseau de fours atmosphériques ultra-puissants[46].

L'étude de l'université Cornell a été la première recherche évaluée par des pairs sur l'empreinte carbone de la production de gaz de schiste (qui tient compte des fuites de méthane), et son principal auteur s'est empressé d'admettre que les données dont il disposait étaient insuffisantes (essentiellement en raison du manque de transparence de l'industrie). Sa publication a néanmoins fait l'effet d'une bombe, et, bien qu'elle reste controversée, un flot ininterrompu de recherches ultérieures est venu renforcer la thèse selon laquelle le processus de fracturation présente un taux de fuites très élevé*[47].

L'industrie gazière n'est pas seule à opter pour des méthodes plus polluantes et plus risquées. À l'instar de l'Allemagne, la République tchèque et la Pologne produisent de plus en plus de lignite ultra-polluant[48]. La plupart des grandes sociétés pétrolières se précipitent sur les divers dépôts de sables bitumineux, en

---

* Une grande confusion règne à propos des avantages climatiques du gaz naturel, auquel serait attribuable une baisse de 12 % des émissions de $CO_2$ des États-Unis depuis 2007. Cette bonne nouvelle ne tient cependant pas compte du fait que les émissions états-uniennes de méthane sont très probablement sous-estimées, puisque les émissions «fugitives» de ce gaz sont très loin de faire l'objet d'un suivi systématique. De plus, nombre d'experts et de modélisateurs considèrent que tout gain attribuable au boom du gaz de schiste est entamé non seulement par les puissantes émissions de méthane, mais aussi par une tendance du gaz naturel bon marché à remplacer l'éolien et le solaire. De façon similaire, alors que le gaz naturel se substitue au charbon dans le secteur de la production d'électricité aux États-Unis, les sociétés charbonnières se rabattent sur les marchés d'exportation, ce qui a plus que neutralisé la diminution des émissions attribuable au gaz naturel depuis 2007.

particulier en Alberta, dont l'empreinte carbone, nous l'avons vu, est considérablement plus élevée que celle du pétrole classique. Elles se rendent en des eaux toujours plus profondes ou plus glaciales pour y installer leurs plates-formes de forage, multipliant les risques de déversements catastrophiques comme celui de Deepwater Horizon, voire de marées noires tout simplement impossibles à nettoyer. De plus en plus, ces méthodes extrêmes d'extraction sont utilisées conjointement, comme lorsqu'on injecte du gaz de schiste pour surchauffer l'eau servant à faire fondre le bitume des sables de l'Alberta, pour ne donner qu'un exemple de cette spirale de la mort. Autrement dit, ce que l'industrie qualifie d'innovation ressemble plutôt à l'agonie suicidaire d'un toxicomane. On fait exploser la roche-mère des continents, on empoisonne l'eau par des substances toxiques, on décapite des montagnes, on racle la forêt boréale, on menace les fonds marins et on se précipite pour exploiter l'Arctique en train de fondre... Tout cela pour mettre la main sur les dernières gouttes que livreront les dernières roches. Pour y parvenir, on a certes besoin de technologies hautement sophistiquées, mais ce n'est pas de l'innovation : c'est du délire.

Le fait que le secteur des combustibles fossiles ait pu se lancer dans l'extraction non conventionnelle au cours des dix dernières années n'avait rien d'inévitable ; ce virage résulte plutôt de décisions réglementaires délibérées, tels l'octroi de permis d'extraction de dépôts de sables bitumineux et de mines de charbon gigantesques, l'ouverture de vastes régions des États-Unis à la fracturation hydraulique, assujettie à une réglementation et à une surveillance minimales, ou l'ouverture de nouvelles zones des eaux territoriales aux forages en haute mer et la levée de moratoires existants sur ces activités. Ces diverses décisions ont grandement contribué à l'aggravation catastrophique du réchauffement planétaire. L'une après l'autre, elles ont découlé de l'intense lobbying d'une industrie des combustibles fossiles alimentée par le plus puissant moteur qui soit : l'instinct de survie.

Par définition, l'extraction et le raffinage de sources d'énergie non conventionnelles sont des processus industriels beaucoup plus coûteux et complexes que leurs équivalents classiques. Par exemple, la Compagnie Pétrolière Impériale (dont ExxonMobil est l'actionnaire majoritaire) a englouti environ 13 milliards de dollars dans l'aménagement de l'immense mine à ciel ouvert de Kearl, dans la région des sables bitumineux de l'Alberta. D'une superficie de 200 kilomètres carrés – près de trois fois l'île de Manhattan –, ce site est appelé à devenir la plus grande mine à ciel ouvert du Canada. Et il ne représente qu'une fraction des nouvelles installations prévues par l'industrie des sables bitumineux : selon le Conference Board du Canada, des investissements totalisant 364 milliards sont envisagés d'ici 2035[49].

Pendant ce temps, au Brésil, on s'attend à ce que la société britannique BG Group investisse 30 milliards de dollars au cours des dix prochaines années, l'essentiel de cette somme étant destiné à un projet de forage au-dessous du sel, en eau profonde, à plus de 5 000 mètres sous un plancher océanique lui-même situé à 3 000 mètres de profondeur. Mais la palme de la dépendance aux combustibles fossiles revient incontestablement à Chevron, qui envisage d'investir 54 milliards dans un projet gazier sur l'île Barrow, une « réserve naturelle de première classe » de la côte nord-ouest de l'Australie. Cette installation permettra d'extraire tant de gaz naturel du sous-sol que la firme l'a baptisé, à juste titre, la Gorgone, ce monstre de la mythologie grecque à la chevelure constituée de serpents. Parmi les partenaires de la multinationale américaine se trouve la Néerlandaise Shell, qui investirait de 10 à 12 milliards supplémentaires dans la plus grande installation flottante offshore jamais construite (d'une longueur équivalant à celle de quatre terrains de football) en vue d'extraire le gaz naturel d'un autre site de la côte nord-ouest de l'Australie[50].

Les entreprises qui se lancent dans de tels projets ne pourront rentabiliser leurs investissements que si l'extraction se poursuit pendant des décennies, les dépenses initiales étant amorties sur toute la durée de vie d'une installation. Chevron s'attend à ce que ses installations australiennes lui permettent d'extraire du gaz pendant au moins trente ans, tandis que le monstre flottant de Shell est conçu pour durer vingt-cinq ans. La mine albertaine d'ExxonMobil devrait être exploitée pendant quarante ans, tout comme le gigantesque projet Sunrise de BP et Husky Energy, également situé dans la région des sables bitumineux. Ces projets ne représentent qu'un infime échantillon des investissements colossaux auxquels on procède un peu partout dans le monde, dans cette course frénétique au pétrole, au gaz et au charbon difficiles à extraire. Les longues durées d'exploitation qu'on envisage pour tous ces sites en disent long sur les scénarios en fonction desquels travaille l'industrie des combustibles fossiles : celle-ci fait le pari que les gouvernements n'imposeront pas de réduction sérieuse des émissions de GES d'ici vingt-cinq à quarante ans. Pourtant, selon les climatologues, pour que l'objectif des 2 °C ait la moindre chance d'être respecté, les économies des pays développés devront avoir amorcé leur transition énergétique d'ici 2020 en vue d'avoir entièrement renoncé aux combustibles fossiles en 2050[51].

S'il s'avérait que ces firmes ont fait un mauvais calcul et que le monde décide vraiment de laisser tout ce carbone sous terre, ces mégaprojets deviendraient ce qu'on appelle des « actifs délaissés », soit des investissements qui ont perdu leur valeur anticipée en raison, par exemple, d'un changement majeur en matière de politique environnementale. Une entreprise dont les registres comptables affichent un grand nombre d'actifs délaissés ne passe pas inaperçue en Bourse et voit le cours de ses actions chuter.

Loin de se limiter à quelques projets déterminés, ce risque est partie intégrante du mécanisme par lequel le marché établit la valeur des entreprises dont la mission consiste à extraire des ressources non renouvelables du sous-sol terrestre. Pour que leur valeur reste stable ou s'accroisse, les sociétés pétrolières et gazières doivent toujours être en mesure de démontrer à leurs actionnaires qu'elles disposent de réserves de combustible prêtes à exploiter une fois épuisées celles en cours d'extraction. Cette condition leur est aussi essentielle que le sont les précommandes pour une entreprise qui vend des voitures ou des vêtements. On s'attend à ce qu'une pétrolière ou une gazière dispose au minimum d'autant de pétrole ou de gaz dans ses réserves prouvées qu'elle n'en extrait dans sa production courante ; on dira ainsi que son « ratio de remplacement des réserves » est de 100 %. « Le ratio de remplacement des réserves d'une entreprise doit être d'au moins 100 % si celle-ci souhaite poursuivre ses activités à long terme, sans quoi elle finira par manquer de pétrole », lit-on sur le site grand public Investopedia[52].

C'est pourquoi les investisseurs ont tendance à s'alarmer lorsque le ratio tombe sous cette barre des 100 %. En 2009, par exemple, le jour même où Shell annonçait que son ratio de remplacement des réserves de l'année précédente était tombé à 95 %, ses dirigeants se sont empressés de rassurer le marché en affirmant que leur entreprise n'était pas en difficulté. Fait révélateur : pour ce faire, ils ont déclaré qu'ils mettaient un terme à leurs investissements dans le solaire et l'éolien. Au même moment, ils ont redoublé d'ardeur pour s'assurer de nouvelles réserves de gaz de schiste (extractible par fracturation seulement), de pétrole en eau profonde et de sables bitumineux. Dans l'ensemble, cette année-là, Shell a réussi à ajouter l'équivalent de 3,4 milliards de barils de pétrole à ses réserves prouvées, une quantité record représentant près du triple de sa production de 2009, soit un ratio de remplacement des réserves de 288 %. Le cours de ses actions a grimpé en conséquence[53].

Pour un colosse des combustibles fossiles, le maintien d'un ratio élevé de remplacement des réserves est un impératif économique; sans lui, il n'a pas d'avenir. Ne serait-ce que pour conserver sa position, il doit aller de l'avant. C'est cette nécessité structurelle qui pousse l'industrie vers les formes les plus extrêmes d'énergies polluantes; les réserves classiques ne suffisent tout simplement plus au maintien des ratios de remplacement. Selon le rapport annuel de l'AIE, la production mondiale de pétrole classique issue des «champs existants» va passer de 68 millions de barils par jour en 2012 à 27 millions en 2035[54].

Ainsi, une société pétrolière qui cherche à rassurer ses actionnaires en leur disant disposer d'un plan pour faire face à l'épuisement du gisement de Prudhoe Bay, en Alaska, par exemple, est désormais contrainte de se tourner vers des sources à plus haut risque. Fait révélateur, plus de la moitié des réserves ajoutées par ExxonMobil en 2011 se rapportent à un seul projet, soit celui de la gigantesque mine à ciel ouvert de Kearl[55]. En raison de cet impératif, tant que ce modèle d'affaires restera en vigueur, aucun littoral et aucune nappe phréatique ne seront en sécurité. Toute victoire contre l'industrie des combustibles fossiles, quelle que soit son ampleur, ne pourra être que temporaire, dans l'attente d'être neutralisée sous les hourras enthousiastes de politiciens beuglant «*Drill, baby, drill* *». Quand on pourra traverser le golfe du Mexique à pied en passant d'une plate-forme à l'autre, quand la Grande Barrière de corail sera devenue une marina pour super-pétroliers, quand la calotte glaciaire fondante du Groenland aura été noircie par un déversement qu'on ne saura pas nettoyer, l'industrie n'en aura toujours pas obtenu assez. Parce qu'elle aura indéfiniment besoin de nouvelles réserves pour assurer le maintien de leurs ratios de remplacement, année après année.

Du point de vue d'une société pétrolière ou gazière, exploiter ces réserves de combustible à haut risque n'est pas un choix, mais une responsabilité fiduciaire envers des actionnaires, qui, chaque année, exigent de toucher les mêmes dividendes astronomiques que l'année précédente. Si cette obligation continue d'être remplie, on peut être pratiquement assuré que la planète finira par cuire.

Et il ne s'agit pas d'une hyperbole. Dans le cadre d'une recherche pionnière menée en 2011, le groupe de recherche londonien Carbon Tracker Initiative a additionné toutes les réserves réclamées par l'ensemble des sociétés du secteur des combustibles fossiles, privées comme publiques. Les chercheurs ont constaté que la combustion du pétrole, du gaz naturel et du charbon déjà revendiqués par ces acteurs (des dépôts inscrits dans leurs registres comptables qui font déjà gagner de l'argent à leurs

---

* *Drill* signifie «forer». [NdT]

actionnaires) émettrait 2 795 milliards de tonnes de dioxyde de carbone. Or, on connaît approximativement la quantité maximale de $CO_2$ que pourrait absorber l'atmosphère d'ici 2050 pour que l'objectif des 2 °C ait encore de bonnes chances (environ 80 %) d'être respecté, soit 565 gigatonnes de 2011 à 2049. «Ces chiffres sont frappants : 2 795, c'est près de 5 fois 565 ! souligne Bill McKibben. Leurs implications sautent aux yeux. Ce que l'industrie affirme, dans ses requêtes à la Securities and Exchange Commission [SEC, autorité des marchés financiers américaine] ou dans ses engagements envers ses actionnaires, c'est qu'elle entend faire brûler cinq fois plus de combustibles fossiles que ce que l'atmosphère de la planète peut absorber[56].»

Ces chiffres montrent également que ce qu'on doit faire pour éviter la catastrophe – arrêter de creuser – constitue précisément ce que ces entreprises ne peuvent faire sans signer leur arrêt de mort. Ce qu'elles nous disent, au fond, c'est que le fait de prendre au sérieux la crise du climat n'est tout simplement pas compatible avec la survie de l'une des industries les plus rentables du monde.

Et les sommes en jeu sont considérables. La valeur des réserves totalise environ 27 000 milliards de dollars, soit plus de dix fois le PIB du Royaume-Uni. Si l'on mettait en œuvre les mesures nécessaires au respect de l'objectif des 2 °C, environ 80 % de ces réserves devraient être laissées sous terre. Vu l'ampleur de la manne, il n'est guère surprenant que l'industrie consacre autant d'énergie à tenter d'empêcher toute législation visant une réduction des émissions, voire finance directement le mouvement climatosceptique[57].

La forte rentabilité de ces sociétés leur donne aussi les moyens de se livrer à la corruption, en particulier si celle-ci est légale. En 2013, aux États-Unis seulement, l'industrie gazière et pétrolière a dépensé près de 400 000 dollars *par jour* en lobbying auprès des parlementaires et des membres du gouvernement, et a fait des contributions politiques totales de 73 millions (un record) au cours du cycle électoral de 2012, soit 87 % de plus qu'en 2008[58].

Au Canada, les sociétés ne sont pas tenues de divulguer les sommes qu'elles consacrent au lobbying, mais le dénombrement de leurs communications avec des titulaires de charges publiques est rendu public. Selon un rapport publié en 2012, à elle seule, une association industrielle, l'Association canadienne des producteurs pétroliers (ACPP), a eu 536 échanges avec des représentants du gouvernement fédéral entre 2008 et 2012, tandis que TransCanada, l'entreprise qui promeut le projet d'oléoduc Keystone XL, a procédé à 279 communications. En revanche, le Réseau action climat, la plus grande coalition canadienne à réclamer une réduction des émissions, n'a eu que six échanges du genre au cours de la même période. Au Royaume-Uni, pendant la première année du mandat de David Cameron comme premier ministre, l'industrie de l'énergie a rencontré les représentants du ministère de l'Énergie et des Changements climatiques environ 11 fois plus souvent que ne l'ont fait les groupes écologistes. La frontière entre le gouvernement britannique et l'industrie pétrolière et gazière devient d'ailleurs de plus en plus difficile à discerner. « Au cours des quatre dernières années, au moins 50 employés de sociétés comme EDF Energy, Npower et Centrica ont été dépêchés auprès du gouvernement pour travailler sur des enjeux énergétiques », rapportait The Guardian en 2011. « Ces employés sont détachés gratuitement dans les ministères pour des périodes pouvant aller jusqu'à deux ans[59]. »

Ainsi, chaque fois que la crise du climat éveille de plein droit notre instinct de conservation collectif, l'incroyable puissance financière de l'industrie des combustibles fossiles (motivée par son propre instinct de survie, plus immédiat) vient faire obstacle à l'action. Les écologistes comparent souvent l'humanité à cette proverbiale grenouille qui, plongée dans un bocal d'eau réchauffée progressivement jusqu'à l'ébullition, s'habitue trop au changement graduel pour décider d'en sortir à temps. Or, le fait est que l'humanité a tenté de sortir du bocal à quelques reprises. À Rio en 1992. À Kyoto en 1997. En 2006 et en 2007, quand une nouvelle prise de conscience planétaire a eu lieu dans la foulée de la sortie du film Une vérité qui dérange et de l'attribution du prix Nobel de la paix à Al Gore et au GIEC. En 2009, à l'approche de la conférence des Nations Unies sur le climat à Copenhague. L'argent qui corrompt le processus politique joue le rôle d'un couvercle interceptant l'instinct de survie d'une humanité ainsi condamnée à croupir dans son bocal.

La puissante influence du lobby des combustibles fossiles explique en grande partie pourquoi ce secteur semble si peu tourmenté par les engagements non contraignants auxquels souscrivent les chefs d'État lors des sommets sur le climat. D'ailleurs, le jour où la conférence de Copenhague a pris fin (et où l'on a officiellement annoncé les objectifs qu'on s'y était fixés), le cours des actions de certaines des plus grandes sociétés pétrolières et gazières n'a pratiquement pas bougé[60].

Manifestement, des investisseurs perspicaces ont conclu qu'ils n'avaient pas à s'inquiéter des engagements pris par les gouvernements lors de ce sommet, que les promesses des dirigeants étaient loin d'avoir le poids des décisions des puissants ministères de l'Énergie qui accordent droits miniers et permis de forage. En avril 2014, la direction d'ExxonMobil a d'ailleurs confirmé cette hypothèse en répondant à un groupe d'actionnaires qui la pressaient de questions sur des reportages affirmant qu'une bonne partie de ses réserves deviendraient des actifs délaissés si les gouvernements adoptaient des lois draconiennes en vue de respecter l'objectif des 2 °C. Elle leur a expliqué qu'elle avait conclu que l'adoption de politiques climatiques contraignantes était «hautement improbable» et que, «en vertu de cette analyse, nous sommes persuadés qu'aucune de nos réserves d'hydrocarbures n'est ou ne deviendra un actif délaissé[61]».

Cette dynamique n'est que trop familière aux personnes qui travaillent au sein de l'appareil d'État. John Ashton, qui, de 2006 à 2012, a été représentant spécial pour les changements climatiques auprès de trois gouvernements successifs du Royaume-Uni, raconte avoir souvent fait remarquer à ses collègues chargés d'élaborer les politiques énergétiques que leur conception du développement du secteur des combustibles fossiles contredisait la prétention du gouvernement de mener une «politique climatique conforme à l'objectif des 2 °C». Chaque fois, «ils ignoraient mes efforts et continuaient leur travail comme avant. J'aurais tout aussi bien pu leur parler en grec ancien», poursuit-il avant de conclure: «En général, il est facile pour un gouvernement de corriger une légère incompatibilité entre deux politiques, mais il est pratiquement impossible de résoudre une contradiction flagrante. Dans ce cas, les forces du statu quo disposent au départ d'un avantage indéniable[62].»

Cette dynamique ne s'inversera que si la puissance et la richesse du secteur des combustibles fossiles sont sérieusement érodées, un objectif très difficile à atteindre. Car une industrie qui vend des ressources naturelles à la base d'économies entières (et qui parvient à bloquer l'adoption de véritables solutions de rechange) possède un avantage indéniable: la plupart des gens n'ont d'autre choix que de continuer à acheter ses produits. Ainsi, comme rien n'indique que ces sociétés vont cesser de s'enrichir dans un avenir proche, le meilleur espoir de sortir de l'impasse politique actuelle consiste en la limitation de leur capacité à acheter – et à intimider – des politiciens.

La bonne nouvelle, c'est que le mouvement de protection du climat est loin d'être le seul groupe qui gagnerait à ce qu'on limite l'influence de l'argent sur la politique, en particulier aux États-Unis, le pays qui a le plus nui aux avancées en matière climatique. Dans ce dossier, les parlementaires américains sont restés les bras croisés pour les mêmes raisons qu'ils n'ont pas entrepris de réforme sérieuse du secteur financier dans la foulée de l'effondrement de 2008, ou de réforme des lois sur la possession d'armes à feu à la suite de l'horrible fusillade survenue dans une école de Newtown, dans le Connecticut, en 2012. Le même phénomène explique pourquoi la réforme de la santé d'Obama ne s'est pas attaquée à l'influence malsaine des compagnies d'assurance maladie et des sociétés pharmaceutiques. Toutes ces tentatives de remédier à des carences flagrantes et fondamentales du système ont échoué parce que les grandes entreprises disposent d'un pouvoir politique beaucoup trop important, exercé par l'entremise de leurs contributions (souvent secrètes) aux campagnes électorales, de leurs lobbyistes, qui ont un accès presque illimité aux décideurs, des fameuses portes tournantes entre secteur privé et gouvernement, et du droit à la «liberté d'expression» qui leur a été reconnu par la Cour suprême des États-Unis. Et, bien que la sphère politique américaine soit allée particulièrement loin en ce sens, aucune démocratie occidentale ne peut se dire exemplaire à cet égard et prétendre actuellement offrir un accès équitable au pouvoir et aux responsables politiques.

Parce que ces distorsions existent depuis très longtemps (et qu'elles nuisent à des groupes très divers), de nombreux intellectuels ont réfléchi en profondeur aux mesures à prendre pour nettoyer le système. Or, comme dans le cas de la crise du climat, le problème ne réside pas dans l'absence de «solutions». Les solutions sont claires: on devrait interdire aux politiciens de bénéficier des largesses des industries qu'ils réglementent ou d'accepter des offres d'emplois en guise de pots-de-vin; les contributions politiques devraient être entièrement divulguées et rigoureusement limitées; les mouvements citoyens devraient pouvoir se faire entendre dans les médias publics; et, idéalement, on devrait instituer le financement public des campagnes électorales, qui constituerait le prix à payer pour vivre en démocratie.

Cependant, une bonne partie de la population semble résignée: comment convaincre des politiciens qui subissent l'influence des milieux d'affaires d'adopter des réformes justement conçues pour les libérer de cette influence? Pas facile, admettons-le, mais il faut garder en tête que la seule chose que les politiciens craignent plus que de perdre leurs contributions, c'est de perdre leurs élections. Et c'est ici que le pouvoir de la crise du climat (et son potentiel de rassemblement d'une coalition la plus large possible) entre en jeu. Comme nous l'avons vu dans les chapitres précédents, les avis selon lesquels il reste peu de temps pour éviter la catastrophe climatique émanent d'une myriade d'organismes scientifiques et d'agences internationales, de l'American Association for the Advancement of Science à l'Agence internationale de l'énergie, en passant par la NASA, la Royal Society britannique, le GIEC, la National Academy of Science des États-Unis et la Banque mondiale. Le mouvement de protection du climat devrait brandir ces avis scientifiques en lançant un vibrant appel à ce que la sphère politique soit purgée de l'argent des milieux d'affaires, non seulement du secteur des combustibles fossiles, mais aussi de tous ces généreux opposants au progrès que sont la National Rifle Association, l'industrie de la malbouffe ou celle des prisons privées. Une telle revendication pourrait rallier l'ensemble des groupes qui bénéficieraient d'une réduction de l'influence politique des entreprises, qu'il s'agisse du personnel soignant ou des parents inquiets de la sécurité de leurs enfants à l'école. Certes, rien ne garantit que cette coalition réussirait là où tant de projets de réformes similaires ont échoué. Mais il vaudrait sûrement la peine d'y consacrer au moins autant d'énergie et de ressources que le mouvement américain pour le climat ne l'a fait en réclamant (sans succès) une législation qu'il savait insuffisante précisément parce qu'elle avait été conçue pour que l'industrie des combustibles fossiles y trouve son compte (une question sur laquelle nous reviendrons plus loin).

## Pas un « enjeu », mais un cadre

Ce lien entre lutte contre la corruption et réduction des émissions n'est qu'un exemple de la façon dont la crise du climat (en raison de son urgence et du fait qu'elle touche l'ensemble de l'humanité) pourrait donner un nouveau souffle à un objectif politique qui bénéficie déjà d'un soutien populaire tangible. Il en va de même pour bon nombre des enjeux que nous avons abordés jusqu'ici, de l'augmentation des impôts des riches à la relance des investissements publics, en passant par le rejet des nouveaux traités commerciaux néfastes. Cependant, avant que de telles alliances puissent se constituer, les militants devront se débarrasser d'un certain nombre de très mauvaises habitudes.

Depuis très longtemps, écologistes et environnementalistes font comme si aucun enjeu n'avait plus d'importance que le Grand Enjeu : pourquoi, se demandent certains d'entre eux (trop souvent à voix haute), perdre son temps à se préoccuper des droits des femmes, de la pauvreté ou des guerres, alors que toutes ces questions deviendront futiles quand la planète commencera à nous punir pour nos mauvais comportements? En 1970, alors qu'on célébrait le premier Jour de la Terre, une des têtes d'affiche du mouvement, le sénateur démocrate Gaylord Nelson, déclarait que, en regard de la crise écologique, «la guerre du Vietnam, la famine, le déclin des villes et tous les autres grands problèmes imaginables [...] paraissent relativement insignifiants». Cette affirmation aide à comprendre pourquoi le grand journaliste progressiste I.F. Stone a qualifié le Jour de la Terre de «gigantesque entreprise de baratin» se servant «du rock'n'roll, de l'idéalisme et d'enjeux sociaux peu controversés pour détourner l'attention de la jeunesse de questions plus urgentes qui pourraient vraiment menacer les pouvoirs en place[63]».

Nelson et Stone avaient tous deux tort. Comprise au sens large, la crise écologique ne détourne nullement notre attention des causes politiques ou économiques les plus pressantes: elle les suralimente au contraire par son urgence existentielle. «La lutte contre le changement climatique n'est pas le fait d'un mouvement distinct: elle constitue à la fois un défi et une occasion pour *tous* nos mouvements», écrivait en juillet 2013 Yotam Marom, organisateur d'Occupy Wall Street à New York. «Nous n'avons pas besoin de devenir des militants pour le climat: nous *sommes* des militants pour le climat. Nous n'avons pas besoin d'un mouvement climatique distinct: nous devons saisir le *moment* climatique[64].» La nature de ce moment commence à nous être familière, mais il vaut la peine de le rappeler: si les pays industrialisés entreprennent une réduction radicale de leurs émissions de GES au cours de la présente décennie, on pourra attendre la même chose de pays émergents comme la Chine et l'Inde au cours de la décennie suivante. Ce qui déterminera ensuite si l'humanité peut collectivement respecter un bilan carbone lui permettant d'avoir une chance de respecter l'objectif des 2 °C. Autrement dit, nous n'avons pas le loisir de passer vingt années de plus à débattre des réformes souhaitables tout en nous contentant de petites victoires sporadiques. Tous ces faits avérés rendent nécessaire une stratégie, des échéances précises et une volonté affirmée qui font aujourd'hui cruellement défaut à la plupart des mouvements progressistes.

Et, plus important encore, le moment climatique suscite une vision d'ensemble grâce à laquelle les combats pour la création de bons emplois, pour la justice envers les migrants ou pour la réparation d'injustices historiques comme l'esclavage et le colonialisme pourraient devenir partie intégrante du grand projet consistant à bâtir, avant qu'il ne soit trop tard, une économie solide et non polluante.

Il vaut aussi la peine de rappeler une perspective qu'on oublie trop facilement : le contre-pied d'un tel projet n'a rien d'un statu quo qui prévaudrait indéfiniment. Il s'agit plutôt d'un capitalisme du désastre alimenté aux changements climatiques, où l'appât du gain tiendra lieu de stratégie de réduction des émissions, où les frontières seront privatisées et hypermilitarisées, et où l'on recourra fort probablement aux techniques très risquées de la géo-ingénierie quand la situation dégénérera.

À quel point est-il réaliste d'imaginer que la crise du climat pourrait changer la donne politique en unifiant tous ces enjeux et mouvements disparates ? Une chose est sûre, ce n'est pas sans raison que les conservateurs radicaux consacrent tant d'efforts à nier son existence. Après tout, leur projet politique n'a plus la solidité qu'il avait en 1988, alors que le public découvrait l'existence du changement climatique. L'idéologie du libre marché est sans doute encore bien ancrée dans l'imaginaire de l'élite du pouvoir, mais, pour la plupart des gens, elle a perdu l'essentiel de sa force de persuasion. Le bilan catastrophique de trente années de néolibéralisme n'est que trop apparent. Chaque publication statistique sur la poignée d'oligarques apatrides qui possèdent la moitié de la richesse mondiale met au jour ce qu'ont toujours été les politiques de privatisation et de déréglementation : un droit, à peine voilé, au pillage. Chaque reportage sur un incendie qui ravage une usine du Bangladesh, la pollution qui empoisonne la Chine ou une interruption de la distribution d'eau à Detroit confirme que le libre-échange a bel et bien induit le nivellement par le bas qu'avaient annoncé tant de prophètes de malheur. Et chaque article sur un retraité grec ou italien qui a préféré mettre fin à ses jours plutôt que d'affronter une autre série de mesures d'austérité rappelle combien de vies sont sacrifiées à l'opulence d'une minorité.

C'est l'incapacité du capitalisme déréglementé à remplir ses promesses qui explique pourquoi, depuis 2009, des places publiques aux quatre coins du monde se sont transformées, à tour de rôle, en campements semi-permanents de dépossédés en colère. C'est elle, aussi, qui explique pourquoi on entend aujourd'hui plus d'appels au changement que jamais depuis les années 1960, pourquoi un essai critique comme *Le Capital au XXI<sup>e</sup> siècle*, de Thomas Piketty, qui expose les structures d'une concentration de la richesse chaque jour plus extrême, peut trôner au sommet de la liste des best-sellers pendant des mois, et pourquoi, quand l'humoriste et commentateur social Russell Brand appelle à la «révolution» sur les ondes de la BBC, sa prestation attire plus de 10 millions de visiteurs sur YouTube[65].

La crise du climat met en lumière l'opposition entre les besoins de la biosphère et ceux du système économique. Or, parce que ce dernier, à bien des égards, ne répond pas aux attentes de l'immense majorité de la population, cette contradiction n'est peut-être pas une si mauvaise chose. Autrement dit, il ne pouvait arriver meilleur moment pour mettre en avant un plan pour guérir la planète, qui permette également de guérir nos économies en ruine et nos collectivités disloquées.

Al Gore a qualifié le changement climatique de «vérité qui dérange»: une situation inéluctable qu'on préférerait ignorer. Or, celle-ci ne dérange que si l'on est satisfait du statu quo, en faisant abstraction du détail que constitue le réchauffement des températures. En revanche, si l'on est déjà convaincu de l'impératif d'une transformation sociale (réchauffement ou non), le fait que l'humanité coure au précipice exprime plutôt une vérité qui, curieusement, «ne dérange pas», car elle vient confirmer la nécessité d'entreprendre un virage radical, et ce, le plus tôt possible.

Sans surprise, les personnes qui sont le plus à même de saisir cette vérité sont celles que le système économique n'a jamais hésité à sacrifier. Le mouvement nord-américain pour la justice environnementale (un réseau informel de groupes accompagnant les collectivités sur les lignes de front toxiques établies par les industries extractives comme les raffineries ou les mines) a toujours soutenu que l'adoption de mesures vigoureuses de réduction des émissions pourrait donner lieu à un projet de transformation de l'économie. «C'est le système qui doit changer, pas le climat.» C'est ainsi que ses membres résument l'alternative devant laquelle nous nous trouvons[66].

Miya Yoshitani, directrice générale de l'Asian Pacific Environmental Network (APEN), basé à Oakland, en Californie, explique:

> Aux États-Unis comme dans le reste du monde, la lutte pour la justice climatique n'est pas seulement un combat contre la [pire] crise écologique de tous les temps. Il s'agit d'un combat pour une nouvelle économie, une nouvelle politique énergétique, une nouvelle démocratie, une nouvelle relation avec la planète et de nouveaux rapports entre les humains, pour la terre, l'eau, la souveraineté alimentaire, les droits des Autochtones, les droits de la personne et la dignité. Quand la justice climatique triomphera, nous aurons créé le monde que nous voulons. Nous ne pouvons laisser passer cette chance, non pas parce que nous avons trop à y perdre, mais parce que nous avons trop à y gagner. [...] Nous sommes tous partie

prenante de cette bataille, qui vise non pas une simple réduction du nombre de parties par million de $CO_2$ dans l'atmosphère, mais la transformation de nos économies et la reconstruction d'un monde tel que nous le voulons aujourd'hui[67].

C'est pourquoi bon nombre de commentateurs progressistes se trompent lorsqu'ils affirment que la cause du climat est futile parce qu'elle demande au peuple de faire des sacrifices au nom d'objectifs lointains. «Comment convaincre l'espèce humaine d'accorder plus d'importance à l'avenir qu'au présent?» se demande, découragé, le chroniqueur Nick Cohen dans *The Observer*[68]. La réponse, c'est qu'on n'a pas besoin de le faire. Il s'agit plutôt de faire valoir, comme le fait Yoshitani, que, pour des tas de gens, l'action pour le climat est porteuse d'un immense espoir d'amélioration du présent et permet d'anticiper un avenir nettement plus inspirant que toutes les perspectives qu'on entrevoit aujourd'hui.

Yoshitani fait partie du dynamique milieu militant de la région de la baie de San Francisco, épicentre du mouvement pour l'emploi vert, dont le porte-parole le plus en vue est Van Jones, l'ex-conseiller d'Obama. Quand j'ai rencontré Yoshitani pour la première fois, l'APEN accompagnait des immigrants chinois dans leur lutte pour la construction de logements sociaux à proximité d'une station de métro, dans un quartier dont la gentrification menaçait d'entraîner le déplacement de populations utilisant les transports en commun. L'organisation participait également à un projet de soutien à la mise sur pied de coopératives de travailleurs dans le secteur de l'énergie solaire, dans la ville voisine de Richmond, afin que les offres d'emplois ne s'y limitent pas à celles de la raffinerie locale de la multinationale Chevron.

De tels liens entre action pour le climat et lutte pour la justice économique se manifestent chaque jour. Comme nous le verrons, des collectivités qui se battent contre de dangereux projets d'oléoducs ou d'extraction du gaz naturel par fracturation ont noué des alliances solides avec les peuples autochtones dont les territoires sont menacés par ces activités. Aussi, aux États-Unis, plusieurs grandes organisations environnementalistes (dont Greenpeace, le Sierra Club, la BlueGreen Alliance et 350.org) appuient les revendications pour une réforme globale de la politique d'immigration américaine, en partie parce que le phénomène migratoire est de plus en plus lié à la crise du climat, mais aussi parce que les immigrants hésitent souvent à se défendre contre les risques environnementaux auxquels ils sont exposés, par crainte d'être incarcérés ou déportés[69].

Voilà des signes encourageants, et il y en a beaucoup d'autres. Pourtant, on attend toujours l'avènement d'un contre-pouvoir capable d'induire un changement social de l'ampleur nécessaire. Ironiquement, alors que la droite ne cesse de nier le changement climatique en le présentant comme un complot de la gauche, la plupart des progressistes persistent à détourner le regard, n'ayant pas encore compris que la climatologie leur fournit le plus solide argument contre le capitalisme débridé dont ils aient disposé depuis l'époque où le « sombre *inferno* des usines » de William Blake assombrissait le ciel de l'Angleterre (marquant d'ailleurs le début du réchauffement planétaire). Cette réalité devrait gonfler les voiles du navire progressiste en conférant une nouvelle légitimité au combat pour la justice économique. Or, quand les rues d'Athènes, de Madrid, d'Istanbul ou de New York se remplissent de manifestants dénonçant les diverses failles du système, la crise du climat n'occupe souvent guère plus de place qu'une note de bas de page, alors qu'elle pourrait former la trame d'un mouvement unifié capable de faire basculer l'ordre établi[70].

De leur côté, les environnementalistes modérés refusent généralement de s'associer à ces expressions de colère populaire et s'en tiennent à une conception étroite de la lutte pour le climat, comme la campagne pour la taxation du carbone ou l'opposition à tel projet d'oléoduc. Ces campagnes ont certes leur importance, mais la constitution d'un mouvement de masse capable de s'attaquer aux forces capitalistes qui font obstacle à la réduction des émissions requiert la plus vaste alliance possible. Cette dernière pourrait inclure les employés du secteur public (pompiers, infirmières, enseignants, éboueurs) en lutte pour le maintien de services et d'infrastructures qui constitueront notre meilleure protection contre les changements climatiques. Pourraient aussi en faire partie les militants antipauvreté qui réclament des logements abordables pour les citoyens à faible revenu que l'embourgeoisement des quartiers centraux tend à expulser en bordure des autoroutes sillonnant la banlieue. « Le logement est un enjeu climatique », juge Colin Miller, de l'organisme Bay Localize d'Oakland. Le mouvement pourrait également accueillir les usagers des transports en commun qui contestent les hausses de tarif, en cette époque où il faudrait tout faire pour rendre le métro, l'autobus ou le tramway plus confortables et plus accessibles que jamais. D'ailleurs, quand des manifestants envahissent les rues pour refuser de telles hausses et réclamer la gratuité des transports collectifs (comme on l'a vu au Brésil en juin et en juillet 2013), leur action devrait être saluée en tant que partie intégrante de la lutte mondiale contre le chaos climatique, même s'ils ne prononcent jamais les mots «changement climatique[71]». Mais peut-on s'étonner qu'un mouvement populaire pour le climat s'inscrivant dans la durée – condition *sine qua non* d'une transformation du système – n'ait pas encore vu le jour? Bien sûr, la colère contre l'austérité, la corruption et les inégalités s'est parfois répandue dans les rues et les places publiques pendant des semaines, voire des mois, sans s'essouffler. Néanmoins, s'il faut retenir quelque chose de ces récents épisodes de rébellion spontanée, c'est que les mouvements qui les portent sont balayés beaucoup trop rapidement, que ce soit par la répression ou par la récupération politique, alors que les structures qu'ils contestent se reconstituent sous des formes encore plus terrifiantes. Pensons à l'Égypte. Ou aux inégalités qui se sont creusées de manière obscène depuis la crise financière de 2008, malgré les nombreux mouvements sociaux qui se sont élevés contre le sauvetage des banques et les politiques d'austérité.

Par le passé, j'ai fermement défendu le choix des jeunes de constituer des mouvements peu structurés, dépourvus de dirigeants identifiables ou de programme politique défini. Et je persiste à considérer qu'il faut réinventer les pratiques et les structures politiques désuètes pour traduire les réalités nouvelles en évitant de répéter les échecs du passé. Toutefois, je dois admettre que les cinq années que je viens de passer plongée dans les arcanes de la climatologie m'ont rendue impatiente. Comme bien des gens, je me rends compte que le fétichisme de l'absence de structures et la rébellion contre toute forme d'institutionnalisation sont des luxes que les mouvements sociaux d'aujourd'hui ne peuvent plus se permettre.

Le nœud du problème se rapporte à la même réalité incontournable qui empêche l'adoption de mesures pour contrer le réchauffement et accélère les émissions de GES: quelles que soient nos convictions politiques, nous vivons tous dans le monde qu'a créé le néolibéralisme.

En pratique, cela signifie que, malgré notre indignation, malgré toutes nos manifestations, nous sommes collectivement dépourvus d'une bonne partie des outils qui ont permis aux mouvements du passé de se constituer et d'exister. Les institutions publiques sont en train de se désintégrer; les institutions de la gauche traditionnelle (partis politiques progressistes, syndicats combatifs, groupes populaires autonomes) luttent pour leur survie.

Et le problème va bien au-delà du manque de ressources institutionnelles: il réside également en chacun de nous. Le capitalisme contemporain n'a pas seulement favorisé des comportements qui aggravent la crise du climat : il a aussi transformé l'individu en le faisant accélérer, en le déracinant et en le dématérialisant, à l'image du secteur financier, si bien que chacun se retrouve maintenant partout et nulle part à la fois. On reconnaît là les préoccupations de notre temps (quel est l'effet de Twitter sur ma concentration ? qu'advient-il des relations humaines avec tous ces écrans ?), lesquelles influent d'ailleurs sur notre façon de réagir à la crise du climat.

En effet, par sa nature même, cette crise évolue lentement et se manifeste de façon très locale. À ses premières étapes, entre deux catastrophes dévastatrices, le changement climatique prend la forme d'un bouton de fleur qui éclot plus tôt que d'habitude, d'une couche de glace inhabituellement mince sur un lac, de l'arrivée tardive d'un oiseau migrateur : la capacité de constater des variations aussi infimes exige un degré de communion avec la nature qu'on ne peut atteindre que par la connaissance profonde d'un milieu. Cette connaissance s'acquiert non seulement par la contemplation, mais aussi par la subsistance qu'on tire du monde environnant et par la transmission des savoirs locaux d'une génération à l'autre, guidée par un sens du sacré. Qui d'entre nous vit encore ainsi ? De façon similaire, la crise du climat nous ramène également aux conséquences inévitables de l'activité des générations précédentes, non seulement sur le présent, mais aussi sur les générations futures. Pour la plupart d'entre nous, un tel rapport au temps est inconcevable. D'ailleurs, la culture occidentale n'a ménagé aucun effort pour faire disparaître les cosmologies autochtones, qui interrogent le passé et l'avenir pour éclairer le présent, où les ancêtres morts depuis longtemps, toujours de ce monde, peuvent inspirer les générations à venir, qui sont déjà présentes.

En résumé, là aussi, les circonstances sont défavorables. Au moment même où il nous faudrait ralentir pour percevoir les changements subtils du monde naturel nous indiquant que quelque chose ne tourne pas rond, nous accélérons ; au moment même où nous aurions besoin d'un horizon temporel étendu pour constater les effets des actions du passé sur nos perspectives d'avenir, nous sommes plongés dans la frénésie d'un éternel présent, où notre existence et notre attention sont plus fragmentées que jamais.

Pour comprendre comment nous nous sommes coupés à ce point de notre environnement et les uns des autres, et pour réfléchir à un éventuel projet politique fondé sur l'interdépendance, il nous faut regarder beaucoup plus loin en arrière que 1988. En effet, bien que le capitalisme mondialisé d'aujourd'hui ait aggravé la crise du climat, le fait est qu'il ne l'a pas provoquée. On a commencé à traiter l'atmosphère comme un dépotoir au moment où l'on a entrepris de faire le commerce du charbon, à la fin du XVIIIᵉ siècle, et nombre de pratiques inconséquentes à l'endroit de l'environnement remontent à bien avant cette époque.

De plus, cette vision à courte vue n'est pas l'apanage des diverses incarnations du capitalisme : elle était aussi partagée par les régimes qui se disaient socialistes (qu'ils l'aient été ou non reste matière à débat). En fait, les racines de la crise du climat plongent dans un des mythes fondateurs de la civilisation occidentale issue des Lumières, selon lequel l'humanité a pour vocation de dominer une nature considérée comme illimitée et entièrement maîtrisable. Celui-ci n'est pas uniquement attribuable à la droite politique ou aux États-Unis : il s'agit d'un grand récit qui transcende les frontières et les clivages idéologiques.

Jusqu'ici, j'ai insisté sur le caractère familier de plusieurs solutions radicales à la crise du climat, et il y a là quelque chose de très rassurant. À bien des égards, on ne se lancerait pas dans un projet aussi colossal en partant de rien, mais plutôt en puisant dans plus d'un siècle d'expérience politique progressiste. Mais si nous voulons vraiment nous montrer à la hauteur de la situation (en particulier quant au défi qu'elle représente pour la croissance économique), nous devrons porter un regard approfondi sur notre passé et oser explorer des territoires politiques encore inconnus.

## Chapitre 5

# Pour en finir avec l'extractivisme

Combattre le climatosceptique
caché en chacun de nous

*Le plus grand atout de la Terre, c'est que lorsqu'on y perce des trous,*
*il en sort du pétrole et du gaz.*

Steve STOCKMAN, parlementaire républicain
au Congrès des États-Unis, 2013[1]

*Les veines ouvertes de l'Amérique latine saignent encore.*

Nilda ROJAS HUANCA, dirigeante autochtone bolivienne, 2014[2]

*Nous devons composer avec un monde aux ressources limitées, mais nous agissons*
*comme si le contraire était vrai. À l'heure actuelle, les décideurs s'inspirent*
*généralement d'un modèle théorique fondé sur une consommation de ressources et*
*une croissance matérielle et démographique sans limites. Cette conception ne*
*correspond plus à la réalité et [a] commencé à s'effriter.*

Document présenté par l'analyste de systèmes Rodrigo Castro
et son équipe de recherche lors d'une conférence sur la
modélisation scientifique tenue en 2014[3]

D EPUIS QUELQUES ANNÉES, une campagne de remise en forme bat
son plein sur l'île de Nauru. Les murs de béton des bâtiments publics sont couverts de slogans exhortant les citoyens à
faire de l'exercice régulièrement et à manger sainement, ou les
alertant sur les risques du diabète. Les jeunes demandent à leurs
grands-parents de leur enseigner les rudiments de la pêche, un art
oublié. C'est qu'il y a un problème. Sur l'île, l'espérance de vie est
courte, en partie en raison de la prolifération du diabète. Comme
l'explique Nerida-Ann Steshia Hubert, qui travaille dans un
centre de lutte contre le diabète à Nauru : « Les gens les plus âgés
meurent tôt, ce qui nous prive de leur savoir. C'est une course
contre la montre : il faut vite essayer d'assimiler leurs connaissances avant qu'ils nous quittent[4]. »

Pendant plusieurs décennies, cette île d'à peine 21 kilomètres carrés, perdue dans le Pacifique Sud et comptant 10 000 habitants environ, a été présentée comme un modèle pour les autres pays en développement. Au début des années 1960, le gouvernement australien, dont les troupes avaient arraché Nauru à l'Allemagne en 1914, était si fier de son protectorat qu'il lançait des vidéos promotionnelles où on voyait des Micronésiens vêtus de bermudas immaculés, écoutant religieusement les leçons de leurs professeurs anglo-saxons, réglant leurs différends dans des tribunaux inspirés du modèle britannique ou se procurant des produits modernes dans des commerces d'alimentation bien garnis[5].

Pendant les années 1970 et 1980, après avoir acquis son indépendance, l'île de Nauru est dépeinte dans la presse comme un lieu d'extrême opulence, à l'instar de Dubaï aujourd'hui. Dans un article de l'Associated Press publié en 1985, on précise que les Nauruans jouissent du « PNB le plus élevé au monde [...], supérieur même à celui des pétromonarchies du golfe Persique ». Tous les résidants y ont accès à des soins de santé, à une éducation et à un logement gratuits ; les maisons sont climatisées et les gens se baladent sur leur petite île – dont on fait le tour en vingt minutes – à moto et au volant de voitures neuves, comme la Lamborghini jaune qu'arbore fièrement un chef de police. « Quand j'étais jeune, se souvient Steshia Hubert, nous assistions à des fêtes où les gens pouvaient lancer une pluie de dollars sur un bébé. Des fêtes extravagantes en l'honneur d'un premier, seizième, dix-huitième, vingt et unième ou cinquantième anniversaire [...]. On offrait des voitures ou des oreillers remplis de billets de cent dollars à des bébés d'un an[6] ! »

Cette prospérité colossale découlait d'une particularité géologique de l'île : pendant des centaines de milliers d'années, Nauru, qui n'était alors qu'une formation de récifs coralliens émergeant des vagues, fut une escale de prédilection pour les oiseaux migrateurs, qui venaient s'y gaver de crustacés et de mollusques. Leurs excréments s'accumulèrent entre les récifs, formant peu à peu une masse rocheuse qui se couvrit peu à peu d'humus et de denses peuplements forestiers. Ainsi est née une oasis tropicale parsemée de cocotiers, de plages paisibles et de huttes au toit de chaume, si idyllique que les premiers Européens à y accoster l'ont nommée Pleasant Isle[7].

Pendant des milliers d'années, les Nauruans ont foulé le sol de leur île, se nourrissant de poisson et d'une espèce d'oiseau, le noddi noir, jusqu'à ce qu'un officier colonial ramasse un caillou qui s'avéra être du phosphate de chaux pratiquement à l'état pur, un fertilisant agricole recherché. Une firme germano-britannique entreprit l'extraction de ce minerai, remplacée par la suite par une société regroupant des intérêts britanniques, australiens et néo-zélandais[8]. L'île de Nauru s'est alors développée à un rythme record, se lançant à corps perdu dans une véritable opération suicide.

Dans les années 1960, Nauru avait encore un aspect assez attrayant vue de la mer, mais ce n'était qu'une illusion. Derrière la mince bande de cocotiers bordant la côte, l'île était dévastée. Des airs, on constatait vite que les forêts et la couche de terre arable de l'île de forme ovale avaient été arrachées, et qu'on avait extrait le phosphate jusqu'au squelette de l'île, laissant derrière une forêt de lugubres totems de corail. Comme le centre de l'île n'était plus habitable ni fertile, hormis pour quelques touffes de végétation, la vie s'y concentrait dorénavant sur l'étroite bande côtière où étaient situées les résidences et les infrastructures publiques[9].

Les puissances coloniales qui se sont succédé à Nauru – et dont les émissaires commerciaux broyaient en fine poussière le minerai de phosphate, expédié ensuite par cargo en Australie et en Nouvelle-Zélande pour y fertiliser les terres agricoles – exécutaient un plan fort simple : continuer à extraire le phosphate de l'île jusqu'à ce qu'il n'en reste qu'une coquille vide. « Les experts prédisent que les Nauruans ne pourront plus survivre sur leur agréable petite île lorsque ses réserves de phosphate seront épuisées, soit dans trente ou quarante ans », déclare laconiquement un membre du conseil de Nauru dans une vidéo en noir et blanc produite dans les années 1960 par le gouvernement australien. Mais il n'y a là rien d'alarmant, assure le narrateur : « On commence déjà à préparer l'avenir du peuple nauruan. L'Australie lui ouvrira ses frontières. [...] Les perspectives sont réjouissantes ; son avenir est assuré[10]. »

Autrement dit, le développement de Nauru devait la mener droit à sa perte, selon les plans du gouvernement australien et des sociétés minières pour qui l'île n'était qu'un bien de consommation rapide. Celle-ci ne suscitait pas d'aversion particulière ni de désir génocidaire en tant que tel, mais, au nom du progrès incarné par l'agriculture industrielle, la mort d'une petite île obscure était considérée comme un sacrifice acceptable.

Lorsque les Nauruans ont repris le contrôle de leur pays, en 1968, ils avaient une autre idée en tête. Ils ont donc placé une grande partie de leurs recettes minières en fiducie pour les investir dans un marché de l'immobilier « à faible risque » en Australie et à Hawaï. Leur objectif consistait à vivre des revenus de ces investissements tout en réduisant progressivement l'exploitation du phosphate sur l'île et en amorçant la réhabilitation de leurs écosystèmes – une entreprise onéreuse, certes, mais peut-être pas impossible[11].

Leur plan a échoué. Le gouvernement de Nauru ayant reçu des conseils désastreux en matière d'investissement, les revenus miniers du pays ont vite été dilapidés. Entre-temps, le processus d'annihilation de l'île se poursuivait, et ses blanches entrailles réduites en poudre continuaient d'être hissées sur des bateaux. De plus, comme il fallait s'y attendre, ces décennies d'opulence ont bouleversé l'existence et la culture des Nauruans. La corruption a rongé la sphère politique, l'ivresse au volant a fait bondir les statistiques de la mortalité routière, l'espérance de vie moyenne a chuté. La population de Nauru a même eu le triste honneur d'être qualifiée de peuple «le plus obèse de la Terre» dans une émission d'information américaine (la moitié de la population adulte de l'île souffre de diabète de type 2, résultat d'un régime composé presque exclusivement d'aliments transformés importés). «Pendant l'âge d'or des redevances minières, nous ne cuisinions pas, nous mangions au restaurant», rappelle Steshia Hubert, du centre de santé de Nauru. D'ailleurs, difficile pour les Nauruans de se nourrir autrement: sur une île transformée en gruyère, comment peut-on produire des fruits et légumes frais pour alimenter la population? Triste sort pour un pays qui vit de l'exportation d'engrais agricole[12]!

Dans les années 1990, le gouvernement de Nauru, qui manquait désespérément de devises étrangères, s'est tourné vers des sources de revenus douteuses. Portée par la vague de déréglementation qui déferlait à l'époque, l'île est devenue un haut lieu du blanchiment d'argent. Vers la fin des années 1990, on estime que Nauru a hébergé jusqu'à 400 banques fantômes à l'abri de la surveillance, du fisc et de la réglementation. Les banques fictives immatriculées à Nauru faisaient le bonheur des gangsters russes, qui auraient blanchi sur l'île des sommes ahurissantes d'argent sale, soit quelque 70 milliards de dollars. (Par comparaison, le PIB de Nauru s'élève à 72 millions de dollars selon les données les plus récentes.) Dans un article du *New York Times Magazine* publié en 2000, on attribue même à Nauru une partie de la responsabilité de l'effondrement de l'économie de la Russie: «au cœur de cette nouvelle économie souterraine d'une valeur de quelque 5 000 milliards de dollars qu'a engendrée la récente prolifération des centres de blanchiment d'argent, Nauru est l'ennemi public numéro un[13]».

Mais l'île de Nauru n'a pas échappé à la déconfiture, et le pays est dorénavant menacé par une double faillite : un désastre écologique, l'île étant dévastée à 90 % par l'activité minière, et une faillite économique, avec une dette d'au moins 800 millions de dollars. Et les problèmes de Nauru ne s'arrêtent pas là. La population de l'île se trouve aujourd'hui plongée dans une crise du climat dans laquelle elle n'a pratiquement aucune responsabilité. Comment faire face aux perturbations climatiques, à la sécheresse, à l'acidification de l'océan, à la hausse du niveau de la mer ? Depuis 1993, ce dernier a connu une hausse constante d'environ cinq millimètres par an, et d'autres phénomènes catastrophiques pourraient se manifester si la tendance se maintient. Déjà, des sécheresses entraînent d'importantes pénuries d'eau douce sur l'île[14].

Il y a une dizaine d'années, le philosophe australien Glenn Albrecht, qui enseigne le développement durable, a voulu décrire la détresse psychologique dans laquelle peut sombrer quelqu'un dont le pays natal bien-aimé et le milieu de vie sont bouleversés par l'activité minière ou l'industrialisation, susceptibles de créer un environnement aliénant et sans repères. C'est ainsi que le néologisme *solastalgia*\* a vu le jour. Albrecht le définit comme « le fait d'avoir le mal du pays en restant chez soi ». D'après lui, cette forme de détresse, qui jadis se manifestait surtout chez les résidants de zones sacrifiées, telles les mines à ciel ouvert ou les aires de coupe à blanc, est de plus en plus répandue, dans la mesure où la crise du climat crée un environnement anormal peu importe l'endroit où l'on vit. « La planète entière, notre terre natale à tous, est un foyer en péril, ce qui est aussi affligeant que les répercussions locales, écrit le philosophe australien. Alors que la planète se réchauffe et que notre climat se fait de plus en plus hostile et imprévisible, un sentiment d'angoisse se répand un peu partout[15]. »

Certaines collectivités particulièrement éprouvées, toutefois, vivent cette détresse tant à l'échelle locale que planétaire. En 1997, lors de la conférence des Nations Unies qui adopta le protocole de Kyoto, Kinza Clodumar, alors président de la République de Nauru, a fait état de la claustrophobie collective qui avait envahi son pays : « Nous nous sentons pris au piège, coincés entre un désert et les terrifiantes inondations à venir[16]. » Peu d'endroits au monde illustrent plus concrètement que ce pays le caractère doublement suicidaire de l'édification d'une économie sur une

---

\* En anglais, *solastalgia* évoque la souffrance causée par la nostalgie (*nostalgia*) d'un lieu de réconfort (*solace*) éprouvé par un processus de destruction (*desolation*). [NdT]

activité minière effrénée. Depuis une centaine d'années, Nauru est dévorée de l'intérieur, car chaque cargaison de phosphate qui prend la mer emporte une partie de l'île ; aujourd'hui, elle doit en plus subir les assauts destructeurs d'un climat en crise.

Dans un câble diplomatique rédigé en 2007 et diffusé ultérieurement par WikiLeaks, un haut fonctionnaire américain non identifié résume l'analyse de la crise de Nauru par le gouvernement des États-Unis : « Nauru a tout simplement dépensé à l'excès, sans se préoccuper de l'avenir[17]. » Ce constat, en fait, résume bien l'idéologie dominante actuelle, qui mise sur l'exploitation illimitée des ressources limitées de la Terre, sans vision à long terme. Depuis quelques siècles, l'être humain s'arroge le droit d'extraire des entrailles de la Terre les vestiges fossilisés d'autres formes de vie, de les brûler en quantité phénoménale et de relâcher dans l'atmosphère les résidus de cette combustion. Ces émissions imperceptibles auraient-elles des conséquences, que ce même être humain sera sûrement assez brillant pour trouver des solutions à ce gâchis.

Aujourd'hui, il continue à faire ainsi l'autruche, exploitant avec frénésie les ressources de la Terre sans penser au lendemain. Puis on s'étonne de la disparition d'espèces de poisson, ou de la nécessité croissante d'ajouter des « intrants » tel le phosphate pour maintenir la fertilité des sols. Nos dirigeants occupent d'autres pays et y vendent des armes, puis se surprennent de leur haine à notre égard. Un peu partout, on détruit des économies locales et on sabre salaires, emplois et mesures de protection des travailleurs, puis on s'étonne du ralentissement de la consommation. On offre aux chômeurs des prêts hypothécaires à haut risque plutôt que des emplois stables, sans s'interroger sur le risque d'effondrement d'un tel système.

Tous ces gestes témoignent d'un manque de respect envers les forces que nous déchaînons : nous continuons à croire, ou du moins à espérer, que la nature que nous avons transformée en dépotoir – et les gens que nous avons traités avec mépris – ne reviendront pas nous empoisonner la vie. Les Nauruans en savent quelque chose : depuis une dizaine d'années, en effet, leur île sert de décharge d'un autre type. En quête de revenus pour éviter le naufrage, les dirigeants de Nauru ont accepté d'accueillir sur l'île un centre de détention de demandeurs d'asile (connu sous le nom de « solution du Pacifique »), à l'instigation du gouvernement australien. Lorsque les autorités australiennes interceptent des bateaux transportant des migrants, ces derniers sont transportés par avion 3 000 kilomètres plus loin, à Nauru (ainsi que dans plusieurs autres îles du Pacifique). Une fois sur place, les demandeurs d'asile – dont la plupart viennent d'Afghanistan, du Sri Lanka, d'Irak, d'Iran ou du Pakistan – sont entassés sous surveillance dans des camps infestés de rats (en fait, il s'agit de simples rangées de tentes surpeuplées où règne une chaleur étouffante). La détention peut durer jusqu'à cinq ans, pendant lesquels les réfugiés ignorent tout du sort qu'on leur réserve, ce qui est censé dissuader d'éventuels migrants de tenter leur chance de la même façon[18].

Les gouvernements australien et nauruan se sont acharnés à dissimuler les conditions de vie dans ces camps, empêchant les journalistes de passage à Nauru de constater la situation *de visu*. La vérité a néanmoins percé sous la forme de vidéos de détenus scandant «Nous ne sommes pas des animaux», de témoignages de tentatives de suicide et de grèves de la faim collectives, de photos terribles de réfugiés ayant cousu eux-mêmes leur bouche avec des trombones, ou d'un homme au cou portant les séquelles d'une tentative de pendaison. D'autres images diffusées montrent des bambins jouant dans la poussière ou entassés avec leurs parents sous des rabats de tente en quête d'un peu d'ombre (à l'origine, le camp n'accueillait que des hommes, mais des centaines de femmes et d'enfants s'y sont joints depuis). En juin 2013, le gouvernement australien a finalement autorisé une équipe de la BBC à pénétrer dans le centre de détention pour y filmer ses baraques toutes neuves. Toutefois, cette tentative de présenter le camp sous un meilleur jour a été complètement éclipsée un mois plus tard, lorsqu'on a appris que les nouvelles installations avaient été démolies en grande partie lors d'une émeute où plusieurs détenus avaient été blessés[19].

Amnesty International a qualifié la détention dans le camp de Nauru de «cruelle» et de «dégradante», et, dans un rapport publié en 2013 par le Haut Commissariat des Nations Unies pour les réfugiés, on peut lire que ces conditions, «conjuguées à la durée prolongée du séjour de certains demandeurs d'asile, portent à conclure à une violation des traités internationaux sur les droits de la personne, entre autres de l'interdiction de la torture et d'autres traitements cruels, inhumains ou dégradants». Puis, en mars 2014, un ancien employé de l'Armée du Salut du nom de Mark Isaacs, en poste dans le camp, publie un témoignage intitulé *The Undesirables* (Les indésirables). Il y dépeint la réalité d'hommes qui, après avoir survécu à des guerres et à de périlleux voyages, perdent toute envie de vivre lors de leur passage à Nauru. L'un d'eux avale du détergent pour mettre fin à ses jours, un autre perd la raison et aboie comme un chien. Isaacs, qui compare le camp à une « usine de la mort », expliquera dans une interview qu'on « prend des hommes robustes et les broie jusqu'à les réduire en poussière ». Sur une île qui subit le même sort, l'image est saisissante. D'autant plus qu'on demande aux gens qui risquent de devenir les réfugiés climatiques de demain de jouer les gardiens auprès des réfugiés politiques et économiques d'aujourd'hui[20].

En parcourant la poignante histoire de Nauru, il est frappant de constater qu'une bonne partie des problèmes de l'île, passés et actuels, tient à sa situation géographique, souvent décrite comme « au milieu de nulle part » ou, pour reprendre la formulation employée en 1921 dans un reportage du *National Geographic,* « sans doute le territoire le plus isolé sur la planète », un point minuscule perdu au cœur de « mers peu fréquentées ». L'isolement de l'île permet d'en faire un dépotoir commode, un endroit où l'on peut, sans le moindre scrupule, désertifier le sol, blanchir de l'argent, parquer les indésirables et même laisser libre cours à un processus d'autodestruction[21].

Souvent, les conséquences de nos actes sont ainsi dissimulées, ce qui explique en grande partie la persistance du problème des émissions atmosphériques : comme celles-ci ne sont pas très visibles, nous pouvons ignorer leur existence. Notre culture est ainsi pétrie de contradictions et de faux-semblants – sur le marché mondial des combustibles fossiles, l'illusion de la proximité brouille la réalité de la distance. Nous ne voulons pas en savoir trop sur la réalité de l'industrie qui garnit les rayons de nos centres commerciaux, sur les victimes de nos dégâts, sur le sort de nos déchets – qu'il s'agisse d'eaux usées, d'appareils électroniques désuets ou d'émissions atmosphériques.

Mais la grande leçon que nous offre Nauru, c'est qu'il n'existe pas d'endroit « au milieu de nulle part », il n'existe pas d'endroit qui ne « compte » pas – rien ne disparaît véritablement. D'une certaine façon, nous sommes tous conscients de faire partie de cet écheveau complexe. Or, la trame de nos comportements reflète le contraire, témoignant d'une foi aveugle en une croissance sans limites et en la possibilité de toujours trouver de nouvelles planques pour nos déchets, de nouvelles ressources à exploiter, de nouvelles personnes à escroquer.

Aujourd'hui, la République de Nauru est plongée dans une crise politique interminable, ponctuée de scandales de corruption minant la crédibilité du gouvernement en place, allant parfois jusqu'à le renverser. Avec leur passé criblé d'injustices, les insulaires pourraient en toute légitimité jeter le blâme sur des fléaux extérieurs: colonisateurs cupides, conseillers financiers véreux, pays riches dont les émissions menacent aujourd'hui de rayer Nauru de la carte. Certains le font. Plusieurs dirigeants de l'île, toutefois, préfèrent lancer un cri d'alarme au monde entier. Dans un article du *New York Times* publié en 2011, par exemple, Marcus Stephen, alors président de Nauru, écrit que l'histoire de l'île renferme «une indispensable mise en garde contre la violation des limites de notre environnement». Elle illustre, ajoute-t-il, «ce qui peut se produire quand un pays aboutit dans une impasse. L'humanité tout entière risque de connaître un sort semblable: sa consommation effrénée de charbon et de pétrole perturbe le climat de la planète, fait fondre les calottes glaciaires, acidifie les océans et met en péril les réserves d'eau potable, les terres arables ou l'abondance de la nourriture». En d'autres termes, Nauru n'est pas la seule à creuser sa propre tombe; c'est notre cas à tous[22].

La leçon de Nauru, toutefois, ne se résume pas à un simple avertissement contre les dangers des combustibles fossiles. Le problème fondamental, c'est la mentalité qui incite l'être humain à entretenir un rapport à la terre d'une telle violence, qui le porte à croire qu'il peut exploiter la nature sans se soucier des déchets qu'il laisse derrière lui – sur terre, dans l'eau ou dans l'atmosphère. Cette vision est la clé de voûte d'un paradigme économique que certains politologues qualifient d'«extractivisme» (terme qui désignait à l'origine une économie fondée sur l'extraction intensive des richesses du sous-sol, généralement expédiées à des puissances coloniales assoiffées de matières premières). Dans le contexte colonial, certes, un modèle économique ainsi fondé sur une croissance illimitée pouvait certes sembler viable à première vue. S'il a d'abord prospéré dans le giron du capitalisme, des gouvernements de toute allégeance en sont venus à l'adopter comme modèle de développement. Et c'est précisément la logique justifiant l'exploitation inconsidérée des richesses naturelles que la crise du climat remet profondément en cause.

L'extractivisme est issu d'un rapport à la terre dominateur et égocentrique, où l'on prend sans rien donner en retour. Il se trouve aux antipodes de la notion de gestion responsable, qui mise sur une exploitation respectueuse, le renouvellement des ressources et la préservation de la vie. Il légitime les coupes à blanc de forêts matures et la décapitation des sommets dans les mines à ciel ouvert, et réduit la vie au statut de simple marchandise, dénuée d'intégrité ou de valeur intrinsèque. Dans la logique extractiviste, des écosystèmes complexes sont perçus comme de simples réservoirs de «ressources naturelles», les montagnes comme des morts-terrains (l'industrie minière désigne ainsi les forêts, les rochers et les ruisseaux qui ralentissent la progression des bulldozers). Les êtres humains ne sont plus que de la main-d'œuvre à exploiter au maximum ou la plèbe à repousser à l'extérieur des frontières, à incarcérer dans des prisons ou des réserves. Le modèle extractiviste nie l'interrelation entre toutes les formes de vie, et n'hésite pas à violer leur symbiose.

L'extractivisme n'est pas non plus étranger à l'existence de zones sacrifiées sur la planète, ces milieux que l'on contamine, draine ou anéantit en toute impunité, au nom d'un prétendu progrès économique. Cette vision délétère rejoint celles de l'impérialisme (fondé sur l'exploitation de colonies jetables après usage pour la gloire de la mère patrie) et de l'ethnocentrisme (selon lequel des peuples et des cultures doivent être sacrifiés sur l'autel du progrès). L'extractivisme a connu un essor fulgurant à l'ère coloniale, car le rapport au monde comme territoire conquis, plutôt que comme terre natale, nourrit le mépris à son égard et la croyance qu'il y aura toujours d'autres endroits à piller.

Ces idées ont émergé bien avant l'apparition de l'industrie des combustibles fossiles. Par la suite, c'est le recours au charbon pour alimenter les usines et propulser les navires, plus que tout autre facteur, qui a permis à cette mentalité dangereuse de conquérir le monde. Ce processus historique mérite d'être examiné de plus près, car il permet de mieux comprendre la façon dont la crise du climat ébranle non seulement les fondements du capitalisme, mais le mythe fondateur d'une culture axée sur la croissance et le progrès dont nous sommes tous prisonniers aujourd'hui, d'une façon ou d'une autre.

## La logique extractiviste dans toute sa splendeur

Si l'extractivisme contemporain devait avoir un saint patron, cet honneur incomberait probablement à Francis Bacon. Ce philosophe, scientifique et homme d'État anglais aurait en effet persuadé l'élite britannique d'enterrer à jamais la notion païenne selon laquelle la Terre Mère doit être traitée avec déférence et protégée, voire crainte. «Et après tout ce n'est pas une si grande affaire», écrit Bacon en 1623 dans *De la dignité et de l'accroissement des sciences*. «Il ne s'agit au fond que de suivre la nature à la trace, avec une certaine sagacité, lorsqu'elle s'égare spontanément, afin de pouvoir ensuite, à volonté, la conduire, la pousser vers le même point. [...] Et il ne faut nullement balancer à entrer et à pénétrer dans ces antres et ces recoins, pour peu qu'on n'ait d'autre but que la recherche de la vérité[23].» (Peut-on s'étonner que des ouvrages féministes aient été entièrement consacrés à la dissection des métaphores employées par l'ancien grand chancelier d'Angleterre?)

La perception de la Terre comme un territoire susceptible d'être asservi et réduit à un ensemble de paramètres imprègne non seulement la révolution scientifique, mais également l'ère coloniale, pendant laquelle des navires sillonnent le globe pour en offrir les secrets – et les richesses – aux monarques de leur mère patrie. Dans son ouvrage intitulé *Théologie physique ou démonstration de l'existence et des attributs de Dieu*, William Derham illustre bien le sentiment d'invincibilité qui domine cette époque: «En cas de besoin, nous pouvons parcourir la Terre, pénétrer dans ses Entrailles, descendre au fond de la Mer, & entreprendre des Voïages vers les Régions les plus éloignées [...] pour acquérir des Richesse[24] [...].»

Au XVIIIe siècle, malgré l'insolence de leurs promoteurs, les deux projets étroitement liés du colonialisme et de l'industrialisation sont encore, à bien des égards, soumis aux lois de la nature. Les navires qui transportent esclaves et matières premières doivent attendre les vents favorables, ce qui peut entraîner des retards prolongés dans l'approvisionnement. Parce que les usines qui transforment ces matières de base en biens de consommation fonctionnent au moyen d'énormes roues à aubes, elles doivent être aménagées près de chutes ou de rapides, et leur efficacité dépend directement du débit du cours d'eau. Comme en mer, la nature fait la loi: dans les fabriques de textile, de farine ou de sucre alimentées par une turbine, les heures de travail doivent être adaptées aux conditions hydrauliques, ce qui devient de plus en plus contrariant dans un marché en constante expansion.

À l'époque, les usines sont souvent disséminées dans les campagnes, à proximité de cours d'eau à fort débit. Alors que la révolution industrielle suit son cours, on voit éclater des grèves et même des émeutes, car les travailleurs des moulins réclament de meilleures conditions de travail. L'étalement des fabriques en milieu rural cause alors bien des maux de tête à leurs propriétaires, car il complique le recrutement de travailleurs de remplacement.

Vers 1776, un ingénieur écossais du nom de James Watt perfectionne et met sur le marché la machine à vapeur, une source d'énergie révolutionnaire qui se veut la solution à tous ces problèmes. L'avocate et historienne Barbara Freese la décrira à juste titre comme « l'invention dans doute la plus importante du monde moderne en émergence[25] ». En dotant un modèle existant d'une chambre à condensation, d'une pompe à air et par la suite d'un mécanisme permettant de créer un mouvement de rotation à partir de la course rectiligne du piston, Watt accroît considérablement l'efficacité et la polyvalence de la machine à vapeur, qui pourra ainsi être employée dans l'industrie et servira bientôt à propulser les navires.

Durant les premières décennies de son exploitation, le nouveau moteur ne connaîtra qu'un succès mitigé. L'eau, après tout, comporte de nombreux avantages par rapport au charbon. D'abord, elle ne coûte rien, tandis qu'il faut constamment renouveler les réserves de charbon. Ensuite, malgré la croyance répandue selon laquelle l'efficacité de la machine à vapeur surpasse celle de la roue à aubes, elle est plutôt comparable, les grandes turbines hydrauliques produisant beaucoup plus d'énergie que les installations alimentées au charbon. Les roues à aubes fonctionnent également de façon plus régulière et font défaut moins souvent, à condition évidemment que le débit soit assuré. « L'industrie britannique du coton n'a pas remplacé l'énergie hydraulique par le charbon parce que l'eau était moins abondante, moins puissante ou meilleur marché que le charbon et la machine à vapeur, écrit le spécialiste suédois Andreas Malm. Au contraire, le charbon a pris le dessus malgré le fait que l'eau soit plus abondante, au moins aussi puissante et bien meilleur marché[26]. »

Tandis que la population des villes britanniques monte en flèche, deux éléments font pencher la balance en faveur de la machine à vapeur. Le premier est la protection qu'offre cette dernière contre les variations de la nature : contrairement à celle de la turbine hydraulique, l'efficacité du nouveau moteur à vapeur n'est pas liée à des facteurs externes. Il peut fonctionner tout le temps, pourvu qu'on l'alimente en charbon et que rien ne casse. Plus besoin de se soucier du débit de la rivière ! Qui plus est, il peut être installé n'importe où : les propriétaires d'usines peuvent donc relocaliser leur production dans des villes comme Londres, Manchester ou Lancaster, où les travailleurs sont légion, ce qui permet aux patrons de licencier sans scrupule les fauteurs de trouble et de maintenir la production malgré les grèves. « L'invention de la machine à vapeur nous a libérés de l'obligation de construire les usines en des endroits peu commodes, choisis simplement en raison de la proximité d'une chute d'eau », explique un économiste britannique dans un article publié en 1833. Ou, pour reprendre les mots d'un des premiers biographes de James Watt, «l'intensité de ces forces variera au gré du mécanicien; elle ne dépendra pas, comme jadis, de la plus inconstante des causes naturelles; des météores atmosphériques[27]».

De façon semblable, l'adoption pour la navigation du moteur amélioré par Watt libère l'équipage des navires de la dépendance au vent, ce qui permet aux puissances coloniales européennes de sillonner plus facilement les mers à la recherche de nouveaux territoires à conquérir. «Que les vents soient avec nous ou contre nous, la puissance de la machine à vapeur nous permet de surmonter toutes les difficultés. [...] Quelle que soit la direction du vent ou notre destination dans le monde, nous avons le pouvoir et les moyens, grâce à la machine à vapeur, d'arriver à bon port quand bon nous semble[28]», proclamera le comte de Liverpool lors d'une cérémonie tenue en l'honneur de James Watt en 1824. Il faudra ensuite attendre l'avènement du commerce électronique pour qu'une innovation libère aussi radicalement les pratiques commerciales des contraintes géographiques et météorologiques.

Toutefois, l'exploitation des combustibles fossiles pour produire de l'énergie demande beaucoup plus de sacrifices que celle de l'eau, qu'il s'agisse de la santé des travailleurs de l'industrie du charbon, atteints de maladies pulmonaires, ou des cours d'eau contaminés à proximité des mines. Mais cela fait-il le poids face à la promesse exaltante de se libérer des lois de la nature? C'est cet élan qui donnera libre cours à la logique de domination du capitalisme industriel, dont feront les frais tant les travailleurs que les cultures en marge. Armés de leur fabrique d'énergie portative, industriels et colonisateurs du xix$^e$ siècle peuvent s'implanter à leur guise là où les ressources et la main-d'œuvre se trouvent en abondance. «Sa toute-puissance est toujours à notre service, jour et nuit, hiver comme été, à moins que nous n'en décidions autrement[29]», lit-on dans le manuel d'instruction d'une machine à vapeur publié au milieu des années 1830. Le charbon, en fait, est perçu comme l'instrument de domination par excellence, le rêve de Bacon devenu réalité. «Il est possible de dominer la nature, aurait dit Watt, si nous parvenons à en déceler les faiblesses[30].»

Dans un tel contexte, il n'est guère surprenant que la mise sur le marché de la machine à vapeur de Watt coïncide avec un essor fulgurant de l'industrie manufacturière en Angleterre. En 1760, ce pays importait à peine plus d'un million de kilogrammes de coton brut; en 1840, ce chiffre dépasse les 166 millions, résultat d'un sinistre cocktail conjuguant l'exploitation du charbon en territoire britannique et l'esclavage pratiqué dans les colonies[31].

Si cette recette entraîne un foisonnement des produits offerts aux consommateurs, ses répercussions ne s'arrêtent pas là. Dans leur manuel d'économie intitulé *Ecological Economics*, Herman Daly et Joshua Farley font remarquer qu'Adam Smith a publié son *Enquête sur la nature et les causes de la richesse des nations* en 1776, soit l'année même où Watt a commercialisé sa première machine à vapeur. «Ce n'est pas un hasard, écrivent-ils, si l'économie de marché et l'industrie alimentée par les combustibles fossiles ont émergé en parallèle. [...] Les nouvelles technologies et la production massive d'énergie d'origine fossile ont intensifié de façon ahurissante la fabrication de biens de consommation. La nécessité de trouver de nouveaux marchés pour cette production de masse a été un facteur important de l'essor du projet colonial. Et l'économie de marché n'a pas tardé à créer de nouveaux débouchés, stimulant la production encore davantage[32].» Les puissances coloniales ont besoin du charbon pour assouvir leur soif de domination, et le capitalisme moderne permet d'écouler l'avalanche de produits rendue possible par le colonialisme et le recours au charbon.

Aujourd'hui encore, la prétendue capacité des combustibles fossiles à affranchir les humains de la nature (comme l'a fait miroiter Watt à l'époque) continue d'être l'argument de prédilection pour justifier leur exploitation. Une vision trompeuse qui n'en permet pas moins aux multinationales de poursuivre leur quête de main-d'œuvre bon marché aux quatre coins de la planète sans être incommodées (jusqu'à récemment du moins) par les réalités naturelles – océans immenses, territoires hostiles, intempéries saisonnières – jadis perçues comme des obstacles.

\*

\* \*

On entend souvent dire que «Dame Nature a le dernier mot», et certaines histoires poignantes en font foi. Le décès de Francis Bacon, par exemple, a fait l'objet d'un récit (peut-être apocryphe) d'une amère ironie: alors qu'il cherchait à étayer l'hypothèse selon laquelle la congélation de la viande empêche sa putréfaction, le chercheur aurait pris froid en farcissant de neige un poulet et contracté une pneumonie à laquelle il aurait succombé[33]. Fiction ou réalité? Peu importe, car on continue d'évoquer cette anecdote en vertu de sa puissante valeur symbolique: un homme persuadé de pouvoir dominer la nature meurt d'un simple coup de froid.

Un sort bien mérité, pourrait-on conclure. Ce constat s'applique-t-il à l'ensemble de l'humanité? «Le charbon est un climat mobile», disait Ralph Waldo Emerson. Il s'est en effet répandu comme l'éclair, entre autres parce qu'il a fait grimper l'espérance de vie et allégé la tâche de millions de travailleurs[34]. À l'ère de la mondialisation, toutefois, les citoyens des pays industrialisés qui jouissent de tels privilèges ont surtout démontré leur faculté étonnante à faire l'autruche devant un phénomène pourtant incontestable. Car la tendance des pays riches à faire la pluie et le beau temps ne se manifeste pas uniquement chez eux: leurs abus se répercutent sur le climat de la planète tout entière.

Pendant plus de deux cents ans, on a pu nourrir l'illusion que, grâce à la production d'énergie fossile, il n'était plus nécessaire d'établir un dialogue constant avec l'environnement, d'adapter les projets aux aléas de la nature. Le charbon et le pétrole, de par leur caractère inerte et fossile, donnaient l'impression d'être exploitables sans condition. Ils étaient parfaitement prévisibles, contrairement au vent et à l'eau – et aux travailleurs. Et, comme le proclamait la publicité vantant la machine à vapeur de Watt, ils pouvaient produire de l'énergie n'importe où et n'importe quand. Ainsi a pu s'établir la relation non réciproque par excellence.

Avec les récents progrès des sciences de l'atmosphère, cependant, force est de constater que l'exploitation des combustibles fossiles n'est pas soustraite au rapport de réciprocité et d'action-réaction qui définit toute relation dans le monde naturel: ses contrecoups ont simplement mis du temps à se manifester, tout en faisant boule de neige. Aujourd'hui, les forces accumulées lors de ces centaines d'années de combustion commencent à se déchaîner.

En effet, l'illusion de pouvoir et de contrôle qu'ont véhiculée Watt et ses acolytes est en train de se dissiper, remplacée par un sentiment d'impuissance devant la fureur des éléments, par exemple lors du passage de l'ouragan Sandy ou du typhon Haiyan. C'est d'ailleurs là un aspect effrayant des changements climatiques: pour réagir de façon appropriée à la crise du climat, nous devons d'abord admettre, comme le faisaient nos ancêtres, notre vulnérabilité face aux éléments qui constituent notre planète – et nos corps. Nous devons accepter (et même célébrer) le fait de n'être qu'un maillon de la chaîne, une composante infiniment perméable du monde plutôt que son maître ou son machiniste, comme le croyait Bacon. Si cette prise de conscience peut devenir une source de bien-être et de plaisir, il ne faut pas pour autant minimiser l'ampleur du virage collectif qu'elle implique. Pour faire face à la crise du climat en toute lucidité, on doit «reconnaître que le rapport de force qu'entretiennent les humains avec la Terre depuis trois cents ans devrait être renversé», affirme le politologue australien Clive Hamilton[35].

Pendant plus d'un siècle, une immense statue de marbre blanc représentant James Watt a dominé la chapelle de St. Paul à l'abbaye de Westminster, en hommage à ce scientifique ayant «développé les ressources de son pays» et «accru le pouvoir de l'homme». Ce sont là des faits incontestables : la machine à vapeur améliorée par Watt a grandement accéléré la révolution industrielle, et les bateaux à vapeur ont permis le pillage colonial de l'Afrique subsaharienne et des Indes. Watt a donc directement contribué à remplir les caisses des grandes puissances européennes (au détriment toutefois d'autres régions du monde, ce qui a instauré une disparité alimentée par les combustibles fossiles qui persiste encore aujourd'hui). Le charbon a donc été l'encre noire qui a permis d'écrire l'histoire du capitalisme moderne.

Toutefois, lorsqu'on a élevé un monument de marbre à la mémoire de Watt, en 1825, certains faits n'étaient pas encore connus. On ignorait alors que les effets cumulatifs des émissions de gaz carbonique que commençait à produire l'industrie du xixe siècle façonneraient l'évolution géologique de la planète : hausse du niveau des océans et modification de leur composition chimique, lente érosion d'îles comme Nauru, recul des glaciers, fonte des calottes glaciaires, dégel du pergélisol, perturbation des cycles du sol, combustion de forêts entières.

En réalité, les premières pertes humaines causées par l'exploitation du charbon (travailleurs succombant à l'anthracose ou au «sombre *inferno* des usines» de l'époque) n'étaient pas qu'une simple rançon du progrès. Il s'agissait d'une mise en garde contre la propagation d'une substance toxique sur la planète. «Il est devenu évident au cours du dernier siècle, écrit l'écologiste équatorienne Esperanza Martínez, que les combustibles fossiles qui alimentent le système capitaliste détruisent la vie, que ce soit dans les sites d'extraction ou dans les océans et l'atmosphère où sont relâchés leurs résidus[36].»

Les combustibles fossiles, pour reprendre les mots de Jean-Paul Sartre, sont «un capital que d'autres êtres vivants [...] laissent en héritage [à l'humanité]». Ce sont en fait les vestiges fossilisés d'êtres vivants qui ont trépassé il y a des millénaires. Ces substances ne sont pas néfastes en soi, mais leur place se trouve dans le sol, où elles remplissent des fonctions écologiques importantes. Le charbon, si on le laisse tranquille, fixe dans le sol non seulement le carbone rejeté dans l'air par les plantes, mais bien d'autres substances toxiques. Il agit comme « une éponge naturelle qui absorbe de nombreuses substances dissoutes dans la nappe phréatique, dont l'uranium, le cadmium et le mercure », explique l'éminent climatologue australien Tim Flannery[37].

Si le charbon est extrait et brûlé, cependant, ces éléments sont relâchés dans l'écosystème environnant et finissent par gagner l'océan, où ils sont absorbés par le krill et le plancton, puis par les poissons, et enfin par l'être humain. Le gaz carbonique produit par la combustion du charbon est quant à lui rejeté dans l'atmosphère, contribuant au réchauffement planétaire (ainsi qu'à la pollution de l'air qui empoisonne les villes depuis la révolution industrielle, causant une foule de problèmes de santé très répandus, dont des maladies respiratoires et cardiaques).

Avec un tel héritage, la tâche qui nous attend n'est pas légère, mais elle s'impose d'elle-même : cessons d'agir en pilleurs de tombes et célébrons la vie en tirant notre énergie des éléments qui sont à la source du vivant. Et laissons les morts reposer en paix.

## La gauche extractiviste

À l'heure actuelle, une foule de gens désireux d'éradiquer les injustices du libre marché ne savent pas comment réagir à la crise du climat. Pourquoi ? Un survol des histoires inextricablement liées du colonialisme, du charbon et du capitalisme peut aider à répondre à cette question. L'exploitation des combustibles fossiles, ainsi que l'idéologie extractiviste qu'elle reflète, a en effet joué un rôle de premier plan dans l'édification du monde moderne. Aujourd'hui, tout citoyen d'une société industrielle ou post-industrielle est donc légataire d'une histoire écrite au charbon.

Depuis la Révolution française, de nombreuses batailles ont été menées pour une redistribution plus juste des bénéfices de l'activité minière. Communistes, socialistes et syndicats ont remporté à cet égard d'importantes victoires pour les plus démunis et la classe ouvrière. Les mouvements d'émancipation et de défense des droits de la personne ont aussi lutté sans relâche contre les abus du système capitaliste, dont le sacrifice de collectivités et d'écosystèmes entiers, perçus comme de simples ressources à exploiter. En se battant pour l'abolition de l'esclavage, le suffrage universel et l'égalité, ils ont contribué à ébranler un rapport de domination qui forme la clef de voûte de ce système. Au sein de tous ces mouvements, des voix se sont élevées pour mettre en lumière les liens entre l'exploitation de l'environnement et celle de l'être humain. Karl Marx, par exemple, percevait le capitalisme comme «un hiatus irrémédiable dans l'équilibre complexe du métabolisme social composé par les lois naturelles de la vie». Bon nombre d'analystes féministes ont également observé que la double guerre du patriarcat contre le corps des femmes et celui de la Terre est liée au clivage corrosif entre le corps et l'esprit (et entre le corps et la Terre) qui a guidé les révolutions scientifique et industrielle[38].

La plupart de ces contestations sont cependant restées purement théoriques; elles n'ont pas véritablement ébranlé l'idéologie extractiviste d'inspiration biblique fondée sur les idées de Bacon, à savoir la suprématie de l'homme et son droit d'exploiter impunément son environnement. Les assauts les plus rudes, en fait, sont toujours venus d'opposants vivant en marge de cette logique, à des moments de l'histoire où elle se heurtait à un autre rapport à la terre, beaucoup plus ancien. Ce conflit, qui s'est manifesté dès les débuts de l'industrialisation (par exemple en Angleterre et en Irlande, où les paysans se sont révoltés contre les premières tentatives de clôturer les terres communes), a perduré au fil des siècles en opposant colonisateurs et Autochtones. Aujourd'hui, comme nous le verrons plus loin, il prend la forme d'une résistance de plus en plus forte des peuples autochtones à l'exploitation effrénée des combustibles fossiles.

Or, pour ceux d'entre nous qui sont nés et ont grandi dans ce système, il paraît impossible d'échapper à sa logique extractiviste, même si elle semble conduire à une impasse. Et comment pourrait-il en être autrement? La culture occidentale postmoderne n'offre pas de piste claire à ceux qui désirent rompre avec ce modèle pour vivre davantage en harmonie avec leur environnement.

Notons que, à cet égard, les climatosceptiques de droite font fausse route avec leur théorie du complot selon laquelle le réchauffement planétaire n'est qu'un hasard cosmique dont la gauche s'apprête à tirer parti pour bousiller le système en place. Certes, la lutte contre le changement climatique peut inciter nos dirigeants à mieux réglementer le marché, à adopter des politiques plus équitables et à investir dans les services publics. Toutefois, le défi que pose la crise écologique actuelle – respecter davantage les écosystèmes qui nous font vivre, remplacer l'extractivisme par une économie fondée sur l'utilisation judicieuse de ressources renouvelables – se pose autant à une bonne partie de la gauche qu'à la droite. Il interpelle certains syndicats, par exemple, qui tentent à tout prix de préserver des emplois polluants et à haut risque plutôt que de lutter pour les emplois de qualité que méritent leurs membres. Et il s'adresse également à l'immense majorité des keynésiens qui continuent de mesurer le progrès économique à l'aune de la croissance du PIB (calculé à partir des paramètres traditionnels), sans tenir compte du fait que cette croissance découle d'une activité minière dévastatrice. (Le plus déconcertant, c'est que Keynes lui-même, tout comme John Stuart Mill d'ailleurs, préconisait une transition vers une économie postcroissance.)

La crise du climat met aussi en cause l'approche des partisans d'un socialisme autoritaire comme celui qu'ont connu l'Union soviétique et ses satellites. (Il ne faut toutefois pas oublier que de nombreux courants d'extrême gauche, en particulier les anarchistes, ont dénoncé les politiques de Staline qui, à leurs yeux, pervertissaient les principes fondamentaux de la justice sociale.) En effet, force est de constater que la consommation de ressources de ces États qui se disaient socialistes était aussi inconsidérée que celle de leurs voisins capitalistes, et produisait autant de déchets. Avant la chute du mur de Berlin, par exemple, l'empreinte carbone par habitant des Tchèques et des Russes était plus lourde encore que celle des Canadiens et des Australiens. (Cela explique qu'une des rares occasions où le taux d'émissions a chuté dans le monde industrialisé ait coïncidé avec l'effondrement de l'Union soviétique, au début des années 1990.) Pour sa part, Mao Tsé-toung avait déclaré sans détour que «l'homme doit conquérir la nature», amorçant une ère d'exploitation sauvage qui se perpétue encore aujourd'hui, étant passée des coupes à blanc sous l'économie planifiée à la construction de barrages colossaux dans le cadre de la transition vers le capitalisme. En Russie, les pratiques des compagnies pétrolières et gazières étaient tout aussi risquées à l'époque communiste qu'elles ne le sont sous le régime ploutocratique d'aujourd'hui[39].

En fait, tout cela n'est guère surprenant, car le socialisme autoritaire et le capitalisme ont la même tendance à la centralisation (le premier entre les mains de l'État, le second entre celles des milieux d'affaires). Qui plus est, tous deux encouragent une croissance débridée, que ce soit en misant sur la production, dans le régime socialiste soviétique, ou sur la consommation, dans l'économie de marché.

La social-démocratie telle que pratiquée dans les pays scandinaves offre toutefois une lueur d'espoir. Dans le domaine de l'environnement, elle a en effet permis certaines avancées majeures, qu'il s'agisse de l'urbanisme visionnaire de Stockholm, où près des trois quarts des résidents se rendent au travail à pied, en vélo ou en transport en commun, ou de la révolution éolienne du Danemark, gérée par la collectivité. Récemment, cependant, l'émergence de la Norvège comme acteur de premier plan dans l'industrie pétrolière – alors que la société Statoil, détenue en grande partie par l'État norvégien, exploite les sables bitumineux de l'Alberta et met le cap sur les immenses réserves d'hydrocarbures de l'Arctique – remet en question la prétendue rupture de ces pays avec le modèle extractiviste[40].

En Amérique latine et en Afrique, la volonté de s'affranchir d'une dépendance excessive à l'exportation de matières premières et de miser sur la diversification de l'économie a toujours été au cœur du projet postcolonial. Aujourd'hui, pourtant, certains des États qui, au cours de la dernière décennie, se sont dotés de gouvernements de gauche ou de centre gauche prennent la direction opposée, sans pour autant créer beaucoup de remous dans la presse internationale. Au tournant du siècle, la «vague rose» qui déferlait sur l'Amérique latine avait été applaudie (à juste titre) par les progressistes du monde entier. Plusieurs présidents nouvellement élus avaient alors promis de s'attaquer aux inégalités sociales et à la pauvreté tout en se réappropriant le contrôle de l'industrie minière de leurs pays.

En ce qui concerne la réduction de la pauvreté, les résultats ont d'ailleurs été remarquables. Dans la foulée de l'élection de Luiz Inácio Lula da Silva, puis sous la présidence de son ancienne chef de cabinet Dilma Rousseff, le taux d'extrême pauvreté au Brésil a chuté de 89 % en dix ans seulement ; plus de 30 millions de personnes auraient ainsi été hissées au-dessus du seuil de pauvreté. Au Venezuela, les politiques d'Hugo Chávez ont permis de réduire de moitié le taux d'indigence, qui selon les chiffres officiels est passé de 16,6 % en 1999 à 7 % en 2011. En outre, le taux de fréquentation de l'université a doublé dans ce pays depuis 2004. D'après les données publiées par la Banque mondiale, le taux de pauvreté en Équateur a également diminué de 32 % sous la présidence de Rafael Correa. En Argentine, le taux de pauvreté urbaine a chuté de 54,7 % en 2003 à 6,5 % en 2011, selon les chiffres recueillis par les Nations Unies[41].

La feuille de route de la Bolivie, sous la présidence d'Evo Morales, est également impressionnante. Selon les chiffres officiels, son taux d'extrême pauvreté est passé de 38 % en 2005 à 21,6 % en 2012[42], et son taux de chômage a été réduit de moitié. Plus important encore, alors que les progrès économiques d'autres pays en développement ont surtout servi à creuser le fossé entre les ultra-riches et les indigents, la Bolivie a réellement posé les bases d'une société plus égalitaire. Selon Alicia Bárcena Ibarra, secrétaire exécutive de la Commission économique pour l'Amérique latine et les Caraïbes (CEPALC), «l'écart entre riches et pauvres a été considérablement réduit» en Bolivie[43].

Toutes ces réalisations ont contribué dans ces pays à une meilleure répartition des revenus miniers, qu'accaparait auparavant une poignée d'acteurs, trop souvent étrangers. Parmi ces régimes de gauche ou de centre gauche, cependant, aucun n'a encore réussi à se débarrasser du modèle économique fondé sur l'exploitation intensive de ressources limitées. L'économie de l'Équateur, par exemple, dépend de plus en plus de ses exportations de pétrole, extrait en partie de réserves écologiques de l'Amazonie, tandis que celle de la Bolivie repose en grande partie sur l'industrie du gaz naturel. Le gouvernement argentin, pour sa part, persiste à encourager les mines à ciel ouvert et les «déserts verts» voués à la culture de soja et d'autres espèces génétiquement modifiées. Au Brésil, l'État continue d'investir dans d'immenses barrages très controversés et des projets à haut risque de forage pétrolier en mer, tandis qu'au Venezuela se perpétue une grande dépendance à l'exportation de pétrole. Force est de constater que ces nouveaux gouvernements progressistes, en général, n'ont guère réussi à diversifier leur économie et à tourner le dos à l'exportation de matières premières. De 2004 à 2011, en fait, la part de celles-ci dans l'ensemble des exportations nationales a grimpé dans tous les pays dont nous venons de faire mention, sauf en Argentine. (Notons cependant que cette augmentation a pu être causée en partie par la hausse du prix des matières premières.) L'accès facile au crédit offert par la Chine, qui demande parfois à être remboursée en barils de pétrole, n'a sûrement pas aidé[44].

Le maintien d'une telle dépendance envers une industrie minière aussi polluante et hasardeuse est particulièrement décevant de la part des gouvernements d'Evo Morales, en Bolivie, et de Rafael Correa, en Équateur, qui ont tous deux proclamé, lors de leur premier mandat, l'avènement d'une nouvelle ère, affranchie du joug de l'extractivisme. Cette vision impliquait de reconnaître les droits des peuples autochtones qui, ayant survécu à des siècles de marginalisation et d'oppression, forment une portion importante de la population tant en Bolivie qu'en Équateur. Sous Morales et Correa, le concept autochtone de *sumak kawsay* ou *buen vivir* (le bien-vivre), qui prône l'instauration d'une société vivant en harmonie avec la nature (et axée sur la simple satisfaction des besoins de tous plutôt que sur la consommation effrénée), a été introduit dans la sphère politique, et même reconnu par la loi. Les nobles discours des présidents bolivien et équatorien, toutefois, n'ont pas résisté aux assauts de l'industrie minière. «Depuis 2007, le régime de Correa a été le plus extractiviste de l'histoire du pays, tant dans le secteur pétrolier que minier», affirme l'écologiste équatorienne Esperanza Martínez. Dans les milieux intellectuels latino-américains, on en est même venu à qualifier ce phénomène d'«extractivisme progressiste[45]».

Les dirigeants affirment ne pas avoir le choix: ils doivent maintenir leurs politiques extractivistes pour pouvoir financer leurs programmes de lutte contre la pauvreté. À bien des égards, cette explication nous ramène au débat sur la justice climatique. La Bolivie et l'Équateur ont d'ailleurs joué un rôle de premier plan dans la coalition d'États réclamant que les principaux pays émetteurs de GES contribuent à financer la transition des pays du Sud vers les sources d'énergie à faibles émissions de gaz carbonique. Leurs appels à la justice climatique ayant été tantôt ignorés, tantôt dénigrés, ces États se sont vus forcés de choisir entre la pauvreté et la pollution.

Le modèle extractiviste ne donne pas uniquement du fil à retordre aux dirigeants progressistes des pays en développement. En Grèce, par exemple, j'ai eu la surprise en mai 2013 de découvrir que le parti de gauche radicale Syriza – qui formait à l'époque l'opposition officielle et incarnait pour bon nombre d'Européens l'espoir d'un virage idéologique sur le continent – ne s'opposait pas aux projets de prospection pétrolière et gazière du gouvernement de coalition à la tête du pays. Syriza réclamait simplement que les recettes minières soient investies dans les caisses de retraite, et non dans le remboursement de la dette. Autrement dit, le parti ne remettait pas en question l'industrie extractiviste, mais demandait que ses bénéfices soient répartis autrement.

Loin de percevoir la crise du climat comme une occasion de promouvoir leur utopie socialiste (ce qui confirmerait les appréhensions des climatosceptiques conservateurs), Syriza avait simplement écarté cette question du débat.

Lors d'un entretien, le président du parti Alexis Tsipras l'a admis ouvertement: «L'environnement et la crise du climat se trouvaient au cœur des préoccupations de Syriza, a-t-il expliqué. Mais, après ces années de crise en Grèce, nous avons oublié le changement climatique[46].» Tsipras a au moins le mérite d'être honnête.

Mais tout n'est pas perdu: dans tous les pays dont nous venons de parler, de plus en plus de citoyens se mobilisent contre l'idée que le modèle extractiviste est la seule voie pour sortir un pays de la pauvreté ou résoudre une crise économique. On trouve par exemple en Grèce un important mouvement d'opposition à l'exploitation aurifère, un mouvement d'une telle envergure que le parti Syriza s'en est fait porte-parole. En Amérique latine, les politiques actuelles des gouvernements progressistes au pouvoir sont critiquées par bon nombre de leurs électeurs, qui jugent que le « socialisme du xxi$^e$ siècle », pour reprendre les mots d'Hugo Chávez, ne répond pas à leurs attentes. Énormes centrales hydro-électriques au Brésil, nouvelles autoroutes traversant des écosystèmes menacés en Bolivie, forages pétroliers dans les réserves écologiques amazoniennes en Équateur : tous ces projets contribuent à créer dans ces pays un climat de tension sociale. Certes, les inégalités y sont peut-être moins criantes aujourd'hui, en particulier dans les villes, mais, dans les zones rurales, le mode de vie des paysans et des Autochtones est toujours aussi menacé par la destruction de leur milieu. Ce qui s'impose, écrit l'écologiste bolivienne Patricia Molina, c'est de repenser le concept de développement « de façon à faire disparaître la pauvreté, et non les pauvres[47] ».

Cette opposition ne reflète pas les inévitables tiraillements inhérents à la sphère politique, mais un profond virage dans la perception des concepts de croissance économique et de développement au sein d'une fraction importante (et croissante) de la population. On constate que les valeurs traditionnelles des peuples autochtones imprègnent de plus en plus la vision des nouvelles générations de militants. Ces valeurs ont été mises en avant lors du soulèvement zapatiste au Chiapas, en 1994, et continuent d'inspirer, comme nous allons le voir, les revendications des premières nations pour le respect de leurs droits fonciers devant les assauts de l'extractivisme en Amérique du Nord, en Amérique latine, en Australie et en Nouvelle-Zélande. De telles initiatives contribuent indéniablement à la prise de conscience, chez les militants progressistes non autochtones, d'un rapport à la nature fondé sur la réciprocité et l'interdépendance, aux antipodes de la logique extractiviste. Leurs instigateurs ont bien saisi le message que porte la crise du climat, et chacune de leurs victoires contribue à tenir en échec une industrie déterminée à exploiter les réserves de combustibles fossiles jusqu'à la dernière molécule de carbone.

## Des cris d'alarme restés sans écho

Un autre courant aurait pu ébranler la conception, répandue en Occident, selon laquelle la nature se compare à un distributeur automatique sans fond : il s'agit bien sûr du mouvement environnementaliste, constitué d'un réseau d'organisations ayant pour mandat de protéger l'environnement contre les assauts de l'activité humaine. À l'heure actuelle, malheureusement, force est de constater que celui-ci ne joue pas son rôle de manière efficace. Ce triste constat s'explique en partie par le caractère élitiste du mouvement environnementaliste, particulièrement en Amérique du Nord. Lorsque son précurseur, le conservationnisme, émerge à la fin du xixe siècle et au début du xxe siècle, il attire surtout de riches amateurs de pêche, de chasse, de camping et de randonnée, qui déplorent les ravages de la révolution industrielle sur les sites sauvages qu'ils affectionnent. En général, ceux-ci ne remettent pas en question le projet économique frénétique qui engloutit tout sur son passage : ils souhaitent simplement préserver certains sites exceptionnels susceptibles de leur servir de terrain de jeu ou de lieu de ressourcement. À l'instar des missionnaires chrétiens qui faisaient route avec des commerçants et des soldats, la plupart de ces pionniers du conservationnisme jugent leur mission tout à fait compatible avec le projet colonial et la révolution industrielle. En 1914, par exemple, le directeur du zoo du Bronx, William Temple Hornaday, illustre cette mentalité en exhortant les éducateurs américains à « accepter leur part du fardeau de l'homme blanc » en aidant à « protéger la faune et la flore de notre pays[48] ».

Cette mission ne sera pas accomplie au moyen de bruyantes protestations, qui auraient été jugées fort inconvenantes dans les hautes sphères de la société. Elle est menée à bien grâce un discret lobbying, où des hommes de bonne famille font appel à la civilité de leurs semblables pour épargner un site exceptionnel en le transformant en parc national ou en réserve familiale privée, souvent aux dépens des peuples autochtones qui perdent accès à leurs territoires de chasse ou de pêche traditionnels.

Certains de ces pionniers, cependant, voient dans la dégradation des plus beaux sites de leur pays le signe d'une crise culturelle plus profonde. John Muir, par exemple, grand naturaliste et auteur qui contribuera à la fondation du Sierra Club en 1892, dénonce les industriels qui harnachent les flots de rivières sauvages et inondent des vallées majestueuses. Il les qualifie de païens, d'« apôtres d'un commercialisme destructeur » qui, « plutôt que de glorifier le Dieu des montagnes, célèbrent le culte de l'argent[49] ».

Muir n'est alors pas le seul à nager à contre-courant. Plusieurs penseurs radicaux ne se contentent pas de la protection de quelques sites naturels isolés. Bien qu'ils ne l'affichent pas toujours, ils s'inspirent souvent de valeurs orientales telle l'interdépendance de toutes les formes de vie, ainsi que des cosmologies amérindiennes, où toute créature vivante est perçue comme étant en «relation» avec l'être humain.

«La terre que je foule aux pieds n'est pas une masse inerte et morte, elle est un corps, elle possède un esprit, elle est organisée et perméable à l'influence de son esprit ainsi qu'à la parcelle de cet esprit qui est en moi», écrit Henry David Thoreau au milieu du XIXᵉ siècle*. C'est là une révocation sans appel de la vision de Francis Bacon, pour qui la terre est une simple machine dont tous les secrets peuvent être percés par l'esprit humain. Près d'un siècle après Thoreau, Aldo Leopold, dont l'ouvrage intitulé *Almanach d'un comté des sables* deviendra la bible d'une deuxième vague d'environnementalistes, prône une éthique qui «élargit simplement les frontières de la communauté de manière à y inclure le sol, l'eau, les plantes et les animaux» et reconnaît que «l'individu est membre d'une communauté de parties interdépendantes». «L'éthique de la terre», comme il la désigne, «fait passer l'*Homo sapiens* du rôle de conquérant de la communauté-terre à celui de membre et citoyen parmi d'autres de cette communauté. Elle implique le respect des autres membres, et aussi le respect de la communauté en tant que telle[50]».

Si les idées de philosophes comme Thoreau et Leopold façonnent l'évolution de la pensée écologiste, elles n'ont guère de répercussions en l'absence d'un solide mouvement populaire pour les défendre, sur le processus d'industrialisation dévastateur en cours. Au fil des années, l'être humain continue à se percevoir comme un conquistador déterminé à asservir la nature et à en mécaniser les processus. Au début des années 1930, avec la montée du socialisme dans le monde, les composantes les plus conservatrices du mouvement environnementaliste naissant cherchent néanmoins à se distancier de la vision «radicale» de Leopold selon laquelle la nature possède une valeur intrinsèque. Le fait de reconnaître aux plans d'eau et aux forêts matures un «droit à continuer d'exister», comme le réclame Leopold (dont le réquisitoire donne un aperçu du débat sur les «droits de la nature» qui émergera plusieurs décennies plus tard), permet de contester le droit d'un

---

* «Le matin, je baigne mon intellect dans la philosophie stupéfiante et cosmique de la Bhagavad Gîta», écrit Thoreau dans *Walden* à propos de ce célèbre poème épique indien. «Je pose mon livre et vais chercher de l'eau au puits, et voici que je rencontre le serviteur du Brahmine, le prêtre de Brahma, de Vishnou et d'Indra, qui, toujours assis dans son temple au bord du Gange, lit les Védas ou demeure parmi les racines d'un arbre avec son quignon de pain et sa cruche d'eau. [...] L'eau pure de Walden se mêle à l'eau sacrée du Gange.»

propriétaire d'exploiter ses terres à sa guise. En 1935, Jay Norwood «Ding» Darling, qui contribuera par la suite à fonder la National Wildlife Federation, écrit à Leopold: «Je crois fermement que vous êtes en train de nous mener à notre perte avec votre nouvelle philosophie de la vie sauvage, qui mène droit à la socialisation de la propriété[51].»

Lorsque Rachel Carson publie *Printemps silencieux*, en 1962, les assauts de la machine industrielle américaine contre la nature sont devenus si féroces, si destructeurs, qu'on ne peut plus prétendre vouloir sauver le mariage du capitalisme et de la conservation de la nature en épargnant simplement quelques parcelles de verdure. Le livre de Carson va beaucoup plus loin, condamnant avec virulence les pratiques d'une industrie chimique qui n'hésite pas à avoir recours à la pulvérisation aérienne de pesticides, au mépris de la santé de la population et de la vie animale. Spécialiste de la biologie marine, Carson se tourne vers la critique sociale en dressant un portrait éloquent des «organisateurs de la lutte pesticide» qui, captivés par leurs «jolis jouets tout neufs», pulvérisent du poison «sur la trame de la vie[52]».

Carson fait surtout allusion aux risques du DDT, mais à ses yeux le problème n'est pas seulement d'ordre chimique; c'est la logique même de l'industrie qui est en cause. «"Vouloir contrôler la nature" est une arrogante prétention, née d'une biologie et d'une philosophie qui en sont encore à l'âge de Neandertal, où l'on pouvait croire la nature destinée à satisfaire le bon plaisir de l'homme, écrit-elle. Le malheur est qu'une si primitive pensée dispose actuellement des moyens d'action les plus puissants, et que, en orientant ses armes contre les insectes, elle les pointe aussi contre la terre[53].»

Les écrits de Carson inspireront une nouvelle génération d'environnementalistes beaucoup plus radicaux, les écologistes, pour qui l'être humain est un simple maillon du fragile écosystème planétaire plutôt que son maître d'œuvre. Ce courant donnera entre autres naissance à ce qu'on appellera l'économie écologique. C'est dans ce contexte qu'on commence véritablement à remettre en question la logique extractiviste sur la place publique. Le débat prend son envol en 1972 avec la publication par le Club de Rome d'un rapport intitulé *Les Limites à la croissance*[54], qui connaîtra un grand succès. Se fondant sur une modélisation informatique encore à ses balbutiements, les auteurs y prédisent que, si les écosystèmes continuent d'être exploités au même rythme, l'humanité dépassera la capacité de charge de la planète avant le milieu du xxɪᵉ siècle. Sauver quelques jolies chaînes de montagnes de la destruction ne nous épargnera pas le pire : nous devons remettre en question le concept de croissance lui-même.

Récemment, Christian Parenti a souligné l'influence durable de cet ouvrage : « Dans *Les Limites à la croissance,* on confère le lustre de la science – grâce aux puissants ordinateurs du MIT et au soutien de la Smithsonian Institution – à l'idée de la symbiose planétaire, ce qui reflète à merveille les valeurs de la contre-culture actuelle. » Et, bien que les auteurs aient parfois fait fausse route (ils ont sous-estimé, par exemple, la capacité d'une industrie assoiffée de profits et armée de nouvelles technologies à dénicher de nouvelles réserves d'hydrocarbures), ils ont vu juste quant à la principale limite de la terre. Au sujet des « sites de décharge, ou de la capacité de la terre d'absorber la pollution, écrit Parenti, la vision apocalyptique de ce rapport s'avère totalement fondée. Peut-être trouvera-t-on de nouveaux intrants (de nouvelles sources de pétrole ou de chrome, par exemple, ou encore des substituts), mais on ne trouvera pas de nouveaux sites de décharge. La capacité de la terre d'absorber les déchets du système capitaliste commence à être sérieusement saturée. C'est là le message le plus important de *Limites à la croissance*[55] ».

Ces cris d'alarme, pourtant, sont restés sans écho. Au cours des dernières décennies, alors que la lutte contre le changement climatique réclamait une action immédiate, les principales organisations environnementalistes n'ont pas tenu compte des limites de la Terre face à l'expansion d'un modèle économique fondé sur la maximisation des profits : elles ont plutôt tenté de démontrer que le sauvetage de la planète peut devenir une nouvelle mine d'or pour l'industrie.

La frilosité politique actuelle à l'égard de la crise du climat découle en grande partie, comme nous l'avons vu, de la puissance de l'idéologie du libre marché qui a dominé la fin des années 1980 et les années 1990, imprégnant plusieurs composantes du mouvement environnementaliste. Ce déni systématique des constats de la science reflète le mythe fondateur de notre culture, à savoir la suprématie de l'être humain sur son environnement. Cette même croyance permet de nourrir la pensée magique selon laquelle, peu importe à quel point la situation se dégrade, nous serons sauvés à temps, que ce soit par le marché, la technologie ou l'intervention de philanthropes milliardaires (ou, mieux encore, par une combinaison des trois). Nous continuons donc de faire l'autruche.

Aujourd'hui, il est grand temps de réfuter ce mythe pour tourner le dos à l'extractivisme et bâtir une société meilleure en respectant les limites de la Terre. Sans zones sacrifiées, sans fins tragiques comme celle qui guette l'île de Nauru.

Deuxième partie

# La pensée magique

*Il existe de généreuses mesures d'incitation économiques
à la mise au point de médicaments qui soigneraient l'alcoolisme ou la
toxicomanie, et une foule de remèdes de charlatan qui prétendent offrir des
bienfaits semblables. Et pourtant, la toxicomanie n'a pas disparu de la société.
Vu la dépendance de la civilisation moderne aux énergies bon marché,
ce parallèle devrait donner à penser à tous ceux qui croient que la technologie,
par un tour de passe-passe, permettra à elle seule d'éradiquer
le changement climatique. [...] L'espoir que beaucoup de verts
fondent sur une solution technologique est l'indice d'une croyance
hautement moderniste dans les pouvoirs illimités de la science
et de la technologie. Or, cette croyance est aussi profonde – et rationnelle – que
la foi de saint Augustin dans le Christ.*

William Barnes, politologue, et Nils Gilman, historien, 2011[1]

*Les dirigeants actuels des plus grandes organisations environnementalistes
du pays ne se plaisent que trop désormais à jouer les «jet-setters»
au même titre que les magnats d'entreprises triés sur le volet qui siègent
à leurs conseils d'administration et auxquels ils sont précisément
redevables d'un tel mode de vie. Comment s'étonner que ces dirigeants,
sans cesse en quête de nouvelles donations, encensent la moindre
demi-mesure proposée par les milieux d'affaires tout en posant
pour les photographes dès que l'occasion se présente?*

Christine MacDonald, ancienne employée de
Conservation International, 2008[2]

Chapitre 6

# S'attaquer aux fruits plutôt qu'aux racines

Le rapprochement désastreux
de la grande entreprise
et du mouvement environnementaliste

*Nos arguments doivent se traduire sous forme de profits,
de gains, de productivité et de stimulants économiques pour l'industrie.*

Jay HAIR, ancien président de la National Wildlife Association, 1987[3]

*Je sais que cela peut sembler paradoxal, mais, en l'occurrence,
le vrai problème ne réside pas dans l'éventuelle construction
de nouvelles centrales au charbon. [...] Si celles qui voient le jour
respectent un plafond permettant de réduire leurs émissions de GES,
il n'y a aucune raison de s'inquiéter. L'ennemi, ce n'est pas le charbon,
ce sont les émissions de dioxyde de carbone.*

Fred KRUPP, président de l'Environmental Defense Fund, 2009[4]

AU XIXe SIÈCLE, un million de tétras cupidons peuplaient les grandes étendues herbeuses le long des côtes du Texas et de la Louisiane[5]. Ces oiseaux sont bien connus pour le magnifique spectacle qu'ils offrent à la saison des amours : afin d'attirer les femelles, les mâles martèlent le sol de leurs pattes dans un mouvement saccadé, émettent de puissants roucoulements caverneux (évoquant le son produit lorsqu'on souffle dans le goulot d'une bouteille) et gonflent leurs sacs gulaires jaune vif, donnant ainsi l'impression d'avoir avalé deux œufs dorés.

Mais lorsque l'industrie pétrolière et gazière a investi les prairies, la population de tétras cupidon s'est mise à décliner, au grand dam des ornithologues de la région, de sorte qu'en 1965, The Nature Conservancy (TNC), une organisation réputée pour acquérir, dans une visée écologique, de vastes étendues de terre afin de les transformer en réserves, ouvrait une succursale au Texas. Au départ, l'une des priorités officielles de l'organisation consistait à sauver le tétras cupidon de l'extinction[6].

L'affaire n'était pas gagnée, même pour ce qui allait devenir l'organisation environnementaliste la plus riche du genre dans le monde entier. L'une des dernières zones de reproduction du tétras cupidon, laquelle couvre quelque 932 hectares sur les rives de Galveston Bay, dans le sud du Texas, était la propriété de Mobil (aujourd'hui ExxonMobil). Ce géant des énergies fossiles n'avait pas encore investi de ses infrastructures pétrolières et gazières la totalité de ce territoire, mais il y avait, à son extrémité septentrionale, des puits en activité contigus à la zone de reproduction des oiseaux menacés. Puis, en 1995, est tombée cette étonnante bonne nouvelle : Mobil faisait don de sa propriété de Galveston Bay à TNC, geste qui représentait, aux dires de la compagnie, « le dernier espoir de sauver l'une des espèces les plus menacées de la planète ». Nommant cette propriété Texas City Prairie Preserve, l'organisation faisait de « la restauration de la population de tétras cupidon » sa « priorité absolue ». De toute évidence, il s'agissait là d'un succès retentissant en matière de préservation – la preuve qu'une approche des questions environnementales fondée sur un partenariat authentique et dépourvu d'agressivité pouvait aboutir à des résultats tangibles[7].

Quatre ans plus tard, toutefois, quelque chose de très étrange s'est produit : TNC a entrepris à Galveston Bay précisément ce qu'elle était censée empêcher, à savoir l'exploitation des réserves de combustibles fossiles. En 1999, l'organisation a embauché un exploitant gazier et pétrolier pour forer sur le territoire de la réserve un nouveau puits, appelé à générer, par millions de dollars, des profits qui iraient directement dans les caisses de TNC. Or, si les puits de pétrole et de gaz forés avant l'établissement de la réserve ornithologique étaient pour la plupart éloignés de l'habitat du tétras cupidon, il en allait tout autrement de la nouvelle installation, le site où l'organisation autorisait le forage étant situé à proximité de l'aire de nidification de l'espèce menacée. De plus, selon les dires du gestionnaire actuel de la réserve, Aaron Tjelmeland, le puits se trouvait également à proximité de l'endroit où ces oiseaux accomplissaient leur parade nuptiale si particulière. De tous les puits, c'était celui qui se trouvait « le plus proche de l'endroit où les tétras cupidons se rassemblent normalement pour pousser leur roucoulement distinctif », a-t-il indiqué lors d'une entrevue[8]. Pendant environ trois ans, l'incursion de TNC dans l'univers des combustibles fossiles n'a pas suscité de véritable controverse. En 2002, toutefois, un article du *Los Angeles Times* a révélé l'existence du nouveau puits. Aux yeux des défenseurs de l'environnement, c'était un peu comme si Amnesty International avait ouvert sa propre aile carcérale à Guantánamo. « Ils se servent du tétras cupidon pour faire de l'argent », fulminait Clait E. Braun, l'un des principaux spécialistes de cette espèce et président à l'époque de la Wildlife Society. Après quoi, en mai 2003, le *Washington Post* a publié une enquête sur les transactions foncières douteuses de cette organisation environnementaliste parmi les plus respectées aux États-Unis, révélant qu'elle opérait discrètement dans la Texas City Prairie Preserve à titre d'exploitant gazier[9].

« Nous pouvons effectuer ce forage sans nuire aux tétras cupidons ni à leur habitat », a soutenu TNC dans une déclaration digne d'un porte-parole de l'industrie pétrolière et gazière[10]. Les faits démentaient toutefois cette affirmation lénifiante : outre l'augmentation de la circulation, de la lumière et du bruit qui est le lot de toute opération de forage, plusieurs autres aspects témoignaient d'un conflit direct entre l'extraction et la conservation de la faune. En raison de la gravité de la menace d'extinction qui pèse sur le tétras cupidon, par exemple, il existe un programme d'élevage en captivité (qui allie les efforts des secteurs public et privé) auquel participait TNC sur le territoire de la Texas City Prairie Preserve. À cause d'un retard dans la construction d'un gazoduc, l'organisation a dû reporter de trois mois la mise en liberté des poussins nés en captivité, décision périlleuse qui ne tenait pas compte des fluctuations de la présence de rapaces migrateurs et d'autres prédateurs[11].

La mise en liberté des oisillons s'avérera effectivement désastreuse cette année-là : selon un rapport interne de TNC, les 17 poussins « étaient tous morts peu de temps après leur mise en liberté reportée ». D'après le directeur scientifique de la succursale texane, ces mois d'attente auraient « accru la probabilité pour les poussins de devenir la proie des rapaces ». Le *Washington Post* a rapporté que TNC avait pu retracer 16 tétras cupidons en 2003, alors qu'elle en avait dénombré 36 avant le forage. Malgré l'insistance des dirigeants de l'organisation à prétendre que les oiseaux n'avaient pas été perturbés par les activités industrielles en cours, le bilan était, de fait, lamentable[12].

Comme cet épisode remonte à une dizaine d'années, on aurait pu s'attendre à ce que TNC mette fin à ses activités d'extraction après la controverse que celles-ci avaient suscitée. « Nous n'effectuerons pas de nouveau forage pétrolier ni gazier et n'extrairons pas de minéraux solides sur les réserves dont nous sommes propriétaires. Nous ne l'avons fait qu'à deux reprises en cinquante-deux ans, mais nous y renoncerons afin de préserver notre image», avait affirmé à l'époque le président de l'organisation[13].

Au moment où je rédige ce livre, pourtant, TNC n'a *toujours pas* cessé d'extraire des hydrocarbures du sol de la réserve texane qu'elle a sauvée des griffes de Mobil en 1995. Dans une série de communications, les représentants de l'organisation insistent sur le fait que, selon les termes de la concession de forage originale, ils n'ont d'autre choix que de poursuivre cette exploitation. L'entente conclue en 2003 est effectivement rédigée en des termes ambigus: si elle oblige l'organisation à ne pas entreprendre de «nouveaux» forages, elle comporte une clause restrictive lui imposant néanmoins de respecter les «contrats existants[14]».

Depuis lors, toutefois, TNC ne s'est pas contentée d'extraire du gaz de ce seul puits. Dans un article présenté en 2010 lors d'un rassemblement de la Society of Petroleum Engineers, deux représentants de l'organisation ont en effet révélé que le puits original «s'est tari en mars 2003, et est resté improductif en raison d'une quantité d'eau excessive». Cette situation mènera à la fin de 2007 au forage d'un autre puits dans la même région. Fait à noter: alors que le puits original était consacré à l'extraction de gaz, le nouveau puits ne produit que du pétrole[15].

Puisque près de cinq ans se sont écoulés entre le tarissement du premier puits de TNC et le forage de celui qui le remplace, on peut en déduire que l'organisation aurait pu, en toute légalité, arriver à faire annuler cette concession. À ce sujet, des documents mentionnent explicitement que, dans l'éventualité où la production gazière ou pétrolière d'une parcelle de forage s'interrompait, l'exploitant dispose de 180 jours pour commencer à «réhabiliter» le puits ou pour entreprendre un nouveau forage. S'il ne remplit pas cette condition dans le délai imparti, la concession est automatiquement résiliée. Dans le cas où TNC retarderait les travaux de l'exploitant (ce qui s'est fréquemment produit selon l'organisation, qui prétend restreindre les activités de forage à quelques mois par an), le délai de 180 jours se voit prolongé d'une période équivalente. Bien que TNC se soit montrée «préoccupée» par les plans initiaux qui prévoyaient l'installation en 2007 du nouveau puits à proximité de l'habitat du tétras cupidon, elle a jugé qu'elle n'avait «pas d'autre choix, en vertu des termes de la concession, que d'autoriser le forage du puits de remplacement», quel que soit l'emplacement choisi. L'organisation a demandé «un avis juridique externe à un expert du pétrole et du gaz», qui a justifié cette décision, explique James Petterson, directeur des stratégies commerciales de TNC. Elle n'a pas fourni plus de détails sur les enjeux en cause et a décidé de ne pas divulguer la totalité de sa « politique en matière d'activités admissibles ». Dans un document interne qui fournit certaines explications sur le forage, l'organisation insiste pourtant sur le fait qu'elle conserve un droit de regard sur les activités autorisées ou interdites sur le territoire de la réserve. « Étant donné le statut menacé de ces oiseaux, aucune activité susceptible de leur faire du tort ne peut avoir lieu », indique le document. Petterson soutient que « des ornithologues ont été consultés », et que « personne [chez nous] ne souhaiterait faire quoi que ce soit qui puisse mettre une espèce en danger, en particulier une espèce aussi vulnérable que le tétras cupidon [...], ou ne ferait passer l'extraction du pétrole ou du gaz avant les derniers survivants d'une espèce d'oiseau[16] ».

L'organisation a-t-elle relancé le forage pétrolier au Texas parce qu'elle y était contrainte ou parce qu'elle voulait voir revenir la manne de pétrodollars une fois la controverse initiale désamorcée ? Quoi qu'il en soit, un déplorable dénouement viendra aggraver la situation : en novembre 2012 s'éteint sans tambour ni trompette le dernier tétras cupidon vivant sur la réserve. D'après Aaron Tjelmeland, « aucun autre individu n'a été aperçu ». Triste constat : une espèce menacée disparaît complètement de l'une de ses dernières zones de reproduction pendant que l'organisation qui assure la gestion responsable de cette zone en exploite les réserves de pétrole et de gaz, qui lui rapportent des millions de dollars. Selon *The New Yorker*, on parle pourtant de « l'organisation environnementaliste non gouvernementale la plus importante au monde », qui se targue de compter plus d'un million de membres, de détenir des actifs d'environ 6 milliards de dollars et d'être active dans 35 pays. Et, chose étonnante, le site web de la Texas City Prairie Preserve continue à claironner que les « techniques de gestion du territoire mises en pratique sur la réserve par l'organisation constituent des pratiques d'excellence également appliquées dans d'autres réserves ». Et bien qu'il soit mentionné au passage qu'il n'y a plus de tétras cupidons sur le territoire en question, le site ne fait aucune allusion aux activités parallèles d'extraction pétrolière et gazière en cours[17].

La disparition du tétras cupidon à Galveston Bay est sans conteste le résultat d'un ensemble de facteurs : présence d'espèces envahissantes, manque d'envergure des projets d'élevage en captivité, sécheresse (potentiellement due au réchauffement planétaire), superficie relativement restreinte de la réserve (l'explication privilégiée par l'organisation). De sorte qu'il est bien possible que l'exploitation pétrolière et gazière n'ait joué aucun rôle dans cette histoire.

Laissons donc les tétras de côté pour l'instant. Même si quelques-uns d'entre eux avaient survécu, ou si d'autres finissent un jour par revenir sur les lieux, un fait demeure : TNC a, pendant quinze ans, été impliquée dans le secteur pétrolier et gazier. Que pareille chose puisse se produire à l'heure du changement climatique révèle la triste réalité qui préside au catastrophique échec du mouvement environnementaliste à combattre les intérêts économiques à l'origine des émissions de GES qui ne cessent de s'intensifier : au lieu de combattre réellement les intérêts en question, de larges pans du mouvement s'y sont associés.

Si TNC est peut-être la seule organisation verte à forer ses propres puits de pétrole et de gaz, elle est loin d'être la seule à entretenir de solides relations avec l'industrie des combustibles fossiles et autres pollueurs. Pour citer quelques exemples, Conservation International, TNC et le Conservation Fund ont tous reçu de l'argent de Shell et de BP. Quant au service public adepte de l'énergie sale qu'est l'American Electric Power, il a également fait des dons au Conservation Fund et à TNC. Le WWF (initialement « Fonds pour la vie sauvage mondiale ») entretient des liens de longue date avec Shell, et le World Resources Institute cultive « une étroite relation stratégique à long terme avec la Fondation Shell ». De son côté, Conservation International a établi des partenariats avec Walmart, Monsanto et le géant minier et pétrolier australien BHP Billiton (gros producteur de charbon), de même qu'avec Shell, Chevron, ExxonMobil, Toyota, McDonald's et BP (au fil des années, cette dernière entreprise aura remis 2 millions de dollars à Conservation International, rapporte le *Washington Post*\*). Et il ne s'agit là que d'un simple échantillon[18].

---

\* En 2011, la situation avait pris une tournure si surréaliste que Conservation International est devenue la proie d'un canular pour le moins embarrassant. Deux journalistes et militants se sont fait passer pour des cadres du géant de l'armement Lockheed Martin, et ont déclaré au directeur des relations commerciales de Conservation International qu'ils cherchaient à verdir l'image de leur entreprise. Plutôt que de sabrer leurs émissions de GES, ils disaient préférer parrainer une espèce menacée. Le représentant de l'organisation, dont les propos ont été enregistrés, leur a suggéré de jeter leur dévolu sur un oiseau de proie afin d'établir un « lien avec l'aviation ». (« Nous n'aidons pas les entreprises à cultiver leur image », a affirmé par la suite un porte-parole de Conservation International, insistant sur le fait que Lockheed Martin aurait de toute façon dû traverser « un processus d'examen ».)

Lesdites relations ont quelque chose de plus structurel que les simples donations ou partenariats. Des représentants de BP America, de Chevron et de Shell, par exemple, comptent parmi les membres du conseil d'entreprise de TNC. Par ailleurs, Jim Rogers, président du conseil d'administration et ancien PDG de Duke Energy (l'une des entreprises les plus consommatrices de charbon aux États-Unis), siège au conseil d'administration de l'organisation (comme l'ont fait auparavant les anciens PDG de General Motors et de l'American Electric Power[19]).

Il existe un autre moyen pour les organisations environnementalistes de pactiser avec les pires pollueurs : investir leur propre argent dans ces entreprises. C'est ainsi que l'examen des états financiers de TNC a révélé un fait pour le moins étonnant : en 2012, l'organisation, qui compte parmi les groupes environnementaux les mieux pourvus des États-Unis, détenait des investissements de 22,8 millions de dollars dans le secteur de l'énergie (notons que cette somme a atteint depuis quelque 26,5 millions de dollars). Or, le secteur de l'« énergie », dans ce cas, désigne en fait l'industrie des combustibles fossiles (pétrole, gaz, charbon, etc.)*. Curieusement, les grandes organisations environnementalistes n'avaient, pour la plupart, établi aucun règlement interdisant d'investir dans ce secteur. Faisant preuve d'une hypocrisie effrayante, elles amassent chaque année des montagnes d'argent en promettant que ces fonds serviront à protéger la faune et à nous prémunir contre la crise du climat, alors qu'il n'est pas rare qu'elles les investissent dans une industrie qui menace l'équilibre climatique de la planète, voire dans des entreprises qui ont clairement manifesté leur intention d'extraire des quantités d'hydrocarbures dont les émissions seront plusieurs fois supérieures à ce que l'atmosphère peut absorber, et ce, avec une sécurité minimale. Ces décisions, naturellement, sont prises unilatéralement aux échelons supérieurs de ces organisations. Elles ne représentent pas la volonté ou les valeurs des millions de membres qui les appuient parce qu'ils croient en la nécessité de nettoyer les cours d'eau contaminés, de protéger les écosystèmes menacés ou d'instaurer une réglementation favorisant le recours aux énergies renouvelables. Bon nombre d'entre eux sont d'ailleurs profondément inquiets lorsqu'ils

---

* Après la parution de mon article à ce sujet dans l'hebdomadaire *The Nation*, TNC a adopté une politique l'obligeant à « ne plus entretenir de liens avec les entreprises qui tirent une fraction importante de leurs profits de l'extraction de combustibles fossiles à forte teneur en carbone » et lui enjoignant « de soutenir à plus long terme le virage vers les énergies propres ».

découvrent que les groupes qu'ils imaginaient en croisade contre les pollueurs pactisent de fait avec ceux-ci[20].

Précisons que cette collusion ne s'étend pas à l'ensemble du mouvement environnementaliste. Certains groupes n'ont tout simplement pas d'argent à investir ou observent des règlements leur interdisant d'accepter des dons de la part de pollueurs ou d'investir dans le secteur des combustibles fossiles. Et ce n'est sûrement pas un hasard si ces groupes semblent être les seuls à tenir tête aux géants du pétrole et du charbon. Depuis les années 1990, les Amis de la Terre et Greenpeace accusent Shell et Chevron de graves violations des droits de la personne dans le delta du Niger (bien que Shell ait consenti à verser 15,5 millions de dollars pour un règlement à l'amiable dans un litige mettant en cause ses pratiques dans ce pays, la société pétrolière prétend toujours ne pas y avoir commis la moindre faute – à l'instar de Chevron). Le Rainforest Action Network, quant à lui, a été en première ligne de la campagne internationale dénonçant la responsabilité de Chevron quant aux désastres survenus dans l'Amazonie équatorienne. De son côté, Food & Water Watch a contribué à d'importantes victoires contre la fracturation hydraulique. L'organisation 350.org a participé à la mise sur pied du mouvement pour le désinvestissement du secteur des combustibles fossiles, et a été aux avant-postes de la mobilisation contre l'oléoduc Keystone XL. Le Sierra Club représente quant à lui un cas plus ambigu. Cette organisation a pris part à plusieurs campagnes en tant que bête noire de l'industrie charbonnière aux États-Unis. De 2007 à 2010, toutefois, elle a secrètement accepté des millions de dollars d'une société gazière. Par la suite, sous une nouvelle direction (et en réponse aux pressions de ses membres), le Sierra Club a rompu ses liens avec le secteur des combustibles fossiles[21].

Cela étant, il semble difficile de garder les mains propres dans ce domaine. En effet, bon nombre des principales fondations qui appuient le mouvement environnementaliste ont été créées par des individus ou des groupes fortunés (la famille Rockefeller, par exemple) qui ont des intérêts dans les combustibles fossiles. Même si ces fondations financent des campagnes contre les grands pollueurs, la plupart n'ont rien contre le fait d'investir dans l'industrie du charbon et du pétrole. Ainsi, la Fondation Ford, qui soutient l'Environmental Defense Fund (EDF) et le NRDC (et qui a en outre participé au financement d'un film ins-piré de ce livre), a indiqué en 2013 qu'elle détenait près de 14 mil-lions de dollars en actions de Shell et de BP[22]. En Amérique du

Nord et en Europe, il est pratiquement impossible de réaliser un projet d'intérêt public (universitaire, journalistique ou militant) de quelque ampleur que ce soit sans utiliser d'argent d'origine douteuse, que cette origine soit l'État, l'entreprise ou des associations caritatives privées. Et bien que des modèles de financement visant à créer des mouvements populaires plus transparents soient plus que jamais requis (le financement participatif constituant, à cet égard, une piste intéressante), ces liens financiers ne sont ni ce qui est le plus notable ni la preuve de quelque abominable corruption.

Là où les liens entre bailleurs de fonds et projets d'intérêt public méritent d'être examinés de près, en fait, c'est lorsque ce financement semble exercer une influence indue sur ces travaux, par exemple sur l'orientation de la recherche, les règles à appliquer ou le choix des priorités. L'argent de l'industrie des combustibles fossiles et des fondations conservatrices, on le sait, a façonné le mouvement climatosceptique. Mais peut-on affirmer qu'il influe également sur les mouvements qui s'emploient à proposer des solutions?

Certes, les environnementalistes associés au monde de l'entreprise ne nient pas la réalité du changement climatique et nombre d'entre eux s'efforcent d'ailleurs de sonner l'alarme. Cependant, ils ont eu tendance à défendre avec virulence les solutions les moins contraignantes (voire les plus payantes) pour les grands émetteurs de GES de la planète, même si celles-ci sont appliquées au détriment des collectivités qui luttent contre le modèle extractiviste. Au lieu de se battre pour l'adoption d'une stricte réglementation destinée à restreindre les émissions de GES et à favoriser le passage aux énergies renouvelables, les grandes organisations environnementalistes ont persisté à proposer des mesures complexes inspirées du marché, au sein desquelles les GES ne sont plus considérés comme de dangereux polluants, mais comme une sorte d'abstraction capitaliste comparable aux devises ou aux prêts hypothécaires à risque susceptibles de s'échanger, d'être regroupés, de faire l'objet de spéculations et de circuler librement autour du globe à la manière d'une devise ou de la dette des *subprimes*.

Bon nombre d'environnementalistes se font également les chantres du gaz naturel en le présentant comme une solution à la crise du climat, et ce, malgré l'accumulation de données indiquant que, dans les prochaines décennies, le méthane libéré lors de son extraction, notamment par la fracturation hydraulique, pourrait contribuer de façon catastrophique au réchauffement planétaire (comme nous l'avons vu au chapitre 4). De grandes fondations se sont d'ailleurs jetées dans la mêlée pour vendre l'idée du gaz naturel au mouvement environnementaliste américain. C'est ainsi qu'en 2007, un document en forme de feuille de route intitulé « Un plan pour gagner : du rôle de la philanthropie dans la bataille contre le réchauffement climatique », publié avec le soutien financier de six grandes fondations, a soulevé l'indignation des écologistes. On y faisait la promotion des échanges de crédits-carbone tout en préconisant le recours au gaz naturel et le développement du nucléaire. Pour les organisations environnementalistes, le message était clair : « Adhérez à cette vision, sans quoi vous n'aurez pas votre part du magot », ce qui allait tout à fait dans le sens de Jigar Shah, un entrepreneur réputé dans le domaine de l'énergie solaire qui a dirigé le Carbon War Room (centre de commandement de la guerre contre le carbone : une organisation misant sur des solutions axées sur le marché) et fait partie du conseil d'administration de Greenpeace USA[23].

Souvent privilégiées par les grandes fondations et adoptées par bon nombre d'environnementalistes, ces solutions « inspirées du marché » rendent un fier service à l'industrie des combustibles fossiles. D'abord, elles confèrent au débat sur l'abandon des combustibles fossiles une touche d'ésotérisme scientifique qui le place hors de portée du commun des mortels, ce qui mine la capacité des citoyens à établir un mouvement de masse capable de s'opposer aux grands pollueurs. « La tendance consistant à placer des analyses techniques et calquées sur le marché au cœur de l'environnementalisme réformiste y a exterminé toute perspective progressiste », fait observer Robert Brulle, sociologue rattaché à l'université Drexel. « Au lieu d'encourager la participation populaire, l'environnementalisme réformiste met l'accent sur les débats d'experts appartenant aux sphères scientifiques, juridiques et économiques. S'il peut fournir des solutions technologiques à des problèmes particuliers, il fait toutefois abstraction des dynamiques sociales plus vastes qui sont à l'origine de la dégradation de l'environnement[24]. »

Une telle approche alimente également la perception erronée selon laquelle une transition complète vers les énergies renouvelables est techniquement impossible. Sinon, pourquoi toutes ces organisations bien intentionnées consacreraient-elles autant d'énergie à promouvoir des mesures inspirées du marché et à faire l'éloge du gaz naturel, pourtant extrait grâce à des méthodes peu respectueuses de l'environnement comme la fracturation hydraulique ?

Pour justifier ces demi-mesures, on a souvent recours à la théorie de la « cible facile » : dans la mesure où il semble ardu et onéreux de convaincre les politiciens de réglementer (entre autres au moyen de sanctions) les entreprises les plus puissantes de la planète, mieux vaut choisir une cible plus accessible. Par exemple, demander aux gens d'acheter une lessive plus coûteuse, mais moins toxique, accroître l'efficacité énergétique des voitures, adopter un carburant fossile prétendument moins polluant, payer une communauté autochtone pour qu'elle cesse d'abattre des arbres en Papouasie-Nouvelle-Guinée afin de compenser les émissions de GES d'une centrale au charbon de l'Ohio, et ainsi de suite. Les émissions de GES ayant augmenté d'environ 57 % depuis la signature en 1992 de la CCNUCC, l'échec d'une approche gentillette de ce genre n'est plus à démontrer[25]. Pourtant, aux échelons les plus élevés du mouvement de protection du climat, il n'est personne pour établir de liens entre la hausse des émissions de GES et le travail de sape des représentants de l'industrie qui s'acharnent contre toute tentative sérieuse de réglementer celles-ci, et certainement pas pour mettre en cause le modèle économique qui incite les entreprises à prioriser le profit au détriment des écosystèmes, dont dépend toute forme de vie. Tout en faisant porter la responsabilité de la crise du climat à des adversaires aussi vagues qu'inoffensifs – un manque de « conviction » ou de « volonté politique » –, on continue à inviter les dirigeants des grandes sociétés pétrolières aux sommets organisés par les Nations Unies à titre de partenaires-clés dans la quête de « solutions[26] ».

L'absurdité de la situation dépassera les bornes lors du sommet des Nations Unies sur le climat tenu à Varsovie, en Pologne, en novembre 2013 : commandité par une batterie d'entreprises du secteur des combustibles fossiles, dont un important producteur de lignite, ce rassemblement avait lieu parallèlement à un sommet sur le charbon et le climat, qui se tenait à l'initiative du gouvernement polonais, et dans le cadre duquel ce combustible, le plus polluant d'entre tous, se voyait présenté comme un allié dans la lutte contre le dérèglement climatique. Les Nations Unies avaient du reste tacitement adoubé cet événement en la personne de leur plus éminente représentante en matière de négociations climatiques, Christiana Figueres (secrétaire générale de la CCNUCC), laquelle avait accepté d'en prononcer le discours d'ouverture, malgré les appels au boycottage qui lui étaient lancés. « L'accent mis par le sommet sur le maintien d'une dépendance au charbon va directement à l'encontre de l'objectif des négociations sur le climat, qui consiste à réduire de manière draconienne les émissions de GES afin d'éviter les pires conséquences de la crise du climat», soulignait Alden Meyer, de l'Union of Concerned Scientists[27].

À l'heure actuelle, beaucoup de militants de gauche se désintéressent des enjeux climatiques en partie parce qu'ils ont cru que les grandes organisations environnementalistes, puisant dans les coffres des philanthropes, s'occupaient du problème. Ce qui est loin d'être le cas. Pour mieux comprendre pourquoi, il faut revenir une fois de plus sur la chronologie des événements qui, depuis la fin des années 1980, n'ont fait qu'aggraver cette crise.

## L'âge d'or du droit de l'environnement

Bien que des gens comme I.F. Stone aient considéré que le souci de l'environnement avait détourné la jeunesse des années 1960 et 1970 de luttes plus urgentes, les écologistes de l'époque font pourtant, à l'aune des normes du XXIᵉ siècle, figure d'ardents radicaux. Galvanisés par la publication de *Printemps silencieux* en 1962 et par la marée noire de Santa Barbara en 1969 (désastre inédit jusqu'alors), ils ont lancé en Amérique du Nord un type nouveau de mouvement écologiste, beaucoup plus agressif que l'aristocratique conservationnisme d'antan.

Outre des organisations comme Les Amis de la Terre et Greenpeace, fondées respectivement en 1969 et en 1971, le nouveau mouvement comprenait des groupes tel l'EDF qui, à l'époque, était constitué d'une bande désordonnée de scientifiques et d'avocats, épris d'idéalisme et déterminés à suivre à la lettre les conseils de Rachel Carson. Le slogan officieux du groupe était «Un procès pour les salauds», ce qui reflète bien sa ligne de conduite: ainsi l'EDF a-t-il mené la bataille juridique qui devait conduire au bannissement du DDT aux États-Unis, mesure qui s'est traduite par le retour de nombreuses espèces d'oiseaux, dont le pygargue à tête blanche, emblème des États-Unis[28].

À l'époque, l'intervention directe de l'État pour corriger les effets néfastes du marché était encore considérée comme une option politique sensée. Devant une crise collective, les politiciens de toute allégeance se demandaient: «Comment faire pour arrêter ça?» et non: «Comment pourrions-nous mettre au point des mécanismes financiers complexes capables de laisser le marché régler le problème à notre place?» Il s'en est suivi une série de victoires environnementales qui paraîtraient inimaginables aujourd'hui. Aux États-Unis, l'héritage législatif en matière de protection de l'environnement remontant à cette période est particulièrement impressionnant : Clean Air Act (loi sur la qualité de l'air, 1963), Wilderness Act (loi sur la protection des aires naturelles, 1964), Water Quality Act (loi sur la qualité de l'eau, 1965), Air Quality Act (nouvelle loi sur la qualité de l'air, 1967), Wild and Scenic Rivers Act (loi sur les rivières sauvages et touristiques, 1968), National Environmental Policy Act (loi sur la politique nationale de protection de l'environnement, 1970), une version révisée du Clean Air Act (1970), Occupational Safety and Health Act (loi sur la santé et la sécurité au travail, 1970), Clean Water Act (loi sur la qualité de l'eau, 1972), Marine Mammal Protection Act (loi sur la protection des mammifères marins, 1972), Endangered Species Act (loi sur les espèces menacées, 1973), Safe Drinking Water Act (loi sur la salubrité de l'eau potable, 1974), Toxic Substances Control Act (loi sur le contrôle des substances toxiques, 1976) et Resource Conservation and Recovery Act (loi sur la conservation des ressources, 1976). Au total, 23 lois fédérales sur l'environnement entrent en vigueur au cours des années 1970, série qui culmine avec le Superfund Act (loi relative au fonds spécial pour l'environnement, 1980), lequel, par le biais de la perception d'un léger impôt, oblige l'industrie à assumer les coûts de dépollution des sites contaminés.

Ces victoires rejaillissent sur le Canada, également marqué par une grande effervescence sur le plan du militantisme vert. En 1970, le gouvernement fédéral adopte la Loi sur les ressources en eau du Canada et, en 1971, la Loi sur le ministère de l'Environnement, qui confère entre autres à cette instance la responsabilité de la qualité de l'air. Quelques années plus tard, il renforce sa Loi sur les pêches datant du xixe siècle pour la transformer en un puissant outil de protection des habitats marins et de lutte contre la pollution marine. De son côté, dès 1972, la Communauté européenne fait de la protection de l'environnement une priorité, jetant ainsi les bases de l'ascendant qu'elle exercera en matière de législation environnementale au cours des décennies suivantes. À la suite de la conférence des Nations Unies sur l'environnement tenue à Stockholm cette même année, la décennie 1970 sera une période marquante dans l'évolution du droit environnemental grâce à l'adoption de plusieurs accords fondamentaux : la Convention sur la prévention de la pollution des mers résultant de l'immersion de déchets (1972), la Convention sur le commerce international des espèces de faune et de flore sauvages menacées d'extinction (1973) et la Convention sur la pollution atmosphérique transfrontière à longue distance (1979). S'il faudra attendre une dizaine d'années encore avant que le droit de l'environnement ne s'implante solidement dans les pays en développement, on assiste déjà dans les années 1970 à une intensification des pressions exercées par les paysans, les pêcheurs et les communautés autochtones des pays du Sud. Ce sont là les débuts de ce que l'économiste Joan Martínez Alier, entre autres, appellera l'«écologisme des pauvres[29]». Ce militantisme peut prendre diverses formes: campagnes contre la déforestation menées par des femmes en Inde et au Kenya, vastes mouvements d'opposition contre certains projets de développement industriel (centrales nucléaires ou barrages hydroélectriques, par exemple) au Brésil, en Colombie ou au Mexique[30].

Des principes assez simples régissent cette ère prolifique en matière de législation environnementale: il s'agit de bannir ou de restreindre sévèrement les activités ou les substances polluantes et, si possible, de refiler la facture de la décontamination aux pollueurs. Comme le souligne le journaliste Mark Dowie, qui retrace l'histoire du mouvement environnementaliste aux États-Unis dans son livre *Losing Ground,* cette approche donne des résultats tangibles:

> Des dizaines de millions d'acres* ont été ajoutés au système fédéral de protection de la faune; les études d'impact sur l'environnement sont maintenant obligatoires pour l'ensemble des grands projets de développement; certains écosystèmes lacustres déclarés morts ont repris vie. [...] La concentration atmosphérique de particules de plomb a chuté de manière impressionnante; on ne retrouve plus de DDT dans les cellules adipeuses des Américains, qui contiennent des concentrations considérablement plus faibles de biphényles polychlorés (BPC†) qu'auparavant; le mercure a presque complètement disparu des sédiments des Grands Lacs; enfin, il n'y a plus de strontium 90 dans le lait des vaches ou des mères qui allaitent.

Selon Dowie, «ces phénomènes découlent tous d'une stricte interdiction de produire ou d'employer les substances en cause‡[31]».

Ce sont ces solides outils qui permettront au mouvement environnementaliste de remporter ses plus belles victoires. Ces

---

* Un acre est l'équivalent de 0,4 hectare. [NdT]

† Aussi appelés «polychlorobiphényles» (PCB). [NdT]

‡ Il est bon de se remémorer ce parcours lorsque les apôtres du libre marché affirment que l'assainissement de l'environnement constitue une étape normale du développement capitaliste. En vérité, il s'agit plutôt du résultat de mesures de réglementation diamétralement opposées à l'orthodoxie du libre marché.

réussites vont toutefois de pair avec une importante mutation : pour nombre de groupes, l'environnementalisme ne consiste plus à organiser des manifestations et des séances d'éducation populaire, mais à rédiger des lois, à poursuivre en justice les entreprises qui les violent et à interpeller les gouvernements qui ne les appliquent pas. La vague troupe de hippies des débuts se métamorphose à vive allure en une armée d'avocats, de lobbyistes et d'habitués des sommets onusiens. Or, au sein de cette nouvelle cohorte d'environnementalistes professionnels, nombreux sont ceux qui finissent par s'enorgueillir d'être devenus des initiés, capables de manœuvrer dans l'ensemble du spectre politique. Et du moment qu'ils parviennent à leurs fins, pourquoi donc remettraient-ils en question leur stratégie d'infiltration ?

Arrivent alors les années 1980, inaugurées, lors d'un féroce affrontement sur la question des droits d'exploitation forestière, par la célèbre déclaration de Ronald Reagan : « Un arbre est un arbre : combien d'autres arbres avez-vous besoin de contempler ? » Avec Reagan à la Maison-Blanche et des idéologues issus de groupes de réflexion conservateurs dans son administration, c'est dorénavant la droite qui impose ses vues. Le premier cercle des collaborateurs du président a été recruté parmi les scientifiques favorables à l'industrie et récusant l'existence de tous les maux environnementaux, qu'il s'agisse des pluies acides ou de la crise du climat. Dès lors, du jour au lendemain, le bannissement ou la stricte réglementation des activités industrielles dommageables, qui étaient jusqu'alors des mesures politiques admises tant par les républicains que les démocrates, sont devenus les indices d'un « environnementalisme autoritaire ». Usant d'un discours qui aurait aisément trouvé sa place à la conférence du Heartland Institute trente ans plus tard, le très détesté James Watt, secrétaire à l'Intérieur dans l'administration Reagan, a comparé les menaces environnementales à des « épouvantails » brandis par les verts pour servir « de plus vastes desseins », lesquels, selon lui, consistaient « à planifier et à contrôler la société de façon centralisée ». Watt formulait également un sinistre pronostic quant à l'objectif des environnementalistes : « Regardez ce qui est arrivé à l'Allemagne dans les années 1930. La dignité humaine a été soumise à la puissance du nazisme. La dignité humaine a été soumise au projet politique de la Russie. Leur projet pourrait facilement dériver dans cette direction[32]. »

Pour les dirigeants des grandes organisations environnementalistes, la pilule était dure à avaler : voilà qu'ils se retrouvaient soudain ostracisés par ceux-là mêmes avec qui ils avaient pris l'habitude de trinquer en société. Pire encore, leurs convictions quant à la nécessité de réagir aux menaces environnementales par une ferme réglementation des activités industrielles se voyaient précipitées dans les poubelles de l'Histoire. Qu'étaient censés faire ces environnementalistes désormais privés de leurs entrées ?

## La métamorphose des années 1980

Des possibilités, il y en avait : il y en a toujours. Les verts auraient pu faire alliance avec les coalitions syndicales, les défenseurs des droits civiques ou les retraités pour constituer un front uni et s'opposer aux coupes dans le secteur public et à la vague de déréglementation qui déferlait à l'époque. Ils auraient également pu continuer à recourir aux tribunaux pour intenter le procès des salauds. Tout au long des années 1980, l'inquiétude suscitée par la vague anti-environnementaliste sous l'administration Reagan est allée croissant dans la population, même chez les républicains – et c'est ainsi que la planète Terre a fini par faire la une du magazine *Time* au début de 1989*[33].

Certains environnementalistes ont décidé de poursuivre le combat. Alors que Reagan s'attaquait à la réglementation environnementale, un mouvement de résistance s'est mis en place, surtout à l'échelle locale où les communautés afro-américaines, notamment, se voyaient confrontées à une importante recrudescence des déversements toxiques. Ces batailles urgentes à dimension sanitaire ont fini par se fondre dans le mouvement pour la justice environnementale. En octobre 1991, ce dernier organisait la première édition du National People of Color Environmental Leadership Summit (sommet des minorités visibles sur l'environnement), un rassemblement historique au cours duquel on a adopté une série de principes toujours en vigueur dans le mouvement[34]. À l'échelle nationale et internationale, des organisations comme Greenpeace ont continué à mener des actions concrètes dans les années 1980, tout en se concentrant, de manière bien compréhensible, sur les périls issus de l'énergie et de l'armement nucléaires.

Toutefois, bon nombre d'environnementalistes ont emprunté une tout autre voie. Dans les années 1980, l'idéologie du libre

---

* À la fin des années 1980, des sondages indiquent que la majorité des répondants se disant républicains considèrent que les dépenses en matière de protection de l'environnement sont «insuffisantes». En 1990, cette proportion dépassera 70 %.

marché, en voie de radicalisation, dominait le discours de la classe dirigeante, même si de large pans de la population n'étaient pas convaincus. Dans ce contexte, il était risqué pour les verts de s'attaquer de front à la logique de l'État-entreprise et au triomphalisme du marché, une telle approche ne pouvant que les condamner à la marginalisation. Plusieurs organisations environnementalistes bien nanties, qui se plaisaient à évoluer dans les hautes sphères du pouvoir et jouissaient d'un généreux soutien financier de la part de fondations rattachées à l'élite, n'ont pas osé se joindre aux contestataires. James Gustave Speth, cofondateur du NRDC, qui a travaillé à titre de principal conseiller environnemental sous la présidence de Jimmy Carter, a ainsi résumé le problème : « Nous n'avons pas fait ce qu'il fallait avec Reagan. Plutôt que de continuer à travailler au sein du système, nous aurions dû tenter de nous attaquer à ses racines[35]. » (Après avoir longtemps occupé des postes-clés dans la structure onusienne et rempli les fonctions de doyen de la School of Forestry and Environmental Studies de l'université Yale, Speth a aujourd'hui rallié le mouvement écologiste radical ; arrêté lors d'une manifestation contre l'oléoduc Keystone XL, il a ensuite cofondé une organisation qui conteste la logique de la croissance économique débridée.)

Au cours des années 1980, l'entrée en scène de plusieurs nouvelles organisations environnementalistes se disputant les contributions des donateurs a été un autre facteur qui allait favoriser l'adhésion du mouvement à l'idéologie du libre marché. Ces nouveaux groupes s'affichaient comme les environnementalistes de l'ère Reagan : favorables à la libre entreprise, ils ne cherchaient pas l'affrontement et se montraient prêts à redorer le blason des entreprises les plus polluantes. « Notre approche se fonde sur la collaboration plutôt que sur la confrontation. Nous sommes créatifs, faisons preuve d'esprit d'entreprise et misons sur les partenariats. Nous ne traduirons personne en justice », souligne le Conservation Fund, fondé en 1985. L'organisation Conservation International a vu le jour deux ans plus tard, affirmant avoir « à elle seule réinventé le concept de conservationnisme », en grande partie en misant sur une « collaboration avec les petites et grandes entreprises pour les aider à intégrer ce concept dans leur modèle d'affaires[36] ».

Cette approche compatible avec la libre entreprise a remporté un tel succès auprès des riches donateurs et de l'élite politique et économique que de nombreuses organisations environnementalistes plus anciennes et mieux établies se sont empressé sans vergogne d'adhérer à leur tour à cet accueillant programme, sur l'air de «à défaut de les vaincre, joignez-vous à eux». C'est d'ailleurs à cette époque que TNC a commencé à assouplir sa définition de la «conservation», de manière à ce que les terres protégées puissent accueillir des activités aussi incompatibles avec leur mission que la construction de villas ou le forage de puits de pétrole. «J'avais coutume de dire que les seules activités interdites sur la réserve de TNC étaient l'exploitation minière et l'esclavage, sauf que je n'étais pas sûr du deuxième», a ironisé Kieran Suckling, du Center for Biological Diversity. «Mais peut-être qu'il faudrait à présent également éliminer le premier[37].»

L'adoption d'une vision pro-entreprise par plusieurs acteurs du mouvement environnementaliste allait provoquer un profond schisme. Certains militants ont été à ce point déçus par la volonté de leurs organisations de s'allier aux pollueurs qu'ils ont refusé dorénavant d'y prêter allégeance. Certains ont fondé de nouveaux groupes, plus contestataires, suivant l'exemple d'Earth First!, qui tentait de mettre fin aux coupes forestières par le biais du sabotage et de l'action directe.

La plupart du temps, ces tiraillements se produisaient en coulisse. Le 23 avril 1990, toutefois, ils allaient faire les manchettes. En ce lendemain du Jour de la Terre (qui consistait alors en une vaste campagne annuelle d'éco-blanchiment), près d'un millier de manifestants ont envahi la Bourse de New York et celle de San Francisco pour attirer l'attention sur les «institutions principalement responsables de la dégradation de l'environnement qui compromet l'avenir de la planète». Les membres de groupes de citoyens comme la Love Canal Homeowners Association, le Bhopal Action Resource Group et la National Toxics Campaign distribuaient un tract où on pouvait lire: «Qui détruit la Terre? Sommes-nous tous à blâmer? Non! Il faut remonter à la source du problème: Wall Street!» Le tract poursuivait: «Les pollueurs voudraient nous faire croire que nous sommes tous de simples passagers à bord du vaisseau Terre, mais en réalité, seuls quelques-uns d'entre eux sont aux commandes, étouffant tous les autres de leurs gaz d'échappement[38].» Cette rhétorique contestataire, qui allait, quelques décennies plus tard, ouvrir la voie au mouvement Occupy Wall Street et à celui prônant le désinvestissement du secteur des combustibles fossiles, constituait une critique explicite de l'inféodation du mouvement environnementaliste aux milieux d'affaires. «Les véritables groupes écologistes sont dégoûtés par la manière dont les entreprises ont récupéré le Jour de la Terre», a déclaré Daniel Finkenthal, le porte-parole des militants, ajoutant à l'attention d'un journaliste que les commanditaires «dépensent plus d'argent pour faire la promotion du Jour de la Terre que pour entreprendre de véritables réformes pour l'environnement[39]».

## Le prix de la reddition

De toutes les grandes organisations environnementalistes ayant adopté une vision pro-entreprise au cours des années 1980, aucune ne suscitera autant d'amertume et de déception que l'EDF, une organisation jusqu'alors pugnace qui a d'ailleurs passé ses premières années d'existence à traduire en actions les idées de Rachel Carson. Au milieu des années 1980, un jeune avocat du nom de Fred Krupp prend les rênes de l'organisation. Il est convaincu que le leitmotiv du groupe, qui consiste à poursuivre les pollueurs en justice, est tellement dépassé qu'on pourrait le retrouver dans une vente de bric-à-brac aux côtés d'exemplaires écornés de *Les Limites à la croissance*. Sous la direction de Krupp, le nouvel objectif de l'EDF, d'ailleurs toujours en vigueur aujourd'hui, ne consiste plus à intenter le procès des salauds mais à leur créer de nouveaux marchés, comme le formulera Eric Pooley, un collègue de Krupp[40]. Or, c'est précisément ce virage, plus que n'importe quel autre facteur, qui est à l'origine de l'acoquinement du mouvement environnementaliste avec l'industrie des combustibles fossiles.

Cette nouvelle ère de «collaboration» est inaugurée le 20 novembre 1986 lorsque Krupp publie dans le *Wall Street Journal* une lettre d'opinion où il est loin de pécher par excès d'humilité. Il y annonce qu'une nouvelle génération d'environnementalistes pro-entreprise est née, porteuse d'une «nouvelle stratégie pour le mouvement». Krupp explique que sa génération rejette l'idée désuète selon laquelle «il ne peut y avoir de solution avantageuse à la fois pour l'économie et l'environnement. Le nouvel environnementalisme, qui refuse de perpétuer cet antagonisme, a d'ailleurs montré dans nombre de cas critiques qu'une telle perception était fallacieuse». Par conséquent, au lieu de tenter de faire interdire les activités ou les substances dommageables pour l'environnement comme l'a fait l'organisation pour le DDT avant l'arrivée de Krupp à sa direction, l'EDF forme dorénavant des partenariats avec les pollueurs. Grâce à ces «alliances», l'EDF convainc ses anciens ennemis qu'il est possible de faire des économies d'échelle et de créer de nouveaux marchés s'ils acceptent d'écologiser leurs pratiques. Au fil du temps, Walmart, McDonald's, FedEx et AT&T verront tous certains avantages à former des partenariats hautement médiatisés avec ce pionnier de la cause environnementale[41].

L'EDF se targue de faire passer les « résultats » avant l'idéologie, bien que son plan d'action tienne de la croisade idéologique pour le capitalisme débridé. L'arrivée au pouvoir en 1988 de George H.W. Bush, qui promet de régler le problème des pluies acides, est un moment charnière. Selon l'ancienne logique environnementale, la solution à ce problème serait simple : puisque les émissions de dioxyde de soufre sont les principales responsables de l'acidification des précipitations, ces émissions doivent être réduites. Au lieu de quoi, l'EDF exerce des pressions pour que soit instauré le tout premier système complet de plafonnement et d'échanges de droits d'émission. Plutôt que de contraindre les entreprises polluantes à réduire leurs émissions soufrées, ce système met en place un quota national d'émissions et offre aux grands pollueurs de choisir, à leur convenance, l'une des trois options suivantes : payer d'autres entreprises afin qu'elles réduisent leurs propres émissions ; acheter des droits d'émission qui leur permettent de polluer autant qu'avant ; ou faire des profits en vendant leurs droits d'émission non utilisés[42].

Ce nouveau système sera accueilli avec enthousiasme par les fondations et les donateurs privés, en particulier à Wall Street, où les financiers se réjouissent à l'idée de faire des profits en « sauvant » l'environnement. Sous la direction de Krupp, le budget annuel de l'EDF passera de 3 millions à quelque 120 millions de dollars. Julian Robertson, fondateur du fonds spéculatif Tiger Management, souscrit d'ailleurs au travail de l'EDF en lui allouant la somme, aussi rondelette que stupéfiante, pour un seul donateur, de 40 millions de dollars[*43].

L'EDF a toujours insisté sur le fait qu'il n'acceptait aucun don de la part de ses entreprises-partenaires. « [Cela] minerait notre indépendance et notre intégrité », écrit Eric Pooley, vice-président directeur de la stratégie et des communications de l'organisation. Malheureusement, cette prétention ne tient pas la route. Par exemple, un des principaux partenaires de l'EDF est Walmart, que l'organisation incite à « adopter des pratiques plus durables ».

---

* Au cours des années suivantes, les mondes de la finance et de l'environnementalisme se confondront à tel point que, lorsque viendra le temps d'élire son nouveau PDG en 2008, TNC ne le recrutera pas dans l'univers des ONG, mais chez Goldman Sachs. L'actuel directeur de l'organisation, Mark Tercek, a d'ailleurs travaillé pendant vingt-cinq ans auprès de cette (tristement célèbre) banque d'investissement. Faux transfuge, Tercek continue de faire la promotion d'un modèle de préservation de l'environnement soumis aux lois du marché.

Or, s'il est vrai que Walmart ne fait aucun don direct à l'EDF, celui-ci recevra de la Walton Family Foundation (sous la coupe de la famille fondatrice de Walmart) quelque 65 millions de dollars de 2009 à 2013. En 2011, cette même fondation fournira à l'EDF près de 15 % de son financement. Pendant ce temps, Sam Rawlings Walton, petit-fils du fondateur Sam Walton, siège au conseil d'administration de l'organisation. Le site de l'EDF le décrit ainsi : « plaisancier, philanthrope et entrepreneur[44] ».

L'EDF affirme « soumettre Walmart aux mêmes normes que n'importe quelle autre entreprise ». Si l'on se fie au sombre bilan environnemental de Walmart depuis les débuts de son partenariat avec l'EDF, la barre n'est pas placée très haut, cette mégaentreprise étant connue pour la hausse constante de ses émissions de GES et son rôle central dans l'étalement des banlieues[45].

L'EDF n'est pas la seule organisation à bénéficier de la générosité de la famille Walton, dont la fondation est l'un des principaux bailleurs de fonds des grands groupes environnementalistes. C'est ainsi qu'en 2011, elle a distribué 71 millions de dollars à différentes causes environnementales, la moitié de cette somme étant réservée à l'EDF, au Marine Stewardship Council et à Conservation International. Notons que toutes trois sont partenaires de Walmart (que ce soit pour réduire ses émissions de GES, apposer une étiquette écologique à certains produits de la mer vendus par l'entreprise ou lancer une nouvelle ligne de bijoux vantée pour sa traçabilité à toutes les étapes de la production). Stacy Mitchell, chercheuse à l'Institute for Local Self-Reliance, souligne les lourdes répercussions politiques impliquées par l'extrême dépendance d'une grande partie du mouvement environnementaliste vis-à-vis d'une firme qui, pratiquement à elle seule, a accru de façon ahurissante le secteur de la vente au détail avant d'exporter ce modèle à l'échelle planétaire. « L'argent de Walmart exerce une profonde influence sur l'établissement des programmes politiques, la définition des priorités et le choix des stratégies, où sont privilégiées celles qui renforcent le pouvoir de la grande entreprise au lieu de le remettre en question », souligne Mitchell[46].

Ce qui nous ramène au cœur du problème, lequel dépasse largement le fait qu'une organisation financée par la famille Walton ne risque guère de se montrer excessivement critique à l'égard des pratiques de Walmart. En réalité, la décennie 1990 a été décisive quant à la définition d'un plan de lutte contre le dérèglement climatique, au développement d'une stratégie d'envergure internationale et à la présentation au grand public d'une première vague de solutions potentielles. Sauf que, en même temps, toute une fraction du mouvement environnementaliste embrassait avec enthousiasme la vision pro-entreprise assortie d'un modèle de changement social léthargique entièrement placé sous l'égide du «gagnant-gagnant». À la même époque, de nombreux partenaires financiers d'organisations environnementalistes comme l'EDF et TNC (Walmart, FedEx, GM) faisaient pression en faveur d'une déréglementation mondiale, responsable d'un accroissement spectaculaire des émissions de GES à l'échelle mondiale.

Conjugué au désir des environnementalistes d'être admis comme partenaires sérieux dans des cercles où le sérieux consiste à se conformer à la logique du marché, cet alignement d'intérêts économiques a façonné en profondeur la manière dont cette fraction des verts percevait la crise climatique : non pas tant comme une conséquence de la surconsommation, ou des émissions de GES issues de l'agriculture industrielle, ou d'une culture fondée sur l'automobile ou d'un système commercial mondialisé (autant de racines du mal qu'il aurait fallu arracher au prix de mutations quant à nos manières de vivre, de travailler, de manger et de consommer), mais comme un petit problème technique susceptible d'être résolu au moyen de solutions commerciales, solutions d'ailleurs en vente, pour la plupart, sur les rayons des magasins Walmart*.

Comme l'indique l'environnementaliste et auteur écossais Alastair McIntosh, l'effet de ce «ligotage du débat» s'étend bien au-delà des groupes américains. «Selon mon expérience, les membres du personnel de la plupart des agences qui se penchent sur les enjeux climatiques ne croient guère à la possibilité d'infléchir la consommation effrénée au moyen de mesures politiques destinées à limiter la consommation», écrit McIntosh. Si cette vision est souvent considérée comme le symptôme d'une foi indéfectible en la capacité d'autorégulation du marché, elle témoigne aussi d'«un certain pessimisme en nous cantonnant dans de fausses solutions. C'est un déni de la réalité, un refus de

---

\* Il s'agit là d'un des nombreux paradoxes de la thèse des membres du Heartland Institute selon laquelle en chaque environnementaliste sommeille un socialiste. Si tel est le cas, celui-ci dort à poings fermés ! En réalité, beaucoup d'environnementalistes s'indignent quand on les traite de gauchistes parce qu'ils craignent (avec raison) que cela refroidisse l'enthousiasme des fondations ou des entreprises qui les financent. Loin de voir dans la crise du climat un outil de transformation sociale, la plupart des grandes organisations environnementalistes cherchent farouchement à protéger le mode de vie nord-américain actuel, faisant fi des recommandations des climatologues.

rechercher dans la nature humaine les racines de l'espoir[47]». Autrement dit, la réticence d'un si grand nombre d'environne-mentalistes à envisager des solutions qui bouleverseraient le statu quo économique les amène à fonder leurs espoirs sur les produits miracles, les marchés du carbone ou les «carburants de transi-tion». Or, considérer comme susceptibles d'assurer notre sécurité collective des solutions à ce point déficientes ou risquées tient de la pensée magique.

Il est possible que ces soi-disant pragmatistes cherchent vrai-ment à protéger la planète d'un réchauffement catastrophique. Toutefois, il n'est pas facile de déterminer qui s'illusionne le plus : les membres du Heartland Institute, qui nient l'existence de la crise du climat parce qu'elle menace l'ordre établi, ou les réchauf-fistes complaisants, qui se permettent de l'admettre en affirmant qu'une légère modification de nos habitudes suffira à contrer le dérèglement climatique?

## Acheter la solution?

Dans les années qui ont suivi la sortie du film d'Al Gore *Une vérité qui dérange,* on a eu l'impression que la crise du climat donnait enfin l'impulsion nécessaire à la mise en branle d'un véritable mouvement de transformation sociale. À ce moment, en effet, la population semblait très consciente des enjeux climatiques, qui faisaient les manchettes un peu partout dans le monde. Curieu-sement, cette impulsion émanait surtout des strates supérieures de la société. À l'aube du nouveau millénaire, la question climatique est devenue l'affaire d'experts, l'apanage des comités du Forum de Davos, des clinquantes conférences TED (Technology, Entertain-ment and Design), de numéros spéciaux de *Vanity Fair* sur l'envi-ronnement et de vedettes venant récolter leurs Oscars en voiture hybride. Derrière cette mascarade, toutefois, pas de mouvement populaire digne de ce nom. On a assisté à quelques manifestations, certes, mais à peu d'actions directes (à l'exception de quelques coups d'éclat dont les médias sont friands), et encore moins à l'in-tervention de dirigeants indignés (sauf l'ex-vice-président améri-cain Gore).

D'une certaine façon, cette période représente un retour aux sources du conservationnisme, à l'époque où le cofondateur du Sierra Club, John Muir, tentait de convaincre le président Theodore Roosevelt, autour d'un pittoresque feu de camp, de protéger le parc de Yosemite. Bien que le président de Conservation Interna-tional n'eût jamais emmené George W. Bush en expédition sur les glaciers en train de fondre pour lui démontrer la gravité de la situation, cette expédition à Yosemite a inspiré une foule d'initiatives comparables. Les croisières d'écotourisme permettant aux PDG des entreprises qui figurent dans le palmarès Fortune 500 de rendre visite aux barrières coralliennes menacées par la crise du climat en sont un bel exemple.

Dans cet acte de l'histoire de l'environnementalisme, la population joue un rôle de soutien non négligeable. À l'occasion, elle doit rédiger des lettres, signer des pétitions, éteindre ses lumières pendant une heure ou former à l'occasion un immense sablier humain qui sera photographié depuis les airs. On lui demande aussi de faire des dons aux grandes organisations environnementalistes qui prétendent chercher en son nom une solution à la crise du climat. Toutefois, c'est surtout par leur pouvoir de consommateurs que monsieur et madame Tout-le-Monde sont appelés à appuyer cette noble cause. Attention : il ne s'agit pas de moins consommer, mais bien de découvrir de nouvelles manières excitantes de consommer davantage*. Et, si jamais la culpabilité s'installe, il est toujours possible, en quelques clics sur les calculateurs d'empreinte carbone disponibles sur des dizaines de sites environnementalistes, d'acheter des indulgences carbone pour expier nos péchés[48].

Outre qu'elle a très peu de répercussions sur les émissions de GES, pareille approche « écolo » de la consommation vient renforcer certaines valeurs extrinsèques dont on sait qu'elles constituent les principales entraves psychologiques à la formation d'un véritable mouvement de protection du climat – ainsi de la richesse et du culte de l'image en tant que tels, ou de l'idée que le changement relève d'une injonction venue d'en haut plutôt que de notre exigence propre. Une telle approche peut même amener certaines personnes à douter de la réalité d'un changement climatique

---

* Toujours prompte à brasser des affaires, TNC a été particulièrement enthousiasmée par cette approche mercantile. Elle a recruté son chef du marketing auprès de la World Wrestling Entertainment et pris part en 2012 au battage publicitaire qui a entouré la sortie du film *Le Lorax* d'Universal Pictures (paradoxalement, ce classique de Dr Seuss dénonçant la consommation effrénée a servi à faire de la publicité aux crêpes des restaurants IHOP et aux véhicules Mazda). La même année, l'organisation a indigné bon nombre de ses employées en s'associant au détaillant en ligne de produits de luxe Gilt pour faire la promotion du numéro spécial du *Sports Illustrated* consacré aux maillots de bain. « Que vous décidiez d'acheter un bikini, une planche de surf ou encore un billet pour participer à nos événements, votre argent [...] aidera TNC à faire en sorte qu'il reste des plages où photographier des maillots de bain pour un autre demi-siècle au moins », lit-on dans le magazine.

causé par l'homme. De plus en plus de spécialistes en communication expliquent en effet que les « solutions » à la crise proposées
par les environnementalistes sont à ce point superficielles que
beaucoup de gens finissent par conclure qu'on a exagéré l'ampleur du problème. Après tout, si la crise du climat est aussi terrible que l'affirme Al Gore dans *Une vérité qui dérange,* pourquoi
les organisations environnementalistes se contentent-elles de
demander aux gens de changer de marque de savon, de se rendre
parfois au travail à pied ou de leur faire un don ? Pourquoi
n'exhortent-elles pas carrément l'industrie des combustibles fossiles à se recycler ?

    « Imaginez une nouvelle campagne choc contre le tabagisme
où l'on montrerait des photos glauques de cancéreux à l'agonie
assorties du slogan suivant : "C'est facile d'être en bonne santé.
Fumez une cigarette de moins par mois." Inutile de réfléchir bien
longtemps pour savoir que cette campagne serait vouée à l'échec »,
écrit l'auteur et militant britannique George Marshall. « L'objectif
proposé est tellement dérisoire, et le décalage entre les photos et
le slogan tellement criant que la majorité des fumeurs pouffe-
raient de rire[49]. »

    Une telle stratégie serait déjà plus efficace si, pendant que les
citoyens sont conviés à « verdir » les menus détails de leur existence,
les grandes organisations environnementalistes demandaient aux
principaux pollueurs d'agir dans le même sens en réduisant leurs
émissions de GES. Certaines le font, mais beaucoup, en fait, font
exactement le contraire : non contentes d'élaborer des mécanismes
financiers complexes permettant aux entreprises de continuer à
émettre des GES, elles font campagne pour stimuler l'essor du gaz
naturel.

## Le gaz de schiste comme combustible de transition

C'est au début des années 1980 que l'industrie gazière a commencé à présenter le gaz naturel comme un combustible de transition vers les énergies propres. Puis, en 1988, alors que le grand
public était en train de prendre conscience du réchauffement planétaire, l'American Gas Association a entrepris de présenter ses
produits comme une solution à l'« effet de serre[50] ».

    En 1992, une coalition de groupes progressistes, qui compre-
nait le NRDC, les Amis de la Terre, Environmental Action et
Public Citizen, s'est ralliée à cette stratégie, et a présenté par la

suite à la nouvelle administration Clinton un «plan d'utilisation durable de l'énergie» accordant une grande place au gaz naturel. Le NRDC en particulier s'est fait le fervent défenseur de ce programme, allant même jusqu'à qualifier le gaz naturel de «passerelle vers les énergies plus propres et plus durables[51]».

En cette époque où les technologies de production d'énergie renouvelable étaient moins raffinées et où le gaz naturel était encore extrait selon les techniques de forage classiques, l'idée paraissait sensée. Les choses ont toutefois beaucoup changé depuis. D'une part, la production d'énergie renouvelable est devenue beaucoup plus efficace et abordable, ce qui rend possible (tant sur le plan technique qu'économique) le passage aux énergies propres d'ici quelques décennies. D'autre part, la grande majorité des nouveaux projets gaziers en Amérique du Nord ne font plus appel aux procédés de forage conventionnels, mais à la fracturation hydraulique, et cette tendance est à la hausse partout sur la planète[52].

Dans le contexte actuel, le gaz naturel n'a donc plus grand-chose d'écologique, particulièrement s'il est extrait par fracturation hydraulique. On sait aujourd'hui que cette technique engendre suffisamment de fuites de méthane pour que la contribution de cette filière à la crise du climat, particulièrement à court terme, soit comparable à celle du charbon. «Le gaz extrait des formations de schiste n'est pas un combustible de transition vers les énergies propres; il s'agit plutôt d'une passerelle vers un réchauffement accru qui détourne les sommes qui auraient pu être investies dans les énergies propres», écrit dans le *New York Times* Anthony Ingraffea. Co-auteur de la fracassante étude de l'université Cornell sur les fuites de méthane dont il a été question au chapitre 4, Ingraffea est un ingénieur d'expérience «ayant contribué au développement des techniques de fracturation pour le département de l'Énergie des États-Unis», comme il l'admet lui-même[53].

On sait également, à partir des expériences menées aux États-Unis, que le gaz naturel, s'il est abondant et bon marché, ne se substitue pas uniquement au charbon, mais également à certaines sources d'énergie renouvelable. Cette situation amène Kevin Anderson, du Tyndall Centre, à conclure que, «si l'on veut vraiment contrer la crise du climat, la seule option sûre qu'on puisse envisager pour le gaz de schiste consiste à le laisser dans le sol». La biologiste Sandra Steingraber, membre du groupe New Yorkers Against Fracking, qui milite contre le recours à la fracturation hydraulique dans l'industrie du gaz naturel, résume la situation:

nous sommes « à la croisée des chemins en matière d'énergie. Une voie mène à un avenir consistant à extraire les combustibles fossiles du sol et à y mettre le feu. L'autre mène aux énergies renouvelables. Or, il est impossible d'emprunter les deux chemins à la fois. Le financement d'infrastructures nécessaires à l'un fait obstacle à l'autre[54] ».

Plus critiques encore, de nombreux experts croient fermement qu'il n'est pas nécessaire de recourir à de nouveaux types de combustibles fossiles comme les gaz de schiste pour passer aux énergies renouvelables. Par exemple, Mark Z. Jacobson, professeur d'ingénierie à l'université Stanford, affirme que les sources classiques de combustibles fossiles peuvent suffire à soutenir la transition. « Nous n'avons pas besoin de nouvelles sources d'énergie d'origine fossile pour construire les infrastructures qui permettront une conversion totale à l'éolien, à l'hydraulique et au solaire. Nous pouvons employer les installations existantes, en combinaison avec les nouvelles infrastructures [de production d'énergie renouvelable], pour fournir l'électricité nécessaire, juge Jacobson. Le pétrole et le gaz obtenus selon les méthodes d'extraction conventionnelles sont disponibles en quantité plus que suffisante[55]. »

Comment les grandes organisations environnementalistes ont-elles réagi à de tels bémols ? Certaines d'entre elles, comme le NRDC, ont tempéré leur soutien initial en reconnaissant les dangers du gaz naturel et en recommandant la mise en place de règlements plus stricts, sans toutefois renoncer à promouvoir ce combustible comme substitut au charbon et à d'autres combustibles polluants. D'autres ont maintenu leur soutien inconditionnel à cette filière. L'EDF et TNC, par exemple, ont même cherché à enfoncer le clou en collaborant à des études (financées en grande partie par l'industrie des combustibles fossiles) alimentant la perception selon laquelle cette technique serait en passe de devenir sûre et non polluante.

TNC, pour sa part, a reçu à ce jour de la banque d'investissement JP Morgan (l'un des principaux bailleurs de fonds de l'industrie de la fracturation hydraulique) des centaines de milliers de dollars en vue d'élaborer des règles non contraignantes pour le secteur. Selon Matthew Arnold, responsable des questions environnementales chez JP Morgan, la banque compte au moins une centaine de gros clients de cette industrie. (« Quelle que soit l'année, nous occupons la première ou la seconde position dans l'industrie mondiale du pétrole et du gaz », a précisé Arnold à *The Guardian* en février 2013.) TNC a également établi un partenariat très médiatisé avec BP portant sur le champ gazier Jonah, un vaste projet de fracturation situé dans une région du Wyoming où vivent plusieurs espèces vulnérables. La tâche de TNC consiste à concevoir des projets de protection d'habitats et de conservation visant à « compenser les répercussions des plates-formes et des infrastructures de forage ». Dans une perspective climatique, il s'agit là d'une situation absurde puisque ces projets ne font rien pour résoudre le principal problème de l'exploitation gazière, à savoir la libération de GES dans l'atmosphère. En réalité, la meilleure mesure de conservation que puisse préconiser un groupe environnemental consiste simplement à laisser les réserves de carbone dans le sol[56].

De son côté, l'EDF s'est allié à plusieurs grandes firmes de forage afin de créer le Center for Sustainable Shale Development (CSSD, centre pour le développement durable du gaz de schiste). Comme l'indique son nom, celui-ci ne remet surtout pas en cause la « durabilité » de l'extraction de combustibles fossiles en cette ère de changements climatiques. Il établit plutôt une série de normes volontaires qui, selon ses membres, rendront la fracturation hydraulique de plus en plus sécurisée. Tel n'est pas l'avis de J. Mijin Cha, principale analyste politique chez Demos. « Les nouvelles normes du CSSD [...] ne sont pas applicables. Tout au plus, elles offrent un paravent aux groupes d'intérêts pétroliers et gaziers qui veulent saboter le passage aux énergies renouvelables », déplore-t-elle[57].

L'une des principales sources de financement du CSSD est Heinz Endowments, qui y trouve certainement son compte. En effet, une enquête menée en 2013 par le Public Accountability Initiative rapporte les faits suivants :

> Heinz Endowments entretient d'importants liens secrets avec l'industrie du gaz naturel. [...] Robert F. Vagt, président de Heinz Endowments, est actuellement directeur de Kinder Morgan, une entreprise de gazoducs, et détient plus de 1,2 million de dollars en actions de l'entreprise. Cette information n'est évidemment pas divulguée sur le site web de Heinz Endowments ou du CSSD, où Vagt occupe un poste d'administrateur. Dans de récents documents, Kinder Morgan a mentionné qu'une réglementation plus serrée de la fracturation hydraulique constitue un important risque d'entreprise.

(Lorsque la controverse sur le gaz naturel a éclaté, Heinz Endowments a semblé rectifier sa position à l'égard de ce combustible en procédant à un important remaniement de son personnel ; Vagt a notamment renoncé à son titre de président de la fondation au début de 2014[58].)

L'EDF a également reçu une contribution de 6 millions de dollars de la fondation du milliardaire Michael Bloomberg (ancien maire de New York et fervent défenseur de la fracturation hydraulique), spécialement destinée à l'élaboration et à la promotion d'une réglementation visant à assurer la sécurité de ce procédé (et non à déterminer de façon objective si un tel objectif est réaliste). Évaluée à plus de 30 milliards de dollars, la fortune de l'ancien maire est administrée par Willett Advisors, une firme d'investissement mise sur pied par Bloomberg et ses associés. Selon le *Bloomberg Businessweek,* Willett Advisors «investit dans des biens immobiliers situés dans des régions où l'on extrait du pétrole et du gaz», une information d'ailleurs confirmée par Bloomberg Philanthropies (qui occupe le même immeuble que la firme), mais que Michael Bloomberg refuse de commenter[59].

Par ailleurs, l'EDF ne se contente pas d'aider l'industrie gazière à donner l'impression de se préoccuper sérieusement d'environnement. Il mène également des recherches pour démentir la thèse selon laquelle la fracturation hydraulique, en raison des fuites de méthane qu'elle entraîne, est loin d'être une solution à la crise du climat. L'organisation, en effet, a collaboré avec Shell, Chevron et d'autres grandes sociétés du secteur de l'énergie pour produire une étude, s'inscrivant dans une série, portant sur les fuites de méthane. L'objectif de cette étude est évident : contribuer «à intégrer le gaz naturel à la stratégie visant à assurer la sécurité énergétique et la transition vers un avenir énergétique propre», comme l'indique un représentant de l'EDF. Publiée en 2013 dans la revue *Proceedings of the National Academy of Sciences,* la première de cette série de travaux a fait couler beaucoup d'encre en faisant état de fuites de méthane de 10 à 20 fois inférieures à celles rapportées dans la plupart des autres recherches publiées à ce jour[60].

L'étude en question, toutefois, se fonde sur une méthodologie douteuse. Le choix des puits analysés, en premier lieu, qui a été effectué par les sociétés gazières. Robert Howarth, de l'université Cornell, souligne que les conclusions de l'EDF «se basent uniquement sur l'évaluation, à des moments fixés par l'industrie, de sites choisis par celle-ci». En conséquence, il faut considérer cet article «comme un portrait du meilleur scénario possible», et non comme celui de l'industrie dans son ensemble. «L'industrie gazière peut effectivement extraire du gaz en produisant relativement peu d'émissions, mais c'est rarement le cas. Elle est plus prudente lorsqu'elle se sait surveillée», précise Howarth. Les manchettes ne rendront guère compte de ces réserves, comme l'illustrent les exemples suivants: «Une étude démontre que les fuites des puits de gaz naturel sont moins importantes qu'on le croyait» (*Time*); «Une étude indique que les fuites associées au forage de puits de gaz ne sont pas majeures» (Associated Press); «Les craintes quant aux fuites de méthane associées à la fracturation sont excessives» (*The Australian*[61]).

Une telle couverture médiatique sème évidemment le doute au sein de la population. Tout bien considéré, la fracturation est-elle sécurisée? Est-elle sur le point de le devenir? Est-ce une source d'énergie propre ou polluante? Tout comme la stratégie bien rodée qui consiste à tenter d'invalider les données scientifiques démontrant l'existence des changements climatiques, cette confusion freine l'élan qui permettrait de tourner le dos aux combustibles fossiles pour passer aux énergies renouvelables. «À mon avis, on est en train de gâter ce qui était une volonté politique sans précédent d'amorcer une transition vers les énergies renouvelables», fait remarquer Josh Fox, réalisateur du documentaire *Gasland*, mis en nomination pour un Oscar[62].

En effet, pendant que les environnementalistes brandissent leurs études contradictoires ou proposent des codes déontologiques volontaires, les sociétés gazières continuent à forer des puits, à engendrer des fuites de méthane et à investir des milliards de dollars dans de nouvelles infrastructures conçues pour durer des décennies.

## Le commerce de la pollution

Lorsque les États commencent à négocier le traité international sur le climat qui deviendra le protocole de Kyoto, il existe un vaste consensus sur ce que doit stipuler cette entente: les riches pays industrialisés responsables de la majeure partie des émissions de GES devront faire les premiers pas en plafonnant leurs émissions à un niveau déterminé, puis en les réduisant de façon systématique. Selon l'Union européenne et les pays en développement, les gouvernements se conformeront à ce plan en instaurant des mesures sévères visant à réduire les émissions nationales (la taxation des émissions de dioxyde de carbone, par exemple) pour entreprendre ensuite le virage vers les énergies renouvelables.

Lorsque les représentants de l'administration Clinton se présentent aux négociations, cependant, ils proposent une autre approche: la mise sur pied d'un marché international du carbone inspiré du système de plafonnement et d'échanges de droits d'émission employé pour remédier au problème des pluies acides (durant le processus de négociation du protocole de Kyoto, l'EDF travaille d'ailleurs à élaborer cette stratégie en étroite collaboration avec l'équipe d'Al Gore[63]). Au lieu d'exhorter les pays industrialisés à réduire leurs émissions de GES à un niveau déterminé, le système proposé prévoit des permis d'émission pouvant être employés ou vendus à une partie dont les émissions excèdent les quotas fixés. À l'échelle nationale, de tels échanges de permis pourraient également être conclus d'une entreprise à l'autre, et les pays se verraient imposer des quotas à ne pas dépasser. Parallèlement, des projets destinés à réduire la quantité de dioxyde de carbone dans l'atmosphère (par exemple par la plantation d'arbres capables de fixer le carbone, l'aménagement d'unités de production d'énergie à faibles émissions ou la rénovation d'usines polluantes) pourraient générer des crédits-carbone susceptibles d'être rachetés par les pollueurs pour compenser leurs propres émissions.

Ce programme plaît tellement à l'administration américaine qu'elle fait de l'inclusion des échanges de crédits-carbone une condition essentielle à la poursuite des négociations devant mener au protocole de Kyoto. Survient alors ce que l'ancienne ministre de l'Environnement de la France, Dominique Voynet, décrit comme étant un «antagonisme flagrant» entre les États-Unis et l'Europe. Les représentants européens, en effet, jugent que, en créant un marché mondial du carbone, on abandonne la lutte contre le dérèglement climatique au profit de la «loi de la jungle». «L'objectif des pays industrialisés ne peut consister à répondre à leurs obligations uniquement en tirant parti des échanges de droits d'émission», insiste Angela Merkel, alors ministre de l'Environnement de l'Allemagne[64].

Ironiquement, les États-Unis ne ratifieront pas le protocole de Kyoto, même après avoir remporté d'âpres négociations portant sur la mise en place d'un marché du carbone. Qui plus est, c'est en Europe que s'implantera le plus important marché du carbone, malgré l'opposition initiale des représentants européens. Le système communautaire d'échange de quotas d'émission (SCEQE), qui voit le jour en 2005, sera lié au mécanisme de développement propre (MDP), lui-même un élément du protocole de Kyoto. Au départ, les marchés du carbone semblent bien fonctionner. La Banque mondiale estime que, de 2005 à 2010, les différents marchés du carbone sur la planète enregistrent des échanges totalisant plus de 500 milliards de dollars (bien que certains experts estiment qu'il s'agit d'une surévaluation). Parallèlement, de nombreux projets à travers le monde génèrent des crédits-carbone ; début 2014, le MDP avait chapeauté à lui seul plus de 7 000 projets[65].

Toutefois, des problèmes ne tardent pas à surgir. Dans le cadre du MDP instauré par les Nations Unies, toutes sortes de projets pour le moins discutables peuvent générer de lucratifs crédits-carbone. Par exemple, les compagnies pétrolières qui pratiquent le torchage dans le delta du Niger (brûler le gaz naturel libéré lors du forage revient moins cher que de tenter de le récupérer) soutiennent qu'elles devraient être payées pour mettre fin à cette pratique. Certaines d'entre elles ont d'ailleurs déjà été jugées admissibles aux crédits-carbone pour l'avoir fait, même si le torchage est interdit par la loi depuis 1984 au Nigeria (une loi lacunaire et très facile à contourner[66]). En vertu des normes onusiennes en matière de « développement propre », une usine ultra-polluante qui installe un dispositif restreignant ses émissions de GES a droit à des crédits-carbone, qui peuvent servir à compenser des émissions encore plus polluantes ailleurs dans le monde.

Pour les défenseurs de ce modèle, le cas le plus embarrassant est celui d'usines de liquides de refroidissement indiennes et chinoises émettant du trifluorométhane, un dangereux GES. En installant un dispositif relativement peu coûteux (une torche à plasma, par exemple) permettant de détruire ce composé au lieu de le laisser s'échapper dans l'atmosphère, ces usines, qui pour la plupart produisent des gaz employés dans l'industrie de la réfrigération et de la climatisation, ont récolté chaque année des dizaines de millions de dollars en crédits-carbone. Ce système est tellement lucratif qu'il peut avoir un effet pervers : dans certains cas, les entreprises gagnent deux fois plus d'argent à éliminer des sous-produits indésirables qu'à maintenir une production qui entraîne d'importantes émissions de GES. Le cas extrême d'une entreprise indienne qui, en 2012, obtenait 93,4 % de ses revenus totaux de la vente de crédits-carbone illustre bien ce phénomène[67].

Selon CDM Watch, un groupe qui a exercé des pressions pour inciter les Nations Unies à revoir leurs politiques régissant l'élimination du trifluorométhane, « des preuves accablantes montrent que ces usines déjouent [le système] en générant des GES plus néfastes dans l'unique but d'être rémunérées pour en réduire ensuite les émissions[68] ». Le pire, c'est que le principal produit fabriqué par les usines en question est un type de réfrigérant des plus destructeurs pour la couche d'ozone. (Il doit d'ailleurs être progressivement abandonné en vertu du protocole de Montréal relatif à des substances qui appauvrissent la couche d'ozone.)

Ce genre de situation n'est pas rare sur le marché mondial des émissions de GES. En 2012, les fabricants de ce réfrigérant ont reçu la plus grande part des crédits-carbone accordés en vertu du MDP, au détriment de projets dotés d'une véritable valeur écologique[69]. Depuis, les Nations Unies ont remodelé en partie le système, et l'Union européenne n'accepte plus les crédits-carbone en provenance de ces usines dans son marché du carbone.

La possibilité pour les entreprises d'être payées pour réduire leurs émissions de GES a quelque chose de pernicieux, ce qui n'empêche pas les projets de compensation douteux de pulluler sur le marché du carbone. Ce dernier attire en effet une impressionnante brochette d'escrocs venus écumer les pays pauvres bien pourvus en biodiversité comme la Papouasie-Nouvelle-Guinée, l'Équateur ou le Congo. Ciblant les communautés autochtones isolées pour leurs forêts en raison de l'admissibilité de celles-ci aux projets de compensation des émissions de GES, ces cow-boys du carbone en quête d'argent facile débarquent avec des contrats (souvent rédigés uniquement en anglais) qui prévoient la cession de vastes portions de territoire à des groupes de conservation. Les habitants de la brousse de Papouasie-Nouvelle-Guinée parlent d'«argent du ciel» pour désigner ces ententes compensatoires aussi insaisissables que le produit concerné par la transaction ; à Madagascar, où les promesses d'enrichissement se révèlent aussi volatiles que le dioxyde de carbone en cause, les Betsimisarakas parlent d'étrangers qui «vendent du vent[70]».

L'Australien David Nilsson est un cow-boy du carbone qui s'est rendu tristement célèbre en montant une affaire particulièrement malhonnête ; on rapporte que son entreprise faisant le commerce de crédits-carbone n'est plus constituée que d'un répondeur et d'un site web. Au Pérou, Nilsson a tenté de convaincre les Matsés de renoncer à leurs droits fonciers, leur promettant en échange des milliards de dollars sous la forme de crédits-carbone. Par la suite, une coalition locale a exercé des pressions afin que l'arnaqueur soit expulsé du pays au motif que son projet était «identique à une centaine d'autres visant la compensation des émissions de dioxyde de carbone [qui] divisaient leur peuple par de fausses promesses d'enrichissement*». Aux dires de certains chefs locaux, il est même plus facile de faire affaire avec les grandes compagnies pétrolières et minières, dont

---

* Il est intéressant de noter que, avant de s'aventurer dans l'univers de la compensation des émissions de GES, Nilsson avait déjà fait l'objet d'une enquête menée par les membres du Parlement du Queensland pour avoir vendu des terrains dépourvus de titres fonciers situés sur l'île de Nauru.

les intérêts sont prévisibles, qu'avec une organisation aux allures de vertueuse ONG qui lorgne leurs terres en se livrant à un commerce beaucoup plus abstrait[71].

De telles fourberies mettent en lumière un problème qui déborde du cadre du système de compensation officiel pour se manifester dans le contexte plus officieux des ententes volontaires administrées par des ONG afin de « compenser » les émissions de GES des grands pollueurs. Lorsque les premiers projets de compensation par la conservation forestière ont été mis en place, à la fin des années 1980 et au début des années 1990, on a vu apparaître des pratiques pour le moins scandaleuses. Pour évaluer la quantité de carbone fixée par les arbres en vue d'en établir la valeur monnayable, en effet, on n'hésitait pas à chasser les habitants des forêts intégrées aux projets de compensation (ou vivant à proximité de celles-ci) et à les emprisonner dans des parcelles aux allures de réserves, les coupant ainsi de leur milieu de vie[72]. L'« emprisonnement » en question n'était pas une simple métaphore : certaines de ces parcelles étaient entourées de clôtures et gardées par des hommes en armes pour décourager toute tentative d'évasion. Bien que les ONG en cause aient affirmé qu'elles cherchaient uniquement à protéger les ressources forestières à titre de puits de carbone, les habitants expropriés ont dénoncé à juste titre cette forme d'accaparement de leurs terres.

Dans l'État de Paraná, au Brésil, TNC a mené en collaboration avec une ONG brésilienne un projet générant des crédits-carbone pour Chevron, GM et American Electric Power. Résultat : les Guaranis, qui occupaient depuis des temps immémoriaux le territoire investi, ont soudain été privés du droit d'y récolter du bois, d'y chasser ou d'y pêcher. « Ils veulent nous voler notre maison », s'offusquait un habitant de la région. Cressant Rakotomanga, président d'une organisation communautaire de Madagascar, où la Wildlife Conservation Society mène un programme de compensation, brosse un portrait semblable : « Les gens sont frustrés parce que, avant la mise en place du programme, ils étaient libres de chasser, de pêcher et d'abattre des arbres[73]. »

Le système de compensation des émissions de GES, en fait, semble avoir engendré de nouvelles formes de violation des droits fondamentaux, commises au nom de l'environnement, où les Autochtones et les paysans locaux qui osent s'aventurer sur leurs territoires traditionnels, convertis en puits de carbone, pour y pêcher ou y récolter des plantes ou du bois sont victimes de harcèlement, ou pire encore. S'il est impossible d'obtenir un portrait exhaustif de la situation actuelle, on sait que de plus en plus de cas de violation sont rapportés. Près de Guaraqueçaba (dans l'État brésilien de Paraná), là où s'est implanté le projet de compensation géré par TNC, des habitants de la région rapportent s'être fait tirer dessus par des gardes forestiers alors qu'ils cherchaient à se nourrir et à récolter d'autres plantes utiles. « Ils ne tolèrent pas la présence d'humains dans la forêt », a déclaré un agriculteur au journaliste d'enquête Mark Schapiro. De même, des villageois habitant à proximité d'un projet de compensation (par le reboisement) situé dans les parcs nationaux Kibale et du mont Elgon, en Ouganda, et géré par une organisation hollandaise rapportent avoir subi des tirs, en plus d'avoir vu leurs cultures dévastées[74].

Après que ces scandales ont éclaté au grand jour, certaines organisations environnementalistes qui prenaient part aux efforts de compensation des émissions de GES ont commencé à accorder davantage d'intérêt au respect des droits des Autochtones. À l'heure actuelle, toutefois, le mécontentement persiste, et des conflits continuent de faire rage. C'est ainsi que, dans la basse vallée du fleuve Aguán, au Honduras, quelques propriétaires de plantations de palmiers à huile ont fait accepter un projet de compensation visant le captage du méthane. Stimulées par l'appât du gain, les fermes forestières ont essaimé dans la région, sonnant ainsi le glas de l'agriculture locale. Cette situation a déclenché un cycle de violence où se sont succédé des épisodes d'occupation et d'éviction. Dès 2013, une centaine de personnes y avaient trouvé la mort parmi les agriculteurs locaux et leurs alliés. « Être agriculteur semble être devenu un crime », s'indigne Heriberto Rodríguez, du Mouvement unifié des paysans de l'Aguán, qui blâme en partie le marché du carbone pour ces décès. « Quiconque finance ces entreprises devient complice de ces meurtres. Si l'on coupe les vivres aux grands propriétaires, ils seront plus enclins à modifier leurs méthodes[75]. »

Bien que ces projets de compensation soient souvent présentés comme une solution « gagnant-gagnant » à la crise du climat, rares sont les gagnants du côté des petits agriculteurs et des habitants des forêts. Afin que les multinationales conservent leur « droit » de polluer l'atmosphère, des paysans, des agriculteurs et des Autochtones perdent leur droit de subvenir à leurs besoins en paix. En réalité, les environnementalistes qui considèrent la compensation des émissions de GES comme une mesure climatique facile à mettre en œuvre se laissent aveugler par leur froide analyse de rentabilité, selon laquelle il est plus facile de s'approprier une forêt habitée par des gens n'ayant aucun poids politique dans un pays pauvre que de s'en prendre aux pratiques de méga-entreprises en pays riche. Autrement dit, il est plus facile de cueillir les fruits « à portée de main » que de déterrer les racines. Le plus ironique, c'est que les modes de vie des collectivités sacrifiées sur l'autel du marché du carbone comptent souvent parmi les plus écologiques (et les plus faibles émetteurs de dioxyde de carbone) au monde. Bon nombre d'entre elles vivent en harmonie avec la nature, puisant avec parcimonie dans les ressources de leurs écosystèmes et prenant soin des sols afin d'assurer leur fertilité pour les générations à venir. Pour être cohérent, le mouvement environnementaliste devrait chercher à soutenir les modes de subsistance traditionnels plutôt que de les mettre en péril en déracinant les habitants des zones rurales et en les forçant à s'exiler en ville.

L'environnementaliste d'origine britannique Chris Lang, établi à Djakarta, gère un site web appelé REDD-Monitor, qui surveille les projets de compensation d'émissions de GES. Lang n'aurait jamais cru que son travail consisterait un jour à relever les échecs du mouvement vert. « Je déteste voir le mouvement environnementaliste sombrer dans la zizanie au lieu de se battre contre les sociétés pétrolières, souligne-t-il. Mais ces groupes ne semblent nullement disposés à s'en prendre à l'industrie pétrolière, et certains, en fait, ne semblent même pas se préoccuper de l'environnement[76]. »

\*

\* \*

Certes, les projets générant des crédits-carbone ne sont pas tous frauduleux ou menaçants pour les modes de vie des collectivités locales. Certains permettent de mettre sur pied des parcs éoliens et solaires, ou de protéger des forêts. Le problème, c'est que ce mode de financement neutralise les bienfaits climatiques des projets environnementaux, même les meilleurs, car chaque tonne de dioxyde de carbone dont on empêche l'émission est remplacée par une même quantité d'émissions produite par telle ou telle entreprise de pays industrialisé. Au mieux, il s'agit donc d'un jeu à somme nulle : un pas en avant, un pas en arrière. Pourtant, comme nous allons le constater, il existe d'autres moyens beaucoup plus efficaces de soutenir un développement respectueux de l'environnement.

Le géographe Bram Büscher a inventé l'expression « nature liquide » pour décrire la façon dont de tels mécanismes de marché traitent l'environnement. Comme l'explique Büscher, arbres, prairies et montagnes y perdent leur valeur intrinsèque pour devenir des marchandises virtuelles au sein d'un système commercial mondialisé. Un peu comme on verse de l'essence dans le réservoir d'une voiture, la capacité du vivant à fixer le carbone est pratiquement livrée aux industries polluantes afin de leur permettre de continuer à polluer. Une fois engloutie par ce système, une forêt vierge peut avoir l'air aussi luxuriante qu'à l'habitude, mais elle devient en réalité le prolongement d'une centrale électrique polluante située à l'autre bout de la planète, toutes deux reliées par d'invisibles transactions financières. Les arbres ne deviendront pas soudain des cheminées à $CO_2$, mais cela revient au même, car, dès qu'on les transforme en crédits-carbone, on autorise des émissions en d'autres lieux[77].

Les écologistes de la première heure nourrissaient l'intime conviction que «tout est interrelié», qu'un arbre, par exemple, est une composante essentielle d'un écosystème en symbiose. Cette vision s'oppose diamétralement à celle des conservationnistes d'aujourd'hui, qui, en flirtant avec l'industrie, ont réussi à bâtir une nouvelle économie où un arbre n'est plus un arbre, mais bien le puits de carbone d'une usine située à des milliers de kilomètres (lequel apaise notre conscience tout en soutenant la croissance économique).

La principale faiblesse des marchés du carbone, toutefois, réside dans leur incapacité à fonctionner ne serait-ce que selon leur propre logique, c'est-à-dire en tant que marchés. En Europe, le problème a commencé avec la décision d'inciter les entreprises et les États à entrer sur le marché en leur cédant une énorme quantité de permis de carbone au rabais. Quelques années plus tard, lorsque la crise économique a frappé, la production et la consommation ont ralenti, ce qui a entraîné une diminution des émissions de GES. Le jeune marché du carbone s'est alors retrouvé noyé sous une surabondance de permis, ce qui a fait chuter abruptement le prix de la tonne de carbone (en 2013, celle-ci s'échangeait pour moins de 4 euros, alors que son prix indicatif se situait à 20 euros). Dans un tel contexte, il devient nettement moins avantageux de tourner le dos aux énergies polluantes ou d'acheter des crédits-carbone, ce qui explique en partie l'augmentation de 30 % de la part du charbon dans la production d'électricité au Royaume-Uni en 2012, ou la hausse des émissions liées à la consommation de charbon en Allemagne, malgré le virage de celle-ci vers les énergies renouvelables. Entre-temps, le MDP des Nations Unies a connu un sort pire encore en «s'effondrant», lit-on dans un rapport commandé par l'organisation.

«Les faibles objectifs de réduction des émissions de GES et le marasme économique dans les pays riches ont engendré une chute de 99 % du prix des crédits-carbone de 2008 à 2013», explique Oscar Reyes, spécialiste des enjeux financiers et climatiques rattaché à l'Institute for Policy Studies[78]. C'est peut-être là un cas extrême, mais il reste qu'un marché, par nature, a tendance à évoluer en dents de scie. Cette instabilité constitue d'ailleurs la principale faiblesse des solutions calquées sur le marché : l'urgence de la crise fait en sorte qu'on ne peut s'en remettre à une force aussi inconstante. Pour reprendre les mots de John Kerry, la menace climatique se compare à une «arme de destruction massive[79]». Or, si les enjeux de la crise du climat ne sont pas sans rappeler ceux d'une guerre nucléaire, pourquoi ne pas y réagir en conséquence? Au lieu de chercher à leur plaire à tout prix en leur donnant systématiquement des occasions de s'enrichir, pourquoi ne pas demander carrément aux entreprises de cesser de compromettre notre avenir? À quoi jouons-nous?

En février 2013, devant l'urgence de la situation, plus de 130 groupes militant dans le domaine de l'environnement ou de la justice économique ont réclamé l'abolition du SCEQE, qui constitue le plus vaste système d'échange de permis de carbone de la planète, afin de «laisser la place à des mesures en faveur du climat qui fonctionnent». Leur déclaration mentionne en outre qu'après sept années de fonctionnement :

> «[l]e marché du carbone européen n'a pas réduit les émissions de GES. Profitant d'un excès de permis d'émission gratuits et de crédits bon marché provenant de projets de compensation dans des pays du Sud, les pires pollueurs n'ont eu que peu d'obligations de réduire les émissions à la source, voire pas du tout. En effet, les projets de compensation ont abouti à une augmentation des émissions dans le monde : même des sources conservatrices évaluent qu'entre le tiers et les deux tiers des crédits de carbone introduits sur le marché du carbone européen «ne représentent pas de réductions d'émissions réelles[80]».

Le SCEQE permet également à des firmes du secteur de l'énergie, entre autres, de refiler la facture à leurs clients, une pratique qui s'est particulièrement répandue au cours des premières années d'existence du marché du carbone. En 2008, la firme de recherche Point Carbon a estimé que les centrales électriques du Royaume-Uni, de l'Allemagne, de l'Espagne, de l'Italie et de la Pologne en auraient tiré, en cinq ans à peine, des profits supplémentaires de 32 à 99 milliards de dollars. Selon un autre rapport, les compagnies aériennes, au cours de leur première année d'inscription au marché (2012), auraient engrangé 1,8 milliard de dollars en bénéfices inattendus. En résumé, plutôt que d'appliquer le principe du pollueur-payeur, on laisse les contribuables payer pour une solution par ailleurs inefficace[81].

Compte tenu de la débâcle européenne, l'incapacité du Sénat américain à adopter une législation sur le climat en 2009 ne représente pas la grande défaite du mouvement de protection du climat, comme on l'a souvent présentée, mais plutôt une catastrophe évitée de justesse. Les projets de loi sur le système de plafonnement et d'échanges de droits d'émission à l'étude auprès de la Chambre des représentants et du Sénat américain au cours du premier mandat d'Obama, en effet, auraient calqué les erreurs des systèmes d'échanges de droits d'émission européen et onusien (tout en en introduisant sans doute de nouvelles).

Les deux projets de loi à l'étude se fondaient sur des propositions préparées par une coalition mise sur pied par Fred Krupp, de l'EDF, et réunissant de grands pollueurs (General Electric, Dow Chemical, Alcoa, ConocoPhillips, BP, Shell, le géant du charbon Duke Energy, DuPont, etc.) ainsi qu'une poignée de grandes organisations environnementalistes (TNC, la National Wildlife Federation, le NRDC, le World Resources Institute et le Pew Center on Global Climate Change, qui deviendra par la suite le Center for Climate and Energy Solutions). Connue sous le nom d'United States Climate Action Partnership (USCAP), cette coalition est animée par la bonne vieille logique défaitiste selon laquelle on ne gagne rien à s'en prendre directement aux grands émetteurs de GES, qu'il vaut mieux tenter d'amadouer en misant sur une stratégie fondée sur les cadeaux et les échappatoires[82].

L'accord concocté par l'USCAP, qui sera présenté comme un compromis historique entre les environnementalistes et l'industrie, prévoit la distribution d'assez de quotas gratuits pour compenser 90 % des émissions de GES des centrales énergétiques (dont celles fonctionnant au charbon), ce qui signifie que celles-ci n'auraient rien à payer pour la majeure partie de leurs émissions. « Nous n'obtiendrons pas de meilleure entente », se réjouit Jim Rogers, alors chef de la direction chez Duke Energy. « Quatre-vingt-dix pour cent, c'est extraordinaire. » Le parlementaire démocrate Frederick Boucher, qui représente le sud-ouest de la Virginie (une région riche en charbon), exulte en constatant que le projet de loi comporte tellement de cadeaux qu'il pourrait « provoquer une nouvelle ruée vers le charbon[83] ».

En réalité, ces « quotas gratuits » permettant aux centrales d'émettre et d'échanger leurs émissions en toute liberté ne sont, pour l'essentiel, que des pots-de-vin. «Les entreprises qui font partie de l'USCAP ne veulent pas que les émissions de dioxyde de carbone soient réglementées. Tout ce qu'elles veulent, c'est recevoir d'importantes sommes d'argent en échange de leur soutien aux mesures climatiques», fait remarquer Jigar Shah, entrepreneur du secteur de l'énergie solaire[84]. Il va sans dire qu'une entente aussi bien accueillie dans l'industrie des combustibles fossiles ne risque guère de contribuer au respect de l'objectif des 2 °C. Bref, les organisations environnementalistes membres de l'USCAP ne se sont pas contentées de laisser des entreprises en conflit d'intérêts réécrire la politique climatique des États-Unis : elles les ont diligemment sollicitées à cette fin.

Et, ironiquement, le plus triste, dans toute cette capitulation, c'est que cette politique n'était pas encore suffisante pour satisfaire les pollueurs. Pour de nombreux industriels qui se sont joints à l'USCAP, le fait de contribuer à l'élaboration de la nouvelle législation américaine en matière de climat constituait davantage qu'un faux-fuyant : une couverture. Lorsque la coalition se forme, en 2008, la mise en place d'une telle législation semble imminente, et les dirigeants d'entreprise tiennent à s'assurer qu'elle contiendra assez d'échappatoires pour la rendre inefficace (une stratégie courante dans les coulisses de Washington). En participant à l'élaboration du système de plafonnement et d'échanges de droits d'émission, ils risquent aussi d'empêcher un président nouvellement élu d'avoir recours à l'autorité de l'EPA pour limiter leurs émissions de GES. Par conséquent, le projet de loi Waxman-Markey, qui s'inspire du plan directeur de l'USCAP, prive explicitement l'EPA de tout pouvoir de réglementation des émissions de $CO_2$ de plusieurs sources importantes, dont les centrales au charbon. Michael Parr, directeur principal des affaires gouvernementales chez DuPont, résume ainsi la stratégie des entreprises : «Soit vous faites partie des convives assis à la table, soit vous faites partie du menu[85].»

Fred Krupp et ses collègues environnementalistes, en effet, doivent composer avec le fait que, très souvent, des représentants de ces sociétés siègent simultanément à d'autres conseils liés à l'industrie. Par exemple, bon nombre des représentants choisis sont membres de l'American Petroleum Institute, de la National Association of Manufacturers ou de la Chambre de commerce des États-Unis, qui s'opposent tous farouchement à la mise en place d'une réglementation en matière de climat. Lorsque Barack Obama prend le pouvoir en janvier 2009, tout indique que le camp des industriels est sur le point de perdre la partie. Puis, à l'été 2009, alors que l'USCAP tente toujours de faire accepter son système de plafonnement et d'échanges de droits d'émission par le Sénat américain, le climat politique change abruptement. L'économie se porte mal, la popularité d'Obama est en chute libre, et une nouvelle force prend le devant de la scène politique. Financé par les frères Koch, magnats du pétrole, et catapulté par Fox News, le Tea Party fait irruption dans les assemblées municipales pour clamer que la réforme du système de santé d'Obama fait partie d'un plan plus large visant à faire basculer les États-Unis dans une sorte d'utopie totalitaire. Dans un tel contexte, le président se montre de plus en plus réticent à s'engager dans une nouvelle bataille législative d'envergure[86].

C'est à ce moment que plusieurs gros joueurs de l'industrie qui font partie de l'USCAP prennent conscience qu'ils ont une solide chance de saborder complètement la législation américaine sur le climat. Caterpillar et BP quittent la coalition, tout comme ConocoPhillips, qui se plaint de « pertes financières irrécouvrables [...] dans un secteur où la marge de profit a toujours été faible ». (Notons que ConocoPhillips engrangera des recettes de 66 milliards de dollars dans l'année suivant son retrait de l'USCAP, avec un revenu net qui atteindra la coquette somme de 12,4 milliards de dollars.) Certaines de ces entreprises ne font pas que quitter le « camp ennemi » : en s'attaquant à la législation qu'elles ont pourtant contribué à forger, elles démontrent clairement qu'elles n'ont jamais réellement appuyé la coalition. Par exemple, ConocoPhillips lance un site web pour inciter la population (y compris son personnel, estimé à 30 000 employés) à s'opposer massivement à la nouvelle législation sur le climat. « La législation visant à contrer le dérèglement climatique fera augmenter la facture énergétique du ménage américain moyen », prévient ConocoPhillips, ajoutant, sans preuve à l'appui, que la nouvelle loi risque de « causer la perte de plus de 2 millions d'emplois aux États-Unis chaque année ». « L'option la moins coûteuse permettant de réduire les émissions de GES consiste à recourir davantage au gaz naturel », soutient Ronnie Chappell, porte-parole de BP[87].

Croyant s'être associées avec les grands de l'industrie, les grandes organisations environnementalistes ont en réalité été flouées, ayant interprété de façon désastreuse le contexte politique. Au sein de l'USCAP, elles ont défendu une politique climatique complexe et détournée qui, parce qu'elle sert les intérêts des grands émetteurs de GES, ne peut que nuire à la mise en place de stratégies plus efficaces. Pire encore, elles doivent subir les assauts de leurs anciens partenaires de l'industrie qui, après avoir quitté la coalition, clament (avec raison) que le projet de loi sur le climat est une perte de temps, qu'il permet l'octroi d'une foule de subventions (effectivement) et qu'il refile l'augmentation des coûts énergétiques aux consommateurs déjà éprouvés financièrement (fort probablement)*. Pour couronner le tout, Joe Barton, parlementaire républicain et fervent défenseur de l'industrie pétrolière, ajoute que «les bienfaits [de cette législation] sur l'environnement sont inexistants» (ce qu'a toujours soutenu l'aile gauche du mouvement environnementaliste[88]). La volte-face des transfuges portera ses fruits. En janvier 2010, la législation en matière de climat modelée sur les propositions de l'USCAP est rejetée par le Sénat. Un sort bien mérité, certes, mais qui aura l'effet pervers de discréditer l'idée même de lutte contre le dérèglement climatique[89].

*
*  *

Une foule d'analyses ultérieures viendront mettre en lumière les erreurs commises par les environnementalistes américains dans le processus visant la mise en place d'un système de plafonnement et d'échanges de droits d'émission. Toutefois, la critique la plus cinglante provient d'un rapport rédigé par Theda Skocpol, sociologue de l'université Harvard. Elle conclut que l'échec de cette tentative découle en grande partie de l'absence d'un vaste mouvement populaire capable de l'appuyer. «Pour se faire entendre des décideurs politiques, les militants pour le climat devront s'organiser en réseau dans tout le pays et exercer des pressions soutenues au-delà des bureaux capitonnés du Congrès, des salles de conférence et des rassemblements huppés[90].» Comme nous allons le constater, c'est d'ailleurs ce qui est en train de se produire aujourd'hui, et le mouvement qui prend forme remporte déjà d'étonnantes victoires contre l'industrie des combustibles fossiles.

Toutefois, les vieilles habitudes ont la vie dure. Quand le débat sur le système de plafonnement et d'échanges de droits d'émission a pris fin au Sénat (après avoir englouti un demi-milliard de dollars), Fred Krupp a pris la peine d'expliquer ce qui, à son avis, n'a pas fonctionné. Vêtu d'un élégant complet gris, les cheveux soigneusement peignés (et blanchis par vingt-cinq ans à

---

* Chris Horner, un habitué du Heartland Institute, a d'ailleurs qualifié le projet de loi de «capitalisme de connivence» basé sur le modèle d'Enron (en toute connaissance de cause, puisqu'il a déjà travaillé pour cette entreprise).

la tête de l'EDF), il a déclaré que la législation en matière de climat a été tuée dans l'œuf parce que les environnementalistes sont trop radicaux, trop braillards, alors qu'ils devraient faire preuve de plus d'humilité et d'une plus grande ouverture politique[91]. Autrement dit : amis environnementalistes, faites davantage de compromis, baissez le ton encore un peu, présentez vos idées avec douceur et essayez d'être plus compréhensifs avec vos opposants. Krupp aurait-il oublié que telle est, depuis l'ère Reagan, la ligne de conduite des organisations environnementalistes comme l'EDF ?

Avec un certain esprit d'à-propos, Krupp avait choisi de partager ces perles de sagesse à l'occasion de la conférence annuelle Brainstorm Green, organisée par le prestigieux magazine *Fortune* et financée entre autres par Shell[92].

## Chapitre 7

# Les superhéros, ça n'existe pas

## Non, les milliardaires écolos
## ne nous sauveront pas

*Chaque fois que je n'ai pas suivi les règles, je m'en suis tiré avec les honneurs.*
*Je croyais que cette fois ce serait encore la même chose.*
*C'eût été sans doute le cas si je n'avais pas péché par cupidité.*

Richard BRANSON, sur son arrestation pour évasion fiscale
au début des années 1970[1]

*On doit donner l'exemple en prenant les devants.*
*Rien ne part de la base.*

Michael BLOOMBERG, ex-maire de New York, 2013[2]

D ANS SON AUTOBIOGRAPHIE, un manifeste entrepreneurial à la sauce *new age* intitulé *Du capitalisme à l'écologie*, le flamboyant fondateur du groupe Virgin Richard Branson révèle les dessous de ce qu'il appelle son «chemin de Damas», c'est-à-dire sa conversion à la lutte contre le réchauffement planétaire. C'était en 2006. Al Gore, alors en tournée de promotion pour le film *Une vérité qui dérange*, a rendu visite au milliardaire pour le sensibiliser aux répercussions de la crise du climat et tenter de le convaincre d'utiliser sa compagnie aérienne Virgin Airlines pour faire bouger les choses[3].

«Ce fut une expérience incroyable que d'avoir un expert en communication tel qu'Al Gore pour me faire toute une présentation PowerPoint, raconte Branson. C'était non seulement la meilleure présentation que j'aie jamais vue mais il était en plus profondément troublant de prendre soudainement conscience que nous pourrions faire face à une apocalypse. [...] Ce serait Armageddon[4].»

À la suite de cette terrifiante révélation, Branson s'est empressé de convoquer Will Whitehorn, responsable d'affaires et directeur du développement marketing du groupe Virgin. «Après discussion [...], nous avons pris la décision de changer notre façon de fonctionner au niveau de l'entreprise ainsi qu'au niveau mondial. Nous avons baptisé ce nouveau concept des affaires le "capitalisme de Gaïa", en hommage à James Lovelock et à ses vues scientifiques révolutionnaires» (pour Lovelock, «la Terre [est] un énorme organisme vivant et [...] tous les éléments de l'écosystème [réagissent] les uns avec les autres»). «Je pense qu'il sera bénéfique à Virgin de se démarquer dans les dix prochaines années, tout en continuant de faire des affaires à notre façon, sans avoir honte de gagner de l'argent en même temps, écrit-il. C'est maintenant mon but de faire des affaires en respectant les principes du "capitalisme de Gaïa", au niveau mondial[5].»

Avant la fin de l'année, Branson est fin prêt à faire son entrée spectaculaire sur la scène écolo (et il s'y connaît en entrées spectaculaires, que ce soit en parachute, en montgolfière, en motomarine ou en *kitesurf* avec une femme nue agrippée à son dos...). Toujours en 2006, lors de l'assemblée annuelle de l'organisme Clinton Global Initiative à New York (événement le plus prestigieux du calendrier philanthropique), l'extravagant homme d'affaires s'engage à investir environ 3 milliards de dollars en dix ans dans le développement des biocarburants comme solution de rechange au pétrole et au gaz, et dans d'autres technologies destinées à contrer la crise du climat. Une telle somme est déjà ahurissante, mais c'est sa source qui constitue l'aspect le plus élégant de cette promesse : Branson entend puiser à même les profits générés par les sociétés de transport de Virgin, grandes consommatrices de combustibles fossiles. «Tous les dividendes, tous les fonds recueillis lors de la vente d'actions et tous les bénéfices émanant de nos lignes aériennes et ferroviaires seront réinvestis dans la recherche de nouveaux carburants propres, en particulier pour les moteurs d'avion à réaction, dans l'espoir de préserver le monde de la destruction, qui sera inévitable si on laisse les choses aller comme elles vont», déclare-t-il lors d'une interview[6].

En résumé, Branson se propose de faire précisément ce que les gouvernements rechignent à imposer par la voie législative : faire en sorte que les profits tirés d'activités contribuant au réchauffement de la planète soient affectés à la coûteuse transition vers des sources d'énergie moins dangereuses. «C'est exactement ce que l'ensemble de l'industrie devrait faire», commente le directeur de la campagne Move America Beyond Oil du NRDC. De plus, Branson promet de tirer ces 3 milliards «de notre compagnie de transport, l'argent pouvant également venir de nos autres compagnies si le besoin se [présente]. Nous allons nous lancer dans cette aventure par principe et parce que nous sommes directement concernés». D'ailleurs, se demande-t-il, quel serait l'«intérêt de rester à la traîne si on ne peut de toute façon plus faire d'affaires[7]»?

Bill Clinton est ébloui. À ses yeux, cet investissement de 3 milliards de dollars «est sans précédent, non seulement par son ampleur phénoménale, mais aussi par le message qu'il transmet». Selon un journaliste du magazine The New Yorker, il s'agit de «l'engagement le plus important jamais souscrit en matière de lutte contre le réchauffement planétaire[8]». Mais Branson ne s'arrête pas là. L'année suivante, il refait la manchette en lançant le «Virgin Earth Challenge», un concours doté d'un prix de 25 millions de dollars dont le vainqueur sera l'inventeur qui trouvera comment retirer un milliard de tonnes de carbone par an de l'atmosphère «sans effets secondaires néfastes». Branson qualifie celui-ci de «plus grand concours de science et technologies de tous les temps». À son avis, il constitue «la meilleure façon de trouver une solution au problème du changement climatique». «Si les plus grands esprits s'affrontent dans le cadre du Virgin Earth Challenge – et je suis certain qu'ils le feront –, j'ai l'espoir qu'on trouvera au problème du $CO_2$ une solution qui pourra sauver notre planète non seulement pour nos enfants, mais aussi pour tous les enfants qui leur succéderont», précise-t-il lors d'une déclaration officielle[9].

Le plus intéressant, poursuit-il, est que si ces génies parviennent à déchiffrer le code du carbone, «le scénario pessimiste n'aura plus cours. Nous pourrons continuer à mener une vie assez normale, à conduire nos voitures, à voyager en avion». D'ailleurs, l'idée voulant qu'on puisse résoudre la crise du climat sans changer quoi que ce soit à nos modes de vie (et surtout pas en prenant moins de vols sur Virgin) semble être le principe sous-jacent de toutes les initiatives de Branson en matière de climat.

Son investissement de 3 milliards de dollars vise l'élaboration d'un carburant à faibles émissions de GES grâce auquel ses lignes aériennes pourront continuer de fonctionner au maximum de leur capacité. En cas d'échec – si Branson doit encore faire brûler du carbone pour maintenir ses avions dans les airs –, le concours permettra sans doute de trouver une façon de capter les GES avant qu'il ne soit trop tard. Pour parer une autre éventualité, l'homme d'affaires met sur pied en 2009 le Carbon War Room, une association industrielle ayant pour mission de trouver des méthodes permettant à différents secteurs de réduire volontairement leurs émissions – tout en économisant de l'argent. «Le carbone est notre ennemi, déclare Branson. Attaquons-le de toutes les façons possibles, sans quoi il fera de nombreuses victimes, comme dans toute guerre[10].»

## Des milliardaires et des rêves brisés

Pour bon nombre d'environnementalistes modérés, les initiatives de Branson sont un rêve devenu réalité: un milliardaire bien en vue, chouchou des médias, explique au monde que les entreprises gourmandes en combustibles fossiles peuvent tracer la voie vers un avenir vert avec le profit comme outil principal – et démontre le sérieux de son propos en procédant à des investissements substantiels. «Si le gouvernement reste les bras croisés, c'est à l'industrie qu'il revient d'agir. Tout le monde doit y trouver son compte», explique Branson au magazine *Time*[11]. C'est précisément ce qu'invoquent, depuis les années 1980, les organisations comme l'EDF pour justifier leurs partenariats avec de gros pollueurs et ce qu'elles tentent de prouver avec la mise en place d'un marché du carbone. Jusque-là, toutefois, nul n'avait manifesté le souhait d'établir un précédent en y impliquant son empire multimilliardaire. L'influence qu'a eue sur Branson la présentation PowerPoint de Gore semble aussi confirmer l'hypothèse, chère à beaucoup d'environnementalistes, selon laquelle la transition de l'économie ne nécessite pas de s'en prendre aux riches et aux puissants, mais simplement de toucher ces derniers avec des faits et des chiffres suffisamment convaincants tout en faisant appel à leur humanité.

L'intérêt de grands philanthropes pour l'écologie ne date pas d'hier. Le financier Jeremy Grantham, par exemple, soutient une partie importante des mouvements environnementalistes américain et britannique ainsi que de nombreuses recherches sur l'environnement grâce à la richesse que lui procure GMO, la firme de gestion de placements dont il est le cofondateur*. Mais les donateurs de ce genre restent dans l'ombre. Contrairement à Branson, Grantham n'a jamais tenté de transformer son entreprise en preuve vivante de la possibilité de réconcilier la recherche du profit à court terme avec sa propre conscience écologique. Il est plutôt reconnu pour ses rapports trimestriels peu réjouissants, dans

---

* La Grantham Foundation for the Protection of the Environment a financé une vaste gamme de groupes environnementalistes, allant de TNC à 350.org, en passant par Greenpeace et l'EDF.

lesquels il médite sur la trajectoire de collision du système économique avec la planète. « En occultant le caractère fini des ressources et en négligeant le bien-être à long terme de la planète et sa biodiversité potentiellement déterminante, le capitalisme menace notre existence », écrivait-il en 2012 – ce qui n'empêche pas des investisseurs perspicaces de s'enrichir de façon colossale en participant à la ruée finale vers les combustibles fossiles et en devenant des capitalistes du désastre[12].

Prenons l'exemple de Warren Buffett. Pendant une brève période, il semblait lui aussi vouloir auditionner pour le rôle du Grand Espoir vert. « Il y a de fortes chances que le réchauffement planétaire constitue une menace sérieuse », déclarait-il en 2007. Même si un doute subsiste, ajoutait-il, « on doit construire l'arche avant le déluge. Si l'on doit se tromper, mieux vaut le faire en étant dans le camp de la planète. Il faut se donner une marge de manœuvre pour prendre soin de la seule planète que nous avons[13] ». Mais il est vite devenu évident que Buffett n'entendait pas appliquer cette logique à ses propres actifs. Dans les années qui ont suivi cette déclaration, sa société d'investissement, Berkshire Hathaway, a tout fait pour que le déluge soit violent.

Buffett possède plusieurs grandes installations alimentées au charbon et détient d'importantes participations dans Exxon-Mobil et le géant des sables bitumineux Suncor. Plus important encore, il annonçait en 2009 que sa firme investirait 26 milliards de dollars dans l'achat des actions du chemin de fer Burlington Northern Santa Fe (BNSF) qui ne lui appartenaient pas déjà. Il a qualifié cette transaction (la plus importante de l'histoire de Berkshire Hathaway) de « pari sur le pays[14] ». Il s'agissait également d'un pari sur le charbon : BNSF est l'un des plus importants transporteurs de charbon des États-Unis et l'un des principaux promoteurs de l'expansion des exportations de cette matière première vers la Chine.

Les investissements de ce type aggravent le réchauffement planétaire, bien sûr, et Buffett s'organise pour faire partie de ceux qui savent le mieux en tirer parti. En effet, Berkshire Hathaway est aussi l'un des principaux acteurs du secteur de la réassurance, cette branche de l'industrie de l'assurance qui occupe la meilleure position qui soit pour profiter des bouleversements du climat. « Un gros réassureur comme la firme de Warren Buffett pourrait simultanément prendre en charge les risques d'un accident industriel au Japon, d'une inondation au Royaume-Uni, d'un ouragan en Floride et d'un cyclone tropical en Australie. Comme il est presque impossible que tous ces événements surviennent au même moment, le réassureur peut profiter des primes découlant d'un type de couverture même s'il doit verser de généreuses indemnisations en vertu d'un autre contrat», explique Eli Lehrer, l'ambassadeur des compagnies d'assurance qui ont rompu avec le Heartland Institute à la suite de sa campagne publicitaire controversée. Sans doute faut-il rappeler que l'Arche de Noé n'avait pas été conçue pour embarquer tout le monde, mais seulement quelques privilégiés[15].

Le dernier venu des milliardaires sur lesquels on fonde de grands espoirs en matière de climat s'appelle Tom Steyer. Ce grand donateur du Parti démocrate des États-Unis a financé diverses campagnes relatives à la crise du climat ou contre les sables bitumineux. Après avoir fait fortune grâce au fonds spéculatif Farallon Capital Management, lourdement impliqué dans le secteur des combustibles fossiles, Steyer a sérieusement tenté d'adapter son comportement d'homme d'affaires à sa conscience écologique. Toutefois, contrairement à Branson, il a fini par quitter l'entreprise qu'il avait fondée, précisément parce que celle-ci «accordait une plus grande importance à son résultat net qu'à son empreinte carbone», a rapporté le *Globe and Mail*. «Je défends passionnément ce que je considère comme juste. Et je ne pouvais le faire honnêtement tout en occupant un emploi très bien rémunéré qui ne correspondait pas à cet idéal», a-t-il précisé\*. Sa situation est donc très différente de celle de Branson, qui s'acharne à tenter de prouver qu'il est possible pour une entreprise dont l'activité repose sur les combustibles fossiles non seulement d'agir correctement, mais aussi de gérer la transition vers une économie verte[16].

Branson n'appartient pas non plus à la même catégorie de milliardaires écolos que Michael Bloomberg et Bill Gates, qui, par l'entremise de leurs œuvres philanthropiques, ont activement contribué à l'élaboration de solutions pro-entreprise à la crise du climat. Bloomberg, par exemple, a été traité en héros pour ses dons généreux à des organisations comme le Sierra Club et l'EDF, ainsi que pour les politiques climatiques prétendument éclairées qu'il a adoptées alors qu'il était maire de New York[†17].

---

\* Notons toutefois que, bien qu'il ait retiré ses fonds personnels de Farallon, Steyer demeure un associé passif de la firme et a promu l'utilisation du gaz naturel en finançant une recherche de l'EDF favorable à la fracturation et en se livrant à une défense enthousiaste de cette source d'énergie dans les pages du *Wall Street Journal*.

† On a reproché à ces politiques leur parti pris pour les gros promoteurs immobiliers au détriment des collectivités vulnérables, et pour la caution verte qu'elles ont donnée à d'imposants projets immobiliers aux bienfaits écologiques

Cependant, bien qu'il se plaise à pérorer sur la bulle du carbone et les actifs délaissés (son entreprise s'apprête à lancer un « outil d'évaluation des risques relatifs au carbone », destiné à fournir à ses clients des données et des analyses sur l'effet de diverses mesures climatiques sur le cours des actions de l'industrie des combustibles fossiles), Bloomberg n'a fait aucun effort notable pour adapter la gestion de son immense fortune à ces enjeux. Au contraire, comme nous l'avons vu dans le chapitre précédent, il a mis sur pied Willett Advisors, une firme dont la mission consiste à gérer les actifs gaziers et pétroliers détenus par ses propres fondations philanthropiques. En juin 2014, Brad Briner, directeur des actifs corporels chez Willett, déclarait sans détour : « Nous spéculons sur le gaz naturel. Nous sommes d'avis que le prix du pétrole est juste », en évoquant de futurs investissements dans le forage[18].

Bloomberg ne se contente pas d'être à l'affût d'actifs du secteur des combustibles fossiles tout en finançant la publication de mises en garde sur les risques que la crise du climat fait courir aux affaires : du fait de son engagement pour l'environnement, entre l'EDF qui vante les mérites du gaz naturel comme solution de rechange au charbon et le Sierra Club à qui l'ancien maire a remis des dizaines de millions de dollars qui servent à fermer des centrales au charbon, les actifs de l'industrie du gaz naturel ont probablement vu leur valeur augmenter. Son financement de la guerre contre le charbon a-t-il réellement contribué à la hausse de la valeur des actions des sociétés gazières ? Cette hausse n'a-t-elle pas plutôt été pour lui qu'un heureux hasard ? Peut-être n'existe-il aucun lien causal entre les priorités philanthropiques de Bloomberg et sa décision d'investir massivement dans l'industrie du pétrole et du gaz. Mais ces investissements sont-ils vraiment compatibles avec l'image de héros du climat dont jouit le milliardaire et sa nomination, en 2013, comme envoyé spécial des Nations Unies pour les villes et le changement climatique ? (Même si on lui a souvent posé la question, Bloomberg s'est abstenu de tout commentaire à cet égard.) De toute évidence, la conscience des risques à long terme que la crise du climat fait courir aux marchés financiers ne suffit pas à réfréner la tentation de tirer profit de la déstabilisation de la planète à court terme[19].

---

discutables, comme l'ont souligné le professeur d'urbanisme Tom Angotti, de l'université Hunter, et d'autres observateurs. Les habitants des quartiers les plus touchés par l'ouragan Sandy ont quant à eux déploré n'avoir été consultés que pour la forme lors de l'élaboration des plans de reconstruction par l'administration Bloomberg.

Un mur coupe-feu similaire se dresse entre le discours et la fortune de Bill Gates. Bien qu'il se dise grandement préoccupé par les changements climatiques, sa fondation a investi au moins 1,2 milliard de dollars (données de décembre 2013) dans les géants du pétrole BP et ExxonMobil, et ceux-ci ne représentent qu'une fraction des actifs pétroliers de Gates[20].

L'angle sous lequel Gates envisage la crise du climat a beaucoup de points communs avec la vision de Branson. Après sa «conversion», le fondateur de Microsoft s'est lui aussi empressé de soutenir la recherche d'un remède technologique miracle, sans prendre le temps de considérer les solutions viables à portée de main (mais ambitieuses sur le plan économique). Que ce soit lors de conférences TED, dans des lettres d'opinion, lors d'interviews ou dans ses rapports annuels largement commentés, Gates exhorte sans cesse les gouvernements à augmenter massivement leurs dépenses en recherche et développement dans l'attente de «miracles énergétiques». Par miracles, le milliardaire entend réacteurs nucléaires révolutionnaires (il est un des principaux investisseurs et le président de la *start-up* nucléaire TerraPower), machines capables de retirer le carbone de l'atmosphère (il est aussi un des principaux investisseurs d'au moins un prototype du genre) et manipulation directe du climat (il a dépensé des millions de dollars dans la recherche sur divers procédés par lesquels on pourrait bloquer la chaleur du Soleil, et son nom figure dans plusieurs brevets sur des dispositifs de suppression des ouragans). Par ailleurs, il fait peu de cas des technologies existantes qui font appel aux énergies renouvelables. «On accorde trop d'importance à ce qu'on a déjà», juge-t-il, ajoutant que les solutions comme l'installation de panneaux solaires sur les toits sont «jolies» mais «non économiques» (au mépris du fait que ces jolies technologies produisent aujourd'hui 24 % de l'électricité en Allemagne[21]).

Là où ces deux milliardaires se distinguent, c'est que Gates ne dirige plus Microsoft depuis des années, tandis que Branson est toujours à la tête de Virgin. Quand ce dernier s'est lancé dans la mêlée climatique, il a créé à lui seul une catégorie à part, s'engageant à transformer une importante multinationale dont l'activité repose sur l'utilisation de combustibles fossiles en moteur de la construction d'une nouvelle économie. Le seul autre personnage qui ait suscité un espoir comparable est l'insolent magnat du pétrole T. Boone Pickens. En 2008, il lançait ce qu'il a appelé le «plan Pickens», par lequel, à grand renfort de publicité dans la presse et à la télévision, il s'engageait à mettre fin à la dépendance des États-Unis aux importations de pétrole en développant massivement les énergies solaire et éolienne et en convertissant les véhicules au gaz naturel. «J'ai passé toute ma vie dans le pétrole, disait-il avec son accent texan dans ses messages publicitaires. Mais nous faisons face à une urgence dont aucun forage ne pourra nous sortir [22].»

Le type de politiques et de financement que préconisait Pickens était de ceux dont allait profiter son fonds spéculatif du secteur énergétique, BP Capital, mais, pour les environnementalistes qui appuyaient son plan, là n'était pas la question. Carl Pope, alors directeur général du Sierra Club, s'est joint au milliardaire dans son jet privé pour l'aider à promouvoir sa stratégie auprès des journalistes. «Pour dire les choses simplement, T. Boone Pickens est décidé à sauver l'Amérique», a-t-il déclaré[23].

On peut en douter. Peu après l'annonce de Pickens, la frénésie du gaz et du pétrole de schiste s'est emparée de l'industrie, et, soudain, l'alimentation du réseau électrique par le gaz naturel non conventionnel a semblé beaucoup plus attrayante pour BP Capital que le recours à l'énergie éolienne. Au bout d'un an ou deux, le plan Pickens avait radicalement changé. Il n'y était pratiquement plus question d'énergies renouvelables, mais du développement de l'extraction du gaz, quelles qu'en soient les conséquences. «On ne peut se passer des hydrocarbures. Soyons réalistes!» a lancé Pickens à un groupe de journalistes, en avril 2011, poussant l'outrecuidance jusqu'à mettre en doute le sérieux des thèses sur l'origine anthropique du réchauffement planétaire. En 2012, il vantait les mérites des sables bitumineux et de l'oléoduc Keystone XL. Selon David Friedman, alors directeur de la recherche du programme des véhicules propres de l'Union of Concerned Scientists, Pickens «persistait à prétendre que tout cela n'avait rien à voir avec ses intérêts personnels, qu'il voulait aider le pays et le monde. Son abandon de l'aspect du plan qui présentait le plus grand potentiel d'atténuation du réchauffement planétaire et de création d'emplois aux États-Unis, au profit des éléments qui contribueraient le plus au bénéfice net de son entreprise, a causé une grande déception[24]».

*
*　*

Il nous reste donc Branson, avec son engagement, son concours et son intention plus générale d'adapter le capitalisme aux lois de «Gaïa». Aujourd'hui, près de dix ans après sa conversion par PowerPoint, quel est le bilan de sa croisade (dans laquelle «tout le monde devait trouver son compte»)? Bien sûr, on ne pouvait s'attendre à ce que Branson révolutionne les milieux d'affaires en moins d'une décennie. Néanmoins, après tout le battage dont son projet a fait l'objet, Branson a-t-il réussi à démontrer que l'industrie était en mesure de prévenir la catastrophe climatique sans intervention massive de l'État ? Compte tenu du bilan peu reluisant de ses collègues milliardaires écolos dans ce dossier, on peut logiquement conclure que, si Branson n'y parvient pas, personne n'y arrivera.

## Un engagement qui devient simple « geste »

Commençons par le « premier engagement » de Branson, soit celui de consacrer 3 milliards de dollars en dix ans au développement d'un carburant miracle. Malgré les reportages ayant présenté cet investissement comme un simple don, le concept original relève plutôt de la pure intégration verticale. Notons que l'intégration verticale constitue le signe distinctif de Branson : la première activité de Virgin était la vente de disques par correspondance, mais l'homme d'affaires a bâti sa marque mondiale en y ajoutant une chaîne de magasins, un studio d'enregistrement et une maison de disques. Aujourd'hui, il applique la même logique à ses sociétés de transport : pourquoi paierait-il Shell ou ExxonMobil pour faire fonctionner ses avions et ses trains alors que Virgin pourrait disposer de son propre carburant ? Si la stratégie porte ses fruits, elle fera de Branson non seulement un héros de l'environnement, mais aussi un homme encore plus riche.

Ainsi, Branson a alloué les premiers fonds « écolos » issus de ses sociétés de transports à la création d'une nouvelle filiale, Virgin Fuels, remplacée depuis par une société de financement par capitaux propres, le Virgin Green Fund. Respectant son engagement, il a commencé par investir dans diverses entreprises d'agrocarburant, en misant notamment la somme colossale de 130 millions de dollars sur la production d'éthanol de maïs*. Puis, sans y investir directement, Virgin s'est associée à plusieurs projets pilotes de développement des biocarburants, dont un carburéacteur à base d'eucalyptus et un autre issu de la fermentation de déchets (essentiellement, la multinationale a offert d'aider leurs responsables en matière de communications et s'est engagée à acheter lesdits biocarburants si les projets s'avéraient viables).

---

\* Dopé par de tels investissements, le boom de l'éthanol est responsable de 20 à 40 % de l'augmentation des prix des denrées constatée en 2007-2009, selon une étude de la National Academy of Science.

Cependant, du propre aveu de Branson, « ce nouveau fioul n'a pas encore été inventé », et le secteur des biocarburants s'est enfoncé dans une stagnation attribuable en partie à l'essor du gaz et du pétrole de schiste. Branson l'admet : « On commence à saisir la nécessité de créer des conditions, sur le marché, qui permettraient à une diversité de producteurs et de fournisseurs de carburants renouvelables et à leur clientèle de fonctionner de la même façon que l'actuelle chaîne logistique des combustibles traditionnels. C'est là une des questions que les opérations du Carbon War Room sur les carburéacteurs renouvelables tentent de résoudre[25]. »

C'est sans doute pour cette raison que le projet d'investissements écologiques de Branson semble avoir perdu l'essentiel de son intérêt des débuts pour les carburants de remplacement. Aujourd'hui, le Virgin Green Fund n'investit plus que dans une seule entreprise de biocarburant, le reste de ses efforts étant consacré à un fourre-tout de projets vaguement verts allant du dessalement de l'eau de mer à l'éclairage écoénergétique, en passant par un dispositif de surveillance permettant aux automobilistes d'économiser de l'essence. Associé du Virgin Green Fund, Evan Lovell admet que la recherche d'un carburant novateur a cédé la place à une démarche « beaucoup plus graduelle », moins risquée et plus rentable à court terme[26].

Diversifier son portefeuille pour obtenir une part du marché vert fait partie des prérogatives de Branson, bien sûr. Cependant, des centaines de sociétés de capital-risque ont emprunté la même voie, tout comme la plupart des grandes banques d'investissement. Dans ces circonstances, l'engagement initial de Branson n'était sans doute pas digne du concert d'éloges auquel il a eu droit. Ses premiers investissements n'avaient d'ailleurs rien de particulièrement remarquable, comme le souligne Jigar Shah, qui a dirigé le Carbon War Room : « Je ne crois pas qu'il ait fait beaucoup d'investissements extraordinaires pour contrer la crise du climat. Mais le fait que la question le passionne est une bonne chose[27]. »

Se pose également la question secondaire des sommes investies. Au départ, Branson a déclaré qu'il allouerait « 100 % des bénéfices futurs du groupe Virgin imputables à ses sociétés de transport à la lutte contre le réchauffement planétaire, jusqu'à concurrence de 3 milliards de dollars pour les dix prochaines années[28] ». C'était en 2006. Pour atteindre un montant de 3 milliards en 2016, il faudrait que Branson ait déjà investi au moins 2 milliards en date d'aujourd'hui. Or, il en est loin.

En 2010, soit quatre ans après son fameux engagement, Branson a confié au magazine *The Economist* n'avoir encore investi que «200 ou 300 millions de dollars dans les énergies propres», en attribuant cette insuffisance à la faible rentabilité du secteur du transport aérien. En février 2014, il faisait savoir à *The Observer* que «nous avons investi des centaines de millions dans des projets de technologies vertes». Bref, le plan n'a pas beaucoup avancé.

Il se peut même que les chiffres soient inférieurs : après son investissement initial dans l'éthanol, précise Evan Lovell, Virgin n'a dépensé que 100 millions de dollars (d'autres investisseurs en ont fait autant), pour un total cumulatif d'environ 230 millions de dollars en date de 2013. (Lovell confirme que le Virgin Green Fund «est le vecteur principal» de l'engagement de Branson.) En ajoutant à ce montant un investissement personnel non divulgué, mais sans doute modeste, dans l'entreprise de transformation d'algues Solazyme, la somme reste bien en deçà de 300 millions de dollars, sept ans après l'annonce d'un investissement de 3 milliards sur dix ans[29]. Au moment de mettre sous presse, aucun autre investissement important n'avait été annoncé.

Branson a refusé de répondre à mes questions sur les montants précis qu'il a dépensés, affirmant qu'«il est très difficile de quantifier la somme totale des investissements du groupe [Virgin] relatifs aux changements climatiques», et que le dédale de ses actifs ne facilite pas la réalisation d'estimations indépendantes. «Je ne suis pas très bon en chiffres», confie le milliardaire à propos d'une autre zone d'ombre de l'empire Virgin. «J'étais mauvais en maths à l'école primaire.» La confusion découle en partie du flou entourant ce qui peut être inclus ou non dans l'engagement initial. Au départ, le projet visait un objectif précis : l'invention d'un carburant miracle. Il s'est ensuite étendu à la recherche sur les technologies vertes au sens large, puis à tout ce qui pouvait passer pour vaguement écolo. Branson admet qu'il tient désormais compte des «investissements effectués par les filiales du groupe Virgin en termes de durabilité, comme la mise en place de mesures d'amélioration de l'efficacité énergétique» des avions. Dernièrement, il a axé sa lutte contre le réchauffement planétaire sur diverses tentatives de «verdissement» de ses deux îles privées des Caraïbes, dont l'une abrite sa résidence secondaire de luxe et l'autre un hôtel à 60 000 dollars la nuit. Le milliardaire prétend que le modèle qu'il est en train d'y mettre en place aidera les pays de la région à accomplir leur transition vers les énergies renouvelables. Ce sera peut-être le cas, mais on est loin de sa promesse de 2006 de transformer le capitalisme[30].

Le patron de Virgin minimise maintenant la portée de son engagement initial, qu'il ne qualifie d'ailleurs plus d'«engagement», mais de «geste». «D'une certaine façon, que l'investissement soit de 2 milliards, de 3 milliards ou de 4 milliards n'a pas vraiment d'importance», a-t-il déclaré au magazine *Wired* en 2009. «Je crois qu'il sera finalement inférieur à un milliard», m'a-t-il confié à propos de la date butoir qui approche. Même cette affirmation pourrait se révéler exagérée : si les données accessibles au public sont justes, Branson devrait tripler le montant qu'il a investi jusqu'ici dans les énergies vertes pour la valider. L'homme d'affaires attribue ce manque à gagner à diverses situations, allant des prix élevés du pétrole à la crise financière mondiale : «Le monde de 2006 était très différent de celui d'aujourd'hui. [...] Ces huit dernières années, nos sociétés aériennes ont perdu des centaines de millions de dollars[31].»

Devant toutes ces justifications, il vaut sans doute la peine de jeter un coup d'œil sur les activités pour lesquelles Richard Branson et Virgin sont bel et bien parvenus à trouver du financement pendant cette période cruciale. Comme cette importante opération de multiplication, riche en émissions de gaz carbonique, des avions ornés de leur célèbre signature rouge.

*

\* \*

Au moment de sa rencontre avec Al Gore, Branson avait prévenu l'ancien vice-président des États-Unis qu'il était à la veille d'offrir des vols directs vers Dubaï et que, malgré ces inquiétantes révélations sur la crise du climat, il n'avait pas l'intention de revenir sur sa décision. Mais il était loin de lui avoir tout dit. En 2007, un an à peine après l'épiphanie climatique qui l'avait amené à déclarer que son «nouveau but dans la vie [était] de travailler à réduire les émissions de carbone dans l'atmosphère», Branson lançait un des projets les plus ambitieux de sa carrière : Virgin America, une toute nouvelle compagnie aérienne destinée au marché intérieur américain. Même à l'aune des standards d'une nouvelle entreprise, Virgin America allait connaître une croissance stupéfiante au cours de ses cinq premières années d'existence, passant de 40 vols par jour vers 5 destinations la première année à 177 vols par jour vers 23 destinations en 2013. La filiale compte d'ailleurs ajouter 40 avions à sa flotte d'ici le milieu des années 2020. En 2010, le *Globe and Mail* rapportait que Virgin America entend connaître «une expansion plus vigoureuse que celle de toute autre compagnie aérienne nord-américaine en cette époque où la plupart des transporteurs intérieurs réduisent leurs dépenses[32] ».

C'est en cassant les prix que Branson a rendu possible cette croissance fulgurante, allant jusqu'à offrir des sièges à 60 dollars[33]. Avec de pareils tarifs, Virgin America ne faisait pas que s'approprier des clients d'United et d'American Airlines : elle en attirait de nouveaux. Le projet a toutefois exigé des dépenses colossales, entraînant des pertes de centaines de millions de dollars. De bien mauvaises nouvelles pour le Virgin Green Fund, dont la vitalité dépendait justement de la rentabilité des sociétés de transport.

Et Branson ne s'en est pas tenu aux Amériques. En Australie, le nombre de passagers des diverses sociétés aériennes Virgin a grimpé de 27 % au cours des cinq ans qui ont suivi son engagement pour le climat, passant de 15 millions en 2007 à 19 millions en 2012 ; en 2009, il y a inauguré un nouveau service de vols long-courriers, V Australia. Puis, en avril 2013, le milliardaire a dévoilé un autre projet ambitieux : Little Red, un service de vols intérieurs au Royaume-Uni, inauguré avec 26 départs par jour. Dans le plus pur style Branson, il a lancé cette nouvelle entreprise à Édimbourg, vêtu d'un kilt qu'il a relevé pour montrer aux journalistes son slip orné du slogan « *stiff competition* » (« la concurrence est rude »)*. Tout comme dans le cas de Virgin America, l'objectif ne consistait pas simplement à disputer des passagers aux autres transporteurs aériens : Virgin souhaitait vivement augmenter le nombre de personnes susceptibles d'emprunter ce moyen de transport, champion des émissions de gaz carbonique. L'entreprise a donc proposé des billets à prix ridiculement bas pour certains vols : les clients n'avaient qu'à payer les taxes, qui revenaient à environ la moitié du coût d'une course en taxi du centre de Londres à l'aéroport Heathrow à l'heure de pointe[34].

Voilà donc ce qu'a fait Branson sur son chemin de Damas climatique : se lancer à corps perdu dans l'achat d'avions. En prenant en compte les divers tentacules de son empire des transports, on constate que, depuis sa conversion en compagnie d'Al Gore, au moins 160 appareils en fonction ont été ajoutés à sa flotte mondiale, avec des conséquences tout à fait prévisibles sur l'atmosphère. Dans les années qui ont suivi l'annonce de son engagement pour le climat, les émissions de GES des sociétés aériennes de

---

* Ce genre d'humour puéril est récurrent dans les communications publiques de Branson (Virgin a inscrit « La mienne est plus grosse que la tienne » sur le fuselage d'un Airbus A-340-600 flambant neuf, a vanté ses places en classe affaires en affirmant que « la taille, ça compte », et a même fait voler au-dessus de Londres un dirigeable orné du slogan « BA [British Airways] vole mou »).

Virgin ont augmenté de plus de 40 %. De 2006-2007 à 2012-2013, celles de Virgin Australia ont grimpé de 81 %, tandis que celles de Virgin America ont explosé, avec une hausse de 177 % de 2008 à 2012. (Le seul élément positif du bilan carbone de Branson est un creux constaté chez Virgin Atlantic de 2007 à 2010, sans doute moins le résultat d'une politique visionnaire que de la récession économique mondiale et d'une puissante éruption volcanique survenue en Islande, qui a touché les sociétés aériennes sans distinction[35].)

Une bonne partie de la hausse marquée des émissions de Virgin est certes attribuable à la croissance rapide de ses sociétés aériennes, mais d'autres facteurs sont intervenus. Dans une étude de l'International Council on Clean Transportation qui compare l'efficacité énergétique de 15 sociétés aériennes intérieures des États-Unis en 2010, Virgin America occupe le neuvième rang[36]. C'est là un triste exploit, considérant que cette entreprise nouvellement créée aurait pu, dès le départ, appliquer à ses opérations des normes de rendement énergétique supérieures à celles de ses concurrentes établies de longue date. Cela ne faisait manifestement pas partie de ses priorités.

Et le bilan ne s'arrête pas aux avions. Alors qu'il livrait publiquement bataille au gaz carbonique, Branson a créé sa propre écurie de Formule 1, Virgin Racing (il dit s'être lancé dans ce sport uniquement parce qu'il y voyait une possibilité de le rendre plus vert, mais il s'est vite désintéressé de celui-ci). Il a aussi procédé à d'importants investissements dans Virgin Galactic afin de réaliser son rêve de lancer les premiers vols commerciaux dans l'espace, où chaque place coûterait la modique somme de 250 000 dollars. Le tourisme spatial constitue non seulement une dépense d'énergie complètement futile (et à forte intensité carbonique), mais aussi un gouffre financier supplémentaire : au début de l'année 2013, selon le magazine *Fortune*, Branson avait déjà consacré « plus de 200 millions de dollars » à cette entreprise présomptueuse, et ce n'était qu'un début. Le montant total finira par s'avérer nettement supérieur aux sommes qu'il aura investies dans la recherche d'un carburant plus écologique pour ses avions*[37].

---

* Pour reprendre la remarque cinglante du sociologue Salvatore Babones, « si deux mots pouvaient résumer le phénoménal transfert de richesse des travailleurs vers les mieux nantis observé au cours des quarante dernières années, l'effronterie sans bornes de ces riches qui font étalage de leur fortune, la privatisation de ce qui fut autrefois l'apanage du public, la destruction injustifiée de l'atmosphère qui risque de mener à l'extinction rapide de pratiquement toutes les formes de vie non humaine, le tout paré des oripeaux d'une vertu environnementale hypocrite [...], ces deux mots seraient Virgin Galactic ».

Quand on lui demande pourquoi il ne remplit pas sa promesse d'investir 3 milliards pour le climat, Branson est porté à invoquer la rentabilité insuffisante de ses sociétés de transport[38]. Vu la croissance fulgurante que connaît le secteur, cette excuse sonne plutôt faux. Non seulement son réseau ferroviaire se porte très bien, mais la multiplication de ses routes et sociétés aériennes montre que le groupe Virgin n'a pas manqué de profits à réinvestir. Il a simplement choisi d'obéir à l'impératif fondamental du capitalisme : la croissance ou la mort.

Au départ, Branson avait très clairement indiqué que, si ses sociétés de transport s'avéraient trop peu rentables pour lui permettre d'atteindre son objectif, il y allouerait des fonds issus d'autres filiales du groupe Virgin. On se trouve ici devant un problème d'un autre ordre, relatif à la façon peu orthodoxe dont ce magnat gère son empire. Branson a tendance à se contenter de profits relativement modestes (voire de pertes) tout en investissant beaucoup d'argent (le sien, celui de ses associés, celui des contribuables) dans la création de nouvelles entreprises lui permettant d'accroître la visibilité de la marque Virgin. Une fois la filiale établie, il la vend en totalité ou en partie pour une coquette somme assortie d'une lucrative concession de licence de marque. L'argent ainsi gagné n'est pas considéré comme un profit réalisé par ladite filiale, mais explique en partie comment la valeur nette de Branson est passée de 2,8 milliards de dollars en 2006 (l'année de sa rencontre avec Gore) à un total estimé à 5,1 milliards en 2014. Interviewé par John Vidal dans *The Observer*, le milliardaire s'est confié sur sa passion pour l'environnementalisme : « Je constate que la question m'intéresse beaucoup plus que le fait de gagner quelques dollars supplémentaires ; c'est nettement plus satisfaisant. » Ce qui ne l'a pas empêché de gagner quelques dollars supplémentaires[39].

Pendant ce temps, à l'approche de la date butoir, l'invention du carburant miracle semble encore bien loin, et les avions de Branson brûlent beaucoup plus de carbone qu'en 2006. Mais soyons sans crainte : l'homme d'affaires dispose de ce qu'il qualifie de « solution de dernier recours ». Qu'en est-il[40] ?

## L'incroyable récupération du Virgin Earth Challenge

Après un lancement remarqué, le concours à 25 millions de dollars Virgin Earth Challenge de Branson est entré en dormance pour un certain temps. Quand des journalistes ont pensé à s'enquérir de l'état des recherches sur le retrait du carbone de l'atmosphère auprès du patron de Virgin, celui-ci semblait vouloir faire subtilement baisser les attentes à cet égard, un peu comme dans le dossier des carburants verts. De plus, il a toujours pris soin de préciser qu'il était possible que personne ne gagne. En novembre 2010, il a révélé que Virgin avait reçu quelque 2 500 inscriptions au concours. Son porte-parole Nick Fox a expliqué que de nombreuses idées avaient dû être exclues parce que trop risquées, et que d'autres, plus sûres, n'étaient «pas assez développées pour être commercialisées». «Il n'y a pas encore de grand gagnant», résumait Branson[41].

Fox a aussi ajouté qu'il faudrait beaucoup plus que 25 millions de dollars pour évaluer la faisabilité à grande échelle de certains projets. La somme nécessaire serait plutôt de l'ordre de 2,5 milliards de dollars[42].

Branson affirme n'avoir pas complètement renoncé à décerner le prix : «Nous avons bon espoir de couronner un gagnant, ce n'est qu'une question de temps.» Il n'en a pas moins modifié son rôle : à l'origine grand parrain du concours, il remplit maintenant une fonction similaire à celle des célébrités-juges dans les émissions de télé-réalité, donnant sa bénédiction aux idées les plus prometteuses et aidant leurs auteurs à bénéficier des conseils de haut niveau, du financement et des autres opportunités découlant de leur association avec la marque Virgin[43].

La nouvelle version du Virgin Earth Challenge a été dévoilée (beaucoup plus discrètement que la première) en novembre 2011, à l'occasion d'une conférence sur l'énergie tenue à Calgary, en Alberta. S'adressant aux participants par liaison vidéo, Branson a présenté les 11 projets les plus prometteurs. Parmi ceux-ci, quatre étaient des machines qui retirent directement le carbone de l'air (à une échelle beaucoup plus restreinte que nécessaire), trois consistaient en des procédés de production de charbon à usage agricole, où le carbone capté est transformé en engrais (une technologie controversée à grande échelle), et un proposait de réinventer la gestion des pâturages en augmentant, à l'aide d'une technologie assez rudimentaire, la capacité des sols de fixer le carbone[44].

Même s'il considérait qu'aucun des finalistes ne méritait encore le prix de 25 millions de dollars, Branson les a fait parader comme des reines de beauté lors de la conférence, afin «de favoriser la collaboration des meilleurs ingénieurs, investisseurs, façonneurs d'opinion et décideurs au défi. Il n'y a pas d'autre façon de concrétiser ce potentiel. Selon moi, Calgary est une ville merveilleuse où démarrer[45] ».

Il s'agit assurément d'un choix révélateur. Calgary est le cœur économique des sables bitumineux canadiens. Le pétrole extrait de ces dépôts a fait de cette ville une des métropoles les plus riches du monde. Mais cette prospérité repose entièrement sur la possibilité de trouver des débouchés pour le produit. Débouchés reposant à leur tour sur la construction, en territoires de plus en plus hostiles, d'oléoducs controversés comme Keystone XL, ainsi que sur des stratégies visant à dissuader les gouvernements étrangers d'adopter des lois qui pourraient nuire à l'essor de ce combustible dont l'extraction fait monter en flèche les émissions de GES.

C'est ici qu'entre en scène Alan Knight, conseiller de Branson en matière de développement durable et responsable du Virgin Earth Challenge. Knight est très fier d'avoir piloté le virage vert du milliardaire, mais la relation des deux hommes était loin d'être exclusive : la clientèle de Knight a aussi compté Shell et Statoil (deux des acteurs les plus importants des sables bitumineux) ainsi que, comme il le souligne lui-même, « la Ville de Calgary et l'industrie des sables bitumineux de l'Alberta », en particulier l'Oil Sands Leadership Initiative (OSLI), une association industrielle dont les membres comprennent ConocoPhillips, Nexen, Shell, Statoil, Suncor et Total. Knight, qui se vante d'avoir été « autorisé à assister aux réunions » du groupe, a conseillé ses clients des champs pétrolifères albertains sur les façons d'apaiser les craintes de plus en plus vives de la population à l'endroit des coûts écologiques énormes d'un procédé d'extraction émettant de trois à quatre fois plus de GES que les méthodes conventionnelles[46].

Knight leur a ainsi proposé d'adopter un « discours » expliquant que leurs technologies « géniales » ne permettent pas seulement d'extraire du pétrole polluant, mais aussi de régler les problèmes environnementaux de demain. Le choix de Calgary comme ville hôte du lancement de la nouvelle phase du Virgin Earth Challenge n'avait « rien d'une coïncidence », ajoute-t-il (il semble d'ailleurs en avoir profité pour servir simultanément certains de ses plus gros clients, dont l'industrie des sables bitumineux et Richard Branson). « Il y avait là beaucoup d'ingénieurs très compétents et de nombreuses sociétés, fort bien financées, ayant tout intérêt à jeter un coup d'œil sur ces technologies », explique-t-il[47].

Mais en quoi précisément ces technologies pourraient-elles être utiles aux géants du pétrole ? En fait, leur fonction ne se limite pas au captage : une fois recueilli, le gaz carbonique devient une ressource. À Calgary, explique Knight, on a «reconfiguré» le Virgin Earth Challenge. Alors que l'objectif initial du concours consistait à découvrir une technologie capable de retirer de grandes quantités de dioxyde de carbone de l'atmosphère, Knight s'est mis à en parler comme d'«une initiative de développement d'une technologie destinée à recycler le $CO_2$ de l'air en produits commercialement exploitables[48]».

L'idée n'est pas folle. Cela fait longtemps qu'on sait retirer le gaz carbonique de l'air. Toutefois, on n'a jamais trouvé comment le faire à un coût non prohibitif et à une échelle suffisamment grande, sans parler de la question du stockage. Dans une économie de marché, la solution passe par la recherche d'une clientèle disposée à en acheter de grandes quantités. C'est dans ce contexte que la décision de mettre en valeur les 11 candidats les plus prometteurs a commencé à prendre forme. Depuis le milieu des années 2000, l'industrie du pétrole a de plus en plus recours à un ensemble de techniques connu sous le nom de récupération assistée des hydrocarbures (RAH), qui consiste à injecter des gaz à haute pression ou de la vapeur pour extraire de plus grandes quantités de pétrole des champs existants. Le gaz le plus souvent employé est le dioxyde de carbone, et des recherches ont montré que son utilisation pourrait tripler les réserves prouvées de pétrole des États-Unis, voire les quadrupler avec les «technologies de prochaine génération». Mais l'industrie est aux prises avec un problème (qui n'est pas celui, évident, de la cuisson de la planète): «la quantité insuffisante de $CO_2$ de bonne qualité et à prix abordable constitue le principal obstacle à l'expansion de la RAH», explique Tracy Evans, ex-président de la société pétrolière ·et gazière texane Denbury Resources[49].

Conscients de l'enjeu, plusieurs finalistes du concours de Branson se sont présentés comme les *start-ups* les plus aptes à fournir à l'industrie du pétrole le flux ininterrompu de dioxyde de carbone dont elle a besoin pour continuer d'extraire son or noir. Ned Davis, président de Kilimanjaro Energy (qui fait partie des finalistes), prétend que les dispositifs comme le sien ont le potentiel de libérer des quantités colossales de pétrole jusqu'ici considérées comme inexploitables, un peu comme l'a fait la fracturation hydraulique pour le gaz naturel. On aurait là «un filon extrêmement lucratif, estime-t-il. Un captage à prix modique du $CO_2$ de l'air permettrait d'extraire 100 milliards de barils de pétrole aux États-Unis seulement, pour une valeur totale de 10 000 milliards de dollars», a-t-il déclaré au magazine *Fortune*[50].

David Keith, spécialiste de la géo-ingénierie et inventeur d'un autre dispositif retenu parmi les projets finalistes, est un peu plus circonspect. Si l'on utilisait le gaz carbonique retiré de l'air pour extraire du pétrole, « on obtiendrait un carburant à base d'hydrocarbures dont les émissions, durant son cycle de vie, seraient très faibles », explique-t-il. Vraiment ? Selon une étude du National Energy Technology Laboratory du département de l'Énergie des États-Unis, les techniques de RAH génèrent des émissions de GES trois fois plus élevées que les méthodes classiques d'extraction. Sans parler du pétrole extrait, voué à être brûlé et, par le fait même, à contribuer au déséquilibre climatique. Bien que beaucoup de recherche reste à faire sur l'empreinte carbone globale de la RAH, une étude de modélisation particulièrement frappante fait état d'un projet similaire, consistant celui-là à capter le $CO_2$ non pas dans l'air, mais à la source, dans les centrales au charbon. Ses auteurs ont constaté que les avantages du captage du dioxyde de carbone seraient plus qu'annulés par le pétrole supplémentaire que celui-ci permettrait d'extraire : dans l'ensemble, le procédé générerait quatre fois plus d'émissions qu'il n'en supprimerait[51].

De surcroît, une bonne partie de ce pétrole est aujourd'hui considéré comme inexploitable, c'est-à-dire qu'il n'est même pas pris en compte dans le calcul des réserves prouvées, dont la combustion, nous l'avons vu, émettrait cinq fois plus de $CO_2$ que ce que l'atmosphère peut absorber en toute sécurité. Toute technologie permettant de quadrupler les réserves prouvées des seuls États-Unis représente une menace, et non une solution. David Hawkins, du NRDC, constate que ces méthodes de captage « sont vite passées de technologies destinées à éliminer du gaz carbonique à des technologies destinées à produire du gaz carbonique[52] ». Quant à Richard Branson, il a commencé par promettre d'aider l'humanité à tourner le dos au pétrole et a fini par encourager des technologies permettant d'en extraire et d'en consommer davantage. Quel succès.

## Une stratégie d'évitement réglementaire ?

Un autre aspect de la décision de Branson d'associer son Virgin Earth Challenge à l'industrie pétrolière albertaine mérite d'être signalé. L'événement de Calgary avait lieu au moment où l'organisme Forest Ethics, de San Francisco, accentuait sa pression sur les grandes entreprises pour qu'elles boycottent le pétrole issu des sables bitumineux de l'Alberta. En même temps, la proposition de l'Union européenne de limiter l'utilisation de ce pétrole suscitait de vifs débats\*. Dès 2008, le NRDC avait envoyé des lettres ouvertes à 15 sociétés aériennes canadiennes et américaines pour leur demander d'«adopter une "norme de carburants à faible teneur en carbone", de prendre publiquement position contre l'expansion» de la production de pétrole extrait des sables bitumineux et d'autres sources non conventionnelles, et d'éviter d'utiliser celui-ci dans leurs propres appareils. L'organisme avait lancé un appel particulier à Branson, soulignant son rôle de chef de file «dans le combat contre le réchauffement planétaire et dans le développement de carburants de remplacement[53]».

Cette demande semblait tout à fait raisonnable: l'engagement du patron de Virgin pour le climat lui avait valu beaucoup de publicité. Aucune des sociétés aériennes n'avait vraiment donné suite à la requête des environnementalistes, mais Branson, qui, croyait-on, anticipait l'invention d'un carburéacteur à base d'algues et le dévoilement d'un grand gagnant à son concours, aurait très bien pu faire la concession relativement mineure consistant à refuser d'alimenter sa flotte aérienne en pleine expansion avec un des carburants dont l'empreinte carbone est la plus élevée.

Branson n'a pas bougé. «Je ne crois pas qu'il soit raisonnable de participer à un boycottage», a publiquement déclaré Alan Knight, ajoutant qu'il était «impossible pour une compagnie aérienne de boycotter un carburant issu des sables bitumineux» (une affirmation contredite par de nombreux experts[†54]). Mais Branson ne s'est pas contenté de refuser de prendre part au boycottage. En choisissant Calgary pour relancer son Earth Challenge, il permettait à l'industrie des sables bitumineux, comme ses grandes (et éphémères) ambitions pour le climat l'avaient fait pour Virgin au cours des années précédentes, de gagner du temps en faisant miroiter une solution technologique miracle tout en continuant à émettre de plus en plus de dioxyde de carbone à l'abri de toute ingérence réglementaire. D'ailleurs, on pourrait affirmer (et certains ne se privent pas de le faire) que

---

\* Agence France-Presse, «Sables bitumineux: le Canada contesterait devant l'OMC une norme de l'UE», 21 février 2012. À l'automne 2014, l'Union européenne a finalement décidé de ne pas classer le pétrole issu des sables bitumineux dans la catégorie «sale». Des experts attribuent cette décision aux tensions avec la Russie, ainsi qu'aux pressions exercées par le Canada, avec lequel l'UE vient d'ailleurs de conclure un traité de libre-échange, l'Accord économique et commercial global (AECG). [NdT]

† Dont le consultant en développement durable Brendan May, fondateur de la firme Robertsbridge. «Bien sûr qu'on peut isoler les carburants en fonction de leurs sources! écrit-il. Quand on veut, on peut. [...] Aujourd'hui, on ne veut tout simplement pas.»

son image de sauveur de la planète n'est qu'une tentative sophistiquée d'éviter la réglementation sévère qu'il voyait poindre à l'horizon au Royaume-Uni et en Europe au moment précis où il entreprenait son ostensible conversion à l'écologie. Après tout, 2006 a été une année charnière du débat sur les enjeux climatiques. La question préoccupait de plus en plus la population, en particulier au Royaume-Uni, où la frange la plus radicale et la mieux enracinée du mouvement écologiste était dominée par de jeunes militants déterminés à freiner l'expansion du secteur des combustibles fossiles. Comme ils le font aujourd'hui dans leur lutte contre le gaz de schiste, ceux-ci ont eu recours à l'action directe pour bloquer la construction de nouveaux aéroports ou l'aménagement fort controversé d'une nouvelle piste à l'aéroport d'Heathrow, où l'on souhaitait augmenter le nombre de vols de 50 %[55].

Au même moment, le gouvernement britannique envisageait l'adoption d'une loi-cadre sur le climat, et Gordon Brown, alors chancelier de l'Échiquier, avait tenté de limiter le recours au transport aérien en augmentant la taxe prélevée auprès des passagers. En outre, l'Union européenne étudiait la possibilité d'abolir l'exemption de la taxe sur la valeur ajoutée dont bénéficiait le secteur du transport aérien, et d'imposer une taxe additionnelle sur le carburant d'aviation. Considérées dans leur ensemble, ces mesures faisaient peser une lourde menace sur les marges bénéficiaires de l'industrie de prédilection de Branson[56].

Le patron de Virgin tient souvent de beaux discours sur les vertus de la réglementation (en appuyant par exemple l'introduction d'une taxe carbone), mais s'oppose systématiquement à l'adoption de mesures concrètes. Il a entre autres défendu avec acharnement, voire avec agressivité, l'agrandissement de l'aéroport d'Heathrow, dans le cadre duquel s'inscrivait le projet de nouvelle piste. En fait, il a même affirmé à plusieurs reprises que le statu quo transformerait le Royaume-Uni «en pays du tiers monde», inciterait «les sociétés multinationales à troquer Londres pour des villes mieux desservies» et «ferait d'Heathrow le symbole du déclin du Royaume-Uni[*57]».

La prétendue adhésion de Branson à la lutte contre les émissions de gaz carbonique, en fait, entre souvent en contradiction

---

* En 2012, il irait jusqu'à s'engager à investir près de 8 milliards de dollars dans une intensification des activités de Virgin Atlantic à Heathrow si le gouvernement approuvait l'aménagement de la nouvelle piste – une perspective qui, une fois de plus, incite à douter du sérieux de sa prétention d'être trop fauché pour honorer son engagement climatique de 3 milliards.

avec son impitoyable instinct d'homme d'affaires. Il s'est aussi prononcé contre l'adoption d'une «taxe climatique» par l'Australie, et a dénoncé un projet de taxe mondiale sur le transport aérien en affirmant que son instauration «signerait l'arrêt de mort de l'industrie*[58]».

Branson se pose donc en ravageur de planète qui, poussé par un sentiment de culpabilité, promet d'utiliser les profits tirés de ses activités à forte empreinte carbone pour résoudre la crise du climat, mais refuse toute contrainte réglementaire. Pour Mike Childs, de l'association Friends of the Earth du Royaume-Uni, cette opposition systématique démontre que le virage vert du milliardaire ne constitue guère qu'un subterfuge empreint de cynisme. Son engagement d'investir 3 milliards «passe pour un élan de charité, mais je crois qu'il cherche aussi à faire baisser la pression politique sur le transport aérien, observe Childs. Aujourd'hui, quiconque dirige une société de transport doit avoir compris que la question du climat est appelée à devenir un enjeu crucial de son domaine d'activité[59]».

Childs voit-il juste? Une chose est sûre, l'engagement de Branson a eu pour effet immédiat qu'on pouvait désormais prendre l'avion l'esprit tranquille, sachant que le profit tiré d'un billet pour la Barbade, par exemple, serait sans doute alloué à un grand projet de recherche sur le carburant écologique miracle! Pareil générateur de bonne conscience est beaucoup plus efficace que n'importe quelle compensation carbone (que Virgin vend aussi à ses passagers). Quant à l'opposition de Virgin à la réglementation et aux taxes, qui voudrait condamner une compagnie aérienne dont les bénéfices servent une si bonne cause? Au fond, l'argument de Branson a toujours été le même: laissez mon entreprise prendre de l'expansion sans l'encombrer de règles, et j'utiliserai les fruits de sa croissance pour financer notre transition écologique collective. «Si l'industrie est bridée, nous serons privés, comme pays, des ressources nécessaires au développement des énergies vertes dont nous avons besoin, soutient le milliardaire. La bonne marche des affaires est la condition de toute solution à la crise financière et à la crise écologique[60].»

---

* Branson semble peu apprécier la fiscalité en général, comme en fait foi l'enchevêtrement complexe des holdings extraterritoriaux qu'il détient dans les îles Anglo-Normandes et les îles Vierges britanniques. D'ailleurs, il a passé une nuit en prison et s'est vu infliger une lourde amende après s'être fait prendre pour avoir usé d'un stratagème transfrontalier d'évasion fiscale alors qu'il dirigeait sa première entreprise, en 1971. «J'étais un criminel», écrirait-il dans son autobiographie à propos de cet épisode carcéral.

Ainsi, les sceptiques n'ont peut-être pas tort : les diverses aventures climatiques de Branson n'auront sans doute été qu'un spectacle, une production Virgin où le populaire barbu jouait le rôle du sauveur de la planète dans le but de construire sa marque, d'être invité dans les talk-shows, d'éconduire les instances réglementaires et d'avoir la conscience tranquille. Fait significatif, la vedette est nettement moins volubile depuis l'arrivée au pouvoir, au Royaume-Uni, du gouvernement conservateur de David Cameron, qui a pris soin de rassurer Branson et consorts en leur annonçant qu'aucune menace sérieuse de réglementation contraignante ne pesait sur eux.

Néanmoins, même si, en raison de leurs objectifs changeants, les projets climatiques de Branson méritent d'être vus avec cynisme, il est aussi possible de considérer leur échec avec une certaine indulgence. On peut ainsi reconnaître en l'homme d'affaires un authentique amoureux de la nature (qui se plaît à observer les oiseaux tropicaux sur son île privée ou à contempler les cimes de l'Himalaya depuis sa montgolfière). On peut également lui attribuer le mérite d'avoir vraiment cherché des moyens de concilier ses activités à forte intensité carbonique avec son désir profond de ralentir l'extinction des espèces et d'éviter le chaos climatique. On peut aussi admettre que, par son engagement de 2006, son concours et son Carbon War Room, il a trouvé des manières originales d'allouer des profits tirés d'activités qui réchauffent la planète à des projets qui pourraient aider à la maintenir au frais.

Toutefois, si l'on prête à Branson toutes ces bonnes intentions, l'absence de résultats de ses projets devient d'autant plus révélatrice. Branson a entrepris de mettre sa quête du profit au service de la recherche de solutions à la crise du climat, mais la tentation de s'enrichir par des pratiques aggravant cette même crise s'est avérée irrésistible. Encore et encore, les exigences relatives à l'édification d'un empire prospère ont pris le dessus sur l'impératif climatique, qu'il s'agisse du lobbying contre la mise en place d'une indispensable réglementation, de la multiplication des avions en circulation ou de la promotion d'une technologie miracle permettant aux sociétés pétrolières d'augmenter leur production.

L'idée selon laquelle seul le capitalisme puisse sortir la planète d'une crise qu'il a lui-même créée n'est plus une théorie abstraite, mais une hypothèse qui a été testée à maintes reprises dans le monde réel. On peut maintenant laisser la théorie de côté et prendre acte des résultats : ces célébrités qui, après avoir fait étalage de nouveaux styles de vie écolos et raffinés, ont vite jeté leur dévolu sur une autre tendance au goût du jour ; ces produits verts relégués aux rayons du fond des supermarchés dès l'apparition des premiers signes d'une récession ; ces sociétés de capital-risque qui devaient financer une myriade d'innovations, mais ont fait chou blanc ; ce marché du carbone propice à la fraude et aux fluctuations qui a lamentablement échoué dans sa mission de réduction des émissions ; cette industrie du gaz naturel qui, au lieu de faire le pont vers les énergies renouvelables, s'est arrogé une bonne partie de leur marché. Et, par-dessus tout, cette procession de milliardaires qui promettaient d'inventer une nouvelle économie et qui, après mûre réflexion, se sont dit que le bon vieux capitalisme était trop payant pour être abandonné.

La méthode Branson a été mise à l'épreuve (tout comme les méthodes Buffett, Bloomberg, Gates et Pickens). La forte hausse des émissions parle d'elle-même. D'autres milliardaires viendront sans doute annoncer en grande pompe leurs stratégies de renouvellement du capitalisme, mais il y a un hic : nous ne pouvons plus nous permettre de perdre dix autres années à fonder nos espoirs sur des attractions d'une telle insignifiance. Les occasions d'empocher des bénéfices ne manqueraient sans doute pas dans une économie carboneutre, mais jamais la quête du profit ne pourra accoucher de la grande transition qui s'impose.

Cet aspect de la question est important, car Branson tenait là un filon. Il est parfaitement logique de s'attendre à ce que les entreprises ayant la plus grande part de responsabilité dans l'aggravation de la crise du climat mettent leurs profits à contribution dans le financement de la transition vers un avenir plus vert et plus sûr. Le projet initial de Branson, qui consistait à allouer 100 % des bénéfices de ses sociétés de transport à la recherche de moyens par lesquels on pourrait renoncer au pétrole, était précisément (à tout le moins en théorie) du genre de ceux qu'on devrait mettre en œuvre à grande échelle. Selon les modèles d'affaires courants, cependant, une fois que les actionnaires ont touché leurs dividendes, que les dirigeants se sont accordé une énième augmentation, que l'entreprise a lancé un autre projet de conquête des marchés mondiaux et que le grand patron s'est acheté une nouvelle île privée, il ne semble pas rester grand-chose pour honorer un engagement.

D'une façon similaire, Alan Knight tenait un précieux filon lorsqu'il invitait ses clients de l'industrie des sables bitumineux à utiliser leur savoir-faire pour inventer les sources d'énergie renouvelables de l'avenir. « Le scénario potentiel est parfait », avait-il déclaré[61]. Le problème, bien sûr, c'est que, tant qu'on laissera cette responsabilité entre les mains avides des dirigeants de compagnies pétrolières ou aériennes, les choses en resteront précisément là, à l'étape du scénario – ou plutôt du conte de fées. Entre-temps, l'industrie mettra toute ses technologies et toutes ses ressources au service du développement de méthodes, toujours plus ingénieuses et plus rentables, d'extraction des combustibles fossiles des entrailles de la Terre, tout en défendant jalousement les subventions qu'elle touche et en résistant à la moindre augmentation d'impôt et de redevances grâce à laquelle les États pourraient financer des projets de transition indépendants.

À cet égard, Virgin ne manque pas de culot. Selon le syndicat britannique des travailleurs du transport ferroviaire et maritime, Virgin Trains aurait reçu plus de 3 milliards de livres sterling (soit 5 milliards de dollars) en subventions depuis la privatisation des chemins de fer du Royaume-Uni dans les années 1990, une somme nettement supérieure à celle que Branson s'est engagé à investir dans le Virgin Green Fund. Pas plus tard qu'en 2010, Virgin Trains a rapporté 18 millions de livres sterling à Branson et au groupe Virgin. L'homme d'affaires n'en qualifie pas moins de « foutaises » les propos de ceux qui le traitent de parasite, faisant valoir la nette augmentation du nombre de passagers sur ses trains et ajoutant que, « loin de recevoir des subventions, nous versons maintenant plus de 100 millions de livres à l'État ». Mais, comme toute activité commerciale implique le paiement de taxes et d'impôts, l'argent que verse Branson dans le Virgin Green Fund n'est-il pas surtout celui des contribuables ? Et, si tel est le cas, n'aurait-il pas été plus judicieux de ne jamais privatiser le transport ferroviaire[62] ?

Si l'on n'avait pas privatisé les chemins de fer, les Britanniques, préoccupés par la crise du climat, auraient peut-être choisi d'en réinvestir les profits dans l'amélioration des services de transport collectif, au lieu de laisser les trains tomber en désuétude et les tarifs grimper en flèche pendant que les actionnaires des sociétés ferroviaires privatisées empochaient des centaines de millions en dividendes tirés d'opérations subventionnées par les contribuables. Et, au lieu de miser sur l'invention d'un carburant miracle tout en entretenant un réseau alimenté en partie au diesel, ils auraient peut-être choisi d'accorder la priorité à l'électrification des chemins de fer (en recourant aux énergies renouvelables). Dans ce contexte, il n'est guère surprenant que, selon les sondages, 66 % des citoyens britanniques adhèrent à l'idée d'une renationalisation des sociétés ferroviaires[63].

Richard Branson n'a pas totalement fait fausse route. Il a proposé une formule audacieuse qui pourrait porter ses fruits dans les délais serrés dont nous disposons : la réallocation des profits des industries les plus polluantes à l'ambitieux projet consistant à nettoyer leur gâchis. En fait, le milliardaire a surtout démontré qu'une telle idée ne se concrétisera jamais sur une base volontaire ou sur l'honneur. Sa mise en œuvre passe par la voie législative, c'est-à-dire par une réglementation contraignante, une fiscalité plus lourde et des redevances plus élevées – des mesures auxquelles ces secteurs résistent depuis longtemps.

*
*   *

Évidemment, il est toujours possible qu'un des procédés technologiques soutenus par Branson finisse par donner des résultats. Le milliardaire pourrait encore mettre la main sur un carburéacteur carboneutre ou sur un appareil miracle permettant de retirer le carbone de l'atmosphère à bas coût et en toute sécurité. Le temps joue cependant en notre défaveur. David Keith, inventeur d'un capteur de gaz carbonique dans lequel a investi Bill Gates, estime qu'il faudra des décennies de recherche pour obtenir des dispositifs capables de fonctionner à l'échelle requise. « Aucune méthode ne permet de retirer la quantité requise de dioxyde de carbone en moins de trente ans, voire cinquante », affirme-t-il[64]. Et le temps presse : pour avoir une bonne chance d'éviter un réchauffement catastrophique, nous devrons utiliser le moins possible de combustibles fossiles au cours des cinquante prochaines années. Multiplier nos émissions (comme le font les clients de Knight avec les sables bitumineux et Branson avec ses avions) reviendrait à faire reposer notre avenir collectif sur l'infime possibilité qu'un remède miracle soit découvert.

D'ailleurs, Branson (un fou du risque ayant un penchant pour les crashs de montgolfière) est loin d'être le seul à faire un tel pari. Si ses projets extravagants ont été pris au sérieux, c'est parce qu'ils reposent, tout comme ceux de Bill Gates, sur un des mythes les plus malsains de la culture occidentale : la croyance selon laquelle la technologie peut sauver l'humanité des conséquences de ses actes. Devant l'effondrement de l'économie et le creusement des inégalités sociales, la plupart des gens en sont venus à réaliser que l'oligarchie née de la déréglementation et de la privatisation n'entend pas se servir de sa richesse pour sauver le monde en leur nom. Pourtant, la foi dans les miracles de la technologie persiste, enracinée dans une fiction, digne des histoires de super-héros, où les gentils viennent nous tirer de la catastrophe à la dernière minute.

Ce mythe, sur lequel repose la grande promesse de la géo-ingénierie, demeure la forme la plus puissante de pensée magique de la culture occidentale.

## Chapitre 8

# Atténuer le rayonnement solaire

## La solution à la pollution
## réside-t-elle… dans la pollution ?

*La géo-ingénierie affirme être en mesure de résoudre les problèmes liés à la crise du climat pour à peine quelques milliards de dollars par an.*

Newt GINGRICH, ancien président de la Chambre
des représentants des États-Unis, 2008[1]

*Notre science n'est qu'une goutte d'eau, notre ignorance est une mer.*

William JAMES, 1895[2]

M ARS 2011. Je viens d'arriver dans le Buckinghamshire, à environ une heure et demie de route au nord-ouest de Londres, où s'ouvre une conférence de trois jours sur le thème de la géo-ingénierie. Cette rencontre a été organisée par la Royal Society, prestigieuse académie des sciences du Royaume-Uni qui a déjà compté Isaac Newton et Charles Darwin parmi ses membres, et dont fait aujourd'hui partie Stephen Hawking.

En raison de l'incapacité des États à respecter leurs objectifs de réduction d'émissions de GES, la Royal Society insiste depuis plusieurs années sur la nécessité d'échafauder un plan B qui ferait appel à la technologie. Dans un rapport publié en 2009, l'éminente organisation scientifique a demandé au gouvernement britannique de mobiliser d'importantes ressources en vue de déterminer quelles méthodes de géo-ingénierie pourraient s'avérer les plus efficaces. Deux ans plus tard, elle conclut que des interventions, à l'échelle planétaire, destinées à bloquer une partie du rayonnement solaire «pourraient être le seul moyen d'abaisser rapidement la température mondiale en cas d'urgence climatique[3]».

Lors de la conférence de Buckinghamshire, les discussions se cantonnent à quelques aspects : comment diriger la recherche dans le domaine de la géo-ingénierie ? Comment superviser son éventuel déploiement? À quelles règles les chercheurs doivent-ils se conformer? Quels organes encadreront les expériences? Pour répondre à ces questions, la Royal Society s'est associée à deux autres commanditaires de la conférence: The World Academy of Sciences (TWAS), une organisation basée en Italie qui se voue à la promotion des projets scientifiques dans les pays en développement, et l'EDF, qui considère la géo-ingénierie comme un «outil de transition» (après avoir tenu le même discours sur le gaz naturel[4]). Il s'agit à la fois d'un des plus importants rassemblements mondiaux sur la géo-ingénierie et de la première occasion où une grande organisation environnementaliste approuve ouvertement l'étude de manipulations extrêmes du système climatique terrestre pour remédier à la crise actuelle.

Cette conférence à connotation futuriste a lieu dans un somptueux manoir de style georgien, magnifiquement restauré, du nom de Chicheley Hall. La BBC a déjà utilisé cette imposante demeure de brique rouge comprenant 62 pièces comme décor de la série télévisée *Orgueil et préjugés,* puis la Royal Society l'a récemment acquise pour en faire un centre de conférences. Il se dégage du site une forte impression d'anachronisme. Sur les pelouses verdoyantes du domaine, entourées de haies savamment taillées, on s'attendrait à voir déambuler des dames vêtues de robes à corset, ombrelle à la main, et non des scientifiques ébouriffés discutant de la mise en place d'un parasol planétaire. La géo-ingénierie a d'ailleurs un aspect vaguement archaïque, peut-être pas rétrofuturiste, mais rappelant assurément une époque plus exaltée où le contrôle du climat tenait davantage de la prochaine prouesse scientifique que d'une ultime tentative de sauver l'humanité de l'incinération.

Après un repas pris dans une salle décorée d'immenses tableaux d'hommes grassouillets coiffés de perruques argentées, les délégués sont invités à passer à la bibliothèque tout en boiseries. Une trentaine de scientifiques, d'avocats, d'environnementalistes et de conseillers politiques s'y rassemblent pour un briefing sur les différentes techniques de géo-ingénierie à l'étude. Un scientifique membre de la Royal Society présente un diaporama où il est entre autres question de «fertiliser» les océans avec du fer afin de soutirer du dioxyde de carbone à l'atmosphère, de tapisser les déserts d'immenses bâches blanches afin de réfléchir la lumière du Soleil vers l'espace, et de construire des armées de machines capables d'absorber le dioxyde de carbone atmosphérique, du genre de celles qui ont été soumises au concours Virgin Earth Challenge de Richard Branson.

Le chercheur qui anime la rencontre explique qu'il existe trop d'applications potentielles pour pouvoir toutes les étudier en profondeur, et que chacune d'elle comporte son lot de défis particuliers en matière de gouvernance. En conséquence, la rencontre de trois jours mettra l'accent sur les techniques de géo-ingénierie considérées comme les plus envisageables et les plus prometteuses par les scientifiques participant à la conférence. Parmi celles-ci, on trouve différents moyens de pulvériser des particules dans l'atmosphère afin de réfléchir une plus grande fraction des rayons du Soleil vers l'espace, ce qui permettrait de réduire le flux de chaleur atteignant la Terre. Dans le jargon de la géo-ingénierie, il est question de « gestion du rayonnement solaire » (GRS) puisque ces méthodes visent littéralement à « gérer » la quantité de rayons solaires parvenant à la Terre.

Diverses méthodes pourraient permettre d'atténuer le rayonnement solaire. Celle qui flirte le plus avec la science-fiction propose d'installer des miroirs dans l'espace : elle est d'emblée rejetée. Une autre formule consiste à augmenter la réflectivité des nuages en pulvérisant des gouttelettes d'eau de mer dans l'atmosphère (à l'aide de flottes de navires ou de tours érigées sur le littoral), l'idée étant d'augmenter la quantité de nuages ou de les rendre plus réfléchissants et persistants. Toutefois, l'option qui retient le plus l'attention consiste à disperser des aérosols à base de soufre dans la stratosphère à l'aide d'avions adaptés ou d'un très long tuyau suspendu dans les airs grâce à des ballons gonflés d'hélium. Certains suggèrent même de recourir à des canons.

La décision de se limiter exclusivement à la GRS est quelque peu arbitraire dans la mesure où des expériences de fertilisation des océans ont déjà été menées à maintes occasions. L'essai hasardeux effectué au large des côtes de la Colombie-Britannique en 2012 constitue d'ailleurs l'un des exemples les plus médiatisés de ce genre d'expériences. Quoi qu'il en soit, c'est la GRS qui intéresse le plus les scientifiques : elle a fait l'objet de plus d'un millier d'articles révisés par des pairs, et nombre d'équipes de recherche de premier ordre sont prêtes à mener des essais *in situ* afin de tester différentes méthodes faisant appel à des navires, à des avions ou à de longs tuyaux. Si l'on n'établit pas rapidement des règles et des lignes directrices (certains vont même jusqu'à suggérer d'interdire complètement les essais sur le terrain), on risque de se retrouver dans une sorte de Far West scientifique[5].

La dispersion d'aérosols sulfatés est communément appelée « option Pinatubo », en référence au volcan philippin qui a explosé en 1991. La plupart des éruptions volcaniques projettent des cendres et des gaz dans la basse atmosphère, où se forment alors des gouttelettes d'acide sulfurique qui finissent par retomber au sol. Cela s'est notamment produit lors de l'éruption du volcan islandais Eyjafjöll, qui a largement perturbé le trafic aérien en Europe en 2010. Toutefois, dans de rares cas (dont celui du Pinatubo), les éruptions peuvent projeter d'énormes quantités de dioxyde de soufre jusqu'à la stratosphère.

Lorsqu'un tel événement se produit, les gouttelettes d'acide sulfurique ne retombent pas au sol ; elles demeurent dans la stratosphère et peuvent se répandre tout autour de la planète en quelques semaines. Ces gouttelettes agissent comme de minuscules miroirs qui, en diffusant la lumière, empêchent une certaine partie de la chaleur du Soleil d'atteindre la surface de notre planète. Quand une éruption d'une telle ampleur survient dans les tropiques, les aérosols restent en suspension dans la stratosphère pendant un an ou deux, et le refroidissement qui en résulte peut durer plus longtemps encore.

C'est ce qui s'est produit avec le Pinatubo en 1991. Dans l'année qui a suivi son éruption, la moyenne des températures mondiales a diminué de 0,5 °C, et, comme l'a souligné Oliver Morton dans la revue *Nature*, « si El Niño ne s'était pas manifesté au même moment, la température mondiale en 1992 aurait été plus froide de 0,7 °C par rapport à celle de 1991[6] ». Fait notable, les émissions anthropiques de GES ont engendré une augmentation de la température de la planète du même ordre, ce qui a mis la puce à l'oreille de certains scientifiques, qui se sont convaincus qu'on peut faire contrepoids au réchauffement planétaire en réduisant la température de la Terre : il suffit de reproduire artificiellement l'action naturelle des volcans.

À Chicheley Hall, notre animateur commence par les avantages de l'option Pinatubo. Il souligne que la technologie nécessaire à son déploiement existe déjà, bien qu'elle n'ait pas encore été testée. Relativement peu coûteuse, elle déclencherait (si elle s'avérait efficace) un refroidissement assez rapide. Selon la méthode employée et son intensité, toutefois, cette stratégie risque d'entraîner l'apparition d'un brouillard permanent autour de la planète, faisant du ciel bleu un souvenir[7]. Ce brouillard empêcherait les astronomes de voir les étoiles et les planètes de façon nette, et, comble de l'ironie, l'atténuation du rayonnement solaire nuirait aux générateurs photovoltaïques.

Plus grave encore, l'option Pinatubo a pour principale lacune de ne pas s'attaquer à la cause première du réchauffement planétaire (l'accumulation de gaz qui emprisonnent la chaleur), ciblant plutôt sa principale conséquence (l'augmentation de la température mondiale). Y recourir pourrait permettre de contrôler la fonte des glaciers, mais le dioxyde de carbone continuerait de s'accumuler dans l'atmosphère et dans les océans, causant rapidement leur acidification. Or, ce dernier phénomène a déjà de lourdes conséquences sur les organismes marins, qu'il s'agisse des coraux, des crustacés ou des mollusques, lesquelles peuvent d'ailleurs se répercuter tout le long de la chaîne alimentaire aquatique. L'animateur souligne néanmoins un avantage possible aux concentrations atmosphériques élevées de dioxyde de carbone couplées à des températures artificiellement réduites : les plantes, qui ont besoin de dioxyde de carbone (lorsque sa présence ne provoque pas des canicules ou des sécheresses), pourraient tirer profit de ce qui deviendrait en fin de compte une sorte de serre planétaire.

Ah, encore un inconvénient : une fois démarrée la pulvérisation stratosphérique d'aérosols visant à atténuer le rayonnement solaire, il serait en pratique impossible d'y mettre fin. En effet, l'élimination de ce parasol virtuel permettrait subitement à la totalité du flux solaire de frapper à nouveau la surface de la planète, sans qu'il y ait d'adaptation graduelle possible. Il suffit de penser aux méchantes sorcières des contes de fées qui restent jeunes en s'abreuvant d'élixirs magiques, et qui se décomposent d'un seul coup si on les en prive.

Une solution permettant de contourner ce «problème d'interruption», comme l'exprime notre animateur avec une réserve toute britannique, consisterait à soutirer de l'atmosphère une importante quantité de dioxyde de carbone pendant que le parasol d'aérosols est encore en place. De cette manière, lorsque les aérosols se dissiperont et que les rayons du soleil frapperont à nouveau à plein régime la surface terrestre, le réchauffement sera réduit par la diminution de la concentration des gaz qui emprisonnent la chaleur. Cette idée serait géniale, sauf que personne ne sait vraiment comment la concrétiser dans un délai raisonnable, comme a fini par le comprendre Richard Branson.

De tels propos laissent entrevoir de sombres perspectives. Ainsi, plus rien sur Terre n'échapperait à l'action de machines créées par les humains. Nous évoluerions non plus sous un ciel, mais sous un toit – un plafond laiteux créé par la géo-ingénierie qui surplomberait des océans mourant par acidification.

Le scénario continue à s'assombrir : l'animateur a réservé les pires inconvénients pour le dessert. Il projette une diapositive montrant une carte du monde ; les différentes régions y sont représentées selon un code de couleurs basé sur des prévisions déterminant à quel point leur régime de précipitations sera modifié par la présence de dioxyde de soufre dans la stratosphère. Les précipitations en Europe et en Amérique du Nord semblent peu perturbées, mais la région de l'Afrique équatoriale apparaît en rouge, ce qui indique de graves sécheresses. Certaines parties de l'Asie semblent également menacées : la diminution de la température engendrée par l'atténuation du rayonnement solaire risque d'affaiblir la mousson, qui constitue la principale source de précipitations dans ces régions.

L'auditoire, qui jusqu'à présent écoutait calmement, s'agite en entendant ces prédictions. « Laissons la science de côté pour parler d'éthique », interrompt alors un participant visiblement contrarié. « Je viens d'Afrique et je n'aime pas du tout ce que je vois au sujet des précipitations*. » Comme le reconnaît un des rapports de la Royal Society sur la géo-ingénierie, la GRS « peut causer un dérèglement climatique pire qu'en l'absence d'un recours à cette méthode[8] ».

Le délégué africain secoue la tête. « Je ne sais pas combien d'entre nous dormirons bien ce soir. »

## Se préparer à l'horreur

Les projets de manipulation du climat en vue de contrer les effets du réchauffement planétaire, en fait, existent depuis au moins cinquante ans. En 1965, lorsque le comité consultatif scientifique du président des États-Unis produit un rapport qui met en garde Lyndon B. Johnson contre le déséquilibre climatique, les auteurs ne font pas allusion à la réduction des émissions des GES. Les seules solutions envisagées dans le document recourent à la technologie et proposent entre autres d'influer sur le couvert nuageux ou de parsemer les océans de particules réfléchissantes[9].

Bien avant d'être envisagée comme une arme contre le réchauffement planétaire, la manipulation du climat l'était comme une arme tout court. Durant la guerre froide, les physiciens américains caressaient le projet d'affaiblir les pays ennemis en manipulant secrètement le régime des pluies pour engendrer des sécheresses ou, comme on l'a tenté durant la guerre du

---

\* La conférence est régie par les règles de la Chatham House, qui autorisent les personnes qui assistent aux séances officielles à rapporter ce qui y est dit, sans toutefois pouvoir préciser qui l'a dit. Toute interview accordée en dehors des séances officielles n'est pas assujettie à ces règles.

Vietnam, pour générer des tempêtes ciblées capables d'inonder une importante route de ravitaillement[10].

Il n'est donc guère surprenant que la plupart des climatologues se soient jusqu'à tout récemment abstenus de parler de géo-ingénierie. À quelques souvenirs persistants de *Docteur Folamour* venait s'ajouter la crainte que ces techniques, au bout du compte, fassent plus de tort que de bien. Les climatologues craignaient que, de la même manière que les banquiers prennent de plus grands risques s'ils savent que les gouvernements s'en portent garants, la seule évocation d'une solution technologique d'urgence génère la dangereuse impression que nous pouvons augmenter nos émissions quelques décennies encore.

C'est donc plus par désespoir que par conviction qu'on a laissé le tabou entourant la géo-ingénierie se dissiper ces dix dernières années. L'année 2006 marque un virage décisif : Paul Crutzen, lauréat du prix Nobel de chimie pour ses travaux de pointe sur la destruction de la couche d'ozone, rédige un essai dans lequel il affirme que le temps est venu de considérer la pulvérisation stratosphérique de particules de soufre à titre de solution d'urgence permettant d'éviter un grave réchauffement planétaire. « Si les émissions de GES ne sont pas réduites de manière suffisante et que la température s'élève rapidement [...], il s'agit de la seule option envisageable afin de contrer la hausse de la température et d'autres effets sur le climat », écrit le chercheur[11].

Crutzen a créé une ouverture propice à des recherches préliminaires, mais les réelles percées en matière de géo-ingénierie surviendront à la suite de l'échec de la conférence de Copenhague en 2009, l'année même du rejet de la législation sur le climat par le Sénat américain. On avait fondé beaucoup d'espoir sur ces deux initiatives, et, lorsqu'elles ont avorté, les pirates du climat sont sortis de leurs laboratoires, n'hésitant pas à faire de l'idée la plus saugrenue l'ultime solution réaliste. Le contexte est d'ailleurs favorable à leurs plans puisque la crise économique voue à l'échec tout projet de politique de transition énergétique.

L'option Pinatubo devient la coqueluche des médias, notamment grâce au travail de Nathan Myhrvold, ancien directeur des services technologiques chez Microsoft aujourd'hui à la tête d'Intellectual Ventures, une entreprise spécialisée dans l'achat et l'agrégation de divers brevets dans le domaine des hautes technologies qui a acquis une réputation de chasseur de brevets[12]. Myhrvold est un personnage fait pour la télévision : enfant prodige devenu physicien puis bonze de la haute technologie, il se passionne en outre pour les dinosaures et la photographie faunique. Ajoutons que, à titre de cuisinier amateur dûment formé, il a investi des millions de dollars dans la rédaction d'une bible de cuisine moléculaire en six volumes.

En 2009, Myhrvold et son équipe dévoilent les détails d'un engin qu'ils nomment le « StratoShield » (bouclier stratosphérique) et qui devrait faire usage de ballons gonflés à l'hélium pour suspendre à une altitude de 30 kilomètres un tube crachant du dioxyde de soufre. Myhrvold ne tarde pas à présenter son invention comme un substitut aux mesures que devraient mettre en œuvre les États. En effet, deux jours après la conférence de Copenhague, Myhrvold apparaît sur CNN pour vanter les mérites de son appareil qui, selon ses dires, est capable de « faire contrepoids à l'actuel réchauffement planétaire » en créant un « mont Pinatubo sur demande[13] ».

Deux mois plus tôt a paru un livre rédigé par Steven D. Levitt et Stephen J. Dubner et intitulé *SuperFreakonomics,* qui finirait par devenir un succès mondial. Les auteurs y consacrent un chapitre entier à l'invention de Myhrvold. Or, contrairement aux scientifiques qui ont pris part à la conception de cette technologie et usent de prudence, présentant l'atténuation du rayonnement solaire comme une solution de dernier recours (une sorte de plan B à n'employer que si le plan A – réduction des émissions de GES – se révèle inefficace), Levitt et Dubner affirment que l'option Pinatubo est nettement préférable à l'abandon des combustibles fossiles : « pour ceux qui aiment les solutions simples et bon marché, il n'y a pas mieux[14] ».

La plupart des acteurs qui réclament une intensification de la recherche en géo-ingénierie se montrent beaucoup plus réservés. En septembre 2010, la New America Foundation et le magazine *Slate* organisent à Washington un forum d'une journée ayant pour thème « La géo-ingénierie : une idée terrifiante qui s'impose[15] ? » À elle seule, cette phrase résume parfaitement le climat de morne résignation dans lequel s'inscrit la série de conférences et de rapports gouvernementaux qui, peu à peu, ont hissé la géo-ingénierie jusqu'à la sphère politique.

La conférence qui se déroule à Chicheley Hall est une autre étape du processus qui banalise graduellement la géo-ingénierie. Plutôt que de chercher à évaluer la pertinence d'expériences dans ce domaine (comme lors de la plupart des rencontres précédentes), la présente conférence semble considérer la manipulation du climat comme une avenue incontournable (sinon, pourquoi aborder la question de la « gouvernance » en matière de géo-ingénierie ?). Ajoutant non seulement au caractère inéluctable de cette option, mais également à sa banalisation, les organisateurs affublent leur projet de l'imposant acronyme SRMGI (Solar Radiation Management Governance Initiative, initiative pour la gouvernance de la gestion du rayonnement solaire).

Les débats sur la géo-ingénierie se déroulent généralement dans un cercle remarquablement restreint et incestueux qui rassemble toujours les mêmes scientifiques, inventeurs et bailleurs de fonds. Les membres de cette «géoclique» (pour reprendre une expression du journaliste scientifique Eli Kintisch, auteur d'un des premiers ouvrages sur le sujet) font la promotion mutuelle de leurs travaux et participent pour ainsi dire à toutes les discussions pertinentes sur le sujet. D'ailleurs, nombre d'entre eux sont présents à la conférence à Chicheley Hall. Mentionnons d'abord David Keith, un physicien sec et nerveux qui, alors employé par l'université de Calgary, occupera par la suite un poste à Harvard et dont les travaux se concentrent principalement sur la GRS. Sa machine à aspirer le dioxyde de carbone, d'ailleurs encensée par Richard Branson autant que par Bill Gates, pourrait bien le rendre très riche si jamais la voie technologique venait à s'imposer. Ce genre de conflit d'intérêts est fréquent puisque nombre des plus ardents défenseurs de la géo-ingénierie sont associés à des *start-ups* prétendant vouloir sauver la planète, ou détiennent des brevets rattachés à différentes méthodes. Selon James Fleming, historien des sciences rattaché à l'université Colby, ces scientifiques ont d'importants «intérêts personnels en jeu» puisqu'ils sont en position «de réaliser d'incroyables profits si leur technique est adoptée[16]».

Est également présent à Chicheley Hall l'éminent spécialiste de l'atmosphère de la Carnegie Institution for Science, Ken Caldeira, l'un des premiers climatologues à avoir sérieusement mené des modélisations informatiques afin de comprendre les répercussions de l'atténuation du rayonnement solaire. Hors du cadre de ses travaux universitaires, Caldeira agit à titre d'«inventeur en chef» chez Intellectual Ventures, l'entreprise de Nathan Myhrvold[17]. Un autre participant est Phil Rasch, climatologue rattaché au Pacific Northwest National Laboratory, dans l'État de Washington, qui s'apprête alors à mener ce qui constitue probablement la première expérience *in situ* visant à augmenter la réflectivité des nuages.

Bill Gates n'est pas présent, mais il a fourni la majeure partie du financement pour ce rassemblement par l'entremise d'un fonds administré par Keith et Caldeira. Le magnat des logiciels a consacré au moins 4,6 millions de dollars à des travaux de recherche sur le climat jusqu'alors dépourvus de financement. La majeure partie de cette somme a été consacrée à des projets de géo-ingénierie, Keith, Caldeira et Rasch en étant les principaux bénéficiaires. Gates investit également dans l'entreprise de Keith spécialisée dans la capture du dioxyde de carbone, de même que dans Intellectual Ventures, où son nom apparaît, aux côtés de celui de Caldeira, sur de nombreux brevets reliés à la géo-ingénierie. Par ailleurs, Myhrvold est aussi vice-président de TerraPower, une *start-up* nucléaire fondée par Gates. De son côté, le Carbon War Room de Branson, qui a envoyé un délégué à Chicheley Hall, soutient ces travaux de différentes manières[18]. C'est dans cet univers aussi nébuleux que fermé, notamment au regard d'enjeux mondiaux si importants, qu'évolue la géoclique.

La conférence de Chicheley Hall ne se concentre pas sur les essais de géo-ingénierie, mais sur sa gouvernance. Voilà pourquoi la clique habituelle s'est exceptionnellement élargie pour accueillir de nombreux climatologues en provenance d'Afrique et d'Asie, de même que des éthiciens, des juristes, des spécialistes des conventions et des traités internationaux, et des employés de diverses ONG environnementalistes, dont Greenpeace et WWF. (Greenpeace n'encourage pas la géo-ingénierie, mais la filiale britannique de WWF offre un soutien prudent aux « recherches dans le domaine de la géo-ingénierie afin d'évaluer ses possibilités[19] ».)

Les organisateurs de la conférence ont aussi invité deux personnes qui critiquent ouvertement la géo-ingénierie. Alan Robock, d'abord, est un climatologue à la barbe blanche et au caractère plutôt bourru rattaché à l'université Rutgers. La dernière fois que je l'ai vu à l'œuvre, il présentait un diaporama intitulé « Vingt raisons pour lesquelles la géo-ingénierie pourrait bien être une mauvaise idée », raisons qui comprenaient le « blanchiment du ciel » (n° 7) et un « réchauffement subit en cas d'interruption du déploiement » (n° 10). Plus provocateur que Robock, Clive Hamilton est un éthicien australien s'intéressant au climat, qui considère « les géo-ingénieurs [comme] des Phaéton contemporains qui osent vouloir contrôler le Soleil, et qui mériteraient d'être foudroyés par Zeus avant qu'ils ne détruisent la Terre[20] ».

Les discussions de la journée prennent fin sans que les participants parviennent à s'entendre sur un aspect digne d'être mentionné, pas même sur la nécessité de procéder à des essais à petite échelle *in situ*. Néanmoins, le fait d'avoir réuni tous ces gens pendant trois jours dans un somptueux manoir à la campagne provoque un intéressant feu d'artifice intellectuel.

# Qu'est-ce qui pourrait dérailler?

Après une bonne nuit de sommeil, les invités sont fins prêts pour les débats à suivre. Dans une salle de conférence au style épuré située dans une vieille dépendance du manoir, les organisateurs nous séparent en petits groupes. Chacun d'entre nous se voit remettre une feuille de papier sur laquelle figure un triangle aux sommets respectivement marqués des mots «interdire», «promouvoir» et «réglementer». «Faites un X dans le triangle, à l'endroit que vous considérez décrire le mieux votre opinion», précisent les instructions sur la feuille. «Voulez-vous *interdire* la poursuite des recherches sur l'atténuation du rayonnement solaire? Souhaitez-vous plutôt *promouvoir* ardemment cette approche? Ou encore, la *réglementer* tout en en faisant la promotion?»

Parmi ces groupes que je passe la matinée à écouter, une tendance ne tarde pas à émerger. Les scientifiques déjà engagés dans des recherches sur la géo-ingénierie sont enclins à se positionner quelque part entre «réglementer» et «promouvoir» alors que la plupart des autres participants optent plutôt pour «interdire» et «réglementer». Plusieurs disent vouloir promouvoir la recherche, mais seulement dans le but de rayer la géo-ingénierie de la liste des moyens réalistes de sauver la planète. «Nous devons surtout en avoir le cœur net, plaide un environnementaliste devant les scientifiques de son groupe. Pour l'instant, nous sommes dans l'obscurité.»

Dans un groupe, le processus ne se déroule pas comme prévu. L'un des participants refuse carrément d'exprimer son opinion à l'aide du triangle. Il prend plutôt une grande feuille de papier sur laquelle il inscrit trois questions:

– L'être humain, qui est responsable de la crise climatique actuelle, est-il réellement en mesure de réglementer la GRS de manière adéquate et sûre?

– Si l'on réglemente la GRS, ne risquons-nous pas d'entretenir l'idée que la planète peut être manipulée pour servir nos intérêts?

– Ne devrions-nous pas répondre à ces questions avant d'indiquer notre position dans le triangle présenté?

Lorsque les groupes finissent par se rassembler pour discuter de leurs cartes cognitives triangulaires, personne ne prête attention à ces questions, qui restent sans réponse. Elles sont affichées au mur de la salle de conférence tel un reproche silencieux. Dommage, car la Royal Society, qui a grandement contribué à la révolution industrielle et à l'avènement de l'ère des combustibles fossiles, se trouve dans une position privilégiée pour réfléchir à ces questions.

La Royal Society a été fondée en 1660 en hommage à Francis Bacon. Non seulement la devise de l'organisation («*Nullius in verba*», «Ne croyez personne sur parole») est inspirée du parcours de Bacon lui-même, mais curieusement, sa structure de base reproduit en grande partie celle de la société savante décrite dans sa fiction utopique publiée en 1627 et intitulée *La Nouvelle Atlantide,* roman de science-fiction avant l'heure. La Royal Society était en première ligne du projet colonial britannique et a entre autres financé les voyages du capitaine James Cook, y compris celui où il a revendiqué le territoire de la Nouvelle-Zélande. Pendant plus de quarante ans, elle a été dirigée par l'un des collègues explorateurs de Cook, le riche botaniste Joseph Banks, qu'un officier colonial britannique décrivait comme «le plus fervent impérialiste de son époque[21]». Au cours de son existence, l'organisation a en outre accueilli parmi ses membres James Watt, le père de la machine à vapeur, de même que son partenaire d'affaires Matthew Boulton, deux personnages qui ont joué un rôle prépondérant dans l'essor du charbon.

Comme le laissent entendre les questions affichées au mur de la salle de conférence, ce sont ces outils (les usines et la flotte coloniale de navires à vapeur fonctionnant au charbon) et ces idées (la conception tordue de Bacon comparant la Terre à une femme soumise et le triomphalisme de Watt prétendant avoir trouvé le «point faible» de celle-ci) qui sont à l'origine de la crise que tente de régler la géo-ingénierie. À la lumière de ces faits, est-il raisonnable de croire que les humains pourront mater celle-ci avec leurs gros cerveaux et leurs puissants ordinateurs, un peu comme ils ont cru pouvoir maîtriser la nature depuis les débuts de l'industrialisation en la creusant, la harnachant, la forant et l'endiguant? Suffit-il d'ajouter la GRS à notre arsenal de dompteurs de la nature?

Voici d'ailleurs l'étrange paradoxe de la géo-ingénierie. D'une part, elle représente effectivement, et de loin, le projet d'ingénierie le plus ambitieux et le plus dangereux jamais tenté par les humains. D'autre part, elle repose également sur une vision familière, presque un cliché, comme si les 5 000 dernières années de l'histoire de l'humanité menaient inéluctablement à son avènement. Contrairement à la réduction des émissions que prône la majorité des scientifiques, le recours à la géo-ingénierie n'impose aucune modification de nos habitudes, simplement que nous continuions à faire ce que nous faisons depuis des siècles, et bien plus encore.

En me promenant parmi les arbres taillés en sucettes et les haies finement ciselées du jardin parfaitement entretenu de Chicheley Hall, je réalise que ce qui m'effraie le plus n'est pas la perspective de vivre sur une « planète redessinée », pour reprendre une expression entendue lors d'une précédente conférence sur la géo-ingénierie. Ce que je redoute le plus, c'est de constater que les résultats ne ressemblent pas à ce jardin ultra-domestiqué, ni à ce que nous avons vu au cours du briefing technique, mais à quelque chose de bien pire encore. La géo-ingénierie cherche à régler un problème causé par la présence de saletés dans la basse atmosphère en répandant un autre type de saletés dans la stratosphère, ce qui pourrait avoir de terribles répercussions (cela revient en fait à vouloir résoudre une crise mondiale engendrée par la pollution en émettant davantage de pollution). Car il ne s'agit plus seulement d'une tentative de maîtriser les derniers vestiges de la nature « sauvage », mais d'interventions qui pourraient détraquer les systèmes terrestres de façon complètement imprévisible. Non pas une nouvelle frontière technique à franchir ni une victoire supplémentaire à l'actif de la Royal Society, mais l'aboutissement tragique d'une quête de contrôle séculaire.

Bon nombre de nos scientifiques les plus brillants ont su tirer les leçons des échecs passés de l'ingénierie, dont l'échec des prévisions relatives à la crise du climat elle-même. Voilà pourquoi les biologistes et les climatologues éprouvent encore autant de réticence envers la géo-ingénierie. Sallie Chisholm, spécialiste en microbiologie marine de renommée mondiale travaillant au MIT, observe :

> Les partisans de la recherche sur la géo-ingénierie ignorent tout simplement le fait que la biosphère est un acteur (et pas seulement un sujet passif) impliqué dans tout ce que nous faisons, et que son comportement demeure imprévisible. Elle est composée d'un assemblage vivant d'organismes (surtout de micro-organismes) qui évoluent à chaque seconde, un « système adaptatif auto-organisé complexe ». Ce type de système comporte des propriétés émergentes qui sont totalement impossibles à prédire. Nous le savons tous ! Pourtant, les partisans de la recherche en géo-ingénierie n'en parlent pas[22].

J'ai souvent été frappée de constater à quel point le petit monde des aspirants géo-ingénieurs est imperméable aux leçons d'humilité à l'égard de la nature qui ont refaçonné la science moderne, notamment la théorie du chaos et celle des systèmes complexes. La géoclique regorge effectivement d'hommes présomptueux, prompts à s'extasier devant les inquiétantes capacités intellectuelles de leurs comparses. D'un côté se trouve Bill Gates, le vieux mécène de ce mouvement, qui a un jour admis avoir du mal à déterminer laquelle de ses réalisations, parmi ses apports à l'informatique et ses campagnes de vaccination, est la plus importante, car à ses yeux, ces avancées «rivalisent avec l'invention de l'imprimerie et la découverte du feu». De l'autre se trouve Russ George, un homme d'affaires américain considéré comme un «géo-ingénieur voyou» pour avoir déversé 100 tonnes de sulfate de fer au large de la Colombie-Britannique en 2012. «Je suis le champion du monde en la matière», le seul à avoir le cran de «me porter volontaire pour sauver les océans», déclarera-t-il à la suite de la divulgation de son expérience. Entre ces deux personnages se trouvent enfin des scientifiques comme David Keith, qui demeurent profondément divisés devant la «boîte de Pandore» de la géo-ingénierie. Notons que Keith a quand même déclaré (en parlant de l'affaiblissement de la mousson par la GRS) qu'on pourrait remédier «un peu» à ces risques hydrologiques par une irrigation accrue[23].

Les anciens parlaient d'*hybris*, de démesure; pour Wendell Berry, grand philosophe, agriculteur et poète américain, il s'agit d'une «arrogante ignorance». «L'arrogante ignorance se reconnaît à la volonté de travailler à une échelle trop vaste, ce qui rend l'entreprise fort périlleuse*[24].»

La fusion de trois réacteurs nucléaires à Fukushima dans la foulée d'un puissant tsunami survenu deux semaines avant la tenue de la conférence de Chicheley Hall n'a rien de très rassurant non plus. L'incident continue d'ailleurs de faire les manchettes tout au long de la rencontre. Étrangement, ce que les apprentis géo-ingénieurs redoutent le plus, c'est que les opposants au nucléaire se servent de cette crise pour bloquer la construction de nouveaux réacteurs. Il ne leur vient pas à l'esprit que l'incident de Fukushima puisse servir d'avertissement quant aux risques de certains projets d'ingénierie.

---

* Il est particulièrement troublant de constater qu'il existe, dans le petit groupe de scientifiques, d'ingénieurs et d'inventeurs qui domine le débat sur la géo-ingénierie, une forte proportion de personnages douteux ayant déjà travaillé dans les hautes sphères de l'État. Prenons par exemple Lowell Wood, qui a créé le StratoShield en collaboration avec Myhrvold. Avant de devenir un fervent défenseur de l'option Pinatubo, Wood s'était distingué en faisant certaines des propositions les plus saugrenues de l'Initiative de défense stratégique (surnommée «guerre des étoiles») de Ronald Reagan. Ces propositions avaient d'ailleurs été rejetées, ayant été jugées trop coûteuses et trop dangereuses.

Mais revenons au diaporama qui a suscité tant d'émoi lors de la soirée d'ouverture de la conférence en montrant le sort funeste réservé à certaines parties de l'Afrique. Est-il possible que, loin de constituer une solution d'urgence, la géo-ingénierie aggrave les répercussions de la crise du climat pour bon nombre d'entre nous ? Et, si tel est le cas, quels peuples sont les plus menacés et à qui revient la décision de prendre ces risques ?

## Face aux volcans comme au changement climatique, nous ne sommes pas égaux

Les partisans de la GRS se montrent généralement évasifs lorsqu'il est question de la « répartition des conséquences » de l'épandage stratosphérique de dioxyde de soufre et de l'« hétérogénéité spatiale » de ses effets. Petra Tschakert, géographe rattachée à l'université d'État de Pennsylvanie, considère ce jargon comme « un euphémisme signifiant que certains pays se feront avoir[25] ». Quels pays ? Et comment ?

Ne faudrait-il pas disposer de réponses fiables à ces questions cruciales avant de déployer une technologie à ce point capable de modifier la planète ? C'est loin d'être encore le cas aujourd'hui. Keith et Myhrvold peuvent bien tester quel moyen, du tuyau ou de l'avion, est le mieux adapté à l'épandage stratosphérique de dioxyde de soufre. D'autres peuvent bien pulvériser de l'eau de mer à partir de bateaux ou de tours pour vérifier si l'on peut ainsi blanchir les nuages. Cependant, pour bien comprendre si, par exemple, la dispersion de dioxyde de soufre au-dessus de l'Arctique ou des tropiques modifierait les précipitations du Sahara ou du sud de l'Inde, il est nécessaire de mener ces expériences à une échelle suffisamment vaste pour modifier le climat mondial. Dans ces conditions, tester la géo-ingénierie revient ni plus ni moins à déployer cette technologie[26].

Procéder à de brefs essais en émettant du dioxyde de soufre pendant un an, par exemple, ne permet pas non plus d'obtenir les réponses nécessaires. En raison de la forte variabilité des tendances climatiques à l'échelle mondiale (par exemple, l'intensité de la mousson varie naturellement d'une année à l'autre) ainsi que du chaos climatique actuel, il est impossible de savoir si un événement météorologique particulier est effectivement le fruit d'une démarche de géo-ingénierie. La pulvérisation de dioxyde de soufre doit être menée sur une longue période pour distinguer ses effets des fluctuations naturelles ou des bouleversements climatiques que connaît actuellement la planète. De toute évidence, il faudrait donc que le projet s'échelonne sur une dizaine d'années au moins*[27].

Selon Martin Bunzl, philosophe et spécialiste des enjeux climatiques à l'université Rutgers, la question de la mise à l'essai de ces technologies constitue à elle seule un grave problème d'ordre éthique, peut-être insurmontable. Dans le domaine médical, « on peut tester un vaccin sur une personne, ce qui lui fait courir un risque, sans toutefois mettre tout le monde en danger », écrit-il. Mais avec la géo-ingénierie, « il est impossible de construire une maquette de l'atmosphère ou d'en isoler une partie. Dans ces conditions, on n'a pas d'autre choix que de passer directement de la modélisation à un déploiement d'envergure planétaire ». En résumé, il est impossible de mener des tests concluants sans obliger des milliards de cobayes à y prendre part pendant des années. Voilà pourquoi l'historien des sciences James Fleming considère que la géo-ingénierie « n'a jamais été testée et ne pourra jamais l'être, en plus d'être incroyablement risquée[28] ».

Certes, la modélisation informatique peut aider à mieux comprendre les effets de la géo-ingénierie. C'est d'ailleurs ainsi qu'on obtient les meilleurs aperçus de l'influence des émissions de GES sur les systèmes terrestres. Il est en outre assez facile de simuler l'émission d'autres substances (de dioxyde de soufre en l'occurrence) à l'aide de ces modèles pour en observer les répercussions. C'est précisément ce qu'ont fait de nombreuses équipes de recherche, qui ont d'ailleurs obtenu des résultats pour le moins alarmants. Par exemple, Alan Robock a procédé à la simulation de différents scénarios de GRS à l'aide de superordinateurs. Les résultats, publiés dans le *Journal of Geophysical Research,* sont préoccupants : la pulvérisation de dioxyde de soufre « déréglerait le phénomène de la mousson d'été en Asie et en Afrique, ce qui aurait pour effet de réduire les précipitations et, par conséquent, l'approvisionnement alimentaire de milliards de personnes ». La mousson représente une précieuse source d'eau douce pour cette région, qui abrite une très large part de la population mondiale. En Inde, par exemple, 70 à 90 % des précipitations annuelles totales tombent au cours de la mousson d'été, de juin à septembre[29].

---

* Cela dit, il serait sage d'envisager la possibilité que même de brèves expériences de géo-ingénierie donnent lieu à une nouvelle ère d'affrontements géopolitiques, de suspicion, voire de représailles. Toute catastrophe naturelle éventuelle risque en effet d'être imputée, à tort ou à raison, à des scientifiques se prenant pour Dieu dans leurs lointains laboratoires.

Robock et ses collègues ne sont pas les seuls scientifiques à parvenir à ces inquiétantes projections. De nombreuses autres équipes de recherche ont élaboré des modèles indiquant que la GRS et d'autres méthodes de géo-ingénierie visant à réfléchir la lumière du soleil causeraient d'importantes réductions des précipitations. Une étude parue en 2012 rapporte une réduction de 20 % des précipitations qui toucherait certaines régions de l'Amazonie à la suite d'un usage intensif de la GRS. Par ailleurs, dans le cadre d'une étude publiée en 2013, les résultats d'un exercice de modélisation portant sur la pulvérisation de dioxyde de soufre à partir de différents sites situés en Amérique du Nord prévoient une diminution de 60 à 100 % de la productivité végétale dans les pays du Sahel (Burkina Faso, Tchad, Mali, Niger, Sénégal et Soudan). Dans certaines régions, l'anéantissement des récoltes serait total[30].

Il ne s'agit pas là de retombées anodines ni de «dégâts collatéraux». Si une seule de ces prévisions se concrétisait, l'utilisation d'une technique censée nous éviter un réchauffement planétaire catastrophique se solderait par une hécatombe.

Ces résultats alarmants auraient dû suffire à refroidir l'optimisme entourant l'option Pinatubo. Pourtant, cela n'a pas été le cas. Pourquoi? Les modèles informatiques ont démontré leur capacité à prévoir les tendances des bouleversements climatiques sur de vastes échelles spatiales, mais ils ne sont pas infaillibles : ils peuvent en effet sous-estimer ou au contraire surestimer certaines conséquences du dérèglement climatique, comme l'a illustré par exemple leur incapacité à prévoir l'importance réelle de la fonte estivale de la banquise en Arctique et la hausse mondiale du niveau des océans[31]. Précisons que la capacité des modèles climatiques à prédire des conséquences particulières à l'échelle régionale est beaucoup plus faible – par exemple s'il s'agit de savoir à quel point le sud de la Somalie se réchauffera davantage que le centre des États-Unis, ou quel sera l'impact de la sécheresse sur l'agriculture en Inde ou en Australie. Certains aspirants géo-ingénieurs invoquent cette incertitude pour se moquer des résultats qui donnent des airs de catastrophe à la GRS, en soulignant que les modèles climatiques régionaux sont peu fiables et favorisent ceux qui la montrent sous un jour plus rassurant. Si la question se réduisait à un duel entre modèles informatiques, on aurait peut-être un match nul. Or, les enjeux sont beaucoup plus importants.

## Leçons et mises en garde de l'histoire

Puisqu'il est impossible de se fier aux modèles ou aux essais *in situ*, il ne reste qu'un seul outil permettant d'anticiper les risques liés à la GRS, et celui-ci est tout sauf high-tech. Cet outil, c'est l'histoire, plus précisément les données historiques sur les tendances climatiques observées à la suite d'éruptions volcaniques majeures. D'ailleurs, la pertinence des constats historiques semble faire l'unanimité parmi les parties prenantes du débat. En raison des énormes quantités de dioxyde de soufre crachées dans la stratosphère par le mont Pinatubo en 1991, Ken Caldeira considère cette éruption «comme un test naturel permettant de mieux comprendre certains concepts à la base de la GRS». «Il est évident qu'il n'y a rien de terrible à émettre de grandes quantités de soufre dans la stratosphère, car après tout, les volcans le font», m'assure David Keith. Lowell Wood partage un avis similaire en ce qui concerne le StratoShield qu'il a conçu avec Myhrvold, considérant que, «du point de vue de la faisabilité et de l'innocuité, nous avons la preuve par le volcan[32]».

Steven D. Levitt et Stephen J. Dubner sont ceux qui ont mis en avant avec le plus de force la pertinence d'étudier les précédents historiques. Dans leur livre *SuperFreakonomics*, ils observent que, outre un refroidissement du climat terrestre, l'éruption de Pinatubo a eu d'autres effets positifs. «Dans le monde entier, la forêt a crû avec plus de vigueur, les arbres préférant la lumière solaire quand elle est diffuse. Sans oublier un effet supplémentaire inattendu de tout ce dioxyde de soufre répandu dans la stratosphère : quelques-uns des plus beaux couchers de soleil que l'on ait jamais vus de mémoire d'homme.» Toutefois, les auteurs ne semblent pas conscients des mises en garde qu'offre l'histoire : bien qu'ils indiquent que le nombre total de morts imputables aux tempêtes et aux glissements de terrain survenus immédiatement après l'éruption «fut relativement faible», ils ne font allusion dans leur livre à aucun autre effet négatif de ce volcan[33].

Les détracteurs de la GRS se tournent eux aussi vers l'histoire pour étayer leur position, et, lorsqu'ils scrutent le passé, ils n'y voient pas que de beaux couchers de soleil et une «preuve d'innocuité». En fait, une imposante quantité de données permet d'établir un lien entre les éruptions volcaniques majeures et les sécheresses que certains modèles informatiques anticipent en cas de recours à la GRS. L'éruption du Pinatubo survenue en 1991 illustre d'ailleurs ce phénomène. Au moment de l'éruption, de vastes régions du continent africain subissaient déjà une sécheresse due aux fluctuations naturelles du climat. La situation s'est toutefois aggravée au cours des années qui ont suivi l'éruption : les précipitations ont chuté de 20 % dans le sud de l'Afrique et de 10 à 15 % dans le sud de l'Asie. Le Programme des Nations Unies pour l'environnement (PNUE) décrit d'ailleurs cette sécheresse (qui a touché environ 120 millions de personnes) comme « la pire qui soit survenue ces cent dernières années ». Dans les pages du *Los Angeles Times*, il est question de pertes de cultures de l'ordre de 50 à 90 %, une situation qui a forcé la moitié de la population du Zimbabwe à dépendre de l'aide alimentaire internationale[34].

À l'époque, rares sont les observateurs ayant fait le lien entre l'éruption du Pinatubo et ces événements désastreux, car il faut du temps pour établir ce genre de corrélation. Toutefois, une analyse récente des régimes des pluies et des débits hydrologiques de 1950 à 2004 a permis de conclure que seul le dioxyde de soufre projeté dans la stratosphère par le Pinatubo peut expliquer la réduction draconienne des précipitations survenue à la suite de l'éruption. Aiguo Dai, spécialiste des sécheresses à l'université de l'État de New York à Albany, souligne en outre que, même s'il y avait d'autres causes, « le Pinatubo constitue l'un des principaux facteurs ayant contribué à cette sécheresse ». En 2007, enfin, un article rédigé par Dai et Kevin Trenberth (directeur du National Center for Atmospheric Research) conclut « que l'éruption du Pinatubo a joué un rôle important dans le déclin record des précipitations et des débits hydrologiques, et dans les conditions de sécheresse observées en 1992[35] ».

L'éruption du Pinatubo ne peut constituer à elle seule une base suffisante pour prouver le rôle indubitable d'un tel phénomène dans le déclenchement de graves sécheresses. L'existence d'un lien entre éruption et sécheresse est toutefois corroborée par d'autres cas. Alan Robock, éminent spécialiste des effets des éruptions volcaniques sur le climat, fait état de deux autres exemples : l'éruption des cratères du Laki (Islande) en 1783 et celle du mont Katmai (Alaska) en 1912. Celles-ci ont été assez puissantes pour projeter de grandes quantités de dioxyde de soufre dans la stratosphère et, comme dans le cas du Pinatubo, ont été suivies par une série de graves sécheresses.

Il est difficile de trouver des données fiables datant de plus d'une centaine d'années, mais, comme me l'a indiqué Robock, « il existe un élément qu'on mesure depuis mille cinq cents ans : le débit du Nil. Or, si l'on considère le débit de ce fleuve en 1784 ou 1785 [soit les deux années qui suivent l'éruption des cratères du Laki], on constate qu'il est nettement inférieur à la moyenne ». C'est à peine si la crue (qui irrigue normalement les champs des agriculteurs tout en leur procurant les nutriments nécessaires à leur fertilité) a eu lieu. « Dès la fin novembre, la famine enlevait au Kaire presque autant de monde que la peste ; les rues, qui d'abord étaient pleines de mendians, n'en offrirent bientôt pas un seul : tout périt ou déserta », écrivait au XVIIIe siècle l'historien français Constantin-François Volney dans ses mémoires de voyage, où il consignait les ravages de ce phénomène. Volney estimait par ailleurs que le sixième de la population d'Égypte avait péri en l'espace de deux ans[36].

Bien que la contribution des cratères du Laki ne fasse pas l'unanimité, les scientifiques ont constaté que la sécheresse et la famine ont fait des millions de victimes au Japon et en Inde au cours de l'année ayant suivi l'entrée en éruption de cette fissure volcanique. Pendant ce temps, un hiver particulièrement froid suivi d'inondations s'est brutalement abattu sur les régions occidentales et centrales de l'Europe, faisant de nombreux morts dans son sillage. Les estimations des experts quant au nombre total de morts imputables à l'éruption et aux événements climatiques extrêmes qui en ont découlé varient grandement, allant de 1,5 à 6 millions de personnes. À une époque où la population mondiale compte moins d'un milliard d'individus, il s'agit là d'un sinistre bilan, qui fait probablement de l'éruption des cratères du Laki l'une des plus meurtrières de toute l'histoire[37].

En examinant les événements qui ont suivi l'éruption du mont Katmai en 1912, Robock et son équipe ont fait un constat similaire. L'examen des données historiques se rapportant au Nil révèle que ce fleuve « a enregistré son plus faible débit du XXe siècle » dans l'année qui a suivi l'événement. Robock et ses collègues ont aussi constaté que « la mousson indienne a été fortement affaiblie par l'éruption du Katmai en Alaska ; ce phénomène a été causé par une réduction du gradient thermique entre le continent asiatique et l'océan Indien ». C'est toutefois en Afrique que les plus lourdes pertes humaines ont été enregistrées. Au Nigeria, les plants de sorgho, de millet et de riz ont flétri dans les champs, tandis que des spéculateurs s'emparaient des récoltes qui avaient pu être épargnées. En conséquence, une grave famine a sévi en 1913-1914, faisant au moins 125 000 victimes en Afrique de l'Ouest seulement[38].

Ce ne sont pas là les seuls exemples de sécheresses apparemment déclenchées par d'importantes éruptions volcaniques, comme l'indiquent les travaux de Robock portant sur les répercussions d'un tel phénomène sur « les apports hydriques au Sahel et en Afrique du Nord » au cours des deux derniers millénaires.

«Chaque [éruption] prise en compte mène aux mêmes résultats», remarque Robock, ajoutant que «peu d'éruptions majeures sont survenues, mais, chaque fois, la même histoire se répète. [...] Les précipitations mondiales chutent. En fait, si l'on considère les données des cinquante dernières années, on constate que les précipitations mondiales les plus faibles ont été enregistrées à la suite des trois plus importantes éruptions volcaniques : Agung en 1963, El Chichón en 1982 et Pinatubo en 1991». Selon ce qu'indiquent Robock et ses deux coauteurs dans un article, le lien de cause à effet est si manifeste que les décideurs politiques devraient organiser un programme d'aide alimentaire sans tarder la prochaine fois que surviendra une «éruption volcanique majeure», car «c'est en prévoyant ces conséquences qu'on pourra mieux y remédier[39]».

À la lumière de ces faits, comment les partisans de la géo-ingénierie peuvent-ils affirmer que les données historiques constituent une «preuve d'innocuité»? De tous les phénomènes extrêmes qui frappent sporadiquement notre planète, qu'il s'agisse de tremblements de terre, de tsunamis, d'ouragans ou d'inondations, les puissantes éruptions volcaniques demeurent probablement la pire menace pour la vie humaine. Les populations vivant sur la trajectoire immédiate d'un panache volcanique ne sont en effet pas les seules en danger; des milliards d'autres personnes aux quatre coins du monde risquent de périr du manque d'eau et d'aliments survenant au cours des années de sécheresse qui s'ensuivent. Aucun autre désastre naturel, sauf peut-être la chute d'un astéroïde sur la Terre, n'a une telle portée planétaire.

Devant ce sombre tableau, il est pour le moins étrange, sinon parfaitement sinistre, d'envisager l'option Pinatubo avec optimisme. Rappelons que ce projet consiste à reproduire l'effet de refroidissement découlant non pas d'une seule éruption comparable à celle du Pinatubo, mais bien d'une série d'éruptions réparties sur des décennies. Les répercussions observées à la suite d'une éruption unique risquent ainsi d'être décuplées.

Il est bien entendu possible d'ergoter sur une telle menace, et c'est d'ailleurs ce qui se produit en ce moment. On admet généralement que l'opération pourrait avoir des effets néfastes, oui, mais pas aussi néfastes que ceux du réchauffement planétaire. David Keith va plus loin et prétend qu'on peut les atténuer. Il propose à cet effet un programme de GRS dont l'intensité augmenterait graduellement pour ensuite diminuer, le tout «parallèlement à un programme de réduction des émissions, dans l'objectif d'atténuer (et non d'éliminer) la hausse de température». Voici d'ailleurs ce qu'il explique dans son livre *A Case for Climate Engineering*, publié en 2013:

> La perte des récoltes, les chaleurs extrêmes et les inondations sont des conséquences du dérèglement climatique qui risquent vraisemblablement de toucher plus durement les plus démunis de ce monde. L'utilisation modérée de mesures de géo-ingénierie prévue dans ce scénario progressif est susceptible d'atténuer chacun de ces effets au cours des cinquante prochaines années. Cette stratégie sera donc bénéfique aux personnes démunies et politiquement marginalisées, qui sont particulièrement vulnérables aux bouleversements soudains de l'environnement. Ce potentiel de réduction du risque climatique est la raison pour laquelle je considère la géo-ingénierie avec sérieux[40].

N'empêche, lorsque les modèles climatiques et les données historiques s'accordent sur ce qui pourrait mal tourner (d'autant plus que la mise en œuvre de ces technologies serait encadrée par des politiciens, et non par des scientifiques), il y a tout lieu de considérer cet avertissement avec sérieux. «Le principal problème avec les mesures climatiques faisant appel à la géo-ingénierie réside dans le fait que le remède risque d'être pire que le mal», soulignent Trenberth et Dai, les auteurs de l'étude portant sur les lourdes conséquences de l'éruption du Pinatubo. «Courir le risque de déclencher une sécheresse à grande échelle et de compromettre les ressources en eau douce dans le but d'atténuer la crise du climat ne semble pas être une solution appropriée», affirment-ils[41].

On pourrait facilement en conclure que la propension de nombreux partisans de la géo-ingénierie à banaliser l'ampleur de ces risques (voire à les ignorer complètement) a quelque chose à voir avec leur répartition géographique. En effet, accorderait-on autant d'attention à ce plan B si les données historiques et les divers modèles climatiques indiquaient que la dispersion stratosphérique de dioxyde de soufre causerait une sécheresse et une famine de grande ampleur en Amérique du Nord et en Allemagne plutôt qu'au Sahel et en Inde?

Il serait pourtant techniquement possible de répartir les risques du déploiement de la géo-ingénierie de manière plus équitable. Par exemple, on suppose généralement que la dispersion de dioxyde de soufre aura lieu au-dessus de l'hémisphère nord. Or, l'étude publiée en 2013 concluant que le Sahel pourrait être dévasté par des mesures de GRS déployées dans l'hémisphère nord indique que cette région pourrait au contraire voir ses précipitations augmenter si ces mesures étaient plutôt déployées dans l'hémisphère sud. Toutefois, selon ce dernier scénario, la fréquence des ouragans aux États-Unis et dans les Caraïbes pourrait augmenter de 20 %, tandis que le nord-est du Brésil subirait une baisse de précipitations. Autrement dit (quoiqu'au détriment de certaines des régions les plus riches et les plus puissantes du monde), il semble possible d'adapter certaines approches technologiques de manière à aider les peuples les plus vulnérables de la planète et ceux qui sont les moins responsables de la crise du climat. Dès lors, l'enjeu devient davantage politique que technologique : envisagerait-on le recours à la géo-ingénierie pour porter secours à l'Afrique si ce geste risquait d'exposer davantage les États-Unis à des événements climatiques extrêmes[42] ?

En revanche, il est facile d'imaginer un scénario où, en désespoir de cause, on a recours à la géo-ingénierie pour sauver les cultures de maïs du Dakota du Sud même si l'on risque ainsi de perturber le régime de précipitations du Soudan du Sud. De tels scénarios restent malheureusement envisageables parce que les pays riches y ont déjà recours, quoique d'une manière plus passive, en laissant la température mondiale augmenter, mettant en danger des centaines de millions d'habitants des régions les plus pauvres du monde, plutôt que d'adopter des politiques qui plomberaient les profits à court terme. Voilà pourquoi les délégués africains qui participent aux conférences des Nations Unies sur le climat se servent de mots comme « génocide » pour désigner l'incapacité collective des pays industrialisés à réduire leurs émissions de GES. Et voilà également pourquoi Mary Ann Lucille Sering, secrétaire de la commission chargée des enjeux climatiques aux Philippines, a déclaré lors de la conférence de Varsovie en 2013 : « Je commence à avoir l'impression que nous sommes en train de choisir qui vivra et qui mourra. » Rob Nixon, auteur et professeur d'anglais à l'université du Wisconsin, parle de « violence lente » pour décrire la cruauté des bouleversements climatiques. Or, la géo-ingénierie pourrait bien précipiter cette violence[43].

## La géo-ingénierie comme stratégie du choc

Bien que tous ces risques puissent sembler abstraits, il est essentiel d'en tenir compte dès maintenant, car on peut s'attendre à ce que le déploiement de la géo-ingénierie déclenche un vent de panique collective peu propice à la réflexion. Les défenseurs de cette approche le concèdent d'ailleurs sans détour. Bill Gates considère la géo-ingénierie comme une « simple police d'assurance », une chose qu'il est bon de garder « dans sa poche arrière, au cas où les choses s'emballeraient». Nathan Myhrvold compare la GRS au système d'extinction automatique à eau accroché au plafond des immeubles; on souhaite qu'il ne s'enclenche jamais, mais «il faut aussi un plan B au cas où un incendie se déclenche quand même[44]».

Car, devant une urgence criante, qui pourrait s'opposer à cette logique? Certainement pas moi. Bien sûr, l'idée de pulvériser du dioxyde de soufre dans la stratosphère aujourd'hui pour en faire un parasol cosmique me semble complètement farfelue. Toutefois, si mes concitoyens, accablés par la chaleur, se mettaient à mourir par milliers, comment pourrais-je ne pas implorer que l'on déploie un moyen rapide pour remédier à la situation, même si ce dernier s'accompagnait d'effets néfastes? N'est-ce pas d'ailleurs ce que je fais déjà lorsque je mets mon climatiseur en marche par une journée de chaleur accablante, même si je suis parfaitement consciente de contribuer ainsi au problème auquel je tente d'échapper?

C'est ainsi que procède la stratégie du choc: dans l'atmosphère de désarroi que déclenche une crise grave, toute objection sensée se volatilise et tout comportement téméraire paraît admissible, du moins temporairement. Ce n'est donc pas dans le climat de crise entourant le dérèglement climatique que nous pourrons discuter rationnellement des aspects éthiques et des risques du déploiement de la géo-ingénierie. Or, tout bien considéré, l'atténuation du rayonnement solaire ne peut se comparer à l'installation, dans un immeuble, d'un système d'extinction automatique, à moins d'accepter l'éventualité que certaines des têtes pulvérisent de l'essence plutôt que de l'eau, et que, une fois déclenchées, on ne puisse les arrêter sous peine de provoquer un brasier risquant de consumer l'immeuble tout entier. Si quelqu'un me vendait un tel dispositif, je demanderais à être remboursée!

Peut-être est-il nécessaire d'en apprendre le plus possible sur la géo-ingénierie, tout en gardant en tête que nous n'en saurons jamais assez pour pouvoir la déployer de manière responsable. Cela implique toutefois d'accepter que les essais gagnent en ampleur et en complexité (d'abord pour tester l'équipement nécessaire). Mais les «sauveurs de la planète» ne voudront-ils pas bientôt vérifier s'ils sont capables de modifier la température d'une région éloignée et peu peuplée (il sera certainement question d'un endroit situé «au milieu de nulle part»), pour ensuite recommencer sur une autre un peu moins éloignée?

L'histoire montre que l'expérimentation *in situ* d'une technologie est souvent suivie de peu par son application. Hiroshima et Nagasaki ont été bombardées moins d'un mois après Trinity, le premier essai nucléaire réussi, et ce, malgré le fait que de nombreux scientifiques associés au projet Manhattan croyaient que la bombe qu'ils mettaient au point n'était qu'une arme de dissuasion. Bien qu'il soit déchirant de renoncer à de nouvelles connaissances, rappelons que certaines recherches ont déjà été abandonnées d'un commun accord, précisément en raison des risques trop importants qu'elles comportaient. Par exemple, 168 États ont signé une convention sur l'interdiction des armes chimiques. De même, la recherche dans le domaine de l'eugénisme a été proscrite parce qu'elle pouvait trop facilement aboutir à l'élaboration de méthodes de discrimination, voire d'élimination, de groupes ciblés. Enfin, la Convention des Nations Unies sur la modification de l'environnement, ratifiée par de nombreux États à la fin des années 1970, interdit déjà le recours aux manipulations climatiques à des fins militaires – une interdiction que les géo-ingénieurs tentent de contourner en insistant sur la nature pacifique de leurs objectifs (même si leur travail ressemble fort à une déclaration de guerre envers des milliards de personnes).

## La planète monstrueuse

Tous les défenseurs de la géo-ingénierie ne banalisent pas les graves dangers inhérents à cette approche. Ils sont néanmoins nombreux à hausser les épaules en affirmant que la vie est pleine de risques, et à perpétuer ainsi une sorte de cercle vicieux : la géo-ingénierie tente de résoudre les problèmes engendrés par l'industrialisation, tout comme on cherchera sans doute un jour à résoudre ceux qu'aura engendrés la géo-ingénierie.

Le sociologue français Bruno Latour offre une lecture particulièrement prisée du raisonnement selon lequel on peut remettre à plus tard la résolution d'un problème donné. Selon lui, l'humanité n'a pas su tirer de leçons du *Frankenstein* de Mary Shelley, un archétype du récit mettant en garde contre la tentation de se prendre pour Dieu. D'après Latour, Shelley ne cherchait pas à dire, comme le veut l'interprétation courante, « ne jouez pas au plus malin avec Dame Nature », mais bien plutôt « ne fuyez pas devant vos erreurs technologiques », comme l'a fait le docteur Frankenstein en abandonnant la créature monstrueuse à laquelle il venait de donner vie. Latour exhorte les divinités que nous sommes devenus à ne pas abandonner nos « monstres » et plutôt à continuer de veiller sur eux. « L'objectif réel doit être de posséder le même type de patience et d'engagement envers nos créations que Dieu le Créateur Lui-même», écrit-il avant de conclure que, «désormais, nous devrions cesser de nous flageller et accepter explicitement et avec conviction le projet que nous avons mené jusqu'ici à une échelle de plus en plus grande». L'environnementaliste britannique Mark Lynas offre une lecture tout aussi orgueilleuse de la démesure dans son livre intitulé *The God Species*[45].

L'exhortation de Latour à «aimer nos monstres» est devenue le leitmotiv de certains cercles environnementalistes, notamment les plus enclins à appuyer des solutions à la crise du climat calquant la logique du marché. La perspective de devenir des docteurs Frankenstein responsables, qui ne fuient pas devant leurs créatures comme un parent indigne, est certes séduisante. Cette métaphore s'applique toutefois très mal à la géo-ingénierie. D'abord, le «monstre» qu'on nous demande d'aimer n'est pas une créature sortie tout droit d'un laboratoire, mais bien la planète en soi. Nous ne sommes pas ses créateurs; c'est plutôt elle qui nous a créés et qui nous maintient en vie. La Terre n'est pas notre prisonnière, notre patiente, notre machine ou encore notre monstre. Il s'agit de notre monde dans son ensemble. Et la solution à la crise du climat ne consiste pas à réparer notre monde, mais bien à prendre soin de nous-mêmes.

Il ne fait pas l'ombre d'un doute que les géo-ingénieurs rendront notre planète monstrueuse à un point jusqu'alors inégalé dans l'histoire de l'humanité. Vraisemblablement, nous n'aurons pas à composer avec une seule méthode de géo-ingénierie, mais avec tout un arsenal de solutions technologiques : pulvérisation de dioxyde de soufre dans l'espace pour diminuer la température; ensemencement des nuages pour remédier aux sécheresses engendrées par la GRS; fertilisation des océans dans une tentative désespérée de contrer leur acidification; aspiration du dioxyde de carbone pour se débarrasser des GES une bonne fois pour toutes.

L'objectif d'un médicament efficace est de permettre le retour à un état de santé et d'homéostasie sans intervention supplémentaire. Les techniques de géo-ingénierie évoquées ci-dessus, au contraire, tentent de pallier le déséquilibre environnemental et climatique engendré par la pollution en compromettant encore plus la capacité d'autorégulation des écosystèmes. Avec la GRS, par exemple, des machines émettraient constamment des polluants dans la stratosphère, et il serait impossible de les arrêter sans avoir au préalable inventé d'autres machines pour retirer de la basse atmosphère ces polluants, qu'il faudrait encore gérer et surveiller indéfiniment. Accepter ce plan et considérer qu'il s'agit là d'une gestion responsable, c'est renoncer à la possibilité de vivre un jour à nouveau dans un monde sain. La Terre, incubateur de vie, se retrouverait elle-même sous respirateur artificiel, reliée à des machines 24 heures sur 24, 7 jours sur 7, pour éviter qu'elle se retourne contre nous.

Qui plus est, il reste difficile de prévoir tous les risques, car de nombreux pays pourraient décider de déployer simultanément des mesures de géo-ingénierie susceptibles d'interagir de façon désastreuse. Émergerait un monde digne de Frankenstein, où toute solution risquerait de créer un nouveau problème, pris d'assaut à son tour par l'arsenal technologique. Et que se passerait-il si les opérations de géo-ingénierie étaient interrompues par une guerre, une attaque terroriste, une avarie mécanique ou un événement météorologique extrême? Ou si, au beau milieu d'une simulation de l'option Pinatubo, un volcan d'importance entrait subitement en éruption? Risquerions-nous d'engendrer ce que David Keith décrit comme «une ère glaciaire mondiale, une planète en boule de neige», simplement parce que nous avons une fois de plus oublié que nous ne sommes pas les maîtres de la planète[46]? Tout cela, presque personne ne souhaite l'évoquer.

La foi inébranlable dans la capacité de la technologie à nous sortir d'une crise est née de précédentes percées technologiques, comme la fission nucléaire ou les voyages lunaires habités. Précisons que certains des plus ardents défenseurs des solutions technologiques à la crise du climat ont directement pris part à ces triomphes technologiques passés. Pensons à Lowell Wood, qui a contribué à la mise au point d'armes nucléaires sophistiquées, ou à Gates et Myhrvold, qui ont révolutionné l'informatique. Cependant, comme l'écrit Ed Ayres, spécialiste de longue date du développement durable, dans son livre *God's Last Offer*, le battage entourant notre capacité à envoyer un humain sur la Lune «occulte le fait que la construction de fusées et la création de collectivités viables sont deux tâches fondamentalement différentes : la première nécessite une démarche ciblée; la seconde implique une vision holistique. Construire un monde viable, ce n'est pas demander la Lune; c'est bien plus compliqué que ça[47]».

## Avons-nous vraiment essayé le plan A?

Au deuxième jour de la conférence de Chicheley Hall, un débat enflammé éclate : les Nations Unies ont-elles un rôle à jouer dans la gouvernance des expériences de géo-ingénierie? Impatients de procéder à leurs essais *in situ*, les scientifiques sont les premiers à s'opposer à cette idée, redoutant la mise en place d'un lourd processus qui leur lierait les mains. Les représentants d'ONG ne sont toutefois pas prêts à refuser ce rôle à une organisation qui, malgré ses lacunes, a néanmoins organisé le premier forum sur la gouvernance climatique.

Tandis que les discussions se font particulièrement animées, une certaine agitation se manifeste de l'autre côté des portes de verre de la salle de conférence.

Dehors, un cortège de luxueuses voitures flambant neuves s'immobilise. Leurs occupants, sensiblement mieux vêtus que les membres de notre groupe, en descendent en faisant bruyamment crisser le gravier des allées sous leurs souliers vernis et leurs escarpins. L'un de nos hôtes de la Royal Society explique qu'un autre événement, organisé par le constructeur automobile Audi, se tiendra aussi au manoir pour le reste de la journée. Jetant un coup d'œil à l'extérieur, j'aperçois effectivement de nombreuses pancartes arborant le logo d'Audi alignées le long de l'allée.

Durant tout le reste de l'après-midi, nos discussions tendues sur les problèmes d'ordre éthique soulevés par la GRS seront souvent interrompues par de bruyantes acclamations provenant de la salle voisine. L'origine de cette clameur serait de nature confidentielle, semble-t-il. Peut-être est-il question des modèles de l'année prochaine ou encore de chiffres de vente? Une chose est sûre, l'équipe d'Audi est en liesse.

La Royal Society loue régulièrement Chicheley Hall pour y organiser des séminaires ou de somptueux mariages à la *Downton Abbey*. Ce n'est donc que pure coïncidence si ces deux événements se tiennent côte à côte dans le même manoir. Toutefois, ainsi séparés par une simple cloison coulissante, il est facile d'avoir l'impression que les aspirants géo-ingénieurs angoissés et les vendeurs d'automobiles désinvoltes conversent ensemble. Comme si les expériences téméraires que les scientifiques de notre salle tentent de justifier allaient permettre aux mordus d'automobile de l'autre salle de continuer à trinquer sans scrupules.

L'esprit est parfois enclin à établir des liens imaginaires entre des événements disparates, mais, cette fois-ci, il s'agit d'un hasard pour le moins éloquent: certains partisans de la géo-ingénierie considèrent effectivement ces technologies non pas comme un «outil de transition», mais comme un moyen de poursuivre notre consommation effrénée de combustibles fossiles le plus longtemps possible. À titre d'exemple, Nathan Myhrvold a déjà proposé d'utiliser les amoncellements de soufre générés par le traitement des sables bitumineux de l'Alberta pour produire les aérosols servant à bloquer le rayonnement solaire, ce qui permettrait aux grandes compagnies pétrolières de poursuivre indéfiniment leurs activités d'extraction. « On pourrait donc installer une petite station de pompage au sommet, et résoudre le problème du réchauffement dans tout l'hémisphère nord rien qu'en grignotant le coin d'une de ces montagnes de soufre. » Un autre exemple : Carbon Engineering, une *start-up* de David Keith, compte non seulement Bill Gates parmi ses investisseurs, mais également Murray Edwards, qui est président du conseil d'administration de la société pétrolière Canadian Natural Resources, l'un des plus importants acteurs de l'industrie des sables bitumineux[48].

Il ne s'agit pas là de cas isolés. Les entreprises de combustibles fossiles ou celles, comme les constructeurs automobiles, qui consomment une large part de ces ressources sont des partisanes de longue date de la géo-ingénierie, une stratégie qu'elles jugent nettement préférable à l'obligation de mettre un terme à leurs émissions. Cette idylle remonte à 1992, au moment où la National Academy of Sciences copublie un rapport controversé intitulé « Policy Implications of Greenhouse Warming » (Les implications politiques du réchauffement planétaire). Au grand dam de nombreux climatologues, le document comprend un chapitre proposant une série de mesures de géo-ingénierie. Certaines paraissent d'ailleurs pour le moins extravagantes, proposant notamment de placer 50 000 miroirs en orbite autour de la Terre, ou encore d'envoyer « des milliards de ballons en aluminium remplis d'hydrogène dans la stratosphère afin de créer un écran réfléchissant[49] ».

Le fait que ce chapitre ait été rédigé sous la direction de Robert A. Frosch, alors vice-président de General Motors, ajoute à la controverse. « Je ne vois pas pourquoi les gens devraient se sentir obligés de réduire leurs émissions de dioxyde de carbone s'il existe de meilleures solutions, explique-t-il à l'époque. Lorsque vous entreprenez d'importantes coupes budgétaires, il est question de dépenser de réelles sommes d'argent, de changer l'ensemble de l'économie. Je ne comprends pas pourquoi on est si facilement enclins à vouloir repenser le mode de vie des gens, mais pas la manière d'influer sur l'environnement[50]. »

Précisons que c'est Steven Koonin, alors chercheur en chef chez BP, qui, en 2008, organisera l'une des premières rencontres scientifiques sur le thème de la géo-ingénierie. Cette rencontre accouchera d'un rapport exposant les grandes lignes d'un projet de recherche de dix ans sur la modification du climat, et qui met notamment l'accent sur la GRS. (Depuis, Koonin a quitté BP pour devenir sous-secrétaire à la science au département de l'Énergie sous l'administration Obama[51].)

Un engouement similaire pour la géo-ingénierie s'observe dans bon nombre de groupes de réflexion influents, généreusement financés par l'argent de l'industrie des combustibles fossiles. Par exemple, au cours de la période où l'American Enterprise Institute (AEI) alimente la campagne niant l'existence du dérèglement climatique, l'institut reçoit des millions de dollars en dons de la part d'ExxonMobil. D'ailleurs, l'AEI est toujours le principal bénéficiaire des dons provenant de fondations conservatrices farouchement opposées aux mesures climatiques (en 2003, celles-ci lui ont remis au moins 86,7 millions de dollars). En 2008, l'AEI crée une division appelée Geoengineering Project, qui organise de nombreuses conférences, publie de multiples rapports et délègue des témoins experts au Congrès. Avec un même message : la géo-ingénierie n'est pas un plan B à appliquer si l'on ne parvient pas à réduire les émissions anthropiques de GES ; il s'agit plutôt du plan A. « Pour ceux d'entre nous qui croient que la crise du climat peut, à un certain point, représenter une grave menace, et que la réduction des émissions de GES est à la fois coûteuse et politiquement irréalisable, l'ingénierie climatique apparaît comme étant le meilleur espoir, et l'ultime possibilité », explique en 2010 Lee Lane, qui a été pendant de nombreuses années le principal porte-parole de l'AEI en matière de géo-ingénierie[52].

Ce soutien à la géo-ingénierie peut surprendre de la part d'un groupe de réflexion surtout connu pour ses nombreuses attaques contre la climatologie et ses efforts concertés visant à critiquer toute tentative sérieuse de réglementer les émissions de GES. Selon l'un des chercheurs de l'AEI, même les mesures frileuses visant à promouvoir l'utilisation d'ampoules écoénergétiques sont une forme d'ingérence de l'État dans « la manière dont nous voulons éclairer nos vies[53] ». Depuis quelques années, certains membres de ce groupe de réflexion voient d'un bon œil la mise en place d'une taxe modeste ou sans incidence sur les recettes qui s'appliquerait aux émissions de dioxyde de carbone. À l'instar de la géo-ingénierie, ce genre de taxe fait l'objet d'une fixation croissante chez les républicains qui admettent l'existence du dérèglement climatique. Mais, quoi qu'en pense l'AEI, ne serait-il pas raisonnable de considérer la GRS comme une forme d'ingérence de l'État plus invasive qu'une invitation à changer ses ampoules ? Mais là n'est pas la vraie question : pour les sociétés pétrolières et leurs chantres, il sera toujours préférable de tenter de contrôler le rayonnement solaire que de mettre des bâtons dans les roues d'ExxonMobil.

Ce n'est pas l'avis de la majorité des habitants de la planète, et c'est pourquoi l'intérêt qu'on porte actuellement à la géo-ingénierie devrait mettre en évidence l'urgence d'adopter un véritable plan A fondé sur la réduction des émissions de GES, quelles qu'en soient les conséquences économiques. Après tout, si la crise du climat est suffisamment grave pour que les gouvernements envisagent des solutions tout droit sorties de la science-fiction, ne devraient-ils pas d'abord faire leurs les recommandations de la science conventionnelle?

À l'heure actuelle, les climatologues recommandent de laisser dans le sol la majeure partie des réserves attestées de combustibles fossiles. Un gouvernement prêt à financer des expériences de manipulation du climat ne devrait-il pas être capable d'imposer un moratoire sur toute nouvelle production d'énergie polluante et de financer le passage aux énergies renouvelables? «Nous extrayons actuellement du gaz de schiste, des sables bitumineux et beaucoup de charbon. Nous nous apprêtons à effectuer des forages en Arctique. Or, ce n'est pas tellement des futures mesures de géo-ingénierie dont il faut se préoccuper, mais de l'actuelle nécessité de mettre fin à l'extraction des combustibles fossiles», souligne Kevin Anderson, du Tyndall Centre[54].

Pourquoi ne mettrait-on pas en œuvre les autres solutions évoquées dans ce livre? Ne pourrait-on pas obliger les grands pollueurs de l'industrie à consacrer une plus grande part de leurs profits au nettoyage de leur gâchis? Ou renverser la vague de privatisation des sociétés du secteur de l'énergie afin d'en reprendre le contrôle? Au vu de l'urgence de la situation, ces questions méritent certainement débat.

L'auteure militante indienne Vandana Shiva, pour sa part, maintient que l'adoption de pratiques agroécologiques permettrait non seulement de fixer de plus grandes quantités de dioxyde de carbone, mais également de réduire les émissions de GES et d'accroître la sécurité alimentaire. De plus, contrairement à la géo-ingénierie, «il ne s'agit pas d'une expérience limitée à une cinquantaine d'années. C'est une solution qui a déjà fait ses preuves[55]». Cette logique défie peut-être l'orthodoxie du libre marché, mais pas plus qu'une opération de sauvetage de banques et de constructeurs automobiles. Et elle n'est certainement pas plus radicale que la volonté de mettre en place des «climatiseurs» d'envergure planétaire pour modifier le climat.

Si la situation dégénère, les compromis monstrueux qu'implique la géo-ingénierie (comme le fait de sacrifier une partie de l'Amérique latine pour sauver l'ensemble de la Chine, ou de compromettre l'approvisionnement alimentaire de l'Inde pour épargner les glaciers en péril et ainsi éviter une hausse catastrophique du niveau des océans) seront peut-être inévitables. Mais nous n'en sommes pas encore là. Il reste d'autres options qui permettraient d'éviter ces choix impossibles, qui tiennent ni plus ni moins du génocide. Le fait de renoncer collectivement à ces options (comme nous le faisons aujourd'hui) est une décision infiniment risquée que nos enfants pourraient considérer comme l'acte le plus immoral jamais commis par l'humanité.

## La perspective de l'astronaute

Tout au long de la conférence de Chicheley Hall, une photo prise le jour où Richard Branson a lancé son concours Virgin Earth Challenge ne cesse de me revenir à l'esprit. Branson, vêtu de noir et tout sourire, y lance dans les airs un ballon de plastique représentant la Terre, aux côtés d'un Al Gore qui semble un tantinet sceptique[56].

À mes yeux, cette image reflète à merveille la première phase du mouvement de protection du climat : un homme riche et puissant, qui tient littéralement le monde entre ses mains, promet de sauver cette fragile planète bleue au nom de tous ses habitants. Cet exploit sera accompli, proclame-t-il, en mettant à profit le génie humain, conjugué à l'appât du gain.

Dans ce scénario, en fait, tout est faux ou presque : en premier lieu, le fait qu'un important émetteur de GES se recycle en sauveur de la planète (on doit plutôt y voir une campagne de communication bien ficelée) ; ensuite, l'idée que la promesse d'une récompense colossale puisse résoudre n'importe quel gâchis ; enfin, la conviction que les solutions à la crise du climat doivent provenir de l'élite plutôt que de la base.

Je commence également à prendre conscience d'un autre problème. Depuis près d'un demi-siècle, l'image de la Terre vue de l'espace sert de logo au mouvement environnementaliste, se retrouvant à cet effet sur d'innombrables t-shirts et autocollants. Pour « sauver » ce globe fragile, on s'affaire à organiser des sommets sur le climat, des célébrations du Jour de la Terre et ainsi de suite, comme si on avait affaire à une espèce en voie de disparition, à un enfant victime de la faim dans une contrée lointaine ou à un animal domestique à chouchouter. Or, cette vision est peut-être aussi pernicieuse que celle de Bacon, qui percevait la Terre comme une machine à notre service, car elle nous donne elle aussi le premier rôle.

En nous émerveillant devant cette fragile et délicate bille bleue, en nous engageant à venir à son secours, nous endossons le rôle d'un parent protecteur, à mille lieues de la réalité. Ce sont les humains qui sont fragiles et vulnérables, qui vivent sur une Terre puissante et nourricière qui les maintient en vie. Autrement dit, le défi consiste moins à sauver la Terre qu'à nous protéger d'une planète qui, si l'on outrepasse ses limites, peut nous anéantir. Il s'agit là d'une prise de conscience qui devrait orienter toutes nos décisions, en particulier celles qui concernent la géo-ingénierie.

*

* *

Les choses auraient pu se passer autrement, bien sûr. Vers la fin des années 1960, lorsque la NASA a diffusé les premières images de la Terre vue de l'espace, on a cru passionnément que cette image ferait bondir la conscience planétaire de l'humanité : en voyant la Terre comme un tout, une entité perdue dans l'espace, nous en viendrions enfin à la considérer comme un havre irremplaçable dont il nous faut prendre grand soin*. Ainsi est née la métaphore du «vaisseau Terre», qui véhiculait l'espoir que, en étant capables de visualiser la planète, tous pourraient comprendre la précarité de l'expérience humaine. «Ce voyage dans l'espace est fort hasardeux, observait en 1966 l'économiste et auteure Barbara Ward. Notre survie dépend d'une mince couche de terre et d'une enveloppe de gaz un peu plus vaste, qui peuvent toutes deux être contaminées, voire anéanties[57].»

Comment sommes-nous passés de cette humble prise de conscience de la précarité de notre survie à l'arrogance dont fait preuve Branson en tenant la planète entre ses mains? L'irascible romancier américain Kurt Vonnegut avait pressenti ce virage : «La Terre est une si jolie perle bleu, rose et blanc dans les clichés de la NASA, écrivait-il dans le *New York Times Magazine* en 1969. Elle semble si *propre*! On ne voit pas les Terriens affamés ou en colère à sa surface, ni leurs gaz d'échappement, leurs égouts, leurs ordures et leurs armes sophistiquées[58].»

Avant la diffusion de ces images, les défenseurs de l'environnement se concentraient sur la réalité qui les entourait ; ils avaient

---

* Ironiquement, la photographie de la Terre vue de l'espace qui a sans doute été la plus souvent reproduite est l'œuvre du fervent climatosceptique Harrison Schmitt, ancien sénateur américain et habitué des conférences du Heartland Institute. Ce dernier ne s'est pas montré très lyrique au sujet de son expérience. «Quand tu en as vu une tu les as toutes vues», aurait-il déclaré.

les deux pieds bien ancrés dans la terre, et non flottant dans l'espace. Pensons à Henry David Thoreau philosophant devant ses rangées de haricots plantés près de l'étang de Walden, à Edward Abbey sillonnant les paysages rocheux du sud de l'Utah, à Rachel Carson et ses vers de terre contaminés au DDT. Il en résultait des récits fourmillant de détails et de vie, auxquels s'ajouteraient par la suite des documentaires photographiques et cinématographiques visant à éveiller la population à la beauté de créatures et de lieux terrestres particuliers, une prise de conscience susceptible de s'étendre à l'ensemble des richesses naturelles de la planète.

En investissant l'espace, le mouvement environnementaliste a adopté le point de vue d'un observateur extérieur – beaucoup plus flou, comme l'a fait remarquer Vonnegut. Car, si l'on regarde la planète du haut du ciel, au lieu de s'y sentir enraciné, on peut trouver logique de jouer avec les sources et les puits de pollution comme s'il s'agissait de simples pièces sur un échiquier géant : ainsi, une forêt tropicale absorbera les émissions d'une usine européenne, le gaz de schiste remplacera le charbon, d'immenses champs de maïs se substitueront au pétrole – et, qui sait, du fer sera un jour injecté dans l'océan et des particules de soufre dans la stratosphère pour faire contrepoids à l'action des GES ?

La perspective de l'astronaute, comme s'en inquiétait Vonnegut, a un effet pervers : elle fait perdre de vue les êtres qui vivent au loin derrière les jolis nuages coiffant la Terre – des êtres qui sont attachés à leur milieu de vie et dont les opinions sur ce qui pourrait constituer des « solutions » sont très diversifiées. De cette occultation chronique ont découlé de nombreuses erreurs stratégiques fatidiques au cours des dernières années, qu'il s'agisse de la décision de se tourner vers le gaz de schiste comme combustible de transition (sans considération pour les habitants des secteurs exploités, indignés par la dévastation de leur territoire et l'empoisonnement de leurs réserves d'eau) ou de l'adoption de systèmes de plafonnement et d'échange de droits d'émission (qui font fi des gens forcés de respirer les émanations toxiques d'usines qui tirent parti de ces arrangements conclus en coulisse, de même que des habitants des forêts qu'on expulse de leur milieu de vie nouvellement converti en puits de carbone).

Cette vision « globale » a également fait des ravages lorsque les dirigeants se sont convaincus que, en raison de leur faible teneur en carbone, les biocarburants étaient le substitut idéal aux combustibles fossiles. S'ils avaient accordé autant d'importance aux humains qu'au carbone dans leurs calculs préliminaires, ils auraient vite constaté qu'en accaparant des terres arables de qualité pour les consacrer aux biocarburants plutôt qu'aux cultures alimentaires, on ne peut qu'exacerber le problème de la faim dans le monde. On commet la même erreur lorsqu'on aménage des parcs éoliens et solaires à l'échelle industrielle sans obtenir au préalable le consentement des populations locales, qui ne tardent pas à réclamer voix au chapitre quant à la gestion de ces installations et à leurs retombées.

Le même aveuglement létal brouille les débats sur la géoingénierie tenus à Chicheley Hall. D'accord, il est profondément rassurant d'imaginer que la technologie pourrait empêcher la fonte des glaces de l'Arctique. Mais a-t-on pensé aux milliards de personnes en Asie et en Afrique dont le sort dépend de la mousson et qu'une telle intervention pourrait faire souffrir ou même périr?

Dans certains cas, la perspective de l'astronaute engendre une vision particulièrement radicale. Pensons à ceux dont l'esprit est déjà en orbite dans l'espace interplanétaire, et qui envisagent de quitter la planète bleue à jamais en criant «Adieu la Terre!», pour citer le physicien Gerard O'Neill, de l'université de Princeton, qui, vers le milieu des années 1970, a commencé à préconiser la création de colonies humaines dans l'espace comme solution à l'épuisement des ressources de la Terre. Curieusement, l'un des plus fervents disciples d'O'Neill était Stewart Brand, fondateur du *Whole Earth Catalog*\*, qui, après avoir passé une bonne partie des années 1970 à exhorter le gouvernement américain à coloniser l'espace, est aujourd'hui un ardent défenseur des solutions techniques à la crise du climat, du nucléaire à la géo-ingénierie[59].

D'ailleurs, Brand n'est pas le seul adepte de la géo-ingénierie à nourrir le fantasme de l'ultime évasion. Le physicien Lowell Wood, qui a travaillé sur le projet d'injection de particules de soufre dans la stratosphère, est également partisan de la colonisation de Mars. «Il y a une chance sur deux pour que nos enfants d'aujourd'hui se promènent un jour dans les prairies martiennes [...] et nagent dans les lacs de Mars», a-t-il déclaré lors d'un rassemblement de l'Institut Aspen en 2007, qualifiant l'expertise technologique nécessaire de «jeu d'enfant[60]».

---

\* Catalogue américain, symbole de la contre-culture, publié pour la première fois en 1968. Affichant en page couverture une photo de la Terre vue de l'espace, la publication présente un vaste éventail de livres et d'outils visant à élargir la conscience écologique planétaire et à promouvoir l'autosuffisance comme mode de vie. [NdT]

Sans oublier Richard Branson, qui adore se projeter dans l'espace. «Je suis déterminé à faire partie des premiers habitants de Mars, confie-t-il à *CBS This Morning* en septembre 2012. À mon avis, c'est un projet totalement réaliste.» Le plan, poursuit-il, consiste à habiter «des dômes géants». Lors d'une autre interview, il révèle qu'il a passé un temps fou à réfléchir au choix des invités à ce cocktail spatial: «Il faudra des physiciens, des humoristes, des gens amusants, beaux et laids, bref un échantillon de la population terrestre. Ces gens devront être capables de s'entendre, car l'espace sera restreint.» Branson se porte lui-même volontaire: «Il se pourrait que ce soit un voyage aller seulement. [...] J'attendrais peut-être ma dernière décennie d'existence, puis je pourrais y aller, si ma femme est d'accord», précise-t-il. Pour étayer sa thèse, le fondateur du groupe Virgin cite le physicien Stephen Hawking, qui juge «essentiel pour l'humanité de coloniser d'autres planètes, car la Terre connaîtra peut-être un jour un sort sinistre. Il serait affligeant de voir disparaître toutes ces années d'évolution[61]».

Curieux propos de la part de Branson, propriétaire de sociétés aériennes dont l'empreinte carbone dépasse celle du Honduras et pour qui le salut de la planète ne dépend pas de la réduction des émissions, mais d'une machine à extraire le carbone de l'atmosphère qui n'a pas encore été inventée[62]. Est-ce un hasard si les défenseurs de la géo-ingénierie sont si nombreux à faire l'apologie d'un exode terrestre? De toute évidence, il est plus facile d'accepter les risques élevés d'un plan B quand on dispose d'un plan C.

Le danger n'est pas tant que de telles visions se concrétisent; on est loin d'appliquer les solutions des géo-ingénieurs sur Terre, et la possibilité d'une terraformation en territoire martien reste plus hypothétique encore. Mais, comme l'illustre le bilan carbone de Branson, ces fantasmes technologiques font déjà d'importants ravages. «La croyance selon laquelle la science nous sauvera est une chimère qui permet aux générations actuelles d'exploiter les ressources de la Terre sans penser aux générations futures, écrit l'auteur et environnementaliste Kenneth Brower. C'est un sédatif qui est en train de conduire l'humanité droit à la catastrophe environnementale. Cette croyance masque la véritable solution, qui réside plutôt dans une transformation laborieuse du comportement humain qui n'a rien à voir avec la technologie.» Pire encore, elle porte à croire que, «si la science rate son coup, nous pourrons trouver refuge ailleurs[63]».

Un tel éloge de la fuite ne date pas d'hier: on en retrouve plusieurs exemples dans l'histoire, de l'Arche de Noé à l'Enlèvement de l'Église dans l'eschatologie chrétienne. Mais le temps est venu de déconstruire cette vision : nous devons comprendre que la Terre est notre seule demeure, et qu'il est impossible d'échapper aux conséquences de nos actions (car même ce que nous rejetons dans l'immensité de l'atmosphère risque de nous retomber dessus).

En fait, la géo-ingénierie a l'avantage d'incarner un vieux mythe poussiéreux imbriqué dans notre culture, lequel nous a été inculqué soit par la religion, soit par la culture cinématographique hollywoodienne : nous serons sauvés à la dernière minute (du moins les plus importants d'entre nous). Vu le culte que nous vouons à la technologie, ce n'est pas Dieu qui viendra à notre rescousse, mais Bill Gates et sa bande de cerveaux d'Intellectual Ventures. Et ce mythe est tenace : il nous engage à croire que le charbon est en passe de devenir une source d'énergie propre, que le carbone extrait des sables bitumineux sera capté dans l'air et séquestré dans les profondeurs de la terre, qu'on pourra contrôler l'astre solaire tout-puissant comme s'il s'agissait d'un vulgaire luminaire muni d'un variateur d'intensité. Et qu'importe si le lot de solutions en vogue aujourd'hui s'avèrent inefficaces, car d'autres solutions émergeront juste à temps ! Après tout, nous sommes une espèce supérieure, les élus, les créatures de Dieu. Nous triompherons de l'adversité parce que telle est notre destinée.

Pourtant, après l'échec de nos systèmes les plus sophistiqués (qu'il s'agisse du forage en haute mer mené par BP ou du marché des produits dérivés), que nos plus grands experts n'ont pas su prévenir, force est de constater que ce mythe commence à s'effriter. Lors d'une enquête réalisée en 2012 par la Brookings Institution, environ 70 % des sondés ont affirmé que l'atténuation du rayonnement solaire ferait plus de tort que de bien. Seulement 30 % croyaient que « les scientifiques réussiront à trouver des moyens d'agir sur le climat de façon à limiter les dégâts » causés par le réchauffement planétaire. Dans un article publié dans la revue *Nature Climate Change* début 2014, des chercheurs ont analysé les données tirées d'entrevues et d'un vaste sondage en ligne mené en Australie et en Nouvelle-Zélande (il s'agissait du sondage public portant sur la géo-ingénierie le plus vaste réalisé à ce jour). « Les résultats démontrent que la population ne voit pas d'un bon œil la géo-ingénierie comme solution à la crise du climat », explique Malcolm Wright, qui a dirigé le groupe de recherche. « Il s'agit là d'une tendance manifeste. Les interventions comme le déploiement de miroirs en orbite dans l'espace ou de particules de soufre dans la stratosphère ne suscitent guère l'enthousiasme des sondés. » Détail intéressant : malgré la nature hautement technologique du débat, les sondés plus âgés étaient plus enclins à se tourner vers la géo-ingénierie que les jeunes[64].

Plus encourageant encore, il semble que, au sein du mouvement environnementaliste, la perspective de l'astronaute soit en train de céder la place à une nouvelle approche, enracinée dans des lieux particuliers, mais constituant un réseau international sans précédent. Ayant été témoins des échecs de leurs prédécesseurs, les militants de la nouvelle génération n'ont pas envie de jouer à la roulette russe en mettant en péril ce qu'ils ont de plus précieux (du moins pas sur les lénifiants conseils d'ingénieurs inconscients).

Le mouvement qui émerge se veut rassembleur et, bien qu'on ne puisse le discerner à partir de l'espace, il ébranle peu à peu la logique qui propulse l'industrie des combustibles fossiles.

Troisième partie

# Parce qu'il faut bien commencer quelque part

*Le jour où le capitalisme sera contraint de tolérer la présence de sociétés non capitalistes, de limiter son appétit de domination et d'admettre que l'offre de matières premières n'est pas infinie, ce jour-là soufflera enfin un vent de changement. S'il existe la moindre lueur d'espoir pour la planète, elle ne réside pas dans les conférences sur la crise du climat ou au sommet des gratte-ciel. Elle se trouve tout en bas, sur le terrain, dans les yeux des gens qui se battent au quotidien pour la protection de leurs forêts, de leurs montagnes et de leurs rivières, parce qu'ils savent que ces forêts, ces montagnes et ces rivières les protègent.*

*Pour réinventer ce monde qui a vraiment mal tourné, il faudra commencer par cesser d'écraser les personnes qui pensent autrement, dont l'imaginaire est étranger au capitalisme comme au communisme – un imaginaire qui envisage tout autrement le bonheur et l'accomplissement de soi. Pour qu'un tel espace philosophique occupe la place qu'il mérite, il faudra accorder de l'espace physique à ceux qui semblent être les gardiens du passé, mais sont en fait les guides de l'avenir.*

Arundhati Roy, 2010[1]

*Quand j'ai engagé des poursuites judiciaires contre Chevron en 1993, je me suis dit : « Pour combattre cette entreprise et obtenir justice, nous devrons unir toute l'Amazonie. » C'était tout un défi ! La tâche s'annonçait difficile. Aujourd'hui, j'ose affirmer qu'il nous faut unir le monde entier pour lutter contre ces sociétés et faire face à ces défis.*

Luis Yanza, cofondateur du Frente de Defensa de la Amazonía
(front de défense de l'Amazonie), 2010[2]

## Chapitre 9

# Blocadie

## Les nouveaux guerriers du climat

*En cas de risque de dommages graves ou irréversibles,*
*l'absence de certitude scientifique absolue ne doit pas servir de prétexte*
*pour remettre à plus tard l'adoption de mesures effectives*
*visant à prévenir la dégradation de l'environnement.*

Rapport de la Conférence des Nations Unies sur l'environnement
et le développement, 1992[3]

*Dans le secteur pétrolier, les gens honnêtes sont si rares*
*qu'on pourrait en faire des pièces de musée.*

Harold Ickes, secrétaire à l'Intérieur des États-Unis, 1936[4]

« PASSEPORTS », demande le policier, des grenades lacrymogènes accrochées telles des médailles à son gilet pare-balles. Nous lui tendons nos passeports, nos cartes de presse et les autres papiers attestant que nous n'avons guère plus d'intérêt que le groupe de documentaristes canadiens que nous sommes.

Sans un mot, le policier antiémeute prend les documents et fait signe à notre interprète de nous inviter à sortir du véhicule. Il s'entretient longuement, à voix basse, avec un collègue qui garde les bras croisés et semble très fier de ses énormes biceps. Un troisième policier se joint à eux, puis un autre. Ce dernier sort un téléphone de sa poche et dicte laborieusement nos noms et numéros de passeport à son interlocuteur, s'interrompant de temps à autre pour poser une question à l'interprète. D'autres hommes en uniforme se trouvent sur les lieux. J'en compte 11 au total.

Il commence à faire noir. La route de terre où l'on nous a arrêtés est mal en point, à moitié effondrée d'un côté. Aucun lampadaire en vue.

J'ai la franche impression qu'on se moque de nous, que cette opération de contrôle a pour seul but de nous contraindre à reprendre la route dans l'obscurité. Mais nous connaissons les règles : avoir l'air serein, éviter tout contact visuel, ne pas parler avant qu'on nous ait adressé la parole. Résister à la tentation de photographier la rangée de policiers lourdement armés qui se tiennent devant les barbelés (heureusement, notre caméraman est parvenu à tourner des images à travers les mailles de sa casquette). Et, règle d'or à observer lors de toute rencontre avec l'arbitraire du pouvoir : éviter de montrer à quel point ça vous emmerde d'être là.

Nous attendons. Une demi-heure. Trois quarts d'heure. Nous attendons encore. Le soleil se couche. Notre fourgonnette se remplit de moustiques voraces. Nous continuons à sourire gentiment.

En matière de postes de contrôle, j'ai déjà vu pire. Dans l'Irak envahi par les États-Unis, chacun devait se soumettre à des fouilles systématiques pour entrer ou sortir de tout immeuble un tant soit peu officiel. Pour se rendre à Gaza et en revenir, on nous inspectait de huit façons différentes, et les forces israéliennes comme celles du Hamas nous interrogeaient inlassablement. Mais ici, sur cette route de terre, nous ne sommes pas en zone de guerre, du moins pas officiellement. Nous ne sommes ni sous un régime militaire, ni en territoire occupé, ni en quelque autre endroit où l'on pourrait s'attendre à être détenu et interrogé longuement et sans raison. Nous nous trouvons sur une route publique de Grèce, un État démocratique membre de l'Union européenne. De plus, cette route sillonne la Chalcidique, une destination touristique de renommée mondiale qui accueille chaque année des milliers de visiteurs attirés par sa combinaison spectaculaire de plages de sable baignées d'eaux turquoise, d'oliveraies et de forêts anciennes de hêtres et de chênes où coulent de nombreuses cascades.

Alors pourquoi tous ces policiers antiémeute ? Ces barbelés ? Ces caméras de surveillance accrochées aux arbres ?

## Bienvenue en Blocadie

Bien que des touristes se pressent encore dans ses blanches auberges et ses *tavernas* de front de mer aux nappes à carreaux bleus et aux planchers collants d'ouzo, cette région balnéaire n'a plus grand-chose d'une destination vacances. Elle se trouve plutôt aux avant-postes d'un territoire que certains appellent « Blocadie ». La Blocadie ne figure sur aucune carte, car elle constitue une zone mouvante de conflits transnationaux, qui surgit avec une fréquence et une intensité croissantes partout où sont discutés des projets de mines à ciel ouvert, de puits de gaz de schiste et d'oléoducs destinés à acheminer le pétrole des sables bitumineux*.

Ces poches de résistance, qui entretiennent de plus en plus de liens entre elles, ont en commun une opposition aux ambitions des sociétés minières, gazières et pétrolières, qui, dans leur quête de lucratifs combustibles non conventionnels et à haut risque, explorent sans relâche de nouveaux territoires sans égard pour les conséquences de leurs activités sur les écosystèmes locaux (en particulier les lacs et cours d'eau). Une bonne partie des procédés qu'elles utilisent n'ont jamais été évalués ou réglementés de manière adéquate malgré un lourd bilan d'accidents.

Un autre trait commun à l'ensemble de la Blocadie tient au fait que les personnes qui montent au front (en se rendant massivement aux réunions des conseils municipaux, en manifestant dans les capitales, en se faisant embarquer par la police, voire en s'interposant physiquement entre les violeurs de la Terre et la Terre elle-même) n'ont pas tellement le profil type du militant et sont assez différentes d'un lieu de résistance à l'autre. Ce sont des gens ordinaires, typiques de l'endroit où ils vivent : commerçants locaux, professeurs d'université, étudiants, grands-mères... (Dans le pittoresque village littoral grec d'Iérissos, dont les toits sont rouges et la promenade en bord de mer très animée, quand une manifestation a lieu contre un projet minier, les propriétaires des *tavernas* doivent assurer le service eux-mêmes, car tous leurs employés prennent part au rassemblement.)

Les groupes qui résistent à l'extractivisme à haut risque sont en train de tisser un réseau mondial bien enraciné et diversifié, comme en a rarement connu le mouvement vert. D'ailleurs, on ne devrait peut-être même pas les qualifier de « verts », car ce qui les motive est avant tout le désir d'une forme plus authentique de démocratie grâce à laquelle les collectivités auraient la maîtrise des ressources les plus fondamentales, à savoir l'eau, l'air et la terre. Ce faisant, ces luttes locales parviennent à empêcher de véritables crimes contre le climat.

Devant le succès de ces types de lutte, et devant les échecs d'un environnementalisme qui a tout misé sur les pouvoirs en place, nombre de jeunes préoccupés par la crise du climat se désintéressent des verts en cravate et des grands sommets des Nations Unies. Ils affluent bien plutôt sur les barricades blocadiennes.

---

* En France, les militants des mouvements blocadiens désignent les zones qu'ils tentent de protéger par l'acronyme ZAD, pour « zones à défendre », en écho à l'appellation administrative « zones d'aménagement différé » (ZAD), qui désigne des secteurs que la loi protège de la spéculation. [NdT]

Cette tendance n'illustre pas seulement un changement de stratégie : elle découle d'un changement fondamental de perspective.
La réflexion sur la réponse collective à apporter au réchauffement
planétaire, jusqu'à présent discutée pour l'essentiel derrière des
portes closes, est en train de se déplacer vers la rue (et les montagnes, et les terres agricoles, et les forêts), de devenir un mouvement vivant, imprévisible.

Contrairement à nombre de leurs prédécesseurs qui, pendant
des années, se sont représenté la crise du climat du point de vue
d'un astronaute, ces militants ont abandonné leurs globes terrestres pour se salir les mains dans la terre. Selon Scott Parkin,
organisateur des activités relatives au climat du réseau américain
Rainforest Action Network, « les gens ne veulent plus se contenter
d'envoyer des courriels aux parlementaires climatosceptiques ou
de faire de l'esprit sur Facebook au sujet des combustibles fossiles. Un nouveau mouvement contestataire a vu le jour. En rupture avec les élites de Washington, il a encouragé une nouvelle
génération à se tenir debout devant les bulldozers et les camions
chargés de charbon[5] ». Habituée à mener le bal, l'industrie de l'extraction a été prise au dépourvu : désormais, plus aucun projet
d'envergure, si banal soit-il, n'est une affaire réglée d'avance.

Dans la région où l'on nous a sommés de descendre de notre
fourgonnette, la contestation porte sur le projet de la société
minière canadienne Eldorado Gold de raser une grande étendue
de la forêt ancienne de Skouries, située près d'Iérissos, et d'en
réorganiser le bassin hydrographique local en vue d'aménager
une immense mine d'or et de cuivre à ciel ouvert, assortie d'une
usine de traitement et d'une vaste mine souterraine[6]. La police
nous a arrêtés dans un secteur de la forêt qu'on entend niveler en
vue d'y construire un grand barrage et des bassins à résidus
miniers. On a l'impression de rendre visite à quelqu'un qui vient
d'apprendre qu'il ne lui reste que six mois à vivre.

Une bonne partie des habitants des villages environnants,
dont l'approvisionnement en eau potable dépend de cette forêt,
est farouchement opposée au projet minier. Ils craignent pour la
santé de leurs enfants et de leur bétail, et sont convaincus qu'une
activité industrielle toxique d'une telle ampleur n'a pas sa place
dans une région dont l'économie repose sur le tourisme, la pêche
et l'agriculture. Ils expriment leur refus de toutes les manières
imaginables, ce qui, dans une région de villégiature comme la
leur, peut donner lieu à des scènes insolites, comme une manifestation devant un petit parc d'attractions ou une assemblée politique houleuse dans une paillote servant des cocktails exotiques.

Il y a eu par exemple l'arrestation de ce fromager ayant fait la fierté de son village en établissant le record Guinness du plus grand fromage de chèvre de tous les temps, et qui sera placé en détention provisoire pendant des semaines. Lui et d'autres villageois, en vertu de preuves circonstancielles, sont soupçonnés d'avoir participé à un incident impliquant des individus masqués dans l'incendie de camions et de bulldozers*[7].

Bien que la forêt de Skouries soit située dans une région reculée, son avenir mobilise tout le pays. On en discute au Parlement et dans les talk-shows. L'important mouvement progressiste grec en a fait son cheval de bataille : des militants de Thessalonique ou d'Athènes ont organisé de grandes manifestations et sont allés en forêt tenir des journées de rassemblement et organiser des spectacles pour collecter des fonds. On voit des graffitis « Sauvons Skouries » partout en Grèce, et le parti de gauche radicale élu en janvier 2015, Syriza, a promis que l'annulation du projet de mine ferait partie de ses premières décisions.

De l'autre côté, la coalition au pouvoir, qui exerce une politique d'austérité, a aussi fait de la forêt de Skouries un symbole. Le premier ministre Antonis Samaras a déclaré que le projet d'Eldorado Gold devait se concrétiser « à tout prix » tant il était primordial de protéger « les investissements étrangers sur le territoire ». Invoquant la stagnation prolongée de l'économie grecque, le gouvernement prétend que, malgré l'opposition de la région, la construction de la mine est essentielle, car elle enverra le message que le pays est ouvert aux entrepreneurs. Elle aidera la Grèce à sortir rapidement du marasme, comme le feront une série d'autres projets d'extraction très controversés : forages pétroliers et gaziers dans les mers Égée et Ionienne, nouvelles centrales au charbon dans le Nord, autorisation du développement immobilier à grande échelle sur des plages jusqu'ici protégées, nouvelles mines, etc. « C'est justement le genre de projets dont le pays a besoin pour surmonter la crise économique », a déclaré un chroniqueur de premier plan[8].

En raison de l'ampleur nationale de l'enjeu, l'État mène à l'endroit du mouvement contre les mines une répression sans précédent depuis les années sombres de la dictature des colonels. La forêt est devenue un véritable champ de bataille : on rapporte que les forces de l'ordre tirent des balles de caoutchouc, et que les nuages de gaz lacrymogène sont si denses que des gens âgés ont perdu connaissance[9]. Sans parler des postes de contrôle aménagés

---

* Les villageois assurent que leur lutte est non violente et attribuent l'incendie criminel à des gens de l'extérieur, voire à des agents provocateurs.

le long des routes où passe le matériel lourd destiné à la construction des installations.

Cependant, dans cet avant-poste de Blocadie, il n'y a pas que la police qui tienne des postes de contrôle : les habitants d'Iérissos en ont eux-mêmes installé à chaque entrée du village après que plus de 200 policiers antiémeute armés jusqu'aux dents en eurent envahi les rues étroites en lançant des grenades lacrymogènes tous azimuts (dont une qui a explosé dans une cour d'école, incommodant les enfants en classe[10]). Pour éviter qu'un tel épisode ne se reproduise, des volontaires se succèdent jour et nuit aux postes de contrôle : lorsque des véhicules de police approchent, l'un d'eux se précipite à l'église pour en faire sonner la cloche ; au bout de quelques instants, les rues débordent de villageois scandant des slogans.

\*

\* \*

Des scènes semblables, évoquant davantage la guerre civile que la contestation politique, se déroulent en d'innombrables endroits du monde et constituent les multiples lignes de front de la Blocadie. À environ 800 kilomètres au nord du champ de bataille grec, le village rural de Pungesti, en Roumanie, s'est préparé à une épreuve de force contre la société Chevron et son projet d'aménagement du premier puits de gaz de schiste du pays[11]. À l'automne 2013, des agriculteurs ont dressé un campement de protestation dans un champ, se procurant suffisamment de denrées pour tenir pendant des semaines et y ont aménagé des latrines. Ils se sont juré d'empêcher Chevron de forer.

Comme en Grèce, l'État a réagi par une répression démesurée, pour ne pas dire militarisée, ce qui, dans un environnement aussi bucolique, était d'autant plus choquant. Des détachements de policiers armés de boucliers et de matraques ont chargé les manifestants pacifiques, dont plusieurs ont dû être évacués en ambulance. À un moment donné, des villageois en colère ont démantelé la clôture qui protégeait les installations de Chevron, ce qui a déclenché de nouvelles représailles. Au sein du village, la brigade antiémeute bordait les rues à la manière d'« une armée d'occupation », a raconté un témoin. Pendant ce temps, des postes de contrôle policiers se multipliaient sur les routes menant au village, et une interdiction de se déplacer était en vigueur, bloquant comme par hasard le passage aux médias et, rapporte-t-on, empêchant même les éleveurs d'aller faire paître leur bétail. Les villageois, eux, affirmaient n'avoir d'autre choix que de contre-carrer un projet d'extraction représentant une grave menace pour leur mode de vie. «Ici, nous vivons d'agriculture, expliquait l'un d'eux. Nous avons besoin d'eau potable. Que boira notre bétail si l'eau est polluée[12]?»

La Blocadie s'étend aussi à de multiples sites d'extraction névralgiques dans mon pays, le Canada. En octobre 2013, par exemple, soit au moment même où se déroulaient les événements de Pungesti, un affrontement semblable avait lieu dans la province du Nouveau-Brunswick, sur un territoire revendiqué par la première nation micmaque Elsipogtog, dont les racines dans l'est du pays remontent à quelque dix mille ans. La population d'Elsipogtog avait mis en place un blocus contre la société SWN Resources, filiale canadienne d'une firme texane qui tentait d'effectuer des relevés sismiques en vue d'éventuelles opérations de fracturation hydraulique. Le territoire en question n'avait pas été cédé au terme d'une guerre ou par traité, et la Cour suprême du Canada avait confirmé le droit des Micmacs sur ses ressources naturelles et hydriques, droit qui perdrait tout son sens en cas de contamination des sols par les produits toxiques nécessaires à la fracturation[13].

En juin, les membres de la première nation avaient allumé un «feu sacré» destiné à brûler jour et nuit, et invité des non-Autochtones à se joindre à eux pour barrer le passage aux camions de SWN Resources. Il était venu beaucoup de monde, et, pendant des mois, les manifestants avaient campé près de la zone de relevés sismiques, bloquant les routes au son de chants traditionnels et de tambours. À maintes reprises, ils étaient parvenus à empêcher les camions de passer; une Micmaque s'était même attachée à des pièces d'équipement afin que celles-ci ne puissent être déplacées.

Le conflit était resté essentiellement pacifique jusqu'à ce que, le 17 octobre, en vertu d'une injonction obtenue par l'entreprise, la Gendarmerie royale du Canada (GRC) intervienne pour dégager la route. Là encore, un paisible paysage rural avait pris l'apparence d'une zone de guerre: plus de 100 policiers, dont certains armés de fusils et accompagnés de chiens d'attaque, ont tiré des sacs de plombs sur la foule, qu'ils ont également aspergée à coup de spray lacrymogène et de jets d'eau. Les agents s'en sont pris à des personnes âgées et à des enfants, et ont arrêté des dizaines de protestataires, dont le chef élu de la première nation Elsipogtog. Certains manifestants ont réagi en attaquant des véhicules de police: au terme de la journée, cinq voitures et une fourgonnette banalisée avaient été ravagées par les flammes. «Une manifestation d'Autochtones contre le gaz de schiste dégénère», ont titré les journaux[14].

La Blocadie s'est aussi étendue aux vertes campagnes du Royaume-Uni, où les opposants à la «course au gaz» du gouvernement britannique ont eu recours à des tactiques pour le moins inventives pour nuire aux activités de l'industrie, comme des pique-niques au beau milieu d'une route menant à un puits de fracturation situé dans le village de Balcombe, dans le Sussex de l'Ouest, ou la fermeture, par 21 militants, d'une centrale au gaz surplombant le site historique du village fantôme de West Burton et sa jolie rivière, «l'argentine Trente» décrite par Shakespeare dans *Henry IV*. Au terme d'une escalade téméraire, le groupe a campé pendant plus d'une semaine au sommet de deux tours de refroidissement de 90 mètres de haut, rendant ainsi toute production impossible (devant la pression de l'opinion publique, la firme a fini par renoncer à des poursuites en dommages et intérêts de 5 millions de livres). Plus récemment, des militants ont bloqué l'entrée d'un site d'essai de fracturation situé près de Manchester en y plaçant une immense pale d'éolienne[15].

Le mouvement a aussi gagné le navire *Arctic Sunrise*, à bord duquel 30 militants de Greenpeace se sont rendus dans l'Arctique russe pour attirer l'attention sur les dangers du forage en haute mer dans cet océan aux glaces en régression. À la manière d'un commando, des gardes-côtes armés ont investi le bâtiment depuis un hélicoptère. Les écologistes ont été incarcérés pendant deux mois[16]. D'abord accusés de piraterie, un crime passible de dix à quinze ans de prison, ils ont fini par être libérés et acquittés après que le gouvernement russe eut subi l'opprobre en raison d'une vaste campagne internationale de solidarité, avec des manifestations dans au moins 49 pays, et sous la pression de nombreux chefs d'État et de 11 lauréats du prix Nobel (sans oublier celle de Paul McCartney).

L'esprit de la Blocadie souffle aussi dans les régions de Chine les plus marquées par la répression. En Mongolie-Intérieure, des gardiens de troupeaux sont en rébellion contre la transformation de cette région, riche en combustibles fossiles, en «base énergétique» du pays. «Quand il vente, nous sommes couverts de poussière de charbon, car la mine est à ciel ouvert. Et le niveau de l'eau baisse chaque année», a déclaré au *Los Angeles Times* le berger Wang Wenlin. «Nous n'avons plus vraiment de raison de vivre ici.» Malgré une répression brutale ayant entraîné la mort de plusieurs protestataires lors de courageuses actions de blocage de l'entrée des mines, les habitants de la région n'ont pas baissé les bras et continuent à organiser des manifestations en divers endroits[17].

C'est entre autres à cause de cette résistance interne à l'extraction que la Chine importe de plus en plus de charbon. Cependant, bon nombre de ses fournisseurs sont aussi en proie à des soulèvements s'inscrivant dans la mouvance anti-extractiviste. Dans l'État australien de Nouvelle-Galles du Sud, par exemple, l'opposition aux projets de mines de charbon gagne chaque mois en force et en détermination. En août 2012, une coalition a mis en place ce qu'elle qualifie de « premier campement de blocage d'une mine de charbon dans l'histoire de l'Australie », où, depuis cette date, des militants s'enchaînent aux diverses entrées de la mine en construction Maules Creek, appelée à devenir le site d'extraction le plus vaste du pays. Avec d'autres installations de la région, ce projet décimerait la moitié de la forêt publique de Leard, d'une superficie de 7 500 hectares. Selon une estimation, son empreinte carbone représenterait à elle seule 5 % des émissions annuelles de l'Australie[18].

Une bonne partie du charbon étant destinée à l'exportation vers l'Asie, les militants luttent également contre l'agrandissement des ports du Queensland, lequel entraînerait une augmentation considérable du nombre de navires charbonniers en partance d'Australie. Ces navires franchissent notamment l'écosystème très vulnérable de la Grande Barrière de corail, la plus vaste structure vivante de la planète, classée au patrimoine mondial de l'UNESCO. Selon la Marine Conservation Society d'Australie, le dragage du plancher océanique qu'exige l'intensification du trafic maritime représente une menace « sans précédent » pour le fragile récif corallien, qui subit déjà un stress important en raison de l'acidification de l'océan et de diverses formes de pollution[19].

Ce que je vous présente ici n'est qu'une esquisse, tracée à gros traits, de ce que j'appelle la Blocadie. Toutefois, même sommaire, un tel portrait ne peut laisser de côté l'impressionnante levée de boucliers à laquelle on assiste devant pratiquement tout projet d'infrastructure lié aux sables bitumineux d'Alberta – que ce soit au Canada ou aux États-Unis.

Et aucun de ces projets ne suscite davantage d'opposition que celui de l'oléoduc Keystone XL, de TransCanada. Composante du réseau d'oléoducs Keystone, qui s'étend sur tout le continent nord-américain, la première phase du projet, appelée Keystone 1, a connu un bien mauvais départ. Dès la première année d'exploitation, les stations de pompage jalonnant l'oléoduc ont été le théâtre de 12 déversements de pétrole issu des sables bitumineux. La plupart ont été de faible envergure, mais deux des plus massifs ont entraîné la fermeture totale de l'oléoduc au cours du même mois. Lors d'un de ces épisodes, un éleveur du Dakota du Nord s'est réveillé à la vue d'un geyser de pétrole surgissant au-dessus des peupliers bordant son ranch : « C'était comme dans les films, quand le personnage trouve du pétrole et que ça gicle. » Si l'oléoduc Keystone XL est parachevé (la section sud, qui va de l'Oklahoma aux terminaux d'exportation de la côte texane, est déjà en fonction), le projet de 7 milliards de dollars aura ajouté un total de 2 677 kilomètres de conduites traversant sept États américains et provinces canadiennes, et livrera jusqu'à 830 000 barils par jour d'un pétrole provenant surtout des sables bitumineux aux raffineries et terminaux du littoral du golfe du Mexique[20].

C'est le projet Keystone XL qui a provoqué l'importante vague de désobéissance civile de 2011 à Washington (voir le chapitre 4), suivie par les plus grandes manifestations de l'histoire du mouvement de protection du climat (avec plus de 40 000 personnes massées devant la Maison-Blanche en février 2013). Et c'est Keystone qui a donné lieu à l'alliance hétéroclite de peuples autochtones et d'éleveurs vivant le long du tracé, qu'on a surnommée « alliance des cow-boys et des Indiens » (sans parler de ces improbables coalitions rassemblant des militants végétaliens pour qui la consommation de viande est un meurtre et des éleveurs aux demeures ornées d'une tête de cerf). C'est d'ailleurs le groupe d'action directe Tar Sands Blockade qui, en août 2012, a introduit le concept de « Blocadie » alors qu'il planifiait le blocus de Keystone dans l'est du Texas, lequel durerait 86 jours. Ce regroupement a eu recours à tous les moyens imaginables pour empêcher la construction de la section sud du pipeline, allant jusqu'à s'enfermer à l'intérieur d'un tuyau non encore installé ou à mettre en place, le long du tracé, un réseau complexe de cabanes dans les arbres[21].

Au Canada, c'est le projet d'oléoduc Northern Gateway, promu par la société Enbridge, qui a réveillé le volcan endormi de l'indignation. Partant d'un point situé près d'Edmonton, en Alberta, le tuyau de 1 177 kilomètres acheminerait 525 000 barils par jour de pétrole essentiellement dilué des sables bitumineux, franchissant environ 1 000 cours d'eau, traversant des forêts tempérées humides parmi les mieux préservées au monde et passant par des cols montagneux propices aux avalanches, vers un nouveau terminal d'exportation situé à Kitimat, une ville du nord de la Colombie-Britannique. De là, l'or noir serait pompé dans des superpétroliers qui emprunteraient les étroits détroits de la côte du Pacifique, souvent secoués par des vagues monstrueuses (les stations touristiques de la région qualifient l'hiver de « saison d'observation des tempêtes »). Le caractère pour le moins hasardeux du projet a suscité l'émergence d'une coalition d'opposants sans précédent, qui comprend une alliance historique de groupes autochtones britanno-colombiens ayant promis d'« édifier une barrière étanche, allant de la frontière américaine à l'océan Arctique », pour empêcher la construction de tout nouvel oléoduc appelé à faire passer du pétrole issu des sables bitumineux sur leurs territoires[22].

Les entreprises visées par ces luttes se demandent encore quelle malédiction les a frappées. Les dirigeants de TransCanada, par exemple, étaient tellement convaincus de pouvoir concrétiser le projet Keystone XL sans encombre qu'ils ont déjà acheté pour plus d'un milliard de dollars de tuyaux. Et pourquoi pas ? Après tout, en matière de politique énergétique, le président Barack Obama mange à tous les râteliers, et le premier ministre Stephen Harper a qualifié la réalisation du projet d'« évidence ». Toutefois, au lieu de l'approbation sans débat à laquelle s'attendaient ses défenseurs, Keystone XL a suscité une contestation d'une telle ampleur qu'il a redonné vie au mouvement vert américain, qui s'est imposé sous une forme nouvelle[23].

En séjournant un certain temps en territoire « blocadien », on finit par y remarquer des constantes. Comme les slogans qui ornent les pancartes : « L'eau, c'est la vie », « L'argent ne se mange pas », « Posez des limites ! » Ou une détermination partagée de mener une lutte de longue haleine en jouant le tout pour le tout. Autre élément récurrent : le rôle de premier plan joué par les femmes. Souvent majoritaires sur la ligne de front, elles offrent au mouvement non seulement une puissante autorité morale, mais aussi certaines de ses icônes les plus durables. Pensons par exemple à cette image, devenue emblématique, d'une mère micmaque du Nouveau-Brunswick agenouillée, seule au milieu d'une route, devant un cordon de policiers antiémeute, une plume d'aigle à la main. Ou à cette Grecque de 74 ans qui fait face à la police en chantant à tue-tête un chant révolutionnaire issu de la résistance de son peuple à l'occupation allemande. Ou encore à cette photo d'une vieille Roumaine coiffée d'un foulard, canne noueuse à la main, qui a fait le tour du monde surmontée de cette légende : « Vous savez que votre gouvernement a échoué quand votre grand-mère commence à prendre part à des émeutes[24]. »

Les diverses menaces d'intoxication auxquelles font face ces collectivités semblent être les éléments déclencheurs d'un réveil planétaire viscéral, qu'il traduise une volonté farouche de protéger ses enfants ou celle de rétablir un lien profond avec la terre. Et, même si les grands médias les présentent comme des foyers de contestation isolés visant des projets particuliers, ces diverses poches de résistance se perçoivent de plus en plus comme les composantes d'un mouvement mondial qui s'en prend à la ruée vers la ressource du moment, quel que soit l'endroit où elle a lieu. Les médias sociaux ont permis à des collectivités géographiquement éloignées les unes des autres de raconter leur histoire au reste du monde ; à leur tour, ces histoires deviennent partie intégrante du grand récit international de la résistance suscitée par une crise écologique qui frappe tout le monde.

Ainsi, les milliers de militants opposés à la fracturation et à la décapitation des sommets montagneux qui se sont rendus à Washington en autocar pour manifester contre l'oléoduc Keystone XL étaient conscients d'avoir un ennemi commun : une course de plus en plus effrénée à l'extraction de combustibles fossiles. En France, lorsqu'ils ont réalisé que leurs terres avaient été louées à une société gazière qui souhaitait y effectuer des opérations de fracturation hydraulique (une technique alors inconnue en Europe), des citoyens ont pris contact avec des militants québécois, qui avaient réclamé et obtenu l'imposition par le gouvernement provincial d'un moratoire sur l'exploitation du gaz et du pétrole de schiste dans la vallée du Saint-Laurent (ceux-ci ayant pour leur part grandement bénéficié de l'expérience des militants américains, en particulier par l'entremise du documentaire *Gasland,* qui a fait ses preuves comme outil de sensibilisation un peu partout dans le monde[*25]). Le mouvement mondial s'est uni en septembre 2012 à l'occasion de la première Journée internationale contre la fracturation (aussi connue sous son nom anglais de Global Frackdown), qui s'est concrétisée par des actions dans 200 agglomérations de plus de 20 pays et dont la deuxième édition, tenue l'année suivante, s'est étendue à d'autres lieux[†].

---

\* « La scène où l'on voit le propriétaire terrien Mike Markham enflammer, à l'aide d'un briquet, du méthane sortant d'un robinet de sa maison en raison de l'extraction de gaz naturel dans sa région a davantage nui à la fracturation que n'importe quel reportage ou discours », observe l'économiste et militant antifracturation français Maxime Combes.

† Une troisième Journée internationale contre la fracturation a eu lieu le 11 octobre 2014. Des groupes de centaines de localités y ont participé. [NdT]

Un autre élément unit ce réseau de foyers de résistance locale : la conscience de la crise du climat et du fait que ces nouveaux projets d'extraction (qui produisent plus de dioxyde de carbone, dans le cas des sables bitumineux, et plus de méthane, dans le cas du gaz de schiste, que leurs équivalents classiques) mènent la planète dans la mauvaise direction. Ces militants savent que, pour prévenir un réchauffement catastrophique, il est impératif de laisser le carbone sous terre et de protéger de la coupe à blanc les forêts anciennes (qui captent le carbone). Ainsi, bien que ces luttes soient toujours le fait de collectivités inquiètes de leur propre subsistance et de leur propre sécurité, les enjeux planétaires ne sont jamais bien loin.

Une des responsables du mouvement pour une « Amazonie sans pétrole », la biologiste équatorienne Esperanza Martínez, pose la question qui réside au cœur de toutes ces campagnes : « Pourquoi devrait-on sacrifier de nouvelles régions alors que, au premier chef, on ne devrait même pas extraire de combustibles fossiles ? » D'ailleurs, le postulat de base du mouvement semble le suivant : il est grand temps de fermer, et non d'ouvrir, la frontière des combustibles fossiles. L'expert en politiques environnementales de Seattle KC Golden qualifie cette thèse de « principe Keystone ». « Aux yeux du mouvement [...] pour le climat, Keystone n'est pas un simple oléoduc enfoui dans le sable », explique-t-il, car il met au jour un principe fondamental : si l'on souhaite vraiment régler la crise du climat, on doit d'abord « cesser de l'aggraver. On doit précisément et impérativement arrêter d'investir massivement, à long terme, dans des infrastructures d'extraction appelées à "verrouiller" les émissions à des niveaux dangereux pour de nombreuses décennies. [...] La première étape pour sortir d'un trou consiste à arrêter de le creuser[26] ».

Si la politique énergétique d'Obama va dans toutes les directions (ce qui implique de se lancer plein gaz dans l'extraction de combustibles fossiles en complétant ces derniers par un recours marginal aux énergies renouvelables), le mouvement anti-extractiviste y répond par une philosophie intransigeante qui repose sur un principe simple : l'heure est venue de cesser d'extraire ces contaminants du sous-sol et d'adopter rapidement les abondantes sources d'énergie dont regorge la surface de la planète.

## Opération Changement climatique

Bien que ce militantisme anti-extractiviste se caractérise par une ampleur et une mise en réseau assurément inédites, le mouvement a vu le jour bien avant la lutte contre Keystone XL. S'il était possible d'en déterminer l'origine exacte, il faudrait probablement considérer les années 1990 et une des régions du monde les plus ravagées par le pétrole : le delta du fleuve Niger.

Depuis que le Nigeria a ouvert ses portes toutes grandes aux investisseurs étrangers à la fin de l'ère coloniale britannique, les sociétés pétrolières y ont pompé des centaines de milliards de dollars de brut, essentiellement dans le delta du Niger, en traitant systématiquement son territoire, ses cours d'eau et sa population avec un mépris non dissimulé. Elles ont rejeté leurs eaux résiduaires directement dans les rivières, les ruisseaux et la mer, creusé inconsidérément des canaux vers l'océan, rendant ainsi saumâtres de précieuses sources d'eau douce, et laissé leurs oléoducs sans surveillance et sans entretien, provoquant ainsi des milliers de déversements. Selon une statistique souvent citée, une quantité de pétrole digne du naufrage de l'*Exxon Valdez* a été déversée dans le delta chaque année pendant environ cinquante ans, empoisonnant poissons, animaux terrestres et êtres humains[27].

Mais tout cela est sans comparaison avec l'abomination que constitue le torchage du gaz. Au cours du processus d'extraction du pétrole, une grande quantité de gaz naturel est libérée du soussol. Si le Nigeria disposait des infrastructures nécessaires au captage, au transport et à l'utilisation de ce gaz, celui-ci pourrait combler l'ensemble de ses besoins en électricité. Toutefois, la plupart des multinationales installées dans le delta préfèrent réduire leurs dépenses et font donc brûler la ressource, illuminant le ciel de colonnes de flammes polluantes. Cette pratique est responsable d'environ 40 % des émissions de $CO_2$ du Nigeria (ce qui explique pourquoi, comme nous l'avons vu, certaines sociétés tentent d'obtenir des crédits-carbone pour y mettre un terme). Pendant ce temps, plus de la moitié des localités de la région n'ont ni électricité ni eau courante, le chômage est endémique et, cruelle ironie, les pénuries de carburant sont fréquentes[28].

À partir des années 1970, des Nigérians du delta ont réclamé des réparations pour les dommages que leur ont fait subir les géants du pétrole. Leur lutte est entrée dans une nouvelle phase au début des années 1990, quand les Ogonis (un groupe autochtone relativement peu nombreux du delta) ont mis sur pied le Movement for the Survival of the Ogoni People (MOSOP, mouvement pour la survie du peuple ogoni), à l'initiative du célèbre écrivain et militant pour les droits de la personne Ken Saro-Wiwa. Le groupe s'en est particulièrement pris à Shell, qui, de 1958 à 1993, a extrait pour 5,2 milliards de dollars de pétrole de leur territoire[29].

La nouvelle association ne s'est pas contenté d'exiger du gouvernement de meilleures conditions de vie : elle a reconnu le droit du peuple ogoni à contrôler les ressources se trouvant sous ses terres et a entrepris de le reconquérir. Non seulement des installations pétrolières ont vu leur accès bloqué, mais, le 4 janvier 1993, « une foule estimée à 300 000 Ogonis, dont des femmes et des enfants, a participé à une manifestation non violente contre la "guerre écologique" de Shell », se souvient le militant écologiste nigérian Godwin Uyi Ojo. Cette année-là, la multinationale néerlandaise a été contrainte de se retirer du territoire ogoni, renonçant ainsi à d'importants revenus (bien qu'elle soit demeurée le principal acteur pétrolier d'autres régions du delta). Saro-Wiwa a déclaré que l'État nigérian « devra abattre chaque homme, femme et enfant ogoni pour que du pétrole leur soit encore dérobé[30] ».

Depuis, on ne produit plus de pétrole en territoire ogoni. C'est là une des plus grandes victoires du militantisme citoyen pour l'environnement dans le monde. Grâce à la résistance des Ogonis, des réserves de carbone restent sous terre au lieu de se répandre dans l'atmosphère. Au cours des deux décennies écoulées depuis le départ de Shell, les sols de la région ont commencé à se régénérer, et des estimations préliminaires ont fait état d'une augmentation de la production agricole. Les Ogonis ont bâti « le mouvement national de résistance aux activités des compagnies pétrolières le plus impressionnant que le monde ait connu », considère Ojo[31].

Mais le bilan reste sinistre. Dès le début de la contestation, l'État nigérian (qui tire 80 % de ses revenus des redevances sur le pétrole, une ressource qui représente 95 % des recettes d'exportation du pays) a perçu l'organisation des Ogonis comme une grave menace. Pendant que la région se mobilisait pour reprendre ses terres des mains de Shell, des milliers d'habitants du delta ont été torturés ou assassinés, et des dizaines de villages ont été rasés. En 1995, le régime militaire du général Sani Abacha a traduit Saro-Wiwa et huit de ses compatriotes devant les tribunaux sous de fausses accusations et les a pendus, accomplissant ainsi la prédiction de Saro-Wiwa : « Ils vont nous arrêter et nous exécuter. Tout ça pour Shell[32]. »

Cet épisode a porté un coup dur au mouvement, mais les habitants du delta n'ont pas baissé les bras pour autant. En recourant à des tactiques de plus en plus radicales, comme l'occupation de plates-formes de forage, de barges pétrolières et de stations de traitement, ils sont parvenus à imposer la fermeture d'une vingtaine d'installations, provoquant ainsi une importante baisse de la production[33].

Un chapitre décisif – sur lequel on s'est peu penché – de la résistance aux combustibles fossiles dans le delta du Niger s'est ouvert à la toute fin de l'année 1998, alors que 5 000 jeunes appartenant au peuple ijaw, un des groupes ethniques les plus importants du Nigeria, participaient à une assemblée historique dans la ville de Kaiama. L'Ijaw Youth Council (IYC) y a rédigé la Déclaration de Kaiama, qui affirme que 70 % des revenus pétroliers de l'État sont issus du territoire ijaw et que, « malgré cette importante contribution, nous ne récoltons de l'État nigérian que des morts évitables résultant de la dévastation de l'environnement et de la répression militaire ». Appuyée par un vaste échantillon de la population du delta, la déclaration proclame que « toutes les terres et toutes les ressources naturelles (y compris les ressources minérales) du territoire ijaw appartiennent aux collectivités ijaw et sont essentielles à leur survie », tout en réclamant « l'autonomie gouvernementale et le contrôle des ressources[34] ».

C'est toutefois l'article 4 qui a le plus attiré l'attention : « Par conséquent, nous sommons toutes les sociétés pétrolières de mettre un terme à l'ensemble de leurs activités d'exploration et d'exploitation en territoire ijaw. [...] C'est pourquoi nous recommandons à tous les membres du personnel et à tous les sous-traitants des compagnies pétrolières de quitter les territoires ijaw d'ici le 30 décembre 1998, en attendant que soit réglée la question de la propriété et du contrôle des ressources du territoire ijaw du delta du Niger[35]. »

À l'unanimité, les membres de l'IYC ont décidé de baptiser leur offensive « opération Changement climatique ». « Notre projet consistait à changer notre monde, explique Isaac Osuoka, un des organisateurs du mouvement. Nous avions compris que le pétrole brut, qui nous appauvrit, appauvrit également la Terre, et qu'un mouvement qui veut changer le monde dans son ensemble peut commencer par s'atteler au changement de son propre monde. » Autrement dit, il s'agissait, pour un groupe dont les terres avaient été contaminées et dont l'avenir était compromis, de mettre en œuvre une autre forme de changement climatique, autrement dit de changer son climat politique, son climat sécuritaire, son climat économique et même son climat spirituel[36].

Le 30 décembre, comme annoncé, les jeunes ont envahi les rues. Les organisateurs avaient enjoint aux participants de ne pas porter d'arme et de ne pas boire d'alcool. Appelées *ogeles* (mot désignant des processions traditionnelles ijaws), les manifestations ont été spectaculaires et pacifiques. De nombreux participants étaient vêtus de noir, tenaient une bougie à la main, chantaient, dansaient, jouaient du tambour. Ils ont occupé plusieurs sites pétroliers, non par la force des armes, mais par celle du nombre, submergeant les gardiens de sécurité. « Certains manifestants avaient déjà travaillé pendant de brèves périodes pour les sociétés pétrolières, alors ils savaient quelle vanne fermer », se souvient Osuoka.

La réaction du gouvernement nigérian s'est avérée brutale. Environ 15 000 soldats ont été déployés, soutenus par des navires de guerre et de nombreux chars d'assaut. Dans certaines régions, le gouvernement a décrété l'état d'urgence et un couvre-feu. « D'un village à l'autre, les militaires envoyés par l'État ouvraient le feu sur des citoyens sans armes », raconte Osuoka. Dans les villes et villages « de Kaiama, de Mbiama et de Yenagoa, des gens se faisaient abattre en pleine rue, des femmes et des filles se faisaient violer dans leurs maisons ; le gouvernement semait le chaos dans le but manifeste de défendre les installations pétrolières[37] ».

Les affrontements se sont poursuivis pendant environ une semaine. Au moins 200 personnes sont mortes, et des dizaines de maisons ont été incendiées ou détruites. Des soldats chargés de mener un raid meurtrier ont, au moins une fois, gagné la région dans un hélicoptère appartenant à la société Chevron. (Le géant du pétrole affirmerait par la suite n'avoir eu d'autre choix que de laisser les militaires utiliser son équipement, car celui-ci appartenait à une coentreprise qu'il détenait en association avec l'État nigérian. Cependant, selon Human Rights Watch, « la firme n'a fait aucune déclaration publique condamnant les massacres et ne s'est pas engagée à prendre des mesures pour éviter que de tels incidents se reproduisent[38] ».)

La violence de tels événements explique en grande partie pourquoi la jeunesse du delta du Niger a perdu sa foi dans la résistance pacifique. Et pourquoi, à partir de 2006, la région a été le théâtre d'une véritable insurrection armée, avec à la clé le bombardement d'infrastructures pétrolières et d'immeubles gouvernementaux, de multiples actes de vandalisme contre des oléoducs, des enlèvements de travailleurs du pétrole (qualifiés de « combattants ennemis » par les insurgés) contre rançon et, plus récemment, des mesures d'amnistie où l'on offrait de l'argent contre des armes. Au cours du conflit, écrit Godwin Uyi Ojo, « les récriminations ont vite été envenimées par la cupidité et les crimes violents[39] », et les objectifs premiers du mouvement (mettre fin au pillage écologique et reprendre le contrôle des ressources de la région) sont devenus de plus en plus difficiles à reconnaître.

Malgré tout, il convient de revenir sur les années 1990, où ces objectifs étaient clairs. Ce qui saute aux yeux dans les luttes initiales des Ogonis et des Ijaws, c'est que leurs combats contre l'extraction violente des ressources naturelles et pour la démocratie, l'indépendance et le contrôle de ces ressources sont les deux faces d'une même médaille. De plus, l'expérience nigériane a eu une influence considérable – et largement sous-estimée – sur d'autres régions du Sud riches en ressources naturelles aux prises avec les géants de l'industrie du pétrole.

Le plus important de ces « échanges » a eu lieu en 1995, peu de temps après l'exécution de Ken Saro-Wiwa, quand des militants nigérians du groupe Environmental Rights Action ont noué une alliance avec une organisation équatorienne similaire, Acción Ecológica. À l'époque, cette dernière était totalement accaparée par une catastrophe écologique et sanitaire provoquée par la société Texaco dans le nord-est de l'Équateur, une catastrophe dont on se souviendra comme du « Tchernobyl de l'Amazonie ». (Chevron, qui a fait l'acquisition de Texaco en 2002, s'est finalement vu imposer une amende de 9,5 milliards de dollars en dommages par la Cour suprême de l'Équateur ; les batailles juridiques relatives à cette affaire ne sont pas terminées[40].) Ces militants de première ligne de deux des régions du monde les plus durement touchées par le pétrole ont fondé une organisation, Oilwatch International, qui a joué un rôle actif dans le mouvement mondial pour « laisser le pétrole sous terre » et dont l'influence se fait sentir dans l'ensemble du mouvement anti-extractiviste.

\*
\* \*

Comme le montrent les expériences nigériane et équatorienne, le militantisme anti-extractiviste n'est pas un phénomène nouveau. Les collectivités qui entretiennent des liens étroits avec la terre se sont toujours défendues – et se défendront toujours – contre les industries qui menacent leurs modes de vie. La résistance à l'extraction des combustibles fossiles a d'ailleurs une longue histoire aux États-Unis mêmes, notamment dans les Appalaches, où les mines de charbon à ciel ouvert qui décapitent les montagnes ont suscité une vive opposition. De plus, l'action directe contre l'extraction débridée des ressources fait partie des pratiques du mouvement écologiste depuis très longtemps et a permis la protection de certaines des terres et des étendues d'eau abritant la plus grande biodiversité. De nombreuses tactiques aujourd'hui employées par les militants anti-extractivistes (en particulier l'occupation d'arbres et le verrouillage d'installations) ont été élaborées au cours des années 1980 par le groupe Earth First!, dans sa «guerre des forêts» contre la coupe à blanc.

Ce qui a changé, ces dernières années, c'est avant tout l'échelle de la contestation, laquelle traduit elle-même la démesure des ambitions du grand projet extractiviste en cet instant particulier de l'histoire. À bien des égards, l'essor du mouvement est simplement le pendant de celui des combustibles fossiles. En raison du prix élevé des ressources, de certaines innovations technologiques et de l'épuisement progressif des réserves classiques, l'industrie s'est engagée sur tous les fronts : augmentation de la production, exploitation de nouveaux territoires, méthodes de plus en plus risquées. Parce que tous ces facteurs alimentent la contestation, il peut être pertinent de se pencher sur chacun d'eux.

## Le monde, une zone sacrifiée

Bien que des risques accrus et inédits soient induits par l'actuelle course aux sources extrêmes d'énergie d'origine fossile, il importe de garder à l'esprit que cette industrie n'a jamais été exempte de dangers. Le fonctionnement d'une économie fondée sur des sources d'énergie dont l'extraction et le raffinage émettent inéluctablement des contaminants a toujours exigé la désignation de zones sacrifiées, où vivent de vastes groupes d'individus traités en sous-humains, ce qui, d'une certaine manière, rend leur empoisonnement acceptable au nom du progrès.

Pendant très longtemps, toutes les zones sacrifiées ont partagé un certain nombre de caractéristiques communes : des endroits pauvres, situés à l'écart, habités par une population privée d'influence politique, généralement en raison de son origine ethnique, de sa langue ou de sa classe sociale. Les gens qui vivaient en ces lieux maudits se savaient considérés comme des bons à rien. Paula Swearengin, militante issue d'une famille de mineurs de Beckley, petite ville d'une région de Virginie-Occidentale dont les montagnes ont vu leurs cimes décapitées par les mines de charbon, résume ainsi leur situation : «Nous vivons au pays des âmes perdues[41].»

Par diverses prouesses empreintes de déni et de racisme, il était possible pour les privilégiés d'Amérique du Nord et d'Europe de boucler mentalement ces lieux funestes en les considérant comme des arrière-pays, des terres en friche, des «nulle part» (ou, pire encore, tel Nauru, des endroits «au milieu de nulle part»). Ceux – dont je suis – qui avaient la chance de vivre à l'extérieur de ces cloaques avaient l'impression que leurs propres milieux (les endroits où ils habitaient et prenaient leurs vacances, ces présumés «quelque part», ces centres ou, mieux encore, ces centres du monde) ne seraient jamais sacrifiés à la bonne marche de l'industrie des combustibles fossiles.

Jusqu'à tout récemment, cette situation était présentée comme la bonne affaire de l'ère du carbone : les personnes qui profitaient des bienfaits de l'extractivisme pouvaient prétendre en ignorer les coûts tant que les zones sacrifiées restaient soigneusement dissimulées à leur regard.

En moins d'une décennie d'exploitation frénétique, l'industrie de l'extraction a rompu cette convention tacite. Très rapidement, les zones sacrifiées se sont étendues, englobant de plus en plus de territoires et touchant nombre de gens qui s'étaient crus à l'abri. En outre, les plus vastes de ces zones nouvellement sacrifiées sont souvent situées dans des pays parmi les plus riches et les plus puissants du monde. Daniel Yergin, consultant en énergie (et auteur de l'essai *Les Hommes du pétrole*), cède à l'euphorie lorsqu'il compare la mise au point de techniques permettant d'extraire du pétrole des formations de «roche étanche» (généralement du schiste) à la découverte de nouveaux pétro-États : «C'est comme si on ajoutait un autre Venezuela ou un autre Koweït d'ici 2020, sauf que ces réservoirs étanches se trouvent aux États-Unis[42].»

Il va sans dire que le sacrifice n'est pas imposé aux seules collectivités vivant à proximité de ces nouveaux gisements. On extrait aujourd'hui tellement de pétrole aux États-Unis (ou en «Amérique saoudite», comme le disent certains observateurs du marché) que le nombre de wagons-citernes a augmenté de 4 111 % en cinq ans seulement, passant de 9 500 en 2008 à environ 400 000 en 2013. (Dans ce contexte, il n'est guère surprenant que plus de pétrole ait été déversé lors d'accidents ferroviaires en 2013 que sur l'ensemble des quarante années précédentes, et que les journaux télévisés montrent de plus en plus souvent des images de trains dévorés par les flammes.) Concrètement, cela signifie que des centaines, voire des milliers de villes et de villages se sont soudain retrouvés sur le trajet des «bombes pétrolières», ces trains mal entretenus, soumis à une réglementation déficiente. Prenons par exemple la ville québécoise de Lac-Mégantic, où, en juillet 2013, un train de 72 wagons-citernes pleins de pétrole issu des schistes de Bakken (plus inflammable que le pétrole ordinaire) a explosé, tuant

47 personnes et rasant la moitié d'un centre-ville pittoresque. (L'ex-gouverneur du Dakota du Nord, George Sinner, a déclaré que les trains transportant du pétrole constituent une «menace insensée» peu de temps après que l'un d'eux eut explosé près de sa ville natale de Casselton[43].)

Pendant ce temps, l'exploitation des sables bitumineux de l'Alberta connaît une croissance si rapide que l'industrie verra bientôt sa production dépasser la capacité des oléoducs. Voilà pourquoi elle est tellement déterminée à promouvoir des projets comme Keystone XL aux États-Unis, Northern Gateway en Colombie-Britannique et Énergie Est dans l'est du Canada. «Si quelque chose m'empêche de dormir la nuit, c'est bien la crainte de nous voir enclavés dans une mer de bitume», déclarait en juin 2011 Ron Liepert, alors ministre de l'Énergie de l'Alberta. «Jamais nous ne deviendrons une superpuissance énergétique si nous n'arrivons pas à faire sortir le pétrole de l'Alberta[44].» Cependant, comme nous l'avons vu, ces oléoducs affecteraient une multitude de collectivités établies le long des milliers de kilomètres de trajets envisagés ou dans les vastes zones littorales dont les eaux deviendraient encombrées de pétroliers flirtant avec la catastrophe.

Désormais, nul endroit ne semble inaccessible. Et aucune activité d'extraction ne convoite plus de territoire que la fracturation hydraulique du schiste. «Au cours des deux dernières années, nous avons découvert l'équivalent de deux Arabie saoudite sous forme de gaz naturel aux États-Unis. Pas une: deux», affirmait, en 2011, Aubrey McClendon, alors PDG de Chesapeake Energy[45]. C'est pourquoi l'industrie entend fracturer partout où elle le pourra. Les schistes de Marcellus, par exemple, s'étendent sous de vastes portions de la Pennsylvanie, de l'Ohio, de l'État de New York, de la Virginie-Occidentale, de la Virginie et du Maryland. Et il ne s'agit là que d'une couche de roche riche en méthane parmi d'autres.

Selon le républicain Rick Santorum, l'aboutissement du processus consisterait à «forer partout» – et ça se voit. «Les sociétés d'énergie ont creusé des puits sur les terrains d'églises, d'écoles et de lotissements résidentiels protégés», a rapporté Suzanne Goldenberg dans le *Guardian*. «En novembre dernier, une société pétrolière a aménagé un puits sur le campus de l'université North Texas, à Denton, juste à côté des courts de tennis, en face du stade sportif et d'un parc d'éoliennes géantes.» La fracturation est aujourd'hui pratiquée sur un territoire si vaste que, selon une enquête publiée en 2013 dans le *Wall Street Journal*, «plus de 15 millions d'Américains vivent à moins de deux kilomètres d'un puits creusé depuis 2000[46]».

Au Canada, les ambitions sont tout aussi grandes. «En juin 2012, l'ensemble du sous-sol de Montréal, de Laval et de Longueuil (trois des principales villes du Québec) avait été cédé sous forme de baux miniers à des sociétés gazières et pétrolières», rapporte Kim Cornelissen, ex-conseillère municipale devenue militante contre le gaz de schiste. (Jusqu'ici, les Québécois sont parvenus à freiner l'appétit des sociétés gazières grâce à un moratoire s'appliquant à la vallée du Saint-Laurent*.) Au Royaume-Uni, la zone à l'étude pour des activités de fracturation représente environ la moitié de la Grande-Bretagne. En juillet 2013, des habitants du nord-est de l'Angleterre ont été outrés d'entendre leur région qualifiée d'«inhabitée et désolée» à la Chambre des Lords, ce qui la rendait éminemment propice au sacrifice. «Assurément dans une zone du nord-est où l'espace ne manque pas pour la fracturation, une zone très éloignée de toute résidence, on pourrait [la] pratiquer sans aucune menace pour l'environnement rural», a déclaré Lord Howell, ancien conseiller en matière d'énergie auprès du gouvernement de David Cameron[47].

Le réveil s'avère brutal pour une multitude de citoyens appartenant à des milieux historiquement privilégiés, qui connaissent soudain un sort comparable à celui que subissent depuis très longtemps les collectivités vivant sur les lignes de front. Comment est-il possible qu'une lointaine entreprise puisse s'installer dans *mon* milieu et exposer *mes* enfants à des risques sans jamais m'en avoir demandé la permission? Comment peut-elle légalement rejeter des produits chimiques dans l'air à un endroit où elle sait que des enfants jouent? Comment se fait-il que l'État, au lieu de me protéger contre une telle agression, envoie la police matraquer des gens dont le seul crime consiste à tenter de protéger leur famille?

En causant de si désagréables surprises, le secteur des combustibles fossiles s'est fait beaucoup d'ennemis chez ses alliés d'autrefois. Comme cet éleveur de bétail du Dakota du Sud, John Harter, qui s'est adressé aux tribunaux pour empêcher TransCanada d'enfouir un segment de l'oléoduc Keystone XL sous son terrain. «Je ne me suis jamais considéré comme un écolo, mais si c'est comme

---

* Celui-ci a pris fin en juin 2014, mais aucune extraction de gaz ou de pétrole de schiste n'a eu lieu depuis. Réagissant à un rapport dévastateur du Bureau d'audiences publiques sur l'environnement (BAPE) rendu public en décembre 2014, le premier ministre Philippe Couillard a indiqué que son gouvernement n'entendait pas autoriser l'exploitation du gaz de schiste au Québec. Il refuse toutefois d'imposer un nouveau moratoire: «Je veux [...] que les gens sachent comment ouvrir la porte», a-t-il déclaré (*Le Devoir*, 19 décembre 2014). [NdT]

ça qu'on doit m'appeler maintenant, j'assume», a-t-il confié à un journaliste. L'industrie s'est aussi aliénée des gens comme Christina Mills, qui a passé l'essentiel de sa carrière à travailler comme comptable pour des sociétés pétrolières en Oklahoma. Quand une société gazière a entrepris des opérations de fracturation dans son lotissement de classe moyenne du nord du Texas, son regard sur l'industrie a changé: «Le problème, c'est qu'ils sont venus chez nous [...], dans notre voisinage, à moins de 100 mètres de notre clôture. Quelle intrusion[48]...»

En février 2014, les opposants de longue date à l'extraction du gaz de schiste n'ont pu que s'esclaffer en apprenant que nul autre que Rex Tillerson, PDG d'ExxonMobil, avait pris part en toute discrétion à une poursuite judiciaire visant à empêcher des opérations de fracturation à proximité de sa résidence texane, arguant qu'elles feraient chuter la valeur de celle-ci, estimée à 5 millions de dollars. «J'aimerais souligner officiellement l'adhésion de Rex à l'Association des citoyens qui détestent être encerclés par les forages», a écrit d'un ton moqueur le parlementaire démocrate du Colorado Jared Polis. «Ce groupe sélect de gens ordinaires se bat depuis des années pour la protection de la valeur de leurs propriétés, de la santé de leurs concitoyens et de l'environnement. Nous sommes enthousiasmés par l'arrivée, dans notre groupe en plein essor, du PDG d'une importante multinationale du gaz et du pétrole[49].»

«Beaucoup ont la bonne fortune de vivre à l'écart des lieux de désolation», écrivait Thomas Paine dans son séditieux pamphlet de 1776, *Le Sens commun*[50]. Une chose est sûre, l'écart se rétrécit, et, bientôt, plus personne ne sera à l'abri des calamités de l'écocide. Dans un sens, le nom de la société qui a cristallisé l'opposition aux activités minières en Grèce en dit long: Eldorado, qui fait écho à la légendaire cité d'or dont la quête avait amené les conquistadors à perpétrer des massacres parmi les plus sanglants de l'histoire des Amériques. Cette forme de pillage n'était autrefois infligée qu'aux contrées non européennes, et le butin était emporté dans la métropole. Mais, comme le montrent les activités d'Eldorado dans le nord de la Grèce, les conquistadors d'aujourd'hui ne s'encombrent pas de telles réserves.

Ce faisant, toutefois, ils commettent peut-être une grave erreur stratégique. «Chaque puits de fracturation aménagé près d'une prise d'eau municipale et chaque train de charbon traversant une petite ville donnent aux collectivités concernées des raisons de détester l'industrie des combustibles fossiles. En ignorant cette réalité, les sociétés pétrolières et gazières sont peut-être en train de creuser leur propre tombe politique», estime l'écrivain et militant écologiste Nick Engelfried, du Montana[51].

Quoi qu'il en soit, la répartition des problèmes environnementaux n'est pas pour autant devenue équitable. Les populations historiquement marginalisées du Sud, tout comme les minorités visibles du Nord, ont encore une probabilité beaucoup plus grande de vivre en aval d'une mine, à quelques pas d'une raffinerie ou près d'un oléoduc, et sont nettement plus exposées aux effets de la crise du climat. Cependant, en matière de sources d'énergie extrêmes, l'existence de zones sacrifiées bien dissimulées appartient au passé. «Nous sommes tous dans le même bateau en train de couler, mais les gens de couleur sont plus proches du vortex», lance avec à-propos l'avocate Deeohn Ferris, qui a collaboré avec le Lawyers' Committee for Civil Rights Under Law[52].

Un autre phénomène qui brouille les frontières: le dérèglement climatique, bien sûr. Bien que beaucoup aient la chance de vivre dans des régions (encore) épargnées par la course folle aux combustibles fossiles, personne n'est à l'abri des conditions météorologiques de plus en plus difficiles ou du stress de savoir que nous pourrions vieillir (et nos enfants grandir) dans un climat nettement plus traître que celui d'aujourd'hui. À la manière du pétrole qui, à la suite d'un déversement, se répand dans les milieux humides, sur les plages, sur le lit des rivières et au fond de l'océan en contaminant le cycle de vie d'innombrables espèces, les zones sacrifiées que crée notre dépendance aux combustibles fossiles sont en train de s'étendre, telles des ombres menaçantes, à toute la planète. Après deux siècles d'une prétendue mise en quarantaine des dommages collatéraux de cette habitude malsaine (lesquels, en fait, ont été transférés à autrui), la récréation est terminée: désormais, tout le monde est dans la zone sacrifiée.

## Étranglées en territoire ennemi

La décision de l'industrie des combustibles fossiles de mettre un terme au confinement implicite des zones sacrifiées en vue d'avoir accès à des sources de carbone jusqu'ici inaccessibles a galvanisé le nouveau mouvement social pour le climat de diverses façons, tout aussi déterminantes les unes que les autres. En particulier, l'ampleur de bon nombre de projets d'extraction et de transport a créé des occasions pour des milieux traditionnellement exclus du débat public de s'allier à des groupes jouissant d'un prestige social nettement plus grand. Les projets d'oléoducs destinés aux sables bitumineux ont resserré les liens entre les opposants et permis au travail d'organisation politique de faire un bond de géant. Reliant le nord de l'Alberta, une région où leurs impacts les plus négatifs sont ressentis par des populations autochtones, à des lieux où, souvent, leurs pires conséquences sur la santé publique frappent des populations urbaines appartenant aux minorités visibles, ces oléoducs traversent en chemin d'innombrables endroits. Sillonnant de nombreux États ou provinces, ils croisent les sources d'approvisionnement en eau de grandes villes et de villages, parcourent des terres agricoles, traversent des rivières où l'on pêche, et passent par des territoires revendiqués par les Autochtones ou habités par la classe moyenne supérieure. Malgré leur grande diversité, toutes les populations vivant le long du trajet d'un oléoduc font face à la même menace, devenant ainsi des alliés potentiels. Dans les années 1990, les accords commerciaux internationaux avaient suscité la mise sur pied de coalitions tout aussi vastes qu'improbables. Aujourd'hui, ce rôle est dévolu aux infrastructures de l'industrie des combustibles fossiles.

Avant l'actuelle frénésie de l'extractivisme extrême, les grandes sociétés pétrolières et charbonnières avaient l'habitude d'exercer leurs activités dans des régions où elles jouaient un rôle économique si important qu'elles détenaient l'essentiel du pouvoir politique. En des lieux comme la Louisiane, l'Alberta ou le Kentucky (sans parler du Nigeria ou du Venezuela d'avant l'ère Chávez), elles traitaient la classe politique comme leur service des relations publiques et l'appareil judiciaire comme leur service du contentieux. Vu le nombre d'emplois en jeu et l'importante proportion des recettes fiscales issue du secteur, les citoyens ordinaires se montraient particulièrement tolérants. Par exemple, dans la foulée de la catastrophe de Deepwater Horizon, nombre de Louisianais ont certes réclamé un resserrement des normes de sécurité et une péréquation plus équitable des redevances fédérales issues du pétrole marin, mais, malgré toutes leurs souffrances, ils n'ont pas joint leurs voix à celles des groupes qui demandaient un moratoire sur les forages en eau profonde[53].

Là réside le cercle vicieux de l'économie des combustibles fossiles : parce que ses activités sont très polluantes et perturbatrices, elle tend à affaiblir, voire à détruire, d'autres moteurs économiques (les stocks de poissons diminuent en raison de la pollution, les touristes se font rares en raison de l'enlaidissement des paysages, les terres agricoles sont contaminées, etc.). Cependant, au lieu de susciter la colère de la population, il arrive que ce lent empoisonnement finisse par renforcer le pouvoir des entreprises de combustibles fossiles lorsque celles-ci deviennent pratiquement la seule force économique d'une région.

Toutefois, en étendant leurs activités à des territoires autrefois considérés comme hors de portée, elles se retrouvent soudain en présence de populations nettement moins conciliantes. Dans bon nombre de ces nouvelles zones, tout comme dans les régions que les combustibles doivent traverser, l'eau est encore relativement propre et le lien à la terre, relativement fort ; beaucoup de gens sont prêts à se battre bec et ongles pour protéger des modes de vie qu'ils jugent fondamentalement incompatibles avec des activités d'extraction toxiques.

Par exemple, une des pires erreurs stratégiques commises par l'industrie du gaz naturel a été d'entreprendre des opérations de fracturation hydraulique dans la région d'Ithaca, une ville universitaire de l'État de New York réputée pour son progressisme, qui a le bonheur d'être entourée de gorges et de cascades à couper le souffle, et où s'active un dynamique mouvement de relocalisation de l'économie. Devant la menace directe qui planait sur son décor idyllique, Ithaca est devenue non seulement une plaque tournante du militantisme antifracturation, mais aussi le théâtre d'un effort sérieux de recherche sur les risques encore inconnus de cette méthode d'extraction : ce n'est pas un hasard si ce sont des chercheurs de l'université Cornell, située à Ithaca, qui sont à l'origine d'une étude qui a changé la donne sur les émissions de méthane associées à la fracturation, étude dont les résultats sont aujourd'hui un outil indispensable pour le mouvement mondial de résistance. Et, pour le plus grand malheur de l'industrie, la biologiste et auteure de renom Sandra Steingraber, spécialiste des liens entre les contaminants industriels et le cancer, venait d'obtenir un poste à l'université d'Ithaca. Steingraber s'est investie dans la lutte contre la fracturation, témoignant à titre d'experte lors d'innombrables auditions publiques et participant à la mobilisation de dizaines de milliers de citoyens de l'État de New York. En plus d'avoir contribué à bloquer tout projet de fracturation à Ithaca, le mouvement a amené environ 180 municipalités de l'État à interdire la pratique ou à imposer un moratoire sur celle-ci[54].

Une fois de plus, l'industrie a fait un très mauvais calcul en entreprenant la construction d'une station de compression de 10 000 watts en plein cœur du canton de Minisink, dans l'État de New York. De nombreuses maisons se trouvaient dans un rayon de 800 mètres de l'installation, dont une à 180 mètres seulement. Et les habitants n'étaient pas les seuls à voir leur santé menacée par la station. La région est une zone agricole fort prisée, parsemée de petites fermes familiales, de vergers et de vignobles, dont les produits biologiques et artisanaux alimentent les marchés et restaurants locavores de New York. Ainsi, la société Millenium Pipeline, propriétaire de la station de compression, s'est attiré l'hostilité non seulement d'un groupe d'agriculteurs en colère, mais aussi de nombreux hipsters, chefs réputés et vedettes de cinéma de la Grosse Pomme, tel Mark Ruffalo, qui ont réclamé de l'État, outre l'interdiction de la fracturation, une transition vers des énergies 100 % renouvelables[55].

Par la suite, on a eu l'idée – dont la stupidité dépasse presque l'entendement – de lancer le premier projet de fracturation européen d'envergure, devinez où : dans le sud de la France. Quand les habitants du Var (connu pour ses oliviers, ses figuiers, ses moutons et les célèbres plages de Saint-Tropez) ont découvert que plusieurs localités de leur département étaient visées par un projet d'exploration du gaz de schiste, ils se sont mobilisés sans attendre. L'économiste et militant Maxime Combes se souvient des débuts du mouvement : « Lors des assemblées publiques, les mairies des communes touchées débordaient de monde. Très souvent, il y avait plus de participants à ces réunions que d'habitants dans le village. » Les Varois ont vécu « la plus vaste mobilisation citoyenne de l'histoire de ce département généralement de droite », poursuit Combes. En raison de cette sottise, l'industrie a fini par perdre (du moins pour le moment) le droit d'extraire du gaz de schiste dans cette région proche de la Riviera ; mieux encore, la France est devenue en 2011 le premier pays à interdire la fracturation hydraulique sur l'ensemble de son territoire[56].

Même une opération aussi banale que le transport vers le nord de l'Alberta de machinerie lourde destinée au fonctionnement des mines et des unités de valorisation a déclenché de nouveaux mouvements de résistance. À l'échelle colossale de tout ce qui contribue au plus vaste projet industriel de la planète, les machines transportées, fabriquées en Corée du Sud, sont parfois aussi longues et aussi lourdes qu'un Boeing 747, et certains de ces véhicules gros porteurs sont hauts comme un immeuble de trois étages. Ces mastodontes sont si gros, en fait, qu'il est impossible de les transporter par camion normalement. Les compagnies pétrolières doivent donc les charger sur des remorques adaptées, plus larges que les deux voies d'une route principale et plus hautes que la plupart des ponts routiers[57].

Les seules routes qui répondent aux besoins des sociétés pétrolières traversent des territoires résolument hostiles. Par exemple, des citoyens du Montana et de l'Idaho luttent avec acharnement depuis des années pour empêcher les remorques d'emprunter la route nationale 12, panoramique et étroite. Ils sont outrés par le coût humain représenté par le blocage d'une voie principale pendant des heures pour laisser passer les machines géantes, et s'inquiètent des risques qui pèseraient sur l'environnement si un chargement se renversait dans un des nombreux virages en épingle pour finir sa course dans un ruisseau ou une rivière (la pêche à la mouche est une activité très populaire dans la région, et ses habitants aiment passionnément leurs rivières sauvages).

En octobre 2010, un petit groupe de militants de la région m'a invitée à les accompagner sur la section de la route 12 que les imposantes remorques devaient emprunter. Nous avons longé des bosquets de genévriers, de sapins et de mélèzes aux pointes dorées, croisé des panneaux signalant la présence d'orignaux et sommes passés sous d'imposants affleurements rocheux. En suivant le ruisseau Lolo, dont le courant emportait des feuilles mortes, mes hôtes en ont profité pour faire du repérage en vue d'un «campement d'action» qu'ils étaient en train de planifier. Leur projet consistait à rassembler des militants albertains opposés aux sables bitumineux, des éleveurs et des Autochtones vivant le long du trajet envisagé pour l'oléoduc Keystone XL, ainsi que les gens de la région déterminés à empêcher les véhicules gros porteurs d'emprunter la route 12. Ils discutaient de la proposition d'un ami qui leur avait offert d'aménager une cuisine ambulante et des installations pour le camping au début de l'hiver. Marty Cobenais, alors responsable de la campagne contre l'oléoduc menée par l'Indigenous Environmental Network, m'a expliqué en quoi toutes ces luttes sont liées: «Si les gens d'ici parviennent à bloquer le passage des remorques, la capacité [de production] des sables bitumineux sera touchée, ce qui fera diminuer la quantité de pétrole pouvant être pompée dans les oléoducs.» Tout sourire, il a ajouté: «C'est pourquoi nous créons une alliance de cow-boys et d'Indiens[58].»

Au terme d'une longue bataille, et après que les Nez-Percés et le groupe conservationniste Idaho Rivers United eurent intenté conjointement une poursuite judiciaire, les grosses remorques se sont finalement vu interdire l'accès à la route 12. «Ils ont commis une grave erreur en tentant de traverser l'ouest du Montana et l'Idaho», explique Alexis Bonogofsky, éleveuse de chèvres de Billings, au Montana. «C'était drôle à voir[59].»

On a fini par trouver un autre chemin pour les camions géants, passant celui-là par l'est de l'Oregon. Encore un mauvais choix. En décembre 2013, quand le premier chargement a entrepris sa traversée de l'État, il a été stoppé à plusieurs reprises par des actions militantes de verrouillage et de blocage. Refusant la présence de tels équipements sur leurs terres ancestrales, des membres des tribus confédérées de la réserve autochtone d'Umatilla ont procédé à une cérémonie de prières à Pendleton, où se trouvait le deuxième chargement. Et, bien que les habitants de la région aient été réellement inquiets de la sécurité liée à ces livraisons, nombre d'entre eux étaient avant tout préoccupés par ce à quoi les machines étaient appelées à contribuer une fois arrivées à destination, à savoir le changement climatique. « C'est allé trop loin », a lancé une participante au blocage d'Umatilla avant de se faire arrêter. « Nos enfants vont en mourir[60]. »

Les industries du pétrole et du charbon maudissent sans doute le jour où elles ont eu le malheur de mettre les pieds dans la région du Pacifique Nord-Ouest (qui comprend les États américains de l'Oregon et de Washington ainsi que la province canadienne de la Colombie-Britannique). Elles ont dû y faire face à une puissante alliance de nations autochtones en pleine renaissance, d'agriculteurs et de pêcheurs dont les modes de vie dépendent de plans d'eau propres et de sols sains, et de citoyens qui se sont plus ou moins récemment établis dans ce coin du monde pour la beauté de sa nature. Autre fait significatif, le mouvement environnementaliste de la région n'a jamais entièrement succombé à la tentation des partenariats avec les milieux d'affaires. Bien enraciné, il est porteur d'une longue tradition d'action directe radicale contre la coupe à blanc et les activités minières polluantes.

C'est dans un tel cadre que s'est manifestée l'opposition farouche aux projets d'oléoducs associés aux sables bitumineux, comme nous l'avons vu. Ces dernières années, les valeurs écologistes bien ancrées de la population du Pacifique Nord-Ouest ont aussi empoisonné l'existence de l'industrie américaine du charbon. Coincé entre la résistance locale à la construction de nouvelles centrales au charbon, les pressions visant la fermeture des vieilles centrales et l'essor fulgurant du gaz naturel, le marché américain du charbon s'est effondré : pendant la courte période allant de 2008 à 2012, la part du charbon dans la production d'électricité aux États-Unis est passée de 50 à 37 %. Pour assurer son avenir, l'industrie n'a eu d'autre choix que de privilégier l'exportation du charbon vers des parties du monde qui en consomment de grandes quantités, à savoir l'Asie. (L'auteur et spécialiste du marché mondial de l'énergie Michael T. Klare a comparé cette stratégie à celle qu'avait adoptée l'industrie du tabac il y a quelques décennies : « Tout comme les autorités de la santé publique condamnent aujourd'hui les grands cigarettiers qui ciblent les populations pauvres de pays dotés de systèmes de santé déficients, on considérera un jour cette nouvelle habitude des grands de l'énergie comme une grave menace à la survie de l'humanité.») Les sociétés charbonnières ont cependant un problème : les ports américains ne disposent pas des installations nécessaires à l'expédition de grandes quantités de charbon. C'est pourquoi elles doivent construire de nouveaux terminaux sur la côte pacifique. C'est aussi pourquoi elles doivent multiplier les trains qui transportent le charbon des gigantesques mines du bassin de la rivière Powder, au Wyoming et au Montana, vers ces ports[61].

À l'instar de l'industrie des sables bitumineux et de ses projets d'oléoducs et de transport de véhicules gros porteurs, les sociétés charbonnières n'ont pas rencontré plus grand obstacle à leur marche vers l'océan que la ferme opposition des habitants de la région du Pacifique Nord-Ouest. Toutes les localités des États de Washington et de l'Oregon qu'elles avaient pressenties pour l'aménagement de nouveaux terminaux d'exportation du charbon ont vu leur population se soulever, certes motivée par des inquiétudes sanitaires portant sur la poussière de charbon, mais aussi par des préoccupations plus larges liées aux conséquences pour la planète de la combustion de cette ressource.

Nul n'exprime cette dimension plus catégoriquement que KC Golden, qui a contribué à l'élaboration de bon nombre des politiques climatiques les plus visionnaires de l'État de Washington : «La grande région du Pacifique Nord-Ouest n'est pas un dépôt mondial de charbon, un dealer s'enrichissant de la dépendance des gens aux combustibles fossiles, une plaque tournante de la dévastation du climat. C'est bien le dernier endroit sur Terre qui puisse se laisser mystifier par une énième resucée du faux dilemme entre emploi et environnement. L'exportation du charbon est fondamentalement incompatible avec notre vision du monde et nos valeurs. Elle ne heurte pas que les verts : elle représente un désastre moral, un affront à notre identité collective[62].» Après tout, à quoi bon installer des panneaux solaires et des barils récupérateurs d'eau de pluie s'ils finissent couverts de poussière de charbon ?

Ces campagnes révèlent une chose : alors qu'il est à peu près impossible de battre les sociétés du secteur des combustibles fossiles sur leur propre terrain, les chances de victoire augmentent considérablement lorsque le champ de bataille se déplace sur des territoires où le pouvoir de l'industrie est beaucoup moins grand, où prospèrent encore des modes de vie non fondés sur l'extraction, où la population et la classe politique dépendent moins des dollars du pétrole et du charbon. En étendant ses tentacules gluants d'hydrocarbures dans toutes les directions, l'industrie ne manque pas de tomber sur ce genre d'endroits. Mais le phénomène ne s'arrête pas là. Si la résistance aux industries de l'extraction a gagné du terrain dans ces régions périphériques, elle commence également à prendre forme au cœur même de l'économie du carbone, en des lieux que l'industrie des combustibles fossiles croyait avoir conquis une fois pour toutes.

La ville californienne de Richmond, qui se trouve en face de San Francisco, de l'autre côté de la baie, offre un bon aperçu de la rapidité avec laquelle le paysage politique peut changer. Peuplé principalement d'Afro-Américains et d'Hispano-Américains, l'endroit constitue un rude îlot ouvrier au milieu d'une région embourgeoisée par l'essor du secteur de la technologie. Le principal employeur de Richmond n'est pas Google, mais Chevron, qui y exploite une immense raffinerie à laquelle la population locale attribue de nombreux problèmes de santé et de sécurité, dont une forte prévalence de l'asthme et des accidents fréquents dans ses imposantes installations (en 1999, un incendie majeur a entraîné des centaines d'hospitalisations). Néanmoins, en tant que principale entreprise et plus important employeur de la ville, Chevron y détenait encore récemment le gros du pouvoir[63].

Plus maintenant. En 2009, des citoyens de Richmond sont parvenus à empêcher la multinationale d'entreprendre un important projet d'agrandissement de sa raffinerie, grâce auquel elle aurait pu y traiter des types de pétrole brut plus lourds et plus polluants, tel celui des sables bitumineux. Une coalition d'associations pour la justice environnementale a contesté le projet dans la rue et devant les tribunaux, affirmant qu'il augmenterait la pollution de l'air dans la ville. Un tribunal supérieur a fini par donner tort à Chevron, invoquant une étude d'impact sur l'environnement bâclée (qui «n'avait rien d'un document d'information», a déclaré le juge d'un ton acerbe). Chevron a porté la décision en appel, mais, en 2010, sa requête a été rejetée. «Il s'agit d'une victoire pour la base et pour les personnes dont la santé a été affectée par la raffinerie au cours des cent dernières années», a déclaré Torm Nompraseurt, organisateur à l'APEN[64].

Richmond n'est pas le seul fief des sociétés pétrolières dont la population a trouvé de nouvelles réserves de courage pour riposter. Alors que le mouvement d'opposition à l'exploitation des sables bitumineux se répandait en Amérique du Nord et en Europe, des collectivités autochtones établies dans le ventre du dragon (celles-là mêmes qui avaient sonné l'alarme, bien avant que les environnementalistes ne prêtent attention au dossier) ont aussi trouvé le courage d'intensifier leur lutte. Elles ont ainsi intenté de nouvelles poursuites judiciaires pour violation de leurs droits territoriaux (dont l'issue pourrait avoir de graves conséquences sur l'accès de l'industrie aux réserves qu'elle convoite) et dépêché des délégations un peu partout dans le monde afin de sensibiliser le plus de gens possible à la dévastation de leurs terres, dans l'espoir de porter d'autres coups mortels à l'industrie. Melina Laboucan-Massimo est une de leurs militantes. Cette oratrice charismatique d'une trentaine d'années et dont on sous-estime parfois l'audace a passé l'essentiel de sa vie d'adulte sur la route en vue d'exposer la face sombre des déversements de pétrole et de la destruction des paysages, et de faire état de la guerre silencieuse que l'industrie pétrolière et gazière mène contre son peuple, les Cris du lac Lubicon. «Maintenant, les gens écoutent, m'a-t-elle confié, les larmes aux yeux, à l'été 2013. Mais ça leur a pris beaucoup de temps pour en arriver là.» On peut donc dire qu'«il y a de l'espoir. Même si la situation est parfois assez terrible en Alberta[65]».

Se battre seul contre une industrie colossale peut sembler impossible, en particulier dans une région éloignée et peu peuplée. Mais il en va tout autrement si la lutte s'inscrit dans un mouvement continental, voire mondial, qui encercle cette industrie.

Cette mise en réseau et ce partage d'idées sont en général imperceptibles; il s'agit d'un état d'esprit, d'une énergie, qui se répand de proche en proche. Toutefois, en septembre 2013, pendant une brève période, l'écheveau des sources d'inspiration du mouvement anti-extractiviste est devenu apparent. Cinq sculpteurs appartenant à la nation lummi de l'État de Washington (qui lutte contre l'aménagement d'un gigantesque terminal d'exportation du charbon sur un territoire de la côte Ouest qu'elle revendique) sont arrivés sur le site du projet minier Otter Creek, dans le Montana. Ils venaient de parcourir environ 1 300 kilomètres, depuis les forêts tempérées humides de leur coin de pays au littoral escarpé jusqu'aux pâturages desséchés des douces collines du sud-est du Montana, en transportant un mât totémique de sept mètres sur la plate-forme de leur camion. Considéré jusqu'à tout récemment comme condamné, l'endroit, situé en bordure de la petite rivière Otter dans le bassin de la rivière Powder, fait l'objet d'un imposant projet de mine de charbon. Les visiteurs lummis s'y sont installés avec une bonne centaine d'Autochtones de la réserve des Cheyennes du Nord et un groupe d'éleveurs de bétail de la région. Ensemble, ils se sont penchés sur ce qui les unissait dans leur opposition aux ambitions nées de la frénésie de l'extraction.

Si la mine Otter Creek voyait le jour, elle contaminerait l'eau et l'air des environs, et le chemin de fer destiné à transporter le charbon vers la côte Ouest pourrait traverser d'anciens cimetières cheyennes. Quant au terminal d'exportation, sa construction empiéterait sur un ancien cimetière lummi, et le charbon serait chargé sur des barges qui perturberaient des zones de pêche, menaçant ainsi la subsistance de nombreuses personnes.

Installés dans la vallée de la rivière Otter sous un ciel ensoleillé où planaient des éperviers, les membres du groupe ont béni le mât totémique avec la fumée d'un calumet en se promettant de lutter de concert pour que le charbon reste sous terre, pour que le chemin de fer et le port ne voient jamais le jour. Les sculpteurs lummis ont ensuite replacé le mât (baptisé *Kwel hoy*, «Ça suffit!») sur leur camion et ont entrepris un voyage de seize jours où ils se sont arrêtés dans huit autres localités, toutes situées sur le trajet envisagé pour les convois de charbon, les véhicules gros porteurs, les oléoducs ou les pétroliers. En chaque endroit, ils ont animé des cérémonies, discutant avec leurs hôtes (tant autochtones que non autochtones) des liens unissant les diverses luttes locales contre les industries de l'extraction. Leur périple s'est terminé à North Vancouver, sur le territoire des Tsleil-Wautuths, une nation autochtone ayant joué un rôle clé dans la bataille contre l'augmentation du trafic de pétroliers. Ils y ont installé le mât totémique de façon permanente, tourné vers l'océan Pacifique.

Pendant le séjour du groupe dans le Montana, le maître sculpteur Jewell Praying Wolf James avait précisé le but du voyage: «Nous nous soucions autant de la protection de l'environnement que de la santé des populations établies entre la rivière Powder et la côte Ouest. [...] Nous parcourons le pays en vue d'aider ces collectivités à unir leurs voix. Peu importe qui nous sommes, où nous sommes, quelle est la couleur de notre peau – rouge, noire, blanche ou jaune –, nous sommes tous dans le même bateau[66].»

\*

\*  \*

Cette solidarité entre les divers avant-postes de la Blocadie démontre que ses pourfendeurs se trompent systématiquement. Alors que la campagne contre Keystone XL commençait à prendre de l'ampleur, plusieurs experts bien en vue l'ont qualifiée de perte de temps et d'énergie. Ce pétrole se rendrait quand même à bon port par une autre route et, à l'échelle mondiale, ne représenterait qu'une «quantité négligeable», comme l'écrivait Jonathan Chait dans le magazine *New York*. Aux yeux de ces commentateurs, il valait mieux réclamer l'adoption d'une taxe sur le carbone, de règles environnementales plus strictes ou d'un nouveau système de plafonnement et d'échange de droits d'émission. Joe Nocera, chroniqueur au *New York Times*, est allé jusqu'à écrire que la stratégie était «complètement imbécile» et a accusé James Hansen, dont le témoignage devant le Sénat avait lancé le mouvement de protection du climat, de «nuire à la cause même qu'il prétend défendre[67]».

On sait maintenant que la lutte contre Keystone a toujours transcendé la simple opposition à un projet d'oléoduc. Elle incarne un nouvel esprit combatif, qui s'avère contagieux. Une nouvelle bataille ne prive pas les luttes existantes de leurs forces vives, car tous ces combats se multiplient : les actes de courage et les victoires des uns deviennent des sources d'inspiration qui renforcent la détermination des autres.

## Le facteur BP : saper la confiance

Outre la croissance effrénée et les incursions en territoire hostile de l'industrie des combustibles fossiles, un autre élément a contribué à l'essor des mouvements d'opposition de ces dernières années. Il s'agit de la conviction, largement répandue, du fait que les techniques contemporaines d'extraction sont considérablement plus risquées que celles qui prédominaient autrefois. Le pétrole des sables bitumineux est indubitablement plus dommageable pour les écosystèmes que le brut classique, et de nombreux observateurs le croient plus dangereux à transporter et plus difficile à nettoyer en cas de déversement. On constate une semblable aggravation des risques avec la généralisation de la fracturation hydraulique, des forages en eaux profondes (comme l'a montré la catastrophe de BP) et des forages dans l'océan glacial Arctique. Les populations directement touchées par ces projets énergétiques d'un nouveau genre sont convaincues qu'on leur fait courir d'énormes risques. Dans la plupart des cas, on ne leur offre qu'une maigre compensation pour leurs sacrifices, que ce soit sous forme d'emplois durables ou de redevances dignes de ce nom.

L'industrie et les gouvernements sont quant à eux très réticents à reconnaître les risques accrus des nouveaux modes d'extraction (et encore plus à prendre des mesures pour les atténuer). Pendant des années, les sociétés ferroviaires et les autorités réglementaires ont traité sur un pied d'égalité le pétrole issu des schistes de Bakken et le pétrole classique, sans égard à l'accumulation de données faisant état de la volatilité beaucoup plus forte du premier. (Après avoir annoncé que de nouvelles mesures de sécurité, volontaires pour la plupart, entreraient en vigueur au début de l'année 2014, les autorités réglementaires américaines affirment aujourd'hui être en train d'élaborer un ensemble de règles plus strictes pour encadrer le transport de pétrole par train[68].)

De la même façon, représentants de l'industrie et dirigeants politiques prônent une expansion importante du réseau d'oléoducs destinés au pétrole albertain en dépit de la rareté des recherches fiables, évaluées par les pairs, sur le *dilbit*, ou bitume dilué, qui serait plus susceptible d'endommager les conduites que le pétrole classique. Il y a là matière à s'inquiéter. En 2011, un rapport conjoint du NRDC, du Sierra Club et d'autres organismes émettait cette mise en garde : « De nombreux indices montrent que le dilbit est nettement plus corrosif pour les oléoducs que le brut classique. Le réseau d'oléoducs d'Alberta, par exemple, a subi environ 16 fois plus de déversements attribuables à la corrosion interne que celui des États-Unis. Pourtant, les normes de sécurité et d'intervention en cas de déversement qui encadrent le transport du bitume par oléoduc ont été conçues pour le pétrole classique[69]. »

De plus, les connaissances relatives au comportement du pétrole issu des sables bitumineux déversé dans l'eau sont nettement insuffisantes. Les rares études sur le sujet publiées ces dix dernières années ont été commandées par l'industrie. Cependant, une recherche menée récemment par le ministère canadien de l'Environnement a révélé plusieurs éléments troublants, dont le fait que le dilbit coule au fond de l'eau lorsqu'il est frappé par des « vagues déferlantes » et se mélange aux sédiments (au lieu de flotter à la surface de l'océan, ce qui permet d'en récupérer une partie), et que « l'efficacité d'un agent dispersant chimique » comme celui utilisé lors de la catastrophe de Deepwater Horizon s'avère « assez limitée pour la dispersion du dilbit ». Et pratiquement aucune recherche sérieuse n'a été menée sur les risques inhérents au transport du pétrole des sables bitumineux par camion ou par train[70].

Par ailleurs, les conséquences sur l'environnement et la santé humaine de l'exploitation des sables bitumineux elle-même, avec ses gigantesques mines à ciel ouvert, ses camions-bennes parfois hauts comme des immeubles de trois étages et ses unités de valorisation vrombissantes, sont très mal connues. Sur de vastes étendues de la région de Fort McMurray, épicentre du boom des sables bitumineux, la forêt boréale, autrefois parsemée de marécages verdoyants, n'est plus qu'une plaine sèche et sans vie. À intervalles réguliers de quelques minutes, l'air rance est transpercé par des coups de canon assourdissants destinés à dissuader les oiseaux migrateurs de se poser sur l'étrange surface argentée des immenses bassins à résidus*[71]. En Alberta, la guerre séculaire contre la nature n'a rien d'une métaphore : elle est très concrète, artillerie comprise.

Bien entendu, les sociétés pétrolières soutiennent qu'elles appliquent les meilleures méthodes de protection de l'environnement, que leurs vastes bassins à résidus sont sûrs, que l'eau est toujours potable (même si les travailleurs ne boivent que de l'eau en bouteilles), que les sols seront bientôt «remis en état» et rendus aux orignaux et aux ours noirs (s'il en reste). Et, malgré des années de plaintes de la part de nations autochtones comme les Chipewyans d'Athabasca, qui vivent en aval des mines le long de la rivière Athabasca, l'industrie et le gouvernement persistent à affirmer que tout contaminant organique détecté dans le cours d'eau est «d'origine naturelle» – après tout, la région regorge de pétrole.

Quiconque a déjà constaté *de visu* l'ampleur des opérations d'extraction des sables bitumineux ne sera pas rassuré par ce discours lénifiant. Après toutes ces années, pourtant, le gouvernement n'a toujours pas institué de mécanisme destiné à évaluer de façon exhaustive et indépendante les effets de l'extraction sur les bassins hydrographiques environnants (rappelons qu'il s'agit d'un projet industriel dont la valeur totale avoisine les 500 milliards de dollars). Après avoir annoncé à grand bruit la mise sur pied, en 2012, d'un nouveau programme fédéral-provincial de surveillance, le gouvernement du Canada a vite perdu le contrôle de la situation. «Non seulement les bassins à résidus ont des fuites, mais il semble qu'une grande quantité de résidus s'infiltre dans le sol et s'écoule dans la rivière Athabasca», déclarait en février 2014 Bill Donahue, spécialiste de l'environnement et membre du comité, en faisant état des résultats de ces études et d'autres travaux menés par des chercheurs indépendants. «Voilà ce qu'il en est [...] du discours qu'on nous sert: "ces bassins à résidus sont sûrs, ils ne fuient pas", etc.», a-t-il ajouté. Dans un autre contexte, des scientifiques du ministère canadien de l'Environnement ont corroboré

---

* En 2008, 1 600 canards sont morts après s'être posés sur ces eaux dangereuses pendant un orage ; deux ans plus tard, 500 de leurs congénères ont péri dans des circonstances similaires. (Chargé par le gouvernement albertain d'enquêter sur le second incident, un biologiste a expliqué que l'industrie ne pouvait être tenue responsable du fait que des canards soient forcés d'atterrir au cours d'un orage violent, avant d'indiquer, sans la moindre ironie apparente, que de tels orages seraient de plus en plus fréquents en raison du dérèglement climatique.)

les résultats d'une recherche indépendante sur la contamination généralisée de la neige autour des sites d'extraction des sables bitumineux, et le gouvernement Harper a tout fait pour les empêcher de s'adresser à la presse[72].

Et, à ce jour, aucune étude exhaustive n'a encore été menée sur les effets de cette pollution sur la santé humaine. Au contraire, certains experts qui ont osé en parler franchement se sont vu infliger de sévères représailles. Le cas le plus notoire est celui de John O'Connor, un dévoué médecin de famille à la barbe grise qui a conservé l'accent de son Irlande natale. En 2003, il commence à rapporter que ses patients de Fort Chipewyan présentent un taux alarmant de cancers, dont des tumeurs des voies biliaires particulièrement invasives et d'habitude très rares. Les autorités sanitaires fédérales s'empressent alors de le réprimander en déposant contre lui, par l'entremise du Collège des médecins et chirurgiens de l'Alberta, plusieurs accusations de mauvaise conduite (dont celle d'avoir fait montre d'un «alarmisme injustifié»). «À ma connaissance, jamais un médecin n'avait subi une telle épreuve», déclarera-t-il à propos des torts que ces allégations auront causés à sa réputation et des années qu'il aura passées à les combattre. Toutes les accusations finiront par être retirées, et une enquête ultérieure sur la prévalence des cancers confirmera plusieurs constats établis par O'Connor[73].

Toutefois, ses collègues avaient déjà compris le message: un rapport commandé peu de temps auparavant par la régie de l'énergie albertaine constatait chez eux «une réticence manifeste à se prononcer» sur les conséquences des sables bitumineux sur la santé, plusieurs médecins interrogés ayant mentionné la mésaventure d'O'Connor. («Les médecins craignent ouvertement de diagnostiquer des problèmes de santé associés aux activités de l'industrie du pétrole et du gaz», concluait le toxicologue chargé de la recherche.) Ajoutons à cela qu'il est devenu banal pour le gouvernement fédéral d'interdire aux climatologues et aux autres scientifiques d'aborder tout sujet sensible relatif à l'environnement avec des journalistes. («Je ne suis disponible que si les Relations avec les médias m'y autorisent», confie l'un d'eux à Postmedia[74].)

Ce n'est là qu'une des facettes de la «guerre contre la science» menée par le premier ministre Stephen Harper. La surveillance de l'environnement fait l'objet d'incessantes restrictions budgétaires, qui touchent autant les déversements de pétrole que la pollution industrielle ou les effets plus globaux du changement climatique. Depuis 2008, plus de 2 000 scientifiques ont perdu leur emploi en raison de ces coupes[75].

Il s'agit bien sûr d'une stratégie. Pour continuer d'affirmer sur un ton ridiculement optimiste que tout va pour le mieux dans les champs pétrolifères, l'industrie et le gouvernement n'ont d'autre choix que d'éviter systématiquement toute recherche fondamentale et de réduire au silence les experts chargés de se pencher sur les enjeux sanitaires et environnementaux*[76].

Un aveuglement volontaire du même ordre entoure l'essor fulgurant du gaz de schiste. Pendant des années, l'industrie américaine du gaz a réagi aux rapports faisant état de la contamination de puits d'eau en affirmant qu'il n'existe aucune preuve scientifique d'un lien quelconque entre la fracturation hydraulique et l'inflammabilité de l'eau du robinet des résidences situées à proximité de puits de gaz. Cette absence de preuve découle cependant d'une exemption sans précédent, obtenue par l'industrie sous la présidence de George W. Bush et connue sous le nom d'« échappatoire Halliburton ». En vertu de celle-ci, la plupart des activités de fracturation ne sont pas tenues de respecter les règles du Safe Drinking Water Act (loi sur la salubrité de l'eau potable). Les entreprises du secteur ont ainsi l'assurance de ne pas devoir divulguer quels produits chimiques elles injectent sous terre à l'EPA, dont les pouvoirs de surveillance sont aussi limités en ce qui concerne l'usage des plus risqués de ces produits[77]. Si personne n'est au courant de ce qu'on envoie dans le sol, comment établir un lien irréfutable entre la fracturation et une substance toxique qui sort d'un robinet?

Néanmoins, l'accumulation progressive de données permet de faire un constat sans appel. En effet, de plus en plus d'études indépendantes et révisées par les pairs démontrent que la fracturation représente un risque pour les sources d'eau potable, y compris les aquifères. En juillet 2013, par exemple, une équipe

---

* Leurs affirmations sont bel et bien ridicules. Selon une étude indépendante publiée en 2014 dans la revue *Proceedings of the National Academy of Sciences*, par exemple, les émissions de polluants potentiellement toxiques attribuables aux sables bitumineux « sont d'un ordre de grandeur de deux à trois fois plus élevé que ce que rapportent » les entreprises aux autorités réglementaires. Cet écart saute aux yeux dans les mesures réelles des taux de polluants à proximité des sites d'extraction des sables bitumineux. Pour un des auteurs de l'étude, le spécialiste de l'environnement à l'Université de Toronto Frank Wania, les estimations officielles sont « inadéquates et incomplètes ». Il rappelle ce fait d'évidence: « Seul un calcul rigoureux des émissions permet de rendre compte adéquatement des conséquences [d'une activité] sur l'environnement et des risques [que celle-ci fait peser] sur la santé humaine. »

dirigée par des chercheurs de l'université Duke a publié une analyse de dizaines de puits d'eau potable de la région des schistes de Marcellus, dans le nord-est de la Pennsylvanie. Les scientifiques y ont noté une étroite corrélation entre le degré de contamination d'un site au méthane, à l'éthane et au propane et la distance séparant celui-ci d'un puits de gaz de schiste. L'industrie a réagi en affirmant que le phénomène était attribuable aux fuites naturelles propres aux régions riches en gaz (un discours identique à celui de l'industrie des sables bitumineux sur les polluants détectés dans les cours d'eau de l'Alberta). Cependant, bien qu'ils aient détecté du méthane dans la plupart des puits d'eau qu'ils ont analysés, les chercheurs ont noté une concentration six fois plus élevée dans ceux qui se trouvaient dans un rayon d'un kilomètre d'un puits de gaz de schiste. Dans le cadre d'une étude non encore publiée, la même équipe a analysé des puits d'eau du Texas qu'on avait préalablement déclarés sûrs. Contrairement aux affirmations du gouvernement et de l'industrie, les taux de méthane qu'ils ont observés dans de nombreux puits dépassaient les seuils de sécurité établis par le United States Geological Survey (institut d'études géologiques des États-Unis[78]).

Les liens entre la fracturation et les petits tremblements de terre sont aussi de plus en plus évidents. En 2012, un chercheur de l'université du Texas a analysé l'activité sismique enregistrée de novembre 2009 à septembre 2011 dans une partie de l'immense région des schistes de Barnett, au Texas, qui s'étend sous Fort Worth et certains quartiers de Dallas, et y a trouvé les épicentres de 67 tremblements de terre de faible magnitude[79]. Les épicentres dont la localisation était la plus précise se trouvaient à trois kilomètres ou moins d'un puits d'injection. Une étude publiée en juillet 2013 dans la revue *Journal of Geophysical Research* associe l'injection à 109 petits tremblements de terre survenus sur une période d'un an près de Youngstown, dans l'Ohio, où l'on n'en avait jamais enregistré depuis le début de la surveillance de l'activité sismique au XVIIIe siècle. Le directeur d'une recherche semblable publiée dans la revue *Science* explique que «les fluides [employés dans les puits d'injection] amènent les failles à leur point de rupture[80]».

Tous ces exemples illustrent combien les méthodes non conventionnelles d'extraction sont perturbatrices. Les forages pétroliers et gaziers classiques, tout comme les mines de charbon souterraines, sont certes nuisibles, mais sont à l'industrie des combustibles fossiles ce que le scalpel est au chirurgien : ils permettent d'extraire les hydrocarbures à l'aide d'incisions relativement petites. L'extraction extrême, elle, dévaste toute une région. Quand, telle une masse, elle frappe la surface d'un territoire (comme c'est le cas des mines de charbon qui décapitent les montagnes ou des sites d'extraction des sables bitumineux à ciel ouvert), la violence du coup est visible à l'œil nu. Cependant, en ce qui concerne la fracturation, les forages en eaux profondes et l'extraction souterraine («*in situ*») des sables bitumineux, les coups de masse sont donnés loin sous la surface. De prime abord, ces méthodes peuvent ainsi sembler relativement bénignes, car leurs effets sont moins visibles. Chaque jour, pourtant, on constate l'effarante détérioration des écosystèmes, devant laquelle les experts doivent souvent admettre leur impuissance.

## À l'école de la catastrophe

Aux quatre coins du monde, dans les divers avant-postes de la Blocadie, le sigle BP est devenu une sorte d'adage qu'on pourrait expliciter ainsi: «Peu importe votre champ d'action, ne prenez jamais les propos d'une société d'extraction au pied de la lettre.» L'industrie peut bien se targuer d'utiliser des technologies de calibre mondial et d'appliquer des mesures de sécurité sophistiquées, mais ces initiales rappellent que la passivité et la confiance à l'endroit de tels discours peuvent faire en sorte que de l'eau inflammable coule de votre robinet, qu'une nappe de pétrole inonde votre cour ou qu'un train noir explose à quelques pas de chez vous.

De nombreux militants considèrent d'ailleurs l'explosion de la plate-forme de BP dans le golfe du Mexique en 2010 comme l'événement qui a provoqué leur éveil politique, ou comme l'instant où ils ont compris qu'ils devaient absolument gagner la bataille contre l'extractivisme. Les faits sont bien connus, mais méritent tout de même d'être rappelés. Lors de ce qui deviendra la pire marée noire de tous les temps, une plate-forme pétrolière explose, tuant 11 travailleurs et laissant le pétrole jaillir de la tête de puits Macondo, à 1 500 mètres de profondeur. Ce ne sont pas tant les plages touristiques de Floride couvertes de goudron ou les pélicans de Louisiane englués de pétrole qui frapperont le plus le public horrifié, mais plutôt l'absence criante de préparation du géant du pétrole à une explosion à de telles profondeurs (dont fait foi une série de tentatives de colmatage tout aussi vaines les unes que les autres), conjuguée à l'ignorance et à l'impuissance des autorités réglementaires et des équipes d'intervention. Non seulement l'État a-t-il fait confiance à BP quant à la prétendue sécurité de ses opérations dans le golfe, mais ses agences sont si mal équipées pour faire face à une catastrophe d'une telle ampleur, qu'elles autorisent la multinationale à prendre elle-même en charge le nettoyage. Le monde entier a les yeux braqués sur ces experts qui n'ont manifestement d'autre choix que d'improviser.

Les enquêtes et les poursuites judiciaires qui s'ensuivent révèlent qu'une volonté de contenir les coûts a joué un rôle important dans l'émergence des conditions ayant rendu l'accident possible. Alors que Washington tente de restaurer sa crédibilité perdue, une enquête du département de l'Intérieur établit par exemple que «les décisions prises par BP dans le but de gagner du temps et de réduire ses dépenses sans tenir compte des imprévus ni d'éventuelles mesures d'atténuation font partie des causes de l'explosion de Macondo». Le rapport d'une commission présidentielle spéciale sur le déversement en arrive à une conclusion similaire : «Délibérément ou non, une grande partie des décisions de BP et de [ses sous-traitants] Halliburton et Transocean qui ont multiplié les risques d'explosion du puits Macondo ont de toute évidence permis à ces sociétés de gagner beaucoup de temps (et d'argent).» Jackie Savitz, océanographe et vice-président de l'association conservationniste Oceania, est plus direct : BP «a fait passer les profits avant les précautions. Ses dirigeants ont laissé les dollars alimenter la culture du risque, qui a eu des conséquences inacceptables[81]». L'impression que le problème se limite à BP se dissipe rapidement lorsque, dix jours à peine après le colmatage définitif de la fuite de pétrole du golfe du Mexique, un oléoduc appartenant à la société Enbridge explose au Michigan, causant le plus important déversement pétrolier terrestre de l'histoire des États-Unis. La conduite s'étant rompue dans un tributaire de la rivière Kalamazoo, près de 4 millions de litres de pétrole contaminent rapidement plus de 55 kilomètres de cours d'eau et de zones humides, engluant cygnes, rats musqués et tortues. Les maisons sont évacuées, des habitants de la région tombent malades, et des observateurs rapportent «une inquiétante brume brune émanant de la rivière couleur chocolat qui tombe en cascade» en franchissant un barrage[82].

À l'instar de BP, Enbridge semble accorder une plus grande importance au profit qu'aux règles élémentaires de sécurité. Il s'avère par exemple que, dès 2005, l'entreprise savait qu'un segment de cet oléoduc qui parcourt le sud du Michigan était corrodé, et que, en 2009, elle y avait décelé 329 autres défectuosités assez graves pour nécessiter des réparations immédiates en vertu de la réglementation fédérale. Cette société, qui pèse 40 milliards de dollars, a demandé (et obtenu) un délai supplémentaire, et a présenté une seconde requête dix jours à peine avant la rupture de la conduite, au moment même où l'un de ses vice-présidents déclarait au Congrès qu'elle était en mesure de réagir «presque instantanément» à une fuite. En fait, ses équipes mettront dix-sept heures pour fermer la vanne de l'oléoduc endommagé. Trois ans après la catastrophe, environ 700 000 litres de pétrole tapissent toujours le fond de la rivière Kalamazoo[83].

Comme la catastrophe du golfe du Mexique, où BP effectuait des forages à des profondeurs que l'on considérait encore comme inaccessibles quelques années auparavant, le déversement de la Kalamazoo est un dommage collatéral de la nouvelle vague extractiviste. Il a fallu un certain temps avant qu'on puisse en avoir la confirmation, toutefois. Pendant plus d'une semaine, Enbridge n'a pas rendu public le fait – très pertinent – que la substance qui s'écoulait de son oléoduc n'était pas du brut classique, mais plutôt du dilbit pompé des sables bitumineux de l'Alberta. Dans les jours qui ont suivi l'accident, Patrick Daniel, alors PDG d'Enbridge, a nié catégoriquement que le pétrole provenait des sables bitumineux. Peu de temps après, il a dû se rétracter. «J'ai indiqué qu'il ne s'agissait pas de ce que nous avons l'habitude de désigner sous le nom de pétrole des sables bitumineux», a-t-il affirmé à propos d'un dilbit dont l'origine était assurément le nord de l'Alberta. «S'il provient de la même formation géologique, alors je m'incline devant cette opinion d'expert[84].»

À l'automne 2010, alors que plusieurs catastrophes de ce genre continuaient à dévaster l'environnement, Marty Cobenais, de l'Indigenous Environmental Network, soulignait que les nombreux déversements survenus pendant l'été avaient été durement ressentis par les populations établies le long des tracés des nouveaux projets d'infrastructures, qu'il s'agisse de transport de véhicules gros porteurs, d'oléoducs ou de pétroliers : «L'industrie prétend toujours que la probabilité que son pétrole souille les berges est de 0 %, mais, avec BP, c'est pourtant ce qui est arrivé. Ses projections se révèlent toujours fausses. Elle vante toujours ses opérations "sans défaillance", mais, avec Kalamazoo, elle n'a pas su arrêter la fuite avant plusieurs heures[85].»

Autrement dit, beaucoup de gens ne se fient plus à ce que leur racontent les experts de l'industrie ; ils croient ce qu'ils voient. Et, ces dernières années, les choses à voir n'ont pas manqué. Aux images inoubliables de cette étrange caméra sous-marine montrant le pétrole de BP jaillissant pendant trois longs mois dans le golfe du Mexique ont succédé celles des robinets de la région des schistes de Marcellus dont l'eau mêlée de méthane s'enflamme, puis celles de ces habitants endeuillés de Lac-Mégantic fouillant les décombres à la recherche d'un signe de vie des êtres chers qu'ils ont perdus dans l'horrible explosion d'un train pétrolier, ou de ces 300 000 citoyens de Virginie-Occidentale qui se sont vu interdire de boire leur eau courante ou de s'y baigner pendant dix jours en raison d'une contamination par des produits chimiques utilisés dans les mines de charbon. Ajoutons à cette triste énumération le spectacle donné par Shell en 2012 lors d'essais préliminaires à de nouveaux projets dans un domaine parmi les plus risqués : le forage dans l'Arctique. Parmi les temps forts, mentionnons cette immense plate-forme de forage qui, ayant échappé à son remorqueur, part à la dérive le long de la côte de l'île alaskaine de Sitkalidak, ce navire de forage qui se détache de son ancrage près des îles Aléoutiennes, ou cette enceinte de confinement de déversements de pétrole « écrasée comme une canette de bière » dans le bras de mer bordant Seattle[86].

Le nombre de déversements et d'accidents semble plus élevé que jamais, mais les chiffres ne font que refléter la réalité. Selon une enquête menée sur plusieurs mois par l'équipe du fil de presse EnergyWire, plus de 6 000 déversements et « autres incidents » sont survenus dans des installations pétrolières et gazières terrestres des États-Unis en 2012. « Cela représente une moyenne de plus de 16 déversements par jour et révèle une importante augmentation depuis 2010. Dans les 12 États où des données comparables sont disponibles, les déversements ont connu une hausse de 17 %. » D'autres données indiquent par ailleurs que les entreprises sont de moins en moins promptes à nettoyer leurs dégâts : dans le cadre d'une enquête sur les fuites de liquides dangereux (surtout des produits pétroliers) transportés par pipeline, le *New York Times* a constaté que, en 2005 et en 2006, les opérateurs disaient « récupérer plus de 60 % des liquides déversés » et que, de 2007 à 2010, ils en « ont récupéré moins du tiers[87] ».

Ce ne sont pas seulement les défaillances techniques qui alimentent la méfiance généralisée à l'endroit de l'industrie. Comme on l'a vu avec BP et Enbridge, c'est aussi le flux incessant de révélations montrant à quel point les dés sont pipés par l'appât du gain, lui-même stimulé par le laxisme de la réglementation et de la surveillance. Par exemple, si Shell a bravé une tempête pour remorquer la plate-forme de forage qui a fini par partir à la dérive, c'était dans le but de quitter l'Alaska à temps pour éviter de payer des taxes supplémentaires à l'État[88].

Un an avant la catastrophe de Lac-Mégantic, dont elle est à l'origine, la société ferroviaire Montreal, Maine & Atlantic (MMA) avait obtenu de l'État l'autorisation de réduire le nombre d'employés sur ses trains à un seul mécanicien. Jusqu'aux années 1980, les trains du genre de celui qui a déraillé comptaient généralement cinq employés, tous chargés de veiller à la sécurité du convoi. La règle actuelle n'impose plus que deux mécaniciens, mais, pour MMA, c'était encore trop. Selon Claude Martel, président de l'Institut de recherche sur l'histoire des chemins de fer au Québec, « cette entreprise [était] réputée pour couper les cennes en deux[89] ». Facteur aggravant : selon une enquête menée sur quatre mois par le *Globe and Mail*, « il est fréquent que les sociétés n'évaluent pas l'explosibilité de leurs cargaisons de pétrole avant de laisser partir leurs trains ». Ainsi, il n'est guère surprenant que trois autres convois pétroliers aient pris feu dans l'année qui a suivi la catastrophe de Lac-Mégantic, dont un à Casselton (Dakota du Nord), un en périphérie d'un village du Nouveau-Brunswick et enfin un au centre-ville de Lynchburg (Virginie[90]).

Dans un monde sain, cette série de catastrophes, venue se greffer à la crise plus générale du climat, aurait inspiré d'importantes réformes politiques. On aurait imposé des plafonds et des moratoires, entrepris de renoncer aux sources d'énergie extrêmes. Si rien de tel n'a été fait, si des permis et des baux miniers ont continué à être accordés pour des projets d'extraction encore plus hasardeux, c'est, au moins partiellement, en raison de la bonne vieille corruption, tant légale qu'illégale.

Une affaire particulièrement scabreuse a été mise au jour un an et demi avant la catastrophe du golfe du Mexique. Selon un rapport interne du gouvernement, l'instance qui s'appelait alors le Minerals Management Service (le service du département américain de l'Intérieur chargé de percevoir les redevances auprès des sociétés gazières et pétrolières) baignait dans « une culture du manquement éthique ». En plus d'accepter systématiquement des cadeaux d'employés de l'industrie pétrolière, de nombreux fonctionnaires « buvaient régulièrement de l'alcool au travail, y avaient consommé de la marijuana et de la cocaïne, et avaient des relations sexuelles avec des représentants de sociétés gazières et pétrolières », affirme un rapport de l'inspecteur général du département. Aux yeux d'un public qui soupçonnait depuis longtemps les fonctionnaires de fricoter avec le lobby du gaz et du pétrole, il s'agissait là d'une preuve on ne peut plus explicite[91].

Dans ce contexte, comment s'étonner que, selon un sondage Harris effectué en 2013, seuls 4 % des Américains sont d'avis que les sociétés pétrolières sont «sincères et dignes de confiance»? (Seule l'industrie du tabac obtient un score inférieur.) Un résultat confirmé par un autre sondage, Gallup celui-là, témoignant de l'opinion des Américains sur 25 industries, dont les banques et l'appareil d'État : aucune d'entre elles n'est plus détestée que celles du pétrole et du gaz. Lors d'un sondage mené en 2012, on a demandé à des Canadiens de classer 11 groupes en fonction de leur crédibilité en matière d'«enjeux énergétiques». Les sociétés pétrolières et gazières et les cadres du secteur de l'énergie ont été relégués au bas de la liste, loin derrière les universitaires (qui occupent le premier rang), les groupes environnementalistes et les associations de citoyens (qui se sont tous bien classés). La même année, on a interrogé les participants à un sondage réalisé dans l'ensemble de l'Union européenne sur leur perception «des efforts déployés par les entreprises dans différents domaines pour agir de manière responsable vis-à-vis de la société». De pair avec les secteurs de la finance et des banques, les sociétés minières, gazières et pétrolières ont obtenu les derniers rangs[92].

Cette dure réalité représente tout un défi pour les as de la communication grassement payés du secteur de l'extraction, passés maîtres dans l'art d'étouffer dans l'œuf à peu près n'importe quelle controverse à coups de publicités léchées où l'on voit des blondinets courir à travers champ et des comédiens multi-ethniques en blouse blanche nous faire part de leur souci pour l'environnement. Car cette stratégie ne fonctionne plus. Manifestement, peu importe les millions dépensés en campagnes vantant la modernité des sables bitumineux ou la propreté du gaz naturel, beaucoup de gens ne se laissent plus convaincre. Les plus réfractaires sont ceux dont l'opinion compte le plus, à savoir les habitants des territoires auxquels les sociétés d'extraction doivent avoir accès pour continuer à réaliser des profits astronomiques.

## Le retour du principe de précaution

Pendant des décennies, le mouvement environnementaliste a parlé le jargon de l'évaluation des risques, s'appliquant à collaborer avec ses partenaires des milieux d'affaires et du gouvernement pour faire la part des choses entre la lutte contre une pollution menaçante et l'impératif du profit et de la croissance économique. Les postulats relatifs aux niveaux de risque acceptables étaient si bien ancrés dans les mentalités qu'on en a fait le fondement des débats officiels sur la crise du climat. On cherchait froidement le juste équilibre entre les mesures à prendre pour sauver l'humanité du risque très concret de chaos climatique et le risque que ces mesures feraient peser sur le PIB, comme si la croissance économique avait encore un sens sur une planète convulsée par des catastrophes à répétition.

Mais les militants anti-extractivistes ont abandonné l'évaluation des risques sur le bord de la route où ils ont dressé des barricades, préférant redonner vie au principe de précaution : si l'on considère qu'une activité présente un risque important pour la santé humaine et l'environnement, il n'est pas nécessaire d'en avoir la certitude scientifique absolue pour agir ; de plus, ce ne sont pas les populations menacées qui doivent porter le fardeau de la preuve.

Le mouvement anti-extractiviste inverse les rôles en affirmant que c'est à l'industrie de faire la preuve de la sécurité de ses méthodes. Et, en cette ère d'extraction débridée, cette tâche est tout bonnement impossible. « A-t-on déjà imprégné un écosystème de contaminants sans que des êtres humains en subissent des conséquences terribles et inattendues ? » demande la biologiste Sandra Steingraber[93].

En résumé, l'industrie des combustibles fossiles n'a plus comme interlocutrices ces grandes organisations environnementalistes qu'elle peut faire taire à coups de dons généreux ou de programmes de compensation carbone permettant d'avoir la conscience tranquille. La plupart des collectivités auxquelles elle fait face ne cherchent pas à négocier de meilleurs arrangements, que ce soit sous la forme d'emplois locaux, de redevances plus élevées ou de meilleures normes de sécurité. De plus en plus souvent, elles disent tout simplement « non ». Non à l'oléoduc. Non aux forages dans l'Arctique. Non aux trains de charbon ou de pétrole. Non aux véhicules gros porteurs. Non au terminal d'exportation. Leur refus va plus loin qu'un simple « pas de ça chez moi » : comme les militants français opposés à la fracturation, elles disent « ni ici ni ailleurs ». Bref, elles refusent l'élargissement des frontières des hydrocarbures.

D'ailleurs, la bonne vieille formule « pas de ça chez moi » a perdu de son mordant. Pour Wendell Berry, qui reprend les mots d'E.M. Forster, la conservation « est une question de tendresse » : si chacun aimait assez son milieu de vie pour le défendre, il n'y aurait ni crise écologique ni zone sacrifiée[94]. Nous n'aurions d'autre choix que d'adopter des méthodes non nocives pour répondre à nos besoins.

Et cette détermination morale fait l'effet d'un véritable traumatisme au sein d'une industrie des combustibles fossiles engourdie par des décennies de partenariats amicaux avec les verts. Les nouveaux guerriers du climat se sont dotés de principes non négociables, et leur ténacité a permis l'émergence d'un véritable mouvement de résistance aux principales sociétés responsables de la crise actuelle. Comme nous le verrons dans le chapitre qui suit, elle a aussi rendu possibles certaines des victoires les plus décisives qu'a remportées le mouvement vert depuis des décennies.

# Chapitre 10

# C'est l'amour qui sauvera la planète

## Démocratie, désinvestissement et victoires concrètes

*Selon moi, plus nous prêterons attention aux merveilles et aux phénomènes de l'univers qui nous entoure, moins nous aurons le goût de le détruire.*

Rachel CARSON, 1954[1]

*À quoi bon une montagne qui n'est rien d'autre qu'une montagne?*

Jason BOSTIC, vice-président de l'Association des producteurs de charbon de Virginie-Occidentale, 2011[2]

AVRIL 2012. Par une journée grise et bruineuse, un avion turbo-propulseur de 27 places se pose sur le petit aéroport de Bella Bella, en Colombie-Britannique, qui se résume à une seule et unique piste d'atterrissage débouchant sur un bâtiment rudimentaire. Au nombre des passagers qui descendent de cet appareil bleu et blanc de la Pacific Coastal Airlines se trouvent trois membres d'une commission d'examen mise sur pied par le gouvernement canadien. Ces gens ont fait le voyage de 650 kilomètres de Vancouver jusqu'à cette île lointaine, entaillée de fjords profonds et couverte de luxuriantes forêts de conifères s'étalant jusqu'au rivage, dans le but de tenir des auditions publiques au sujet de l'infrastructure de transport de combustibles fossiles la plus controversée d'Amérique du Nord: le projet d'oléoduc Northern Gateway de la société pétrolière Enbridge.

Bella Bella n'est pas directement située sur le parcours de l'oléoduc (qui passerait à quelque 530 kilomètres plus au nord). Cependant, les eaux de l'océan Pacifique qui se déploient à ses pieds se trouvent, elles, sur la traître route des pétroliers que l'oléoduc approvisionnerait en dilbit issu des sables bitumineux. Chaque chargement dépasserait largement (parfois de 75 %) celui de l'*Exxon Valdez*, qui, en 1989, a déversé sa cargaison dans la baie du Prince-William, en Alaska, dévastant la vie marine et les pêcheries dans l'ensemble de la région[3]. Or, un déversement dans ces eaux s'avérerait encore plus destructeur en raison de l'éloignement, qui compliquerait l'accès au site, en particulier durant les tempêtes hivernales.

Les membres de cette commission (composée d'une femme et de deux hommes, assistés de quelques employés) tiennent depuis plusieurs mois des auditions afin d'évaluer les effets de l'oléoduc en question. Ils devront ensuite présenter leurs recommandations au gouvernement fédéral quant à la poursuite du projet. Bella Bella, dont la population est composée à environ 90 % de membres de la nation autochtone heiltsuk, est fin prête à les recevoir.

Une rangée de chefs héréditaires heiltsuks attendent sur le tarmac, vêtus de leur costume de cérémonie : robes brodées de motifs d'aigles, de saumons, d'orques et d'autres créatures de la mer et du ciel ; coiffes ornées de masques d'animaux et de longues traînes de fourrure d'hermine blanche, couvre-chefs en écorce de cèdre tressé. Ils exécutent une danse de bienvenue pour accueillir les visiteurs au son des perles, coquillages et autres petits objets accrochés à leurs robes et à leurs poignets. Ils sont accompagnés d'une rangée de percussionnistes et de chanteurs. De l'autre côté de la clôture grillagée se tiennent de nombreux manifestants brandissant des pagaies et des pancartes anti-oléoduc.

À une distance respectueuse derrière les chefs se tient Jess Housty, une menue jeune femme de 25 ans qui a contribué à préparer la collectivité à cette rencontre avec la commission (et qui est sur le point d'être élue au conseil tribal heiltsuk, dont elle deviendra la plus jeune membre). Pour cette poète accomplie ayant mis sur pied la première et unique bibliothèque de Bella Bella avant même d'avoir atteint l'âge adulte, l'arrivée de la commission est « l'aboutissement d'un énorme travail accompli par l'ensemble de la collectivité[4] ».

Ce sont des jeunes de Bella Bella qui ont pris les choses en main. Ayant transformé l'école du village en centre d'opération, ils ont préparé ces auditions pendant plusieurs mois. Ils ont retracé l'historique des oléoducs et des déversements de pétrole, dont la catastrophe survenue en 2010 dans la rivière Kalamazoo, notant qu'Enbridge, la firme responsable, est celle-là même qui tente de faire accepter le projet d'oléoduc Northern Gateway. Ils se sont également intéressés au déversement de l'*Exxon Valdez*, survenu dans un environnement nordique similaire au leur. Issus d'une communauté fondée sur les ressources de la mer – dont la pêche –, ils se sont alarmés de la détérioration, à la suite du déversement, de la santé du saumon dans la baie du Prince-William, en Alaska, et de l'effondrement des stocks de hareng (qui, plus de deux décennies plus tard, n'ont toujours pas retrouvé leurs niveaux d'autrefois). Ces jeunes ont réfléchi aux effets potentiels d'un tel déversement sur leur milieu. Si le saumon rouge était touché, il y aurait un risque d'effet domino, car c'est de ce poisson que se nourrissent les épaulards et les dauphins à flancs blancs, dont les nageoires dorsales émergent régulièrement des flots dans les baies avoisinantes, de même que les phoques et les lions de mer, qui prennent des bains de soleil sur les affleurements rocheux. Et lorsque les saumons remontent ruisseaux et rivières pour frayer, ils font le bonheur des aigles, ours noirs, grizzlis et loups, dont les excréments fournissent en nutriments les lichens qui bordent les cours d'eaux, de même que les cèdres géants et les sapins de Douglas qui surplombent la forêt tempérée humide. C'est le saumon qui relie les ruisseaux aux rivières, les rivières à la mer et la mer aux forêts. Le mettre en péril revient à mettre en danger tout l'écosystème qui en dépend, y compris la population heiltsuk, dont la culture ancestrale et le mode de vie moderne sont intriqués dans cet écheveau complexe.

Les élèves de Bella Bella ont rédigé des textes sur ces thèmes ; ils ont préparé des témoignages et des pancartes pour accueillir les membres de la commission. Certains ont fait une grève de la faim pendant 48 heures pour attirer l'attention sur les conséquences dramatiques qu'aurait la perte éventuelle de cette source alimentaire essentielle à leur mode de vie. Les enseignants ont souligné que jamais un enjeu ne les avait interpellés à ce point, observant même chez les jeunes une diminution des problèmes de dépression et de toxicomanie. C'est un constat très positif dans un milieu ayant connu récemment une vague de suicides chez les jeunes, legs de politiques coloniales funestes ayant arraché nombre d'enfants (aujourd'hui arrière-grands-parents, grands-parents ou parents d'adolescents et de jeunes adultes) à leur famille pour les placer dans des pensionnats religieux où les mauvais traitements étaient monnaie courante.

« Debout [sur le tarmac] derrière les chefs, j'ai pensé à la façon dont cette question avait uni et renforcé notre collectivité. Dès que nous avons entendu parler de ce projet d'oléoduc, un puissant mouvement s'est formé, se souvient Housty. En tant que groupe, nous étions prêts à prendre la défense, dans la dignité et avec intégrité, des terres et des eaux qui ont nourri nos ancêtres, qui nous nourrissent aujourd'hui et qui, croyons-nous, doivent pouvoir nourrir les générations à venir», explique la jeune femme.

Une fois la danse terminée, les membres de la commission prennent place dans une fourgonnette blanche qui les conduira au village, à quelques minutes de route. Le long du parcours se tiennent des centaines de résidants, dont un grand nombre d'enfants, munis de leurs pancartes écrites à la main: «Le pétrole, c'est la mort», «Nous avons le droit de dire non», «Gardez notre océan bleu», «Notre mode de vie ne s'achète pas», «Le pétrole ne se boit pas». Certains brandissent des dessins d'orques, de saumons et même de varech. Sur bon nombre de pancartes, un simple message: «Pétroliers, non merci.» Voyant que les passagers de la fourgonnette ne semblent pas prendre la peine de regarder ce qui se déroule à l'extérieur, un homme donne un petit coup sur le véhicule à son passage et hisse sa pancarte devant les vitres pour qu'ils la voient.

Selon certaines estimations, un tiers des 1 095 habitants de Bella Bella sont descendus dans la rue ce jour-là pour participer à l'une des plus importantes manifestations de l'histoire de cette communauté[5]. D'autres y ont pris part autrement, en récoltant et en préparant le repas servi pendant la soirée en l'honneur des membres de la commission. Tout en s'inscrivant dans la tradition d'hospitalité des Heiltsuks, ce repas permettait également de présenter aux visiteurs les aliments qui seraient menacés par un déversement. Saumon, hareng, flétan, eulakane, crabe et crevettes étaient au menu.

Des événements semblables se sont déroulés partout où la commission s'est rendue en Colombie-Britannique, citadins et villageois se présentent en grand nombre pour exprimer unanimement (ou presque) leur opposition au projet. Les premières nations s'y trouvaient habituellement aux avant-postes, preuve s'il en est que cette province abrite sans doute le plus puissant mouvement de revendication des droits territoriaux des peuples autochtones en Amérique du Nord. Notons qu'environ 80 % du territoire de la Colombie-Britannique n'a pas été cédé au terme d'une guerre ou par traité[6].

Néanmoins, l'accueil enthousiaste des habitants de Bella Bella semble créer un malaise chez les membres de la commission, car ceux-ci déclinent l'invitation au banquet ce soir-là. La conseillère principale Marilyn Slett a donc la tâche ingrate de prendre le microphone pour lire une lettre qu'elle vient de recevoir de la part de la commission: les auditions publiques que la population prépare depuis plusieurs mois sont annulées. Il semble que la manifestation tenue le long du parcours de l'aéroport à la ville ait inquiété les visiteurs. «La commission ne peut s'exposer à une situation dans laquelle elle risquerait d'avoir à composer avec des participants non pacifiques», précise le message. On apprendra plus tard que le bruit causé par l'homme qui a frappé le côté de la fourgonnette a été perçu comme un coup de feu. (Les autorités policières présentes dans la foule affirmeront que la manifestation était pacifique et qu'il n'y a eu aucune atteinte à la sécurité[7].)

Aux dires de Housty, la nouvelle de l'annulation a fait l'effet d'une agression physique. «Nous avions tout fait conformément aux enseignements qui nous ont été transmis; une gifle n'aurait pas été pire insulte.» Les auditions finiront par avoir lieu, mais elles seront réduites d'une journée et demie, ce qui anéantira chez bon nombre de résidants l'espoir d'être entendus personnellement*[8].

Ce n'est pas seulement le fait d'avoir été injustement accusés de violence qui a indigné les gens de Bella Bella, mais aussi d'avoir vu leurs intentions mal interprétées. De toute évidence, les membres de la commission, dans leur véhicule, n'ont vu qu'une bande d'Indiens en colère prêts à décharger leur haine sur quiconque était associé à l'oléoduc. Pourtant, les manifestants qui se tenaient le long de la route avec leurs pagaies et leurs images de poissons ne cherchaient pas d'emblée à exprimer de la colère et de l'hostilité, mais leur amour profond pour leur magnifique région du monde.

Comme l'expliqueront les jeunes qui auront finalement l'occasion de prendre la parole, leur santé et leur identité sont inextricablement liées à la possibilité de suivre les traces de leurs ancêtres – c'est-à-dire de pêcher et de pagayer dans les mêmes eaux, de récolter le varech sur le rivage des mêmes îles côtières, de chasser dans les mêmes forêts et de cueillir des plantes médicinales dans les mêmes prés. Le projet de Northern Gateway représente à leurs yeux une menace (non seulement pour la pêche locale, mais aussi pour tout ce travail de transmission entre les générations), une nouvelle vague de violence coloniale à endiguer.

Le témoignage que livrera Jess Housty devant la commission d'examen (après une journée entière de voyage pour se rendre à Terrace, en Colombie-Britannique) est sans équivoque:

Quand mes enfants naîtront, je veux leur offrir un monde propice à l'espoir et à la transformation. Un monde où les récits veulent encore dire quelque chose. Je veux qu'ils puissent devenir de véritables Heiltsuks, dans tous les sens du terme. Qu'ils puissent perpétuer nos

---

* Plusieurs mois plus tard, lorsque la commission organisera une audition de rattrapage, celle-ci se tiendra ailleurs dans la province, dans une collectivité à majorité blanche.

coutumes et capter l'essence de l'identité qui fait notre force depuis des centaines de générations. Or, cela n'est possible que si nous préservons l'intégrité de notre territoire, de nos terres, de nos plans d'eau, ainsi que les pratiques qui nous lient à notre environnement. Au nom des jeunes de ma communauté, et sauf votre respect, je ne crois pas qu'il puisse exister une quelconque compensation pour la perte de notre identité et de notre droit d'être heiltsuk[9].

Les grandes sociétés privées qui exploitent inconsidérément les ressources naturelles (tout comme les dirigeants politiques qui leur ouvrent la voie) sous-estiment immanquablement le pouvoir de cet amour intense, précisément parce qu'il ne s'achète pas. Quand on se bat pour son identité, pour sa culture, pour la préservation d'un lieu chéri qu'on veut léguer à ses petits-enfants (et que ses ancêtres ont parfois défendu au prix d'immenses efforts), aucune offre de la part d'une grande entreprise, aucun gage de sécurité, aucun pot-de-vin ne peut servir d'argument de négociation. Si ce rapport au territoire est particulièrement puissant au sein des collectivités autochtones, où il remonte à des milliers d'années, il incarne plus généralement l'essence même du mouvement anti-extractiviste.

Je l'ai vu resplendir en Chalcidique (Grèce), dans la lutte menée contre le projet de mine d'or d'Eldorado. Une jeune mère du nom de Melachrini Liakou, aux premières lignes du mouvement d'opposition, m'a expliqué avec assurance la différence entre la façon dont elle perçoit son lopin de terre en tant qu'agricultrice de quatrième génération et la perspective de la société minière : «Je fais partie de la terre. Je la respecte, je l'aime. Je ne la traite pas comme un bien de consommation jetable. Car je veux y vivre maintenant, l'année prochaine, et la léguer aux générations futures. À l'inverse, la société Eldorado, comme toutes les autres sociétés minières, ne cherche qu'à piller le sol, à s'en approprier les richesses[10].» Une fois son boulot accompli, elle repart en laissant derrière elle «une énorme bombe chimique qui menace les humains et la nature».

De tels propos ne sont pas sans rappeler ceux d'Alexis Bonogofsky (qui m'a parlé de la «lourde erreur» commise par les sociétés pétrolières qui ont tenté de faire passer leurs véhicules gros porteurs par la route 12) quant au combat visant à protéger le sud-est du Montana des assauts de sociétés minières comme Arch Coal. Pour cette éleveuse et environnementaliste de 33 ans qui pratique le yoga sur son temps libre, c'est moins l'agriculture que la chasse au cerf qui est en cause : «Cela peut sembler ridicule, mais il y a un endroit où je peux m'asseoir sur un rocher de grès et sentir qu'un troupeau de cerfs va passer, comme ils le font depuis des milliers d'années. J'ai l'impression de vibrer avec eux, et parfois même de sentir la terre respirer. [...] Arch Coal ne peut comprendre une telle symbiose avec ce lieu, l'amour que les gens lui portent. Elle minimise l'importance de cette dimension. Pourtant, c'est ce qui va finir par sauver l'endroit. Non pas l'hostilité ou la colère envers l'industrie du charbon, mais l'amour [11].»

Cet enracinement explique aussi pourquoi les conflits relatifs à l'extraction des combustibles fossiles sont si polarisés. Ce domaine a pour particularité son absence totale de racines – tant par nécessité que par choix. Ses employés (opérateurs de machines lourdes, installateurs d'oléoducs, mineurs, ingénieurs, etc.) sont dans l'ensemble très mobiles, se déplaçant d'un chantier à l'autre et vivant souvent dans des camps rappelant les bases militaires, où tous leurs besoins sont comblés – de la salle de sport au cinéma, avec souvent une économie souterraine de la prostitution.

Même dans des endroits comme Gillette, au Wyoming, ou Fort McMurray, en Alberta, où des travailleurs passent parfois des décennies, y élevant même leurs enfants, la culture conserve un aspect transitoire. Presque invariablement, les ouvriers ont l'intention de quitter ces mornes territoires dès qu'ils auront amassé assez d'argent pour rembourser leurs prêts étudiants, acheter une maison ou, chez les plus grands rêveurs, prendre leur retraite. Avec la quasi-disparition des postes de cols bleus bien rémunérés, ces emplois dans l'industrie de l'extraction représentent souvent la seule possibilité de sortir de l'endettement et de la pauvreté. Fait révélateur, les ouvriers du secteur des sables bitumineux parlent souvent du temps qu'ils passent dans le nord de l'Alberta comme d'une peine de prison (lucrative!) plutôt que d'un emploi : il y a le «plan triennal» (économiser 200 000 dollars, puis passer à autre chose); le «plan quinquennal» (qui permet de mettre de côté un demi-million) et le «plan décennal» (grâce auquel on peut amasser un million de dollars et prendre sa retraite à 35 ans). Peu importe ses modalités (ou son irréalisme, étant donné qu'on passe souvent une bonne partie de la paie à faire la fête), le programme est à peu près toujours le même : fais ton temps à Fort Mac (ou Fort McMoney, comme on l'appelle souvent), puis fous le camp et commence ta vraie vie. Lors d'un sondage, 98 % des sondés travaillant dans l'industrie des sables bitumineux ont exprimé leur intention de prendre leur retraite ailleurs[12].

Ce choix de vie a souvent de tristes répercussions : derrière la bravade des fêtards se cachent des taux de divorce vertigineux (dus à des séparations prolongées et à des conditions de travail stressantes), une augmentation fulgurante des problèmes de dépendance et le désir d'être ailleurs. Cette distanciation fait d'ailleurs partie des facteurs qui amènent des gens intègres à contribuer à la dévastation de l'environnement. Un ouvrier d'un gisement de charbon de Gillette, au Wyoming, m'a confié par exemple que, pour arriver à faire son boulot, il s'était exercé à considérer le bassin de la rivière Powder comme « une autre planète[13] » (le paysage lunaire laissé par la mine à ciel ouvert facilitant sans doute la chose).

Ce sont là des stratégies de survie tout à fait compréhensibles. Mais quand la culture du transitoire propre à l'industrie de l'extraction se heurte à un groupe de personnes profondément enracinées, attachées à leur milieu de vie et déterminées à le protéger, l'effet ne peut être qu'explosif.

## D'amour et d'eau fraîche

Lorsque de telles collisions se produisent, il arrive souvent que, comme à Bella Bella, la menace extérieure qui pèse sur une collectivité l'amène à s'attacher encore plus à ce qu'elle possède – et craint de perdre. Cette réaction est d'autant plus étonnante que beaucoup de gens qui engagent de féroces combats contre le modèle extractiviste sont pauvres (du moins selon les critères habituels) ; leur condition ne les empêche pas de se lever pour défendre des richesses dont l'économie est incapable de tenir compte. « Nos cuisines débordent de confitures, de conserves, de sacs de noix, de caisses de miel et de fromage, tous produits localement », explique à un journaliste Doina Dediu, une villageoise roumaine. « Nous ne sommes pas si pauvres. Nous n'avons peut-être pas d'argent, mais nous avons de l'eau de qualité, nous sommes en bonne santé et nous souhaitons simplement qu'on nous laisse tranquilles[14]. »

Cet antagonisme prend souvent la forme d'une alternative sans compromis : eau ou gaz, eau ou pétrole, eau ou charbon. En fait, ce qui a émergé du mouvement anti-extractiviste est moins un mouvement contre les énergies fossiles qu'un mouvement pour la préservation de l'eau.

Cette dimension m'a sauté aux yeux pour la première fois en décembre 2011, lors de la cérémonie de signature de la Déclaration pour sauver le Fraser, un manifeste historique des premières nations visant à bloquer l'accès au territoire de la Colombie-Britannique à l'oléoduc Northern Gateway ainsi qu'à toute autre infrastructure liée à l'exploitation des sables bitumineux. Plus de

130 représentants des premières nations y ont apposé leur signature, ainsi que plusieurs sympathisants non autochtones. La cérémonie s'est déroulée à la bibliothèque centrale de Vancouver, en présence de nombreux chefs autochtones venus contresigner le document. Au nombre de ceux qui se sont adressés à la horde de journalistes qui couvraient l'événement se trouvait Marilyn Baptiste, alors dirigeante élue de la première nation Xeni Gwet'in, qui fait partie du peuple des Chilcotins. Pour se présenter et situer à la fois son peuple et les enjeux de la lutte, elle a évoqué une succession de cours d'eau: «Nous vivons à la source de la rivière Chilko, l'une des voies migratoires du saumon les plus importantes; cette voie comprend aussi la Taseko, qui se jette dans la Chilko, qui se jette à son tour dans la Chilcotin, qui se jette dans le Fraser. Le bon sens veut que tous nos peuples s'unissent[15].»

Tous les participants à la cérémonie ont bien compris l'objectif de cette description hydrographique: de toute évidence, tous ces groupes et nations, déjà unis par les eaux des ruisseaux, des lacs, des rivières et des océans, ont intérêt à s'allier pour contrer la menace d'un déversement de pétrole. En Colombie-Britannique, le lien vivant entre tous ces cours d'eau est le saumon, ce grand voyageur d'une adaptabilité remarquable qui, au cours de son cycle de vie, passe de l'eau douce à l'eau salée, avant de revenir à l'eau douce. C'est pourquoi le document qu'on s'apprête à signer ne s'intitule pas «Déclaration visant à stopper les pétroliers et les oléoducs» mais bien «Déclaration pour sauver le Fraser», ce fleuve qui, avec ses quelque 1 400 kilomètres, est le plus long cours d'eau de la Colombie-Britannique et le plus riche pour la pêche au saumon. «Mettre le Fraser en péril, c'est mettre en danger tous les êtres qui en dépendent. Nous ne permettrons pas que nos poissons, notre faune, notre flore, nos peuples et nos modes de vie soient menacés. [...] Nous ne laisserons pas l'oléoduc Northern Gateway de la société pétrolière Enbridge, ni aucun projet de transport du pétrole issu des sables bitumineux, traverser nos terres, nos territoires, nos bassins versants ou les voies migratoires des saumons du Fraser[16].»

Si l'oléoduc projeté, qui traverserait un millier de cours d'eau, menace de devenir une artère de la mort en y déversant son poison, les plans d'eau que décrit Marilyn Baptiste sont, à l'inverse, un réseau de vie reliant des collectivités disparates autour d'un objectif commun[17].

Le devoir de protéger l'eau ne fait pas qu'unir les opposants à l'oléoduc Northern Gateway; il anime tous les mouvements qui s'opposent à l'exploitation abusive des ressources. Qu'il s'agisse de projets de forage en haute mer, de fracturation hydraulique, de mines, d'oléoducs, de transport de véhicules gros porteurs ou d'aménagement de terminaux d'exportation, les collectivités s'inquiètent pour leurs réserves d'eau. La même peur unit les éleveurs bovins du sud-est du Montana, les Cheyennes du Nord et les collectivités de l'État de Washington qui s'opposent aux trains de charbon et aux terminaux d'exportation de ce minerai. C'est le risque de contamination de l'eau qui a engendré le mouvement d'opposition à la fracturation hydraulique (la proposition de forer quelque 20 000 puits dans le bassin du Delaware, source d'eau potable de 15 millions d'Américains, l'a d'ailleurs fait connaître de l'ensemble du pays[18]).

De même, le mouvement d'opposition à Keystone XL n'aurait jamais pris une telle ampleur sans la décision incendiaire de TransCanada de faire passer son oléoduc par l'aquifère d'Ogallala, une vaste nappe souterraine qui s'étend sous les Grandes Plaines, alimentant en eau potable quelque 2 millions de personnes et fournissant 30 % de l'eau d'irrigation d'origine souterraine des États-Unis[19].

En plus des risques de contamination qu'ils présentent, la quasi-totalité de ces projets d'exploitation requièrent des quantités d'eau faramineuses. Il faut par exemple 2,3 barils d'eau pour produire un seul baril de pétrole à partir des sables bitumineux – soit beaucoup plus que la quantité nécessaire à la fabrication d'un baril de pétrole brut conventionnel (de 0,1 à 0,3 baril d'eau). D'où les gigantesques bassins de décantation, visibles de l'espace, qui se trouvent à proximité des mines de sables bitumineux et des raffineries. De même, les nouveaux procédés d'extraction du gaz et du pétrole de schiste requièrent beaucoup plus d'eau que le forage conventionnel et les méthodes de fracturation employées dans les années 1990. Selon une étude publiée en 2012, les « événements » de fracturation d'aujourd'hui nécessitent en moyenne 20 millions de litres d'eau, soit « de 70 à 300 fois plus que la technique de fracturation conventionnelle ». Une bonne partie de l'eau ainsi employée devient radioactive et toxique. En 2012, aux États-Unis seulement, l'industrie a produit plus de mille milliards de litres de ces eaux résiduaires, soit « assez pour engloutir la ville de Washington sous une lagune toxique d'environ sept mètres de profondeur », rapporte *The Guardian*[20].

Autrement dit, l'extractivisme entraîne la contamination d'énormes quantités d'eau, un élément essentiel à notre survie, et ce, pour accroître la production de combustibles qui menacent eux aussi notre survie, et qui pourraient être remplacés par d'autres sources d'énergie.

Qui plus est, cela se produit à un moment où les réserves d'eau douce sont déjà en péril un peu partout sur la planète. En effet, l'eau utilisée à des fins d'extraction provient souvent d'aquifères déjà mis à mal par des années de sécheresse, comme c'est le cas dans le sud de la Californie, où des firmes lorgnent les schistes de Monterey, et au Texas, où la fracturation a connu un essor phénoménal au cours des dernières années. Entre-temps, Shell projette de lancer des projets de fracturation hydraulique dans le Karoo, une majestueuse région semi-désertique d'Afrique du Sud dont le nom signifie littéralement «terre de la grande soif». D'où la réaction du chef spirituel Oom Johannes Willemse : «L'eau est sacrée. Sans eau, à quoi bon vivre? Je suis prêt à me battre à mort. Je ne les laisserai pas empoisonner notre eau[21].»

Le combat contre la pollution et le dérèglement climatique peut parfois sembler abstrait; mais, où qu'ils vivent, les gens se battront pour leur eau. Quitte à en mourir.

«Pouvons-nous vivre sans eau? scandent les agriculteurs opposés à l'extraction du gaz de schiste à Pungesti, en Roumanie.

— Non!

— Pouvons-nous vivre sans Chevron?

— Oui[22]!»

De telles vérités fondamentales émergent non pas d'une théorie abstraite à propos des «communs», mais d'expériences vécues. Gagnant en force et reliant des collectivités des quatre coins du monde, elles interpellent profondément bon nombre d'entre nous. Nous sommes conscients d'être prisonniers d'un système économique qui défie le bon sens: il agit comme si les ressources naturelles (les réserves d'eau et de combustibles fossiles ou la capacité d'absorption de l'atmosphère, par exemple) étaient illimitées, et confère à l'inverse des limites strictes et incontournables à un aspect beaucoup plus flexible qu'on le prétend, à savoir les ressources financières créées par des institutions humaines, qui, investies autrement, pourraient servir à bâtir la société plus juste dont nous avons besoin. Anni Vassiliou, une travailleuse sociale engagée dans la lutte contre le projet de mine d'or d'Eldorado en Grèce, reprend cette idée d'un monde sens dessus dessous: «Nous risquons de subir de plus en plus d'inondations. Nous risquons, ici, en Grèce, de ne plus jamais connaître de printemps ni d'automnes, et on ne cesse de nous mettre en garde contre le danger d'être exclus de la zone euro. Quelle folie[23]!» Autrement dit, on peut renflouer une banque en difficulté, mais que l'Arctique se débrouille!

# Des victoires concrètes

Bien qu'on ne puisse présumer de l'issue des luttes survolées dans ces pages, force est de constater que les grandes entreprises en cause doivent faire face à une opposition bien plus grande qu'elles ne l'escomptaient. À ce jour, des victoires déterminantes ont été remportées, trop nombreuses pour être toutes répertoriées ici.

Au nombre de ces victoires, on trouve celles des militants qui, dans des dizaines de villes et de villages, voire des régions entières, ont obtenu l'interdiction de la fracturation hydraulique, ou du moins un moratoire sur ce procédé. Outre la France, on retrouve parmi les pays ayant opté pour un moratoire la Bulgarie, les Pays-Bas, la République tchèque et l'Afrique du Sud (bien que cette dernière l'ait levé depuis). Des moratoires au moins partiels ou temporaires ont également été décrétés dans l'État du Vermont, au Québec, de même qu'à Terre-Neuve et au Labrador. Ces réussites sont d'autant plus remarquables que la plupart des mouvements locaux d'opposition au gaz ou au pétrole de schiste ne reçoivent aucune aide financière de la part de fondations privées et doivent encore recourir aux bonnes vieilles méthodes consistant à passer le chapeau lors d'événements ou à compter sur d'innombrables heures de bénévolat.

Même si les médias ne leur prêtent pas toujours attention, toutes les victoires remportées contre l'industrie de l'extraction font avancer la cause. Citons par exemple le cas du Costa Rica, qui, en 2010, a adopté une loi historique interdisant tout nouveau projet de mine à ciel ouvert dans le pays. Ou encore l'issue heureuse de la lutte menée par des résidents de l'archipel colombien de San Andrés, Providencia et Santa Catalina, qui ont réussi à renverser le projet de leur gouvernement d'autoriser l'exploitation pétrolière dans les eaux entourant leurs magnifiques îles, où se trouve un des plus vastes récifs coralliens de l'hémisphère occidental. Comme le souligne un compte rendu des événements, le mouvement de résistance a permis d'établir que le corail était «plus important que le pétrole[*24]».

Une série de victoires ont aussi été remportées en différents endroits de la planète contre l'exploitation du charbon. Sous des

---

* Malheureusement, cette zone classée «Réserve mondiale de la biosphère» par l'UNESCO est de nouveau mise en péril à la suite de la décision d'un tribunal international statuant que les eaux avoisinant ces îles des Caraïbes sont propriété légale du gouvernement du Nicaragua (bien que les îles elles-mêmes fassent partie de la Colombie). Or, le gouvernement nicaraguayen a annoncé son intention d'autoriser le forage.

pressions croissantes, la Banque mondiale et d'autres importants bailleurs de fonds internationaux ont annoncé que, sauf circonstances exceptionnelles, ils n'accorderaient plus d'aide financière à des projets d'extraction du charbon. Si les autres institutions financières suivent leur exemple, cette décision pourrait porter un sérieux coup à l'industrie. À Gerze, en Turquie, la pression populaire a eu raison d'un projet de centrale au charbon sur la côte de la mer Noire. Depuis 2002, grâce à une campagne très fructueuse menée par le Sierra Club en collaboration avec des dizaines d'organisations locales, 170 mines de charbon ont dû cesser leurs activités aux États-Unis et plus de 180 projets à l'étude ont été écartés[25].

Le mouvement d'opposition à l'aménagement de terminaux d'exportation du charbon dans la région du Pacifique Nord-Ouest prend lui aussi de l'ampleur. Trois grands projets de construction de terminaux (l'un près de Clatskanie, en Oregon, un autre à Coos Bay, également en Oregon, et un troisième à Hoquiam, dans l'État de Washington) ont déjà été bloqués grâce à une puissante mobilisation de la population, soutenue par la coalition Power Past Coal. De nombreux projets portuaires toujours en attente se heurtent à une farouche résistance (en particulier le plus important d'entre eux, qu'on projette d'aménager près de Bellingham, dans l'État de Washington). « De nos jours, travailler dans l'industrie du charbon n'est pas une partie de plaisir », lance Nick Carter, président et directeur de l'exploitation de la société charbonnière américaine Natural Resource Partners. « Ce n'est pas marrant de se lever le matin, de se rendre au boulot et de passer son temps à se battre contre son propre gouvernement[26]. »

En revanche, les actions menées contre les divers projets d'oléoducs destinés au transport du pétrole des sables bitumineux de l'Alberta ne se sont pas encore conclues par des victoires décisives, mais plutôt par d'importants reports. Ces derniers sont déterminants, toutefois, car ils minent les prévisions de croissance de l'industrie. Et, si les gros investisseurs détestent une chose, c'est bien l'incertitude politique. Si les opérateurs ne peuvent garantir que le pétrole enclavé de l'Alberta pourra emprunter une route fiable pour se rendre à la mer, où il pourra être chargé dans des pétroliers, « les sources d'investissement vont se tarir », comme l'exprimait l'ancien ministre de l'Énergie de la province, Ron Liepert. Propos confirmé en janvier 2014 par Brian Ferguson, PDG de Cenovus, un des principaux acteurs du secteur des sables bitumineux : « Si l'on ne construit pas de nouveaux oléoducs, je devrai ralentir la cadence. » Ce qui se voulait une menace de la part de Ferguson serait, du point de vue du climat, une des meilleures nouvelles de ces dernières années[27].

Même si le mouvement anti-extractiviste ne parvient qu'à ralentir les projets d'expansion, les sursis obtenus permettront de gagner du temps pour développer le marché des énergies propres et accroître leur viabilité économique, réduisant par là même l'influence du lobby des combustibles fossiles. Plus important encore, ces reports offrent aux populations des grands marchés d'Asie une occasion de renforcer leurs propres exigences en matière de transition énergétique.

Déjà, ces revendications se répandent si rapidement qu'il est difficile de prévoir pendant combien de temps encore le marché des centrales au charbon et du pétrole ultra-polluant continuera de se développer en Asie. En Inde, les mouvements d'opposition aux combustibles fossiles se multiplient depuis quelques années. Dans certaines régions, les soulèvements populaires contre les centrales au charbon ralentissent considérablement la course aux énergies polluantes. L'État de l'Andhra Pradesh, dans le sud-ouest du pays, est le théâtre de luttes hautement symboliques, comme celle que livre le village de Kakarapalli, entouré de rizières et de plantations de cocotiers, dont les résidents assurent une surveillance semi-permanente à l'ombre d'un baobab situé à l'entrée du village. Le campement des opposants barre la seule route menant à une centrale thermique inachevée, dont la construction a été interrompue en 2011 en raison des protestations populaires. À Sompeta, non loin de là, un autre projet de centrale a été bloqué grâce à une alliance inédite entre des citadins de la classe moyenne et de petits agriculteurs et pêcheurs de subsistance qui ont fait front commun pour protéger les zones humides avoisinantes. En 2010, après un assaut des forces policières contre une foule de protestataires (au cours duquel au moins deux manifestants ont été abattus), un soulèvement national a contraint les autorités indiennes à révoquer le permis de construire de la centrale en question[28]. La population reste en alerte, menant une grève de la faim rotative qui a atteint son 1 500e jour début 2014.

Dans le même temps, la Chine est plongée dans un virulent débat public à propos des niveaux critiques de pollution atmosphérique dans les villes (causés en grande partie par la dépendance massive du pays au charbon), ce qui donne lieu à des mouvements de protestation d'une ampleur étonnante contre la construction de nouvelles centrales. Le plus spectaculaire d'entre eux est né à Haimen, petite ville de la province du Guangdong. En décembre 2011, une foule de 30 000 habitants de la région ont encerclé un édifice gouvernemental et bloqué une autoroute afin de manifester leur opposition au projet d'agrandissement d'une centrale au charbon. Exprimant leur peur du cancer et d'autres problèmes de santé imputables à la centrale déjà en place, les manifestants ont résisté pendant plusieurs jours aux assauts des policiers, malgré les gaz lacrymogènes et les coups de matraque. Comme l'a exprimé un protestataire, ces gens étaient là pour livrer un message : « [Ce projet] nuira aux générations futures. On doit respecter leur droit à la vie ! » Le projet d'agrandissement de la centrale a été mis en suspens[29].

Les paysans chinois dont la subsistance dépend d'activités comme l'agriculture et la pêche ont aussi dû se mobiliser à plusieurs reprises pour s'opposer à des projets industriels (usines polluantes, autoroutes, barrages gigantesques) qui allaient les forcer à l'exil et mettre leur santé en péril. Très souvent, leurs actions se heurtent à une violente répression de la part des autorités (allant jusqu'à la mort en détention de dirigeants du mouvement). Et, malgré quelques victoires importantes, il arrive souvent que les projets se concrétisent en dépit de l'opposition qu'ils soulèvent.

Depuis quelques années, on a vu apparaître en Chine un nouveau phénomène qui préoccupe au plus haut point le parti au pouvoir : les élites riches bénéficiaires de l'ouverture du pays au capitalisme débridé, s'inquiètent de plus en plus des coûts de l'industrialisation. Li Bo, directeur des Amis de la nature, la plus ancienne organisation environnementaliste du pays, qualifie la pollution atmosphérique urbaine de « Superman des enjeux environnementaux chinois » : il faut « remercier le smog », lance-t-il en s'amusant de l'ironie d'une telle affirmation venant d'un environnementaliste. Jusqu'ici, les élites se sont protégées des menaces environnementales, comme la contamination du lait maternisé et de l'eau, parce qu'elles ont « les moyens de se faire livrer des produits sûrs à leur porte ». Riche ou non, cependant, nul ne peut se mettre à l'abri de la pollution atmosphérique. « Personne ne peut recevoir d'air pur par la poste, fait remarquer Li Bo. Et c'est là toute la beauté de la chose[30] ! »

Pour donner une meilleure idée de l'ampleur de la crise sanitaire en Chine, précisons que l'Organisation mondiale de la santé a établi le seuil critique de concentration de polluants atmosphériques dangereux sous forme de particules fines en suspension ($PM_{2,5}$) à 25 milligrammes par mètre cube ; un taux de 250 milligrammes est jugé dangereux par le gouvernement américain. Or, en janvier 2014, à Pékin, ce taux de particules cancérigènes a atteint 671. Les masques de papier omniprésents n'ont pas suffi à prémunir les gens contre les maladies respiratoires et à protéger les enfants, dont certains ont reçu un diagnostic de cancer du poumon dès l'âge de huit ans. Entre-temps, la municipalité de Shanghai a introduit un protocole d'urgence en vertu duquel on ferme les garderies et les écoles primaires et on annule tous les grands rassemblements extérieurs tels les concerts et les matchs de soccer quand les taux de particules atmosphériques atteignent 450 milligrammes par mètre cube. Chen Jiping, ancien dirigeant du Parti communiste chinois maintenant à la retraite, n'a donc surpris personne en mars 2013 lorsqu'il a admis que la pollution était aujourd'hui la plus importante cause d'agitation sociale en Chine, déclassant même les conflits relatifs à la propriété des terres[31].

Les dirigeants chinois se dérobent depuis longtemps aux exigences en matière de démocratie et de droits de la personne en insistant sur la croissance économique fulgurante du pays. Aux dires de Li Bo, le discours est toujours le même : «D'abord s'enrichir, puis s'occuper des problèmes environnementaux.» Cette stratégie a longtemps marché, mais, aujourd'hui, «leur argumentaire a soudainement été étouffé par le smog».

Les pressions populaires pour un mode de développement plus viable ont contraint le gouvernement chinois à réduire son objectif de croissance à un taux inférieur à celui qu'il connaît depuis une décennie, et à lancer d'ambitieux programmes d'énergies alternatives. Dans le même temps, bon nombre de projets de production d'énergie polluante ont été abandonnés ou retardés. En 2011, un tiers des projets de construction de centrales au charbon déjà approuvés «ont été reportés, et les investissements dans les nouvelles centrales au charbon n'atteignaient même pas la moitié des sommes investies en 2005», affirme Justin Guay, directeur adjoint du programme international de lutte contre les changements climatiques du Sierra Club. «Mieux encore, de 2001 à 2010, la Chine a fermé des centrales au charbon d'une capacité totale de plus de 80 gigawatts, et prévoit d'éliminer encore 20 gigawatts. Notons que cela équivaut approximativement à la production *totale* d'électricité en Espagne, onzième producteur d'électricité du monde.» (Dans le but de réduire le smog, le gouvernement chinois explore également la possibilité de produire du gaz naturel par fracturation, cela dans un pays sujet aux tremblements de terre et à de graves pénuries d'eau. Cette voie risque toutefois de provoquer un tollé[32].)

Ce mouvement d'opposition en Chine a un effet considérable sur le mouvement anti-extractiviste qui se répand un peu partout sur la planète, de l'Australie à l'Amérique du Nord. En effet, si l'on réussit à retarder de quelques années encore les projets d'oléoducs et de terminaux d'exportation de charbon, le marché asiatique des combustibles polluants que lorgnent les industries du pétrole, du gaz et du charbon pourrait bien s'effondrer. Un changement de cap s'est peut-être produit en juillet 2013, lorsque la banque multinationale d'investissement Goldman Sachs a publié un document de recherche intitulé « The Window for Thermal Coal Investment Is Closing » (La fenêtre de l'investissement dans le charbon thermique se referme). Moins de six mois plus tard, Goldman Sachs vendait sa participation de 49 % dans l'entreprise qui entend mettre en place le plus important des terminaux d'exportation de charbon projetés, à proximité de Bellingham, dans l'État de Washington, ayant apparemment conclu que la fenêtre s'était déjà refermée[33].

Ces victoires s'additionnent : elles ont empêché l'émission de millions de tonnes de gaz carbonique et d'autres GES dans l'atmosphère. Que la crise du climat ait été leur principale motivation ou non, les mouvements sociaux à qui l'on doit ces progrès méritent d'être reconnus à leur juste valeur, car en cherchant à protéger leurs forêts, leurs montagnes, leurs rivières et leurs rivages bien-aimés, ces gardiens du climat contribuent à la qualité de vie de tout le monde.

## Objectif zéro : le mouvement de désinvestissement

Les nouveaux guerriers du climat ne se font pas d'illusions : il ne suffira pas de fermer les centrales au charbon, d'empêcher la construction de nouveaux oléoducs et d'interdire la fracturation pour réduire les émissions aux niveaux prescrits par les scientifiques. Trop de chantiers d'extraction sont actuellement en cours ou projetés, sans compter que les sociétés multinationales sont extrêmement mobiles : elles s'installent partout où elles peuvent creuser.

C'est d'ailleurs pourquoi on cherche actuellement à intégrer le principe qui sous-tend ces campagnes (empêcher l'expansion des activités d'extraction de combustibles fossiles) à la législation internationale. Parmi les mesures proposées se trouve l'interdiction de la fracturation à l'échelle de l'Europe. (Précisons qu'en 2012, plus du tiers des 766 membres du Parlement européen ont voté en faveur d'un moratoire immédiat à cet égard[34].) De plus en plus de gens se mobilisent pour réclamer une interdiction mondiale du forage dans la région vulnérable de l'Arctique ainsi que dans la forêt tropicale humide d'Amazonie. On demande aussi un moratoire mondial sur l'exploitation des sables bitumineux, l'ampleur des émissions de carbone qui leur sont imputables justifiant aux yeux des militants une législation d'envergure internationale.

Une autre stratégie de plus en plus répandue consiste à inviter les institutions d'intérêt public telles les universités, les organisations religieuses et les administrations municipales à se départir des actions qu'elles détiennent dans l'industrie des combustibles fossiles. Ce mouvement de désinvestissement a émergé spontanément de diverses tentatives de faire cesser l'extraction du carbone à la source – en particulier de la campagne d'opposition aux mines de charbon à ciel ouvert dans les Appalaches, qui cherchait à faire pression sur les producteurs de charbon, indifférents à l'opinion des populations locales. À ce mouvement s'est jointe une campagne nationale, puis internationale, menée par 350.org, qui a étendu l'appel au désinvestissement à tous les combustibles fossiles. L'idée sous-jacente consiste à cibler non seulement des projets locaux contestés, mais la logique même qui anime toute cette vague frénétique d'extractivisme à haut risque.

La campagne de désinvestissement repose sur l'argument suivant, exposé avec brio par Bill McKibben : quiconque possède des notions arithmétiques de base peut quantifier les réserves dont dispose l'industrie des combustibles fossiles, y soustraire la quantité d'émissions à ne pas dépasser pour respecter l'objectif des 2 °C, et en conclure que l'industrie de l'extraction a la ferme intention d'amener la planète au-delà du point d'ébullition.

De tels calculs élémentaires ont permis au mouvement de désinvestissement, piloté par des étudiants, de remettre en cause le modèle d'affaires sur lequel s'appuie l'industrie des combustibles fossiles. Parce que l'objectif de croissance illimitée de cette industrie repose sur une déstabilisation majeure du climat, affirment ces militants, toute institution qui prétend servir les intérêts de la population a la responsabilité morale de renoncer à ces revenus d'origine douteuse. « Nous livrons à ces sociétés un message clair : votre modèle économique fondé sur l'extraction et l'utilisation des combustibles fossiles est en passe de rendre notre planète inhabitable. C'est pourquoi il faut vous tourner vers un nouveau modèle d'affaires », explique Chloe Maxmin, coordonnatrice de Divest Harvard[35]. Pour les jeunes, il est particulièrement légitime d'invoquer cet argument auprès des administrateurs de leurs institutions d'enseignement, dont la mission consiste à les préparer pour l'avenir. Que ces mêmes institutions tirent profit d'une industrie qui hypothèque ainsi l'avenir de l'humanité n'est-il pas le comble de l'hypocrisie ?

Depuis le début du mouvement de protection du climat, aucune stratégie n'a eu autant de retentissement. En novembre 2012, six mois à peine après le lancement officiel du mouvement de désinvestissement, on trouvait aux États-Unis plus de 300 campagnes actives dans autant de campus et plus d'une centaine de villes, États et institutions religieuses. La vague n'a pas tardé à atteindre le Canada, l'Australie, les Pays-Bas et la Grande-Bretagne. Aux États-Unis, au moment de la publication de ce livre, 13 universités avaient annoncé leur intention de se départir de leurs actions et obligations dans le secteur des énergies fossiles, et les dirigeants de plus de 25 villes nord-américaines, dont San Francisco et Seattle, avaient pris des engagements semblables. Une quarantaine d'organisations religieuses leur avaient aussi emboîté le pas. La plus importante victoire à ce jour a été remportée lorsque l'université Stanford (dont la fondation possède un portefeuille colossal de 18,7 milliards de dollars) a annoncé son intention de vendre ses actions liées au secteur du charbon[36].

Des détracteurs du mouvement n'ont pas tardé à souligner que le désinvestissement ne mettra pas ExxonMobil en faillite ; si Harvard vend ses actions d'une valeur de 33 milliards de dollars, d'autres investisseurs vont se les arracher. Néanmoins, il ne faut pas sous-estimer la force de cette stratégie : chaque fois que des étudiants, des professeurs ou des chefs spirituels prônent le désinvestissement, ils rognent la légitimité sociale qui permet aux entreprises extractivistes de poursuivre leurs activités. Comme l'explique Sara Blazevic, instigatrice du mouvement à l'université Swarthmore, cette campagne «diminue l'emprise que l'industrie des combustibles fossiles exerce sur notre système politique en rendant inacceptable, sur le plan social et moral, le financement de ses activités». Cameron Fenton, l'un des responsables du mouvement au Canada, ajoute que «personne ne croit que nous allons mettre les sociétés pétrolières en faillite. Ce qui est en notre pouvoir, cependant, c'est de nous attaquer à leur réputation et de les priver de leur ascendant politique[37]».

L'objectif consiste à imposer aux sociétés pétrolières le traitement dont fait l'objet l'industrie du tabac, ce qui ouvrirait la voie à d'autres revendications importantes telles l'interdiction des contributions politiques de la part des sociétés extractivistes et le bannissement de la publicité télévisée sur les combustibles fossiles (pour les mêmes motifs de santé publique qui ont contraint l'industrie du tabac à se soumettre à ces mesures). Et cela risque de relancer un autre débat : ne serait-il pas pertinent de réinvestir les profits illégitimes des grands pollueurs dans la recherche de solutions à la crise du climat ? Le désinvestissement n'est que la première étape d'un processus de délégitimation qui est déjà sur la bonne voie.

Bien sûr, aucune de ces mesures ne peut remplacer des politiques efficaces de réduction des émissions à l'échelle de la planète. L'émergence de ce mouvement populaire jouissant d'un réseau sans précédent risque toutefois d'avoir des répercussions majeures : la prochaine fois que des représentants du mouvement de protection du climat auront à négocier avec des politiciens et des entreprises polluantes, ils seront appuyés par des milliers de citoyens capables de faire pression de leur côté – au moyen de boycotts, de poursuites judiciaires et d'actions directes – jusqu'à ce qu'ils obtiennent gain de cause.

Déjà, l'essor du mouvement anti-extractiviste et des campagnes de désinvestissement influe considérablement sur le mouvement environnementaliste, en particulier sur les grandes organisations ayant conclu des partenariats avec l'industrie (oublions TNC, qui exploite ses propres puits de pétrole et de gaz au Texas). Comme on pouvait s'y attendre, les organisations qui pactisent avec les grandes entreprises polluantes voient d'un mauvais œil le nouveau mouvement anti-extractiviste, qui leur coupe l'herbe sous le pied. En matière de fracturation, notamment, des groupes comme l'EDF, plutôt que de lutter aux côtés de militants pour faire interdire ce procédé et passer rapidement aux énergies renouvelables, préfèrent jouer le rôle de courtiers proposant les « meilleures pratiques » (mises au point en collaboration avec l'industrie) censées apaiser les inquiétudes de la population. (Et ce, même dans les cas où les populations locales démontrent clairement que la meilleure solution pour elles consiste à interdire purement et simplement la pratique en question.) « Nous craignons que ceux qui s'opposent à toute production de gaz naturel ne compliquent l'abandon du charbon », invoque Mark Brownstein, conseiller en chef de l'EDF[38].

De façon prévisible, une telle ligne de conduite a provoqué d'énormes tensions, les mouvements locaux accusant l'EDF de saper leurs efforts en s'alliant avec les grands pollueurs*[39].

---

\* En mai 2013, par exemple, 68 groupes et particuliers (dont les Amis de la Terre, Greenpeace et Robert Kennedy fils) ont signé une lettre dans laquelle ils reprochaient ouvertement à l'EDF et à son président, Fred Krupp, d'avoir contribué à la création, en partenariat avec l'industrie, du CSSD. « Le CSSD se présente comme un lien entre "divers intérêts poursuivant un objectif com-

Toutefois, ce ne sont pas toutes les grandes organisations environnementalistes qui ont choisi le camp de l'industrie. Certaines (dont Food & Water Watch, 350.org, Greenpeace, le Rainforest Action Network et les Amis de la Terre) jouent depuis le début un rôle central dans cette nouvelle vague d'opposition aux combustibles fossiles. Et les groupes plutôt ambivalents semblent avoir été réveillés par la montée rapide d'un mouvement sans compromis leur rappelant qu'ils s'étaient éloignés de leurs principes fondateurs. C'est sans doute au Sierra Club que ce virage a été le plus évident. Sous la direction de son ancien directeur général, Carl Pope, cette organisation avait soulevé une vive controverse en s'alliant à de grandes firmes polluantes (prêtant par exemple son logo à une ligne de produits de nettoyage «verts» appartenant à Clorox). Pire encore, Pope a été un ardent défenseur du gaz naturel, en faisant du lobbying au Capitole et en le vantant publiquement aux côtés d'Aubrey McClendon (alors PDG de Chesapeake Energy, une entreprise ayant joué un rôle moteur dans l'essor fulgurant de la fracturation hydraulique). Naturellement, cela n'avait pas manqué d'indigner plusieurs mouvements locaux s'opposant à l'exploitation du gaz de schiste. À l'époque, apprendrait-on par la suite, le Sierra Club recevait secrètement des dons de plusieurs millions de dollars de la part de Chesapeake Energy, ce qui donnerait lieu à l'une des controverses les plus vives qui aient touché le mouvement depuis des décennies*[40].

Beaucoup de choses ont changé depuis au Sierra Club. Le nouveau PDG de l'organisation, Michael Brune, a mis un terme à

---

mun", mais nos objectifs en tant que nation ne sont pas les mêmes que ceux que poursuivent Chevron, Consol Energy, EQT Corporation et Shell, tous partenaires du CSSD, lit-on dans cette lettre. Ces grandes sociétés cherchent à extraire le plus de gaz et de pétrole possible, à bas coût. Alors que ce qui nous intéresse, de notre côté, c'est de réduire au minimum l'extraction et la consommation des combustibles fossiles, et de faciliter une transition rapide vers les véritables sources d'énergie renouvelable (le solaire, l'éolien et l'hydraulique).»

* Joint par courriel, Carl Pope, qui n'avait jamais commenté cette controverse, s'est expliqué ainsi: «Les militants pour le climat étaient en guerre contre l'industrie du charbon; à cette époque, Chesapeake Energy s'est montrée disposée à s'allier avec nous. Je comprends les inquiétudes de ceux qui n'approuvaient pas cette alliance. Cependant, sans elle, près de la moitié des 150 projets de construction de nouvelles centrales alimentées au charbon que nous avons bloqués se seraient réalisés.» Pope poursuit: «Ce que je regrette, c'est de ne pas avoir compris alors l'ampleur et la forme que prendrait la révolution du gaz et du pétrole de schiste, ce qui nous a amenés à faire des choix qui nous ont mal préparés à l'assaut dont allaient faire l'objet des États comme la Pennsylvanie, la Virginie-Occidentale et le Colorado. Ce fut là un manque de discernement majeur, dont nous avons dû payer le prix.»

l'entente secrète avec Chesapeake Energy ainsi qu'à l'accord conclu avec Clorox. (Ces sources de revenus ont toutefois été remplacées par un don colossal de la fondation de Michael Bloomberg, très impliquée dans les industries du pétrole et du gaz, ce qu'on ignorait à l'époque.) En outre, Brune a été arrêté devant la Maison-Blanche lors d'une manifestation contre la construction de l'oléoduc Keystone XL, rompant ainsi avec la politique de l'organisation qui écartait le recours à la désobéissance civile. Autre virage, peut-être plus important encore : le Sierra Club s'est rallié au mouvement de désinvestissement. Il s'oppose maintenant clairement à tout investissement dans les sociétés pétrolières et gazières ainsi que dans les organisations qui y sont liées, et refuse toute aide financière de leur part[41].

En avril 2014, le NRDC américain a annoncé qu'il avait contribué à créer « le premier outil mondial d'analyse des indices boursiers excluant les entreprises associées à l'exploration, à la propriété de réserves ou à l'extraction de combustibles fossiles. Ce nouvel outil permettra aux investisseurs qui se disent socialement responsables, parmi lesquels se trouvent des fondations, des universités et certains fonds de retraite, d'harmoniser leurs investissements avec leur mission ». La rigueur de ce nouvel outil reste à démontrer (on peut se permettre d'en douter), mais il témoigne néanmoins d'un virage par rapport à l'année précédente, où le NRDC avait admis que son propre portefeuille comportait des placements dans des fonds communs de placement et d'autres actifs mixtes qui n'excluaient pas le secteur des combustibles fossiles[42].

Peu à peu, le mouvement de désinvestissement gagne même les fondations qui financent le mouvement environnementaliste. En janvier 2014, 17 fondations se sont engagées à retirer leurs investissements du secteur des combustibles fossiles pour encourager plutôt les énergies propres. Bien qu'aucun des principaux bailleurs de fonds des grandes organisations environnementalistes (pensons à la fondation de la famille Walton ou aux fondations Hewlett et Packard, par exemple, ou encore à celles de Ford ou de Bloomberg) ne leur ait encore emboîté le pas, plusieurs fondations de moindre envergure l'ont fait, dont le Wallace Global Fund et la Park Foundation, qui contribuent de façon importante au financement du mouvement anti-extractiviste[43].

\* \* \*

Jusqu'à tout récemment, la vaste majorité de la population croyait que la formule assurant la rentabilité des grandes sociétés pétrolières était à ce point éprouvée qu'aucune opposition (qu'elle soit le fait de campagnes de désinvestissement ou de mouvements populaires) ne pouvait mettre en péril leur pouvoir et leur prospérité. Cette opinion a dû être révisée en janvier 2014 lorsque la société Shell (qui, en 2013, était l'entreprise la plus lucrative du monde) a fait état pour le quatrième trimestre de prévisions qui ont fait sursauter les investisseurs. Plutôt que les 5,6 milliards de dollars raflés l'année précédente au cours du trimestre correspondant, le nouveau PDG de Shell, Ben van Beurden, a annoncé que la société prévoyait des profits de 2,9 milliards, ce qui représentait une chute brutale de 48 %[44].

La déconfiture de Shell n'était sans doute pas attribuable à un facteur en particulier, mais à un ensemble de difficultés rencontrées par l'entreprise : ses mésaventures dans l'Arctique, le climat d'incertitude régnant dans l'industrie des sables bitumineux, l'agitation politique persistante au Nigeria et les allusions croissantes à une «bulle du carbone» qui surévalue le cours de ses actions. En réaction à cette nouvelle, la firme de recherche Sanford C. Bernstein & Co. notait qu'une telle dégringolade était «très inhabituelle pour une société pétrolière intégrée» et admettait en être «abasourdie[45]».

## La crise de la démocratie

Le mouvement anti-extractiviste prenant de la vigueur, l'industrie des combustibles fossiles s'est mise à riposter à l'aide d'un outil éprouvé : les dispositions des accords de libre-échange en matière de protection des investisseurs. Comme nous l'avons vu, lorsque le Québec a réussi à imposer un moratoire sur le gaz et le pétrole de schiste dans la vallée du Saint-Laurent, Lone Pine, une société pétrolière et gazière constituée aux États-Unis, a annoncé son intention de poursuivre le gouvernement canadien pour une somme minimale de 230 millions de dollars en vertu des règles de l'ALENA régissant l'expropriation et un «traitement juste et équitable». Dans sa demande d'arbitrage, Lone Pine avance que ce moratoire (pourtant imposé par un gouvernement démocratiquement élu) équivaut à «une révocation arbitraire, capricieuse et illégale du droit de l'entreprise d'exploiter le pétrole et le gaz sous le fleuve Saint-Laurent». La société soutient également, non sans effronterie, que cette décision a été prise «sans objectif public fondé» et de surcroît «sans un sou de compensation[46]».

On peut certainement s'attendre à d'autres réactions similaires de la part d'entreprises qui voient leurs grands projets d'exploitation menacés par des soulèvements populaires. À la suite d'un nouveau report de l'installation de l'oléoduc Keystone XL en territoire américain annoncé en avril 2014, les autorités canadiennes et la société TransCanada n'ont en effet pas tardé à évoquer la possibilité d'une poursuite contre le gouvernement des États-Unis en vertu de l'ALENA.

En fait, les accords internationaux qui régissent aujourd'hui le commerce et l'investissement offrent aux multinationales un fondement juridique pour contester pratiquement toute tentative de la part d'un État de restreindre l'exploitation des combustibles fossiles, en particulier si des investissements ont déjà été effectués et que les travaux d'extraction ont démarré. Et, lorsque l'objectif des investisseurs consiste indéniablement à *exporter* du pétrole, du gaz ou du charbon sur le marché mondial (ce qui est de plus en plus souvent le cas), toute campagne visant à faire obstacle à ces exportations risque fort de se heurter à des contestations judiciaires, car l'imposition de « restrictions quantitatives » à la libre circulation de biens par-delà les frontières viole un principe fondamental du droit commercial[47]. Ilana Solomon, spécialiste du commerce au Sierra Club, affirme :

> Je suis fermement convaincue que, pour contrer la crise du climat, on doit tenter de réduire le pouvoir du secteur des combustibles fossiles, ce qui représente tout un défi en matière d'investissement dans un contexte de commerce mondialisé. Si l'on tente de réglementer l'industrie des combustibles fossiles dans un pays, aux États-Unis par exemple, celle-ci risque de réagir en misant de plus en plus sur l'exportation de ses matières premières, qu'il s'agisse de charbon ou de gaz naturel ; or, en vertu des lois commerciales, il est parfaitement illégal d'interdire l'exportation de ces ressources une fois extraites. Par conséquent, il est très difficile d'y faire obstacle[48].

En vertu de telles règles, est-il surprenant qu'à mesure que s'accumulent les victoires du mouvement anti-extractiviste, les contestations judiciaires de la part de l'industrie se multiplient ? En effet, on rapporte actuellement un nombre sans précédent de plaintes relatives à l'investissement, dont bon nombre sont déposées par des sociétés pétrolières et gazières. En 2013, pas moins de 60 des 169 litiges soumis au Centre international pour le règlement des différends relatifs aux investissements étaient issus des secteurs pétrolier, gazier ou minier, alors qu'on n'en avait rapporté que sept dans les années 1980 et 1990. Selon Lori Wallach, directrice de l'observatoire du commerce mondial de l'association Public Citizen, plus de 85 % des compensations supérieures à 3 milliards de dollars déjà accordées en vertu d'accords de libre-échange et de traités bilatéraux sur les investissements conclus par les États-Unis « ont trait aux contestations de politiques relatives aux ressources naturelles, à l'énergie et à l'environnement[49] ».

De façon prévisible, les grandes sociétés privées, qui sont loin d'être dépourvues de moyens, réagissent à l'opposition en faisant appel à la loi pour tenter d'enrayer des menaces réelles ou présumées, et pour s'assurer le droit de forer là où bon leur semble partout sur la planète. Qui plus est, de nombreux gouvernements semblent vouloir aggraver la situation en concoctant des accords commerciaux d'une portée encore plus considérable, auxquels les entreprises n'hésiteront pas à recourir pour se dérober à la réglementation adoptée à l'échelle nationale.

Le recours insistant de l'industrie aux grands accords commerciaux pour contrer les progrès du mouvement de protection de l'environnement a néanmoins eu un effet positif : après une décennie de relâchement pendant laquelle peu de gens ont prêté attention au monde occulte des négociations entourant les accords de libre-échange, une nouvelle génération de militants est en train de prendre conscience de la menace pour la démocratie que représentent de tels traités, qui n'ont pas suscité autant de débats depuis des décennies.

Toutefois, cette nouvelle prise de conscience ne devrait pas démobiliser le mouvement anti-extractiviste, malgré les contestations judiciaires menées contre ses victoires. Car le caractère aussi intimidant qu'insidieux des accords internationaux garantissant les droits des grandes entreprises masque un secret bien gardé : la portée de ces ententes se limite à celle que les gouvernements veulent bien leur accorder. Elles demeurent en effet truffées de lacunes et de zones d'ombre qui permettraient à tout État cherchant à réduire sérieusement ses émissions de parvenir à ses fins, que ce soit en contestant farouchement les règles commerciales qui favorisent les pollueurs, en trouvant des façons inventives de les contourner, en refusant de se conformer à des jugements ou à des représailles fantasques (étant donné que les institutions chargées de faire respecter ces accords ne peuvent contraindre les gouvernements à modifier leurs propres lois), ou encore en renégociant les règles du jeu. Autrement dit, le véritable problème ne réside pas dans la possibilité de défier les États offerte à l'industrie par les accords commerciaux internationaux, mais dans le fait que les gouvernements ne ripostent guère à ces attaques – une situation qui découle davantage de la corruption de la classe politique que des dispositions d'un quelconque accord commercial.

# À bas les démocraties fossiles

En s'attaquant à la collusion entre l'État et la grande entreprise (particulièrement évidente dans le secteur des combustibles fossiles), bon nombre de citoyens doivent faire face à une crise sousjacente : celle de la démocratie même. Parce qu'elle permet à des multinationales d'écrire elles-mêmes les lois régissant leurs activités à l'échelle municipale, provinciale, nationale ou internationale, la corruption de nos systèmes politiques (aussi fossilisés que les combustibles qui sont au cœur de ces luttes) est en train de transformer le militantisme anti-extractiviste en un mouvement populaire pour la démocratie.

Dans un tel contexte, la lutte pour la protection des réserves d'eau potable d'une collectivité incarne pour beaucoup l'essence même de l'autodétermination. Que penser d'une démocratie qui ne confère pas le pouvoir de décider collectivement de protéger un bien indispensable à la vie ?

La revendication du droit de prendre part aux décisions cruciales concernant l'eau, le sol et l'air est la trame qui relie tout le mouvement anti-extractiviste. Helen Slottje, ancienne conseillère juridique d'entreprise ayant aidé 170 municipalités de l'État de New York à décréter l'interdiction de la fracturation hydraulique, résume bien ce sentiment : « Sans blague ! Vous croyez que vous pouvez faire irruption dans ma ville en m'annonçant que vous y ferez ce que vous voulez, où et quand vous le voulez, et que je ne pourrai pas m'y opposer ? Pour qui vous prenez-vous ? » J'ai entendu un discours semblable chez Marily Papanikolaou, jeune guide de vélo de montagne grecque jusqu'alors parfaitement heureuse d'élever ses bambins et de guider les touristes sur les sentiers, mais qui consacrait désormais son temps libre à des réunions et à des manifestations contre l'activité minière : « Je ne laisserai personne se présenter dans mon village pour agir de la sorte sans m'en demander la permission. C'est *moi* qui vis ici ! » Réaction à peu près identique de la part de propriétaires terriens du Texas, indignés de voir une société pétrolière canadienne entamer une procédure d'expropriation pour obtenir un accès à leur terre familiale : « Je refuse de croire qu'une entreprise canadienne qui veut construire un pipeline pour faire de l'argent a davantage droit à ma terre que moi-même », lance Julia Trigg Crawford, qui a intenté des poursuites contre TransCanada pour avoir tenté d'utiliser son ranch de 263 hectares situé à proximité de Paris, au Texas, et acquis par son grand-père en 1948[50].

Pour les militants engagés dans le mouvement anti-extractiviste, le plus consternant a été de prendre conscience que la plupart des collectivités ne jouissent pas d'un tel pouvoir, que des forces extérieures (un lointain gouvernement central travaillant en étroite collaboration avec des sociétés multinationales) mettent en péril la santé et la sécurité des populations, parfois en allant totalement à l'encontre de la réglementation locale. Des projets de fracturation, d'infrastructures de transport de pétrole issu des sables bitumineux, de trains de charbon et de terminaux d'exportation continuent d'être envisagés dans diverses régions du monde où une nette majorité des citoyens ont pourtant clairement exprimé leur opposition, que ce soit par la voie des urnes, de consultations officielles ou de manifestations.

Car, trop souvent, les citoyens ne semblent pas avoir voix au chapitre. Lorsqu'ils ne réussissent pas à persuader la population que les projets en question servent réellement ses intérêts, les gouvernements font équipe avec les acteurs de l'industrie pour écraser l'opposition, n'hésitant pas à recourir à un amalgame de répression violente et de processus juridiques contraignants, voire à faire passer des militants pacifistes pour des terroristes*[51].

Les organisations non gouvernementales sont d'ailleurs surveillées de plus en plus étroitement, tant par les forces de sécurité que par les grandes sociétés privées, qui travaillent souvent de concert. C'est ainsi que le bureau de la sécurité intérieure de Pennsylvanie a embauché une agence privée pour recueillir des renseignements sur les groupes antifracturation, qu'il a ensuite partagés avec les grandes sociétés d'extraction de gaz de schiste. Le même phénomène se produit en France, où Électricité de France, chef de file européen de la production et de la vente d'électricité, a été condamné en 2011 pour espionnage informatique de Greenpeace. Entre-temps, au Canada, on a appris que Chuck Strahl, alors qu'il dirigeait le Comité de surveillance des

---

* Cette attitude a atteint des proportions absurdes en décembre 2013 lorsque deux militants antifracturation d'une vingtaine d'années ont été accusés d'avoir mis en scène un « canular terroriste » après avoir déployé des banderoles devant le siège social de Devon Energy, à Oklahoma City. Sur une des banderoles, on pouvait lire, en écho à la devise des *Hunger Games,* « Le sort ne nous est *jamais* favorable ». Une action militante typique... à un détail près. Selon le capitaine Dexter Nelson, de la police d'Oklahoma City, « une substance poudreuse noire » s'est échappée d'une des banderoles au moment de son déploiement, laquelle cherchait à « suggérer une attaque biochimique », comme l'affirme le rapport de police. On a fini par établir que l'infâme poudre « était constituée de paillettes », a déclaré le capitaine. Peu importe si, sur la vidéo de l'événement, on ne voit aucun signe d'inquiétude chez les badauds lorsque les paillettes sont tombées. « J'aurais pu les balayer en deux minutes si on m'avait donné un balai », a déclaré Stefan Warner, un des accusés, qui risque d'être condamné à dix ans de prison.

activités de renseignement de sécurité (CSARS), était inscrit comme lobbyiste pour le controversé projet d'oléoduc Northern Gateway de la société Enbridge. Il s'agissait d'un cas flagrant de conflit d'intérêts, car l'Office national de l'énergie du Canada avait chargé le Service canadien du renseignement de sécurité (SCRS) d'évaluer les menaces à la sécurité des projets de pipelines, une façon à peine voilée d'autoriser l'espionnage des écologistes et des premières nations[52].

La duplicité de Strahl a amené de nombreux observateurs à se demander si Enbridge avait aussi accès aux renseignements recueillis. On a ensuite découvert que Strahl n'était pas seul à travailler à la fois pour le CSARS et pour l'industrie des combustibles fossiles. «La moitié des autres employés nommés par le gouvernement Harper pour encadrer les espions entretiennent également des liens avec l'industrie pétrolière», rapportait-on sur les ondes du réseau anglais de la Société Radio-Canada ; l'un d'eux siège au conseil d'administration d'Enbridge Gaz Nouveau-Brunswick, une filiale régionale à part entière de la société pétrolière, et un autre avait fait partie du conseil d'administration de TransCanada. Si Strahl a démissionné à la suite de la controverse, les autres sont restés en poste[53].

La complicité entre les grandes sociétés et l'État est si éhontée qu'il s'en dégage l'impression que les collectivités qui font obstacle à leurs projets sont assimilables à des morts-terrains (un terme affreux employé par l'industrie pour désigner le sol qu'on doit retirer pour accéder aux sables bitumineux ou aux gisements miniers). Comme les arbres, les sols, les roches et la glaise que leurs grosses machines ratissent, concassent et empilent en immenses montagnes de déchets, la démocratie est broyée, malmenée et écartée pour faire place aux bulldozers.

C'est du moins le message qu'a livré la commission d'examen (dont les trois membres avaient été effrayés par l'accueil de la communauté heiltsuk à Bella Bella) lorsqu'elle a transmis ses recommandations au gouvernement fédéral canadien : le projet d'oléoduc Northern Gateway doit aller de l'avant. Et, malgré la liste de 209 conditions à remplir avant d'en entreprendre la construction, allant d'une série de mesures pour protéger l'habitat du caribou à l'élaboration d'«un recensement à jour des franchissements de cours d'eau, en PDF (Adobe®) et Excel® (Microsoft®)», la décision a été interprétée presque unanimement comme un feu vert politique[54].

Pourtant, seulement 2 des 1 000 personnes et plus qui ont pris la parole lors des auditions de la commission tenues en Colombie-

Britannique se sont montrées favorables au projet. Selon un sondage, 80 % des Britanno-Colombiens s'opposent à l'augmentation du trafic de pétroliers le long de leurs côtes foisonnantes de vie marine. Comment une commission qui se prétendait impartiale a-t-elle pu recommander la construction d'un oléoduc malgré cette opposition massive ? De nombreux citoyens canadiens y voient la preuve flagrante d'une grave crise qui a beaucoup plus à voir avec l'argent et le pouvoir qu'avec le souci de l'environnement. « Malheureusement, les résultats d'aujourd'hui correspondent exactement à nos prévisions », déplore Torrance Coste, qui milite contre l'oléoduc, « et démontrent à quel point notre système démocratique est détraqué[55] ».

En fait, toutes ces aberrations peuvent être perçues comme des manifestations locales d'une crise mondiale de la démocratie que reflète bien la crise du climat. Comme l'exprime avec éloquence le politologue vénézuélien Edgardo Lander, « l'échec lamentable des négociations sur le climat montre à quel point nous vivons aujourd'hui dans une société postdémocratique. Partout dans le monde, les intérêts de l'industrie pétrolière et du capital financier ont beaucoup plus de poids que la volonté des citoyens exprimée démocratiquement. Dans la société néolibérale mondiale, le profit prend le pas sur la vie ». Même son de cloche de la part de l'indispensable chroniqueur en environnement George Monbiot, du *Guardian,* à l'occasion du vingtième anniversaire du Sommet de la Terre de Rio : « Était-ce trop demander aux gouvernements du monde – qui font des miracles quand il s'agit de mettre au point des bombardiers et des drones de combat, d'édifier des marchés mondiaux et des plans de sauvetage de centaines de milliards de dollars – d'investir dans la protection de notre planète un dixième de l'énergie et des ressources qu'ils consacrent à ces projets ? Malheureusement, il semble que oui. » Nos dirigeants politiques ne s'efforcent même pas de nous garantir un avenir sûr, ce qui témoigne d'une crise de légitimité qui dépasse presque l'entendement[56].

Heureusement, nombre de citoyens réagissent à cette crise de la démocratie non pas en renonçant à la démocratie, mais en tentant de faire avancer les choses dans les sphères où ils peuvent encore exercer une véritable influence. Il est frappant de constater que, alors que les gouvernements nationaux et les agences internationales laissent tomber leurs citoyens, des municipalités prennent les devants en vue de résoudre la crise du climat, et ce, aux quatre coins du monde, de Bogotá à Vancouver. Des petites collectivités font de même en se préparant, démocratiquement, à un avenir où le climat ne sera plus le même, comme en témoigne un mouvement en plein essor appelé « Villes en transition ». Né en 2006 à Totnes (une petite ville historique située dans le Devon, en Angleterre, très prisée des artistes et des bohèmes), celui-ci s'est étendu depuis à plus de 460 collectivités dans au moins 43 pays.

Chaque « lieu en transition » (il peut s'agir d'une ville à proprement parler ou d'un quartier dans une grande ville) entreprend d'élaborer collectivement un plan d'action de « décroissance énergétique » en vue de réduire ses émissions et de s'affranchir des combustibles fossiles. Cette démarche crée de nouvelles possibilités de démocratie participative, où des voisins se rassemblent dans des mairies pour participer à des consultations en partageant leurs idées sur divers sujets, comme les moyens d'assurer la sécurité alimentaire en favorisant l'agriculture de proximité, la construction d'habitations écologiques abordables, etc.[57].

Les rencontres n'ont pas toujours un caractère aussi technique et sérieux. À Totnes, le mouvement organise des projections de films, des conférences, des débats publics et même des festivals pour célébrer chaque pas franchi vers un mode de vie plus durable. De telles initiatives font elles aussi partie des solutions à la crise du climat, et jouent un rôle aussi important que la constitution de réserves de denrées ou la construction de digues. Car la capacité d'une collectivité à survivre à des événements météorologiques extrêmes dépend en grande partie de son tissu social – de la présence de petits commerces locaux et d'espaces publics où les gens peuvent faire connaissance et veiller à ce que les gens âgés ne soient pas oubliés lors de canicules ou de tempêtes dévastatrices. Comme le note l'auteur et analyste des questions environnementales David Roberts, « les ingrédients de la résilience [...] se trouvent dans les groupes de citoyens et les cercles sociaux réunissant des gens qui, par leur proximité et le partage d'espaces communs, se connaissent et prennent soin les uns des autres. Le plus grand danger, en période d'anxiété ou de risques, c'est l'*isolement*. La recherche de moyens de multiplier les espaces publics et de favoriser l'engagement citoyen, plus qu'un vague projet progressiste, est une stratégie de survie[58] ».

La convivialité de la politique locale contribue à faire de ce palier de gouvernement un important espace de résistance à la frénésie extractiviste. Pensons aux villes (comme de nombreuses villes allemandes) qui recourent aux urnes pour reprendre le contrôle d'une centrale au charbon refusant de se convertir aux énergies renouvelables, ou aux municipalités qui décident de se départir de leurs investissements dans le secteur des combustibles fossiles ou d'interdire la fracturation sur leur territoire. Ce sont là plus que de simples manifestations symboliques de désaccord. « Il en va de l'avenir de l'industrie pétrolière et gazière dans l'État de New York », affirmait au *New York Times* Thomas West, avocat de la filiale américaine de Norse Energy Corporation en commentant les enjeux d'une contestation judiciaire de règlements interdisant la fracturation[59].

\*

\* \*

Comme l'ont démontré les réactions de citoyens à l'annonce des recommandations de la commission chargée du dossier de l'oléoduc Northern Gateway, la réglementation locale n'est pas le seul (ni même le plus efficace) outil juridique susceptible d'aider le mouvement anti-extractiviste à étendre la portée de ses premières victoires. Quand ils ont appris que la commission avait donné le feu vert au gouvernement fédéral pour autoriser la construction de l'oléoduc conspué, nombre de Canadiens n'ont pas baissé les bras. Faisant fi de l'avis de la commission et de la réaction du gouvernement, ils persistent à croire qu'il est possible de tuer ce projet dans l'œuf de façon à préserver les côtes de la Colombie-Britannique.

« Le cabinet fédéral doit obtenir l'approbation des premières nations et l'acceptation collective des Britanno-Colombiens, et il n'a ni l'un ni l'autre », affirme Caitlyn Vernon, directrice de campagne du Sierra Club en Colombie-Britannique. Évoquant la Déclaration pour sauver le fleuve Fraser signée par de nombreux chefs autochtones, dont Marilyn Baptiste, elle ajoute : « Les premières nations ont officiellement banni les pipelines et les pétroliers de leurs territoires en vertu du droit autochtone[60]. » Il s'agit là d'un sentiment largement relayé par les médias : les droits des Autochtones sont à tel point reconnus en Colombie-Britannique que, même si le gouvernement fédéral donne son aval à la construction de l'oléoduc (ce qu'il a fait en juin 2014), l'opposition au projet (devant les tribunaux et sur le terrain) empêchera sa concrétisation.

L'avenir nous le dira. Comme nous le verrons dans le chapitre suivant, les revendications des peuples autochtones (ainsi que de pays en développement) qui, un peu partout dans le monde, réclament qu'on honore les dettes historiques à leur égard, peuvent faire contrepoids à l'attitude de plus en plus antidémocratique et intransigeante des gouvernements. L'issue de ces luttes de pouvoir, toutefois, est loin d'être assurée ; elle dépendra de l'ampleur du mouvement qui viendra grossir les rangs des militants.

## Chapitre 11

# Avec quelle armée ?

## Les droits des Autochtones
## et la nécessité de tenir parole

*Jamais je n'aurais cru qu'un jour nous nous unirions.*
*Nos relations sont en train de changer, les stéréotypes tombent,*
*nous nous respectons davantage les uns les autres. Si le projet*
*Northern Gateway d'Enbridge a eu le moindre effet,*
*c'est celui d'unir la Colombie-Britannique.*

Geraldine THOMAS-FLURER, coordonnatrice de la Yinka Dene Alliance
(une coalition de nations autochtones opposées au projet
d'oléoduc Northern Gateway d'Enbridge), 2013[1]

*La paix ne règne jamais en Virginie-Occidentale*
*parce que la justice n'y règne jamais.*

Mary Harris « Mother » JONES, organisatrice syndicale, 1925[2]

S OURCILS FRONCÉS, le type de Standard & Poor's parcourt rapidement le contenu d'un gros classeur posé sur la table ronde de
la salle de réunion. Il hoche la tête.

Nous sommes en 2004, et j'assiste à un entretien privé entre
deux grands chefs autochtones et le représentant d'une des trois
agences de notation les plus puissantes au monde. La rencontre
a été organisée par Arthur Manuel, ancien chef de la bande
Neskonlith de Colombie-Britannique et aujourd'hui porte-parole
du Réseau autochtone pour l'économie et le commerce.

Manuel, qui appartient à une longue et illustre lignée de dirigeants autochtones, est un penseur mondialement reconnu pour
ses réflexions sur les manières de contraindre les gouvernements
rétifs à respecter les droits territoriaux des Autochtones – même
si sa spontanéité et les petits rires dont il ponctue ses phrases ne
le laissent nullement présager. Selon lui, rien ne changera à moins
qu'États et investisseurs ne soient menacés, de façon crédible, de
perdre des sommes considérables s'ils persistent à bafouer les

droits des Autochtones. Il s'emploie donc à chercher comment concrétiser cette menace.

C'est dans ce contexte qu'il a approché Standard & Poor's (S&P), qui attribue régulièrement au Canada le triple A, un indicateur convoité montrant aux investisseurs que le pays est un endroit sûr où placer leur argent. Manuel affirme, dans les lettres qu'il a adressées à l'agence, que le Canada ne mérite pas cette cote parce que ce dernier ne rend pas compte d'un lourd passif, à savoir une dette colossale, non encore remboursée, qui correspond à l'ensemble de la richesse tirée, depuis 1846, de territoires autochtones qui ne lui ont jamais été cédés et sans le consentement des populations concernées[3]. Il s'appuie sur divers arrêts de la Cour suprême ayant réaffirmé les droits ancestraux et issus de traités.

Après maints va-et-vient épistolaires, Manuel est parvenu à planifier une rencontre avec Joydeep Mukherji, directeur du service de notation des emprunteurs souverains chargé de l'attribution de la cote de crédit du Canada. La réunion a lieu au siège social de S&P, un gratte-ciel situé à quelques pas de Wall Street. Manuel y a invité Guujaaw, charismatique président du conseil de la nation haïda, afin que celui-ci l'aide à défendre sa position sur ces dettes impayées ; à la dernière minute, il m'a demandé de les accompagner en qualité de témoin. Ignorant que, depuis le 11-Septembre, une pièce d'identité officielle est exigée à l'entrée de tous les grands immeubles de bureaux de Manhattan, le dirigeant haïda a laissé son passeport dans sa chambre d'hôtel ; avec sa chemise à carreaux et la longue tresse qui lui descend dans le dos, Guujaaw a du mal à franchir le portail de sécurité. Après quelques négociations avec le gardien (et une intervention du contact de Manuel), nous finissions tout de même par passer.

Pendant la réunion, Manuel présente à Mukherji l'ordonnance d'assignation adressée par les Okanagans et lui explique que des requêtes similaires ont été déposées par beaucoup d'autres premières nations. Par ces documents tout simples, qui font valoir leurs titres fonciers sur de vastes territoires, ces bandes font part au gouvernement du Canada de la ferme intention qu'ils ont d'engager une procédure judiciaire en vue d'obtenir compensation pour l'exploitation sans leur consentement des ressources naturelles que renferment leurs terres. Ces ordonnances d'assignation font mention d'une dette se chiffrant en milliers de milliards de dollars pour l'État canadien, précise Manuel.

Puis, solennellement, Guujaaw présente à Mukherji la déclaration de la nation haïda. Il s'agit d'un document juridique de sept pages qu'il a soumis à la Cour suprême de la Colombie-Britannique dans le but d'obtenir des réparations et dommages-intérêts de la part du gouvernement provincial pour exploitation illégale et dégradation de terres et de cours d'eau appartenant de plein droit à cette nation autochtone. D'ailleurs, tandis que nous sommes à New York, les Haïdas défendent justement leur cause devant la Cour suprême du Canada, s'attaquant à la fois au géant de l'industrie papetière Weyerhaeuser et à la province de Colombie-Britannique, qui ont omis de les consulter avant d'entreprendre l'abattage des forêts de l'île Haida Gwaii, sur la côte du Pacifique. «Les gouvernements du Canada et de la Colombie-Britannique utilisent actuellement nos terres et nos ressources (nos droits ancestraux et issus de traités) comme garantie pour tous les prêts qu'ils obtiennent de Wall Street, explique Manuel. Dans les faits, nous finançons l'enrichissement du Canada et de la Colombie-Britannique par notre appauvrissement[4].»

Mukherji et un de ses collègues de S&P écoutent en parcourant silencieusement les documents apportés par Manuel. Ils s'informent poliment du résultat des dernières élections fédérales canadiennes et demandent à leurs interlocuteurs si le nouveau gouvernement entend modifier sa façon de gérer les droits territoriaux des Autochtones. Manifestement, il n'y a là rien de nouveau pour eux, qu'il s'agisse des revendications, des arrêts des tribunaux ou du jargon constitutionnel. Ils ne contestent aucun des faits rapportés. Usant d'un maximum de tact, Mukherji explique toutefois aux deux Autochtones que son agence en est venue à la conclusion que les premières nations du Canada n'avaient pas le pouvoir de faire valoir leurs droits et, par conséquent, de recouvrer leurs créances colossales. C'est pourquoi, du point de vue de S&P, ces dettes n'ont aucun effet sur la prestigieuse cote de crédit du Canada. L'agence s'engage cependant à suivre la situation de près au cas où la dynamique changerait.

Une fois l'entretien terminé, nous nous retrouvons dans la rue, mêlés à la foule des New-Yorkais vociférant dans leur téléphone, cramponnés à leur cappuccino. Manuel prend quelques photos de Guujaaw flanqué d'agents de sécurité portant des gilets pare-balles au-dessous de l'enseigne *Standard & Poor's*. Les deux hommes ne semblent pas découragés par ce qui vient de se produire; en ce qui me concerne, je suis plutôt sous le choc. Au fond, c'est comme si les employés de S&P venaient d'annoncer à ces représentants des premiers habitants de mon pays: «Nous savons que vous n'avez jamais cédé votre territoire. Mais comment comptez-vous contraindre le gouvernement canadien à tenir parole? Avec quelle armée?»

Pour l'heure, cette question semble encore sans réponse. Aucune force digne de ce nom ne défend les droits des premières nations en Amérique du Nord; et les forces qui s'y opposent, elles, ne manquent pas. Ces dernières ne se limitent pas aux gouvernements, à la police et à l'industrie : les grands médias en font aussi partie, médias pour qui les Autochtones vivent dans le passé et jouissent de privilèges indus. Médias qui, en général, omettent de renseigner leur public sur la nature des traités qu'ont signés nos gouvernements (ou plutôt leurs prédécesseurs britanniques). Même les penseurs progressistes les plus éclairés ne s'intéressent pas à la question : en théorie, ils reconnaissent les droits des Autochtones, mais ils les envisagent le plus souvent comme une des multiples composantes de la grande mosaïque multiculturelle et non comme un principe qu'ils devraient défendre activement.

Cependant, dans ce qui constitue sans doute une des dimensions politiques les plus importantes de l'essor de la résistance blocadienne, cette dynamique est en train de changer, et rapidement. Une sorte d'armée est en train de prendre forme dans le cadre d'une lutte visant à ce que les droits territoriaux des Autochtones deviennent des réalités économiques incontournables, tant pour les gouvernements que pour l'industrie.

## Un dernier moyen de défense

Comme nous l'avons vu dans le chapitre 9, l'affirmation des droits des Autochtones joue un rôle crucial dans la montée de la résistance à l'extraction des combustibles fossiles. Ce sont les Nez-Percés qui ont réussi à empêcher les grosses remorques d'emprunter la route 12 dans l'Idaho et le Montana; personne n'en fait plus que les Cheyennes du Nord pour empêcher le développement de l'extraction du charbon dans le sud-est du Montana; les Lummis ont érigé le principal obstacle juridique à l'aménagement du plus grand terminal d'exportation du charbon de la région du Pacifique Nord-Ouest; la première nation micmaque Elsipogtog a grandement perturbé les relevés sismiques destinés à d'éventuelles opérations de fracturation hydraulique au Nouveau-Brunswick; et ainsi de suite. En remontant un peu plus loin dans le temps, n'oublions pas que les luttes des Ogonis et des Ijaws, au Nigeria, incluaient des revendications plus larges d'autodétermination et de réappropriation des ressources se trouvant sous des terres qu'on leur avait arrachées pendant la période coloniale. Bref, dans bon nombre de batailles décisives s'inscrivant dans la mouvance blocadienne, l'affirmation par les Autochtones de leurs droits territoriaux représente un obstacle de taille pour les industries de l'extraction. À travers ces victoires, de nombreux non-Autochtones commencent à comprendre que ces droits constituent de puissants leviers pour prévenir la crise écologique. Plus important encore, les non-Autochtones commencent aussi à se rendre compte que les modes de vie que les premières nations cherchent à protéger peuvent leur en apprendre beaucoup sur un rapport au territoire reposant sur autre chose que l'extraction. Il s'agit là d'un changement radical, qui s'est produit en un très bref laps de temps. Mon propre pays offre un bon aperçu de la rapidité de cette mutation.

La Constitution du Canada et la Charte canadienne des droits et libertés reconnaissent et protègent les «droits et libertés des peuples autochtones», dont les droits issus de traités, le droit à l'autonomie gouvernementale et les droits issus de coutumes, de pratiques ou de traditions caractérisant leur culture. Toutefois, selon une conception largement répandue, on a longtemps assimilé ces traités à des actes de cession de vastes portions du territoire en échange de services publics et de droits particuliers sur des zones beaucoup plus petites, les réserves. De nombreux Canadiens jugeaient aussi que les non-Autochtones pouvaient disposer des ressources naturelles à leur guise sur les terres n'ayant fait l'objet d'aucun traité (qui représentent une proportion considérable du pays, dont 80 % de la seule Colombie-Britannique). Les premières nations avaient des droits dans leurs réserves, mais, si elles en avaient déjà eu à l'extérieur de celles-ci, ils s'étaient sûrement effrités au fil des ans. Qui va à la chasse perd sa place, semblait-on se dire[5].

Cet édifice s'est subitement effondré à la fin des années 1990, quand la Cour suprême du Canada a prononcé une série d'arrêts marquants dans des affaires conçues pour tester les limites du titre aborigène et des droits issus de traités. En premier lieu, le jugement *Delgamuukw c. Colombie-Britannique,* rendu en 1997, a déterminé que le titre aborigène sur les vastes territoires de la Colombie-Britannique n'ayant fait l'objet d'aucun traité, il n'avait jamais été éteint et restait à définir. Bon nombre de premières nations ont interprété cette décision comme une affirmation de la pérennité de leurs droits sur ces territoires, y compris ceux d'y pêcher, d'y chasser et de s'y adonner à la cueillette. Chelsea Vowel, enseignante et juriste métisse établie à Montréal, décrit l'onde de choc causée par le jugement: «Un matin, les Canadiens ont pris conscience du fait juridique que des millions d'hectares de territoire n'avaient jamais été acquis par la Couronne», ce qui allait avoir «des conséquences immédiates sur d'autres régions du pays qui n'ont jamais été cédées par traité[6]».

Deux ans plus tard, en 1999, par la décision connue sous le nom d'«arrêt Marshall», la Cour suprême a statué que, lorsqu'ils ont signé des traités «de paix et d'amitié» avec la Couronne britannique en 1760 et en 1761, les Micmacs, les Malécites et les Passamaquoddys (majoritairement établis au Nouveau-Brunswick et en Nouvelle-Écosse) n'ont pas renoncé à leurs droits sur leurs territoires ancestraux. Ils ont plutôt accepté de les *partager* avec les colons, à la condition de pouvoir continuer à y pratiquer leurs activités traditionnelles, dont la pêche, le commerce et les cérémonies. L'affaire avait été portée devant les tribunaux par un seul pêcheur, Donald Marshall Jr., qui avait capturé des anguilles hors saison et sans permis; la Cour a établi que les Micmacs et les Malécites avaient le droit, en vue de «s'assurer une subsistance convenable», de pêcher à longueur d'année, aux mêmes endroits que leurs ancêtres, et les a ainsi exemptés de nombreuses règles imposées par le gouvernement fédéral aux bateaux de pêche non autochtones[7].

De nombreux autres traités contenant de semblables clauses de partage des ressources ont été conclus en Amérique du Nord. Le Traité n° 6 de 1876, par exemple, qui couvre une grande partie de la région albertaine où l'on extrait aujourd'hui des sables bitumineux, stipule clairement que les Autochtones «auront le droit de se livrer à leurs occupations ordinaires de chasse et de pêche dans l'étendue de pays cédée». Autrement dit, ils ont uniquement cédé leurs droits territoriaux *exclusifs*, acceptant ainsi que leurs terres soient utilisées par les deux groupes – les colons et les Autochtones –, qui vaqueraient chacun de leur côté à leurs activités respectives[8].

Cependant, la coexistence pacifique devient tout simplement impossible si l'une des deux parties détériore et contamine irrévocablement ce territoire partagé. D'ailleurs, bien que le texte du traité n'en fasse pas mention, des Autochtones âgés de la région soutiennent que leurs ancêtres négociateurs avaient autorisé les colons à utiliser la terre seulement jusqu'«à la profondeur du sillon tracé par une charrue», nettement moindre que celle des plaies béantes qu'on y ouvre de nos jours. La plupart des traités qui ont façonné l'Amérique du Nord moderne ont pour fondements de telles clauses de partage du territoire.

Au Canada, la période qui a suivi les jugements de la Cour suprême a été pour le moins tumultueuse. Les gouvernements fédéral et provinciaux n'ont pas fait grand-chose (voire rien du tout) pour garantir les droits que le plus haut tribunal du pays venait de reconnaître. Ce sont donc les Autochtones qui ont dû les affirmer eux-mêmes en se rendant sur les terres et cours d'eau concernés pour y pêcher, y chasser, y abattre des arbres et y bâtir des installations destinées aux cérémonies, souvent sans la permission de l'État. La réaction ne s'est pas fait attendre. Dans tout le pays, des pêcheurs et des chasseurs non autochtones se sont indignés de ces « Indiens » qu'ils jugeaient au-dessus des lois, qui allaient vider les océans et les rivières de tous leurs poissons, se réserver le meilleur gibier, détruire les forêts, etc. (Peu importe l'incessante négligence dont font montre les diverses instances gouvernementales canadiennes en matière de gestion des ressources.)

Les tensions ont atteint leur paroxysme chez les Micmacs de Burnt Church, établis au Nouveau-Brunswick. Furieux de constater que l'arrêt Marshall autorisait désormais ces Autochtones à exercer leurs droits issus de traités et à pêcher en dehors des saisons officielles, des groupes de pêcheurs non autochtones ont lancé une série d'assauts violents contre leurs voisins. Lors de ce qu'on a fini par appeler la crise de Burnt Church, des milliers de casiers à homards appartenant aux Micmacs ont été détruits, trois usines de traitement du poisson saccagées, une tonnelle de cérémonie incendiée, et plusieurs Autochtones ont dû être hospitalisés après l'attaque de leur camion. La violence n'était pas le seul fait de ces milices improvisées. Alors que la crise s'enlisait depuis des mois, des navires de la garde côtière canadienne avec à leur bord des agents en tenue antiémeute ont foncé sur des bateaux de pêche autochtones, contraignant leurs occupants à se jeter par-dessus bord pour sauver leur peau. S'ils faisaient tout leur possible pour se défendre, entre autres avec l'aide de la Mi'kmaq Warrior Society, les pêcheurs micmacs étaient beaucoup moins nombreux que leurs adversaires. C'est ainsi que la peur s'est emparée de la collectivité ; et elle allait la hanter pendant des années. Le racisme était tel que, à un moment donné, un pêcheur non autochtone s'est affublé d'une longue perruque et s'est livré à une « danse de guerre » caricaturale sur le pont de son bateau, devant des équipes de télévision ravies.

C'était en 2000. En 2013, à une centaine de kilomètres au sud de Burnt Church, la même Mi'kmaq Warrior Society fait de nouveau la manchette, cette fois parce qu'elle s'est jointe à la première nation Elsipogtog pour repousser la firme texane au cœur de l'épreuve de force qui a cours au Nouveau-Brunswick autour de la fracturation. Mais l'ambiance et la dynamique sous-jacente ne pourraient être plus différentes de celles qui régnaient au tournant du siècle. Au cours des quelques mois que durera cette campagne, les Warriors allumeront une série de feux sacrés en invitant nommément les non-Autochtones à les rejoindre sur les barricades, le tout dans le but «de garantir que l'entreprise ne puisse reprendre ses opérations d'extraction du gaz de schiste par fracturation». Une déclaration précise que la lutte «s'inscrit dans une campagne plus large qui réunit des Autochtones, des Acadiens et des anglophones». (Les Acadiens francophones, qui représentent près du tiers de la population néo-brunswickoise, ont vécu leurs propres tensions avec la majorité anglophone au fil de l'histoire[9].)

Beaucoup ont répondu à l'appel, et on mentionne souvent que les manifestations organisées par la première nation Elsipogtog attirent une remarquable diversité de participants, venant de tous les groupes ethniques de la province ainsi que de peuples autochtones de l'ensemble du Canada. «Il règne ici un véritable sentiment de solidarité, observe la manifestante non autochtone Debbi Hauper. Nous sommes unis autour de ce qui compte le plus. Le gouvernement et l'industrie trouvent sans cesse de nouveaux moyens pour tenter de nous diviser, et il faut admettre que ces moyens se sont avérés efficaces pendant des décennies. Mais je crois que nous sommes en train de nous réveiller[10].»

De toute évidence, on tente de raviver les haines d'autrefois. «Les terres de la Couronne appartiennent à l'État, pas à ces foutus Autochtones», lance un policier. Tandis que le conflit avec la police tourne à la violence, David Alward, alors premier ministre du Nouveau-Brunswick, fait cette remarque: «Manifestement, ce sont là des gens qui ne partagent pas les valeurs des Néo-Brunswickois.» Mais les militants se serrent les coudes, et des marches de solidarité ont lieu dans des dizaines de villes du Canada: «Ce n'est pas seulement une campagne des premières nations. En fait, nous vivons un moment historique, où les principaux peuples de la province – anglophones, Acadiens et Autochtones – font cause commune», déclare David Coon, chef du Parti vert du Nouveau-Brunswick. «C'est une question de justice. Ils souhaitent protéger leurs terres, leurs cours d'eau et leur air de la destruction[11].»

De nombreux Néo-Brunswickois ont maintenant compris que les droits territoriaux des Micmacs (ces mêmes droits qui ont suscité des émeutes raciales une quinzaine d'années auparavant) sont porteurs des plus grands espoirs de victoire contre la fracturation hydraulique[12]. Et tout indique que de nouveaux outils sont nécessaires : avant de devenir premier ministre, Alward entretenait des doutes quant à la pertinence de l'extraction du gaz de schiste, mais, une fois élu, en 2010, il s'est empressé de retourner sa veste, affirmant que les revenus que la province en tirerait étaient nécessaires au financement des programmes sociaux et à la création d'emplois – une volte-face typique de celles qui alimentent le cynisme à l'endroit de la démocratie représentative aux quatre coins du monde.

Les droits des Autochtones, en revanche, ne devraient pas être tributaires des caprices de politiciens. La première nation Elsipogtog soutient qu'aucun traité n'a conféré au gouvernement canadien l'autorité de transformer radicalement ses terres ancestrales. Le droit de pêcher et de chasser, confirmé par l'arrêt Marshall, est bafoué par une activité industrielle qui menace l'intégrité fondamentale des terres et des plans d'eau (à quoi bon avoir le droit de pêcher si l'eau est polluée ?). « Je crois que nos traités constituent le dernier moyen de défense dont nous disposons pour assurer de l'eau propre aux générations futures », explique Gary Simon, membre de la première nation Elsipogtog[13].

Les Lummis défendent un argumentaire similaire dans leur opposition à l'aménagement d'un terminal d'exportation du charbon près de Bellingham, dans l'État de Washington, en affirmant que l'augmentation considérable du trafic de pétroliers dans le détroit de Géorgie et la pollution par la poussière de charbon violeraient leur droit de pêcher dans ces eaux, protégé par traité. (Les représentants de la tribu Lower Elwha Klallam de l'État de Washington ont tenu le même discours lorsqu'ils se sont battus, avec succès, pour le démantèlement de deux barrages sur la rivière Elwha. En entravant la migration des saumons, ont-ils affirmé, ces barrages brimaient leur droit de pêcher, issu d'un traité.) Aussi, quand, en février 2014, le département d'État des États-Unis a fait savoir qu'il pourrait bientôt donner son appui au projet Keystone XL, les représentants de la première nation Lakota ont aussitôt déclaré qu'ils considéraient la construction de cet oléoduc comme illégale. L'oléoduc est appelé à traverser des territoires traditionnels lakotas reconnus par traité et à longer la réserve de près. « Ils ne reconnaissent pas nos traités, explique Paula Antoine, du bureau des terres de la tribu Rosebud. En passant par ici, ils violent nos droits issus de traités et nos frontières. La moindre dégradation des sols le long du tracé proposé serait pour nous une nuisance[14]. »

Ces droits sont bien réels et constituent un puissant levier, d'autant plus qu'une bonne partie des bombes au carbone les plus grosses et les plus dangereuses de la planète reposent sous des terres et des cours d'eau revendiqués en toute légitimité par des peuples autochtones. Personne ne dispose d'un meilleur arsenal juridique pour mettre un terme à l'expansion débridée de l'industrie des sables bitumineux que les premières nations vivant en aval, dont les territoires de chasse, de piégeage et de pêche, protégés par traité, sont déjà souillés. Tout comme aucun groupe ne dispose d'un meilleur arsenal juridique pour stopper la ruée vers le forage dans l'Arctique que les Inuits, les Sames et d'autres peuples autochtones du Grand Nord dont les moyens de subsistance sont menacés par d'éventuelles marées noires. Mais peuvent-ils réellement exercer ces droits?

Cet arsenal s'est déployé en janvier 2014 alors qu'une coalition de tribus autochtones d'Alaska unie à plusieurs groupes environnementalistes d'envergure a remporté une importante victoire juridique contre les activités de forage de Shell en Arctique, déjà entachées de scandale. Selon les porte-parole de ce mouvement coordonné par le village autochtone de Point Hope, quand le département américain de l'Intérieur a délivré des permis de forage à Shell et à d'autres sociétés en vue d'opérations dans la mer des Tchouktches, il n'a pas tenu compte de tous les risques, dont ceux qui pèsent sur le mode de vie des Iñupiats, inextricablement lié à la santé de l'océan. «Depuis des milliers d'années, expliquait le maire de Point Hope au début du procès, les habitants du village dépendent, pour la chasse, des animaux qui migrent dans la mer des Tchouktches. Elle est notre jardin, notre identité, notre mode de subsistance. Sans elle, nous ne serions pas devenus ce que nous sommes. [...] Nous nous opposons à toute activité pouvant menacer notre mode de vie et les animaux qui nous sont essentiels.» Pour les Iñupiats qui dépendent de la mer des Tchouktches, «on ne peut dissocier les impacts sur l'environnement des impacts sur les moyens de subsistance, car il s'agit de la même chose», précise Faith Gemmill, directrice générale de Resisting Environmental Destruction on Indigenous Lands, un des groupes ayant participé à la poursuite judiciaire[15]. Une cour d'appel fédérale a tranché en faveur de la coalition après avoir constaté que le département de l'Intérieur avait évalué les risques en se basant sur des données «arbitraires et inconsistantes» et en tenant uniquement compte «du meilleur scénario en ce qui concerne les dommages à l'environnement[16]». Cette nonchalance rappelle l'évaluation bâclée qui a fait le lit de la catastrophe de Deepwater Horizon.

John Sauven, directeur général de Greenpeace au Royaume-Uni, qualifie la décision du tribunal de «coup dur pour les ambitions arctiques de Shell». Quelques jours plus tard, la société pétrolière a d'ailleurs annoncé qu'elle suspendait indéfiniment ses projets dans l'Arctique. «C'est une issue décevante, mais, en raison de l'incertitude qui en découle, je ne suis pas en mesure d'allouer des ressources supplémentaires aux forages en Alaska pour 2014, a déclaré le PDG de Shell, Ben van Beurden. Nous espérons que les agences appropriées et la Cour régleront les questions juridiques en suspens le plus tôt possible.» Sans les groupes autochtones, qui ont soulevé les enjeux relatifs aux droits de la personne dans cette bataille, cette victoire n'aurait probablement jamais eu lieu[17].

Partout dans le monde, les sociétés charbonnières qui tentent d'aménager d'immenses mines et de vastes terminaux d'exportation doivent elles aussi de plus en plus souvent tenir compte de l'arsenal juridique particulier dont disposent les peuples autochtones. En Australie-Occidentale, par exemple, l'éventualité de batailles juridiques relatives au titre aborigène a joué un rôle important dans l'abandon d'un projet d'usine de traitement du gaz naturel liquéfié (GNL) et de port méthanier de 45 milliards de dollars. Face à la persistance du gouvernement de cet État à vouloir imposer la construction d'infrastructures gazières dans la région, les groupes autochtones menacent de faire valoir leurs droits traditionnels de propriété et leurs droits procéduraux devant les tribunaux. Les collectivités touchées par l'extraction du méthane de houille en Nouvelle-Galles du Sud font de même[18].

Pendant ce temps, en Amazonie, plusieurs groupes autochtones ont obstinément barré la route aux sociétés pétrolières déterminées à sacrifier de nouveaux pans de l'immense forêt tropicale, protégeant à la fois les hydrocarbures du sous-sol et les plantes qui captent le carbone au-dessus des gisements de pétrole et de gaz. Ils ont affirmé leurs droits fonciers avec un succès grandissant devant la Cour interaméricaine des droits de l'homme, qui les a soutenus, à l'encontre des gouvernements, dans des affaires touchant les ressources naturelles et les droits territoriaux[19]. Les U'was, une tribu isolée de la Colombie vivant dans les forêts de nuages andines (où la canopée est constamment enveloppée de brouillard), sont entrés dans l'histoire en résistant aux projets de forage des géants du pétrole sur leur territoire. Ils ont affirmé que l'extraction du pétrole se trouvant sous terre entraînerait leur anéantissement (précisons que quelques forages ont tout de même eu lieu).

Tandis que le mouvement de défense des droits des Autochtones gagne en force à l'échelle mondiale, la reconnaissance de la légitimité de ses revendications enregistre des progrès considérables. L'avancée la plus importante est la Déclaration des Nations Unies sur les droits des peuples autochtones, adoptée en septembre 2007 par l'assemblée générale à 143 voix contre 4 (les États-Unis, le Canada, l'Australie et la Nouvelle-Zélande, qui ont tous fini par l'appuyer sous la pression de leurs populations). Le document stipule que les « peuples autochtones ont droit à la préservation et à la protection de leur environnement et de la capacité de production de leurs terres ou territoires et ressources ». Plus loin, on ajoute qu'ils « ont droit à réparation [...] pour les terres, territoires et ressources [...] qui ont été confisqués, pris, occupés, exploités ou dégradés sans leur consentement préalable, donné librement et en connaissance de cause ». Certains pays sont même allés jusqu'à amender leur constitution en vue d'y intégrer ces droits. Ainsi, la Constitution bolivienne, adoptée par les électeurs en 2009, affirme que les peuples autochtones « disposent du droit à ce qu'on leur demande leur consentement : le gouvernement est tenu de les consulter, de bonne foi et par convention, préalablement à toute exploitation de ressources naturelles non renouvelables sur les territoires qu'ils occupent ». Il s'agit là d'une victoire colossale, obtenue de haute lutte[20].

## La puissance contre les droits

Néanmoins, malgré ces progrès dans la reconnaissance des droits des Autochtones, les gouvernements sont encore loin de joindre les actes à la parole (et à la signature), et rien ne garantit la victoire des demandeurs lorsqu'un tribunal se penche sur la validité de ces droits. Même dans les pays pourvus de lois progressistes en la matière, comme la Bolivie et l'Équateur, l'État persiste à mettre en œuvre des projets d'extraction sans le consentement des peuples autochtones qui dépendent des terres visées[21]. Au Canada, aux États-Unis et en Australie, non seulement ces droits sont ignorés, mais les Autochtones qui tentent de bloquer physiquement des projets d'extraction manifestement illégaux sont assurés de finir du mauvais côté d'une bombonne de poivre de Cayenne – ou du canon d'un fusil. Et, pendant que des avocats débattent des aspects les plus complexes des titres fonciers devant les tribunaux, des tronçonneuses vrombissantes s'activent à abattre des arbres quatre fois plus vieux que nos États, et les fluides nécessaires à la fracturation s'infiltrent dans les nappes phréatiques.

Les raisons pour lesquelles l'industrie s'en tire à bon compte n'ont pas grand-chose à voir avec la légalité, mais plutôt avec le pouvoir politique brut : les collectivités autochtones isolées, souvent appauvries, n'ont généralement pas les ressources financières et l'influence nécessaires à l'affirmation de leurs droits, et, de toute façon, la police est au service de l'État. De plus, le coût d'une poursuite judiciaire contre une multinationale de l'extraction est prohibitif. Ainsi, dans la foulée de l'affaire marquante du « Tchernobyl amazonien », où la Cour suprême de l'Équateur a condamné Chevron à verser 9,5 milliards de dollars en dommages et intérêts, un porte-parole de la firme a fait la déclaration suivante : « Nous entendons nous battre pour ce projet jusqu'à la fin des temps. » Effectivement, la bataille traîne en longueur[22].

J'ai été frappée par ce profond déséquilibre lors d'un séjour sur le territoire de la nation crie de Beaver Lake, dans le nord de l'Alberta. Cette bande autochtone se trouve au cœur d'une des batailles juridiques les plus déterminantes pour le dossier des sables bitumineux. En 2008, elle a engagé une procédure judiciaire sans précédent : en autorisant la transformation de ses terres en enchevêtrement d'infrastructures pétrolières et gazières, ainsi qu'en empoisonnant les espèces sauvages et en les faisant fuir la région, alléguait-elle, les gouvernements fédéral et provinciaux, tout comme la Couronne britannique, avaient contrevenu pas moins de 15 000 fois au traité reconnaissant son droit de chasser, de pêcher et de trapper sur son territoire[23]. La plainte avait ceci de particulier qu'elle ne portait pas sur une infraction précise, mais sur l'ensemble du modèle de développement lié à l'extraction, modèle qui, selon les plaignants, était néfaste et constituait en lui-même une violation du traité.

« Les gouvernements du Canada et de l'Alberta ont fait beaucoup de promesses à notre peuple, et nous comptons bien les voir tenir parole », déclarait Al Lameman, redoutable chef de la nation crie de Beaver Lake au moment du dépôt de plainte (Lameman avait déjà marqué l'histoire en engageant les premières poursuites relatives aux droits des Autochtones contre l'État canadien). Contre toute attente, le dossier a fait son chemin dans le système judiciaire, et, en mars 2012, un tribunal albertain a rejeté catégoriquement les arguments du gouvernement, qui tentait de la faire débouter en la qualifiant de « frivole », d'« abusive à l'endroit du processus judiciaire » et d'« ingérable[24] ».

428 – TOUT PEUT CHANGER

Un an après ce jugement, j'ai rencontré Al Lameman, désormais retraité, sa cousine Germaine Anderson, membre élue du conseil de bande, et Crystal Lameman, nièce de l'ex-chef et voix parmi les plus convaincantes du mouvement d'opposition aux sables bitumineux sur la scène internationale. Ces trois personnes ont joué un rôle essentiel dans l'engagement des poursuites judiciaires, et Germaine Anderson m'a invitée à un barbecue familial pour en discuter.

Ce début du mois de juillet suivait un hiver long et sombre, et on avait l'impression qu'un voile venait de se lever : à 22 heures, le soleil brillait encore, l'air nordique était limpide et sec. Al Lameman, qui avait beaucoup vieilli ces dernières années, participait ponctuellement à la conversation. D'une timidité presque maladive, Anderson avait aussi eu des problèmes de santé. La famille était réunie à l'endroit où elle passait l'été, au cœur de la forêt, dans une clairière où était installée une petite roulotte sans eau courante ni électricité.

Je savais que la lutte des cris de Beaver Lake était comparable à celle de David contre Goliath. Mais, en cette interminable soirée d'été, j'en ai soudain pris la pleine mesure : certains des citoyens les plus marginalisés de mon pays (dont bon nombre, comme tous les membres les plus âgés du clan Lameman, ont survécu au traumatisme intergénérationnel de la maltraitance des pensionnats) s'en prennent à certaines des forces les plus riches et les plus puissantes de la planète. Leur lutte héroïque n'ouvre pas seulement la voie à un avenir sain pour leur peuple : si les poursuites semblables à celles que les gens de Beaver Lake ont intentées réussissent à freiner l'expansion de l'industrie des sables bitumineux, elles représenteront sans doute la meilleure chance pour le reste d'entre nous de jouir d'un climat propice à la vie humaine.

Il s'agit là d'un lourd fardeau pour ces collectivités. Qu'elles le portent avec si peu de soutien de la part du reste de la population est d'une injustice sociale sans nom.

Quelques centaines de kilomètres plus au nord, une autre première nation, celle des Chipewyans d'Athabasca, vient d'engager une procédure appelée à faire date. Celle-ci vise Shell et le gouvernement canadien, et porte sur un important projet d'expansion d'un site d'extraction de sables bitumineux. La bande conteste également un autre projet minier de Shell, celui de la rivière Pierre, qui, affirme-t-elle, « aurait un impact considérable sur les terres, les cours d'eau, la faune et la possibilité pour elle d'utiliser son territoire traditionnel ». Là encore, le déséquilibre des forces en présence est stupéfiant. Avec ses quelque 1 000 membres et un budget de fonctionnement d'à peine 5 millions de dollars, la première nation des Chipewyans d'Athabasca fait face à l'État canadien et à Shell, qui compte 92 000 employés dans plus de 70 pays et a enregistré des revenus mondiaux de 451,2 milliards en 2013. Devant des disparités comme celle-là, de nombreuses collectivités ne sautent jamais dans l'arène, et on les comprend[25].

Voilà des années que les gouvernements et l'industrie misent sur cet écart entre droits et moyens, entre ce que stipule la loi et la capacité de populations appauvries à imposer des contraintes à des organisations immensément plus puissantes qu'elles.

## Respectez les traités

Mais quelque chose est en train de changer. De plus en plus de citoyens non autochtones commencent à comprendre que les droits des premières nations (défendus avec énergie devant les tribunaux, par l'action directe et par des mouvements de masse) constituent sans doute, pour l'ensemble de la population, le meilleur outil qui permettrait d'éviter le chaos climatique.

C'est pourquoi, souvent, les mouvements anti-extractivistes ne luttent pas simplement contre tel ou tel projet de l'industrie du pétrole, du gaz ou du charbon, ou encore pour une meilleure démocratie. Ils ouvrent aussi la voie à une réconciliation historique entre populations autochtones et non autochtones. Ces dernières réalisent enfin que, en cette époque où de plus en plus d'élus manifestent ouvertement leur mépris des principes démocratiques, les droits des premières nations ne constituent pas une menace, mais un atout formidable. En ayant la prévoyance d'inclure dans les traités des clauses leur assurant le droit de tirer leur subsistance de leurs territoires traditionnels, les négociateurs autochtones d'autrefois ont légué à l'ensemble de la population un arsenal juridique à l'aide duquel on peut maintenant exiger des gouvernements qu'ils mettent un terme au pillage de la planète.

Ainsi, des collectivités où régnait la colère, la jalousie et un racisme à peine voilé ressentent quelque chose de nouveau et d'inhabituel. « Nous éprouvons une vive gratitude à l'égard de nos partenaires des premières nations dans cette lutte », constate Lionel Conant, gestionnaire immobilier dont le domicile de Fort St. James, en Colombie-Britannique, se trouve à proximité du tracé envisagé pour l'oléoduc Northern Gateway. « [Ils ont] la capacité juridique de contester [l'oléoduc] [...] en raison de tous ces territoires jamais cédés. » Dans l'État de Washington, les militants anticharbon considèrent les droits issus de traités des Lummis comme un «atout dans leur manche» à utiliser en cas d'échec des autres moyens envisagés pour empêcher l'aménagement des terminaux d'exportation. «Je crois qu'on ne saisit pas toute l'ampleur du pouvoir que possèdent les Autochtones en tant que peuples souverains, souvent parce qu'ils n'ont pas les ressources pour l'exercer. Ils n'en sont pas moins capables de bloquer des projets énergétiques par un moyen qui n'est pas à notre disposition», affirme franchement Mike Scott, du Sierra Club du Montana[26].

La Micmaque Suzanne Patles, qui milite contre l'extraction du gaz de schiste au Nouveau-Brunswick, raconte que les populations non autochtones «ont approché les premières nations en leur disant : "Nous avons besoin d'aide[27]"». Voilà qui représente un vrai revirement de situation par rapport à la charité compatissante et paternaliste qui a trop longtemps empoisonné les rapports entre Autochtones et progressistes bien-pensants.

C'est dans ce contexte de prise de conscience graduelle qu'est apparu, fin 2012, le mouvement Idle No More (Fini la passivité) sur la scène politique canadienne, avant de s'étendre rapidement vers le sud de la frontière. En pleine frénésie des Fêtes, les centres commerciaux d'Amérique du Nord (du gigantesque Edmonton Mall au Mall of America du Minnesota) se sont soudain animés au son des tambours et des robes à clochettes d'Autochtones ayant organisé des rassemblements éclair. Au Canada, des dirigeants autochtones ont entamé des grèves de la faim ; des jeunes ont entrepris des marches symboliques de plusieurs mois, bloqué des routes et des chemins de fer.

Le mouvement s'est constitué dans la foulée d'une série d'assauts du gouvernement canadien à l'encontre de la souveraineté autochtone et contre les mesures existantes de protection de l'environnement (de l'eau, en particulier). Ces attaques en règle avaient pour but d'ouvrir la voie à une expansion rapide de l'industrie des sables bitumineux, avec ses mines gigantesques et ses projets comme l'oléoduc Northern Gateway d'Enbridge. La charge a pris la forme de deux projets de loi omnibus* sur le budget, adoptés en 2012, qui ont vidé de sa substance une bonne partie de la réglementation canadienne sur l'environnement. Par consé-

---

\* Au Canada, une loi omnibus est une loi qui porte simultanément sur plusieurs sujets n'ayant pas nécessairement de liens entre eux. Le gouvernement fédéral conservateur de Stephen Harper (au pouvoir depuis 2006, majoritaire depuis 2011) a pris l'habitude d'inclure ses budgets dans des projets de lois omnibus, ce qui est une stratégie pour faire «passer» plus facilement divers éléments. En effet, ces projets de loi sont si volumineux que les parlementaires n'ont pas le temps de les évaluer convenablement avant leur adoption. [NdT]

quent, un grand nombre d'activités industrielles ont aussitôt été exemptées de l'obligation de faire l'objet d'une évaluation environnementale fédérale, ce qui, avec d'autres changements, a restreint la possibilité pour les collectivités de se faire entendre et a pratiquement donné carte blanche à l'intransigeant gouvernement de droite de Stephen Harper pour imposer des projets de développement énergétique impopulaires. Ces lois omnibus ont aussi modifié des dispositions essentielles de la Loi sur la protection de la navigation, qui protège certaines espèces et leurs écosystèmes. Auparavant, près de 100 % des plans d'eau du Canada étaient protégés ; en raison des amendements à la loi, cette proportion est maintenant inférieure à 1 %, et les oléoducs sont exemptés. (Des documents révéleront plus tard que cette exemption a été expressément réclamée par l'industrie des oléoducs[28].)

Les Canadiens ont été stupéfaits par l'ampleur et la rapidité de ces modifications réglementaires. La plupart d'entre eux se sentent impuissants, à raison : bien qu'il n'ait recueilli que 39,6 % des voix aux élections de 2011, le Parti conservateur de Stephen Harper détient la majorité des sièges à la Chambre des communes*, ce qui lui permet apparemment d'agir à sa guise[29]. Les premières nations, elles, n'ont pas baissé les bras : elles ont lancé le mouvement Idle No More, qui s'affaire d'un océan à l'autre. Selon leurs dirigeants, ces lois mettent en péril leurs droits à une eau de qualité et au maintien de leur mode de vie traditionnel. Tout à coup, les arguments qu'on avait brandis lors de luttes locales ont été portés au niveau national pour contester des réformes fédérales de grande envergure. Pendant un certain temps, Idle No More semblait avoir changé la donne, obtenant du soutien un peu partout dans la société canadienne, des syndicats aux étudiants, en passant par les tribunes des grands quotidiens.

Ces coalitions, où des gens riches en droits, mais pauvres en moyens, s'unissent à des gens (relativement) riches en moyens, mais pauvres en droits, recèlent un potentiel politique considérable. Si une masse critique de citoyens exige avec force des gouvernements qu'ils respectent les engagements pris autrefois envers les populations sur le territoire desquelles les États coloniaux ont été bâtis, les politiciens, qui souhaitent être réélus, ne pourront ignorer ces demandes indéfiniment. De plus, quelles que soient leurs prétentions à l'impartialité, les tribunaux sont nécessairement influencés par les valeurs de la société dont ils font partie.

---

* C'était du moins toujours le cas au moment de la publication de ce livre. [NdT]

Une poignée de décisions courageuses mises à part, ils considèrent généralement avec réserve un droit territorial ou un traité obscur que tout le monde ignore systématiquement. En revanche, si l'opinion publique envisage un traité avec sérieux, il est beaucoup plus probable que les tribunaux lui emboîtent le pas*.

L'essor du mouvement Idle No More a mis de nombreux investisseurs en état d'alerte. « Selon un sondage effectué en 2012-2013, les provinces canadiennes n'occupent pas les premiers rangs du palmarès mondial des plus importants territoires miniers pour la première fois en six ans », rapportait Reuters en mars 2013. « Les entreprises qui ont participé au sondage se disent préoccupées par les revendications territoriales. » L'article citait Ewan Downie, chef de la direction de Premier Gold Mines, qui exploite plusieurs sites en Ontario : « Selon moi, les enjeux relatifs aux premières nations sont aujourd'hui un des principaux facteurs qui influent sur l'investissement minier au Canada[30]. »

Chroniqueur au quotidien britannique *The Guardian*, le journaliste et militant Martin Lukacs constatait pour sa part ce que les Canadiens étaient enfin en train de comprendre :

> [...] la reconnaissance concrète des droits des premières nations, à commencer par l'application de la Déclaration des Nations Unies sur les droits des peuples autochtones, pourrait modifier l'équilibre des pouvoirs sur un vaste territoire à l'avantage des populations autochtones et au détriment des entreprises. En rendant enfin justice aux premières nations, le Canada ne ferait pas que rembourser sa dette juridique colossale envers elles, car un tel règlement représenterait aussi notre meilleure chance de protéger des territoires entiers de l'extraction débridée et de la destruction. L'action des peuples autochtones (et la solidarité des Canadiens à leur endroit) sera donc largement déterminante pour l'avenir de la planète.

---

* Ce n'est d'ailleurs sans doute pas une coïncidence si, en juin 2014, la Cour suprême du Canada a rendu ce qui constitue probablement son arrêt le plus important à ce jour en matière de droits des Autochtones, en reconnaissant le titre aborigène des Chilcotins sur un territoire de 1 750 kilomètres carrés en Colombie-Britannique. Par cette décision unanime, le plus haut tribunal canadien a établi que les droits fonciers de cette première nation incluaient le droit d'utiliser le territoire, celui de décider comment le territoire peut être utilisé par autrui et celui de retirer des avantages économiques du territoire. Les juges ont aussi statué que le gouvernement devait remplir certaines conditions avant d'y exercer quelque activité que ce soit, et qu'il devait non seulement consulter les Autochtones, mais aussi obtenir leur consentement. De nombreux observateurs considèrent que ce jugement rend la réalisation de projets controversés tels que les oléoducs destinés aux sables bitumineux (rejetés par les premières nations) beaucoup plus difficile.

De plus en plus de Canadiens en prennent conscience. Ils sont des milliers à prendre part à des campagnes de sensibilisation, à devenir des alliés des premières nations. [...] Des actions soutenues, visant à donner du poids aux revendications autochtones, forceront l'économie canadienne à afficher sa vraie nature, rendant possible la transformation du pays. C'est là le potentiel d'un mouvement de contestation de plus en plus large, d'une véritable armée citoyenne infiniment puissante et nombreuse[31].

En résumé, le pouvoir des premières nations de faire valoir leurs droits, que S&P jugeait insuffisant lors de la réunion avec Manuel et Guujaaw en 2004, est peut-être en train de s'imposer.

Cette solidarité a encore été renforcée en janvier 2014 quand la légende canadienne du rock Neil Young a entrepris une tournée pancanadienne intitulée *Honour the Treaties* (Respectez les traités). Quelques mois auparavant, l'artiste s'était rendu dans la région des sables bitumineux. Dévasté par ce qu'il y avait vu, il avait déclaré, non sans susciter la controverse, que la région « ressemble à Hiroshima ». Pendant son séjour, il avait rencontré Allan Adam, chef des Chipewyans d'Athabasca, qui l'avait informé des procès visant à empêcher les projets d'expansion de Shell et des problèmes de santé qu'entraîne déjà la production de pétrole. « J'étais avec le chef de la réserve, dans son tipi, et on m'a raconté ce qui se passe. J'ai appris que le taux de cancer était élevé dans toutes les tribus de la région. Ce n'est pas un mythe. C'est la réalité », a affirmé Young[32].

Le chanteur en a conclu que la meilleure chose à faire pour contribuer à la lutte contre les sables bitumineux consistait à aider la première nation des Chipewyans d'Athabasca à affirmer ses droits devant les tribunaux. Il a donc entrepris une tournée dont 100 % des bénéfices seraient alloués aux poursuites judiciaires. En plus de rapporter 600 000 dollars en deux mois, les spectacles ont attiré l'attention de tout le pays sur les conséquences tant locales que mondiales de l'extraction débridée des sables bitumineux. Le bureau du premier ministre a répliqué en prenant à partie un des artistes les plus aimés des Canadiens, mais sa bataille était perdue d'avance. Des personnalités influentes ont exprimé leur soutien à la campagne, et des sondages ont révélé que, même en Alberta, la majorité de la population penchait du côté de Young[33].

Plus important encore, la tournée *Honour the Treaties* a donné lieu à un débat national sur le devoir de respecter les droits juridiquement reconnus des Autochtones. « C'est aux citoyens de tout le Canada de se demander si leur intégrité est menacée par un gouvernement qui ne se montre pas à la hauteur des traités sur lesquels le pays est fondé», a déclaré Young. Le chef Allan Adam s'est adressé directement aux Canadiens pour leur expliquer que les traités signés par ses ancêtres «ne sont pas de vulgaires bouts de papier, mais le dernier moyen de défense contre le développement envahissant des sables bitumineux, que mon peuple refuse et dont il souffre déjà[34]».

## L'impératif moral d'une alternative économique

Tirer le meilleur parti de ce «dernier moyen de défense» est une tâche complexe dont l'accomplissement demande plus que l'organisation de concerts rock et le paiement d'honoraires d'avocat. La raison plus fondamentale pour laquelle la majorité des collectivités autochtones ne s'attaquent pas à des entreprises comme Shell tient à leur marginalisation économique et sociale systématique, qui implique qu'elles n'ont souvent d'autre choix que de collaborer avec des sociétés pétrolières ou minières très polluantes pour subvenir à leurs besoins essentiels. Le désir de protéger rivières, ruisseaux et océans pour pratiquer la pêche traditionnelle est bien réel, mais, au Canada, selon un rapport gouvernemental publié en 2011, les réseaux d'alimentation en eau de 25 % des collectivités autochtones sont négligés et mal financés à un point tel qu'ils présentent «un risque global élevé» pour la santé publique, et des milliers de personnes vivent dans des réserves dépourvues d'eau courante et d'égout. Pour quiconque est à la tête d'une telle collectivité, l'obtention et le maintien de ces services de base risque fort de passer avant tout le reste, quel que soit le prix à payer[35].

Et, chose ironique, il arrive souvent que le réchauffement planétaire accentue la pression économique sur les collectivités autochtones, qui sont ainsi amenées à conclure des ententes vite faites avec des entreprises d'extraction. En effet, les bouleversements du climat, en particulier dans les régions nordiques, rendent la chasse et la pêche de plus en plus difficiles à pratiquer (par exemple, quand les glaces restent fragiles, les populations du Grand Nord sont pratiquement piégées, incapables de se procurer de la nourriture pendant plusieurs mois consécutifs). Dans ce contexte, il est extrêmement difficile de refuser les offres de formation professionnelle ou de partage de ressources présentées par les entreprises qui débarquent dans la région. Ces populations savent que les forages ne pourront que nuire à la poursuite de leurs activités de subsistance (entre autres, les effets des installations pétrolières sur la migration des baleines, des morses et des caribous suscitent de vives inquiétudes), sans parler des déversements, inévitables. Mais, précisément parce que les écosystèmes sont déjà lourdement perturbés par la crise du climat, elles semblent souvent n'avoir d'autre choix que de se résigner.

Aucune situation n'illustre mieux la rareté des options valables que celle du Groenland, où le recul des glaciers et la fonte de la banquise révèlent un important potentiel d'extraction minière et de forage pétrolier en mer. Ancienne colonie danoise, ce pays inuit a obtenu l'autonomie gouvernementale en 1979, mais dépend toujours d'une subvention annuelle de plus de 600 millions de dollars du Danemark (celle-ci représentant le tiers du PIB du Groenland). À la suite d'un référendum sur l'autonomie tenu en 2008, le Groenland a obtenu de nouveaux pouvoirs sur ses propres affaires, mais il s'est résolument tourné vers les activités d'extraction en vue de se rapprocher de l'indépendance complète. « Nous sommes tout à fait conscients d'exacerber le dérèglement climatique en procédant à des forages pétroliers », admettait en 2008 un haut fonctionnaire groenlandais qui dirigeait alors le bureau de l'autonomie gouvernementale. « Mais pourquoi pas ? Pourquoi ne pas le faire si ça nous permet d'acheter notre indépendance ? » La pêche est aujourd'hui la principale industrie du Groenland ; en cas de marée noire, elle risquerait bien sûr d'être anéantie. Et il n'est guère rassurant de savoir qu'une des sociétés retenues pour entreprendre l'extraction en haute mer des quelque 50 millions de barils de pétrole et de gaz que recèlent les eaux territoriales du pays n'est nulle autre que BP[36].

Cette triste dynamique rappelle d'ailleurs fortement le programme des « navires de passage » lancé par BP dans la foulée de la catastrophe de Deepwater Horizon. Pendant plusieurs mois, presque tous les bateaux louisianais sont restés à quai, de crainte que leur pêche ne soit impropre à la consommation. C'est alors que BP leur a offert de convertir leurs navires en bateaux de nettoyage, leur fournissant tangons et barrages flottants destinés (plutôt inutilement) à éponger un peu de pétrole. Il était très difficile pour les pêcheurs de crevettes et d'huîtres de la région d'accepter de travailler pour la société qui venait de les priver de leur gagne-pain. Mais que pouvaient-ils faire d'autre ? Personne ne leur était venu en aide pour payer leurs factures. C'est ainsi que l'industrie pétrolière et gazière s'accroche au pouvoir : elle lance des radeaux de sauvetage temporaires aux personnes qu'elle est en train de noyer.

Il est donc peu surprenant que beaucoup de nations autochtones considèrent l'industrie de l'extraction comme l'option la moins mauvaise d'un ensemble de choix discutables. La plupart d'entre elles ont une économie très peu développée et se voient rarement offrir emplois et formation. C'est pourquoi presque toutes les collectivités en lutte contre des projets d'extraction comptent une minorité affirmant que les Autochtones ne devraient pas se sacrifier pour sauver le reste du monde de la crise du climat, et devraient avant tout chercher à conclure de meilleurs marchés avec les sociétés minières et pétrolières en vue de se doter de services publics de base et de permettre à leur jeunesse d'acquérir des compétences monnayables. En 2014, à l'occasion d'une conférence financée par l'industrie pétrolière, Jim Boucher, chef de la première nation albertaine de Fort McKay, dont les terres ont été dévastées par l'extraction des sables bitumineux, déclarait : « Nos populations n'ont plus la moindre opportunité de travailler ou de s'enrichir, sauf dans les sables bitumineux.» Il est allé jusqu'à qualifier les mines de «nouvelle ligne de piégeage», évoquant ainsi le commerce des fourrures, jadis moteur économique de la région[37].

Malheureusement, ce débat nourrit la rancœur et déchire les familles, certaines personnes souhaitant accepter les offres de l'industrie et d'autres jugeant préférable de préserver le mode de vie traditionnel. De plus, alors que les propositions des sociétés minières et pétrolières se font de plus en plus alléchantes (ce qui témoigne en soi du pouvoir croissant du mouvement anti-extractiviste), ceux qui tentent de résister ont souvent l'impression de n'avoir rien d'autre à offrir à leurs concitoyens qu'un perpétuel appauvrissement. «Je ne peux pas continuer à demander à mon peuple de souffrir avec moi», juge Phillip Whiteman Jr., conteur traditionnel cheyenne du Nord et opposant de longue date au développement de l'industrie du charbon[38].

Cette situation soulève des questions morales troublantes pour le mouvement anti-extractiviste, qui, de plus en plus, considère les nations autochtones comme des obstacles juridiques essentiels aux nouveaux projets à forte intensité carbonique. On peut bien vanter les mérites des droits ancestraux et issus de traités en y voyant le «dernier moyen de défense» contre l'extraction des combustibles fossiles. Toutefois, pour dire les choses platement, si les non-Autochtones demandent à des peuples parmi les plus pauvres et les plus marginalisés de la planète de se faire les sauveurs du climat pour l'humanité entière, que feront-ils à leur tour pour eux ? Comment éviter la mise en place d'une autre relation inéquitable, où des non-Autochones profiteraient de droits chèrement acquis par les Autochtones en ne leur offrant pas grand-chose, voire rien du tout, en retour? Comme l'a montré l'expérience des programmes de compensation carbone, il existe une foule d'exemples de nouveaux rapports « verts » qui ne font que reproduire de vieilles iniquités. Les grandes ONG misent souvent sur des groupes autochtones pour leur capacité juridique: elles prennent en charge une partie des frais liés à leurs coûteuses batailles juridiques, mais n'agissent guère sur les enjeux sous-jacents qui contraignent tant de premières nations à accepter les propositions de l'industrie. Le chômage reste très élevé, et la plupart des options demeurent peu réjouissantes.

Pour que la situation change, l'appel au respect des traités devra aller beaucoup plus loin que la collecte de fonds destinés à des batailles juridiques. Les non-Autochtones devront devenir les partenaires que leurs ancêtres n'ont jamais été, en remplissant la panoplie de promesses faites aux Autochtones, que ce soit en partageant le territoire, en finançant des systèmes de soins et d'éducation ou en créant des opportunités économiques ne mettant pas en péril le droit des premières nations de vivre selon leurs modes de vie traditionnels. Car seules des populations ayant vraiment la capacité de refuser pour de bon le développement polluant sont en mesure d'entrevoir des alternatives concrètes, porteuses d'espoir. D'ailleurs, cette analyse ne se limite pas aux rapports sociaux ayant cours au sein des pays riches: elle concerne aussi les relations entre le Nord post-industriel et le Sud en émergence.

## Chapitre 12

# Partager le ciel

## Communs atmosphériques
## et justice climatique

*La forêt est déjà « développée ». La forêt, c'est la vie.*

Franco Viteri, dirigeant de Sarayaku, Équateur[1]

*Comment une chose pareille pourrait-elle être possible
dans les pays du Nord ? Comment, vu la folie qui s'est emparée
des pays riches, dont l'élite et ses idéologues ont forgé le mythe de la
« crise de la dette », avec ses « remèdes de cheval » et son « austérité » qui
supplantent tout appel au bien commun, le Nord pourrait-il
reconnaître la nécessité de procéder à des investissements financiers et
technologiques d'envergure dans le cadre d'une mobilisation
pour le climat, lesquels comprendraient un soutien massif au Sud ? [...]
Comment, vu la crainte que lui inspire l'essor de l'Asie et son entêtement à
considérer le Sud comme réticent à limiter ses émissions ou incapable d'y arriver,
le Nord pourrait-il saisir l'implacable logique – la crainte de voir
leur avenir hypothéqué – qui anime avant tout les négociateurs du Sud ?
Et comment, étant donné que le déni de ces questions par les pays du Nord
sert à justifier leur propre inertie, les bases d'une action rapide à l'échelle
mondiale pourraient-elles se trouver ailleurs que dans le Nord ?*

Sivan Kartha, Tom Athanasiou et Paul Baer, climatologues, 2012[2]

J'AI ÉTÉ TÉMOIN de cette nouvelle forme de réparation historique lors d'un reportage sur un des fronts de la guerre des combustibles fossiles dont les enjeux sont des plus importants, dans le sud-est du Montana. Sous des collines ondoyantes parsemées de bovins, de chevaux et de formations rocheuses d'un autre monde repose une grande quantité de charbon. Il y en a tellement qu'on peut en apercevoir des filons affleurant en bordure des routes ! La région recèle assez de charbon, en fait, pour répondre aux besoins des États-Unis à leur niveau actuel pendant encore près de deux cents ans[3]. D'ailleurs, une bonne partie du charbon que l'industrie envisage d'exporter en Chine proviendrait de mines situées dans la région. Chacune d'entre elles toucherait les Cheyennes du Nord d'une manière ou d'une autre : l'industrie souhaite extraire le minerai se trouvant sous leur réserve et les terres adjacentes, et, comme nous l'avons vu au chapitre 9, elle projette de construire un chemin de fer pour transporter le charbon vers la côte du Pacifique. Celui-ci, avec la mine, menacerait la rivière Tongue, une source d'eau essentielle.

La lutte des Cheyennes du Nord contre les sociétés minières remonte au début des années 1970 et découle en partie d'une sinistre prophétie de leur ancêtre Sweet Medicine, selon laquelle, entend-on souvent, l'extraction de la « roche noire » provoquerait une sorte de folie et la fin de la culture cheyenne. Lors de mon premier séjour dans la réserve en 2010, la région suscitait de telles convoitises dans l'industrie des combustibles fossiles qu'on ne savait trop si ses militants anticharbon tiendraient le coup encore longtemps.

Après avoir mené une âpre bataille, les opposants au charbon venaient tout juste de perdre un vote déterminant du conseil territorial sur le projet minier Otter Creek, envisagé dans une zone adjacente à la réserve des Cheyennes du Nord (le site où les sculpteurs lummis séjourneraient lors de leur tournée du mât totémique). Otter Creek était le plus vaste projet minier à l'étude aux États-Unis, et, comme tout indiquait qu'il se concrétiserait, ses opposants ont décidé de focaliser leur lutte sur la construction de l'artère par laquelle le charbon serait expédié, à savoir le chemin de fer de la rivière Tongue, qui, s'il voyait le jour, pourrait endommager d'anciens cimetières cheyennes. À l'instar de la lutte contre les oléoducs des sables bitumineux, l'enjeu consistait désormais à mettre en place un « goulot d'étranglement » : sans chemin de fer, l'industrie ne pourrait expédier son charbon, si bien que l'aménagement d'une mine perdrait tout intérêt.

En 2010, cependant, les opposants au chemin de fer n'étaient pas encore parvenus à mobiliser les Cheyennes du Nord, et le projet semblait voué à aller de l'avant. Au même moment, dans la réserve voisine des Crows, on planifiait la construction d'une usine de liquéfaction du charbon, un procédé nocif par lequel on transforme le minerai de charbon en un carburant liquide très polluant dont la combustion émet deux fois plus de dioxyde de carbone que l'essence ordinaire. La société australienne à l'origine du projet, baptisé « Many Stars », avait engagé un artiste crow réputé pour concevoir son logo, qui représente deux tipis sous un ciel étoilé[4].

Mike Scott, du Sierra Club, estime que son travail consiste à « tenter » : il passe son temps à tenter d'empêcher ou de ralentir un projet catastrophique après l'autre. Pour sa compagne Alexis Bonogofsky, « il y a tant de luttes à mener que les gens ne savent plus où donner de la tête[5] ». Depuis le ranch où ils élèvent des chèvres, situé près de Billings, le couple part chaque jour dans une nouvelle direction, cherchant à contrer la dernière offensive d'une industrie des combustibles fossiles en pleine ébullition.

Bonogofsky travaille pour la National Wildlife Federation à titre de « gestionnaire du programme des territoires tribaux ». Concrètement, sa tâche consiste à aider les tribus autochtones à exercer leurs droits reconnus par la loi en vue de protéger leurs terres, la qualité de leur air et l'intégrité de leurs cours d'eau. C'est auprès des Cheyennes du Nord qu'elle travaille le plus étroitement, à la fois parce que leur territoire est dans le collimateur de l'industrie du charbon et parce qu'ils ont depuis longtemps l'habitude de faire appel à la loi pour assurer leurs prérogatives territoriales. Pour ne donner qu'un exemple, les Cheyennes du Nord ont établi un précédent juridique en affirmant que leur droit d'exercer leur mode de vie traditionnel incluait celui de respirer un air sain. En 1977, l'EPA leur a donné raison en attribuant à leur réserve la classe la plus élevée possible en matière de qualité de l'air (appelée « Classe I » dans le Clean Air Act). C'est cet apparent détail bureaucratique qui a permis à la bande de plaider devant un tribunal que des activités polluantes ayant cours aussi loin qu'au Wyoming constituent une violation de ses droits issus de traités, car des substances toxiques peuvent voyager jusqu'à la réserve et en compromettre la qualité de l'air et de l'eau.

Toujours vêtue d'une chemise à carreaux en flanelle de coton et de bottes de cow-boy, Bonogofsky passe chaque semaine de nombreuses heures dans sa camionnette blanche à faire des allées et venues entre son ranch et Lame Deer, le petit village broussailleux situé au cœur de la réserve des Cheyennes du Nord. La plupart du temps, elle finit par atterrir dans l'ancienne église mormone où sont situés les bureaux de l'agence de protection de l'environnement de la première nation, où elle élabore des stratégies avec son inflexible et infatigable directrice Charlene Alden.

Pilier de la longue lutte des Cheyennes du Nord contre l'extraction du charbon, Alden a pris part à des victoires importantes, comme l'arrêt du rejet dans la rivière Tongue d'eaux non traitées, contaminées par le méthane contenu dans les gisements de charbon. Au moment où nous nous rencontrons, toutefois, elle n'est plus certaine de pouvoir retenir encore longtemps les forces favorables au développement minier.

Les problèmes émanent autant de l'intérieur que de l'extérieur. Le président démocratiquement élu de la tribu est un ancien mineur déterminé à ouvrir le territoire aux industries de l'extraction. Le jour de mon arrivée, le tableau d'affichage du village vient d'être tapissé de prospectus roses destinés à informer les membres de la tribu que, dans le cadre des élections prévues dans dix jours, on leur demandera leur opinion sur l'extraction du charbon et du méthane se trouvant sous la réserve.

Ces prospectus ont rendu furieuse Charlene Alden, qui en juge le contenu tendancieux et considère que leur affichage contrevient à plusieurs règles électorales. Mais elle est aussi consciente que des membres de la tribu sont tentés de saisir cette occasion de gagner de l'argent. Le taux de chômage de la tribu s'élève à 62 % (voire à beaucoup plus selon certaines estimations) et la toxicomanie fait des ravages dans la réserve (au centre du village, une fresque présente le *crystal meth* sous les traits d'un serpent vert aux yeux méchants qu'on combat à l'aide de flèches sacrées). La collectivité est aux prises avec ces problèmes depuis très longtemps. En 1995, Alden a réalisé une vidéo qui a été diffusée dans le cadre du magazine d'affaires publiques *Day One*, diffusé sur la chaîne ABC et coanimé par Diane Sawyer, ce qui, à l'époque, constituait une percée en matière de représentation des Autochtones à la télévision. Sous la forme d'un journal vidéo, l'œuvre se voulait une méditation sur un traumatisme historique, et montrait des images de la propre sœur d'Alden en train de boire du nettoyant toxique Lysol à même la bouteille en plastique; on l'appelait «le champagne des Cheyennes[6]».

C'est un tel désespoir qui a permis à des sociétés minières comme Arch Coal et Peabody Energy de trouver un public attentif quand elles ont débarqué au village avec leurs promesses d'emplois et de financement de nouveaux programmes sociaux. «On dit que nous avons un chômage élevé, et nous ne disposons d'aucune assiette fiscale. Si nous décidions d'emprunter cette voie, nous pourrions avoir de bonnes écoles, un bon réseau d'égouts», observe Alden. Et il va sans dire que «le gouvernement tribal est sans le sou». Mais celle-ci craint que, en sacrifiant la salubrité de leur territoire aux dollars du charbon, les Cheyennes ne fassent que s'éloigner davantage de leur culture et de leurs traditions, ce qui aggraverait fort probablement les problèmes de dépression et de toxicomanie au lieu de les atténuer. «En cheyenne, l'eau et la vie sont désignées par le même mot, explique-t-elle. Nous savons qu'en se frottant au charbon, on détruit la vie[7].»

Alden en est venue à croire que la seule issue possible consiste à démontrer à la nouvelle génération de dirigeants cheyennes qu'il existe une autre voie pour se sortir de la pauvreté et du désespoir, une voie qui n'implique pas de renoncer au territoire que ses ancêtres ont si chèrement défendu.

Elle y voit une infinité de possibilités. Au cours de notre entretien, un collègue fait un saut dans le bureau d'Alden pour lui apprendre que, la nuit précédente, quelqu'un est entré par effraction dans l'immeuble et a volé un radiateur électrique. Alden n'est pas surprise. C'est l'automne, les températures nocturnes sont de plus en plus basses, et les maisons de la réserve sont réputées pour leurs courants d'air, la plupart d'entre elles ayant été construites dans les années 1940 et 1950 à partir de kits fournis par l'État. Les ferrures qui joignent leurs murs sont visibles. Leurs habitants montent le thermostat au maximum (et allument parfois le four en renfort), mais la chaleur fuit par les interstices des murs, des fenêtres et des portes. Il en résulte des factures de chauffage plus que salées – de 400 dollars par mois en moyenne, et j'ai rencontré des gens dont les factures atteignaient 1 000 dollars en hiver. De plus, parce qu'on a recours au charbon et au propane, le chauffage contribue au dérèglement climatique, qui frappe déjà particulièrement la région avec des sécheresses prolongées et des feux de forêt d'envergure.

Alden déplore ces factures élevées, ces logements minables et ces sources d'énergie polluantes, problèmes qui révèlent l'urgence de se tourner vers des modes de développement qui respecteraient les valeurs cheyennes au lieu de les bafouer. Par exemple, l'ancienne église dans laquelle nous nous trouvons vient d'être dotée de fenêtres neuves dans le cadre d'un programme de conservation de l'énergie. Alden est enchantée du résultat: celles-ci réduisent les coûts de chauffage et laissent entrer davantage de lumière naturelle, sans parler de leur installation, qui a donné du travail à des membres de la collectivité. Mais l'échelle des travaux était trop modeste. Pourquoi ne créerait-on pas un programme qui permettrait d'installer des fenêtres comme celles-ci à toutes les maisons de la réserve?

Voilà quelques années, une ONG est venue construire quelques maisons modèles en ballots de paille, une technique architecturale ancienne qui fait en sorte que les immeubles restent frais en été et chauds en hiver. Non sans émerveillement, Alden a constaté que les factures de chauffage des familles qui s'y sont installées ont fondu : « 19 dollars par mois au lieu de 400 ! » Mais elle ne voit pas la nécessité de faire appel à des personnes de l'extérieur pour bâtir des maisons inspirées de savoirs autochtones. Pourquoi n'apprendrait-on pas à des membres de la tribu à les concevoir et à les construire ? Pourquoi ne tenterait-on pas de trouver les fonds nécessaires à la mise sur pied d'un programme de formation dans l'ensemble de la réserve ? On assisterait rapidement à un essor du bâtiment écologique, et les gens formés pourraient aussi exercer leur savoir-faire ailleurs. Sans compter que le climat du Montana est très propice à la production d'énergie éolienne et solaire.

Un tel virage ne peut toutefois s'effectuer sans financement, et les Cheyennes du Nord n'ont pas d'argent. Pendant un certain temps, on a cru que le président Obama augmenterait considérablement les fonds consacrés à l'emploi écologique en milieu défavorisé, mais il a mis ces plans de côté dans la foulée de la crise économique. Néanmoins, Bonogofsky demeure convaincue qu'il est aussi important de trouver des façons pour les Cheyennes du Nord de concrétiser leurs aspirations à de véritables alternatives économiques que de les aider à financer leurs poursuites contre l'industrie du charbon. C'est dans cet esprit qu'Alden et elle se mettent au travail.

Environ un an après notre rencontre à l'église, Bonogofsky m'appelle pour m'annoncer qu'elles sont parvenues à réunir des fonds (de l'EPA et de sa propre ONG) pour un nouveau projet enthousiasmant. Henry Red Cloud, un entrepreneur social lakota primé pour avoir doté la réserve de Pine Ridge, dans le Dakota du Sud, d'éoliennes et de panneaux solaires, va bientôt montrer à une dizaine de Cheyennes du Nord comment installer des convertisseurs héliothermiques sur le toit de leurs maisons. D'une valeur de 2 000 dollars chacun, les appareils seront fournis gratuitement et permettront aux familles d'économiser jusqu'à 50 % de leurs frais de chauffage. Bonogofsky m'invite à revenir faire un tour dans le Montana.

## Le soleil revient

Mon deuxième séjour sera très différent du premier. Nous sommes au printemps 2011, et les douces collines qui entourent la réserve sont maintenant couvertes de minuscules fleurs jaunes qui donnent aux herbages un coloris rappelant étrangement le vert des jeux vidéo d'autrefois. La formation va déjà bon train. Une quinzaine de personnes sont rassemblées sur le terrain adjacent à une maison pour apprendre comment une simple boîte constituée essentiellement de verre sombre peut capter assez de chaleur pour chauffer tout un logement.

Red Cloud, un chef-né capable d'insuffler à ses cours l'esprit d'une réunion amicale, entremêle sans effort ses explications sur le chauffage solaire passif de méditations sur l'importance de «l'énergie solaire, qui a toujours fait partie du mode de vie des Autochtones. Tout découle de l'*anpetuwi tawonawaka*, la force vitale du Soleil. Elle est liée à notre culture, à nos rituels, à notre langue, à nos chansons[8]».

Au début de chaque installation, Red Cloud fait le tour de la maison muni d'un héliographe de poche lui permettant de déterminer quel endroit précis est le mieux exposé au soleil chaque jour de l'année. Posées en bordure des immeubles, ses boîtes solaires nécessitent au moins six heures d'ensoleillement par jour pour bien fonctionner. Certaines demeures sont trop proches des arbres ou des montagnes pour être de bonnes candidates. Dans leur cas, on optera plutôt pour des panneaux sur le toit ou une autre source d'énergie.

Ancien ouvrier métallurgiste ayant longtemps gagné sa vie sur de vastes sites industriels, Red Cloud apprécie manifestement cette flexibilité que demandent les énergies renouvelables; il qualifie d'«indianisation» ses bricolages et ses adaptations, qui lui rappellent la construction de sa première éolienne à partir d'une vieille camionnette Chevrolet Blazer 1978 qui rouillait sur sa réserve. En le regardant s'affairer autour des maisons, une étincelle dans les yeux, je comprends soudain que c'est cette nécessité de s'adapter à la nature qui rend certaines personnes hostiles aux énergies renouvelables: même à très grande échelle, ces dernières requièrent une humilité tout à fait contraire à l'esprit qui préside à la construction d'un barrage sur une rivière, à la fracturation de la roche-mère en vue d'en extraire du gaz ou à la domestication de la puissance de l'atome. Les énergies renouvelables exigent de l'être humain qu'il s'adapte au rythme des systèmes naturels, et non qu'il soumette ceux-ci à sa volonté par la force brutale. Pour dire les choses autrement, on pourrait comparer les sources d'énergie obtenues par extraction à des joueurs de football américain se plaquant au sol, et les énergies renouvelables à des surfeurs glissant sur les vagues comme elles viennent et exécutant de jolies figures au passage.

C'est précisément de cette nécessité de s'adapter à la nature que la machine à vapeur de James Watt aurait affranchi l'humanité à la fin des années 1770, en libérant les manufacturiers de la contrainte de construire leurs établissements près des meilleures chutes d'eau et en permettant aux capitaines de navires de se moquer de la direction des vents. Le premier moteur à vapeur commercial, écrit Andreas Malm, «était apprécié pour n'être soumis à aucune force qui lui fût propre, à aucune contrainte géographique, à aucune loi extérieure, à aucune volonté résiduelle autre que celle de ses propriétaires; il était absolument – ou plutôt *ontologiquement* – asservi à ceux qui le possédaient[9]».

C'est à cette envoûtante utopie d'une maîtrise totale de la nature que tant de défenseurs des énergies fossiles sont si peu disposés à renoncer. D'ailleurs, lors de la conférence climato-sceptique du Heartland Institute, on n'a pas manqué de tourner en dérision les énergies renouvelables, réduites à des «rayons de soleil» et à des «brises agréables». Le sous-entendu était sans équivoque: les vrais hommes font brûler du charbon[10]. Et il ne fait aucun doute que la transition vers les énergies vertes n'est pas une simple substitution de sources d'énergie, car elle suppose aussi une transformation fondamentale des *rapports de pouvoir* entre l'humanité et le monde naturel qui maintient celle-ci en vie. La puissance du soleil, du vent et des marées peut certes être exploitée, mais, contrairement aux combustibles fossiles, ces forces ne pourront jamais être entièrement contrôlées par des êtres humains. Et chaque écosystème dicte ses propres règles.

L'humanité se retrouve ainsi à la case départ, en dialogue avec la nature. Les défenseurs des combustibles fossiles et du nucléaire affirment que les énergies renouvelables ne sont pas «fiables», car elles nécessitent de prêter attention à des facteurs comme l'endroit où l'on vit, la durée d'ensoleillement, la force des vents ou le débit des rivières*. Et ils ont raison: les énergies renouvelables, du moins telles que Henry Red Cloud les envisage, imposent une rupture avec le mythe d'une humanité devenue maîtresse de la nature par la volonté de Dieu, et une reconnaissance du fait que nous vivons en relation avec le reste du monde naturel. Mais cette relation est maintenant fondée sur une connaissance de la nature qui dépasse de loin tout ce que nos ancêtres d'avant l'ère des combustibles fossiles auraient pu imaginer. Nous en savons assez pour être conscients de l'ampleur de ce que nous ne pourrons

---

\* En matière de production d'électricité, les énergies renouvelables sont en fait beaucoup plus fiables que les centrales thermiques, car ces dernières requièrent un apport continu de combustibles fossiles pour ne pas tomber en panne; dans le cas des installations alimentées par des sources renouvelables, une fois l'investissement initial effectué, la nature fournit gratuitement la matière première.

jamais prétendre connaître, mais également pour trouver des manières ingénieuses d'optimiser les mécanismes de la nature dans le cadre de ce que l'historienne féministe Carolyn Merchant appelle l'« éthique de la coopération[11] ».

C'est cette dimension coopérative qui inspire le plus les étudiants de Red Cloud. Pour le diplômé universitaire de fraîche date Landon Means, qui vient tout juste de se réinstaller dans la réserve, l'énergie solaire traduit une nouvelle vision du monde impliquant de « travailler en synergie » avec la Terre « au lieu de simplement l'utiliser ». Cette idée semble toucher particulièrement les jeunes Cheyennes qui ont travaillé un certain temps dans l'industrie du charbon et en ont assez de devoir sacrifier une partie de leur identité à un salaire. Pendant la pause déjeuner de la première journée de formation, Jeff King, un des étudiants cheyennes, admet qu'il travaille encore à Gillette, dans le Wyoming, épicentre du boom du charbon dans le bassin de la rivière Powder. Sur un ton lugubre, il qualifie l'endroit de « capitale mondiale du carbone », ajoutant qu'il rêve de s'en aller. Il n'a jamais envisagé de passer sa vie à conduire des camions pour des mines de charbon. Dix ans auparavant, il était un des étudiants cheyennes les plus prometteurs de sa génération : grâce à une bourse, il fréquentait l'université Dartmouth, dans le New Hampshire, où il étudiait les arts (sa véritable vocation, dit-il). Mais l'essor du charbon l'a happé. Il ignore maintenant s'il retournera à Gillette. Avec quelques amis, il explore la possibilité de fonder une entreprise d'énergie solaire en vue de répondre aux besoins de la réserve[12].

Une des dernières maisons à obtenir son convertisseur héliothermique se trouve dans une rue animée du centre de Lame Deer. Alors que les étudiants de Red Cloud prennent des mesures, percent des trous et donnent des coups de marteau, une foule de curieux s'agglutine. Les enfants accourent pour suivre l'action. Une vieille dame s'enquiert de ce que font les apprentis. « Des factures d'électricité réduites de moitié ? Vraiment ? Et comment puis-je en obtenir un ? »

Red Cloud sourit. Sa stratégie commerciale pour une révolution solaire en territoire amérindien fonctionne. La première étape, explique-t-il, consiste à installer « quelques panneaux solaires sur la maison de grand-maman. Puis, tout le monde demande à grand-maman : "Qu'est-ce que c'est ? J'en veux un moi aussi !" » Témoin de la scène, Bonogofsky est tout sourire : « C'est sans doute la plus belle semaine que j'aie vécue depuis que j'occupe cet emploi ; l'ambiance était différente, me confie-t-elle au terme de la formation. On dirait que quelque chose a changé[13]. »

*

* *

Au cours des mois suivants, plusieurs membres du groupe initial poursuivront leur apprentissage auprès de Red Cloud, et d'autres étudiants se joindront à eux. Ils effectueront quelques séjours à l'école du maître, le Red Cloud Renewable Energy Center, dans la réserve de Pine Ridge. Jeff King quittera son emploi dans les mines de charbon de Gillette et lancera son entreprise d'énergie solaire. Il gagne moins d'argent qu'auparavant, observe-t-il, mais « j'ai un but dans la vie, maintenant ».

Il se trouve qu'une des meilleures étudiantes de Red Cloud est une femme de 29 ans, Vanessa Braided Hair, qui n'a rien à envier à ses homologues masculins – qui composent l'essentiel du groupe – pour ce qui est du maniement des outils électriques. Elle travaille sur une base saisonnière comme pompier pour le Bureau of Indian Affairs (bureau fédéral des affaires autochtones). Pendant l'été 2012, elle a lutté contre un incendie de forêt sans précédent qui a ravagé un territoire de plus de 230 kilomètres carrés et détruit 19 maisons dans la seule réserve des Cheyennes du Nord. (Selon un reportage de l'Associated Press, le feu « se propageait comme si la terre avait été arrosée d'essence ».) Braided Hair, qui n'avait besoin de personne pour comprendre que le dérèglement climatique représentait une crise existentielle pour l'humanité, a saisi l'occasion pour contribuer à l'atténuer. Pour elle, toutefois, cet engagement est de nature plus profonde : l'énergie solaire incarne la vision du monde qu'on lui a transmise, selon laquelle « on ne doit pas prendre et consommer indéfiniment. On prend ce dont on a besoin, puis on donne en retour à la terre[14] ».

Red Cloud explique à ses étudiants que leur travail, qui consiste à convertir de l'énergie selon des méthodes qui guérissent et protègent le monde naturel, n'est pas un simple emploi. Il s'inscrit dans « ce pour quoi nos ancêtres ont payé de leur sang et n'ont jamais cessé de se battre : la Terre ». Les jeunes apprennent à devenir non seulement des techniciens, mais aussi des « guerriers solaires », précise Red Cloud[15].

Je dois admettre avoir d'abord interprété ces propos comme une autre illustration du sens du marketing de Red Cloud. Toutefois, au cours des mois et des années qui ont suivi, j'ai vu sa prédiction s'accomplir chez les jeunes qu'il avait formés. En 2012, alors que les cours se poursuivaient, la lutte contre les mines de charbon et le chemin de fer (lutte qui battait de l'aile en 2010) a repris vie dans la réserve. Soudain, les Cheyennes ne manquaient pas pour participer à des manifestations, exiger des rencontres avec les autorités réglementaires, prononcer des discours passionnés lors d'auditions publiques. Vêtus de t-shirts rouges ornés du slogan «Au-delà du charbon», les guerriers solaires de Red Cloud étaient sur la ligne de front, scandant «Fini la passivité», en écho au mouvement Idle No More, né au Canada et se répandant comme une traînée de poudre chez les Autochtones de tout le continent.

Lors d'une audition technique portant sur le méga-projet minier Otter Creek, Vanessa Braided Hair n'a pas mâché ses mots : «Je tiens à ce que vous sachiez que bien des gens ne voient aucune différence entre votre agence et Arch Coal», a-t-elle lancé aux fonctionnaires embarrassés, parmi lesquels se trouvait le directeur de l'agence de protection de l'environnement du Montana. Lors d'une autre audition sur la mine Otter Creek, Lucas King, 28 ans, lui aussi étudiant de Red Cloud, a pris la parole : «C'est un territoire cheyenne. Ça l'est depuis longtemps, plus longtemps que la durée de vie du moindre dollar. Je ne m'attends pas à ce que vous nous compreniez. Car vous ne nous comprenez pas. Et je ne prétends pas vous comprendre. Mais je sais que vous comprenez ce que veut dire "non".» Le jeune homme a conclu son intervention ainsi : «S'il vous plaît, rentrez chez vous et faites savoir à qui de droit que nous n'en voulons pas. Ce projet n'est pas pour nous. Merci.» Ses propos ont déclenché un tonnerre d'applaudissements. Une nouvelle génération de guerriers était née[16].

Aujourd'hui, les opposants aux énergies polluantes du sud-est du Montana ont la mine radieuse. Ils se demandent *quand* ils finiront par bloquer la construction du chemin de fer, et non s'ils y parviendront. Une victoire aurait pour effet d'empêcher la concrétisation du projet minier Otter Creek. On parle d'ailleurs beaucoup moins qu'avant d'exploitation minière dans la réserve des Cheyennes du Nord. Le projet d'usine de liquéfaction du charbon dans la réserve voisine des Crows a aussi avorté. Mike Scott, du Sierra Club, accompagne maintenant une équipe de Crows dans la construction d'un parc d'éoliennes.

Si l'épisode qui s'est déroulé dans ce coin du monde a démontré quelque chose, c'est bien que, dans la bataille contre les combustibles fossiles, aucune arme n'est plus puissante que la mise en place d'alternatives concrètes. À lui seul, un simple avant-goût d'une économie nouvelle peut insuffler de l'énergie au combat contre la vieille économie. Ce constat s'appuie sur d'importants précédents : dans deux pays parmi les plus avancés en matière de gestion décentralisée des énergies renouvelables au profit des collectivités (le Danemark et l'Allemagne), les victoires en ce sens ont leurs racines dans le mouvement antinucléaire. Des citoyens s'y sont battus bec et ongles contre les dangers des centrales nucléaires, mais ils savaient que, pour gagner, ils devaient proposer des solutions de remplacement. Au lieu de se contenter de dire non, ils ont réclamé l'adoption de politiques permettant aux collectivités de produire leur propre électricité à partir de sources renouvelables et d'en tirer des revenus. Il est toutefois difficile pour des collectivités dépourvues d'influence politique de remporter de telles victoires. Certes, ces exemples européens démontrent indubitablement que les énergies renouvelables peuvent constituer une alternative viable à l'extraction pour les peuples autochtones du monde entier ; grâce à elles, des collectivités appauvries peuvent obtenir une formation professionnelle, des emplois et des revenus stables. Mais les occasions ratées ne manquent pas.

Par exemple, la Black Mesa Water Coalition, mise sur pied en 2001 par un groupe de jeunes Navajos et Hopis d'Arizona, a gagné une bataille cruciale en 2005 en obtenant la fermeture de la centrale thermique Mohave et de la mine de Black Mesa, indiscutablement polluantes. Néanmoins, l'extraction du charbon (dont le transport requiert le pompage d'une grande quantité d'eau potable) et la production d'électricité à partir de cette ressource se poursuivent en territoire navajo, cela afin d'alimenter en électricité de vastes régions de l'Arizona (dont la ville de Phoenix) ainsi que des secteurs du Nevada et de la Californie. L'activité minière menace la qualité de l'eau, mais les militants de la région de Black Mesa savent qu'ils ne pourront y mettre un terme s'ils n'ont pas de solutions de remplacement à proposer à leurs concitoyens. En 2010, ils ont donc présenté un projet détaillé qui consistait à aménager des terres abandonnées par l'industrie minière (des terres sans doute encore contaminées et épuisées) en vue d'y installer un immense parc de générateurs solaires destiné à alimenter non seulement leur réserve, mais aussi de grands centres urbains. Comme la région disposait déjà, grâce à l'industrie du charbon, des lignes de transport et des autres infrastructures nécessaires, il s'agissait simplement de substituer une source d'énergie à une autre. «Pourquoi ne ferait-on pas de ces terrains quelque chose de positif qui procurerait des revenus à la population de la région tout en lui permettant d'abandonner progressivement le charbon?» demandait Jihan Gearon, directeur général de la coalition. En vertu de ce plan, les Navajos (et non une multinationale de l'énergie) seraient propriétaires de l'électricité qu'ils produiraient et vendraient au réseau. L'argent ainsi gagné leur permettrait de soutenir leur économie traditionnelle, qui comprend le tissage. C'est ce qui faisait l'originalité du projet. La formule était non extractive dans tous les sens du terme : les contaminants restaient sous terre, l'argent et les compétences restaient dans la collectivité[17].

Malheureusement, près d'une décennie plus tard, ce magnifique projet n'a toujours pas décollé. Comme toujours, un des principaux obstacles est le financement. Ce problème ne concerne pas seulement la population de Black Mesa, mais aussi quiconque s'inquiète de la crise du climat, car, si les Navajos ne parviennent pas à démontrer que les énergies vertes sont un moyen de sortir de la pauvreté et d'atteindre une véritable autodétermination, l'extraction du charbon va se poursuivre, au détriment de tout le monde. Le mouvement de protection du climat devrait donc faire valoir l'argument moral selon lequel les collectivités qui ont subi les plus graves injustices liées aux ressources devraient être les *premières* à bénéficier d'un soutien pour leurs efforts visant à bâtir dès aujourd'hui l'économie de demain, fondée sur le respect de la vie.

Une telle orientation suppose la mise en place d'un nouveau type de rapports où ces collectivités auraient la pleine maîtrise des activités liées aux ressources, qui deviendraient ainsi autant d'occasions d'obtenir formation professionnelle, emplois et revenus stables (et non quelque avantage ponctuel). Cet élément mérite d'être souligné, car, en matière d'énergies renouvelables, trop de projets à grande échelle sont imposés aux Autochtones sans consultation adéquate ou sans leur consentement, reproduisant ainsi la vieille logique coloniale en vertu de laquelle des étrangers se réservent l'exclusivité des profits (et des compétences, et des emplois). La transition d'une source d'énergie à une autre n'implique pas simplement de passer du sous-sol à la surface. Elle doit s'accompagner d'un rééquilibrage des pouvoirs visant à corriger une fois pour toutes les vieilles injustices qui gangrènent nos sociétés. C'est là la mission d'une armée de guerriers solaires qui prend forme peu à peu.

*

* *

La nécessité de trouver des solutions économiques concrètes pour remplacer l'extraction ne se fait pas seulement sentir dans les collectivités autochtones, bien entendu. Les choix impossibles devant lesquels se retrouvent les Navajos et les Cheyennes du Nord sont les mêmes, en plus poignants, que ceux qui s'offrent dans bon nombre de milieux à faible revenu, où il est si difficile de subvenir à ses besoins essentiels que le fait de réfléchir à l'avenir peut être perçu comme un luxe hors de portée. S'accrocher à la ferme familiale en dépit de la concurrence féroce des géants de l'agriculture industrielle, par exemple, est si pénible qu'il ne manque jamais de cultivateurs ou d'éleveurs disposés à gagner un peu d'argent en louant leurs terres à des entreprises souhaitant y extraire du gaz par fracturation ou y faire passer un oléoduc, et ce, même si un tel choix implique d'entrer en guerre avec leurs voisins opposés à ces activités ou de mettre en péril leurs propres sources d'eau ou leur propre bétail. Les gens désespérés font des gestes désespérés.

Il en va de même pour une bonne partie des travailleurs qui choisissent de construire ces oléoducs, d'extraire ce gaz ou de raffiner ce pétrole. En Amérique du Nord, le secteur secondaire est aussi mal en point que les fermes familiales. Les emplois syndiqués et bien payés sont tellement rares que bien des gens sont prêts à se battre pour n'importe quel job, si dangereux, précaire ou polluant soit-il. Les courants les plus visionnaires du mouvement syndical ont compris que la solution consiste à lutter pour des politiques qui aideraient les travailleurs à ne pas être acculés à de tels choix.

Dans le cadre d'une étude menée en 2012, le Centre canadien de politiques alternatives a comparé les retombées potentielles de la construction d'un oléoduc de 5 milliards de dollars (le coût approximatif du projet Northern Gateway d'Enbridge) à celles d'un investissement équivalent dans des activités économiques vertes. Les chercheurs ont constaté que l'option de l'oléoduc génère essentiellement des emplois de courte durée dans le domaine de la construction, de profits juteux pour le secteur privé et des dépenses publiques élevées pour les opérations de nettoyage consécutives à d'éventuels déversements. En revanche, si l'on investit les 5 milliards dans les transports en commun, la modernisation des immeubles et les énergies renouvelables, on crée au moins trois fois plus d'emplois à court terme tout en réduisant les risques de réchauffement catastrophique à long terme. En fait, selon le modèle appliqué par le centre, le nombre d'emplois créés pourrait être beaucoup plus élevé. Suivant l'estimation la plus optimiste, un tel investissement pourrait créer 34 fois plus d'emplois que la seule construction d'un autre oléoduc[18].

Le problème, il va sans dire, c'est que, tandis que des sociétés comme Enbridge mettent leur argent sur la table pour construire des pipelines, les gouvernements n'ont pas la volonté d'allouer des sommes comparables aux solutions alternatives. Pourtant, au Canada, une modeste taxe sur le carbone de 10 dollars par tonne permettrait justement d'amasser 5 milliards de dollars, et ce, chaque année, contrairement au montant investi dans un oléoduc, par essence ponctuel[19]. Si de telles politiques étaient adoptées, la dichotomie qui oppose emploi et respect de l'environnement n'aurait plus de raison d'être.

Voilà donc une autre raison pour laquelle le mouvement de protection du climat ne peut s'offrir le luxe de dire non sans se battre simultanément pour un ensemble de «oui» transformateurs, ces briques dont sera faite l'économie de demain, grâce auxquelles on pourra créer de bons emplois écologiques et garantir un filet de sécurité sociale aux personnes qui, inévitablement, se retrouveront au chômage.

## Désinvestir, d'accord, mais aussi réinvestir

Les ressources financières nécessaires à cette indispensable transition, nous l'avons vu, devront à terme être fournies par l'État, qui les prélèvera à même les profits de l'industrie des combustibles fossiles au cours de la brève période où elle sera encore rentable. Cependant, avant qu'un changement de la donne politique le permette, il existe des façons de canaliser dès aujourd'hui les fonds requis par l'économie de demain. C'est d'ailleurs là l'un des aspects les plus passionnants du mouvement pour le désinvestissement du secteur des combustibles fossiles : en plus d'inviter les institutions publiques (comme les universités ou les municipalités) à se départir de leurs titres de sociétés qui ravagent la planète, de plus en plus de participants leur demandent aussi de réinvestir ces sommes dans des entreprises dotées d'une vision claire du processus de guérison à mettre en œuvre.

Dan Apfel, ancien directeur de la Responsible Endowments Coalition et conseiller de premier plan du mouvement, soutient que «les universités, les œuvres de bienfaisance, les caisses de retraite et les fondations doivent donner l'exemple». Il indique que « 5 % des fonds appartenant à ces institutions d'intérêt public totalisent approximativement 400 milliards de dollars. De nouveaux investissements de 400 milliards pourraient stimuler la mise en œuvre de solutions concrètes à la crise du climat, aider à créer le marché nécessaire à d'autres investissements et encourager l'adoption de nouvelles politiques tout en étant rentables à très long terme[20]».

Le groupe de fondations et d'individus fortunés qui s'est joint au mouvement pour le désinvestissement (voir le chapitre 10) a déjà fait un pas de plus en retirant ses fonds de l'industrie des combustibles fossiles pour les réinvestir dans le secteur des technologies vertes. Certaines universités empruntent une voie similaire. « L'université Duke de Caroline du Nord a investi 8 millions de dollars dans la Self-Help Credit Union [une coopérative d'épargne et de crédit], entre autres pour financer la construction de logements écologiques abordables », observent les économistes Jeremy Brecher, Brendan Smith et Kristen Sheeran. « L'université Carleton du Minnesota et l'université de Miami, en Floride, orientent leurs investissements vers les fonds destinés aux énergies renouvelables[21]. »

Ces gros investisseurs sont en train de franchir un cap important. Ils pourraient faire encore mieux en ne se limitant pas à contribuer au simple passage des énergies polluantes aux énergies vertes ; ils pourraient ainsi soutenir des initiatives audacieuses visant à consolider l'économie locale, à améliorer les transports en commun ou encore à renforcer une sphère publique famélique. De façon déterminante, des stratégies astucieuses de réinvestissement pourraient même soutenir les collectivités vivant sur la ligne de front de l'extraction dans leur lutte contre les émissions de GES à la source, en finançant par exemple le projet de générateurs solaires de la Black Mesa Water Coalition ou les coopératives d'énergie solaire de Richmond, en Californie, où travaillent de plus en plus d'Afro-Américains et d'Hispano-Américains qui, autrement, auraient probablement pour seul débouché la raffinerie Chevron. Smith, Brecher et Sheeran suggèrent au mouvement de désinvestissement des moyens novateurs d'« utiliser son pouvoir pour bâtir une nouvelle économie durable, pour le bien de la planète et des collectivités locales » :

> Les institutions devraient réfléchir de façon beaucoup plus positive. Comment leur argent peut-il favoriser la transition vers une économie durable ? Voici un point de départ : il existe des centaines de fonds d'investissement locaux, de coopératives d'épargne ou de banques à vocation sociale, de caisses de retraite syndicales et d'autres véhicules financiers possédant une longue expérience de l'investissement à caractère social ; il existe des milliers de coopératives de travail, d'entreprises d'économie sociale, d'associations à but non lucratif, de programmes municipaux et d'autres entreprises qui, à petite échelle, sont en train de créer la nouvelle économie.
>
> Ce sont là les composantes d'un secteur en pleine croissance, au service du bien commun, où les travailleurs ont leur mot à dire.

Leurs artisans isolent des immeubles et les convertissent à l'énergie solaire, améliorent les transports en commun, développent des technologies à faibles émissions pour les écoles et les hôpitaux, mettent au point de nouveaux systèmes de gestion des déchets fondés sur le recyclage. Ce faisant, ils créent une économie ancrée dans les collectivités, qui favorise la sécurité matérielle, la démocratie locale et l'autogestion tout en endiguant l'hémorragie d'emplois. Il s'agit cependant d'un secteur qui manque cruellement de capitaux. Les acteurs du mouvement de désinvestissement devraient se donner pour priorité de lui allouer les ressources essentielles à sa croissance[22].

La plus grande force du désinvestissement, en fait, n'est pas de nuire à court terme aux finances de Shell ou de Chevron, mais de rogner la légitimité sociale de l'industrie des combustibles fossiles et de pousser la classe politique à exiger une réduction généralisée des émissions. Chez les investisseurs, cette pression accentue l'idée selon laquelle les actions des sociétés du secteur sont surévaluées. Accompagner le désinvestissement d'un réinvestissement (ou adopter dès le départ une stratégie d'investissement visionnaire) a pour avantage de porter un coup plus dur à l'industrie des combustibles fossiles en rendant le secteur des énergies renouvelables plus concurrentiel et en soutenant les mouvements de résistance locaux, qui doivent être en mesure de proposer de véritables alternatives économiques.

Tout cela met en lumière une autre particularité de la Blocadie par rapport à des mouvements sociaux similaires du passé. Autrefois, les gens qui se vouaient au changement social avaient souvent l'impression de devoir choisir entre la lutte contre le système et l'élaboration d'options différentes. Dans les années 1960, par exemple, la contre-culture s'est scindée en deux groupes: d'un côté, les personnes qui sont restées en ville pour mieux s'opposer aux guerres et lutter contre les inégalités, et de l'autre, celles qui ont choisi de vivre en marge selon leurs valeurs écologistes, en compagnie de leurs semblables, en se lançant dans l'agriculture biologique ou en s'établissant dans des villes à échelle humaine comme Bellingham, dans l'État de Washington. Militants ou exilés.

Les mouvements d'aujourd'hui n'ont pas le luxe d'un tel dilemme. En cette époque de contrainte et d'exclusion économiques, les groupes qui se battent contre les énergies polluantes se sont rendu compte qu'ils n'élargiront jamais leur base s'ils ne proposent pas d'alternatives économiques aux projets qu'ils contestent. Ainsi, après trois ans de lutte contre le projet Keystone XL, des agriculteurs du Nebraska ont imaginé une stratégie en ce sens: sur le tracé envisagé pour l'oléoduc, ils ont construit une grange alimentée à l'énergie éolienne et solaire en faisant valoir que l'électricité produite par cette seule installation fournirait plus d'énergie à la région que le pétrole appelé à transiter par le pipeline vers les terminaux d'exportation du Texas[23]. À certains égards, il s'agissait essentiellement d'une opération de communication : les cultivateurs mettaient le président Obama au défi de démanteler une installation vouée aux énergies renouvelables pour faire passer du pétrole sale. Cependant, ils montraient aussi à leurs voisins que, si des politiques adéquates étaient adoptées, on pourrait améliorer la situation économique autrement, sans mettre les terres en péril.

De la même façon, après que le village britannique de Balcombe, dans le Sussex de l'Ouest, eut été le théâtre d'importantes manifestations, ponctuées d'affrontements, contre un puits de fracturation en 2013, on y a fondé une nouvelle compagnie d'électricité, REPOWERBalcombe. Sa mission consiste « à répondre à 100 % de la demande en électricité de Balcombe à l'aide d'installations locales fonctionnant à l'énergie solaire et appartenant à la collectivité », grâce à un financement provenant des habitants du village, qui achètent des parts sociales de la coopérative. La lutte contre la fracturation se poursuit devant les tribunaux, mais les panneaux solaires sont en passe d'être installés, et les villageois qui avaient d'abord soutenu les forages pétroliers et gaziers adhèrent maintenant à la coopérative, séduits par la perspective d'autosuffisance et de réduction de leurs dépenses d'électricité[24]. Un processus semblable a cours à Pungesti, ce village rural de Roumanie qui livre bataille à la fracturation hydraulique. L'argument des défenseurs de Chevron voulant que l'extraction du gaz de schiste soit la seule option qui permette de créer des emplois dans cette région pauvre a contraint les opposants à élaborer leurs propres solutions alternatives. Ils ont ainsi proposé la construction d'un parc d'éoliennes d'utilité locale, d'une usine de transformation des légumes cultivés sur place et d'un abattoir pour le bétail des éleveurs des environs, projets qui mettent en valeur des moyens de subsistance appartenant au patrimoine de la région.

En résumé, certaines des solutions les plus concrètes à la crise écologique n'émanent pas de projets marginaux et utopiques, mais sont plutôt forgées dans le feu de la résistance par les collectivités qui se trouvent en première ligne du combat contre l'extractivisme extrême. De plus, bien des gens qui, voilà quelques décennies, ont bâti des alternatives locales se voient de nouveau contraints de monter aux barricades, car bon nombre des bulles idylliques où ces marginaux des années 1960 avaient réalisé leurs utopies se sont soudain vu assiégées : leurs côtes sont désormais menacées par les superpétroliers, leurs villages par les trains de charbon ou de pétrole, et leurs terres par les puits de fracturation. Même dans les régions qui ont (encore) la chance d'être épargnées par ces menaces, la crise du climat vient réfuter la thèse voulant qu'une poche contre-culturelle puisse constituer un refuge digne de ce nom. C'est ce qu'ont compris, en août 2011, les agriculteurs biologiques du Vermont qui sont à l'origine de l'un des réseaux d'agriculture locale les plus avancés et les plus durables d'Amérique du Nord. Sa composante la plus connue est sans doute l'Intervale Community Farm, un ensemble de fermes urbaines de Burlington qui fournit à la ville environ 10 % de ses denrées fraîches, composte ses déchets et produit lui-même une portion importante de son électricité. Toutefois, quand l'ouragan Irene a frappé l'État, la crue des eaux n'a pas seulement détruit des ponts couverts historiques, « elle a emporté de vastes pans de notre belle agriculture locale », m'a raconté le Vermontois Bill McKibben, fervent promoteur des produits locaux, peu de temps après les événements. « L'Intervale de Burlington s'est soudainement retrouvée sous un mètre et demi d'eau. On ne peut plus rien y récolter. La riche couche arable de dizaines de terres agricoles est maintenant couverte de sable provenant du lit de la rivière. » De cette expérience, il retient que, « si nous ne parvenons pas à résoudre la crise du climat, tout le reste sera vain[25] ».

Un an plus tard, j'ai été témoin d'une catastrophe similaire, mais à plus petite échelle, tout de suite après le passage de l'ouragan Sandy à New York. Lors d'un séjour à Red Hook, un quartier de Brooklyn parmi les plus durement touchés de la mégapole, je me suis arrêtée à la Red Hook Community Farm, un lieu extraordinaire où les gamins du coin apprennent à cultiver des aliments sains et où de nombreux citadins peuvent faire composter leurs déchets. L'endroit accueille chaque semaine un marché fermier et dispose d'un programme d'agriculture soutenue par la communauté (ASC*) offrant toutes sortes de produits aux gens qui en ont besoin. En plus d'améliorer la vie des citoyens du quartier, la ferme est irréprochable sur le plan climatique, car elle permet une réduction de la distance parcourue par les aliments, une limitation de la consommation de pétrole, le stockage du carbone dans le sol et une réduction de la production de déchets grâce au compostage. Mais quand l'ouragan s'est abattu sur la région, tous ces efforts ont été réduits à néant. Toute la récolte de l'automne

---

* Équivalent des Associations pour le maintien d'une agriculture paysanne (AMAP) qui existent en France. [NdT]

était perdue. Et les agriculteurs urbains que j'ai rencontrés, encore en état de choc devant la dévastation de leur œuvre collective, craignaient que l'eau ayant inondé leurs champs soit si contaminée qu'ils devraient faire venir de la nouvelle terre arable.

Bref, vivre en marge et faire pousser des légumes ne suffit plus. Les oasis vertes ne sont plus viables, car le train fou des combustibles fossiles fonce vers nous, d'une manière ou d'une autre. À une certaine époque, dissocier résistance et élaboration de solutions de rechange avait peut-être un sens, mais, aujourd'hui, ce doit être combiné : on doit lancer et soutenir des initiatives inspirantes comme la Red Hook Community Farm tout en luttant contre un système économique perfide où l'on n'est nulle part à l'abri. Pour John Jordan, qui a longtemps milité pour l'écologie en France et au Royaume-Uni, la résistance et la construction d'alternatives « forment la double hélice de l'ADN du changement social ; isolément, elles ne mènent à rien[26] ».

Conscients de cette nécessité, les citoyens de la Blocadie agissent en conséquence. C'est pourquoi ils ne constituent ni un simple mouvement de refus (qui dirait non aux mines, aux forages, aux oléoducs, aux véhicules gros porteurs) ni un simple mouvement de protection (qui défendrait des modes de vie traditionnels). Ils forment plutôt un mouvement de plus en plus constructif qui s'active à bâtir une nouvelle économie fondée sur des valeurs et des principes très différents de ceux qui dominent aujourd'hui.

Les Blocadiens réalisent aussi – dans une sorte de variante citoyenne de la stratégie du choc – que certains des moments les plus opportuns pour faire avancer la construction de la nouvelle économie sont les périodes suivant les catastrophes, en particulier climatiques. Les grandes tragédies comme l'ouragan Sandy ou le typhon Haiyan, qui tuent des milliers de personnes et provoquent des dommages se chiffrant en milliards de dollars, sont des événements frappants qui mettent au jour les coûts terrifiants du système actuel aux yeux du grand public et justifient la nécessité d'un changement profond touchant les racines de la crise du climat au lieu de ses seuls symptômes. L'engagement bénévole et l'afflux de dons que suscitent ces catastrophes, de même que la colère que déchaîne la moindre tentative d'en tirer profit, témoignent également d'une générosité latente, largement répandue, que le capitalisme fait tout pour nier. Sans parler du fait que de tels événements, comme le savent fort bien les capitalistes du désastre, entraînent des dépenses publiques considérables, chose de plus en plus rare en cette ère d'austérité sans fin.

Grâce à des pressions populaires adéquates, tout cet argent pourrait être affecté non seulement au soutien aux collectivités éprouvées et à la reconstruction des villes, mais aussi à la transformation de ces dernières en modèles de milieux de vie libérés des combustibles fossiles. La construction de digues plus résistantes est loin d'être suffisante : il s'agit de formuler une multitude de revendications, telles la mise en place de réseaux de transports en commun gratuits et administrés démocratiquement ou la construction de logements sociaux le long des lignes ainsi créées, dont l'électricité proviendrait de sources renouvelables, contrôlées par les collectivités. Les emplois rendus possibles par de tels investissements seraient réservés à la main-d'œuvre locale et rémunérés convenablement. De plus, contrairement aux capitalistes du désastre qui profitent des crises pour contourner la démocratie, un véritable rétablissement populaire (suivant ce que de nombreux membres du mouvement Occupy Sandy ont dit souhaiter pour l'après-ouragan) exigerait la mise en place de nouveaux processus démocratiques, telles des assemblées de quartier, pour décider des modalités de reconstruction des zones les plus durement touchées. Le mouvement devrait avoir pour principe directeur de s'attaquer simultanément aux deux crises : celle des inégalités et celle du climat.

La localité de Greensburg, au Kansas, offre un autre exemple d'application inversée de la stratégie du choc. En 2007, une violente tornade a balayé la région, transformant 95 % de cette petite ville en amas de gravats. Fruit d'un extraordinaire processus collectif qui s'est mis en branle quelques jours à peine après la catastrophe (avec des citoyens qui se réunissaient dans des tentes installées à même les décombres de leur ancienne vie), Greensburg est aujourd'hui un modèle de « ville verte », souvent qualifié de localité la plus écologique des États-Unis. L'hôpital, la mairie et l'école ont été rebâtis selon les critères les plus élevés de la certification Leadership in Energy and Environmental Design (LEED). L'endroit est devenu une destination de choix pour des centaines de décideurs politiques désireux d'en savoir plus sur son système d'éclairage écoénergétique, son architecture verte et son mode de gestion des déchets novateur, sans parler de ses éoliennes, grâce auxquelles la municipalité touche des revenus en produisant de l'électricité en quantité supérieure aux besoins de sa population[27].

Le plus frappant, c'est que le comté où s'est établi ce « laboratoire vivant » est un bastion républicain dont une bonne partie de la population est résolument climatosceptique. Mais ces débats n'intéressaient guère les citoyens de Greensburg: la perte considérable qu'ils ont vécue collectivement et les élans de générosité qui l'ont suivie ont ravivé des valeurs inhérentes à la préservation du territoire et à la responsabilité intergénérationnelle, profondément enracinées dans la vie rurale. «Lors de ces réunions sous la tente, nous nous sommes avant tout demandé qui nous sommes, quelles sont nos valeurs», se souvient le maire Bob Dixson, un ancien facteur issu d'une longue lignée d'agriculteurs. «Nous avons bien eu quelques désaccords, mais nous sommes toujours restés courtois les uns envers les autres. N'oublions pas que ce sont nos ancêtres qui ont aménagé le territoire. Les miens vivaient dans les premières maisons écologiques: des huttes en terre. [...] Nous avons appris que, dans la vie, la seule chose qui soit vraiment écologique et durable est la façon dont nous nous comportons les uns envers les autres[28].»

Réagir à une catastrophe en se posant de telles questions, c'est être aux antipodes des méthodes hiérarchiques propres à la stratégie du choc: au lieu de profiter de la crise pour s'enrichir, on s'en sert pour s'attaquer à la racine des problèmes qui lui sont sous-jacents tout en favorisant la participation démocratique. À la suite de l'ouragan Katrina, La Nouvelle-Orléans est devenue un laboratoire pour certains milieux d'affaires déterminés à s'emparer de la sphère publique et à l'affaiblir radicalement en s'attaquant à la santé et à l'éducation publiques et en rendant la ville beaucoup plus vulnérable à une prochaine catastrophe. Mais les cataclysmes de demain pourraient aussi devenir des laboratoires pour les citoyens qui croient possible de revitaliser et de réinventer les biens communs, de manière à réduire les risques de catastrophes encore plus dévastatrices dans l'avenir.

## De la dette locale à la dette mondiale

Lors de mon premier séjour chez les Cheyennes du Nord, la question du financement de l'économie saine pour laquelle luttaient les militants anticharbon revenait souvent. Un jour, Lynette Two Bulls, qui dirige un organisme où l'on enseigne aux jeunes Cheyennes l'histoire de leur peuple, m'a fait part d'une idée enthousiasmante en provenance d'Équateur: un appel à la communauté internationale à dédommager le pays pour le pétrole qu'il n'extrairait pas de la forêt tropicale Yasuní. L'argent ainsi récolté servirait à financer les programmes sociaux et une transition vers les énergies renouvelables. Cela correspondait précisément à ce dont la réserve avait besoin, et Two Bulls se posait la question suivante : si l'Équateur pouvait bénéficier d'une compensation parce qu'il laissait son pétrole sous terre, pourquoi les Cheyennes du Nord ne pourraient-ils pas être indemnisés s'ils faisaient la même chose avec leur charbon ?

C'était là une excellente question. Et les parallèles étaient frappants. Le parc national Yasuní occupe une zone extraordinaire de la forêt tropicale humide de l'Équateur. Habité par plusieurs tribus autochtones, il abrite d'innombrables espèces animales rares et exotiques, et compte autant d'espèces d'arbres par hectare que ce que l'ensemble de l'Amérique du Nord possède d'essences indigènes. Sous cette luxuriance repose une quantité de pétrole brut estimée à 850 millions de barils, dont la valeur totalise environ 7 milliards de dollars. La combustion de tout ce pétrole (combinée à l'abattage de la forêt nécessaire à son extraction) ajouterait 547 millions de tonnes de dioxyde de carbone à l'atmosphère. Il va sans dire que ce pactole fait saliver les grandes sociétés pétrolières[29].

Ainsi, en 2006, le groupe Acción Ecológica (celui-là même qui, dans les années 1990, avait noué une alliance avec le mouvement anti-extractiviste nigérian) a fait une contre-proposition : le gouvernement équatorien devrait accepter de ne pas vendre son pétrole, mais devrait en retour obtenir le soutien de la communauté internationale, qui bénéficierait collectivement de la préservation de la biodiversité et de la non-émission d'une bonne quantité de GES. Un tel soutien impliquerait de compenser en partie la perte des revenus que l'Équateur toucherait s'il optait pour l'extraction. « Une telle proposition établit un précédent, à savoir que les pays qui choisissent de ne pas exploiter leur pétrole méritent d'être récompensés », explique Esperanza Martínez, présidente d'Acción Ecológica. « Les fonds ainsi recueillis seraient alloués à la transition vers les énergies renouvelables ; ils devraient être considérés comme des contributions au remboursement de la dette écologique du Nord à l'égard du Sud et être répartis de façon démocratique à l'échelle locale et mondiale. » En outre, poursuit-elle, « la façon la plus simple de réduire les émissions de dioxyde de carbone consiste à laisser les combustibles fossiles dans le sous-sol[30] ».

Le plan Yasuní reposait sur le postulat selon lequel l'Équateur, comme les autres pays en développement, est un État créancier en raison de l'injustice inhérente au dérèglement climatique, c'est-à-dire du fait que les pays riches ont utilisé l'essentiel de la capacité de l'atmosphère à absorber le $CO_2$ sans conséquence grave avant même que les pays en développement n'aient eu la chance de s'industrialiser. Puisque le monde entier profiterait des avantages de laisser ce carbone dans le sol (car cela aiderait à la stabilisation du climat de la planète), il est injuste de demander à l'Équateur, un pays pauvre dont la population a peu contribué à la crise du climat, de porter le fardeau économique de la renonciation à ces pétrodollars potentiels. Le fardeau devrait plutôt être partagé entre l'Équateur et les pays hautement industrialisés, principaux responsables de l'augmentation de la concentration de dioxyde de carbone dans l'atmosphère. Autrement dit, il ne s'agit nullement de charité : si les pays riches ne souhaitent pas que les pays pauvres se sortent de la pauvreté par des moyens aussi polluants que ceux auxquels ils ont eux-mêmes eu recours, leurs gouvernements ont la responsabilité d'aider ces nations à payer l'addition.

Il s'agit là, bien sûr, du fondement de la notion de « dette climatique », soit du même argument que m'avait présenté, en 2009 à Genève, la négociatrice bolivienne en matière de climat Angélica Navarro Llanos, qui m'avait ainsi aidée à comprendre en quoi la crise du climat pourrait devenir le catalyseur de la lutte contre les inégalités et jeter les bases d'un « plan Marshall pour la Terre[31] ». Le calcul permettant de tirer une telle conclusion est assez simple. Comme nous l'avons vu, le changement climatique est le résultat d'une *accumulation* des émissions : une fois émis, le dioxyde de carbone se maintient dans l'atmosphère pendant un ou deux siècles environ, et il en subsiste une partie pendant un millénaire, voire plus longtemps[32]. Comme le bouleversement du climat résulte d'à peu près deux cents ans d'émissions cumulatives, les pays dont l'économie est alimentée par les combustibles fossiles depuis la révolution industrielle ont davantage contribué à la hausse des températures que ceux qui prennent part au jeu de la mondialisation depuis deux ou trois décennies à peine[33]. Les pays développés, qui comptent pour moins de 20 % de la population mondiale, ont émis près de 70 % de l'ensemble des GES qui déstabilisent aujourd'hui le climat. (Avec moins de 5 % de la population mondiale, les États-Unis ont émis à eux seuls 14 % de tout le $CO_2$ excédentaire[34].)

Ainsi, bien que des pays émergents comme la Chine et l'Inde crachent des quantités de plus en plus importantes de dioxyde de carbone, ils ne peuvent être tenus de contribuer de manière égale aux coûts nécessaires pour réparer les dégâts, car ils ne sont responsables que d'une fraction des émissions cumulatives à l'origine de la crise. De plus, tous n'utilisent pas les combustibles fossiles pour répondre aux mêmes types de besoins. L'Inde, par exemple, compte encore environ 300 millions d'habitants dépourvus d'électricité. Ce pays a-t-il le même devoir de réduire ses émissions que, disons, le Royaume-Uni, qui accumule la richesse et émet du dioxyde de carbone en quantité industrielle depuis que James Watt a lancé sa populaire machine à vapeur en 1776[35]?

Certainement pas. C'est pourquoi plus de 160 pays, dont les États-Unis, ont signé en 1992 la CCNUCC (aujourd'hui ratifiée par 195 États), par laquelle ils reconnaissent «leurs responsabilités communes mais différenciées». Pour l'essentiel, ce libellé signifie que tout le monde doit contribuer à la solution, mais que les pays qui ont émis le plus de $CO_2$ au cours du dernier siècle doivent être les premiers à réduire leurs émissions et doivent aider financièrement les pays pauvres à adopter des modes de développement écoresponsables[36].

Peu de gens contestent le fait que la notion de dette climatique s'appuie sur des principes de justice et sur le droit international. Pourtant, la tentative de l'Équateur de la mettre en pratique s'est heurtée à des difficultés qui pourraient même la faire échouer. Encore une fois, il ne suffit pas d'avoir raison et d'avoir des droits pour faire bouger les riches et les puissants.

En 2007, le gouvernement de centre gauche de Rafael Correa a souscrit au plan Yasuní et s'en est fait le défenseur – quoique brièvement – sur la scène internationale. Connu en Équateur sous le nom d'initiative Yasuní-ITT (le sigle désigne les champs pétrolifères tant convoités d'Ishpingo, de Tambococha et de Tiputini, dans le parc national), le plan est devenu un véritable cri de ralliement populaire, une perspective concrète de développement économique qui n'exigerait pas le sacrifice de régions parmi les plus précieuses aux yeux de la population du pays. En 2011, un sondage révélait que 83 % des Équatoriens approuvaient l'idée de laisser le pétrole du parc Yasuní sous terre; ils n'étaient que 41 % en 2008, ce qui montre la vitesse à laquelle une perspective de changement peut marquer l'imaginaire collectif. Toutefois, les contributions des pays développés se sont fait attendre (en 2013, seuls 13 millions de dollars avaient été recueillis, sur un objectif de 3,6 milliards), si bien que Correa a annoncé qu'il autoriserait les forages[37].

Les partisans équatoriens du plan n'ont toutefois pas baissé les bras, et la volte-face de Correa a ouvert un nouveau front de la Blocadie. Des protestataires opposés à l'extraction ont fait l'objet d'arrestations, la police a tiré des balles de caoutchouc sur des manifestants, et, vu l'absence de solution politique, des groupes autochtones menacent désormais de résister physiquement aux forages. En avril 2014, une coalition d'ONG et d'associations de citoyens a recueilli plus de 750 000 signatures pour appuyer son appel à soumettre l'enjeu à un référendum national (mais les autorités équatoriennes ont finalement rejeté cette proposition et Correa a donné son feu vert aux forages). Kevin Koenig, directeur du programme sur l'Équateur de l'organisme Amazon Watch, interprète ainsi la situation dans le *New York Times* : « Bien que le gouvernement ait des comptes à rendre », la faute ne revient pas entièrement à Correa. « L'avortement de l'initiative Yasuní-ITT est un échec partagé[38]. »

Ce revers reflète en outre l'échec plus large des négociations internationales sur le climat, qui achoppent invariablement sur la question cruciale des mesures tenant compte du bilan historique des premiers responsables de la crise. Résultat final : les émissions continuent de grimper au-delà des seuils, et tout le monde perd au change, surtout les plus pauvres.

En rejetant des solutions efficaces comme le plan ingénieux qui visait à sauver la forêt Yasuní, les dirigeants font assurément fausse route. Comme dans le dossier des droits territoriaux des Autochtones, si les gouvernements ne se montrent pas à la hauteur de leurs responsabilités internationales (et intérieures), des mouvements populaires doivent combler le vide en cherchant à transformer la dynamique du pouvoir.

Comme d'habitude, la droite est plus consciente de cette réalité que la gauche, ce qui explique pourquoi la mouvance climato-sceptique ne cesse d'affirmer que le réchauffement planétaire est une conspiration socialiste visant à redistribuer la richesse (Chris Horner, du Competitive Enterprise Institute, se plaît à dire que les pays riches se font « arnaquer » par les pays pauvres[39]). Certes, la dette climatique n'a rien d'une extorsion, mais, si l'on regarde la crise du climat en face, celle-ci soulève effectivement des questions fort épineuses sur le passif du monde industrialisé à l'endroit des pays qui se trouvent en première ligne d'une crise à laquelle ils n'ont guère contribué. En même temps, avec les strates les mieux nanties de pays comme la Chine et l'Inde qui voient leur consommation et leurs émissions exploser, les catégories classiques de Nord et de Sud tendent à devenir obsolètes, ce qui suscite des questions tout aussi complexes sur les responsabilités des riches et les droits des pauvres, quelle que soit la région du monde où ils vivent. En éludant ces questions, on perd tout espoir de maîtriser les émissions là où cela compterait le plus.

Comme nous l'avons vu, les émissions de l'Amérique du Nord et de l'Europe sont encore trop élevées et nécessitent une diminution radicale, mais, en grande partie grâce à la délocalisation de la production rendue possible par le libre-échange, elles ont à peu près cessé d'augmenter. Ce sont les économies émergentes du Sud (dont les chefs de file sont la Chine, l'Inde, le Brésil et l'Afrique du Sud) qui sont les principales responsables de la brusque hausse des émissions constatée ces dernières années, et c'est pourquoi on se dirige vers des seuils d'irréversibilité plus tôt que prévu.

Ce déplacement de l'origine des émissions est entièrement attribuable à la réussite spectaculaire des multinationales dans leur projet de mondialisation d'un modèle économique fondé sur la surconsommation, issu des riches pays occidentaux. Le problème, c'est que l'atmosphère ne peut le supporter. Selon la physicienne de l'atmosphère et spécialiste de l'atténuation Alice Bows-Larkin, «le nombre d'individus qui ont vécu l'industrialisation dans le passé est une goutte d'eau dans l'océan en comparaison de ceux et celles qui la vivent aujourd'hui». Comme le disait le président Obama en 2013, si la consommation d'énergie de la Chine et de l'Inde devient comparable à celle des États-Unis, «nous allons nous retrouver sous un mètre d'eau[40]».

En vérité, ce ne sont pas les habitants des pays riches qui vont gagner ou perdre la vraie bataille – et c'est là une dure leçon d'humilité pour des cultures habituées à croire qu'elles président aux destinées du monde. L'issue dépendra plutôt des mouvements qui, dans les pays du Sud, mènent leurs propres luttes blocadiennes en réclamant leurs propres transitions énergétiques, leurs propres emplois écologiques et le maintien sous terre de leurs propres réserves d'hydrocarbures. Chez eux, ils font également face à des forces puissantes qui martèlent que leur «tour» est venu de prospérer en polluant, et que rien n'est plus important que la croissance économique. Demander aux pays en développement de porter le gros du fardeau de la solution à une crise du climat mondiale est une injustice flagrante, mais cette dernière est aussi devenue une excuse fort utile pour les gouvernements du Sud désirant fuir leurs responsabilités.

Pour cette raison, si nous acceptons les preuves scientifiques démontrant la nécessité d'intervenir rapidement pour éviter la catastrophe climatique, il est pertinent de concentrer nos efforts sur les lieux où ils auront la plus grande portée, et il s'agit de toute évidence du Sud. Pour ne donner qu'un exemple, environ le tiers des émissions de GES proviennent des immeubles (chauffage, climatisation, éclairage). On s'attend à ce que le parc immobilier de l'Asie-Pacifique enregistre une croissance spectaculaire de

47 % d'ici 2021, alors que celui du monde développé restera relativement stable. Ainsi, bien qu'il soit important d'améliorer l'efficacité énergétique des bâtiments existants où qu'ils soient situés, il est primordial de veiller à ce que les nouvelles constructions d'Asie répondent aux normes les plus élevées en la matière. Autrement, tout le monde – au Nord comme au Sud, à l'Est comme à l'Ouest – subira les conséquences d'une hausse catastrophique des émissions[41].

## Faire pencher la balance

Le Nord industrialisé peut néanmoins contribuer activement à faire pencher la balance vers un mode de développement qui ne reposerait pas sur la croissance infinie et les hydrocarbures. La lutte contre les pipelines et les terminaux d'exportation de combustibles fossiles vers l'Asie fait d'ailleurs partie de la solution. Il en va de même du combat contre les nouveaux accords de libre-échange, de la modération de notre propre surconsommation et de la relocalisation éclairée de notre économie, car une bonne partie des combustibles qui brûlent en Chine servent à fabriquer les biens inutiles qui nous sont destinés.

Quoi qu'il en soit, au Sud comme au Nord, le principal levier de changement demeure l'émergence d'alternatives bénéfiques, pratiques et concrètes au développement polluant qui ne contraignent pas les gens à choisir entre la pauvreté et l'extraction toxique. Car si le charbon est le seul combustible disponible pour allumer les lampes de l'Inde, c'est à lui qu'on aura recours. Et si les transports en commun de Delhi se résument au chaos, de plus en plus de citadins continueront à opter pour l'automobile.

Les alternatives existent – des modèles de développement qui n'entraînent pas de stratification massive des revenus, de génocides culturels tragiques ou de dévastation des écosystèmes. Comme on l'a vu avec l'exemple du plan Yasuní, le Sud est le théâtre de mouvements qui luttent activement pour l'adoption de tels modes de développement, pour des politiques qui apporteraient l'électricité à des masses de gens par l'entremise de réseaux décentralisés alimentés par des sources renouvelables et qui révolutionneraient les déplacements urbains en rendant le transport collectif plus attrayant que l'automobile privée (comme nous l'avons vu, des manifestants ont envahi les rues du Brésil pour réclamer la gratuité des transports en commun).

Parmi les idées qui suscitent le plus d'intérêt se trouve celle d'une «tarification préférentielle mondiale», qui implique la création d'un fonds administré au niveau international ayant pour mission de soutenir les transitions énergétiques des pays en développement. Selon les architectes de ce projet, l'économiste Tariq Banuri et le climatologue Niclas Hällström, un investissement annuel de 100 milliards de dollars pendant une période de dix à quatorze ans «pourrait aider concrètement 1,5 milliard de personnes à avoir accès à l'énergie, et permettrait de franchir des étapes décisives dans la transition vers les énergies renouvelables, à temps pour éviter une catastrophe climatique à l'humanité entière[42]».

Sunita Narain, directrice générale du Centre for Science and Environment, une des organisations environnementalistes les plus influentes de l'Inde, basée à New Delhi, martèle que la solution ne consiste pas, pour les pays riches, à faire décroître leur économie tout en laissant le monde en développement s'enrichir en polluant (que ce scénario soit réaliste ou non). Les pays en développement devraient plutôt «se développer autrement. L'idée n'est pas de commencer par polluer pour ensuite tout nettoyer. Nous avons besoin d'argent et de technologies pour être en mesure de faire les choses autrement[43]». Ce qui suppose que les pays riches remboursent leur dette climatique.

Cependant, le financement d'une transition équitable dans les économies en développement rapide est loin d'être une priorité pour les militants du Nord. En fait, les grandes organisations environnementalistes américaines sont nombreuses à considérer la notion de dette climatique comme politiquement nuisible, car, contrairement au discours habituel sur la «sécurité énergétique» et l'emploi écologique (selon lequel les mesures climatiques peuvent être très payantes pour les pays riches), celle-ci exige de souligner l'importance de la coopération et de la solidarité internationales.

Narain entend souvent de telles objections. «On me dit toujours (en particulier mes amis américains) que [...] les questions de responsabilité historique ne devraient pas figurer à l'ordre du jour: "Je ne suis pas responsable de ce qu'ont fait mes ancêtres."» Mais on oublie ainsi que les choix du passé ont eu une incidence directe sur l'enrichissement de certains pays et l'appauvrissement des autres, explique-t-elle. «Votre richesse d'aujourd'hui est liée à la façon dont vos sociétés ont puisé sans relâche dans la nature. Cette dette doit être remboursée. Il s'agit d'une responsabilité historique à laquelle il faut faire face[44].» Ces débats rappellent bien sûr d'autres batailles portant sur l'enjeu des réparations.

En Amérique latine, des économistes progressistes soutiennent depuis longtemps que les puissances occidentales ont une dette écologique à rembourser pour les terres qu'elles ont accaparées et les ressources qu'elles ont extraites au fil des siècles qu'a duré la période coloniale. En diverses occasions (notamment lors de la Conférence mondiale contre le racisme de 2001, à Durban, en Afrique du Sud), les gouvernements de pays d'Afrique et des Caraïbes ont quant à eux réclamé des réparations pour les préjudices causés par l'esclavage transatlantique. Après s'être estompées pendant la décennie ayant suivi la conférence de Durban, ces revendications sont revenues dans l'actualité en 2013 lorsque 14 États des Caraïbes ont fait front commun pour présenter une demande officielle de réparations au Royaume-Uni, à la France, aux Pays-Bas et à d'autres pays d'Europe ayant pris part au commerce des esclaves. «Notre lutte incessante pour trouver les ressources nécessaires à notre développement découle directement de l'incapacité historique de nos peuples à accumuler la richesse qu'ils ont produite sous le régime esclavagiste et colonial», déclarait Baldwin Spencer, premier ministre d'Antigua-et-Barbuda, en juillet 2013. L'objectif des réparations, précisait-il, consiste à briser les chaînes de la dépendance, une fois pour toutes[45].

Qualifiant ces arguments d'histoire ancienne, la plupart des pays riches font la sourde oreille, tout comme le gouvernement des États-Unis se montre insensible aux demandes de réparations pour l'esclavage des Afro-Américains (bien que, au printemps 2014, ces revendications aient obtenu un nouvel écho grâce à un reportage marquant de Ta-Nehisi Coates dans *The Atlantic*, lequel a une fois de plus relancé le débat[46]). Toutefois, la question de la dette climatique ne se pose pas tout à fait de la même façon. L'héritage du colonialisme ou la contribution de l'esclavage au sous-développement moderne peuvent être matière à débat. Mais les données scientifiques relatives au dérèglement climatique, elles, sont peu propices aux désaccords. Le gaz carbonique laisse des traces évidentes, des preuves inscrites à même le corail ou les carottes de glace. Il est possible d'évaluer avec précision la quantité de $CO_2$ que nous pouvons émettre collectivement dans l'atmosphère et les parts du bilan carbone des uns et des autres au cours des deux cents dernières années.

Par ailleurs, ces diverses dettes, toutes négligées ou dissimulées, ne sont pas indépendantes les unes des autres; on les comprend mieux en les considérant comme les chapitres d'une même histoire, qui se poursuit. Les usines de textile et les raffineries de sucre de Manchester et de Londres fonctionnaient au charbon, générateur de gaz carbonique, et on y transformait du coton brut et de la canne à sucre en provenance des colonies, ressources essentiellement récoltées par des esclaves. L'historien Eric Williams, qui fut le premier premier ministre de Trinité-et-Tobago, a bien démontré que les revenus de l'esclavage ont directement financé le processus d'industrialisation de l'Angleterre, inextricablement lié au dérèglement climatique. Ses conclusions, qui ont long-temps suscité de vifs débats, ont obtenu une nouvelle légitimité en 2013 quand des chercheurs de l'University College de Londres ont publié une base de données colligeant des renseignements sur l'identité et la situation financière des propriétaires d'esclaves britanniques du milieu du xixᵉ siècle[47].

Les chercheurs se sont penchés sur cet épisode où, au moment d'abolir l'esclavage en 1833, le Parlement du Royaume-Uni s'était engagé à dédommager les propriétaires d'esclaves pour la perte de leurs biens humains, une forme rétrograde de réparation destinée aux responsables de l'esclavage plutôt qu'à leurs victimes. Les paiements ont totalisé 20 millions de livres sterling, une somme qui, selon *The Independent,* « représentait une proportion ahurissante de 40 % du budget annuel de l'État, et qui équivaudrait aujourd'hui, calculée en salaires, à environ 16,5 milliards de livres sterling ». Une bonne partie de ce pactole a été immédiatement réinvestie dans les infrastructures alimentées au charbon (usines, chemins de fer, navires à vapeur...) dont avait grand besoin la révolution industrielle alors en plein essor. À leur tour, ces outils ont permis au colonialisme de passer à un stade autrement plus rapace, dont les plaies sont encore vives de nos jours[48].

Ce n'est pas le charbon qui a engendré l'inégalité structurelle : l'esclavage transatlantique et l'accaparement des terres coloniales avaient été rendus possibles grâce à des navires à voiles, et les premières manufactures étaient alimentées par des roues hydrauliques. Néanmoins, la puissance constante et prévisible du charbon a très certainement dopé le processus, permettant ainsi à l'extraction du travail humain et des ressources naturelles d'atteindre une ampleur auparavant inimaginable, et jetant les bases de l'économie mondiale contemporaine.

Et il s'avère que l'abolition de l'esclavage et l'essoufflement du colonialisme n'ont pas mis fin à la déprédation. Celle-ci s'est poursuivie parce que les émissions des navires à vapeur et des manufactures bourdonnantes des premiers jours ont donné le coup d'envoi au processus d'accumulation de gaz carbonique excédentaire dans l'atmosphère. On peut ainsi envisager cette facette de l'histoire autrement : il y a deux siècles, le charbon a aidé les pays occidentaux à s'approprier délibérément les vies et les terres d'autres peuples ; puis, alors que les émissions attribuables à ce charbon (et, plus tard, au pétrole et au gaz) s'accumulaient dans l'atmosphère, ces mêmes pays se sont aussi approprié, incidemment, le ciel des descendants de ces autres peuples, utilisant l'essentiel de la capacité de l'atmosphère à absorber le gaz carbonique en toute sécurité.

En conséquence directe de ces siècles de pillage systématique (des terres, de la force de travail et de l'atmosphère), les pays en développement sont aujourd'hui coincés entre les effets du réchauffement planétaire (aggravés par la persistance de la pauvreté) et la nécessité de réduire la pauvreté. Or, dans le système économique actuel, la façon la moins coûteuse et la plus simple de faire reculer la pauvreté consiste à brûler encore plus d'hydrocarbures, aggravant ainsi considérablement la crise du climat. Ils ne pourront sortir de cette impasse sans aide, et l'aide ne peut venir que des pays et des entreprises dont l'enrichissement a largement reposé sur ces appropriations illégitimes.

Ce qui distingue ces demandes de réparations de celles qui les ont précédées n'est pas tant la solidité des arguments sur lesquels elles reposent que le fait qu'elles dépassent l'éthique et la morale : les pays du Nord doivent aider ceux du Sud à se doter d'une économie à faibles émissions non seulement parce qu'il s'agit d'un devoir moral, mais aussi parce qu'il en va de la survie collective de l'humanité.

Par ailleurs, le fait d'avoir été traité injustement ne donne pas à un pays le droit de commettre le même crime à une échelle encore plus vaste. Tout comme le fait d'avoir été violée ne confère pas à une victime le droit de violer à son tour, ou celui de s'être fait cambrioler le droit de voler. Ainsi, le fait d'avoir été privé de la possibilité de polluer l'atmosphère dans le passé n'accorde à personne le droit de polluer aujourd'hui, en particulier parce que les pollueurs contemporains sont beaucoup mieux informés des conséquences catastrophiques de leurs activités que ne l'étaient les premiers industriels.

Il importe donc de trouver un terrain d'entente. Fort heureusement, c'est précisément ce qu'ont tenté de faire des chercheurs du groupe de réflexion EcoEquity et du Stockholm Environment Institute en élaborant une stratégie novatrice et rigoureusement équitable de réduction des émissions à l'échelle mondiale. Nommé Greenhouse Development Rights (droits au développement tenant compte des gaz à effet de serre), ce modèle vise à mieux refléter la nouvelle réalité que constitue la croissance de la richesse et des émissions de $CO_2$ dans les pays du Sud, tout en insistant sur la nécessité de garantir le droit à un développement durable et en reconnaissant la plus grande responsabilité du Nord dans l'accumulation des émissions. Selon ses auteurs, c'est précisément une telle stratégie qui s'impose pour sortir de l'impasse climatique, car elle tient compte des «grandes disparités qui existent non seulement entre les pays, mais aussi *au sein de* chaque pays». Le Nord doit être assuré que les riches du Sud feront leur part dès aujourd'hui et à l'avenir, tandis qu'on doit garantir adéquatement aux pauvres un accès à ce qui reste des biens communs atmosphériques[49].

Dans cet esprit, la juste part de chaque pays dans la réduction des émissions serait déterminée selon deux critères : sa responsabilité historique dans les émissions cumulatives et sa capacité de payer, qui est fonction de son niveau de développement. Par exemple, les États-Unis devraient se charger d'environ 30 % de la réduction des émissions mondiales à laquelle on doit procéder d'ici la fin de la décennie en cours (il s'agit de la part la plus élevée pour un pays). Ils ne seraient cependant pas tenus de mettre en œuvre toutes les mesures de diminution sur leur territoire : une partie de celles-ci pourrait prendre la forme d'un soutien, financier ou autre, à la transition du Sud vers une économie à faibles émissions. De plus, selon les chercheurs, en établissant et en quantifiant clairement la part du fardeau mondial attribuée à chaque pays, on n'aurait plus besoin de compter sur des mécanismes inefficaces et propices à la spéculation comme le marché du carbone[50].

En cette époque où les États riches crient famine et sabrent les services à leurs propres citoyens, il peut sembler irréaliste de leur demander de prendre de tels engagements internationaux. C'est à peine s'ils pratiquent encore l'aide internationale sous son ancienne forme, alors pourquoi se lanceraient-ils dans quelque stratégie nouvelle et ambitieuse reposant sur la justice ? Néanmoins, dans l'immédiat, les pays du Nord ont à leur portée une foule de moyens abordables grâce auxquels ils pourraient commencer à acquitter leur dette climatique sans se ruiner, comme l'annulation de la dette extérieure des pays en développement en échange de l'adoption par ceux-ci de mesures climatiques, l'assouplissement des brevets sur les énergies vertes et le transfert des savoir-faire technologiques sur lesquels portent ceux-ci.

En outre, une bonne partie de ces coûts ne devrait pas être assumée par le contribuable moyen, mais plutôt par les grandes entreprises, principales responsables de l'aggravation de la crise. Comme nous l'avons vu au chapitre 3, leur apport pourrait résider dans n'importe quelle combinaison de mesures conformes au principe du pollueur-payeur, telles une taxe sur les transactions financières ou l'élimination des subventions à l'industrie des combustibles fossiles.

Une chose est sûre, on ne peut s'attendre à ce que les peuples les moins responsables de la crise paient l'essentiel ou la totalité de l'addition : il s'agirait là d'une recette infaillible pour ajouter des quantités catastrophiques de gaz carbonique à notre atmosphère commune. À l'instar des appels au respect des traités et accords territoriaux conclus avec les peuples autochtones, le déséquilibre climatique nous force à constater à quel point des injustices que nombre de gens croyaient bien enterrées dans le passé accentuent notre vulnérabilité commune à l'effondrement du climat mondial.

Alors que bon nombre des plus abondantes réserves d'hydrocarbures encore inexploitées se trouvent sous des territoires contrôlés par des peuples parmi les plus démunis de la planète, et que les régions où les émissions augmentent aujourd'hui le plus rapidement comptaient jusqu'à tout récemment parmi les plus pauvres du monde, il est parfaitement irréaliste de croire qu'on pourra résoudre la crise du climat sans s'attaquer aux véritables racines de la pauvreté.

## Chapitre 13

# Perpétuer la vie

## De l'extraction à la régénération

*Arrêtez de dire que je suis résiliente. Je ne suis pas résiliente.*
*Car chaque fois que vous dites : « Oh, comme ils sont résilients ! »*
*je peux m'attendre à de nouveaux assauts de votre part.*

Tracie WASHINGTON, avocate et spécialiste
des droits civils de La Nouvelle-Orléans, 2010[1]

*Que la femme soit l'environnement primordial est un*
*enseignement fondamental. Pendant la grossesse, son corps porte la vie.*
*[...] Elle nourrit au sein les enfants qui formeront la*
*nouvelle génération. Son corps façonne la relation qu'aura la nouvelle*
*génération avec la nature et avec la société. La Terre est notre mère à tous,*
*disent les aînés. En tant que femmes, nous sommes donc la Terre.*

Katsi COOK, sage-femme mohawk, 2007[2]

**D**ANS LES PREMIÈRES PAGES de ce livre, j'ai souligné que l'expérience de la maternité, en cette époque où l'humanité est en péril, m'a amenée à envisager la crise du climat sous un nouvel angle. Naturellement, je savais déjà que la situation était critique, comme nous en sommes tous plus ou moins conscients. La plupart du temps, toutefois, j'en ressentais plutôt une vague tristesse, ponctuée de moments de panique, plutôt qu'une douleur profonde.

Il y a environ sept ans, j'ai pris conscience que ma crainte d'une catastrophe écologique imminente était en train de miner ma capacité à profiter des moments que je passe dans la nature. Plus ceux-ci étaient beaux et intenses, plus je déplorais la perte qui s'ensuivrait inévitablement – un peu comme si la crainte de la rupture m'empêchait de goûter pleinement aux joies de l'amour. Le regard perdu dans une baie foisonnante de vie de la Sunshine Coast, en Colombie-Britannique, je l'imaginais soudain dévastée, dépouillée de ses aigles, de ses hérons, de ses phoques et de ses loutres… Un désert. Après avoir couvert le déversement de BP dans le golfe du Mexique, j'ai vu mon réflexe virer à l'obsession : je ne pouvais plus voir un plan d'eau sans imaginer une pellicule huileuse à sa surface. Les couchers de soleil m'étaient particulièrement pénibles : les vagues nimbées de rose me rappelaient trop le lustre du pétrole. Un soir, en faisant griller un saumon rouge fraîchement pêché, je me suis prise à imaginer comment, devenue une vieille femme flétrie par les années, je décrirais ce poisson magnifique – sa couleur flamboyante, l'éclat lumineux de sa chair – à un enfant vivant dans un monde où cette espèce aurait disparu.

J'en suis venue à nommer ce réflexe morbide « pré-perte », une variation sur le thème des « pré-crimes » exploré dans le film *Minority Report*. Et je sais que je ne suis pas la seule à en souffrir. Il y a quelques années, le magazine *The Nation*, où j'écris des chroniques, a publié la publicité d'une croisière d'une semaine en Alaska. L'annonce couvrait une page entière. « Venez voir les glaciers avant qu'ils ne disparaissent », pouvait-on y lire. Indignée, j'ai appelé le rédacteur en chef. N'était-ce pas complètement déplacé de badiner à propos de la fonte des glaces, et par-dessus le marché pour faire la promotion d'une croisière aussi polluante ? Le réchauffement planétaire n'est pas matière à plaisanterie ! Pourquoi laisser entendre qu'il s'agit d'un phénomène inéluctable ? La publicité a été retirée, mais j'ai réalisé que, bien que d'un goût douteux, elle reflétait bel et bien le fatalisme qui imprègne très souvent notre rapport à la nature et qu'on pourrait résumer par la devise « profitons-en avant qu'il ne soit trop tard ».

Ce fatalisme écologique explique en grande partie la réticence à avoir des enfants que j'ai éprouvée jusqu'à la fin de la trentaine. Pendant des années, j'ai plaisanté en disant que je donnerais la vie à une guerrière du climat à la Mad Max qui devrait se battre bec et ongles pour obtenir nourriture et carburant. Je savais aussi que, pour éviter le pire, il faut réduire le nombre d'ultra-consommateurs sur la planète. C'est en travaillant sur ce livre que j'ai commencé à voir les choses autrement, sans doute un peu pour me justifier. (Un enfant de plus ou de moins, quelle différence ?) Mais il y avait autre chose : l'exploration du mouvement international pour la justice climatique m'exposait à des scénarios d'avenir beaucoup plus lumineux que les visions apocalyptiques qui revenaient sans cesse me hanter. Peut-être pouvait-on imaginer, après tout, que le fait de donner la vie s'inscrive dans un cycle de création, et non de destruction ?

J'ai eu de la chance : je suis tombée enceinte dès le premier mois d'essai. Mais ça n'a pas duré. Fausse couche. Tumeur ovarienne. Frousse d'un cancer. Chirurgie. Mois après mois, toujours la même décevante petite ligne rose sur les tests de grossesse. Puis une autre fausse couche.

J'ai finalement décidé de frapper à la porte de l'usine à bébés. («Es-tu vraiment obligée de voir les choses ainsi ?» me demandait mon mari, si patient.) Je me suis engouffrée dans un dédale de cabinets où médicaments, hormones et chirurgies d'un jour étaient prodigués comme on distribue des brosses à dents chez le dentiste. On partait du principe que la patiente était prête à tout pour tenir un jour un nouveau-né dans ses bras. Même si elle risquait d'en avoir trois (ou cinq) en même temps. Même si sa propre santé était mise en péril par la prise de médicaments dangereux ou par des interventions médicales mal encadrées.

J'ai bien essayé de me prêter au jeu pendant un moment, mais sans succès. La goutte qui a fait déborder le vase, c'est lorsque le médecin m'a annoncé, après mon premier (et dernier) essai de fécondation in vitro (FIV), que la qualité de mes ovules laissait probablement à désirer et que je devrais envisager d'avoir recours à un don d'ovules. J'ai eu soudain l'impression d'être une poule pondeuse ayant dépassé sa «date d'expiration», pressée par des médecins cherchant à améliorer à tout prix leurs statistiques de «naissances vivantes». J'ai annulé tous mes rendez-vous, balancé mes pilules à la poubelle, jeté les seringues dans les endroits prévus à cet effet. J'ai tourné la page.

Étonnamment, il m'a été difficile d'annoncer à ma famille et à mes amis que j'avais renoncé à la procréation médicalement assistée. Les gens semblaient ressentir le besoin de me raconter des histoires d'amis ou de connaissances qui avaient réussi à enfanter malgré un parcours semé d'embûches. En général, les protagonistes avaient eu recours à une des techniques dont je ne voulais plus rien savoir, et dans l'anecdote se glissait souvent un subtil reproche quant à mon manque de persévérance. Plusieurs femmes évoquées avaient fait en vain l'expérience de tout l'arsenal de la clinique de fertilité (multiples essais in vitro, don d'ovules, recours à la gestation pour autrui), avant de concevoir un enfant aussitôt après avoir baissé les bras. Toutes ces histoires ont un point commun : sans s'arrêter au fait que le corps a peut-être ses raisons de se rebeller, on poursuit une quête qu'il semble insensé d'abandonner tant qu'on n'aura pas épuisé toutes les ressources de la science.

D'une certaine manière, cet acharnement peut se comprendre. L'appareil reproducteur de la femme ne manque pas de ressources : deux ovaires et deux trompes de Fallope, alors qu'un système unique suffirait ; des centaines de milliers d'ovules, alors qu'on peut se débrouiller avec quelques dizaines si la qualité y est ; enfin, une généreuse période de fertilité qui s'étend de douze à cinquante ans ou à peu près. Je portais en moi ce système robuste et ingénieux ; pourtant, j'avais l'impression que mon corps cherchait à me faire passer un message, à me dire qu'il y a des limites à ne pas dépasser. J'avais l'impression d'avoir en moi un sanctuaire pris d'assaut, et je me sentais meurtrie. J'en avais marre de cette violence.

Ma décision n'avait rien à voir avec l'idée qu'un bébé doive absolument être conçu « naturellement ». Je sais que les méthodes de procréation assistée peuvent faire des miracles pour une foule d'hommes et de femmes aux prises avec des problèmes de fertilité, et qu'il peut s'agir de la seule voie possible vers l'enfantement pour les couples homosexuels ou transsexuels. À mes yeux, le désir de devenir père ou mère ne devrait pas être entravé par des contraintes liées au statut matrimonial, à l'orientation sexuelle ou au revenu (la procréation assistée devrait d'ailleurs être assumée par le système de santé plutôt qu'offerte uniquement à ceux qui en ont les moyens).

Le malaise que provoquait en moi la clinique de fertilité, curieusement, n'était pas sans lien avec ma réaction face à certaines tendances de la géo-ingénierie. J'y percevais un déni des causes fondamentales du problème, de même qu'une propension à se tourner vers des technologies à haut risque non pas en dernier recours, mais à la première difficulté, ou même simplement pour gagner du temps (« gare à l'horloge biologique », dit-on aux femmes dans la trentaine). Là où j'habite, par exemple, il est beaucoup plus simple d'obtenir un don d'ovules ou de trouver une mère porteuse que d'adopter un bébé.

Sans compter que les risques ne sont pas tous connus. En dépit de la désinvolture de nombreux praticiens de cette industrie évaluée à quelque 10 milliards de dollars à l'échelle internationale, ces risques sont bien réels. Une étude menée aux Pays-Bas, par exemple, révèle que les femmes qui ont subi une fécondation in vitro courent deux fois plus de risques d'être atteintes d'un cancer de l'ovaire. Une autre étude, réalisée en Israël, indique que les femmes auxquelles on a fait prendre du citrate de clomifène (ce qui est mon cas), un médicament couramment prescrit pour accroître la fertilité, sont beaucoup plus vulnérables que les autres au cancer du sein. Des chercheurs suédois, enfin, ont démontré que les patientes ayant subi une FIV étaient sept fois plus exposées que les autres au risque d'embolie pulmonaire au début de leur grossesse. D'autres études font également état de divers risques encourus par les enfants nés d'une FIV[3].

Quand je fréquentais la clinique de fertilité, j'ignorais l'existence de ces études. Mes craintes étaient plus diffuses : j'avais l'impression que les médicaments inducteurs d'ovules qu'on m'administrait court-circuitaient un des mécanismes de protection de mon organisme, forçant mon corps à outrepasser ses limites. Je n'avais guère l'occasion d'exprimer ces réticences : mes échanges avec les médecins étaient aussi expéditifs qu'une séance de *speed dating*, et toute question de ma part semblait être perçue comme un signe d'insécurité. (Madame, regardez tous ces faire-part de naissance, envoyés par des parents reconnaissants, qui tapissent les murs des salles d'examen et les couloirs ; le reste, on s'en fiche.)

Pourquoi partager cette expérience et les réflexions qu'elle a suscitées en moi dans un ouvrage portant sur les enjeux climatiques ? D'abord, par souci de transparence. Les cinq années qui m'ont été nécessaires pour préparer et rédiger ce livre ont été pour moi ponctuées d'expériences pharmaceutiques et technologiques ratées, puis transformées par la grossesse et la maternité. Deux grandes aventures que j'ai d'abord tenté de vivre en parallèle, mais qui ont inévitablement fini par s'enchevêtrer : ce que j'apprenais sur la crise écologique façonnait mes réactions face à ma propre crise de fertilité, et ce que j'apprenais sur la fertilité transformait ma perception de la crise écologique.

Parfois, ce chevauchement était pénible. Par exemple, si je traversais un épisode particulièrement difficile de ma démarche de procréation, une simple rencontre avec des environnementalistes pouvait s'avérer éprouvante. Le pire, c'était les rappels incessants de nos responsabilités à l'égard de « nos enfants » et de « nos petits-enfants ». Je savais qu'il n'y avait pas dans ce discours d'intention discriminatoire, mais je me sentais exclue de la bande : si le fait de se préoccuper de l'avenir est d'abord l'expression de l'amour qu'on porte à ses descendants, quel rôle attribuer à ceux qui n'ont pas d'enfants, par choix ou non ? Peut-on les considérer comme de véritables écologistes ?

Je souffrais aussi de la métaphore de la Terre Mère et de l'idée que les femmes, qui portent les enfants en leur sein, entretiennent un rapport unique avec la Terre, symbole de fertilité et d'abondance. S'il est vrai que la maternité peut devenir une puissante force créatrice, il reste que certains de mes modèles de créativité et d'empathie ont choisi de ne pas avoir d'enfant. Et, sur cette Terre maternelle et nourricière, comment situer les femmes qui, comme moi, étaient incapables de donner la vie ? Étions-nous condamnées à vivre en parias ? J'avais parfois la douloureuse impression que le lien entre mon corps et le cycle de la création s'était rompu, comme un fil de téléphone qu'on aurait sectionné.

Mais en chemin, mon regard a changé. Non pas que j'aie pris contact avec la Déesse Mère en moi ; en fait, j'ai graduellement pris conscience que la Terre est effectivement notre mère à tous, mais que, loin d'être une figure mythique incarnant la création et l'abondance, elle vit elle-même une grande crise de fertilité. Les activités industrielles, en effet, ont des répercussions majeures sur ses processus naturels de régénération, des cycles du sol aux régimes de précipitations. Et l'humain n'est pas seul aux prises avec des troubles de fertilité : très nombreuses sont les espèces qui peinent à se reproduire et, plus encore, à protéger leur progéniture dans un environnement de plus en plus hostile.

Sur une note beaucoup plus optimiste, j'ai peu à peu réalisé que les ingénieux mécanismes de procréation et de régénération de la Terre et de ses habitants pourraient s'inscrire au cœur du nouveau paradigme qui remplacerait le modèle extractiviste reposant sur la domination et le pillage des écosystèmes.

## Un océan de vie avortée

Comme j'avais déjà cessé de fréquenter la clinique de fertilité à ce moment-là, j'ignorais que j'étais enceinte lorsque j'ai séjourné en Louisiane pour couvrir le déversement de BP. Peu après mon retour chez moi, toutefois, j'ai eu le sentiment qu'il se passait quelque chose d'inhabituel et j'ai fait un test de grossesse. Deux lignes, cette fois, mais la seconde était très pâle. « On ne peut pas être enceinte à moitié », dit-on. Pourtant, cela semblait être mon cas. Après d'autres tests, mon médecin m'a appelée pour m'annoncer (avec le ton démoralisant qui m'était devenu familier) que j'étais bel et bien enceinte, mais que, mon taux d'hormones étant très faible, je devais m'attendre à faire une troisième fausse couche.

Mon esprit a aussitôt fait un bond en arrière. Dans le golfe du Mexique, j'avais respiré des émanations toxiques pendant des jours, et je m'étais même immergée jusqu'à la taille dans l'eau contaminée pour atteindre une plage isolée souillée par la marée noire. Ayant mené ma petite enquête sur les substances chimiques employées en quantité industrielle par BP, j'ai obtenu des pages et

des pages de texte établissant des liens entre ces produits dangereux et les risques d'avortement spontané. De toute évidence, je
payais le prix de mes actions.

Après environ une semaine de suivi, on a diagnostiqué une
grossesse ectopique, ce qui signifie que l'embryon s'était implanté
à l'extérieur de l'utérus, vraisemblablement dans l'une des trompes.
On m'a aussitôt transférée aux urgences. Les grossesses ectopiques
sont une cause importante de mortalité chez les femmes enceintes
dans les pays en voie de développement : si l'on ne s'en aperçoit
pas à temps, l'embryon continue à se développer, ce qui peut faire
éclater la trompe et provoquer une grave hémorragie. Le traitement n'est pas très réjouissant non plus : on injecte une ou plusieurs doses de méthotrexate, un puissant médicament employé
en chimiothérapie pour stopper la prolifération des cellules (avec
plusieurs effets secondaires similaires dans les deux cas). Une fois
le développement de l'embryon interrompu, il est expulsé naturellement, ce qui peut toutefois se produire plusieurs semaines plus
tard.

Ce fut là une autre grande épreuve pour mon mari et moi. En
même temps, c'était aussi un soulagement d'apprendre que ma
fausse couche n'avait rien à voir avec mon passage dans le golfe
du Mexique. Toute cette histoire m'a toutefois amenée à envisager
sous un angle nouveau mon séjour là-bas, en particulier une
longue journée passée à bord du *Flounder Pounder*, un bateau de
pêche sportive que nous avions loué pour tenter de démontrer que
les zones marécageuses en bordure de la côte avaient été touchées
par le déversement.

Notre guide était Jonathan Henderson, du Gulf Restoration
Network, un vaillant organisme local dédié à la restauration des
zones marécageuses dévastées par l'industrie du pétrole et du gaz.
Tandis que nous progressions dans les sinueux bayous du delta
du Mississippi, Henderson se penchait sans cesse pour mieux
fouiller du regard les longues herbes d'un vert vif. Ce qui l'inté-
ressait le plus, ce n'est pas ce que nous regardions tous (les poissons bondissant dans l'eau trouble, les joncs huileux), mais un
autre aspect beaucoup moins évident à évaluer, du moins sans
microscope ni bocaux d'échantillonnage. Le printemps correspond au début de la saison du frai dans la région, et Henderson
savait que les marécages fourmillaient de zooplancton, de larves
ou d'alevins qui deviendraient des crevettes, huîtres, crabes ou
poissons. Au cours de ces quelques semaines et mois où toute
cette vie est encore précaire, les marais deviennent un véritable
incubateur, offrant nourriture et protection contre les prédateurs.

« Tout naît dans ces marécages », affirmait Henderson[4]. Si rien ne vient perturber ce processus, évidemment. Aux stades embryonnaire et larvaire, les poissons ne peuvent se défendre contre les prédateurs. Ce sont de minuscules créatures portées par la marée, qui finissent bien souvent dans l'estomac d'un poisson plus gros. Leurs fragiles membranes ne leur offrent guère de protection contre les substances toxiques, qui, même à très faible dose, peuvent entraîner des mutations voire la mort.

Selon Henderson, le déversement mettait en péril ces microscopiques créatures. Chaque nouvelle vague apportait son lot de pétrole et de dispersants, faisant exploser les taux d'hydrocarbures aromatiques polycycliques (HAP) cancérigènes. Et ce, au pire moment possible sur le calendrier biologique : outre les crustacés, le thon rouge, le mérou, le vivaneau, le maquereau et le marlin pondent leurs œufs au cours de ces mois cruciaux. Un peu partout en eaux libres, des nuages translucides de vie primitive risquaient d'être traversés par une nappe de pétrole ou de dispersants délétères frappant tel un ange de la mort. « Une larve qui entre en contact avec du pétrole est condamnée », explique John Lamkin, biologiste marin de la NOAA[5].

Contrairement au sort des tortues de mer et des pélicans englués de pétrole, qui faisaient les manchettes partout dans le monde cette semaine-là, la mort de toutes ces formes de vie minuscules ne suscitait guère l'attention des médias, et ne ferait pas non plus partie du bilan officiel des dégâts. En fait, si un type de larve avait été soudain éradiqué de la région, il est probable que cette perte ne serait constatée que plusieurs années plus tard, au moment où ces formes de vie embryonnaire auraient normalement atteint la maturité. Et, à ce moment-là, il n'y aurait pas non plus de dévastation sensationnelle dont les médias sont si friands ; en fait, il n'y aurait... rien du tout. Juste une absence. Un grand vide dans le cycle de la vie.

Le cas du hareng après la catastrophe de l'*Exxon Valdez* en offre un bel exemple. Au cours des trois premières années qui ont suivi le déversement, les stocks de hareng n'ont pas paru trop affectés. La quatrième année, toutefois, la population a chuté des trois quarts environ. L'année suivante, il en restait si peu, et les rescapés étaient si mal en point, que la pêche au hareng a dû être interdite dans la baie du Prince-William. Un simple calcul suffit : ce laps de temps aurait permis aux harengs ayant subi la marée noire à l'état d'œufs ou d'alevins d'atteindre la maturité si le déversement n'avait pas eu lieu[6].

C'est une catastrophe de ce genre qu'appréhendait Henderson lorsqu'il tentait de sonder l'état des marécages. Lorsque nous avons atteint Redfish Bay, un paradis pour les amateurs de pêche sportive, nous avons coupé le moteur du *Flounder Pounder* et l'avons laissé dériver en silence, filmant la pellicule huileuse à la surface de l'eau.

Tandis que notre bateau se balançait sur les flots, sous un ciel chargé d'hélicoptères Black Hawk qui faisaient fuir les aigrettes blanches, j'ai eu le sentiment poignant de flotter non pas sur l'eau, mais dans un liquide amniotique où agonisaient d'innombrables formes de vie. Lorsque j'apprendrais par la suite que j'étais moi-même, à ce moment, en train de créer un embryon qui connaîtrait un sort semblable, cette incursion dans les marais m'apparaîtrait comme un symbole de la vie avortée.

C'est à ce moment que j'ai cessé de me percevoir comme une paria mise au ban de la nature du fait de mon infertilité, et que j'ai commencé à ressentir une sorte d'affinité avec toute forme de vie faisant face au défi de la procréation. J'ai compris mon appartenance à cette vaste famille terrestre où mille et une espèces tentent de se perpétuer contre vents et marées.

## A Country for Old Men*

En dépit de tous ses débats sur le droit à la vie et les droits du fœtus, notre société accorde relativement peu d'attention à la vulnérabilité des enfants, et encore moins à celle des embryons. Lors du processus d'autorisation des médicaments et d'autres substances chimiques qu'on souhaite mettre sur le marché, l'évaluation des risques porte généralement sur les effets du produit sur les adultes. « Des systèmes de réglementation entiers sont fondés sur le postulat que tous les membres de la société réagissent, sur le plan biologique, comme des hommes d'âge moyen. [...] Jusqu'aux années 1990, par exemple, la dose de référence en matière d'exposition aux radiations se basait sur ses effets sur un hypothétique homme blanc de taille moyenne, de poids moyen et d'âge moyen », déplore la biologiste Sandra Steingraber. Plus des trois quarts des substances chimiques produites aux États-Unis n'ont jamais été soumises à une évaluation de leurs effets sur le fœtus ou l'enfant. Cela signifie qu'elles sont relâchées dans l'environnement sans

---

\* En français, « Un pays pour les hommes âgés ». Titre inspiré de celui du film des frères Coen, *No Country for Old Men*. [NdT]

qu'on sache si elles peuvent nuire à un enfant de 10 kilos ou à un fœtus de 19 semaines[7].

Pourtant, les problèmes de fertilité et les maladies infantiles sont souvent les premiers signes d'une crise sanitaire plus vaste. Depuis plusieurs années, par exemple, même si l'on soupçonnait fortement la fracturation hydraulique d'être nuisible à la qualité de l'eau et de l'air, l'existence de risques majeurs pour la santé n'avait pas encore été démontrée. En avril 2014, toutefois, des chercheurs de la Colorado School of Public Health et de l'université Brown ont publié une étude révisée par des pairs portant sur les naissances en milieu rural au Colorado, où l'industrie de la fracturation est très active. Ils ont constaté que les mères résidant dans les zones les plus exploitées par les sociétés gazières couraient 30 % plus de risques de donner naissance à un bébé atteint d'une anomalie cardiaque que les résidantes de secteurs exempts de sites d'exploitation, où les risques de problèmes neurologiques étaient également moins élevés[8].

À peu près au même moment, des chercheurs des universités de Princeton et de Columbia ainsi que du MIT ont donné une conférence à l'occasion de l'assemblée annuelle de l'American Economic Association, où ils ont présenté les résultats préliminaires d'une étude inédite fondée sur les statistiques relatives aux naissances en Pennsylvanie de 2004 à 2011. «Ils ont démontré que la proximité de secteurs gazéifères exploités par fracturation augmentait de plus de 50 % le risque d'avoir un bébé de poids insuffisant, qui passait dans ce cas de 5,6 % à plus de 9 %. Le risque de faible résultat au test Apgar, quant à lui, doublait grosso modo», rapporte Mark Whitehouse, du *Bloomberg View*, l'un des rares journalistes ayant assisté à la conférence[9].

De telles répercussions (et d'autres bien plus graves) sur la santé des nourrissons ne sont malheureusement pas rares dans les collectivités avoisinant les pires zones d'extraction de combustibles fossiles. Dans la réserve de la première nation Aamjiwnaang, située tout près de la ville industrielle de Sarnia, dans le sud de l'Ontario, un singulier problème a suscité l'intérêt de la communauté scientifique : jusqu'en 1993, la proportion de garçons et de filles nés dans la collectivité était sensiblement la même que la moyenne nationale, où les deux sexes sont représentés de façon à peu près équivalente. Or, au fil des années passées à proximité des usines pétrochimiques qui ont valu à la région le surnom de «Chemical Valley», cette proportion a basculé. En 2003, la garderie était remplie de fillettes, auxquelles se mêlaient quelques garçons. Certaines années, la collectivité pouvait à peine rassembler assez de garçons pour former une équipe de baseball ou de hockey. Effectivement, le registre des naissances confirme que, de 1993 à 2003, deux fois plus de filles sont nées sur la réserve. De 1999 à 2003, seulement 35 % des nouveau-nés étaient des garçons, ce qui représente « un des plus importants déclins du genre jamais rapportés », révélait en 2009 le magazine *Men's Health*. Des études ont aussi démontré que 39 % des femmes vivant dans la réserve avaient déjà fait au moins une fausse couche, alors que la moyenne nationale se situe aux environs de 20 %. Une autre étude publiée en 2013 a indiqué que des substances chimiques perturbant le système endocrinien pourraient être en cause, les analyses effectuées auprès des femmes et des enfants de la région présentant des taux de BPC plus élevés que la moyenne[10].

J'ai entendu des histoires d'horreur semblables à Mossville, en Louisiane, une ville historique à majorité afro-américaine située près de Lake Charles. Plus de la moitié des 2 000 familles qui y habitaient ont quitté le secteur au cours des dernières années, fuyant la présence toxique de voisins pour le moins indésirables : un agglomérat d'énormes usines qui transforment le pétrole et le gaz extraits du golfe du Mexique en carburant, en plastique et en divers autres produits chimiques. Mossville offre un exemple flagrant de discrimination environnementale : fondée par des esclaves affranchis, elle a longtemps été un havre pour ses résidants, qui jouissaient d'un niveau de vie décent en partie grâce à la chasse et à la pêche pratiquées dans les zones marécageuses environnantes. Dans les années 1930 et 1940, toutefois, les dirigeants de l'État se sont mis à courtiser le secteur pétrochimique et d'autres industries polluantes en leur offrant de généreux allègements fiscaux. Résultat : de gigantesques usines se sont implantées, l'une après l'autre, aux portes de Mossville, à quelques centaines de mètres à peine des maisons. Aujourd'hui, 14 raffineries et usines de produits chimiques bordent la ville, dont la plus importante concentration de fabricants de vinyle aux États-Unis. Les sinistres clochers de ces cathédrales de métal crachent jour et nuit d'inquiétants cocktails chimiques dans un vacarme assourdissant, sous les feux de leurs projecteurs et de leurs torchères[11].

Fuites accidentelles et explosions n'y sont pas rares. Et, même quand tout fonctionne sans accroc, ces usines rejettent environ 1,8 million de kilogrammes de produits chimiques dans le sol, l'air et l'eau de la région[12]. Avant de me rendre à Mossville, j'avais eu vent de cas de cancer et de troubles respiratoires, et je savais que certains résidants présentaient des taux de dioxines trois fois plus élevés que la moyenne nationale. Toutefois, je ne m'attendais pas à entendre autant d'histoires de fausses couches, d'hystérectomies et d'anomalies congénitales.

Debra Ramirez, qui, après un combat de plusieurs années, s'est vue contrainte d'abandonner sa résidence de Mossville et de déménager à Lake Charles, décrit son ancienne ville comme « une matrice gorgée de produits chimiques, où l'on agonise ». Comme je venais de quitter la marée noire de BP, symbole pour moi de vie avortée, l'idée d'une matrice toxique m'a donné le frisson, plus encore lorsque Ramirez m'a confié une partie de l'histoire médicale de sa famille. Elle-même avait dû subir une hystérectomie trois décennies auparavant, et ses trois sœurs et sa fille avaient vécu la même chose. « L'histoire se répétait, d'une génération à l'autre », raconte-t-elle. Cinq hystérectomies dans la même famille auraient pu être imputables à une tare génétique. Mais Ramirez m'a ensuite montré une séquence vidéo filmée lors d'une rencontre spéciale animée par le médecin Sanjay Gupta, également journaliste à CNN, portant sur cette « ville toxique ». On y voit Ramirez confier à Gupta avoir subi une hystérectomie, « comme la plupart des jeunes femmes du secteur ». Abasourdi, Gupta cherche à vérifier cette affirmation auprès des autres femmes présentes dans la pièce, dont bon nombre acquiescent en silence. Pourtant, parmi toutes les études qui ont tenté d'évaluer les effets des substances toxiques relâchées à Mossville, aucune n'a porté sur la fertilité[13].

Comment s'en étonner ? La société occidentale n'a guère tendance à protéger et à valoriser la fertilité (et ce, pour toutes les formes de vie), ni même à y prêter attention. Année après année, des sommes colossales et des technologies de pointe continuent en effet d'être consacrées à des activités qui entravent directement les cycles vitaux. Le système agroalimentaire industriel, par exemple, interdit aux petits agriculteurs de conserver leurs semences, les contraignant à s'en procurer de nouvelles chaque année. Dans le secteur de l'énergie, on continue à miser sur les combustibles fossiles, même s'ils contaminent l'eau essentielle à la vie.

De la même façon, le système économique refuse de reconnaître à sa juste valeur le travail des femmes lié à la procréation et à la maternité, rechigne à accorder un salaire décent au personnel des services de garde, traite les enseignants de façon presque aussi injuste et se contente généralement de n'aborder la question du rôle de la femme dans la procréation que si des hommes cherchent à le réglementer.

# Le legs de BP : un grand vide

Si, en tant que société, nous avons tendance à ignorer les répercussions de nos activités industrielles sur la reproduction humaine, les autres espèces ont droit à encore moins de considération. Le rapport d'évaluation des risques publié par BP avant la catastrophe du golfe du Mexique en offre un bel exemple. Pour obtenir l'autorisation d'effectuer un forage d'une telle envergure en haute mer, l'entreprise devait fournir un plan crédible précisant les conséquences possibles d'un déversement sur l'écosystème environnant ainsi que les mesures qu'elle comptait prendre pour y remédier le cas échéant. Minimisant les risques (comme on le fait souvent dans l'industrie), la firme avait assuré que, en cas de déversement, de nombreux poissons et crustacés matures pourraient s'en tirer en fuyant les lieux ou en « métabolisant les hydrocarbures », tandis les mammifères marins comme les dauphins pourraient subir un certain « stress[14] ». Dans le document, les termes « œufs », « larves », « fœtus » et « juvéniles » ne sont même pas mentionnés. Autrement dit, tout se passe une fois de plus comme si nous vivions dans un monde où tous les êtres vivants avaient déjà atteint leur pleine maturité.

Sans surprise, cette inconscience a eu des conséquences tragiques. Comme on le craignait au lendemain du déversement, des indices laissent croire que, parmi les conséquences à long terme du déversement de BP, on risque de constater une crise d'infertilité aquatique qui, dans certains secteurs du golfe, pourrait avoir des répercussions pendant plusieurs décennies. « Nous ne voyons plus beaucoup de petits poissons », affirme deux ans après la catastrophe Donny Waters, propriétaire d'une grande entreprise de pêche qui se spécialise dans la capture du mérou et du vivaneau à Pensacola, en Floride. De toute évidence, les poissons qui manquent à l'appel étaient au stade larvaire lors du déversement. Comme les petits poissons seraient relâchés de toute façon, l'industrie de la pêche n'en souffre pas encore. Mais Waters, qui détient l'un des plus importants quotas de pêche individuels de la région de Pensacola, craint que, en 2016 ou 2017 (au moment où les alevins devraient normalement atteindre leur maturité), ses collègues et lui lancent leur ligne « dans le vide[15] ».

Un an après la marée noire, des crevettiers, crabiers et ostréiculteurs travaillant dans les secteurs les plus touchés de la Louisiane et du Mississippi ont aussi commencé à faire état d'une diminution de leurs prises. Dans certaines zones, on rapportait que les crabes femelles étaient relativement rares, et que bon nombre ne portaient pas d'œufs en pleine saison de reproduction. (Depuis, la pêche s'est améliorée à certains endroits, mais les crabiers continuent de signaler la présence de femelles sans œufs ou porteuses d'une quantité moindre d'œufs ; les crevettes et les huîtres présentent aussi des problèmes de fertilité[16].)

Pour l'instant, il reste difficile de déterminer la contribution précise du déversement à l'apparition de ces anomalies : les recherches ne font que débuter. Toutefois, de plus en plus de données scientifiques viennent étayer les observations des pêcheurs. Dans une étude, par exemple, des chercheurs ayant analysé des huîtres après la catastrophe ont constaté des taux dangereusement élevés de trois métaux lourds contenus dans le pétrole déversé, ainsi qu'une forme de métaplasie (anomalie des tissus causée par une agression extérieure et nuisant à la reproduction) chez 89 % des huîtres examinées. Dans une autre, des chercheurs de l'Institute of Technology de la Géorgie se sont penchés sur les effets combinés du pétrole de BP et du dispersant Corexit sur les rotifères, des micro-organismes à la base de la chaîne alimentaire « dont se nourrissent les petits poissons, les crevettes et les crabes dans les estuaires ». L'étude a démontré que, même à faible dose, ce mélange « faisait chuter de 50 % le taux d'éclosion des œufs de rotifères[17] ».

Les résultats les plus préoccupants sont peut-être ceux d'Andrew Whitehead, professeur de biologie de l'université de Californie à Davis, qui a mené avec ses collègues une série d'études sur les effets du pétrole déversé par BP sur une des espèces de poisson les plus abondantes des zones marécageuses du golfe du Mexique, le killie (*Fundulus grandis*), un tout petit poisson. Les chercheurs ont constaté que, lorsqu'ils sont exposés à des sédiments contaminés par la marée noire de BP (dont des échantillons recueillis plus d'un an après le déversement), « ses embryons sont détraqués. [...] Ils arrêtent de grandir, ou ne se développent pas correctement ; les œufs n'éclosent pas normalement. Le développement de leur système cardiovasculaire (dont la formation du cœur) est perturbé[18] ».

Des poissons qui brillent par leur absence ne font pas les manchettes. D'abord, pas de photo à exhiber, juste un « grand vide », comme l'appréhendait Waters. En revanche, on s'arrache les photos de bébés dauphin qui meurent en masse, ce qui s'est produit début 2011. Rien que pour le mois de février, le National Marine Fisheries Service de la NOAA a fait état de 35 cadavres de bébés dauphins signalés sur les plages du golfe du Mexique et dans les zones marécageuses de la région, alors que la moyenne pour février est normalement de deux décès. Dès la fin avril 2014,

235 petits *Tursiops truncatus* avaient été découverts sur la côte, un chiffre ahurissant : selon les scientifiques, en effet, le nombre de décès de cétacés rapportés ne correspond qu'à 2 % du bilan total du sinistre, et les autres cadavres ne seront jamais découverts[19].

En examinant les dauphins, les chercheurs de la NOAA ont constaté que certains étaient mort-nés, tandis que d'autres avaient péri quelques jours après leur naissance. « Pour une raison particulière, cette espèce ne peut mener ses rejetons à terme, ou ceux-ci ne sont pas assez forts pour survivre », confirme Moby Solangi, directeur adjoint de l'Institute for Marine Mammal Studies (IMMS) de Gulfport, dans le Mississippi, et membre de l'équipe de chercheurs chargée du suivi du déversement[*20].

Ces morts ont eu lieu au cours de la première saison de reproduction du grand dauphin ayant suivi le déversement de BP. Cela signifie que, au cours d'une bonne partie de la période de gestation (d'une durée de douze mois), les mères ont sans doute sillonné des eaux souillées de pétrole et de dispersants, et inhalé des émanations toxiques quand elles faisaient surface pour respirer. La métabolisation des hydrocarbures est un processus exigeant qui a peut-être rendu les dauphins plus vulnérables aux assauts des agents pathogènes et aux maladies. C'est peut-être pourquoi l'examen des 39 dauphins échoués sur la côte de la Louisiane a révélé un fort taux de maladies pulmonaires, ainsi que des taux beaucoup trop faibles de cortisol (indiquant une insuffisance surrénalienne et une fonction immunitaire considérablement réduite). Ils ont aussi découvert une femelle enceinte d'un fœtus « non viable » âgé de cinq mois, une anomalie extrêmement rare chez les dauphins (qui n'avait d'ailleurs jamais été rapportée dans une publication scientifique auparavant). « Je n'ai jamais eu connaissance d'une telle prévalence de maladies graves, et présentant des symptômes aussi inhabituels, comme la dysfonction surrénalienne », souligne Lori Schwacke, auteure principale d'un article à ce sujet publié fin 2013. Après la publication de cette étude, la NOAA a prédit que les dauphins « risquaient de voir leur capacité de se reproduire et même leur survie menacées[21] ».

Le déversement de pétrole n'a pas été la seule agression inhabituelle à laquelle ont dû faire face les cétacés au cours de cette période difficile. Pendant l'hiver 2010-2011, il est tombé une

---

* Le carnage chez les dauphins ne s'est pas limité aux petits. À la fin avril 2014, plus de 1 000 dauphins de tous les âges avaient été découverts le long des côtes du golfe du Mexique, ce que la NOAA a décrit comme un « épisode de mortalité inhabituel ». Et ces chiffres ne donnent qu'un piètre aperçu de l'ampleur de l'hécatombe.

quantité de neige exceptionnellement élevée dans la région, un phénomène que les scientifiques ont attribué au dérèglement climatique. Lorsque la neige a fondu, des torrents d'eau douce se sont déversés dans le golfe du Mexique, entraînant une diminution de la salinité et une baisse de la température qui ont dangereusement perturbé l'habitat des cétacés, surtout en combinaison avec le pétrole et les dispersants présents dans l'eau. « Il se peut que ces énormes cargaisons d'eau douce glacée aient fait l'effet d'une agression [sur les dauphins], les affaiblissant encore davantage[22] », explique Ruth Carmichael, responsable de la recherche au Dauphin Island Sea Lab.

Une économie fondée sur les combustibles fossiles comporte un double risque : elle est mortelle si l'extraction se déroule normalement et que le gaz carbonique est relâché par la suite dans l'atmosphère, et mortelle lorsqu'un déversement se produit et que les hydrocarbures se répandent dans la nature. Quand ces deux forces s'abattent simultanément sur un écosystème, comme cela s'est produit en 2010 et 2011 dans le golfe du Mexique, les résultats sont catastrophiques.

## La reproduction en péril dans un monde qui se réchauffe

Pour de plus en plus d'espèces, le dérèglement climatique crée des pressions qui mettent en péril leur principal outil de survie : la capacité de donner la vie, de transmettre leur bagage génétique. Trop souvent, l'étincelle de vie originelle est éteinte, annihilée à son stade le plus vulnérable : dans l'œuf, dans l'utérus, dans le nid, au fond de la tanière.

Pour la tortue de mer (une espèce très ancienne qui a réussi à survivre à la collision de l'astéroïde qui aurait fait disparaître les dinosaures), le problème tient au fait que le sable où elle pond ses œufs est en train de devenir trop chaud. Parfois, la température excessive empêche l'éclosion des œufs ou ne permet la naissance que d'individus femelles. Au moins une espèce de corail est menacée de façon similaire : lorsque la température de l'eau atteint 34 °C, la fertilisation des œufs s'interrompt. Une température trop élevée peut aussi stimuler l'appétit des coraux à tel point qu'ils réabsorbent leurs propres œufs et spermatozoïdes[23].

Pour les huîtres de la côte du Pacifique, en bordure des États de l'Oregon et de Washington, c'est l'acidification de l'eau qui représente la plus grande menace. En effet, l'acidité s'est accrue récemment à tel point que les larves ne réussissent pas à former la minuscule coquille qui devrait les protéger dans les premiers jours, ce qui entraîne une mortalité massive. «Nous savions que de nombreux organismes adultes sont perturbés par l'acidification. Ce que nous ignorions, c'est que, au stade larvaire, ces organismes sont encore plus vulnérables», explique Richard Feely, océanographe de la NOAA. En 2014, l'acidité accrue de l'eau a entraîné une forte mortalité des pétoncles en Colombie-Britannique. L'une des plus grandes entreprises de pectiniculture a rapporté la mort de quelque 10 millions de mollusques dans le seul cadre de ses activités d'élevage[24].

Sur la terre ferme, la crise du climat frappe aussi plus vite et plus dur les tout jeunes individus. Dans la partie occidentale du Groenland, par exemple, les taux de natalité et de survie ont chuté chez les caribous. Il semble que la hausse des températures ait perturbé la croissance de végétaux qui sont à la base de l'alimentation des faons et de leurs mères pendant la période de reproduction et de lactation. Entre-temps, les populations d'oiseaux chanteurs tels que le gobe-mouche noir dégringolent dans certaines régions d'Europe, car les œufs des chenilles qui servent à alimenter les oisillons éclosent trop tôt, avant le retour des oiseaux migrateurs. Dans le Maine, sur la côte est des États-Unis, la progéniture de la sterne arctique meurt de faim pour des raisons semblables : les oisillons se nourrissent de petits poissons qui ont fui vers le nord en quête d'eaux plus froides. On rapporte aussi que, dans la baie d'Hudson, les tanières de glace où les ourses polaires mettent bas s'effondrent dans le pergélisol en régression, ce qui rend les petits beaucoup plus vulnérables[25].

En examinant les effets du dérèglement climatique sur la capacité de reproduction et les nouveau-nés en général, j'ai relevé plusieurs exemples de répercussions dont font les frais les petits de diverses espèces, du carcajou (dont les géniteurs ont de plus en plus de mal à stocker leurs réserves de nourriture dans la glace) au faucon pèlerin (dont les oisillons se noient ou souffrent d'hypothermie lors de pluies torrentielles inhabituelles), en passant par le phoque annelé de l'Arctique (dont les rejetons blancs comme neige, à l'instar de l'ours polaire, sont aussi menacés[26]). Une fois cette tendance admise, elle semble aller de soi. N'est-il pas normal que les petits soient plus vulnérables que les adultes à la moindre perturbation de leur environnement ? Que la fertilité soit une des premières fonctions à décliner chez des animaux qui subissent une agression extérieure ? Ce qui m'a le plus frappée, pourtant, c'est que l'ampleur de ce phénomène surprenne tout le monde, y compris les spécialistes. Car toutes ces tragédies, prises dans leur ensemble, brossent un tableau prévisible de la crise actuelle. On est enclin à envisager l'extinction comme un processus menaçant toutes les tranches d'âge d'une espèce ou d'un groupe d'espèces – comme lorsqu'un astéroïde a anéanti les dinosaures ou que nos ancêtres ont chassé telle ou telle espèce jusqu'à sa disparition complète. Certes, il arrive encore que l'être humain provoque ainsi l'extinction d'une espèce. Toutefois, en cette ère des combustibles fossiles, on peut détériorer l'habitabilité de la planète de façon beaucoup plus détournée : en minant la capacité des géniteurs à se reproduire et en créant des conditions de plus en plus hostiles aux œufs, aux larves, aux fœtus et aux nouveau-nés. Le résultat n'est pas un amoncellement de cadavres, juste un grand vide.

## Une période de jachère

Quelques mois après que j'eus cessé de fréquenter la clinique de fertilité, une amie m'a conseillé de consulter une naturopathe qui avait aidé plusieurs femmes de sa connaissance à tomber enceintes. Cette thérapeute avait ses propres théories (très différentes de celles dont j'avais eu vent jusque-là) quant à la cause des problèmes de fertilité des femmes ne présentant aucun problème de santé connu.

Porter un enfant est l'une des tâches physiques les plus exigeantes qui soient, et, comme le soulignait la naturopathe, si notre corps s'y refuse, c'est parce qu'il doit répondre à bien d'autres urgences – comme les exigences d'un travail stressant qui le force à rester constamment en état d'alerte, la nécessité de métaboliser des substances toxiques ou allergènes, ou simplement les défis de la vie moderne (ou encore une combinaison des trois). En cherchant à parer à toutes ces menaces, réelles ou imaginaires, le corps peut émettre des signaux indiquant qu'il n'a pas l'énergie nécessaire pour concevoir et nourrir un nouvel être.

La plupart des cliniques de fertilité ont recours à des médicaments et à des procédés technologiques destinés à surmonter la résistance du corps, lesquels fonctionnent chez beaucoup de gens. L'échec n'est pas rare, toutefois, et laisse les femmes encore plus angoissées et déstabilisées sur le plan hormonal qu'avant d'entreprendre leur démarche. La naturopathe m'a proposé une approche diamétralement opposée : tenter de reconnaître et d'éliminer les facteurs de stress dans ma vie, dans l'espoir qu'un système endocrinien en meilleure santé enverrait des signaux plus accueillants à un éventuel zygote.

Après une batterie de tests, on a diagnostiqué chez moi une foule d'allergies dont j'ignorais l'existence, ainsi qu'une insuffisance surrénalienne et un faible taux de cortisol (un bilan de santé semblable, étrangement, à celui des dauphins du golfe du Mexique analysés par les scientifiques de la NOAA). Ma thérapeute m'a posé beaucoup de questions sur mon mode de vie, entre autres sur le nombre d'heures que j'avais passées en avion au cours de la dernière année. «Pourquoi?» lui ai-je demandé avec méfiance, sachant que ma réponse ne lui plairait pas. «À cause des radiations. Certaines études menées auprès du personnel de bord démontrent qu'elles pourraient nuire à la fertilité.» Ah oui? Super. L'avion ne fait pas qu'empoisonner l'atmosphère, il m'a peut-être empoisonnée moi aussi[27].

Je dois admettre que, en mon for intérieur, j'étais loin d'être convaincue de l'efficacité de cette nouvelle démarche, sans parler de sa valeur scientifique. Et je restais tout à fait consciente que, depuis fort longtemps, on attribue à tort l'infertilité à l'anxiété des femmes. «Essayez de vous détendre», a-t-on tendance à conseiller aux femmes qui n'arrivent pas à tomber enceintes (autrement dit, le problème est dans votre tête, c'est votre faute). Mais, tout bien considéré, la valeur des conjectures (très lucratives) dont tiraient parti les médecins de l'usine à bébés que j'avais consultés était tout aussi douteuse, et l'approche de la naturopathe me semblait beaucoup plus encourageante*[28]. Quelqu'un s'efforçait enfin de cerner la cause de mon infertilité au lieu de tenter de contraindre mon corps. Quant aux inconvénients de ce nouveau programme, ils me rappelaient une caricature populaire au sujet du réchauffement planétaire, où l'on voit un homme qui, lors d'une conférence sur le climat, pose une question: «Et s'il s'agissait d'un canular et que nous créions tout ce monde meilleur inutilement?» Au pire, si cette histoire de glande surrénale n'était que foutaise, qu'avais-je à perdre en adoptant un mode de vie plus sain et moins stressant?

---

* Notons qu'une nouvelle étude publiée en mai 2014 dans la revue *Human Reproduction* révèle l'existence d'un lien important entre le stress et l'infertilité. Menée aux États-Unis auprès de quelque 500 femmes sans problème de fertilité connu cherchant à tomber enceintes, l'étude a démontré que le risque de recevoir un diagnostic d'infertilité était deux fois plus élevé chez celles dont la salive contenait une plus grande concentration d'alpha-amylase (une enzyme qui agit comme biomarqueur du stress).

J'ai donc mis le paquet : yoga, méditation, nouveau régime alimentaire (la guerre habituelle contre le blé, le gluten, les produits laitiers et le sucre, s'ajoutant à tout un bazar de restrictions inusitées). J'ai subi des traitements d'acupuncture et ingurgité des tisanes amères ; sur le comptoir de ma cuisine s'est étalé tout un assortiment d'extraits et de suppléments divers. J'ai aussi troqué mon domicile urbain de Toronto pour la campagne de la Colombie-Britannique. Il me fallait prendre le traversier pour aller en ville, et ma résidence se trouvait à vingt minutes de voiture de la quincaillerie la plus proche. Habiter à plein temps cet endroit (où vivent mes parents, où sont enterrés mes grands-parents et où je me suis toujours réfugiée pour écrire et me reposer) me serait-il bénéfique ?

Au fil du temps, j'ai appris à reconnaître cinq ou six espèces d'oiseaux à leur chant, et différents mammifères marins aux vagues qu'ils créent à la surface de l'eau. Je me suis même surprise à profiter de beaux moments sans appréhender leur perte. Dans mon portefeuille, la carte dorée attestant mon appartenance à la catégorie des grands consommateurs de vols a dépassé sa date d'expiration pour la première fois depuis une dizaine d'années, et je m'en suis réjouie.

Mes recherches, toutefois, m'amenaient parfois encore à voyager, et je faisais souvent le lien entre les théories de ma thérapeute sur les causes de l'infertilité et certaines idées qui circulent sur les changements que l'humanité doit mettre en œuvre pour éviter la catastrophe. La principale recommandation de la naturopathe, en fait, était assez simple : pour pouvoir prendre soin d'un autre être humain, il faut d'abord être capable de prendre soin de soi-même. Selon elle, je devais m'accorder un moment de répit, une période de « jachère », plutôt que de chercher à forcer les limites de mon corps de façon mécanique, comme sait si bien le faire la médecine occidentale.

C'est avec ce conseil en tête que j'ai quitté mon refuge bucolique pour rendre visite au Land Institute de Salina, au Kansas, un des laboratoires d'agriculture écologique de pointe en milieu naturel les plus exaltants du moment. Selon Wes Jackson, fondateur et président du centre, on s'y efforce de résoudre « le problème de l'agriculture, vieux de dix mille ans[29] », qui peut se résumer ainsi : depuis que l'être humain a commencé à semer des graines et à travailler le sol, il ne fait que dépouiller celui-ci de sa fertilité.

En l'absence d'intervention humaine, diverses espèces de végétaux se côtoient, se ressemant naturellement année après année, tandis que leurs racines restent en place et fouillent le sol toujours plus en profondeur. Cette diversité et cette pérennité assurent la vitalité, la stabilité et la fertilité du sol : les racines empêchent l'érosion, le feuillage favorise une absorption graduelle de l'eau de pluie, et chaque espèce remplit des fonctions spécifiques qui contribuent à la régénération du sol (le trèfle ainsi que certaines variétés de légumineuses, par exemple, y favorisent la fixation de l'azote, un élément essentiel à la vie végétale). La diversité favorise également le contrôle des ravageurs et des espèces végétales adventices.

Ce cycle de régénération naturelle se perpétue : en se décomposant, les végétaux fertilisent le sol où croîtront les plantes qui leur succéderont. Le rapport de l'humain à la terre, croit le philosophe et paysan Wendell Berry, doit reposer sur la préservation de ce cycle. « Le secret de la durabilité n'a rien de sorcier, explique-t-il. Le cycle de la fertilité, qui passe par la naissance, la croissance, la maturité, la mort et la décomposition [...], doit pouvoir se répéter, de façon à ce que rien ne se perde[30]. » Le message est clair : on doit préserver la fertilité.

C'est au moment où l'humain a commencé à pratiquer la monoculture, retravaillant la terre et la réensemençant chaque année, que la fertilité des sols s'est mise à décliner. L'agriculture industrielle, bien entendu, n'est pas avare de solutions : irrigation massive pour remédier à la faible rétention d'eau des cultures annuelles (une solution compliquée par le tarissement des réserves d'eau douce), recours intensif à des intrants chimiques (fertilisants, pesticides et herbicides), et ainsi de suite.

Les méthodes de l'agriculture industrielle, toutefois, créent d'autres problèmes majeurs pour l'environnement et la santé, dont la contamination des plans d'eau. Autrement dit, au lieu de résoudre le problème de la fertilité du sol, on le transpose dans l'eau des rivières, des lacs et des océans. Les cycles vitaux, en effet, y sont interrompus sous l'action de certains intrants chimiques d'usage agricole qui perturbent le système endocrinien des organismes. Des études démontrent que l'atrazine, par exemple, peut entraîner des troubles liés à la reproduction chez les amphibiens, poissons, reptiles et rats qui ont été en contact avec cet herbicide, ainsi que des mutations sexuelles spontanées chez les grenouilles mâles. On a aussi associé la contamination à l'atrazine à l'augmentation des anomalies congénitales et des fausses couches chez l'humain, bien que le fabricant nie catégoriquement tous ces liens. Les populations d'abeilles, pollinisatrices par excellence du monde naturel, sont également menacées un peu partout dans le monde, victimes elles aussi, selon les experts, de la dépendance du système agroalimentaire industriel aux intrants chimiques[31].

Dans de nombreuses sociétés agricoles traditionnelles, on a mis au point des méthodes pour préserver la fertilité du sol tout en cultivant des variétés annuelles. En Méso-Amérique, par exemple, on accordait aux champs une période de jachère pour leur permettre de se régénérer, et on intégrait des variétés capables de fixer l'azote, comme les haricots, à d'autres espèces croissant en compagnonnage. Ces méthodes calquées sur la nature ont assuré la fertilité des sols pendant des milliers d'années. Notons qu'un sol sain permet aussi de fixer le carbone (ce qui contribue à compenser les émissions atmosphériques), et que les polycultures sont moins vulnérables aux événements météorologiques extrêmes[32].

Wes Jackson et ses collègues du Land Institute ont poussé cette approche un peu plus loin : ils essaient de réinventer l'agriculture moderne en cherchant à obtenir des variétés vivaces de blé, d'agropyre, de sorgho et de tournesol, soit des variétés qui n'ont pas besoin d'être semées à nouveau chaque année, à l'instar des herbes hautes qui dominaient les prairies avant l'avènement de l'agriculture industrielle. « Notre objectif consiste à découvrir des méthodes agricoles aussi durables que les écosystèmes naturels que l'agriculture a remplacés », peut-on lire sur le site web de l'institut, « afin de trouver une façon de faire plus profitable au cultivateur et à son environnement que les intrants agricoles. Nous croyons en une agriculture qui non seulement protège les sols, un élément irremplaçable, mais réduit aussi notre dépendance envers les combustibles fossiles et des produits chimiques nocifs[33] ».

Les recherches du Land Institute commencent d'ailleurs à porter leurs fruits. Lors de ma première visite, en 2010, la boutique de l'institut offrait en vente les premiers sacs de farine obtenue à partir de l'agropyre vivace que Jackson et son équipe ont domestiquée et nommée « Kernza ». Lorsque j'y suis retournée un an plus tard, une sécheresse dévastatrice frappait la région des prairies du sud des États-Unis. Le Texas battait des records de température, et ses cultures de blé, de maïs et de sorgho accusaient une baisse de productivité de l'ordre de 50 à 60 %, ce qui allait entraîner des pertes de plus de 7 milliards de dollars[34]. Malgré la sécheresse, les cultures expérimentales de sorgho du Land Institute étaient saines et florissantes, car les longues racines des plants permettaient de retenir les minimes quantités d'eau disponibles. C'était en fait le seul îlot de verdure à des kilomètres à la ronde.

*

\*   \*

C'est à ce moment que mon fils a été conçu. Durant les premiers mois de ma grossesse, mon plus grand défi a été de croire que tout allait bien se passer. Malgré les résultats rassurants des tests que j'avais faits, je continuais à m'attendre au pire. L'activité qui m'était le plus bénéfique était la randonnée pédestre. Au cours des dernières semaines chargées d'angoisse qui ont précédé l'accouchement, j'allais me détendre en marchant aussi longtemps que me le permettaient mes hanches douloureuses. J'empruntais un sentier bien aménagé en bordure d'un ruisseau aux eaux limpides qui, prenant sa source dans les hauteurs d'une montagne au sommet enneigé, se jette dans le Pacifique après une enfilade de cascades, de bassins et de rapides.

Lors de mes promenades, je gardais l'œil ouvert pour apercevoir le reflet argenté des saumons remontant la rivière vers leur site de frai après des mois de séjour dans des estuaires peu profonds. J'imaginais les saumons (cohos, kétas ou roses) franchir avec acharnement rapides et cascades, déterminés à atteindre le lieu de leur propre naissance pour donner la vie à leur tour. C'est là un symbole de la détermination de mon fils, me disais-je. C'est un combattant qui a réussi à déjouer toutes les embûches qui ont jonché son chemin ; il trouvera bien un moyen de traverser cette dernière épreuve qu'est la naissance.

Peut-on trouver meilleur symbole de ténacité que le saumon ? Pour atteindre l'endroit où il pondra ses œufs, le saumon coho, par exemple, remonte d'immenses chutes en bondissant, tel un kayakiste cinglé qui tenterait de faire le trajet à l'envers, s'efforçant d'esquiver aigles et grizzlis. Le saumon coho, en fait, épuise ses dernières forces pour accomplir son ultime mission : se reproduire. Pour se préparer à la grande transition de l'eau douce à l'eau salée de l'océan, où ils passeront la majeure partie de leur existence avant d'entreprendre à leur tour ce fabuleux voyage, les saumoneaux subissent une importante transformation physique, la smoltification, avant de dévaler les cours d'eau qu'ont remontés leurs géniteurs.

Ce triomphe de l'instinct de survie, toutefois, ne reflète pas toute l'histoire. Dans les régions à saumons, tout le monde sait que les rivières automnales ne portent parfois que des feuilles mortes, avec peut-être quelques poissons tachetés ici ou là. Le saumon est un véritable athlète olympique, et sa détermination incarne à merveille l'instinct de survie à l'œuvre sur la planète, mais il n'est pas invincible. Plusieurs facteurs peuvent venir à bout de sa force légendaire : surpêche, activités d'élevage favorisant la propagation de puces de mer (qui entraînent une mortalité massive chez les saumoneaux), réchauffement de la température de l'eau (qui, selon les spécialistes, peut perturber la chaîne alimentaire), négligence des entreprises forestières qui encombrent de débris les voies migratoires, barrages en béton que même le saumon coho le plus déterminé ne pourra franchir. Sans parler des déversements et autres catastrophes industrielles qui peuvent être fatals aux poissons.

Tous ces éléments ont contribué à faire chuter les populations de saumon d'environ 40 % dans la région du Pacifique Nord-Ouest, et menacent de nombreuses populations de saumon coho, chinook et rouge[35]. Pour voir où peut mener ce processus, il suffit de jeter un coup d'œil à ce qui s'est passé en Nouvelle-Angleterre et en Europe continentale, où le saumon a déserté les rivières qu'il peuplait autrefois en abondance. Comme l'être humain, le saumon peut remporter beaucoup de victoires contre l'adversité, mais pas toutes.

C'est d'ailleurs pourquoi l'issue heureuse de ma propre histoire crée chez moi un certain malaise, une impression d'inachevé. Aux yeux de certains, ma saga renforce la thèse voulant que notre résilience viendra à bout de toutes les épreuves, mais ce n'est pas le sentiment qui m'habite en ce moment. J'ignore pourquoi ce zygote a réussi à mieux s'implanter que les autres, et mes médecins (qu'ils soient technophiles ou non) n'en savent pas plus long que moi à cet égard. L'infertilité est un des nombreux domaines où l'humain nage dans une mer d'ignorance. J'ai eu de la chance, mais il aurait pu en être autrement : malgré tous les efforts que j'ai déployés pour vivre plus sainement, mon corps aurait pu décider qu'il était trop tard, que je l'avais poussé trop loin. (Tout comme j'aurais pu avoir une photo à épingler au mur de l'usine à bébés si j'avais accepté de me soumettre plus longtemps aux méthodes qu'on m'y proposait.)

Peut-être une partie de moi baigne-t-elle encore dans les marécages souillés de la Louisiane, au milieu d'une mer de larves et d'embryons empoisonnés, portant un zygote condamné ? Ce n'est pas une tendance à m'apitoyer sur mon sort qui me ramène à ce sinistre épisode, mais la conviction qu'il y a des leçons à tirer de la mémoire d'un corps dont les limites sont constamment prises d'assaut – lorsqu'on tente sa chance une deuxième, une troisième, une quatrième fois. Le fait d'avoir voulu déjouer les limites de mon corps ne m'a pas empêchée de croire en la régénération et en la guérison. Mais j'ai compris que la régénération a besoin pour s'accomplir de soins particuliers – et d'une vigilance constante, car il y a des limites qu'on ne peut outrepasser.

Il est vrai que l'être humain est une espèce exceptionnellement résiliente, capable de parer à toutes sortes de revers. Nous sommes bâtis pour survivre, pourvus de glandes capables de nous submerger d'adrénaline et de multiples ressorts biologiques nous offrant le luxe d'une deuxième, troisième ou quatrième chance. L'océan et l'atmosphère ont eux aussi une grande capacité d'adaptation. Mais survivre, ce n'est pas s'épanouir, ce n'est pas prospérer. Et, pour bon nombre d'espèces, nous l'avons vu, survivre, ce n'est même plus être capable de se reproduire. La vie regorge de ressources, mais sa prodigalité n'est pas illimitée. Certes, nous pouvons résister et rebondir de façon surprenante. Mais nous pouvons aussi être détruits, dans notre corps ou en tant que collectivité, comme peut l'être l'écosystème qui nous maintient en vie.

## Revenir à la vie

Début 2013, je suis tombée sur une allocution de l'auteure et éducatrice de la première nation anishinaabe Mississauga Leanne Betasamosake Simpson, dans laquelle elle décrit ainsi les enseignements et les structures politiques de son peuple : « Nos systèmes sont conçus pour perpétuer la vie[36]. » J'ai été frappée par cet énoncé aux antipodes du modèle extractiviste, qui mise sur le pillage des écosystèmes et qui, loin de favoriser leur régénération, transforme la planète en dépotoir (qu'il s'agisse de montagnes de « résidus » comme celles qui jonchent les sites d'extraction de sables bitumineux en Alberta, d'émissions qui étouffent l'atmosphère, d'armées de laissés-pour-compte contraints de sillonner la planète en quête de travail temporaire ou encore de villes et de villages dévastés par des tempêtes de plus en plus violentes).

J'ai donc écrit à Simpson, qui a consacré une bonne partie de son existence à recueillir, à traduire et à interpréter artistiquement les témoignages et récits de son peuple, pour lui demander si elle accepterait d'approfondir le sujet avec moi. Nous nous sommes donné rendez-vous dans un café de Toronto. Vêtue d'un t-shirt noir de rockeuse et de bottes de moto, elle ne m'a pas semblé d'abord très enthousiaste à l'idée d'étaler ses réflexions devant une chercheuse blanche de plus.

Mais, une fois la glace brisée, nous avons eu une grande discussion sur l'antagonisme entre l'idéologie extractiviste (que mon interlocutrice qualifiait carrément de « vol » et de « destruction des liens entre les choses ») et une vision fondée sur l'importance de la régénération. Simpson décrit les modèles instaurés par les Anishi-naabe comme « un mode de vie conçu pour perpétuer la vie, non seulement des humains, mais de tous les êtres vivants ». Ce concept d'équilibre, ou d'harmonie, se retrouve d'ailleurs dans de nombreuses cultures autochtones, souvent traduit par une expression signifiant « la bonne vie ». Simpson, elle, préfère parler de « renaissance perpétuelle », une formulation qu'elle doit à l'auteure et militante ojibwé Winona LaDuke[37].

On associe souvent de telles idées aux cultures autochtones, ce qui est assez compréhensible : ce sont surtout les peuples autochtones qui ont protégé cette conception de la vie contre les assauts du colonialisme et du capitalisme mondialisé. À l'instar des gens qui se donnent pour mission de préserver la biodiversité du patrimoine végétal mondial, ils ont été nombreux à tenter de perpétuer un certain rapport à la nature et à autrui, sachant que ces semences spirituelles seraient un jour essentielles et espérant que la société offrirait alors un terreau propice à leur épanouissement.

Il s'agit là, d'ailleurs, d'une des dimensions les plus importantes de la Blocadie : tandis que la résistance s'organise, avec les Autochtones en première ligne, ces notions ancestrales gagnent en force comme elles ne l'ont pas fait depuis des siècles. On assiste ainsi à l'émergence d'un nouveau mouvement pour le respect des droits génésiques, qui se bat pour la reconnaissance des droits non seulement des femmes, mais de l'ensemble de la planète – des montagnes tronquées, des vallées inondées, des forêts coupées à blanc, de l'eau contaminée, des secteurs dévastés par des mines à ciel ouvert, des rivières empoisonnées, des villages où les cancers se multiplient. Car toute forme de vie a droit à la régénération et à la guérison.

S'inspirant de ce principe, des pays comme la Bolivie et l'Équateur (qui comptent d'importantes populations autochtones) ont enchâssé les « droits de la Terre Mère » dans la législation nationale, créant ainsi de puissants outils juridiques destinés à faire triompher le droit des écosystèmes non seulement à exister, mais à « se régénérer*[38] ». Certains ont critiqué la féminisation

---

\* Lorsque l'Équateur a adopté une nouvelle constitution en 2008, il est devenu le premier pays à intégrer les droits de la nature à une législation nationale. L'article 71 stipule que « la nature ou *Pachamama*, au sein de laquelle toute vie se crée et se reproduit, a le droit d'exister, de maintenir ses cycles vitaux, ses fonctions et ses processus d'évolution. Toute personne, collectivité ou nation peut exiger des autorités publiques le respect des droits de la nature ». Des principes similaires ont été intégrés à la Déclaration universelle des droits de la Terre Mère adoptée par 30 000 représentants de la société civile lors de la Conférence mondiale des peuples contre le changement climatique tenue en avril 2010 à

de ce concept, mais cet aspect me semble d'une importance secondaire : que nous choisissions de percevoir la Terre comme une mère, un père, un proche ou une force créatrice asexuée, l'important est de reconnaître que nous n'en sommes pas les maîtres, que nous ne représentons qu'un simple maillon d'un vaste écosystème qui nous maintient en vie. La Terre, écrit le grand écologiste Stan Rowe, est une «source», et non une simple «ressource».

Des dispositions juridiques semblables sont maintenant proposées ou adoptées dans des milieux non autochtones, dont un nombre croissant de collectivités d'Amérique du Nord et d'Europe où les citoyens tentent de se prémunir contre les dangers des pratiques extractivistes en créant des outils destinés à protéger les «droits de la nature». Le conseil municipal de Pittsburgh, par exemple, a adopté un règlement interdisant toute extraction de gaz naturel sur son territoire et proclamant le droit «inaliénable et fondamental» de la nature «à exister et à s'épanouir». En Europe, on tente de faire de l'écocide, défini comme «une atteinte importante à un écosystème, sa destruction ou sa perte dans un territoire donné, qu'elle découle de l'activité humaine ou d'autres facteurs, au point où la jouissance de ce territoire par ses habitants a été ou risque d'être grandement diminuée», un crime en vertu du droit international[39].

Tandis que les valeurs ancestrales des cultures autochtones ressurgissent dans des contextes parfois étonnants, on observe en parallèle un autre phénomène : beaucoup de gens redécouvrent les modes traditionnels de gestion du territoire liés à leur propre culture, si enfouis soient-ils, et prennent conscience du rôle de l'humanité dans la perpétuation des cycles vitaux. La négation de notre lien étroit avec la nature et de l'importance de vivre en harmonie avec notre environnement, en fait, ne s'est imposée que relativement récemment, même en Occident. En effet, c'est seulement quand l'être humain a commencé à percevoir la Terre comme une machine à son service qu'il a tourné le dos à ses responsabilités de protection et de promotion des cycles naturels de régénération dont dépend la survie de la planète (et la sienne).

Heureusement, certains n'ont pas oublié la responsabilité qui incombe à l'être humain à cet égard. L'un des effets les plus intéressants et les plus inattendus de l'actuelle surconsommation d'énergie, c'est que, devant l'intensification des menaces à notre sécurité

---

Cochabamba, en Bolivie. Soulignant qu'on a déjà outrepassé «la capacité de régénération de la planète», le document précise que la terre «a le droit de régénérer sa biocapacité et de perpétuer ses cycles et processus vitaux à l'abri des activités humaines nocives».

collective, ces valeurs anciennes reviennent en force, s'influençant mutuellement et s'imposant dans des contextes nouveaux.

Dans la région grecque de la Chalcidique, par exemple, où des villageois défendent leur territoire contre les mines d'or à ciel ouvert, l'arme secrète des militants réside dans le caractère intergénérationnel de la lutte : des adolescents portant jean moulant et lunettes de soleil se battent aux côtés de grands-mères vêtues de noir et chaussées de souliers orthopédiques. C'est là un phénomène nouveau : avant que l'industrie minière ne prenne d'assaut leurs montagnes et leurs rivières, les aînés étaient souvent délaissés, abandonnés à la maison devant leur téléviseur, mis au rancart comme on le ferait d'un portable désuet. Dans le contexte de la mobilisation des collectivités, les jeunes n'ont pas tardé à se rendre compte que, même s'ils étaient imbattables dans certains domaines comme l'organisation de manifs éclairs et le recours aux médias sociaux, ils pouvaient apprendre beaucoup de choses de leurs grands-parents (qui ont survécu à la guerre et à l'occupation) sur la vie et le travail collectif. Non seulement ceux-ci étaient capables de faire la cuisine pour 50 personnes (c'est pratique sur les barricades), mais ils avaient bien connu l'époque où l'agriculture se pratiquait de façon collective, et ils pouvaient aider leurs enfants et petits-enfants à prendre conscience qu'il est possible de bien vivre sans piller la terre.

Dans de «jeunes» pays comme le Canada, les États-Unis, l'Australie et la Nouvelle-Zélande, dont la culture repose plus souvent sur des mythes que sur la mémoire, la réappropriation des valeurs ancestrales s'avère beaucoup plus complexe. Pour les descendants de colons et les immigrants plus récents, elle commence en fait par l'étude de l'histoire du territoire qu'ils habitent (par la lecture de traités, par exemple) et des processus qui ont contribué à la situation actuelle – une prise de conscience qui peut s'avérer douloureuse. Selon Mike Scott, éleveur de chèvres et environnementaliste en première ligne du mouvement anticharbon au Montana, le fait que les Autochtones et les non-Autochtones aient dû travailler en étroite collaboration «a ravivé une certaine conception du monde chez beaucoup de gens[40]».

Il va sans dire que le profond sentiment d'interdépendance avec la nature qui anime le mouvement anti-extractiviste, des campagnes grecques aux côtes de la Colombie-Britannique, est beaucoup moins perceptible dans les villes densément peuplées où bon nombre d'entre nous vivons et travaillons, et où ce rapport à la nature est masqué par des autoroutes, des tuyaux, des fils électriques et des supermarchés regorgeant de denrées. C'est seulement lorsqu'une faille apparaît dans ce système ultrasécurisé qu'il devient possible d'entrevoir l'ampleur de notre dépendance et de notre vulnérabilité. De telles fissures apparaissent d'ailleurs de plus en plus souvent. À une époque où des feux de forêt d'une ampleur sans précédent dévastent les banlieues de Melbourne, où les crues de la Tamise inondent les cités-dortoirs de Londres et où l'ouragan Sandy transforme le métro de New York en chenal maritime, force est de constater que même les barrières érigées par les populations les plus urbaines et les mieux nanties pour se protéger des soubresauts de la nature ne suffisent plus.

C'est parfois l'industrie de l'extraction qui prend ces barrières d'assaut, resserrant ses tentacules autour des villes les plus modernes, cherchant à extraire du gaz de schiste sur le territoire de Los Angeles ou à faire passer par Toronto des oléoducs destinés au transport du pétrole issu des sables bitumineux. Les résidants de Sydney, en Australie, n'avaient jamais eu besoin de se préoccuper de la provenance de leurs réserves d'eau potable, mais beaucoup ont dû s'en informer rapidement quand ils ont pris conscience qu'elles étaient menacées par la fracturation. En réalité, nous n'avons jamais perdu notre lien avec la nature. Il était là, dans notre corps et sous l'asphalte portant nos pas. Nous l'avions seulement oublié.

\*

\* \*

Tandis que les collectivités passent de la simple résistance contre l'extractivisme à l'édification du monde qui doit renaître de ses cendres, la préservation des cycles vitaux se trouve au cœur de modèles en pleine expansion, de la permaculture à la construction de bâtiments « vivants », en passant par la collecte d'eau de pluie. Un peu partout sur la planète, des systèmes cycliques fondés sur la réciprocité se substituent au vulgaire pillage. On conserve ses semences plutôt que de s'en procurer de nouvelles chaque année. On recycle l'eau. On a recours à du fumier animal plutôt qu'à des intrants chimiques pour fertiliser le sol, et ainsi de suite. Il n'existe pas de formule miracle, car le respect de l'unicité de chaque lieu est une prémisse de base. Comme le rappelle Wes Jackson (citant Alexander Pope), la tâche consiste à « consulter le génie de l'endroit[41] ». Une constante se dégage toutefois : les systèmes mis en place requièrent le moins d'intrants possible et ne produisent pratiquement pas de déchets – reflétant une quête d'homéostasie aux antipodes du scénario de la planète monstrueuse qu'il faudrait (aux dires des géo-ingénieurs) apprendre à aimer.

En outre, à l'inverse de la tendance du capitalisme au monopole et au duopole dans pratiquement tous les domaines, ces systèmes s'inspirent de la prodigalité de la nature et cherchent à favoriser la biodiversité, que ce soit en matière de semences ou de sources d'énergie et d'eau. L'idée n'est pas d'implanter quelques solutions vertes d'envergure colossale, mais de favoriser le foisonnement de projets plus modestes et d'avoir recours à des politiques (comme les tarifs de rachat garantis adoptés en Allemagne pour l'énergie renouvelable) qui favorisent la multiplication plutôt que la consolidation. Un des grands avantages de ces modèles, c'est leur petite échelle : les pannes demeurent gérables grâce à la présence d'autres unités de production – une flexibilité essentielle dans un avenir qui s'annonce assurément chaotique.

S'affranchir du modèle extractiviste ne signifie pas qu'il faille cesser toute exploitation des ressources naturelles : tout être vivant tire sa subsistance de la nature. Mais on doit arrêter de prendre sans rien donner en retour, et de traiter la Terre et ses habitants comme des ressources à piller plutôt que comme des entités complexes ayant droit à la dignité et à la régénération. Car, même au sein de certaines industries dont les pratiques ont eu des conséquences dévastatrices par le passé, il est possible d'agir de façon responsable (dans l'industrie forestière, par exemple, ou dans une industrie minière à petite échelle, surtout si de telles activités sont gérées par les habitants du territoire exploité, dont la qualité de vie dépend de la vitalité et de la productivité des terres). Tourner le dos à l'extractivisme, toutefois, implique d'abord et avant tout de miser sur des ressources renouvelables – en optant pour des modes de production alimentaire qui préservent la fertilité du sol, en recyclant le métal ou en tirant l'énergie du soleil, du vent et des vagues.

On qualifie parfois ces processus de « résilients », mais « régénérateurs » serait sans doute plus approprié. Car la résilience, bien qu'elle soit l'une des plus grandes facultés de la nature, est un processus passif, qui implique d'être capable de se relever après un assaut. La régénération, en revanche, est un processus actif, où l'humain peut participer pleinement à l'épanouissement de la vie sous toutes ses formes.

Il s'agit là d'une perspective beaucoup plus large que celle de la pensée écologiste courante, qui préconise la décroissance et la réduction de l'« empreinte » écologique de l'humanité. Cette dernière option n'est tout simplement pas envisageable aujourd'hui (à moins de nourrir un désir génocidaire), car nous existons déjà en grand nombre, et nous devons tirer parti de nos capacités pour agir de façon constructive. «Nous pouvons favoriser la production d'humus, la pollinisation, le compostage et la décomposition des résidus», affirme Gopal Dayaneni, écologiste engagé dans le Movement Generation basé à Oakland, en Californie. «Nous pouvons accélérer, par notre labeur, la restauration et la régénération des écosystèmes, en agissant de façon éclairée et concertée. L'être humain joue sur Terre un rôle prédominant en ce moment, et il nous faut absolument harmoniser nos stratégies avec les facultés de guérison de la Terre Mère : nous devons adopter ses façons de faire. Il ne s'agit pas de prôner l'immobilisme ni la retraite, mais de travailler avec acharnement à la régénération[42].»

Cette notion est déjà à l'œuvre dans une multitude d'initiatives dédiées à la protection et au renouveau de la vie, et elle a même gagné la rivière au bord de laquelle j'allais me promener pendant ma grossesse. Lorsque j'ai découvert ce sentier, je croyais que, si le saumon continuait de remonter ce cours d'eau, c'était en raison de son farouche instinct de survie. Après avoir échangé avec des gens du coin, toutefois, j'ai appris que, depuis 1992, le saumon bénéficie de l'aide d'une écloserie aménagée quelques kilomètres en amont, ainsi que du dévouement d'équipes de bénévoles qui s'activent à débarrasser le cours d'eau des débris des coupes forestières et veillent à ce qu'il reste assez d'ombre pour protéger les saumoneaux. Des centaines d'alevins (de plusieurs espèces, dont les saumons rose, coho, keta et chinook) sont relâchés chaque année dans les ruisseaux et rivières des environs. Tout cela crée un prolifique partenariat entre le poisson, la forêt et l'humain, qui se partagent cette petite parcelle de territoire unique au monde.

Environ deux mois après mon accouchement, j'ai emmené ma petite famille visiter l'écloserie en question, à présent équipée de microturbines et d'un système géothermique. Notre fils était si petit qu'il pouvait à peine regarder par-dessus le porte-bébé, mais je tenais à lui montrer les saumoneaux qui m'avaient tellement inspirée avant sa naissance. Nous avons passé là un beau moment, contemplant ensemble les grands réservoirs verts où les alevins grandissent en sécurité avant d'être assez robustes pour survivre dans la nature. Et nous sommes rentrés à la maison avec une affiche illustrant l'«alphabet du saumon», encore épinglée d'ailleurs au mur de la chambre de notre fils (la lettre s désigne la smoltification).

Cette écloserie n'est pas une pisciculture industrielle ni une usine à bébés ; on n'y force pas la nature. Elle n'est qu'une main tendue, un coup de pouce au cycle naturel de la vie, qui illustre une prise de conscience fondamentale : lorsqu'on prend, il ne suffit pas de donner en retour. Il faut aussi prendre soin de la nature – et de nous-mêmes qui la peuplons.

Conclusion

# L'heure de vérité

### Juste assez de temps
### pour réaliser l'impossible

*Nous devons en tant que nation entreprendre un renversement radical et révolutionnaire de nos valeurs. Nous devons rapidement passer d'une société « orientée vers les choses » à une société « orientée vers les personnes ». Quand les machines et les ordinateurs, les mobiles lucratifs et les droits de propriété sont tenus pour plus importants que les êtres humains, ce triplet géant que forment le racisme, le matérialisme et le militarisme ne peut être mis au pas.*

Martin Luther KING, « Un temps pour rompre le silence »,
discours prononcé en avril 1967[1]

*Les pays industrialisés ont engendré une crise mondiale découlant d'un système de valeurs douteux. Rien ne nous oblige à accepter une solution fondée sur ces mêmes valeurs.*

Marlene MOSES, ambassadrice de la République de Nauru
aux Nations Unies, 2009[2]

DÉCEMBRE 2012. Brad Werner, un analyste de systèmes complexes aux cheveux roses et à la mine sérieuse, compte parmi les quelque 24 000 spécialistes de la Terre et de l'espace réunis à San Francisco pour le rassemblement automnal de l'Union américaine de géophysique. Plusieurs célébrités sont sur la liste des invités, dont le physicien associé aux missions des sondes Voyager de la NASA, Ed Stone, venu parler d'un nouveau pas franchi dans l'espace interstellaire, ainsi que le réalisateur James Cameron, qui raconte ses aventures en sous-marin dans les profondeurs de l'océan. Pourtant, c'est la présentation de Werner (intitulée « La Terre est-elle foutue ? Futilité de la gestion mondiale de l'environnement et perspectives de durabilité offertes par le militantisme axé sur l'action directe ») qui suscite le plus d'effervescence[3].

Debout sur la scène de la salle de conférences, Werner, professeur rattaché à l'université de Californie à San Diego, initie son auditoire au modèle informatique sophistiqué qu'il emploie pour tenter de répondre à cette question pour le moins directe. Il parle de limites du système, de perturbations, de dissipation, de force attractive, de bifurcations et de plusieurs autres notions plutôt nébuleuses aux yeux des néophytes (comme moi) en matière de théorie des systèmes complexes. Le message général, toutefois, est sans équivoque : à l'ère du capitalisme mondialisé, l'exploitation des ressources est devenue si facile, efficace et déréglementée qu'elle déstabilise dangereusement le « système Terre-humanité ». Lorsqu'un journaliste demande à Werner de fournir lui-même une réponse claire à la question « La Terre est-elle foutue ? », le chercheur, mettant de côté son jargon scientifique, lance simplement : « Plus ou moins[4]. »

L'une des forces illustrées par son modèle, toutefois, laisse entrevoir une lueur d'espoir. Il s'agit de la « résistance » : des mouvements « de personnes ou de groupes de personnes [qui] adoptent un paradigme ne cadrant pas avec les valeurs capitalistes ». D'après le résumé de sa présentation, ces mouvements pratiquent entre autres « l'action directe pour l'environnement et la résistance à la culture dominante, sous forme de manifestations, de blocages ou d'actes de sabotage de la part d'Autochtones, de travailleurs, d'anarchistes ou de militants d'autres horizons ». De tels soulèvements populaires, qui s'inscrivent dans la tradition de l'abolitionnisme et du mouvement des droits civiques, constituent la source la plus probable de « friction » susceptible de freiner une machine économique lancée dans une course folle[5].

L'histoire montre que, par le passé, les mouvements sociaux ont « eu une énorme influence sur [...] l'évolution de la culture dominante », soutient Werner. Il est donc raisonnable d'affirmer que, « lorsqu'on tente d'imaginer l'avenir de l'humanité et l'évolution de sa relation avec notre environnement, on doit tenir compte du rôle de la résistance dans cette dynamique ». Il ne s'agit pas ici d'une simple opinion personnelle, mais d'un « problème de géophysique[6] ».

Autrement dit, seuls des mouvements sociaux d'envergure pourront sauver l'humanité. Car nous savons fort bien où nous mènera le système actuel si nous n'intervenons pas. Nous savons aussi que les catastrophes imputables à la crise du climat risquent d'exacerber la cupidité, la violence et la ségrégation à l'égard des perdants qui imprègnent déjà ce système. Pour que cette dystopie devienne réalité, nous n'avons qu'à continuer de dévaler la pente sur laquelle nous sommes engagés. Une seule variable peut changer la donne : l'émergence d'un fort mouvement d'opposition qui barrera le chemin tout en ouvrant de nouveaux sentiers menant à des destinations plus sûres. C'est dans de telles conditions que tout peut changer.

\*

\* \*

Or, comme nous l'avons vu dans ce livre, ce mouvement de résistance a déjà commencé à prendre forme. Il se manifeste par la multiplication des avant-postes blocadiens, les campagnes de désinvestissement du secteur des combustibles fossiles, l'adoption de règlements locaux interdisant les activités d'extraction à haut risque, les poursuites judiciaires audacieuses intentées par des groupes autochtones et d'autres défenseurs de l'environnement. En plus d'avoir repéré divers points névralgiques pour tenter de freiner l'expansion des sociétés d'extraction, les gens engagés dans ce mouvement proposent et instaurent déjà de nouveaux modèles économiques plus respectueux des limites de la Terre, fondés sur un rapport de réciprocité plutôt que sur l'extraction sauvage. Toute cette résistance incarne la « friction » dont parle Werner, la seule force capable d'entraver les puissances destructrices et déstabilisatrices.

Lorsque la crise me semble sans issue, je repense à tout ce que j'ai pu observer au cours des cinq années que j'ai consacrées à la rédaction de ce livre. Il faut admettre que les faits sont souvent désespérants. Du jeune militant pour le climat sanglotant sur mon épaule lors de la conférence de Copenhague aux climato-sceptiques du Heartland Institute tournant en dérision les craintes relatives à la survie de l'humanité, des savants fous complotant une réduction de l'intensité du Soleil dans un manoir bucolique de la campagne anglaise à la quiétude trompeuse des marais souillés par le déversement de BP dans le golfe du Mexique, du vrombissement des machines lacérant les terres albertaines pour en extraire les sables bitumineux au choc ressenti lorsque j'ai appris que la plus grande organisation environnementaliste du monde exploitait ses propres puits de pétrole...

Mais ma réflexion ne s'arrête pas là. Lorsque je me suis lancée dans ce projet de livre, la plupart des mouvements de résistance qui se déploient aujourd'hui n'avaient pas encore vu le jour ou n'avaient qu'une infime fraction de leur ampleur actuelle. Ils étaient aussi beaucoup plus isolés les uns des autres qu'ils ne le sont aujourd'hui. En Amérique du Nord, une grande partie de la population n'avait jamais entendu parler des sables bitumineux ou de la fracturation hydraulique. Aucune grande marche populaire pour le climat n'avait encore eu lieu aux États-Unis et au Canada, et on aurait cherché en vain à rassembler des milliers de personnes prêtes à participer à un acte de désobéissance civile visant à dénoncer les abus des sociétés pétrolières et gazières. Le mouvement de désinvestissement en était à ses balbutiements. En Allemagne, les citoyens de centaines de villes n'avaient pas encore voté massivement pour la réappropriation de leurs réseaux d'électricité dans le cadre d'un virage vers les énergies renouvelables. Ma propre province, l'Ontario, n'avait pas encore adopté de programme d'énergie verte assez contraignant pour susciter des poursuites judiciaires en vertu des règles de l'OMC. Le bilan de la Chine en matière d'environnement n'offrait guère d'espoir. Rares étaient les études approfondies démontrant qu'il est techniquement possible d'instaurer une économie fondée à 100 % sur les énergies renouvelables. Seules quelques voix isolées osaient remettre en cause la logique de la croissance économique effrénée. Enfin, bien peu de scientifiques dénonçaient les conséquences de la culture de surconsommation actuelle sur le climat ou exhortaient les dirigeants à adopter des politiques permettant d'éviter le pire. En fait, tous ces changements se sont produits si rapidement durant la rédaction du livre que ç'a été une vraie course pour réussir à suivre. Oui, la banquise fond plus rapidement que ne le prévoyaient les modèles informatiques, mais la résistance menace elle aussi de faire sauter le couvercle de la marmite. Le mouvement de contestation actuel, en plein essor, offre un foisonnement d'exemples de la détermination et de l'imagination dont toutes les espèces terrestres devront faire preuve au cours de la « décennie zéro » – la brève période dont nous disposons encore pour faire face à la crise du climat. Car les chiffres ne mentent pas. Et ce qu'illustre notre bilan carbone actuel, c'est que nos émissions continuent d'augmenter : nous rejetons chaque année dans l'atmosphère plus de GES que l'année précédente, et le taux d'accroissement est toujours plus élevé d'une décennie à l'autre. Ces émissions continueront d'amplifier l'effet de serre, engendrant un monde de plus en plus torride, glacial, inondé, assoiffé, affamé et en colère. Pour renverser la tendance actuelle, il ne suffit pas de remporter des victoires isolées : il faut révolutionner le système, jour après jour, année après année, partout sur la planète.

Werner a fait justement remarquer que des mouvements sociaux de masse ont souvent changé le cours de l'histoire, et que cela pourrait bien se produire à nouveau. Mais ne minimisons pas l'urgence de la crise : pour réduire les émissions aux niveaux prescrits par les scientifiques, on doit prendre au plus tôt des mesures efficaces à l'échelle de la planète et contraindre des sociétés parmi les plus lucratives du monde à faire une croix sur des milliers de milliards de dollars de profits en renonçant à exploiter l'essentiel des réserves prouvées de combustibles fossiles[7]. Des sommes comparables devront aussi être investies dans la transition vers une économie carboneutre et dans la préparation à d'éventuelles catastrophes. Il va de soi que la mutation devra s'accomplir de façon démocratique et sans effusion de sang, les révolutions violentes menées par une avant-garde n'étant guère constructives.

Toutefois, une question cruciale se pose : un tel virage économique s'est-il *déjà* produit dans l'histoire ? Nous savons qu'il peut s'opérer en période de guerre, lorsque présidents et premiers ministres en proclament la nécessité. Mais a-t-il déjà été réclamé de la base, par des citoyens ordinaires, à un moment où leurs dirigeants s'étaient complètement déchargés des responsabilités leur incombant ? Après avoir passé au peigne fin l'histoire des mouvements sociaux à la recherche de précédents, je dois admettre que la réponse à cette question est aussi complexe qu'on pourrait s'y attendre, truffée de « en quelque sorte » et de « presque », mais également d'au moins un « oui » catégorique.

En Occident, les précédents qu'on évoque le plus souvent pour démontrer la capacité des mouvements sociaux d'infléchir l'histoire sont les grands mouvements de défense des droits de la personne du XXe siècle, notamment des droits civiques, des droits des femmes et des droits des homosexuels. Nul doute qu'ils ont transformé la culture dominante. Toutefois, comme ce qui s'impose face à la crise du climat est une profonde transformation d'ordre économique, il faut préciser que, dans l'histoire, les batailles culturelles et juridiques ont toujours connu plus de succès que les batailles économiques.

Aux États-Unis, par exemple, le mouvement des droits civiques a lutté non seulement *contre* la ségrégation et la discrimination institutionnalisées, mais également *pour* des investissements massifs dans les écoles et des programmes d'emploi susceptibles de combler à jamais le fossé entre les Noirs et les Blancs. Dans un livre publié en 1967 et intitulé *Où allons-nous ? La dernière chance de la démocratie américaine*, Martin Luther King écrit :

> Jusqu'ici, les changements survenus n'ont pas coûté très cher au pays. Les réformes limitées ont été obtenues au rabais. Il n'y a rien à débourser, ni aucun impôt supplémentaire à payer, pour accorder aux Noirs le droit de partager avec les Blancs les restaurants, les

bibliothèques, les parcs, les hôtels et autres lieux publics. [...] Les dépenses sont encore à faire. [...] L'éducation à bas prix accordée aux Noirs devra, à l'avenir, être payée au plein tarif si l'on veut réellement leur donner une éducation de qualité. Il est plus dur et plus coûteux de créer des emplois que de distribuer des cartes d'électeurs. L'élimination des taudis où vivent des millions de gens est infiniment plus compliquée à réaliser que l'intégration des bus et des comptoirs de restaurants[8].

Bien que cet aspect soit souvent passé sous silence, l'aile la plus radicale de la deuxième vague du mouvement féministe a aussi exigé des changements fondamentaux au sein du système économique basé sur le libre marché. À travail égal, salaire égal, réclamaient les militantes, qui demandaient aussi à ce que les tâches domestiques comme le soin des enfants et des personnes âgées soient reconnues pour leur apport considérable à l'économie et rémunérées en conséquence – ce qui se serait traduit par une redistribution des richesses plus importante que celle du New Deal du président Roosevelt.

Toutefois, bien que ces mouvements aient remporté des batailles majeures contre la discrimination institutionnalisée, les victoires qui demeurent moins solides sont celles qui, pour reprendre les mots de Martin Luther King, ne peuvent être «obtenues au rabais». Il n'y a pas eu d'investissements massifs dans des programmes d'emploi, des écoles et des logements décents pouvant profiter aux Afro-Américains, et les revendications féministes des années 1970 pour un salaire au foyer sont demeurées sans réponse (d'ailleurs, même le combat pour l'obtention de congés de maternité payés reste à mener en beaucoup d'endroits du monde). Le partage d'un statut juridique est une chose ; le partage des ressources en est une autre.

S'il existe une exception à la règle, elle réside dans les gains considérables obtenus par le mouvement syndical dans la foulée de la Grande Dépression, cette grande vague de syndicalisation qui a contraint le patronat à partager avec les travailleurs une proportion beaucoup plus importante de ses profits, ce qui a incité les citoyens à réclamer d'ambitieux programmes sociaux comme la sécurité sociale et l'assurance-chômage (des programmes auxquels n'avaient toutefois pas droit la majorité des Afro-Américains ni bon nombre de femmes actives sur le marché du travail). En réaction au krach boursier de 1929, les dirigeants ont mis en place des règles strictes pour encadrer le secteur de la finance, entravant ainsi la course effrénée au profit. À la même époque, les pressions exercées par les mouvements sociaux ont ouvert la voie au New Deal et à d'autres politiques similaires un peu partout dans le monde industrialisé. On a procédé à des investissements massifs dans les infrastructures publiques (services publics, transports en commun, logement social, etc.), à une échelle comparable à celle des mesures qui s'imposent aujourd'hui face à la crise du climat.

Si l'on étend la recherche de précédents historiques à l'ensemble de la planète (une tâche titanesque, mais qui vaut assurément la peine d'être entreprise), on constate des résultats tout aussi mitigés. À partir des années 1950, des gouvernements socialistes démocratiquement élus ont nationalisé une part importante de leur secteur de l'extraction et entrepris de redistribuer aux classes défavorisées et aux classes moyennes les recettes qui, jusque-là, s'accumulaient à l'étranger. Pensons aux politiques adoptées en Iran par le premier ministre Mohammad Mosaddegh ou au Chili par le président Salvador Allende. Ces initiatives ont toutefois été interrompues brutalement, avant d'avoir porté tous leurs fruits, par des coups d'État soutenus par des puissances étrangères. De même, les mouvements pour la décolonisation, souvent animés par le désir d'une redistribution équitable de la richesse (qu'il s'agisse du territoire ou des ressources minières), ont été systématiquement entravés par des assassinats politiques, l'ingérence extérieure et, plus récemment, les chaînes de l'endettement et des programmes d'ajustement structurel (sans parler de la corruption des élites locales).

Même le mouvement antiapartheid, qui a connu un formidable succès en Afrique du Sud, s'est heurté à des obstacles majeurs dans sa lutte pour l'égalité économique. Les défenseurs de la liberté, rappelons-le, ne revendiquaient pas seulement le droit de vote et la liberté de mouvement. Comme le précisait clairement la Charte de la liberté, adoptée officiellement par le Congrès national africain (entre autres organisations), ils réclamaient aussi la nationalisation de secteurs clés de l'économie, dont les mines et les banques, afin de financer les programmes sociaux qui permettraient de tirer de la pauvreté des millions d'habitants des *townships*. Les Noirs sud-africains ont gagné leur combat dans les arènes juridique et électorale, mais les fortunes accumulées sous l'apartheid n'ont pas été redistribuées, et le fossé entre riches et pauvres a continué de se creuser après l'abolition de la ségrégation institutionnalisée[9].

Des mouvements sociaux se sont toutefois attaqués avec succès aux inégalités économiques érigées en système, et la résistance actuelle devra s'en inspirer si l'on veut éviter la catastrophe climatique. Les mouvements pour l'abolition de l'esclavage et pour la décolonisation, en effet, ont forcé les classes dirigeantes à renoncer à des pratiques extrêmement lucratives, comme l'est aujourd'hui l'extraction de combustibles fossiles.

Le mouvement abolitionniste, qui fait partie des événements les plus marquants de l'histoire, montre qu'une transition aussi importante que celle qui s'impose aujourd'hui a déjà eu lieu dans le passé. Comme l'ont fait remarquer plusieurs historiens et analystes, les répercussions économiques de l'abolition de l'esclavage au milieu du xixe siècle se comparent à celles qu'aurait aujourd'hui une réduction radicale des émissions de GES. Dans un livre publié en 2014 et intitulé *The New Abolitionism* (Le nouvel abolitionnisme), le journaliste et animateur de télévision Chris Hayes souligne que « le mouvement pour la justice climatique réclame qu'on force certains éléments des milieux d'affaires et de la classe politique à renoncer à des milliers de milliards de dollars ». Il conclut que « l'abolition de l'esclavage est le seul précédent comparable[10] ».

Il va sans dire que, pour une bonne partie de la classe dirigeante d'autrefois, la perte du droit d'exploiter des hommes et des femmes réduits à l'état d'esclaves représentait un coup dur sur le plan économique, un traumatisme aussi important que celui que subiraient de nos jours nombre d'acteurs liés à l'industrie des combustibles fossiles, d'ExxonMobil à Richard Branson. « Dans la sphère économique, l'importance des esclaves ne se résumait pas à la prospérité engendrée par leur labeur non rémunéré, fait observer l'historien Greg Grandin. L'esclavage était la pierre angulaire de la révolution marchande américaine, non seulement aux États-Unis, mais dans toutes les Amériques. » Au xviiie siècle, les plantations de canne à sucre des Caraïbes, dont l'exploitation reposait sur le travail des esclaves, étaient de loin les avant-postes les plus lucratifs de l'Empire britannique. Dans *Bury the Chains*, Adam Hochschild cite les propos enthousiastes de marchands d'esclaves qui décrivaient la vente et l'acquisition d'êtres humains comme « le pivot du commerce mondial », « le fondement de notre commerce [...], le moteur de notre industrie nationale et la principale source de prospérité de notre pays[11] ».

Bien que les enjeux diffèrent, la dépendance de l'économie américaine au travail des esclaves (en particulier dans les États du Sud) se compare à maints égards à la dépendance actuelle de l'économie mondiale aux combustibles fossiles*. Au début de la guerre

---

* Les États du Sud n'étaient pas les seuls dont l'économie reposait sur le travail des esclaves : des recherches de pointe sont en train de démentir la perception longtemps répandue selon laquelle les États du Sud et du Nord avaient à cette époque des économies séparées et incompatibles. En réalité, les intérêts

de Sécession, « les esclaves étaient des actifs dont la valeur dépassait celle de l'ensemble des banques, usines et sociétés ferroviaires du pays », souligne l'historien Eric Foner. Notant le parallèle avec les combustibles fossiles, Hayes indique que, « en 1860, la valeur des esclaves représentait environ 16 % de celle du total des biens ménagers (à savoir de toute la richesse) de l'ensemble [des États-Unis], ce qui équivaudrait aujourd'hui à la somme ahurissante de 10 000 milliards de dollars ». Notons que ces chiffres correspondent à peu près à la valeur des réserves de carbone qu'il faudrait laisser dans le sous-sol pour que l'objectif des 2 °C ait une bonne chance d'être atteint[12].

Néanmoins, l'analogie avec la société esclavagiste est évidemment loin d'être parfaite. Du point de vue de la morale, l'utilisation de combustibles fossiles ne peut être mise sur un pied d'égalité avec l'exploitation d'esclaves ou la colonisation. (Bien qu'on puisse affirmer que le fait de diriger une société pétrolière qui enfreint les recommandations des climatologues, s'oppose activement à la réduction des émissions atmosphériques et revendique le droit d'exploiter suffisamment de réserves de combustibles fossiles pour inonder des pays aussi populeux que le Bangladesh ou faire cuire l'Afrique subsaharienne est effectivement un crime moral odieux.) Et les mouvements contre l'esclavage et le colonialisme n'ont pas obtenu gain de cause sans effusion de sang : des stratégies non violentes comme les boycotts y ont certes joué un rôle important, mais, avant que l'esclavage soit aboli, de nombreuses tentatives de révolte ont été brutalement réprimées dans les colonies des Caraïbes, et les États-Unis sont passés par le carnage de la guerre de Sécession.

L'analogie présente un autre point faible : si la libération de millions d'esclaves (quelque 800 000 dans les colonies britanniques et 4 millions aux États-Unis) a certes constitué une victoire sans précédent à l'époque (et sans doute dans l'histoire de l'humanité) en ce qui concerne les droits de la personne, le succès de ces luttes s'est avéré plutôt mitigé sur le plan économique. Les élites coloniales sont souvent parvenues à obtenir de juteuses indemnisations en dédommagement pour la « perte de propriété » subie, alors que les esclaves affranchis, eux, devaient repartir de zéro ou presque. Le gouvernement américain n'a jamais tenu sa promesse, faite peu de temps avant la fin de la guerre de Sécession,

---

de Wall Street et des industriels du Nord étaient beaucoup plus tributaires de l'esclavage qu'on l'a souvent cru. Des innovations majeures en matière de gestion scientifique et de comptabilité sont d'ailleurs attribuables à l'économie de plantation américaine.

d'octroyer aux anciens esclaves de vastes terres («40 acres et une mule», pour reprendre l'expression couramment employée à l'époque). Les terres ont plutôt été rendues aux propriétaires de plantations, où l'esclavage a été remplacé par le métayage, fondé lui aussi sur le labeur de travailleurs asservis. Comme nous l'avons vu au chapitre 12, le Parlement britannique a aussi offert de généreuses indemnités aux anciens propriétaires d'esclaves. La France, quant à elle, a eu le culot d'envoyer une flottille de navires de guerre en Haïti pour exiger du pays, qui venait d'acquérir son indépendance, qu'il lui verse une somme colossale pour compenser la perte de sa main-d'œuvre[13]. Voilà de bien curieuses mesures de réparations, où c'est la partie lésée qui doit payer.

En de nombreux endroits du monde, d'Haïti au Mozambique, ces extorsions et d'autres déprédations tout aussi injustes continuent à emporter des vies. L'indemnisation des exploiteurs plutôt que des exploités a conduit des pays qui venaient de se libérer du joug colonial à se retrouver criblés de dettes, privés d'une véritable indépendance, ce qui a accéléré la révolution industrielle en Europe (dont la rentabilité accrue a sûrement amorti le choc économique provoqué par l'abolition de l'esclavage). Par contraste, la fin de l'ère des combustibles fossiles ne risque guère de déboucher sur une indemnisation comparable des principaux acteurs des secteurs du pétrole, du gaz et du charbon. L'éolien et le solaire peuvent être lucratifs, certes, mais comme il s'agit d'industries décentralisées, ils ne génèreront jamais les profits colossaux auxquels se sont (beaucoup trop) habitués les géants des combustibles fossiles. Autrement dit, si la justice climatique finit par l'emporter, l'élite économique mondiale subira de réelles répercussions financières, non seulement parce qu'elle devra renoncer aux hydrocarbures qui resteront sous terre, mais aussi en raison de la réglementation, des mesures fiscales et des programmes sociaux dont l'adoption est essentielle à la transition qui s'impose. Ces nouvelles contraintes imposées aux ultra-riches, en fait, pourraient sonner le glas du règne des oligarques transnationaux qui se réunissent chaque année à Davos.

## Une entreprise de libération inachevée

À certains égards, on pourrait considérer l'incapacité de plusieurs grands mouvements sociaux à concrétiser les éléments les plus coûteux de leurs programmes comme une raison de se croiser les bras, voire de désespérer. S'ils ne sont pas parvenus à instaurer un système économique plus équitable, comment le mouvement pour la justice climatique pourrait-il espérer réussir à son tour?

On peut toutefois envisager ce bilan sous un autre angle : les revendications d'ordre économique (pour des services publics efficaces, des logements décents et un meilleur partage des terres) ne constituent rien de moins qu'un projet inachevé, entrepris par les mouvements de libération les plus importants des deux derniers siècles, dont la raison d'être allait des droits civiques à la souveraineté des peuples autochtones, en passant par le féminisme. Les investissements massifs et planétaires qu'exige la réponse à la menace climatique (pour s'adapter avec humanité et justice aux conditions météorologiques difficiles dans lesquelles nous nous trouvons déjà, et pour éviter un réchauffement vraiment catastrophique) pourraient bien changer la donne, cette fois. Ils pourraient mener au partage équitable des terres agricoles qui aurait dû suivre la décolonisation et le renversement des dictatures, générer les emplois et les logements dont rêvait Martin Luther King, donner du travail et des sources d'eau saines aux collectivités autochtones, apporter l'eau courante et l'électricité dans chaque *township* sud-africain. Telles sont les promesses d'un plan Marshall pour la Terre.

C'est précisément parce que, malgré leurs victoires juridiques, les mouvements pour la justice les plus vaillants ont subi d'importants revers sur le front de l'économie que le monde actuel demeure si fondamentalement inégalitaire. Ces défaites ont laissé en héritage une discrimination systématique, des privilèges indus et une pauvreté bien enracinée qui prend de l'ampleur à chaque nouvelle crise. Mais les mouvements sociaux ont tout de même gagné certaines batailles économiques, et ce sont ces victoires qui expliquent pourquoi subsistent quelques institutions (bibliothèques, transports en commun, hôpitaux publics, etc.) fondées sur l'idée utopique que l'égalité réelle implique un accès équitable aux services de base permettant de vivre dans la dignité. Et, chose plus importante, tous ces mouvements qu'on associe au passé sont encore actifs d'une manière ou d'une autre ; ils luttent pour le respect intégral des droits de la personne sans distinction de genre, d'origine ethnique ou d'orientation sexuelle, pour une véritable décolonisation et l'octroi de justes réparations, pour la sécurité alimentaire et les droits des paysans, contre l'oligarchie, pour la défense et l'expansion de la sphère publique...

C'est pourquoi le bouleversement du climat n'a pas besoin d'un mouvement tout neuf qui réussirait comme par magie là où ses prédécesseurs ont échoué. En tant que crise la plus profonde qu'ait suscité le paradigme extractiviste – une crise qui place l'humanité devant une échéance inéluctable –, le changement climatique pourrait plutôt devenir la grande impulsion qui poussera ces mouvements toujours vivants à se rassembler, tel un puissant fleuve alimenté par d'innombrables ruisseaux unissant leurs forces pour enfin atteindre la mer. «La confrontation fondamentale qui semblait être celle du colonialisme et de l'anticolonialisme, voire du capitalisme et du socialisme, perd déjà son importance», écrivait Frantz Fanon en 1961 dans son chef-d'œuvre *Les Damnés de la Terre*. «Ce qui compte aujourd'hui, le problème qui barre l'horizon, c'est la nécessité d'une redistribution des richesses. L'humanité, sous peine d'en être ébranlée, devra répondre à cette question[14].» La crise du climat représente une occasion de corriger ces injustices une fois pour toutes, de mener à terme l'entreprise de libération inachevée.

La victoire nécessitera assurément la convergence d'une diversité de groupes, à une échelle jamais vue jusqu'ici. Bien qu'il n'existe aucun précédent historique au défi climatique, on peut certainement tirer des leçons de l'expérience des mouvements revendicatifs d'autrefois. On en retient entre autres que toute rupture importante de l'équilibre des pouvoirs économiques est le résultat d'une mobilisation sociale hors du commun. Dans ces moments charnières, le militantisme cesse d'être le propre d'une sous-culture (d'une avant-garde ou d'un groupe de technocrates éclairés, qui ont néanmoins tous deux un rôle à jouer) et devient une activité parfaitement normale, pratiquée par l'ensemble de la société : associations de locataires, dames auxiliaires, clubs de jardinage, comités de quartier, syndicats, associations professionnelles, équipes sportives, groupes de jeunes, et ainsi de suite. Lors d'épisodes extraordinaires de l'histoire (comme les deux guerres mondiales, les lendemains de la Grande Dépression ou l'apogée du mouvement des droits civiques), les catégories habituelles des «militants» et des «gens ordinaires» ont perdu toute signification, car la volonté de changer la société était devenue partie intégrante de la vie quotidienne. En un mot, les militants, c'était tout le monde.

Ce qui nous ramène à notre point de départ, à savoir que le changement climatique survient à un bien mauvais moment. Répétons-le : le principal obstacle au déploiement d'une solution à la crise du climat n'est pas qu'il soit trop tard ou que nous ignorions quoi faire. Nous disposons de juste assez de temps pour agir, et nous ne manquons pas de technologies propres et de plans verts. Et si nous sommes si nombreux à être tentés de répondre par l'affirmative à la question provocatrice de Brad Werner – «La

Terre est-elle foutue ?» –, c'est parce que nous craignons, non sans raison, que la classe politique soit absolument incapable de saisir ces outils et de mettre en œuvre ces plans : agir en ce sens impliquerait pour elle de renoncer aux principes de base de l'idéologie mortifère du libre marché qui a présidé à chaque étape de son accession au pouvoir.

Et il ne s'agit pas uniquement des personnes que nous portons au pouvoir pour ensuite nous lamenter sur leurs décisions : il s'agit aussi de nous. Devant de vieux films en noir et blanc montrant les grèves générales des années 1930, les jardins de la victoire des années 1940 ou les Freedom Rides des années 1960, les citoyens de sociétés postindustrielles que nous sommes sont tout simplement incapables de s'imaginer en train de prendre part à des mobilisations d'une telle intensité et d'une telle ampleur. Va pour les gens d'autrefois, mais sûrement pas pour nous, qui avons les yeux rivés à nos smartphones, l'attention dispersée par la multitude d'hyperliens sur lesquels on nous invite à cliquer, la loyauté mise à mal par le poids de l'endettement et par l'insécurité des contrats à durée déterminée. À qui pourrions-nous faire assez confiance pour nous guider ? Et qui donc est ce « nous » ?

Autrement dit, nous sommes les produits de notre époque et d'une idéologie dominante. Une idéologie qui pousse chacun d'entre nous à se considérer comme une entité en quête de reconnaissance qui cherche à se démarquer et à maximiser son mince avantage sur autrui. Une idéologie qui isole nombre d'individus des collectivités, ces réservoirs de savoir-faire capables de venir à bout de bien des problèmes, petits ou grands. Une idéologie qui a amené nos gouvernements à se croiser les bras, incapables de réagir pendant les vingt années au cours desquelles la crise du climat a cessé d'être seulement un «problème légué aux générations futures» pour devenir une catastrophe imminente.

Dans ce contexte, tout acte de résistance doit, pour être efficace, s'inscrire dans un conflit beaucoup plus large entre des visions du monde incompatibles, dans un processus de redéfinition et de reconstruction de l'idée même de collectivité, d'espace public, de biens communs, de droits civiques, de citoyenneté, après des décennies d'assauts et de négligence. Car là où le défi climatique peut sembler insurmontable, c'est en ce qu'il exige la violation simultanée d'un grand nombre de règles : des règles inscrites dans les lois des pays et les accords commerciaux, mais aussi d'impératives règles officieuses en vertu desquelles un gouvernement ne peut espérer rester au pouvoir s'il augmente les impôts, ne peut refuser d'investissement important même si celui-ci avait des conséquences néfastes, et ne peut planifier la décroissance graduelle des secteurs de l'économie qui mettent l'humanité en danger. Mais chacune de ces règles émane d'une même vision du monde, parfaitement cohérente. Si celle-ci perd sa légitimité, les règles qu'elle a engendrées seront toutes grandement fragilisées.

C'est là un autre enseignement de l'histoire des mouvements sociaux, toutes tendances politiques confondues : quand un changement fondamental survient, il ne se produit pas petit à petit, au fil des décennies. Il se manifeste plutôt par une rafale de lois, une suite rapide de tournants décisifs. La droite qualifie ce phénomène de « thérapie de choc », tandis que la gauche le considère comme l'expression de la « volonté populaire », étant donné le vaste soutien et la mobilisation qu'il requiert. (Pensons au cadre réglementaire mis en place dans la foulée du New Deal des années 1930, ou aux nombreuses lois sur l'environnement adoptées dans les années 1960 et 1970.)

Comment s'y prend-on, alors, pour remplacer une vision du monde, une idéologie incontestée ? Une partie de la réponse réside dans le choix des bons combats initiaux, ceux qui peuvent changer la donne en ne visant pas simplement l'adoption de nouvelles lois, mais aussi une transformation des façons de penser. La lutte pour l'imposition d'une modeste taxe sur le carbone, par exemple, serait moins bénéfique que la mise sur pied d'une grande coalition pour le revenu minimum garanti. Cela non seulement parce qu'un revenu minimum libérerait les travailleurs de la nécessité d'accepter des emplois dans le secteur des énergies polluantes, mais aussi parce que le fait même de discourir sur les bienfaits d'un filet de sécurité sociale universel créerait les conditions propices à un vrai débat de fond sur les valeurs – sur nos obligations mutuelles, fondées sur notre humanité commune, et sur ce que nous jugeons collectivement plus important que la croissance économique et la rentabilité des entreprises.

D'ailleurs, une bonne partie du travail nécessaire à un changement social en profondeur consiste à engager des débats où de nouvelles visions du monde peuvent être proposées en remplacement de celles qui n'ont pas répondu à nos attentes. Car si nous voulons que notre civilisation ait la moindre chance de faire le bond en avant qui s'impose en cette décennie fatidique, nous devons recommencer à croire que l'humanité n'est pas désespérément égoïste et cupide, contrairement à ce qu'affirme inlassablement le discours dominant, de la télé-réalité à l'économie néoclassique.

Paradoxalement, un tel changement de perspective pourrait nous permettre de mieux comprendre les raisons de notre inaction en matière de climat, en aidant bon nombre d'entre nous à envisager les échecs du passé (et du présent) avec indulgence plutôt qu'avec colère. Et si la cause de notre passivité n'était pas cet égoïsme dont l'étroitesse nous empêcherait de nous soucier d'un problème abstrait ou en apparence lointain, mais plutôt le fait que nous sommes accablés par l'inquiétude? Et si notre silence ne s'expliquait pas par un consentement tacite, mais plutôt, en partie, par un manque d'espaces collectifs où l'on puisse affronter la terreur brute de l'écocide? Après tout, nul ne devrait avoir à affronter seul la fin du monde que nous vivons actuellement. Dans son essai intitulé *Living in Denial* (Vivre dans le déni), une recherche fascinante sur les manières dont nous refoulons presque tous la réalité objective de la crise du climat, la sociologue Kari Norgaard propose l'interprétation suivante: «On peut (je dirais même on doit) interpréter le déni comme le produit de notre faculté d'empathie, de compassion, et comme une conscience sous-jacente de l'impératif moral de réagir, et ce, même si nous ne parvenons pas à passer à l'action[15].»

Fondamentalement, la tâche consiste non seulement à élaborer un programme politique alternatif, mais aussi à énoncer une vision du monde différente, capable de rivaliser avec celle qui est à l'origine de la crise écologique – une vision fondée sur l'interdépendance plutôt que sur l'hyperindividualisme, sur la réciprocité plutôt que sur la domination, sur la coopération plutôt que sur la hiérarchie. Il ne s'agit pas simplement de créer un contexte politique favorable à la réduction draconienne des émissions, mais également de nous donner les moyens de réagir adéquatement à des catastrophes désormais inévitables. Car, dans cet avenir torride et orageux que l'humanité a rendu inéluctable par ses émissions passées, la foi inébranlable dans l'égalité des droits et la capacité à faire preuve d'une profonde compassion seront les seuls éléments qui distingueront la civilisation de la barbarie.

C'est là une autre leçon des mouvements émancipateurs du passé, qui étaient tous conscients qu'un processus de transformation des valeurs culturelles (bien qu'assez éphémère et difficile à évaluer) se trouvait au cœur de leur mission. Ils célébraient publiquement leurs rêves, présentaient l'humanité sous un meilleur jour et, par leur comportement, incarnaient des valeurs différentes, libérant de ce fait l'imagination politique et élargissant rapidement l'horizon des possibles. De plus, ils ne craignaient pas le langage de la morale: rejetant le discours pragmatique et calculateur de la rentabilité, ils n'hésitaient pas à parler du bien et du mal, à exprimer leur amour et leur indignation.

Dans son *Enquête sur la nature et les causes de la richesse des nations*, Adam Smith se livre à un réquisitoire contre l'esclavage où il n'use guère d'arguments moraux, s'appuyant plutôt sur la logique du profit. « L'ouvrage fait par des hommes libres revient en définitive moins cher que celui exécuté par des esclaves, écrit-il. On a dit que l'usure d'un esclave est aux frais du maître », tandis que le salaire constitue pour l'ouvrier une « récompense libérale » l'incitant à travailler plus dur[16]. Des deux côtés de l'Atlantique, de nombreux abolitionnistes adhéreront à cette perspective pragmatique.

Toutefois, alors que la campagne pour l'abolition du commerce des esclaves (et, plus tard, de l'esclavage lui-même) gagnait du terrain dans le Royaume-Uni de la fin du xviiie siècle, une bonne partie du mouvement s'est mise à insister davantage sur l'avilissement moral que représentait l'esclavage et la mentalité funeste qui rendait celui-ci possible. En 1808, l'abolitionniste britannique Thomas Clarkson qualifiait la bataille autour de l'esclavage de « lutte opposant ceux qui se préoccupent profondément du bonheur et de l'honneur de leurs congénères à ceux qui, attachés à de viles coutumes et aveuglés par l'avarice, foulent aux pieds les droits sacrés de leur nature, allant jusqu'à annihiler toute qualité divine de leur esprit[17] ».

Aux États-Unis, la rhétorique et les arguments des anti-esclavagistes pouvaient se faire encore plus durs et intransigeants. Dans un discours prononcé en 1853, le célèbre orateur abolitionniste Wendell Phillips revendiquait le droit de dénoncer les plus virulents défenseurs de l'esclavagisme : « Démontrez-moi immédiatement que nos cinglants reproches, nos dénonciations indignées, nos sarcasmes mordants et notre impitoyable mépris sont entièrement et toujours dépourvus de fondement ; autrement, jamais nous ne prendrons le risque, en des circonstances aussi graves, de renoncer à une arme capable de rompre la carapace d'un préjugé pétri d'ignorance, d'éveiller une conscience endormie, d'humilier un fier pécheur, de modifier, de quelque façon que ce soit, la conduite d'un être humain. Nous avons l'ambition d'influencer l'opinion publique. » Se révélerait indispensable à l'accomplissement de cet objectif le concours des esclaves libérés, des affranchis comme Frederick Douglass, qui, dans ses écrits comme dans ses discours, s'attaquait aux fondements mêmes du patriotisme américain en posant des questions comme celle-ci : « Que signifie le 4-Juillet pour l'esclave[18] ? »

Cette rhétorique enflammée et hautement polarisée reflétait les enjeux considérables de la lutte. Les abolitionnistes, explique l'historien David Brion Davis, savaient que leur rôle ne consistait pas simplement à bannir une pratique odieuse, mais aussi à transformer les valeurs profondément enracinées qui avaient rendu l'esclavage possible. « L'abolition de l'esclavage dans le Nouveau Monde est largement attribuable à une métamorphose du sens moral, à l'émergence, à partir du xviii$^e$ siècle, d'écrivains, d'orateurs et de réformateurs désireux de condamner une institution consacrée depuis des milliers d'années et de lutter pour que la société humaine aspire à quelque chose de plus grand que la compétition sans fin pour la richesse et le pouvoir[19]. »

La même conscience de la nécessité d'affirmer la valeur intrinsèque de la vie se trouve au cœur de toutes les grandes victoires progressistes, du suffrage universel au système public de santé. Bien que les mouvements sociaux eussent tous avancé des arguments économiques pour étayer leurs revendications de justice, ils n'ont jamais gagné en attribuant une valeur pécuniaire aux droits et aux libertés, mais en affirmant que ceux-ci avaient une valeur incommensurable, inhérente à chaque être humain. Dans la même optique, il existe une foule d'arguments économiques convaincants pour justifier l'abandon des combustibles fossiles. De plus en plus d'investisseurs patients en prennent conscience, et il importe de le souligner. Cependant, nous ne remporterons jamais le combat pour la stabilisation du climat en tentant de battre les comptables à leur propre jeu – en affirmant par exemple qu'il serait plus rentable d'investir dans la réduction des émissions dès aujourd'hui que dans la gestion des catastrophes plus tard. Nous gagnerons en soulignant le caractère moralement abject de tels calculs, qui impliquent d'admettre qu'il y a un prix acceptable à payer pour laisser des pays entiers disparaître, contraindre des millions de personnes à mourir sur des terres asséchées, priver les enfants d'aujourd'hui de leur droit de vivre dans un monde vibrant de toutes les beautés et merveilles de la création.

Le mouvement de protection du climat n'a pas encore pleinement affirmé sa position morale sur la scène internationale, mais il est manifestement en train de s'éclaircir la voix en rangeant parmi les crimes les plus odieux de l'histoire les déprédations et tourments bien réels qu'engendre inlassablement le mépris des engagements climatiques internationaux. Cet appel à la lucidité morale émane en partie de la jeunesse, qui descend dans la rue et, de plus en plus, s'adresse aux tribunaux au nom de la justice intergénérationnelle. Il provient aussi d'acteurs des grands mouvements pour la justice sociale du passé, comme le lauréat du prix Nobel de la paix Desmond Tutu, ancien archevêque du Cap, qui s'est joint avec enthousiasme au mouvement pour le désinvestissement du secteur des combustibles fossiles en déclarant que « le titre de gardiens de la création n'est pas vain ; il nous impose d'agir, et ce, dans l'urgence que commande cette terrible situation[20] ». Mais ces voix s'élèvent surtout des avant-postes de la Blocadie, où vivent les gens qui subissent directement les conséquences de l'extractivisme extrême et les premières manifestations du dérèglement climatique.

## Soudain, tout le monde

À maintes reprises ces dernières années, des populations ont soudain exprimé leur ras-le-bol, déjouant tous les pronostics et avis d'experts : pensons au Printemps arabe, au mouvement des Indignés, qui a envahi les places des villes européennes pendant des mois, à Occupy Wall Street ou aux mouvements étudiants du Chili et du Québec. Le journaliste mexicain Luis Hernández Navarro qualifie ces moments politiques exceptionnels, qui par leur seule existence semblent annihiler le cynisme, d'« effervescence de la rébellion[21] ». Ce que ces remontées de résistance, où une société devient animée d'une volonté de changement, ont de plus frappant, c'est qu'elles surviennent souvent aux moments où l'on s'y attend le moins, les organisateurs mêmes des mouvements en cause étant les premiers surpris. Je ne compte plus le nombre de fois où l'on m'a raconté cette histoire : « Un jour, nous étions seulement quelques amis à imaginer des scénarios impossibles, et, le lendemain, on aurait dit que tout le pays manifestait avec nous sur la place ! » Et, pour tous les participants, la vraie surprise, c'est que nous sommes beaucoup plus nombreux qu'on tente de nous le faire croire ; dans notre volonté croissante de changement, nous avons plus de compagnons de lutte que jamais nous n'aurions pu l'imaginer.

Quand surviendra le prochain moment d'effervescence ? Sera-t-il précipité par une crise économique, une catastrophe naturelle ou quelque scandale politique ? Nul ne le sait. On sait cependant que, dans le triste contexte d'un monde en réchauffement, les éléments potentiellement déclencheurs ne manquent pas. Une observation que confirme Sivan Kartha, directeur de recherche au Stockholm Environment Institute : « Ce que l'on considère aujourd'hui comme politiquement réaliste peut être très différent de ce qui sera politiquement réaliste quand une série d'ouragans Katrina, d'ouragans Sandy et de typhons Bopha nous auront frappés[22]. » En effet, on ne perçoit plus tout à fait le monde de la même façon quand les biens qu'on a accumulés toute une vie sont emportés par le courant ou mis en pièces, réduits à l'état de détritus.

Le monde a bien changé depuis la fin des années 1980. Le changement climatique, nous l'avons vu, est entré dans le discours public alors que triomphait l'idéologie du libre marché et qu'on célébrait la fin de l'histoire; il s'agissait effectivement d'un bien mauvais moment. Le moment où «ça passe ou ça casse», lui, arrive dans un tout autre contexte historique. Une bonne partie des obstacles qui paralysaient tout effort sérieux de solution à la crise se sont en grande partie effrités. L'idéologie du libre marché a été discréditée par des décennies d'aggravation des inégalités et de la corruption, qui lui ont fait perdre l'essentiel de sa force de persuasion (sinon son pouvoir politique et économique, ce qui risque de suivre). Et les diverses formes de pensée magique qui ont détourné tant de précieuses énergies (de la foi aveugle dans les miracles de la technologie à l'adulation béate des milliardaires philanthropes) sont aussi en train de perdre leur aura. Nous sommes de plus en plus nombreux à prendre conscience que personne ne viendra résoudre la crise à notre place, que, si un changement doit se produire, il surgira nécessairement d'en bas.

De plus, nous sommes beaucoup moins isolés les uns des autres que nous l'étions il y a tout juste dix ans. Les nouvelles structures bâties sur les décombres du néolibéralisme (des médias sociaux aux coopératives de travail, en passant par les marchés fermiers et les initiatives de partage local) nous aident à trouver des espaces collectifs malgré la fragmentation propre à la culture postmoderne. D'ailleurs, grâce en particulier aux médias sociaux, nous sommes nombreux à participer continuellement à un débat planétaire – certes cacophonique et parfois exaspérant – d'une portée et d'une influence sans précédent.

Compte tenu de tous ces facteurs, il est fort probable qu'une autre crise nous fera bientôt descendre dans la rue, ce qui nous prendra tous par surprise. Reste à voir ce que les forces progressistes feront de ce moment, la vigueur et la confiance avec lesquelles elles le saisiront. Car ces moments où l'impossible semble soudain possible sont cruellement rares, ce qui les rend d'autant plus précieux. Il faut donc en tirer le maximum. La prochaine fois qu'il en surviendra un, nous devrons en tirer parti non seulement pour dénoncer le monde tel qu'il est et créer des espaces temporaires de liberté, mais aussi pour en faire le catalyseur de la construction d'un monde dans lequel nous pourrons tous vivre en sécurité. Les enjeux sont trop importants – et les délais trop serrés – pour se contenter de moins.

\*

\*   \*

L'an dernier, lors d'un dîner en compagnie de nouveaux amis à Athènes, je leur ai demandé s'ils avaient des idées de questions à poser à Alexis Tsipras, le jeune président du parti Syriza, qui formait alors l'opposition officielle au Parlement grec et qui, depuis sa victoire aux élections de janvier 2015, représente une des rares sources d'espoir dans une Europe ravagée par l'austérité.

L'un d'eux a lancé cette suggestion : « L'histoire a frappé à ta porte. Lui as-tu répondu ? »

Voilà une excellente question. Qui s'adresse à nous tous.

# Remerciements

L'UNE DES MEILLEURES DÉCISIONS que j'ai prises dans ma vie professionnelle est d'avoir engagé, début 2010, Rajiv Sicora au poste de
premier assistant de recherche pour ce projet. Bien plus qu'un chercheur de premier ordre, Rajiv a été un véritable compagnon intellectuel au cours du long processus de préparation de ce livre. Il a
synthétisé des montagnes d'informations provenant de domaines
très divers, en plus de m'avoir fait bénéficier de ses analyses politiques perspicaces à chacune des étapes du projet.

Rajiv a contribué à l'ensemble du travail de recherche pour ce
livre, mais sa touche personnelle se traduit particulièrement dans
les sections traitant du commerce, des aspects psychologiques du
climatoscepticisme, de l'histoire du mouvement abolitionniste
et de la dette climatique, ainsi que dans tout ce qui concerne la
science, y compris la géo-ingénierie. L'ampleur des connaissances
de Rajiv et la maîtrise qu'il en a sont vraiment impressionnantes,
comme l'est son engagement sincère envers ce projet et les domaines
qui s'y rattachent. Ce fut un grand privilège pour moi que d'avoir
été épaulée par ce partenaire et ami tout au long de ce projet.

Alexandra Tempus, une autre journaliste et assistante de
recherche exceptionnelle, s'est jointe à Rajiv et moi il y a deux ans.
Alexandra a su rapidement maîtriser les nombreux sujets qui lui
ont été confiés, qu'il s'agisse du capitalisme du désastre au lendemain de l'ouragan Sandy, de la financiarisation de la nature, du
monde opaque des grandes organisations environnementalistes
et des fondations qui les financent ou encore des répercussions de
la crise du climat sur la fertilité. En plus d'avoir noué des contacts
importants et mis le doigt sur des révélations sidérantes, elle a su
partager avec éloquence ses analyses rigoureuses.

Rajiv et Alexandra ont contacté et interrogé des dizaines d'experts. Alors que la préparation de ce livre touchait à sa fin et qu'il
fallait encore recueillir, vérifier et revérifier des milliers de données

en plus de se pencher sur les questions juridiques qu'elles soulevaient, j'ai été très émue par leur volonté de mener cette tâche à bien, même s'ils ont dû sacrifier de nombreuses nuits de sommeil pour y arriver. C'est pour moi une chance extraordinaire d'avoir été soutenue par deux collègues aussi sérieux et dévoués.

J'éprouve également beaucoup de gratitude envers l'équipe d'éditeurs solides et compétents qui m'ont sans cesse encouragée à améliorer le manuscrit. Une quinzaine d'années après que nous eûmes publié ensemble *No Logo,* je suis ravie d'avoir eu une fois de plus l'honneur de travailler avec Louise Dennys, la légendaire et courageuse éditrice de Random House Canada. Comme toujours, cette grande amie a su comment s'y prendre avec moi pour que je donne le meilleur de moi-même, de la façon la plus encourageante possible. Helen Conford, de Penguin Books (Royaume-Uni), qui a été une proche collaboratrice lors de la préparation de mon livre *La Stratégie du choc,* a su une fois de plus enrichir le manuscrit par ses questions pertinentes et ses commentaires judicieux. Elle continue d'être pour moi une inspirante partenaire d'édition.

C'est la première fois que je publie aux États-Unis chez Simon & Schuster, et cela, je le dois à l'esprit visionnaire de Jonathan Karp et au flair de Bob Bender. Je suis très heureuse d'avoir pris cette décision. Je considère qu'ils ont fait preuve d'une sensibilité féministe en acceptant de conclure un contrat avec une auteure enceinte de sept mois sans douter que le livre serait publié un jour. J'ai effectivement mené le projet à terme, mais non sans retard, et je leur serai toujours reconnaissante de leur patience et de leur foi inébranlable en ce projet. Bob, tu as dirigé l'équipe éditoriale avec brio, et tu as su améliorer constamment le manuscrit. Merci.

J'ai aussi le bonheur de pouvoir compter sur Amanda Urban, mon agente, de même que sur ses extraordinaires collègues, Karolina Sutton et Helen Manders. Elles savent dénicher les parfaits collaborateurs dans le domaine de l'édition à travers le monde, et restent des amies et combattantes loyales lorsque les choses se corsent. Les filles, je vous adore.

En plus d'organiser ma vie, Jackie Joiner dirige Klein Lewis Productions, notre petite équipe qui produit des livres et des documentaires. Seule Jackie a la capacité de jongler avec autant de responsabilités de manière à pouvoir m'accorder suffisamment de temps pour écrire et pour profiter de ma récente maternité. À l'approche du lancement, c'est Jackie qui nous a empêchés de sombrer. Jackie, tu fais partie de la famille ; Avi et moi serions perdus sans toi.

Debra Levy, qui a longtemps travaillé avec moi comme assistante de recherche, a malheureusement dû abandonner le projet en 2012. Avant son départ, elle a toutefois été d'une aide fondamentale, en particulier pour les sections traitant de géo-ingénierie, des milliardaires qui prétendent vouloir sauver la planète et de la dette climatique. Elle a également contribué à la formation de Rajiv et d'Alexandra. Elle a été l'une des meilleures collaboratrices de ma carrière, et elle me manque beaucoup.

Dans les mois précédant la date butoir, Alleen Brown et Lauren Sutherland se sont surpassées en donnant un solide coup de main pour la validation des faits malgré des échéances extrêmement serrées. Lauren a également accompli un formidable travail de recherche pour le chapitre traitant des milliardaires. Dave Oswald Mitchell a documenté de manière judicieuse et fouillée la logique de la croissance effrénée, comme l'a fait Mara Kardas-Nelson pour les mouvements de citoyens visant à se réapproprier le contrôle de leur réseau d'électricité en Allemagne et à Boulder.

Rajiv et moi-même éprouvons beaucoup de gratitude envers les scientifiques très occupés qui ont accepté de lire les sections du livre traitant des répercussions du dérèglement climatique et des prévisions en la matière. Ce comité de lecture aura finalement rassemblé de nombreux experts scientifiques de renom, comprenant Kevin Anderson (du Tyndall Centre for Climate Change Research), Alice Bows-Larkin (également du Tyndall Centre), James Hansen (de l'université Columbia), Peter Gleick (du Pacific Institute) et Sivan Kartha (de l'Environment Institute de Stockholm), qui ont tous examiné attentivement de larges sections du livre pour en vérifier l'exactitude. Michael E. Mann (de l'université d'État de Pennsylvanie) a également passé au peigne fin les projections comprises dans l'introduction se rapportant à un accroissement de la température mondiale de 4 °C, en plus de ses commentaires pertinents. Pour la non-scientifique que je suis, il a été essentiel de pouvoir compter sur cette équipe d'experts pour vérifier l'exactitude des informations transmises. Toutes les conclusions de nature politique qui découlent de ces faits scientifiques sont miennes et ne reflètent en rien l'avis de ces généreux relecteurs.

Lorsque Bill McKibben m'a proposé en 2011 de siéger au conseil d'administration de 350.org, je n'avais aucune idée de l'aventure qui m'attendait. Qu'il s'agisse de campagnes contre l'oléoduc Keystone XL ou pour le désinvestissement du secteur des combustibles fossiles, ma collaboration avec la talentueuse équipe de 350.org (je pense notamment à sa directrice générale May Boeve, qui déborde d'imagination) m'a permis d'être aux premières loges du mouvement pour la justice climatique en plein essor dont il est question dans ce livre. Bill, tu es vraiment l'une des personnes les plus formidables au monde, un ami fidèle, et tu avais déjà écrit la majeure partie de tout ça il y a quelques années. J'aime prendre part à ce combat à tes côtés. Tous les points de vue exprimés ici sont les miens et n'engagent aucunement l'organisation 350.org.

Les autres spécialistes qui, en fonction de leurs domaines respectifs, ont accepté de réviser des sections de ce livre sont : Riley Dunlap, Aaron McCright, Robert Brulle, Steven Shrybman, Oscar Reyes, Larry Lohmann, Patrick Bond, Tadzio Mueller et Tom Kruse. Je souhaite exprimer à tous ma profonde reconnaissance.

Mes amis Kyo Maclear, Eve Ensler, Betsy Reed, Katherine Viner et Johann Hari ont tous lu des parties du livre et ont su lui faire profiter de leurs immenses talents d'auteurs et de relecteurs. En fait, Johann m'a prodigué des conseils de rédaction qui comptent parmi les plus efficaces que j'aie entendus, et je lui en suis à jamais redevable. Cette équipe officieuse de rédacteurs travaillant en coulisse m'a soutenue de maintes façons, qu'il s'agisse de trouver le titre parfait ou de discuter inlassablement des thèmes du livre.

Mes parents, Bonnie et Michael Klein, m'ont eux aussi prodigué de précieux commentaires. Mon père, qui a passé sa vie à effectuer des recherches sur les risques associés aux interventions obstétriques et à défendre la santé des femmes, a été pour moi un assistant ridiculement surqualifié au cours de mes recherches sur les dangers des traitements contre les problèmes de fertilité. J'aimerais aussi remercier tout particulièrement mon frère, Seth Klein, pour son minutieux travail de révision, de même que tous ses collègues du bureau britanno-colombien du Centre canadien de politiques alternatives pour leur travail d'avant-garde en matière de justice climatique.

Mon mari, Avi Lewis, est toujours le premier à me lire et mon principal collaborateur. Lors de ce projet, nous avons officialisé cette collaboration : alors que je rédigeais ce livre, Avi réalisait un documentaire sur le même sujet. Ce travail parallèle nous a souvent permis de faire des recherches et de voyager ensemble. Ce livre a été enrichi par le tournage du documentaire, et même si le générique de ce dernier soulignera de façon plus exhaustive le travail de toutes les personnes y ayant participé, les présents remerciements ne seraient pas complets si n'y figuraient pas quelques-uns des collaborateurs du film, qui nous ont offert un soutien incroyable dès les débuts du projet: Joslyn Barnes, Katie McKenna, Anadil Hossain, Mary Lampson, Shane Hofeldt, Mark Ellam, Daniel Hewett, Chris Miller, Nicolas Jolliet, Martin Lukacs, Michael Premo, Alex Kelly, Daphne Wysham, Jackie Soohen, de même qu'Ellen Dorsey, Tom Kruse, Cara Mertes et Amy Rao.

Certaines personnes que nous avons rencontrées ou avec qui nous avons travaillé sur le terrain ont façonné ce travail de différentes manières. Parmi celles-ci se trouvent notamment Theodoros Karyotis, Apostolis Fotiadis, Laura Gottesdiener, Crystal Lameman, Alexis Bonogofsky, Mike Scott, Nastaran Mohit et Sofía Gallisá Muriente, Wes Jackson, Phillip Whiteman Jr. et Lynette Two Bulls, David Hollander et Charles Kovach.

D'autres personnes ont fait preuve d'une générosité sans bornes en mettant leur expertise à contribution. Je pense à Soren Ambrose, Dan Apfel, Tom Athanasiou, Amy Bach, Diana Bronson, John Cavanagh, Stan Cox, Brendan DeMelle, Almuth Ernsting, Joss Garman, Justin Guay, Jamie Henn, Jess Housty, Steve Horn, Martin Khor, Kevin Koenig, F. Gerald Maples, Lidy Nacpil, Michael Oppenheimer, Sam Randalls, Mark Randazzo, Janet Redman, Alan Robock, Mark Schapiro, Scott Sinclair, Rachel Smolker, Ilana Solomon, Matthew Stilwell, Jesse Swanhuyser, Sean Sweeney, Jim Thomas, Kevin Trenberth, Aaron Viles, Ben West, Ivonne Yanez et Adam Zuckerman.

De nombreux établissements de recherche, organismes non gouvernementaux et médias ont eux aussi fourni un précieux appui au projet, et je tiens particulièrement à remercier la Climate Science Rapid Response Team, DeSmogBlog, le projet de recherche EJOLT (Environmental Justice Organisations, Liabilities and Trade), l'Institut Pembina, Greenpeace Canada, le Carbon Dioxide Information Analysis Center et Oil Change International. J'ai eu abondamment recours à *Grist* et à *Climate Progress* pour dépeindre l'actualité climatique, ainsi qu'aux analyses approfondies des formidables rédacteurs d'*Orion*. Nous serions tous perdus sans *Democracy Now!* et son indéfectible engagement à couvrir certains enjeux climatiques alors que nul autre ne le fait, et qui diffuse gratuitement les retranscriptions de chacune de ses entrevues.

De nombreux livres et rapports sont cités dans le corps du texte et les notes, mais j'aimerais tout particulièrement souligner la contribution des auteurs suivants: Mark Dowie pour *Losing Ground*, Christine MacDonald pour *Green Inc.*, Petra Bartosiewicz et Marissa Miley pour *The Too Polite Revolution,* de même que Herbert Docena pour ses écrits sur l'histoire du marché du carbone. Le travail d'Andreas Malm sur l'histoire du charbon m'a profondément influencée, tout comme les travaux de Clive Hamilton. Leanne Betasamosake Simpson m'a aidée à comprendre la logique sur laquelle est fondé l'extractivisme, alors que Renee Lertzman, Kari Marie Norgaard, Sally Weintrobe et Rosemary Randall m'ont fait voir le climatoscepticisme sous un nouveau jour.

L'économie politique de la crise du climat est un champ incroyablement dense, et il m'est impossible de citer ici tous les penseurs critiques qui ont jeté les bases sur lesquelles repose ce livre. Sans prétendre à l'exhaustivité, je voudrais mentionner quelques-unes des personnes qui n'ont pas encore été nommées ici et dont les travaux ont été particulièrement importants au cours de mon apprentissage : Joan Martínez Alier, Nnimmo Bassey, Robert D. Bullard, Erik M. Conway, Herman Daly, Joshua Farley, John Bellamy Foster, David Harvey, Richard Heinberg, Tim Jackson, Derrick Jensen, Van Jones, Michael T. Klare, Winona LaDuke, Edgardo Lander, Carolyn Merchant, George Monbiot, Naomi Oreskes, Christian Parenti, Ely Peredo, Andrew Ross, Juliet B. Schor, Joni Seager, Andrew Simms, Pablo Solon, James Gustave Speth, Sandra Steingraber et Peter Victor.

La publication d'un livre est le fruit d'un travail méticuleux et demande un souci du détail presque obsessionnel. Je suis très redevable envers ceux qui se sont penchés sur ces détails, notamment l'équipe exemplaire de Simon & Schuster, comprenant Johanna Li, Ruth Fecych, Fred Chase et Phil Metcalf. Chez Knopf/Random House Canada, Amanda Lewis a effectué un travail de révision très efficace et a su fournir d'éclairants commentaires. Toujours à Random House Canada, Scott Richardson s'est occupé de la conception graphique de la couverture, et nul autre que lui n'aurait pu me convaincre de retirer mon nom de la couverture d'un de mes livres. Je remercie à l'avance les trois talentueux et dévoués publicitaires responsables du lancement du livre ailleurs dans le monde : Julia Prosser de Simon & Schuster, Shona Cook de Random House of Canada et Annabel Huxley de Penguin Books (Royaume-Uni). Merci également aux avocats qui ont scrupuleusement examiné ce texte : Brian MacLead Rogers, Elisa Rivlin et David Hirst.

D'autres chercheurs et des stagiaires à *The Nation* ont collaboré de manière intermittente au projet au cours des cinq années nécessaires à sa réalisation. Merci donc à Jake Johnston, Dawn

Paley, Michelle Chen, Kyla Neilan, Natasja Sheriff, Sarah Woolf, Eric Wuestewald, Lisa BoscovEllen, Saif Rahman, Diana Ruiz, Simon Davis-Cohen, Owen Davis et Ryan Devereaux. Toutes ces personnes ont effectué un travail excellent. Alonzo Ríos Mira et de nombreux autres ont été d'une aide inestimable lors de la transcription des entrevues.

Mon travail d'auteure est toujours soutenu par The Nation Institute, où je suis auteure lauréate d'une bourse de la Puffin Foundation. Cet institut a généreusement offert à Rajiv un espace de travail pour la durée du projet, tout comme l'a fait le magazine *The Nation* pour Alexandra. Je remercie mes collègues qui gravitent autour de *The Nation*, dont mon éditrice, Betsy Reed, de même que Katrina van den Heuvel, Peter Rothberg, Richard Kim, Taya Kitman, Ruth Baldwin et Esther Kaplan. Un remerciement tout particulier au Wallace Global Fund, à la Lannan Foundation et à la NoVo Foundation, qui m'ont offert leur soutien au fil des ans.

Rajiv désire exprimer sa gratitude à Hannah Shaw ainsi qu'à ses parents, Durga Mallampalli et Joseph Sicora. Alexandra remercie ses parents, Robyn et Kenneth Shingler, Kent Tempus et Denise Sheedy-Tempus, ainsi que sa grand-mère Sandra Niswonger. Nous leur sommes tous reconnaissants pour leur compréhension et leur soutien au cours de ce long projet très exigeant.

J'ai souvent des discussions enrichissantes sur les sujets abordés dans le livre avec bon nombre de mes amis. Outre ceux qui ont déjà été nommés, j'aimerais remercier Justin Podur, Clayton Thomas-Muller, Katharine Viner, Arthur Manuel, Harsha Walia, Andréa Schmidt, Seumas Milne, Melina Laboucan-Massimo, Robert Jensen, Michael Hardt, John Jordan, Raj Patel, Brendan Martin, Emma Ruby-Sachs, Jane Sachs, Tantoo Cardinal et Jeremy Scahill. Gopal Dayaneni et toute l'équipe de Movement Generation sont pour moi une source intarissable d'apprentissage et d'inspiration. J'aimerais remercier de manière plus personnelle Misha Klein, Michele Landsberg, Stephen Lewis, Francis Coady, Nancy Friedland, David Wall, Sarah Polley, Kelly O'Brien, Cecilie Surasky et Carolyn Hunt, Sara Angel, Anthony Arnove, Brenda Coughlin, John Greyson, Stephen Andrews, Ann Biringer, Michael Sommers, Belinda Reyes et Ofelia Whiteley.

J'aimerais enfin témoigner ma gratitude la plus profonde à mon petit Toma pour son incroyable patience. Il apprendra bientôt que le monde est beaucoup plus vaste que notre quartier.

# Notes et références

Afin que la section des notes et références soit moins longue que le texte principal, les faits mentionnés dans ce livre ne font pas tous l'objet d'une note. Parmi ceux dont la source est citée, on trouve toutes les citations, les statistiques, les données et les faits relevant de la climatologie et de l'atténuation des émissions de gaz carbonique. Toutefois, ces sources ne sont souvent mentionnées qu'à la première occurrence du fait en question. Les sources des faits qui n'entrent pas dans ces catégories, mais qui pourraient prêter à controverse, sont également citées.

Les notes ne comprennent pas les sources de faits universellement reconnus (tels des événements d'actualité) dont on peut trouver confirmation à l'aide d'une simple recherche par mots clés. Il en va de même de la plupart des faits recueillis par l'auteure elle-même lors de ses reportages, à l'exception des propos cités.

Les paragraphes qui contiennent plusieurs faits et sources ne comptent qu'un seul appel de note à la fin du paragraphe plutôt qu'un appel de note par élément. Dans la note correspondante, les sources sont citées dans l'ordre où apparaissent les faits dans le paragraphe, sauf en cas d'indication contraire. Ce choix a été fait dans le but d'aérer le texte et d'obtenir une section de notes qui ne soit pas trop longue.

Les citations tirées d'interviews menées par l'auteure ou ses assistants de recherche (en général Rajiv Sicora ou Alexandra Tempus), ou du documentaire (réalisé par Avi Lewis) qui accompagne ce livre sont désignées par la mention «Entretien de l'auteure avec...».

Si une information mentionnée en note de bas de page comporte une source, cette dernière est incluse dans la note numérotée la plus proche, précédée de la mention [Note de bas de page].

Les adresses URL des articles de journaux consultables en ligne ne sont pas indiquées en raison de la nature changeante du web.

Lorsqu'une somme d'argent est indiquée en dollars, il s'agit de dollars américains.

## Avant-propos

1.  «Rebecca Tarbotton», Rainforest Action Network, http://ran.org/becky.

2.  Kim Stanley Robinson, «Earth: Under Repair Forever», *On Earth*, 3 décembre 2012.

3.  Mario Malina (dir.), «What We Know: The Reality, Risks and Response to Climate Change», American Association for the Advancement of Science Climate Science Panel, 2014, p. 15-16.

4.  «Sarah Palin Rolls Out at Rolling Thunder Motorcycle Ride», Fox News, 29 mai 2011.

5.  Martin Weil, «US Airways Plane Gets Stuck in "Soft Spot" on Pavement at Reagan National», *Washington Post*, 7 juillet 2012; «Why Is My Flight Cancelled?», http://imgur.com/Ir3wJ.

6.  Martin Weil, *op. cit.*

7.  Pour comprendre le déni ordinaire du dérèglement climatique dans une perspective sociologique ou psychologique, voir Kari Marie Norgaard, *Living in Denial: Climate*

*Change, Emotions, and Everyday Life*, Cambridge (MA), MIT Press, 2011 ; Rosemary Randall, « Loss and Climate Change: The Cost of Parallel Narratives », *Ecopsychology*, vol. 1, n° 3, 2009, p. 118-129 ; et les articles publiés dans Sally Weintrobe (dir.), *Engaging with Climate Change*, East Sussex, Routledge, 2013.

8. Angélica Navarro Llanos, « Climate Debt: The Basis of a Fair and Effective Solution to Climat Change », présentation au Ad Hoc Working Group on Long-term Cooperative Action, Convention-cadre des Nations Unies sur les changements climatiques, Bonn, Allemagne, 4 juin 2009.

9. « British PM Warns of Worsening Floods Crisis », Agence France-Presse, 11 février 2014.

10. Naomi Klein, *La Stratégie du choc. La montée d'un capitalisme du désastre*, Montréal et Arles, Leméac et Actes Sud, 2008.

11. Weather Risk Management Association, « Exponential Growth in Weather Risk Management Contracts », communiqué de presse, juin 2006 ; Eric Reguly, « No Climate-Change Deniers to Be Found in the Reinsurance Business », *The Globe and Mail*, 28 novembre 2013.

12. « Investor CDP 2012 Information Request: Raytheon Company », Carbon Disclosure Project, 2012, www.cdp.net.

13. « Who Will Control the Green Economy? », ETC Group, 1ᵉʳ novembre 2011, p. 23 ; Chris Glorioso, « Sandy Funds Went to NJ Town with Little Storm Damage », NBC News, 2 février 2014.

14. « Get It Done: Urging Climate Justice, Youth Delegate Anjali Appadurai Mic-Checks UN Summit », *Democracy Now!*, 9 décembre 2011 ; « COP18 : le déséquilibre des forces », Agence Science-Presse, 6 décembre 2012.

15. Groupe d'experts intergouvernemental sur l'évolution du climat, *Seconde évaluation du GIEC : Changement de climat 1995*, Organisation météorologique mondiale et Programme des Nations Unies sur l'environnement, 1995.

16. Corinne Le Quéré (dir.), « Global Carbon Budget 2013 », *Earth System Science Data Discussions*, vol. 6, 2014, p. 253 ; « Greenhouse Gases Rise by Record Amount », Associated Press, 3 novembre 2011.

17. Sally Weintrobe, « The Difficult Problem of Anxiety in Thinking About Climate Change », dans Sally Weintrobe (dir.), *op. cit.*, p. 43.

18. Les ouvrages suivants offrent un regard critique sur l'histoire et la dimension politique de l'« objectif des 2 °C » : voir Joni Seager, « Death By Degrees: Taking a Feminist Hard Look at the 2 Degrees Climate Policy », *Kvinder, Køn og Foraksning* (Danemark), vol. 18, 2009, p. 11-22 ; Christopher Shaw, « Choosing a Dangerous Limit for Climate Change: An Investigation into How the Decision Making Process Is Constructed in Public Discourses », thèse de doctorat, University of Sussex, 2011, www.notargets.org.uk ; Christopher Shaw, « Choosing a Dangerous Limit for Climate Change: Public Representations of the Decision Making Process », *Global Environmental Change*, vol. 23, 2013, p. 563-571. Convention-cadre des Nations Unies sur les changements climatiques, *Accord de Copenhague*, 18 décembre 2009, p. 5, http://unfccc.int/resource/docs/2009/cop15/fre/11a01f.pdf ; « CJN CMP Agenda Item 5 Intervention », discours de la militante Sylvia Wachira à la conférence de Copenhague sur le climat, *Climate Justice Now!*, 10 décembre 2009, www.climate-justice-now.org ; J.E. Box (dir.), « Greenland Ice Sheet », Arctic Report Card 2012, National Oceanic and Atmospheric Administration, 14 janvier 2013 ; Barbel Honisch (dir.), « The Geological Record of Ocean Acidification », *Science*, vol. 335, 2012, p. 1058-1063 ; Adrienne J. Sutton (dir.), « Natural Variability and Anthropogenic Change in Equatorial Pacific Surface Ocean $pCO_2$ and pH », *Global Biogeochemical Cycles*, vol. 28, 2014, p. 131-145 ; James Hansen (dir.), « Assessing "Dangerous Climate Change": Required Reduction of Carbon Emissions to Protect Young People, Future Generations and Nature », *PLOS ONE*, vol. 8, 2013, p. e81648.

19. Banque mondiale, « Climate Change Report Warns of Drastically Warmer World This Century », communiqué de presse, 18 novembre 2012.

20. *Ibid.* Hans Joachim Schellnhuber (dir.), «Turn Down the Heat: Why a 4 °C Warmer World Must Be Avoided: A Report for the World Bank by the Potsdam Institute for Climate Impact Research and Climate Analytics», novembre 2012, p. xviii; Kevin Anderson, «Climate Change Going Beyond Dangerous: Brutal Numbers and Tenuous Hope», *Development Dialogue*, n° 61, septembre 2012, p. 29.

21. Pour une synthèse des recherches scientifiques sur les conséquences probables d'un réchauffement de 4 °C de la température, voir Hans Joachim Schellnhuber (dir.), *op. cit.*, et le numéro spécial thématique intitulé «Four Degrees and Beyond: The Potential for a Global Temperature Increase of Four Degrees and Its Implications», compilé et revu par Mark G. New (dir.), *Philosophical Transactions of The Royal Society A*, vol. 369, 2011, p. 1-241. Pour des projections sur la hausse moyenne du niveau de la mer, voir Hans Joachim Schellnhuber (dir.), *op. cit.*, p. 29; Anders Levermann (dir.), «The Multimillennial Sea-Level Commitment of Global Warming», *Proceedings of the National Academy of Sciences*, vol. 110, 2013, p. 13748. Voir aussi Benjamin P. Horton (dir.), «Expert Assessment of Sea-Level Rise by AD 2100 and AD 2300», *Quaternary Science Reviews*, vol. 84, 2014, p. 1-6. À propos de la vulnérabilité des petits États insulaires et des zones côtières d'Amérique latine, d'Asie du Sud et d'Asie du Sud-Est à la hausse du niveau de la mer selon les divers scénarios d'émissions (des plus sombres aux plus optimistes), voir les 4e et 5e rapports d'évaluation du GIEC, qu'on peut consulter sur le site www.ipcc.ch. Voir les chapitres 10, 13 et 16 de M.L. Perry (dir.), *Climate Change 2007: Impacts, Adaptation and Vulnerability, Contribution of Working Group II to the Fourth Assessment Report of the Intergovernmental Panel on Climate Change*, Cambridge, Cambridge University Press, 2007; et les chapitres 24, 27 et 29 de V.R. Barros (dir.), *Climate Change 2014: Impacts, Adaptation, and Vulnerability, Part B: Regional Aspects, Contribution of Working Group II to the Fifth Assessment Report of the Intergovernmental Panel on Climate Change*, Cambridge, Cambridge University Press, 2014. À propos de la Californie et du nord-est des États-Unis, voir Matthew Heberger (dir.), «Potential Impacts of Increased Coastal Flooding in California Due to Sea-Level Rise», *Climatic Change*, vol. 109, supplément au n° 1, 2011, p. 229-249; et Asbury H. Sallenger Jr., Kara S. Doran et Peter A. Howd, «Hotspot of Accelerated Sea-Level Rise on the Atlantic Coast of North America», *Nature Climate Change*, vol. 2, 2012, p. 884-888. Pour une analyse récente de la situation des grandes villes les plus menacées par la hausse du niveau de la mer, voir Stephane Hallegatte (dir.), «Future Flood Losses in Major Coastal Cities», *Nature Climate Change*, vol. 3, 2013, p. 802-806.

22. Pour une vue d'ensemble de la répartition régionale d'une augmentation moyenne des températures de 4 °C ou plus, voir M.G. Sanderson, D.L. Hemming et R.A. Betts, «Regional Temperature and Precipitation Changes Under High-end (≥ 4 °C) Global Warming», *Philosophical Transactions of the Royal Society A*, vol. 369, 2011, p. 85-98. Voir aussi Committee on Stabilization Targets for Atmospheric Greenhouse Gas Concentrations, National Research Council, «Climate Stabilization Targets: Emissions, Concentrations, and Impacts over Decades to Millennia», National Academy of Sciences, 2011, p. 31. Jean-Marie Robine, «Death Toll Exceeded 70,000 in Europe During the Summer of 2003», *Comptes Rendus Biologies*, vol. 331, 2008, p. 171-178; Committee on Stabilization Targets for Atmospheric Greenhouse Gas Concentrations, National Research Council, *op. cit.*, p. 160-163.

23. Committee on Stabilization Targets for Atmospheric Greenhouse Gas Concentrations, National Research Council, *op. cit.*, p. 132-136; Andrew D. Friend (dir.), «Carbon Residence Time Dominates Uncertainty in Terrestrial Vegetation Responses to Future Climate and Atmospheric $CO_2$», *Proceedings of the National Academy of Sciences*, vol. 111, 2014, p. 3280; University of Cambridge, «4 Degree Temperature Rise Will End Vegetation "Carbon Sink"», communiqué de presse, 17 décembre 2013; Eric Rignot (dir.), «Widespread, Rapid Grounding Line Retreat of Pine Island, Thwaites, Smith, and Kohler Glaciers, West Antarctica, from 1992 to 2011», *Geophysical Research Letters*, vol. 41, 2014, p. 3502-3509; Jet Propulsion Laboratory, NASA, «West Antarctic Glacier Loss Appears Unstoppable», communiqué de presse, 12 mai 2014; «La fonte

des glaciers de l'Antarctique a atteint un "point de non-retour"», Agence France-Presse, 13 mai 2014; Eric Rignot, «Global Warming: It's a Point of No Return in West Antarctica. What Happens Next?», *The Observer*, 17 mai 2014.

24. Agence internationale de l'énergie, «World Energy Outlook 2011», 2011, p. 40; «World Energy Outlook 2011» (vidéo), Carnegie Endowment for International Peace, 28 novembre 2011; Timothy M. Lenton (dir.), «Tipping Elements in the Earth's Climate System», *Proceedings of the National Academy of Sciences*, vol. 105, 2008, p. 1788; «Too Late for Two Degrees?», Low Carbon Economy Index 2012, PriceWaterhouse-Coopers, novembre 2012, p. 1.

25. Lonnie G. Thompson, «Climate Change: The Evidence and Our Options», *The Behavior Analyst*, vol. 33, 2010, p. 153.

26. Les termes employés aux États-Unis, au Royaume-Uni et au Canada pour désigner les «jardins de la victoire» et les obligations de guerre ont varié d'un pays et d'une guerre mondiale à l'autre; parmi ceux-ci, mentionnons les «potagers pour la défense» et les «obligations de la Victoire». Ina Zweiniger-Bargielowska, *Austerity in Britain: Rationing, Controls, and Consumption, 1939-1955*, Oxford, Oxford University Press, 2000, p. 54-55; Amy Bentley, *Eating for Victory: Food Rationing and the Politics of Domesticity*, Chicago, University of Illinois Press, 1998, p. 114; Franklin D. Roosevelt, «Statement Encouraging Victory Gardens», 1er avril 1944, The American Presidency Project, www.presidency.ucsb.edu.

27. Pablo Solón, «Climate Change: We Need to Guarantee the Right to Not Migrate», Focus on the Global South, http://focusweb.org.

28. Glen P. Peters (dir.), «Rapid Growth in $CO_2$ Emissions After the 2008-2009 Global Financial Crisis», *Nature Climate Change*, vol. 2, 2012, p. 2.

29. Spencer Weart, *The Discovery of Global Warming*, Cambridge (MA), Harvard University Press, 2008, p. 149.

30. Corinne Le Quéré (dir.), «Trends in the Sources and Sinks of Carbon Dioxide», *Nature Geoscience*, vol. 2, 2009, p. 831, cité dans Andreas Malm, «China as Chimney of the World: The Fossil Capital Hypothesis», *Organization & Environment*, vol. 25, 2012, p. 146; Glen P. Peters (dir.), «Rapid Growth in $CO_2$ Emissions After the 2008-2009 Global Financial Crisis», *Nature Climate Change*, vol. 2, 2012, p. 2.

31. Kevin Anderson et Alice Bows, «Beyond "Dangerous" Climate Change: Emission Scenarios for a New World», *Philosophical Transactions of the Royal Society A*, vol. 369, 2011, p. 35; Kevin Anderson, «EU 2030 Decarbonisation Targets and UK Carbon Budgets: Why So Little Science?», KevinAnderson.info, 14 juin 2013.

32. Gro Harlem Brundtland (dir.), «Environment and Development Challenges: The Imperative to Act», texte collectif de lauréats du Blue Planet Prize, The Asahi Glass Foundation, 20 février 2012, p. 7.

33. Agence internationale de l'énergie, *op. cit.*, p. 40; James Herron, «Energy Agency Warns Governments to Take Action Against Global Warming», *The Wall Street Journal*, 10 novembre 2011.

34. Entretien de l'auteure avec Henry Red Cloud, 22 juin 2011.

35. Gary Stix, «Effective World Government Will Be Needed to Stave Off Climate Catastrophe», *Scientific American*, 17 mars 2012.

36. Daniel Cusick, «Rapid Climate Changes Turn North Woods into Moose Graveyard», *Scientific American*, 18 mai 2012; Jim Robbins, «Moose Die-Off Alarms Scientists», *The New York Times*, 14 octobre 2013.

37. Josh Bavas, «About 100,000 Bats Dead After Heatwave in Southern Queensland», ABC News (Australie), 8 janvier 2014.

38. Darryl Fears, «Sea Stars Are Wasting Away in Larger Numbers on a Wider Scale in Two Oceans», *Washington Post*, 22 novembre 2013; Amanda Stupi, «What We Know—And Don't Know—About the Sea Star Die-Off», KQED, 7 mars 2014.

## Chapitre 1

1. William Stanley Jevons, *The Coal Question: An Inquiry Concerning the Progress of the Nation, and the Probable Exhaustion of Our Coal-Mines*, Londres, Cambridge, 1865, p. viii.

2. Victor Hugo, « Manuscrit 13 423 : Ceci et cela », dans *Œuvres complètes. Océan*, Paris, Robert Laffont, 1989, p. 225.

3. Mario Malina (dir.), « What We Know: The Reality, Risks and Response to Climate Change », American Association for the Advancement of Science, Climate Science Panel, 2014, p. 3.

4. Thomas J. Donohue, « Managing a Changing Climate: Challenges and Opportunities for the Buckeye State, Remarks », discours, Columbus (OH), 1er mai 2008.

5. « Session 4: Public Policy Realities » (vidéo), 6th International Conference on Climate Change, The Heartland Institute, 30 juin 2011.

6. *Ibid.*

7. « Va. Taxpayers Request Records from University of Virginia on Climate Scientist Michael Mann », American Tradition Institute, 6 janvier 2011 ; Christopher Horner, « ATI Environmental Law Center Appeals NASA Denial of Request for Dr. James Hansen's Ethics Disclosures », communiqué de presse, 16 mars 2011 ; « Session 4: Public Policy Realities » (vidéo), *op. cit.*

8. Obama for America, « Barack Obama's Plan to Make America a Global Energy Leader », octobre 2007 ; entretien de l'auteure avec Patrick Michaels, 1er juillet 2011 ; « Session 5: Sharpening the Scientific Debate » (vidéo), 6th International Conference on Climate Change, The Heartland Institute ; entretien de l'auteure avec Marc Morano, 1er juillet 2011.

9. Larry Bell, *Climate of Corruption: Politics and Power Behind the Global Warming Hoax*, Austin, Greenleaf, 2011, p. xi.

10. Peter Doran et Maggie Zimmerman, « Examining the Scientific Consensus on Climate Change », *Eos*, vol. 90, 2009, p. 22-23 ; William R.L. Anderegg (dir.), « Expert Credibility in Climate Change », *Proceedings of the National Academy of Sciences*, vol. 107, 2010, p. 12107-12109.

11. Discours d'ouverture (vidéo), 6th International Conference on Climate Change, The Heartland Institute, 1er juillet 2011 ; Bob Carter, « There IS a Problem with Global Warming... It Stopped in 1998 », *The Telegraph*, 9 avril 2006 ; Willie Soon et David R. Legates, « Avoiding Carbon Myopia: Three Considerations for Policy Makers Concerning Manmade Carbon Dioxide », *Ecology Law Currents*, vol. 37, 2010, p. 3 ; Willie Soon, *It's the Sun, Stupid!*, The Heartland Institute, 1er mars 2009 ; discours d'ouverture (vidéo), 6th International Conference on Climate Change, The Heartland Institute, 30 juin 2011.

12. Entretien de l'auteure avec Joseph Bast, 30 juin 2011.

13. Dans les années qui ont suivi la conférence, la couverture médiatique a regagné en importance, passant à 39 reportages en 2012 et à 30 en 2013. Douglas Fischer, « Climate Coverage Down Again in 2011 », *The Daily Climate*, 3 janvier 2012 ; Douglas Fischer, « Climate Coverage Soars in 2013, Spurred by Energy, Weather », *The Daily Climate*, 2 janvier 2014.

14. Joseph Bast, « Why Won't Al Gore Debate? », communiqué de presse, The Heartland Institute, 27 juin 2007 ; Will Lester, « Vietnam Veterans to Air Anti-Kerry Ads in W. Va. », Associated Press, 4 août 2004 ; Leslie Kaufman, « Dissenter on Warming Expands His Campaign », *The New York Times*, 9 avril 2009 ; John H. Richardson, « This Man Wants to Convince You Global Warming Is a Hoax », *Esquire*, 30 mars 2010 ; « Session 4: Public Policy Realities » (vidéo), *op. cit.*

15. Harris Interactive, « Big Drop in Those Who Believe That Global Warming Is Coming », communiqué de presse, 2 décembre 2009 ; Harris Interactive, « Most Americans Think

Devastating Natural Disasters Are Increasing», communiqué de presse, 7 juillet 2011 ; entretien de l'auteure avec Scott Keeter, 12 septembre 2011.

16. Lydia Saad, «A Steady 57% in U.S. Blame Humans for Global Warming», Gallup Politics, 18 mars 2014 ; «October 2013 Political Survey: Final Topline», Pew Research Center for the People & the Press, du 9 au 13 octobre 2013, p. 1 ; échange de l'auteure par courriel avec Riley Dunlap, 29 mars 2014.

17. Aaron McCright et Riley Dunlap, «The Politicization of Climate Change and Polarization in the American Public's Views of Global Warming 2001-2010», The Sociological Quarterly, vol. 52, 2011, p. 188 et 193 ; Lydia Saad, op. cit. ; Anthony Leiserowitz (dir.), «Politics and Global Warming: Democrats, Republicans, Independents, and the Tea Party», Yale Project on Climate Change Communication et George Mason University Center for Climate Change Communication, 2011, p. 3-4 ; Lawrence C. Hamilton, «Climate Change: Partisanship, Understanding, and Public Opinion», Carsey Institute, printemps 2011, p. 4 ; Focus Canada 2013. Opinion publique canadienne sur les changements climatiques, Fondation David Suzuki et The Environics Institute, 18 novembre 2013 ; Bruce Tranter, «Political Divisions over Climate Change and Environmental Issues in Australia», Environmental Politics, vol. 20, 2011, p. 78-96 ; Ben Clements, «Exploring Public Opinion on the Issue of Climate Change in Britain», British Politics, vol. 7, 2012, p. 183-202 ; Aaron McCright, Riley Dunlap et Sandra T. Marquart-Pyatt, «Climate Change and Political Ideology in the European Union», Michigan State University, document de travail, 2014.

18. Pour une synthèse accessible des études sur le déni de la science par la droite, voir Chris Mooney, The Republican Brain: The Science of Why They Deny Science—and Reality, Hoboken (NJ), John Wiley & Sons, 2012 ; Dan M. Kahan (dir.), «The Second National Risk and Culture Study: Making Sense of—and Making Progress in—the American Culture War of Fact», The Cultural Cognition Project at Yale Law School, 27 septembre 2007, p. 4.

19. Dan M. Kahan, «Cultural Cognition as a Conception of the Cultural Theory of Risk», dans Sabine Roeser (dir.), Handbook of Risk Theory: Epistemology, Decision Theory, Ethics, and Social Implications of Risk, Londres, Springer, 2012, p. 731.

20. Dan M. Kahan (dir.), «The Second National Risk and Culture Study», op. cit., p. 4.

21. Dan M. Kahan, «Fixing the Communications Failure», Nature, vol. 463, 2010, p. 296 ; Dan M. Kahan (dir.), «Book Review—Fear of Democracy: A Cultural Evaluation of Sunstein on Risk», Harvard Law Review, vol. 119, 2006, p. 1083.

22. Dan M. Kahan, «Fixing the Communications Failure», op. cit., 296.

23. Rebecca Rifkin, «Climate Change Not a Top Worry in U.S.», Gallup, 12 mars 2014 ; «Deficit Reduction Declines as Policy Priority», Pew Research Center for the People & the Press, 27 janvier 2014 ; «Thirteen Years of the Public's Top Priorities», Pew Research Center for the People & the Press, 27 janvier 2014.

24. Heather Gass, «EBTP at the One Bay Area Agenda 21 Meeting», East Bay Tea Party, 7 mai 2011, www.theeastbayteaparty.com.

25. Pour en savoir plus sur le rôle du mouvement conservateur dans le déni de l'existence des changements climatiques, voir Riley Dunlap et Aaron McCright, «Organized Climate Change Denial», dans John S. Dryzek, Richard B. Norgaard et David Schlosberg (dir.), The Oxford Handbook of Climate Change and Society, Oxford, Oxford University Press, 2011, p. 144-160 ; et Aaron McCright et Riley Dunlap, «Anti-Reflexivity: The American Conservative Movement's Success in Undermining Climate Science and Policy», Theory, Culture, and Society, vol. 27, 2010, p. 100-133. Riley Dunlap et Peter J. Jacques, «Climate Change Denial Books and Conservative Think Tanks: Exploring the Connection», American Behavioral Scientist, vol. 57, 2013, p. 705-706.

26. Entretien de l'auteure avec Joseph Bast, 30 juin 2011.

27. Robert Manne, «How Can Climate Change Denialism Be Explained?», The Monthly, 8 décembre 2011.

28. «Al Gore Increases His Carbon Footprint, Buys House in Ritzy Santa Barbara Neighborhood», Science and Public Policy Institute, 10 juillet 2010; William Lajeunesse, «NASA Scientist Accused of Using Celeb Status Among Environmental Groups to Enrich Himself», Fox News, 22 juin 2011; Christopher Horner, «A Brief Summary of James E. Hansen's NASA Ethics File», American Tradition Institute, 18 novembre 2011, www.atinstitute.org; David Adam, «"Climategate" Review Clears Scientists of Dishonesty over Data», The Guardian, 7 juillet 2010; James Delingpole, «Climategate: The Final Nail in the Coffin of "Anthropogenic Global Warming"?», The Telegraph, 20 novembre 2009; James Delingpole, «Climategate: FOIA—The Man Who Saved the World», The Telegraph, 13 mars 2013; Wendy Koch, «Climate Wars Heat Up with Pulled Unabomber Billboards», USA Today, 7 mai 2012.

29. Entretien de l'auteure avec James Delingpole, 1er juillet 2011; entretien de l'auteure avec Joseph Bast, 30 juin 2011.

30. Entretien de l'auteure avec Joseph Bast, 1er juillet 2011.

31. «The Rt Hon. Lord Lawson of Blaby», Celebrity Speakers, www.speakers.co.uk; Nigel Lawson, The View from no. 11: Britain's Longest-Serving Cabinet Member Recalls the Triumphs and Disappointments of the Thatcher Era, New York, Doubleday, 1993, p. 152-162; Tim Rayment et David Smith, «Should High Earners Pay Less Tax», The Times (Londres), 11 septembre 2011; Nigel Lawson, Un appel à la raison. Gardons notre sang-froid face au réchauffement climatique, Paris, K&B éditeurs, 2008, p. 117.

32. Naomi Oreskes et Erik M. Conway, Les Marchands de doute, Paris, Le Pommier, 2012; Václav Klaus, «The Climate Change Doctrine Is Part of Environmentalism, Not of Science», Global Warming Policy Foundation, Inaugural Annual Lecture, 19 octobre 2010, www.thegwpf.org.

33. Robert J. Brulle, «Institutionalizing Delay: Foundation Funding and the Creation of U.S. Climate Change Counter-Movement Organizations», Climatic Change, vol. 122, 2014, p. 681.

34. En plus de se demander si la notion de «vision du monde» est bel et bien indépendante de toute idéologie politique et possède une réelle valeur explicative, des sociologues ont critiqué les thèses de la «cognition culturelle» en montrant qu'elles négligent les motivations structurelles du mouvement climatosceptique. Parmi les principales recherches sur les facteurs sociaux, politiques et économiques qui influent sur le mouvement, mentionnons Riley Dunlap et Aaron McCright, «Organized Climate Change Denial», op. cit.; et «Anti-Reflexivity», op. cit. À propos du financement du Heartland Institute: selon la campagne ExxonSecrets de Greenpeace USA, l'organisme «a touché 675 000 dollars d'ExxonMobil depuis 1998»; le Heartland Institute admet pour sa part avoir reçu 100 000 dollars de la Sarah Scaife Foundation en 1992 et en 1993, et 50 000 dollars de la Charles G. Koch Charitable Foundation en 1994; selon la base de données Conservative Transparency, gérée par l'American Bridge 21st Century Foundation, le Heartland Institute a obtenu des sommes supplémentaires de 42 578 dollars de la Charles G. Koch Charitable Foundation entre 1986 et 1989 et en 2011, de 225 000 dollars de la Sarah Scaife Foundation entre 1988 et 1991 et en 1995, de 40 000 dollars de la Claude R. Lambe Charitable Foundation (liée à la famille Koch) entre 1992 et 1999, et de 10 000 dollars de la Carthage Foundation (une filiale de Scaife) en 1986. Voir Greenpeace USA, «Factsheet: Heartland Institute», www.exxonsecrets.org; Joseph L. Bast, «A Heartland Letter to People for the American Way», The Heartland Institute, 20 août 1996; Conservative Transparency, Bridge Project, «Heartland Institute», American Bridge 21st Century Foundation, http://conservativetransparency.org; The Heartland Institute, «Reply to Our Critics»; The Heartland Institute, «2012 Fundraising Plan», 15 janvier 2012, p. 20-21.

35. «Money Troubles: How to Kick-Start the Economy», Fareed Zakaria GPS, CNN, 15 août 2010; Greenpeace USA, «Factsheet: Cato Institute», www.exxonsecrets.org; Greenpeace USA, «Koch Industries Climate Denial Front Group: Cato Institute», www.greenpeace.org; Greenpeace USA, «Case Study: Dr. Willie Soon, a Career Fueled by Big Oil and Coal», 28 juin 2011, www.greenpeace.org.

36. Greenpeace USA, « Factsheet: Committee for a Constructive Tomorrow », www.exxon secrets.org ; Suzanne Goldenberg, « Secret Funding Helped Build Vast Network of Climate Denial Thinktanks », *The Guardian*, 14 février 2013.

37. Lawrence C. Hamilton, « Climate Change: Partisanship, Understanding, and Public Opinion », Carsey Institute, printemps 2011, p. 4 ; « Vast Majority Agree Climate Is Changing », Forum Research, 24 juillet 2013, p. 1, www.forumresearch.com.

38. Peter Doran et Maggie Zimmerman, *op. cit.*, p. 23 ; Upton Sinclair, *I, Candidate for Governor: And How I Got Licked*, Berkeley, University of California Press, 1994, p. 109.

39. Échange de l'auteure par courriel avec Aaron McCright, 30 septembre 2011 ; Aaron McCright et Riley Dunlap, « Cool Dudes: The Denial of Climate Change Among Conservative White Males in the United States », *Global Environmental Change*, vol. 21, 2011, p. 1167-1171.

40. « Session 5: Sharpening the Scientific Debate » (vidéo), *op. cit.* ; Chris Hooks, « State Climatologist: Drought Officially Worst on Record », *Texas Tribune*, 4 octobre 2011 ; discours d'ouverture (vidéo), 6$^{th}$ International Conference on Climate Change, The Heartland Institute, 1$^{er}$ juillet 2011 ; « France Heat Wave Death Toll Set at 14,802 », Associated Press, 25 septembre 2003 ; discours d'ouverture (vidéo), 6$^{th}$ International Conference on Climate Change, The Heartland Institute, 30 juin 2011.

41. « Corne de l'Afrique: la Banque mondiale porte son aide à 1,9 milliard », Agence France-Presse, 24 septembre 2011 ; Republicans on the House and Energy Commerce Committee, « Mankind Always Adapts to Climate, Rep. Barton Says », communiqué de presse, 25 mars 2009, http://republicans.energycommerce.house.gov.

42. « Turn Down the Heat: Why a 4 °C Warmer World Must Be Avoided », Potsdam Institute for Climate Impact Research and Climate Analytics, Banque mondiale, novembre 2012, p. ix ; entretien de l'auteure avec Patrick Michaels, 1$^{er}$ juillet 2011.

43. « Petition of the Chamber of Commerce of the United States of America for EPA to Conduct Its Endangerment Finding Proceeding on the Record Using Administrative Procedure Act §§ 556 and 557 », annexe 1, « Detailed Review of the Health and Welfare Science Evidence and IQA Petition for Correction », U.S. Chamber of Commerce, 2009, p. 4.

44. Christian Parenti, *Tropic of Chaos: Climate Change and the New Geography of Violence*, New York, Nation Books, 2011.

45. Bryan Walsh, « The Costs of Climate Change and Extreme Weather Are Passing the High-Water Mark », *Time*, 17 juillet 2013 ; Suzanne Goldenberg, « Starbucks Concerned World Coffee Supply Is Threatened by Climate Change », *The Guardian*, 13 octobre 2011 ; Emily Atkin, « Chipotle Warns It Might Stop Serving Guacamole If Climate Change Gets Worse », *Climate Progress*, 4 mars 2014 ; Robert Kopp (dir.), « American Climate Prospectus: Economic Risks in the United States », Rhodium Group for Risky Business Project, juin 2014.

46. « Insurer Climate Risk Disclosure Survey », *Ceres*, mars 2013, p. 53 ; Eduardo Porter, « For Insurers, No Doubts on Climate Change », *The New York Times*, 14 mai 2013 ; The Heartland Institute, « 2012 Fundraising Plan », 15 janvier 2012, p. 24-25, http://heartland.org.

47. Joseph Bast, « About the Center on Finance, Insurance, and Real Estate at the Heartland Institute », The Heartland Institute, 5 juin 2012, http://heartland.org ; entretien de l'auteure avec Eli Lehrer, 20 août 2012.

48. Entretien de l'auteure avec Eli Lehrer, *op. cit.*

49. *Ibid.*

50. John R. Porter (dir.), « Food Security and Food Production Systems », dans C.B. Field (dir.), *Climate Change 2014: Impacts, Adaptation, and Vulnerability, Part A: Global and Sectoral Aspects, Contribution of Working Group II to the Fifth Assessment Report of the Intergovernmental Panel on Climate Change*, Cambridge, Cambridge University Press, 2014, p. 20-21 ; Joan Nymand Larsen (dir.), « Polar Regions », dans

V.R. Barros (dir.), *Climate Change 2014: Impacts, Adaptation, and Vulnerability, Part B: Regional Aspects, Contribution of Working Group II to the Fifth Assessment Report of the Intergovernmental Panel on Climate Change*, Cambridge, Cambridge University Press, 2014, p. 20; Julie Satow, « The Generator Is the Machine of the Moment », *The New York Times*, 11 janvier 2013.

51. William Alden, « Around Goldman's Headquarters, an Oasis of Electricity », *The New York Times*, 12 novembre 2012; « How FedEx Survived Hurricane Sandy », KLTV, 31 octobre 2012; Kimi Yoshino, « Another Way the Rich Are Different: "Concierge-Level" Fire Protection », *Los Angeles Times*, 26 octobre 2007; P. Solomon Banda, « Insurance Companies Send Crews to Protect Homes », Associated Press, 5 juillet 2012.

52. Jim Geraghty, « Climate Change Offers Us an Opportunity », *Philadelphia Inquirer*, 28 août 2011. [Note de bas de page] *House Bill No. 459*, Assemblée législative du Montana, 15 février 2011; Brad Johnson, « Wonk Room Interviews Montana Legislator Who Introduced Bill to Declare Global Warming "Natural" », *Climate Progress*, 17 février 2011.

53. [Note de bas de page] American Freedom Alliance, « Mission Statement », www.american freedomalliance.org; Chris Skates, *Going Green: For Some It Has Nothing to Do with the Environment*, Alachua (FL), Bridge-Logos, 2011.

54. Kurt M. Campbell, Jay Gulledge et J.R. McNeill (dir.), « The Age of Consequences: The Foreign Policy National Security Implications of Global Climate Change », Center for Strategic and International Studies et Center for a New American Security, novembre 2007, p. 85.

55. Lee Fang, « David Koch Now Taking Aim at Hurricane Sandy Victims », *The Nation*, 22 décembre 2012.

56. « 230,000 Join Mail Call to Use Some of the UK's £11billion Foreign Aid Budget to Tackle Floods Crisis », *Daily Mail*, 14 février 2014.

57. Joe Romm, « Krauthammer, Part 2: The Real Reason Conservatives Don't Believe in Climate Science », *Climate Progress*, 1er juin 2008.

58. Spencer Weart, *The Discovery of Global Warming*, Cambridge (MA), Harvard University Press, 2008, p. 149.

59. Global Carbon Project, données sur les émissions, « 2013 Budget v2.4 », juillet 2014, http://cdiac.ornl.gov.

60. *Ibid.*; interview avec Michael Mann, *The Big Picture with Thom Hartmann*, RT America, 24 mars 2014; Kevin Anderson, « Why Carbon Prices Can't Deliver the 2 °C Target », KevinAnderson.info, 13 août 2013.

61. Dan M. Kahan (dir.), « The Second National Risk and Culture Study », *op. cit.*, p. 5-6.

62. Robert Lifton et Richard Falk, *Indefensible Weapons: The Political and Psychological Case Against Nuclearism*, New York, Basic Books, 1982.

63. Dan M. Kahan (dir.), « The Tragedy of the Risk-Perception Commons: Culture Conflict, Rationality Conflict, and Climate Change », *Cultural Cognition Project Working Paper*, n° 89, 2011, p. 15-16, http://culturalcognition.net; Umair Irfan, « Report Finds "Motivated Avoidance" Plays a Role in Climate Change Politics », *ClimateWire*, 19 décembre 2011; Irina Feygina, John T. Jost et Rachel E. Goldsmith, « System Justification, the Denial of Global Warming, and the Possibility of "System-Sanctioned Change" », *Personality and Social Psychology Bulletin*, vol. 36, 2010, p. 336.

64. Ted Nordhaus et Michael Shellenberger, « The Long Death of Environmentalism », Breakthrough Institute, 25 février 2011; Michael Shellenberger et Ted Nordhaus, « Evolve », *Orion*, septembre-octobre 2011.

65. Scott Condon, « Expert: Win Climate Change Debate by Easing Off Science », *Glenwood Springs Post Independent*, 29 juillet 2010.

66. Des psychologues ont interprété le sondage effectué auprès d'étudiants de première année de l'université de Californie à Los Angeles: Jean M. Twenge, Elise C. Freeman et W. Keith Campbell, « Generational Differences in Young Adults' Life Goals,

Concern for Others, and Civic Orientation, 1966-2009», *Journal of Personality and Social Psychology*, vol. 102, 2012, p. 1045-1062. Pour un compte rendu des données des sondages de 1966 et de 2013, voir Alexander W. Astin, Robert J. Panos et John A. Creager, «National Norms for Entering College Freshmen—Fall 1966», Ace Research Reports, vol. 2, n° 1, 1967, p. 21; Kevin Eagan (dir.), «The American Freshman: National Norms Fall 2013», Cooperative Institutional Research Program at the Higher Education Research Institute, University of California, Los Angeles, 2013, p. 40. Ronald Butt, «Mrs Thatcher: The First Two Years», *Sunday Times* (Londres), 3 mai 1981.

67. John Immerwahr, «Waiting for a Signal: Public Attitudes Toward Global Warming, the Environment, and Geophysical Research», Public Agenda, American Geophysical Union, 15 avril 1999, p. 4-5.

68. Yuko Heath et Robert Gifford, «Free-Market Ideology and Environmental Degradation: The Case of Belief in Global Climate Change», *Environment and Behavior*, vol. 38, 2006, p. 48-71; Tim Kasser, «Values and Ecological Sustaiı.ɔility: Recent Research and Policy Possibilities», dans Stephen R. Kellert et James Gustave Speth (dir.), *The Coming Transformation: Values to Sustain Human and Natural Communities*, Yale School of Forestry & Environmental Studies, 2009, p. 180-204; Tom Crompton et Tim Kasser, *Meeting Environmental Challenges: The Role of Human Identity*, Surrey, WWF-UK, 2009, p. 10.

69. Milton Friedman et Rose D. Friedman, *Two Lucky People: Memoirs*, Chicago, University of Chicago Press, 1998, p. 594.

70. Rebecca Solnit, *A Paradise Built in Hell: The Extraordinary Communities That Arise in Disaster*, New York, Penguin Books, 2010.

### Chapitre 2

1. Ken Burns, *The Dust Bowl*, PBS, 2012.

2. Marlene Moses, «The Choice Is Ours», *Planet B*, édition spéciale Rio+20, juin 2012, p. 80.

3. *Chine – Mesures concernant l'équipement pour la production d'énergie éolienne*, Organisation mondiale du commerce, 6 janvier 2011, p. 1; *Union européenne et certains États membres – Certaines mesures affectant le secteur de la production d'énergie renouvelable. Demande de consultations présentée par la Chine*, Organisation mondiale du commerce, 7 novembre 2012, p. 1; République populaire de Chine, ministère du Commerce, «Announcement No. 26 of 2012 of the Ministry of Commerce of the People's Republic of China on the Preliminary Investigation Conclusion on the U.S. Policy Support and Subsidies for Its Renewable Energy Sector», 27 mai 2012, http://english.mofcom.gov.cn; *Inde – Certaines mesures relatives aux cellules solaires et aux modules solaires. Demande de consultations présentée par les États-Unis. Addendum*, Organisation mondiale du commerce, 10 février 2014, p. 1-2; Chandra Bhushan, «Who Is the One Not Playing by the Rules—India or the US?», Centre for Science and Environment, 8 février 2013; entretien de l'auteure avec Chandra Bhushan, directeur général adjoint, Centre for Science and Environment, 10 mai 2013; *Certaines prescriptions relatives à la teneur en éléments locaux dans certains programmes du secteur des énergies renouvelables. Questions de l'Inde aux États-Unis*, Organisation mondiale du commerce, 17 avril 2013, p. 1; *Subventions. Questions posées par l'Inde aux États-Unis au titre de l'article 25.8 de l'Accord sur les subventions et les mesures compensatoires – Prescriptions relatives à la teneur en éléments locaux figurant dans des programmes de subventions en faveur du secteur des énergies renouvelables au niveau des États*, Organisation mondiale du commerce, 18 avril 2013.

4. Entretien de l'auteure avec Paolo Maccario, 9 janvier 2014.

5. Gouvernement de l'Ontario, *Loi de 2009 sur l'énergie verte*, L.O. 2009, ch. 12.

6.  Jenny Yuen, «Gore Green with Envy», *Toronto Star*, 25 novembre 2009; Gouvernement de l'Ontario, ministère de l'Énergie, «La communauté internationale appuie la loi ontarienne sur l'énergie verte», communiqué de presse, 24 juin 2009.

7.  Ontario Power Authority, «Feed-in Tariff Program: FIT Rules Version 1.1», 30 septembre 2009, p. 14.

8.  Michael A. Levi, *The Canadian Oil Sands: Energy Security vs. Climate Change*, New York, Council on Foreign Relations, 2009, p. 12; Gary Rabbior, «Why the Canadian Dollar Has Been Bouncing Higher», *Globe and Mail*, 30 octobre 2009.

9.  Bureau du vérificateur général de l'Ontario, «Coûts d'annulation de la centrale de Mississauga. Rapport spécial», avril 2013, p. 8-9; Bureau du vérificateur général de l'Ontario, «Coûts d'annulation de la centrale d'Oakville. Rapport spécial», octobre 2013, p. 8-9; Dave Seglins, «Ont. Couple Seeks Injunction to Stop Wind-Farm Expansion», CBC News, 11 septembre 2012; Gouvernement de l'Ontario, ministère de l'Énergie, «L'Ontario apporte plus d'énergie solaire propre dans le réseau et crée des emplois», communiqué de presse, 31 juillet 2012; Gouvernement de l'Ontario, cabinet de la première ministre, «L'Ontario est le premier endroit en Amérique du Nord à mettre fin à la production d'énergie par la combustion du charbon», communiqué de presse, 21 novembre 2013; Gouvernement de l'Ontario, «Rapport d'étape 2014: emploi et économie», 1er mai 2014.

10.  BlueGreen Canada, «Wayne Wright, Silfab Solar» (vidéo), 2011.

11.  *Canada – Certaines mesures affectant le secteur de la production d'énergie renouvelable. Demande de consultation présentée par le Japon*, Organisation mondiale du commerce, 13 septembre 2010, p. 2-3.

12.  *Canada – Certaines mesures affectant le secteur de la production d'énergie renouvelable, op. cit.; Canada – Mesures relatives au programme de tarifs de rachat garantis. Rapports de l'Organe d'appel*, Organisation mondiale du commerce, 6 mai 2013; «Ontario to Change Green Energy Law After WTO Ruling», Presse canadienne, 29 mai 2013; Gouvernement de l'Ontario, ministère de l'Énergie, «L'Ontario baisse les coûts de l'énergie à venir», communiqué de presse, 11 décembre 2013.

13.  Elizabeth Bast (dir.), «Low Hanging Fruit: Fossil Fuel Subsidies, Climate Finance, and Sustainable Development», Oil Change International for the Heinrich Böll Stiftung North America, juin 2012, p. 16; Nicholas Stern, *The Economics of Climate Change: The Stern Review*, Cambridge, Cambridge University Press, 2007, p. xviii.

14.  Danish Energy Agency, «Facts About Wind Power: Facts and Numbers», www.ens. dk; Danish Energy Agency, «Renewables Now Cover More than 40% of Electricity Consumption», communiqué de presse, 24 septembre 2012; Greg Pahl, *The Citizen-Powered Energy Handbook: Community Solutions to a Global Crisis*, White River Junction (VT), Chelsea Green, 2007, p. 69; Shruti Shukla et Steve Sawyer (Global Wind Energy Council), *30 Years of Policies for Wind Energy: Lessons from 12 Wind Energy Markets*, Abu Dhabi (EAU), International Renewable Energy Agency, 2012, p. 55.

15.  Scott Sinclair, «Negotiating from Weakness», Centre canadien de politiques alternatives, avril 2010, p. 11.

16.  Aaron Cosbey, «Renewable Energy Subsidies and the WTO: The Wrong Law and the Wrong Venue», *Subsidy Watch*, vol. 44, 2011, p. 1.

17.  «Multi-Association Letter Regarding EU Fuel Quality Directive», Institute for 21st Century Energy, 20 mai 2013, www.energyxxi.org; «Froman Pledges to Preserve Jones Act, Criticizes EU Clean Fuel Directive», *Inside US Trade*, 20 septembre 2013; Conseil de l'Union européenne, «Non-paper on a Chapter on Energy and Raw Materials in TTIP», 27 mai 2014; Lydia DePillis, «A Leaked Document Shows Just How Much the EU Wants a Piece of America's Fracking Boom», *Washington Post*, 8 juillet 2014.

18.  Citation tirée d'une interview menée en 2005 par Victor Menotti, directeur général de l'International Forum on Globalization: Victor Menotti, «G8 "Climate Deal" Ducks Looming Clash with WTO», International Forum on Globalization, juillet 2007, www.ifg.org.

19. «Notice of Arbitration Under the Arbitration Rules of the United Nations Commission on International Trade Law and Chapter Eleven of the North American Free Trade Agreement», Lone Pine Resources, 6 septembre 2013.

20. GTM Research, «U.S. Solar Market Insight Report: 2013 Year-in-Review», résumé, Solar Energy Industries Association, p. 4; Chandra Bhushan, *op. cit.*; entretien de l'auteure avec Chandra Bhushan, *op. cit.*; entretien de l'auteure avec Paolo Maccario, *op. cit.*; «Climate Change, China, and the WTO» (vidéo), panel, Columbia Law School, 30 mars 2011.

21. Entretien de l'auteure avec Steven Shrybman, 4 octobre 2011.

22. L'océanographe Roger Revelle, qui dirigeait l'équipe ayant traité du $CO_2$ atmosphérique dans le rapport remis au président Johnson, avait qualifié les émissions de gaz carbonique d'«expérience de géophysique» dès 1957 dans un article qui a fait date: Roger Revelle et Hans E. Suess, «Carbon Dioxide Exchange Between Atmosphere and Ocean and the Question of an Increase of Atmospheric $CO_2$ during the Past Decades», *Tellus*, vol. 9, 1957, p. 19-20. Pour une histoire détaillée de la climatologie et des politiques climatiques, voir Spencer Weart, *The Discovery of Global Warming*, Cambridge (MA), Harvard University Press, 2008, p. 149; Joshua P. Howe, *Behind the Curve: Science and the Politics of Global Warming*, Seattle, University of Washington Press, 2014. Spencer Weart, *op. cit.*, p. 1-37; Roger Revelle (dir.), «Atmospheric Carbon Dioxide», dans *Restoring the Quality of Our Environment: Report of the Panel on Environmental Pollution*, President's Science Advisory Committee, Panel on Environmental Pollution, appendice Y4, p. 126-127.

23. «Statement of Dr. James Hansen, Director, NASA Goddard Institute for Space Studies», déclaration à la Commission de l'énergie et des ressources naturelles du Sénat des États-Unis, 23 juin 1988; Philip Shabecoff, «Global Warming Has Begun, Expert Tells Senate», *The New York Times*, 24 juin 1988; Spencer Weart, *op. cit.*, p. 150-151.

24. Thomas Sancton, «Planet of the Year: What on EARTH Are We Doing?», *Time*, 2 janvier 1989.

25. *Ibid.*

26. Ramaswamy Venkataraman, «Towards a Greener World», discours aux membres de WWF-India, New Delhi, 3 novembre 1989, dans *Selected Speeches, Volume I: juillet 1987-décembre 1989*, New Delhi, Gouvernement de l'Inde, 1991, p. 612.

27. Daniel Indiviglio, «How Americans' Love Affair with Debt Has Grown», *The Atlantic*, 26 septembre 2010.

28. Une propositon audacieuse préconise la limitation du commerce de tout bien produit à l'aide de combustibles fossiles: quand on aura amorcé la transition écologique et que les entreprises auront commencé à réduire leurs émissions de gaz carbonique, de telles mesures pourraient être mises en œuvre de façon graduelle. Tilman Santarius, «Climate and Trade: Why Climate Change Calls for Fundamental Reforms in World Trade Policies», forum d'ONG allemandes sur l'environnement et le développement, Heinrich Böll Stiftung, p. 21-23. *Convention-cadre des Nations Unies sur les changements climatiques*, article 3, principe 5, 1992, p. 6; Robyn Eckersley, «Understanding the Interplay Between the Climate and Trade Regimes», dans Programme des Nations Unies pour l'environnement, *Climate and Trade Policies in a Post-2012 World*, p. 17.

29. Martin Khor, «Disappointment and Hope as Rio Summit Ends», dans *Earth Summit Briefings*, Penang, Third World Network, 1992, p. 83.

30. Steven Shrybman, «Trade, Agriculture, and Climate Change: How Agricultural Trade Policies Fuel Climate Change», Institute for Agriculture and Trade Policy, novembre 2000, p. 1.

31. Sonja J. Vermeulen, Bruce M. Campbell et John S.I. Ingram, «Climate Change and Food Systems», *Annual Review of Environment*, vol. 37, 2012, p. 195; échange de l'auteure par courriel avec Steven Shrybman, 23 avril 2014.

32. « Secret Trans-Pacific Partnership Agreement (TPP)—Environment Consolidated Text », WikiLeaks, 15 janvier 2014, https://wikileaks.org ; « Summary of U.S. Counter-proposal to Consolidated Text of the Environment Chapter », communiqué de RedGE, 17 février 2014, www.redge.org.pe.

33. Ce trafic est le trafic portuaire conteneurisé, qu'on mesure en équivalents vingt pieds (EVP). De 1994 à 2013, à l'échelle mondiale, celui-ci serait passé de 128 320 326 EVP à 627 930 960 EVP, ce qui représente une augmentation de 389,4 % : Conférence des Nations Unies sur le commerce et le développement, « Review of Maritime Transport », années diverses. Pour les années 2012 et 2013, les projections du trafic portuaire reposent sur des estimations de la firme de consultants en transport Drewry : « Container Market Annual Review and Forecast 2013/14 », Drewry Shipping Consultants, octobre 2013. Convention-cadre des Nations Unies sur les changements climatiques, « Emissions from Fuel Used for International Aviation and Maritime Transport (International Bunker Fuels) », http://unfccc.int ; Øyvind Buhaug (dir.), *Second IMO GHG Study 2009*, Organisation maritime internationale, 2009, p. 1.

34. Agence européenne pour l'environnement, « European Union $CO_2$ Emissions: Different Accounting Perspectives », rapport technique n° 20/2013, 2013, p. 7-8.

35. Glen P. Peters (dir.), « Growth in Emission Transfers via International Trade from 1990 to 2008 », *Proceedings of the National Academy of Sciences*, vol. 108, 2011, p. 8903-8904.

36. Corinne Le Quéré (dir.), « Global Carbon Budget 2013 », *Earth System Science Data*, vol. 6, 2014, p. 252 ; « Trends in the Sources and Sinks of Carbon Dioxide », *Nature Geoscience*, vol. 2, 2009, p. 831 ; Ross Garnaut (dir.), « Emissions in the Platinum Age: The Implications of Rapid Development for Climate-Change Mitigation », *Oxford Review of Economic Policy*, vol. 24, 2008, p. 392 ; Glen P. Peters (dir.), « Rapid Growth in $CO_2$ Emissions After the 2008-2009 Global Financial Crisis », *Nature Climate Change*, vol. 2, 2012, p. 2 ; « Technical Summary », dans Ottmar Edenhofer (dir.), *Climate Change 2014: Mitigation of Climate Change, Contribution of Working Group III to the Fifth Assessment Report of the Intergovernmental Panel on Climate Change*, Cambridge, Cambridge University Press, 2014, p. 15.

37. Andreas Malm, « China as Chimney of the World: The Fossil Capital Hypothesis », *Organization & Environment*, vol. 25, 2012, p. 146 et 165 ; Yan Yunfeng et Yang Laike, « China's Foreign Trade and Climate Change: A Case Study of $CO_2$ Emissions », *Energy Policy*, vol. 38, 2010, p. 351 ; Ming Xu (dir.), « $CO_2$ Emissions Embodied in China's Exports from 2002 to 2008: A Structural Decomposition Analysis », *Energy Policy*, vol. 39, 2011, p. 7383.

38. Entretien de l'auteure avec Margrete Strand Rangnes, 18 mars 2013.

39. Andreas Malm, « China as Chimney of the World », *op. cit.*, p. 147 et 162.

40. Elisabeth Rosenthal, « Europe Turns Back to Coal, Raising Climate Fears », *The New York Times*, 23 avril 2008 ; échange de l'auteure par courriel avec le Clean Coal Centre de l'Agence internationale de l'énergie, 19 mars 2014.

41. Jonathan Watts, « Foxconn Offers Pay Rises and Suicide Nets as Fears Grow Over Wave of Deaths », *The Guardian*, 28 mai 2010 ; Shahnaz Parveen, « Rana Plaza Factory Collapse Survivors Struggle One, Year On », BBC News, 23 avril 2014.

42. Mark Dowie, *Losing Ground: American Environmentalism at the Close of the Twentieth Century*, Cambridge (MA), MIT Press, 1996, p. 185-186 ; Keith Schneider, « Environment Groups Are Split on Support for Free-Trade Pact », *The New York Times*, 16 septembre 1993.

43. Mark Dowie, *op. cit.*, p. 186-187 ; Gilbert A. Lewthwaite, « Gephardt Declares Against NAFTA: Democrat Cites Threat to U.S. Jobs », *Baltimore Sun*, 22 septembre 1993 ; John Dillin, « NAFTA Opponents Dig In Despite Lobbying Effort », *Christian Science Monitor*, 12 octobre 1993 ; Mark Dowie, « The Selling (Out) of the Greens: Friends of Earth or Bill? », *The Nation*, 18 avril 1994.

44. Bill Clinton, « Remarks on the Signing of NAFTA », 8 décembre 1993, Miller Center, University of Virginia.

45. Stan Cox, « Does It Really Matter Whether Your Food Was Produced Locally? », *Alternet*, 19 février 2010.

46. Entretien de l'auteure avec Ilana Solomon, 27 août 2013.

47. Kevin Anderson, « Climate Change Going Beyond Dangerous—Brutal Numbers and Tenuous Hope », *Development Dialogue*, n° 61, septembre 2012, p. 16-40.

48. La fourchette « de 8 à 10 % » est tirée d'interviews avec Anderson et Bows-Larkin ainsi que de leurs publications. Pour les scénarios d'émissions sous-jacents, voir les voies C+1, C+3, C+5 et B6 3 dans Kevin Anderson et Alice Bows, « Beyond "Dangerous" Climate Change: Emission Scenarios for a New World », *Philosophical Transactions of the Royal Society A*, vol. 369, 2011, p. 35. Voir aussi Kevin Anderson, « EU 2030 Decarbonisation Targets and UK Carbon Budgets: Why So Little Science? », Kevin Anderson.info, 14 juin 2013. Kevin Anderson, « Climate Change Going Beyond Dangerous », *op. cit.*, p. 18-21 ; Alex Morales, « Kyoto Veterans Say Global Warming Goal Slipping Away », Bloomberg, 4 novembre 2013.

49. Nicholas Stern, *op. cit.*, p. 231-232.

50. *Ibid.*, p. 231 ; Global Carbon Project, données sur les émissions, « 2013 Budget v2.4 », juillet 2014, http://cdiac.ornl.gov. On peut consulter les données du Carbon Dioxide Information Analysis Center à la même adresse.

51. Kevin Anderson et Alice Bows, « A 2 °C Target? Get Real, Because 4 °C Is on Its Way », *Parliamentary Brief*, vol. 13, 2010, p. 19 ; Kevin Anderson et Alice Bows, « Beyond "Dangerous" Climate Change », *op. cit.*, p. 35 ; Kevin Anderson, « Avoiding Dangerous Climate Change Demands De-growth Strategies from Wealthier Nations », Kevin Anderson.info, 25 novembre 2013.

52. L'analyse d'Anderson et Bows-Larkin découle de l'engagement pris en 2009 par les participants à la Conférence de Copenhague sur le climat, selon lequel la réduction des émissions devrait reposer sur l'« équité » (ce qui signifie que les pays riches devraient prendre les devants en laissant aux pays pauvres la possibilité de se développer). Selon certains, les pays riches n'ont pas besoin de réduire leurs émissions à ce point. Néanmoins, que ce soit le cas ou non, le portrait d'ensemble permet de croire que les réductions nécessaires sont incompatibles avec la croissance économique telle que nous l'avons connue jusqu'à présent. Comme le montre Tim Jackson dans *Prospérité sans croissance*, les technologies vertes et une plus grande efficacité énergétique ne peuvent à elles seules permettre d'atteindre un objectif de réduction même aussi modeste que 4,9 %. Pour y arriver, si la population mondiale et le revenu par habitant continuent de croître au rythme actuel, il faudrait que l'intensité en carbone de l'activité économique diminue « quasiment dix fois plus vite qu'actuellement » et que, d'ici 2050, l'efficacité énergétique soit multipliée par 21. Ainsi, même si Anderson et Bows-Larkin vont beaucoup trop loin, ils ont quand même raison sur le fond : il est impératif de renoncer au modèle de croissance actuel. Voir Tim Jackson, *Prospérité sans croissance. La transition vers une économie durable*, Bruxelles et Namur, De Boeck et Etopia, 2010, p. 89 et 94.

53. Kevin Anderson et Alice Bows, « Beyond "Dangerous" Climate Change », *op. cit.*, p. 640.

54. Kevin Anderson, « Romm Misunderstands Klein's and My View of Climate Change and Economic Growth », KevinAnderson.info, 24 septembre 2013.

55. Clive Hamilton, « What History Can Teach Us About Climate Change Denial », dans Sally Weintrobe (dir.), *Engaging with Climate Change*, East Sussex, Routledge, 2013, p. 18.

56. Pour en savoir plus sur les fondements de la grande transition vers la durabilité que proposent les chercheurs du Tellus Institute et du Stockholm Environment Institute, voir Paul Raskin (dir.), « Great Transition: The Promise and Lure of the Times Ahead », dans *Report of the Global Scenario Group*, Stockholm Environment Institute et Tellus Institute, 2002. Cette recherche se poursuit, s'inscrivant désormais dans la Great Transition Initiative du Tellus Institute : « Great Transition Initiative: Toward a Transformative Vision and Praxis », Tellus Institute, http://greattransition.org. Pour connaître

les recherches menées en parallèle au Royaume-Uni par la New Economics Foundation, voir Stephen Spratt, Andrew Simms, Eva Neitzert et Josh Ryan-Collins, «The Great Transition», The New Economics Foundation, juin 2010.

57. Entretien de l'auteure avec Alice Bows-Larkin, 14 janvier 2013.

58. Rebecca Willis et Nick Eyre, «Demanding Less: Why We Need a New Politics of Energy», Green Alliance, octobre 2011, p. 9 et 26.

59. [Note de bas de page] Commission européenne, «Le Parlement européen rend possible l'introduction d'un chargeur universel pour les téléphones mobiles», communiqué de presse, 13 mars 2014; Adam Minter, Junkyard Planet, New York, Bloomsbury, 2013, p. 6-7, 67 et 70.

60. À la demande d'Anderson, de légères précisions ont été apportées à cette citation. Paul Moseley et Patrick Byrne, «Climate Expert Targets the Affluent», BBC, 13 novembre 2009.

61. Phaedra Ellis-Lamkins, «How Climate Change Affects People of Color», The Root, 3 mars 2013.

62. Tim Jackson, «Let's Be Less Productive», The New York Times, 26 mai 2012.

63. John Stutz, «Climate Change, Development and the Three-Day Week», Tellus Institute, 2 janvier 2008, p. 4-5. Voir aussi: Juliet B. Schor, Plenitude: The New Economics of True Wealth, New York, Penguin Press, 2010; Kyle W. Knight, Eugene A. Rosa et Juliet B. Schor, «Could Working Less Reduce Pressures on the Environment? A Cross-National Panel Analysis of OECD Countries, 1970-2007», Global Environmental Change, vol. 23, 2013, p. 691-700.

64. Alyssa Battistoni, «Alive in the Sunshine», Jacobin, vol. 13, 2014, p. 25.

### Chapitre 3

1. Sunita Narain, «Come Out and Claim the Road», Business Standard, 10 novembre 2013.

2. George Orwell, «Le lion et la licorne: socialisme et génie anglais», dans Essais, articles et lettres, vol. 2, 1940-1943, Paris, Éditions Ivréa et Éditions de l'Encyclopédie des nuisances, 1996, p. 117.

3. Anna Leidreiter, «Hamburg Citizens Vote to Buy Back Energy Grid», World Future Council Climate and Energy Commission, 25 septembre 2013; échange de l'auteure par courriel avec Hans Thie, conseiller en politiques économiques au parti de gauche allemand Die Linke, 14 mars 2014.

4. Entretien de l'auteure avec Wiebke Hansen, 20 mars 2014.

5. Groupe de travail sur l'énergie renouvelable – statistiques, ministère fédéral de l'Économie et de l'Énergie de l'Allemagne (AGEE-Stat), «Renewable Energy Sources in Germany—Key Information 2013 at a Glance», www.bmwi.de; U.S. Energy Information Administration, «Table 1.1.A. Net Generation from Renewable Sources: Total (All Sectors), 2004-April 2014», Electric Power Monthly, www.eia.gov; U.S. Energy Information Administration, «Table 1.1. Net Generation by Energy Source: Total (All Sectors), 2004-April 2014», Electric Power Monthly; Go 100% Renewable Energy, «City of Frankfurt 100% by 2050»; Go 100% Renewable Energy, «City of Munich», http://go100percent.org.

6. «Factbox—German Coalition Agrees on Energy Reforms», Reuters, 27 novembre 2013.

7. Anna Leidreiter, op. cit.

8. Nicholas Brautlecht, «Hamburg Backs EU 2 Billion Buyback of Power Grids in Plebiscite», Bloomberg, 23 septembre 2013; entretien de l'auteure avec Elisabeth Mader, porte-parole de la Bundesverband der Energie und Wasserwirtschaft (association allemande de l'énergie et de l'eau), 20 mars 2014.

9. «Energy Referendum: Public Buy-Back of Berlin Grid Fails», *Spiegel Online*, 4 novembre 2013; entretien de l'auteure avec Arwen Colell, cofondatrice de BürgerEnergie Berlin (énergie citoyenne Berlin), 20 mars 2014.

10. Entretien de l'auteure avec Steve Fenberg, 19 mars 2014.

11. «Campaign for Local Power» (vidéo), New Era Colorado, 1ᵉʳ septembre 2013; «Boulder and Broomfield Counties' Final 2011 Election Results», *Daily Camera*, 1ᵉʳ novembre 2011.

12. «Campaign for Local Power» (vidéo), Steve Fenberg, 19 mars 2014.

13. Agence internationale de l'énergie, *Energy Policies of IEA Countries: The Netherlands: 2008 Review*, Paris, Agence internationale de l'énergie et Organisation pour la coopération et le développement économiques, 2009, p. 9-11, 62-64; Agence internationale de l'énergie, *Energy Policies of IEA Countries: Austria: 2007 Review*, Paris, Agence internationale de l'énergie et Organisation pour la coopération et le développement économiques, 2008, p. 11-16; Agence internationale de l'énergie, *Renewable Energy: Medium-Term Market Report 2012; Market Trends and Projections to 2017*, Paris, Agence internationale de l'énergie et Organisation pour la coopération et le développement économiques, 2012, p. 71-76; City of Austin, Office of Sustainability, «Climate Protection Resolution No. 20070215-023, 2013 Update», p. 3, www.smud.org; Sacramento Municipal Utility District, «Our Renewable Energy Portfolio»; Sacramento Municipal Utility District, «Greenhouse Gas Reduction», www.smud.org; entretien de l'auteure avec John Farrell, 19 mars 2014.

14. D'après une traduction vers l'anglais de Tadzio Mueller. «Unser Hamburg, Unser Netz», Hamburger Energienetze in die Öffentliche Hand!, http://unser-netz-hamburg.de.

15. Agence internationale de l'énergie, «Energy Technology Perspectives 2012: Pathways to a Clean Energy System», 2012, p. 149.

16. David Hall (dir.), «Renewable Energy Depends on the Public Not Private Sector», Public Services International Research Unit, University of Greenwich, juin 2013, p. 2.

17. *Ibid.*, p. 2-5.

18. Mark Z. Jacobson et Mark A. Delucchi, «A Plan to Power 100 Percent of the Planet with Renewables», *Scientific American*, novembre 2009, p. 58-59; Mark Z. Jacobson et Mark A. Delucchi, «Providing All Global Energy with Wind, Water, and Solar Power, Part I: Technologies, Energy Resources, Quantities and Areas of Infrastructure, and Materials», *Energy Policy*, vol. 39, 2011, p. 1154-1169 et 1170-1190.

19. Matthew Wright et Patrick Hearps, «Zero Carbon Australia 2020: Stationary Energy Sector Report—Executive Summary», University of Melbourne Energy Research Institute et Beyond Zero Emissions, août 2011 (2ᵉ éd.), p. 2 et 6.

20. Au moment d'aller sous presse, la recherche de la National Oceanic and Atmospheric Administration n'avait pas encore été publiée, bien qu'on en ait rapporté l'existence; Alexander MacDonald et Christopher Clack, «Low Cost and Low Carbon Emission Wind and Solar Energy Systems are Feasible for Large Geographic Domains», présentation au séminaire *Sustainable Energy and Atmospheric Sciences*, Earth System Research Laboratory, U.S. National Oceanic and Atmospheric Administration, 27 mai 2014; échange de l'auteure par courriel avec Alexander MacDonald, directeur de l'Earth System Research Laboratory, et Christopher Clack, chercheur à l'Earth System Research Laboratory, 28 juillet 2014.

21. M.M. Hand (dir.), *Renewable Electricity Futures Study—Volume 1: Exploration of High Penetration Renewable Electricity Futures*, Golden (CO), National Renewable Energy Laboratory, 2012, p. xvii-xviii.

22. Mark Z. Jacobson (dir.), «Examining the Feasibility of Converting New York State's All-Purpose Energy Infrastructure to One Using Wind, Water, and Sunlight», *Energy Policy*, vol. 57, 2013, p. 585; Elisabeth Rosenthal, «Life After Oil and Gas», *The New York Times*, 23 mars 2013.

23. Louis Bergeron, « The World Can Be Powered by Alternative Energy, Using Today's Technology, in 20-40 Years, Says Stanford Researcher Mark Z. Jacobson », *Stanford Report*, 26 janvier 2011 ; Elisabeth Rosenthal, *op. cit.*

24. Entretien de l'auteure avec Nastaran Mohit, 10 novembre 2012.

25. Steve Kastenbaum, « Relief from Hurricane Sandy Slow for Some », CNN, 3 novembre 2012.

26. Jonathan Mahler, « How the Coastline Became a Place to Put the Poor », *The New York Times*, 3 décembre 2012 ; entretien de l'auteure avec Aria Doe, directrice générale, Action Center for Education and Community Development, 3 février 2013.

27. Sarah Maslin Nir, « Down to One Hospital, Rockaway Braces for Summer Crowds », *The New York Times*, 20 mai 2012 ; échange de l'auteure par courriel avec Nastaran Mohit, 28 mars 2014 ; entretien de l'auteure avec Nastaran Mohit, 10 novembre 2012.

28. *Ibid.* [Note de bas de page] Greg B. Smith, « NYCHA Under Fire for Abandoning Tenants in Hurricane Sandy Aftermath », *New York Daily News*, 19 novembre 2012.

29. Entretien de l'auteure avec Nastaran Mohit, 10 novembre 2012.

30. *Ibid.*

31. Andrew P. Wilper *et al.*, « Health Insurance and Mortality in U.S. Adults », *American Journal of Public Health*, vol. 99, 2009, p. 2289-2295 ; entretien de l'auteure avec Nastaran Mohit, 10 novembre 2012.

32. Entretien de l'auteure avec Aria Doe, 3 février 2013.

33. John Aglionby, Mark Odell et James Pickford, « Tens of Thousands Without Power After Storm Hits Western Britain », *Financial Times*, 13 février 2014 ; Tom Bawden, « St. Jude's Day Storm: Four Dead After 99mph Winds and Night of Destruction— But at Least We Saw It Coming », *The Independent* (Londres), 29 octobre 2013.

34. Alex Marshall, « Environment Agency Cuts: Surviving the Surgeon's Knife », *The ENDS Report*, 3 janvier 2014 ; Damian Carrington, « Hundreds of UK Flood Defence Schemes Unbuilt Due to Budget Cuts », *The Guardian*, 13 juillet 2012.

35. Dave Prentis, « Environment Agency Workers Are Unsung Heroes », UNISON, 6 janvier 2014.

36. EM-DAT, International Disaster Database, Centre for Research on the Epidemiology of Disasters (recherche avancée), www.emdat.be/database ; échange de l'auteure par courriel avec Michael Mann, 27 mars 2014.

37. « Billion-Dollar Weather/Climate Disasters », National Climatic Data Center, www.ncdc.noaa.gov ; Lixion A. Avila et John Cangialosi, « Tropical Cyclone Report, Hurricane Irene », National Hurricane Center, 14 décembre 2011 ; « Billion-Dollar Weather/Climate Disasters », National Climatic Data Center, www.ncdc.noaa.gov ; Munich RE, « Review of Natural Catastrophes in 2011: Earthquakes Result in Record Loss Year », communiqué de presse, 4 janvier 2012.

38. Entretien de l'auteure avec Amy Bach, 18 septembre 2012.

39. Convention-cadre des Nations Unies sur les changements climatiques, *Climate Change: Impacts, Vulnerabilities and Adaptation in Developing Countries*, Bonn, 2007, p. 18-26, 29-38 ; Organisation des Nations Unies pour l'alimentation et l'agriculture, « Pour une agriculture "intelligente" face au changement climatique », communiqué de presse, 28 octobre 2010.

40. Organisation des Nations Unies, Département des affaires économiques et sociales, « World Economic and Social Survey 2011: The Great Green Technological Transformation », 2011, p. xxiii et 174.

41. Les industries du pétrole et du gaz comptent parmi les secteurs les mieux représentés dans les 20 premières positions des éditions 2012 et 2013 du palmarès Fortune 500 : « Fortune Global 500 », CNN Money, 2013, http://money.cnn.com ; « Fortune Global 500 », CNN Money, 2012, http://money.cnn.com. James Hoggan et Richard Littlemore, *Climate Cover-Up: The Crusade to Deny Global Warming*, Vancouver, Greystone

Books, 2009; Daniel J. Weiss, «Big Oil's Lust for Tax Loopholes», Center for American Progress, 31 janvier 2011; ExxonMobil, «2011 Summary Annual Report», p. 4; ExxonMobil, «2012 Summary Annual Report», p. 4; «Exxon's 2012 Profit of $44.9B Misses Record», Associated Press, 1ᵉʳ février 2013.

42. BP, par exemple, s'est engagée en 2005 à investir 8 milliards de dollars dans les énergies de remplacement. Saaed Shah, «BP Looks "Beyond Petroleum" with $8bn Renewables Spend», *The Independent* (Londres), 29 novembre 2005; Terry Macalister et Eleanor Cross, «BP Rebrands on a Global Scale», *The Guardian*, 24 juillet 2000; BP Amoco, «BP Amoco Unveils New Global Brand to Drive Growth», communiqué de presse, 24 juillet 2000; Terry Macalister et Eleanor Cross, «BP Rebrands on a Global Scale», *The Guardian*, 24 juillet 2000; Chevron, «We agree: Oil Companies Should Support Renewable Energy» (vidéo), YouTube, 2010; Daniel J. Weiss et Alexandra Kougentakis, «Big Oil Misers», Center for American Progress, 31 mars 2009; James Osborne, «ExxonMobil CEO Rex Tillerson Gets 15 Percent Raise to $40.3 million», *Dallas Morning News*, 12 avril 2013.

43. Antonia Juhasz, «Big Oil's Lies About Alternative Energy», *Rolling Stone*, 25 juin 2013; Ben Elgin, «Chevron Dims the Lights on Green Power», *Bloomberg Businessweek*, 29 mai 2014; Ben Elgin, «Chevron Backpedals Again on Renewable Energy», *Bloomberg Businessweek*, 9 juin 2014.

44. Brett Martel, «Jury Finds Big Tobacco Must Pay $590 million for Stop-Smoking Programs», Associated Press, 21 mai 2004; Bruce Alpert, «U.S. Supreme Court Keeps Louisiana's $240 million Smoking Cessation Program Intact», *Times-Picayune*, 27 juin 2011; Sheila McNulty et Ed Crooks, «BP Oil Spill Pay-outs Hit $5bn Mark», *Financial Times*, 23 août 2011; Lee Howell, «Global Risks 2013», World Economic Forum, 2013, p. 19.

45. Marc Lee, «Building a Fair and Effective Carbon Tax to Meet BC's Greenhouse Gas Targets», Centre canadien de politiques alternatives, août 2012.

46. U.S. Department of Energy, Office of Energy Efficiency and Renewable Energy, «Fiscal Year 2011 Greenhouse Gas Inventory: Government Totals», 14 juin 2013, http://energy.gov; Political Economy Research Institute, «Greenhouse Gas 100 Polluters Index», University of Massachusetts, Amherst, juin 2013, www.peri.umass.edu.

47. Borgar Aamaas, Jens Borken-Kleefeld et Glen P. Peters, «The Climate Impact of Travel Behavior: A German Case Study with Illustrative Mitigation Options», *Environmental Science & Policy*, vol. 33, 2013, p. 273 et 276.

48. Thomas Piketty, *Le capital au xxiᵉ siècle*, Paris, Seuil, 2013; Gar Lipow, *Solving the Climate Crisis through Social Change: Public Investment in Social Prosperity to Cool a Fevered Planet*, Santa Barbara (CA), Praeger, 2012, p. 56; Stephen W. Pacala, «Equitable Solutions to Greenhouse Warming: On the Distribution of Wealth, Emissions and Responsibility Within and Between Nations», présentation à l'International Institute for Applied Systems Analysis, novembre 2007.

49. Parlement européen, «Résolution du parlement européen sur les financements innovants à l'échelon mondial et à l'échelon européen», 1ᵉʳ février 2011, www.europarl.europa.eu.

50. Tax Justice Network, «Revealed: Global Super-Rich Has at Least $21 Trillion Hidden in Secret Tax Havens», communiqué de presse, 22 juillet 2012.

51. Organisation des Nations Unies, Département des affaires économiques et sociales, «World Economic and Social Survey 2012. In Search of New Development Finance», 2012, p. 44.

52. Sam Perlo-Freeman (dir.), «Trends in World Military Expenditure, 2012», Stockholm International Peace Research Institute, avril 2013, http://sipri.org.

53. Banque mondiale, Fonds monétaire international et Organisation de coopération et de développement économiques, «Mobilizing Climate Finance: A Paper Prepared at the Request of G20 Finance Ministers», 6 octobre 2011, p. 15, www.imf.org.

54. «Governments Should Phase Out Fossil Fuel Subsidies or Risk Lower Economic Growth, Delayed Investment in Clean Energy and Unnecessary Climate Change Pollution», Oil Change International et Natural Resources Defense Council, juin 2012, p. 2.

55. Pour une analyse plus approfondie, centrée sur les États-Unis, de l'utilisation de telles sources pour financer la lutte contre le changement climatique, voir Gar Lipow, *op. cit.*, p. 55-61.

56. Pour en savoir beaucoup plus sur le rationnement, le changement climatique et la justice économique et environnementale, voir Stan Cox, *Any Way You Slice It: The Past, Present, and Future of Rationing*, New York, The New Press, 2013; Ina Zweiniger-Bargielowska, *Austerity in Britain: Rationing, Controls, and Consumption, 1939-1955*, Oxford, Oxford University Press, 2000, p. 55 et 58.

57. Nicholas Timmins, «When Britain Demanded Fair Shares for All», *The Independent* (Londres), 27 juillet 1995; Martin J. Manning et Clarence R. Wyatt, *Encyclopedia of Media and Propaganda in Wartime America*, vol. 1, Santa Barbara (CA), ABC-CLIO, 2011, p. 533; Terrence H. Witkowski, «The American Consumer Home Front During World War II», *Advances in Consumer Research*, vol. 25, 1998.

58. Office of Price Administration, *Rationing: How and Why?*, dépliant, 1942, p. 3.

59. Donald Thomas, *The Enemy Within: Hucksters, Racketeers, Deserters and Civilians During the Second World War*, New York, New York University Press, 2003, p. 29; Hugh Rockoff, *Drastic Measures: A History of Wage and Price Controls in the United States*, Cambridge, Cambridge University Press, 1984, p. 166-67.

60. Jimmy Carter, «Crisis of Confidence», discours du 15 juillet 1976, *American Experience*, PBS.

61. Christopher Lasch, *La Culture du narcissisme*, Paris, Flammarion, coll. «Champs», 2006.

62. «The Pursuit of Progress» (vidéo), *Richard Heffner's Open Mind*, PBS, 10 février 1991.

63. Eleanor Taylor, «British Social Attitudes 28», *Environment*, NatCen Social Research, p. 104.

64. Will Dahlgren, «Broad Support for 50P Tax», YouGov, 28 janvier 2014; «Nine in Ten Canadians Support Taxing the Rich "More" (88%) and a Potential "Millionaire's Tax" (89%)», Ipsos, 30 mai 2013; Anthony Leiserowitz, «Public Support for Climate and Energy Policies in november 2013», Yale Project on Climate Change Communication et George Mason University Center for Climate Change Communication, novembre 2013; «Voter Attitudes Toward Pricing Carbon and a Clean Energy Refund», note, Public Opinion Strategies, 21 avril 2010.

65. «Americans Support Limits on $CO_2$», Yale Project on Climate Change Communication, avril 2014.

### Chapitre 4

1. John Berger, *Fidèle au rendez-vous*, Seyssel, Champ Vallon, 1996, p. 160-161.

2. James Gustave Speth, *The Bridge at the End of the World: Capitalism, the Environment, and Crossing from Crisis to Sustainability*, New Haven (CT), Yale University Press, 2008, p. 178.

3. «The Second McCain-Obama Presidential Debate», Commission on Presidential Debates, 7 octobre 2008.

4. Sam Gindin, «The Auto Crisis: Placing Our Own Alternative on the Table», *Bullet/Socialist Project E-Bulletin*, n° 200, 9 avril 2009.

5. Ricardo Fuentes-Nieva et Nick Galasso, «Working for the Few», Oxfam, 20 janvier 2014, p. 2. [Note de bas de page] Jason Walsh, «European Workers Rebel as G-20 Looms», *The Christian Science Monitor*, 1er avril 2009; Rupert Hall, «Swansea Factory Workers Start Production at Former Remploy Site», Wales Online, 14 octobre 2013; Alejandra Cancino, «Former Republic Windows and Doors Workers Learn to Be Owners», *Chicago Tribune*, 6 novembre 2013.

6. Selon les données du Bureau of Labor Statistics des États-Unis, le secteur secondaire a enregistré une perte nette de 14 500 emplois de janvier 2008 à janvier 2014; U.S. Bureau of Labor Statistics, «Employment, Hours, and Earnings from the Current Employment Statistics Survey (National)», http://data.bls.gov.

7. Michael Grunwald, *The New New Deal: The Hidden Story of Change in the Obama Era*, New York, Simon & Schuster, 2012, p 10-11 et 163-168; «Expert Reaction to Two New *Nature* Papers on Climate», Science Media Centre, 4 décembre 2011.

8. Roger Lowenstein, «The Nixon Shock», *Bloomberg Businessweek*, 4 août 2011; Bruce Bartlett, «Keynes and Keynesianism», *The New York Times*, 14 mai 2013.

9. Le chiffre de 3,7 millions d'emplois provient du Apollo Alliance Project, qui a fusionné avec la BlueGreen Alliance en 2011. «Make It in America: The Apollo Clean Transportation Manufacturing Action Plan», Apollo Alliance, octobre 2010; Smart Growth America, «Recent Lessons from the Stimulus: Transportation Funding and Job Creation», février 2011, p. 2.

10. Organisation internationale du travail, «Vers le développement durable: travail décent et intégration sociale dans une économie verte», 31 mai 2012, p. 2.

11. BlueGreen Canada, «More Bang for Our Buck», novembre 2012; Jonathan Neale, «Our Jobs, Our Planet: Transport Workers and Climate Change», rapport préparé pour la Fédération européenne des travailleurs des transports, octobre 2011, p. 49; «About», One million Climate Jobs, www.climatejobs.org.

12. Will Dahlgreen, «Nationalise Energy and Rail Companies, Say Public», YouGov, 4 novembre 2013.

13. U.S. Department of Energy, «2011 Wind Technologies Market Report», août 2012, p. iii; Matthew L. Wald, «New Energy Struggles on Its Way to Markets», *The New York Times*, 27 décembre 2013.

14. Entretien de l'auteure avec Ben Parfitt, 21 septembre 2013.

15. Michelle Kinman et Antonia Juhasz (dir.), «The True Cost of Chevron: An Alternative Annual Report», True Cost of Chevron Network, mai 2011, p. 12, 18, 22 et 43; Patrick Radden Keefe, «Reversal of Fortune», *The New Yorker*, 9 janvier 2012; Pierre Thomas, «BP's Dismal Safety Record», ABC News, 27 mai 2010; Alan Levin, «Oil Companies Fought Stricter Regulation», *USA Today*, 20 mai 2010; Chip Cummins (dir.), «Five Who Laid Groundwork for Historic Spike in Oil Market», *The Wall Street Journal*, 20 décembre 2005.

16. Seth Klein, «Moving Towards Climate Justice: Overcoming Barriers to Change», Canadian Centre for Policy Alternatives, avril 2012.

17. Lucia Kassai, «Brazil to Boost Oil Exports as Output Triples, IEA Says», Bloomberg, 12 novembre 2013; Jeffrey Jones, «Statoil, PTTEP Deal to Test Tighter Oil Sands Rules», *Globe and Mail*, 30 janvier 2014; «PetroChina Buys Entire Alberta Oilsands Project», Presse canadienne, 3 janvier 2012.

18. David Bollier, *Think Like a Commoner: A Short Introduction to the Life of the Commons*, Gabriola Island (BC), New Society Publishers, 2014.

19. Entretien de l'auteure avec Hans Thie, conseiller en politiques économiques au parti de gauche allemand Die Linke, 20 mars 2014; «Solarstrombranche (Photovoltaik)», Statistische Zahlen der deutschen, BSW Solar, mars 2014, p. 1; «Status Des Windenergieausbaus An Land In Deutschland», Deutsche WindGuard, 2013, p. 1; «Flyer: Renewably Employed!», ministère fédéral de l'Environnement de l'Allemagne, Nature Conservation, Building and Nuclear Safety, août 2013.

20. Hans Thie, «The Controversial Energy Turnaround in Germany: Successes, Contradictions, Perspectives», Vienna Theses, juillet 2013.

21. Danish Energy Agency, «Danish Key Figures», Facts and Figures, 2010, http://energinet.dk; échange de l'auteure par courriel avec Carsten Vittrup, consultant en stratégie énergétique, 20 mars 2014.

22. Russ Christianson, « Danish Wind Co-ops Can Show Us the Way », Wind-Works, 3 août 2005.

23. Entretien de l'auteure avec Dimitra Spatharidou, 20 mai 2013.

24. Andrea Stone, « Family Farmers Hold Keys to Agriculture in a Warming World », *National Geographic*, 2 mai 2014.

25. Calogero Carletto, Sara Savastano et Alberto Zezza, « Fact or Artifact: The Impact of Measurement Errors on the Farm Size-Productivity Relationship », *Journal of Development Economics*, vol. 103, 2013, p. 254-261 ; La Vía Campesina, « Typhoon Haiyan Exposes the Reality of Climate Injustice », communiqué de presse, 4 décembre 2013 ; Raj Patel, *Stuffed and Starved: The Hidden Battle for the World Food System*, Brooklyn, Melville House, 2012, p. 6-7.

26. Ces dernières années, de grandes agences de développement, dont la Conférence des Nations Unies sur le commerce et le développement et l'International Assessment of Agricultural Knowledge, Science and Technology for Development, ont publié des rapports allant dans le même sens que l'analyse de De Schutter : l'agroécologie à petite échelle, en particulier si la terre est contrôlée par les femmes, y est présentée comme un modèle, un élément incontournable d'une solution tant à la crise du climat qu'à la pauvreté persistante. Voir Conférence des Nations Unies sur le commerce et le développement, « Rapport sur le commerce et le développement, 2013. Aperçu général », Paris, 2013 ; International Assessment of Agriculture Knowledge, Science and Technology for Development, « Agriculture at a Crossroads: Synthesis Report », 2009. Haut Commissariat des Nations Unies pour les réfugiés, « Eco-Farming Can Double Food Production in 10 Years, Says New UN Report », communiqué de presse, 8 mars 2011.

27. Verena Seufert, Navin Ramankutty et Jonathan A. Foley, « Comparing the Yields of Organic and Conventional Agriculture », *Nature*, vol. 485, 2012, p. 229-232 ; Haut Commissariat des Nations Unies pour les réfugiés, *op. cit.*

28. Échange de l'auteure par courriel avec Raj Patel, 6 juin 2014.

29. Entretien de l'auteure avec Hans Thie, 20 mars 2014 ; Umweltbundesamt (agence allemande de l'environnement), « Greenhouse Gas Emissions Rise Slightly Again in 2013, by 1.2 Percent », communiqué de presse, 10 mars 2014.

30. Entretien de l'auteure avec Hans Thie, 20 mars 2014 ; Helen Pidd, « Germany to Shut All Nuclear Reactors », *The Guardian*, 30 mai 2011 ; Peter Friederici, « WW II-Era Law Keeps Germany Hooked on "Brown Coal" Despite Renewables Shift », *InsideClimate News*, 1ᵉʳ octobre 2013.

31. Mark Z. Jacobson et Mark A. Delucchi, « A Plan to Power 100 Percent of the Planet with Renewables », *Scientific American*, novembre 2009, p. 58-59 ; Mark Z. Jacobson, « Nuclear Power Is Too Risky », CNN, 22 février 2010 ; *Real Time with Bill Maher*, HBO, épisode 188, 11 juin 2010.

32. En 2011, la filière nucléaire a fourni 11,9 % de la production nette d'électricité dans le monde. Il s'agit de l'année la plus récente pour laquelle on dispose de données complètes de l'Energy Information Administration des États-Unis. U.S. Energy Information Administration, « International Energy Statistics », www.eia.gov.

33. Sven Teske, « Energy Revolution: A Sustainable EU 27 Energy Outlook », Greenpeace International et European Renewable Energy Council, 2012, p. 11.

34. Entretien de l'auteure avec Hans Thie, 20 mars 2014 ; Andreas Rinke, « Merkel Signals Support for Plan to Lift Carbon Prices », Reuters, 16 octobre 2013.

35. Échange de l'auteure par courriel avec Tadzio Mueller, 14 mars 2014.

36. U.S. Department of Energy, National Energy Technology Laboratory, « Development of Baseline Data and Analysis of Life Cycle Greenhouse Gas Emissions of Petroleum-Based Fuels », DOE/NETL-2009/1346, 2008, p. 13.

37. Bill McKibben, « Join Us in Civil Disobedience to Stop the Keystone XL Tar-Sands Pipeline », *Grist*, 23 juin 2011.

38. James Hansen, «Game Over for the Climate», *The New York Times*, 9 mai 2012.

39. Barack Obama, «Barack Obama's Remarks in St. Paul», discours, St. Paul (MN), *The New York Times*, 3 juin 2008.

40. «Remarks by the President on Climate Change», discours, Washington, 25 juin 2013.

41. Jackie Calmes et Michael Shear, «Interview with President Obama», *The New York Times*, 27 juillet 2013.

42. White House Office of the Press Secretary, «Presidential Memorandum—Power Sector Carbon Pollution Standards», 25 juin 2013, www.whitehouse.gov; Mark Hertsgaard, «A Top Obama Aide Says History Won't Applaud the President's Climate Policy», *Harper's*, 2 juin 2014.

43. Discours d'ouverture (vidéo), 6th International Conference on Climate Change, The Heartland Institute, 30 juin 2011.

44. Robert W. Howarth, Renee Santoro et Anthony Ingraffea, «Methane and the Greenhouse-Gas Footprint of Natural Gas from Shale Formations», *Climatic Change*, vol. 106, 2011, p. 679-690.

45. *Ibid.*, p. 681-685, 687; Gunnar Myhre (dir.), «Anthropogenic and Natural Radiative Forcing», dans T.F. Stocker (dir.), *Climate Change 2013: The Physical Science Basis. Contribution of Working Group I to the Fifth Assessment Report of the Intergovernmental Panel on Climate Change*, Cambridge, Cambridge University Press, 2013, p. 714; Audrey Garric, «Gaz de schiste: des fuites de méthane plus importantes que prévu», *Le Monde*, 4 janvier 2013.

46. *Ibid.*; entretien de l'auteure avec Robert Howarth, 10 avril 2014.

47. Howarth, qui propose un survol éclairant des recherches ultérieures sur les émissions de méthane attribuables à l'extraction du gaz de schiste, affirme que cette étude a renforcé les principales conclusions de l'article de 2011: Robert W. Howarth, «A Bridge to Nowhere: Methane Emissions and the Greenhouse Gas Footprint of Natural Gas», *Energy Science & Engineering (Early View)*, 15 mai 2014, p. 1-14. Robert W. Howarth, Renee Santoro et Anthony Ingraffea, *op. cit.*, p. 687; Bryan Schutt, «Methane Emissions "Achilles Heel" of Shale Gas, Cornell Professor Contends», *SNL Daily Gas Report*, 23 mai 2011; Robert W. Howarth, Renee Santoro et Anthony Ingraffea, «Venting and Leaking of Methane from Shale Gas Development: Response to Cathles», *Climatic Change*, vol. 113, 2012, p. 539-540. [Note de bas de page] U.S. Energy Information Administration, «U.S. Energy-Related Carbon Dioxide Emissions, 2012», octobre 2013, p. ii; U.S. Energy Information Administration, «Emissions of Greenhouse Gases in the United States 2009», mars 2011, p. 1 et 35; Energy Modeling Forum, Stanford University, «Changing the Game? Emissions and Market Implications for New Natural Gas Supplies», *EMF Report*, n° 26, vol. 1, septembre 2013, p. vii; Shakeb Afsah et Kendyl Salcito, «Shale Gas: Killing Coal Without Cutting $CO_2$», *$CO_2$ Scorecard*, 2 décembre 2013, www.co2scorecard.org.

48. Stefan Wangstyl, «German Coal Use at Highest Level Since 1990», *Financial Times*, 7 janvier 2014; Stefan Nicola et Ladka Bauerova, «In Europe, Dirty Coal Makes a Comeback», *Bloomberg Businessweek*, 27 février 2014.

49. Chester Dawson et Carolyn King, «Exxon Unit Seeks Canada Approval for Oil-Sands Project», *Wall Street Journal*, 17 décembre 2013; Imperial Oil, «Operations. Kearl Oil Sands Project. Environmental Responsibility», www.imperialoil.ca; «Fuel for Thought: The Economic Benefits of Oil Sands Investment», Conference Board of Canada, octobre 2012, p. 3 et 9.

50. Leila Coimbra et Sabrina Lorenzi, «BG to Spend $30 Billion on Brazil Offshore Oil by 2025», Reuters, 24 mai 2012; Chevron, «Chevron Announces $39.8 Billion Capital and Exploratory Budget for 2014», communiqué de presse, 11 décembre 2013; Chevron, «Gorgon Project Overview», janvier 2014, p. 1-2, www.chevronaustralia.com; Andrew Callus, «Record-Breaking Gas Ship Launched, Bigger One Planned», Reuters, 3 décembre 2013; Shell Global, «A Revolution in Natural Gas Production».

51. Chevron, « Gorgon Project Overview », *op. cit.*, p. 1 ; Shell Global, « Prelude FLNG in Numbers », www.shell.com ; Imperial Oil, « Operations: Kearl Oil Sands Project. Overview », www.imperialoil.ca ; Husky Energy, « Sunrise Energy Project », www.husky energy.com ; Kevin Anderson et Alice Bows, « Beyond "Dangerous" Climate Change », *op. cit.*, p. 35.

52. « Reserve-Replacement Ratio », *Dictionary*, Investopedia, www.investopedia.com.

53. Fred Pals, « Shell Lagged Behind BP in Replacing Reserves in 2008 », *Bloomberg*, 17 mars 2009 ; Ruth Pagnamenta, « Anger as Shell Cuts Back on Its Investment in Renewables », *The Times* (Londres), 18 mars 2009 ; Royal Dutch Shell, « Royal Dutch Shell Plc Updates on Strategy to Improve Performance and Grow », communiqué de presse, 16 mars 2010 ; Robert Perkins, « Shell Eyes 2012 Output of 3.5 million Boe/d », *Platts Oilgram Price Report*, 17 mars 2010.

54. Agence internationale de l'énergie, « World Energy Outlook 2013 », 2013, p. 471-472.

55. ExxonMobil, « ExxonMobil Corporation Announces 2011 Reserves Replacement », communiqué de presse, 23 février 2012.

56. Les chiffres dont fait état cet extrait peuvent différer, car il existe diverses estimations du bilan carbone qui permettrait de limiter le réchauffement à 2 °C. Le rapport Carbon Tracker original était basé sur une article pionnier de la revue *Nature* paru en 2009 : James Leaton, « Unburnable Carbon », Carbon Tracker Initiative, 2011, p. 6-7 ; Malte Meinshausen (dir.), « Greenhouse-Gas Emission Targets for Limiting Global Warming to 2 °C », *Nature*, vol. 458, 2009, p. 1161. Pour une mise à jour de l'analyse de Carbon Tracker, voir James Leaton (dir.), « Unburnable Carbon 2013: Wasted Capital and Stranded Assets », Carbon Tracker Initiative, 2013. Bill McKibben, discours, New York, 16 novembre 2012, http://350.org.

57. John Fullerton, « The Big Choice », Capital Institute, 19 juillet 2011 ; James Leaton, « Unburnable Carbon », *op. cit.*, p. 6.

58. Selon le Center for Responsive Politics, les dépenses des lobbys du pétrole et du gaz ont totalisé 144 878 531 dollars en 2013 : Center for Responsive Politics, « Oil & Gas », www.opensecrets.org ; Center for Responsive Politics, « Oil and Gas: Long-Term Contribution Trends », 18 février 2014, www.opensecrets.org.

59. Daniel Cayley-Daoust et Richard Girard, « Big Oil's Oily Grasp: The Making of Canada as a Petro-State and How Oil Money is Corrupting Canadian Politics », Polaris Institute, décembre 2012, p. 3 ; Damian Carrington, « Energy Companies Have Lent More Than 50 Staff to Government Departments », *The Guardian*, 5 décembre 2011.

60. Relevés du cours des actions d'ExxonMobil, de Chevron, de Royal Dutch Shell, de ConocoPhillips, de BP, d'Anglo American et d'Arch Coal du 1er au 31 décembre 2009, en particulier le 18 décembre, sur Google Finance.

61. Suzanne Goldenberg, « ExxonMobil Agrees to Report on Climate Change's Effect on Business Model », *The Guardian*, 20 mars 2014 ; ExxonMobil, « Energy and Carbon— Managing the Risks », 2014, p. 1, 8 et 16.

62. Échange de l'auteure par courriel avec John Ashton, 20 mars 2014.

63. Mark Dowie, *Losing Ground: American Environmentalism at the Close of the Twentieth Century*, Cambridge (MA), MIT Press, 1996, p. 25.

64. Yotam Marom, « Confessions of a Climate Change Denier », *Waging Nonviolence*, 30 juillet 2013.

65. « Paxman vs. Brand—Full Interview » (vidéo), *BBC Newsnight*, 23 octobre 2013.

66. « System change—not climate change: A People's Declaration from Klimaforum09 », décembre 2009.

67. Miya Yoshitani, « Confessions of a Climate Denier in Tunisia », Asian Pacific Environment Network, 8 mai 2013.

68. Nick Cohen, « The Climate Change Deniers Have Won », *The Observer*, 22 mars 2014.

69. Philip Radford, « The Environmental Case for a Path to Citizenship », *Huffington Post*, 14 mars 2013 ; Anna Palmer et Darren Samuelsohn, « Sierra Club Backs Immigration Reform », *Politico*, 24 avril 2013 ; « Statement on Immigration Reform », BlueGreen Alliance, www.bluegreenalliance.org ; May Boeve, « Solidarity with the Immigration Reform Movement », 22 mars 2013, http://350.org.

70. Pamela Gossin, *Encyclopedia of Literature and Science*, Westport (CT), Greenwood, 2002, p. 208 ; William Blake, « Jérusalem (extraits) », dans Jean Rousselot, *William Blake*, Paris, Pierre Seghers, 1964, p. 172.

71. Entretien de l'auteure avec Colin Miller, 14 mars 2011 ; Simon Romero, « Bus-Fare Protests Hit Brazil's Two Biggest Cities », *The New York Times*, 13 juin 2013 ; Larry Rohter, « Brazil's Workers Take to Streets in One-Day Strike », *The New York Times*, 11 juillet 2013.

## Chapitre 5

1. Steve Stockman, publication sur Twitter, 21 mars 2013, 10 h 33.

2. Ben Dangl, « Miners Just Took 43 Police Officers Hostage in Bolivia », *Vice*, 3 avril 2014.

3. Rodrigo Castro (dir.), « Human-Nature Interaction in World Modeling with Modelica », texte rédigé pour les actes du 10ᵉ colloque international Modelica, du 10 au 12 mars 2014.

4. Entretien de l'auteure avec Nerida-Ann Steshia Hubert, 30 mars 2012.

5. Hermann Joseph Hiery, *The Neglected War: The German South Pacific and the Influence of World War I*, Honolulu, University of Hawai'i Press, 1995, p. 116-125 et 241 ; New Zealand Ministry of Foreign Affairs and Trade, *Nauru*, mis à jour le 9 décembre 2013, www.mfat.govt.nz ; « Nauru » (vidéo), The National Film and Sound Archives of Australia.

6. Charles J. Hanley, « Droppings From the Heart of Economy », Associated Press, 13 avril 1985 ; entretien de l'auteure avec Nerida-Ann Steshia Hubert, 30 mars 2012.

7. Mission permanente de la République de Nauru aux Nations Unies, « Country Profile and National Anthem », www.un.int ; Jack Hitt, « The Billion-Dollar Shack », *The New York Times Magazine*, 10 décembre 2000.

8. Hermann Joseph Hiery, *op. cit.*, p. 116-125 et 241 ; New Zealand Ministry of Foreign Affairs and Trade, *op. cit.*

9. Jack Hitt, *op. cit.* ; David Kendall, « Doomed Island », *Alternatives Journal*, janvier 2009.

10. « Nauru » (vidéo), *op. cit.*

11. Philip Shenon, « A Pacific Island Is Stripped of Everything », *The New York Times*, 10 décembre 1995.

12. Jack Hitt, *op. cit.* ; Robert Matau, « Road Deaths Force Nauru to Review Traffic Laws », *Islands Business*, 10 juillet 2013 ; « The Fattest Place on Earth » (vidéo), *Nightline*, ABC, 3 janvier 2011 ; entretien de l'auteure avec Steshia Hubert, 30 mars 2012.

13. Jack Hitt, *op. cit.* ; Nations Unies, UNdata, « Nauru: Country Profile », http://data.un.org.

14. Rand McNally, « Nauru: Overview », http://education.randmcnally.com ; Tony et Tony Thomas, « The Naught Nation of Nauru », *The Quadrant*, janvier-février 2013 ; Andrew Kaierua (dir.), « Nauru », dans *Climate Change in the Pacific*, International Climate Change Adaptation Initiative, Australian Government, 2011, p. 134 et 140 ; Applied Geoscience and Technology Division, Secretariat of the Pacific Community, « Fresh Water Supplies a Continual Challenge to the Region », communiqué de presse, 18 janvier 2011.

15. Glenn Albrecht, « The Age of Solastalgia », *The Conversation*, 7 août 2012.

16. David Kendall, *op. cit.*

17. « Nauru: Phosphate Roller Coaster ; Elections with Tough Love Theme », WikiLeaks, 13 août 2007, www.wikileaks.org.

18. Nick Bryant, « Will New Nauru Asylum Centre Deliver Pacific Solution ? », BBC News, 20 juin 2013 ; Rob Taylor, « Ruling Clouds Future of Australia Detention Center », *Wall Street Journal*, 30 janvier 2014 ; Amnesty International, « Australie : conditions cruelles et inhumaines dans un camp pour demandeurs d'asile », communiqué de presse, 23 novembre 2012 ; Amnesty International, « What We Found on Nauru », 17 décembre 2012 ; « Hundreds Continue 11-Day Nauru Hunger Strike », ABC News (Australie), 12 novembre 2012.

19. Nick Bryant, *op. cit.* ; Rob Taylor, « Ruling Clouds Future of Australia Detention Center », *Wall Street Journal*, 30 janvier 2014 ; Amnesty International, « Australie », *op. cit.* ; Amnesty International, « What We Found on Nauru », *op. cit.* ; « Hundreds Continue 11-Day Nauru Hunger Strike », *op. cit.*

20. Amnesty International, « Australie », *op. cit.* ; Haut Commissariat des Nations Unies pour les réfugiés, « UNHCR Monitoring Visit to the Republic of Nauru, 7 to 9 October 2013 », 26 novembre 2013 ; Mark Isaacs, *The Undesirables*, Richmond (Victoria), Hardie Grant Books, 2014, p. 99 ; Deborah Snow, « Asylum Seekers : Nothing to Lose, Desperation on Nauru », *Sydney Morning Herald*, 15 mars 2014.

21. « The Middle of Nowhere », *This American Life*, 5 décembre 2003, www.thisamerican life.org ; Mitra Mobasherat et Ben Brumfield, « Riot on a Tiny Island Highlights Australia Shutting a Door on Asylum », CNN, 20 juillet 2013 ; Rosamond Dobson Rhone, « Nauru, the Richest Island in the South Seas », *National Geographic,* vol. 40, 1921, p. 571 et 585.

22. Marcus Stephen, « On Nauru, a Sinking Feeling », *The New York Times*, 18 juillet 2011.

23. Francis Bacon, *De la dignité et de l'accroissement des sciences*, dans *Œuvres complètes*, Paris, A. Desrez, 1886 (2008), livre deuxième, p. 57.

24. William Derham, *Théologie physique ou démonstration de l'existence et des attributs de Dieu*, Strasbourg, Amand König, 1769, p. 158.

25. Barbara Freese, *Coal : A Human History*, New York, Penguin, 2004, p. 44.

26. Une bonne partie des sources de ce récit ont d'abord été citées dans Andreas Malm, « The Origins of Fossil Capital : From Water to Steam in the British Cotton Industry », *Historical Materialism*, vol. 21, 2013, p. 31.

27. J.R. McCulloch [non signé], « Babbage on Machinery and Manufactures », *Edinburgh Review*, vol. 56, 18 janvier 1833, p. 313-332 ; François Arago, « James Watt », dans *Œuvres de François Arago,* t. 1, *Notices biographiques*, Paris, Gide et J. Baudry Éditeurs, 1854, p. 492.

28. C.H. Turner, *Proceedings of the Public Meeting Held at Freemasons' Hall, on the 18th June 1824, for Erecting a Monument to the Late James Watt*, Londres, J. Murray, 1824, p. 3-4, cité dans Andreas Malm, « Steam : Nineteenth-Century Mechanization and the Power of Capital », dans Alf Hornborg, Brett Clark et Kenneth Hermele (dir.), *Ecology and Power : Struggles over Land and Material Resources in the Past, Present, and Future*, Londres, Routledge, 2013, p. 119.

29. M.A. Alderson, *An Essay on the Nature and Application of Steam : With an Historical Notice of the Rise and Progressive Improvement of the Steam-Engine*, Londres, Sherwood, Gilbert and Piper, 1834, p. 44.

30. Asa Briggs, *The Power of Steam : An Illustrated History of the World's Steam Age*, Chicago, University of Chicago Press, 1982, p. 72.

31. Jackson J. Spielvogel, *Western Civilization : A Brief History*, volume II : *Since 1500*, Boston, Wadsworth, 2014 (8e éd.), p. 445.

32. Herman E. Daly et Joshua Farley, *Ecological Economics : Principles and Applications*, Washington (DC), Island Press, 2011, p. 10.

33. Rebecca Newberger Goldstein, « What's in a Name ? Rivalries and the Birth of Modern Science », dans Bill Bryson (dir.), *Seeing Further : The Story of Science, Discovery, and the Genius of the Royal Society*, Londres, Royal Society, 2010, p. 120.

34. Ralph Waldo Emerson, *Les Lois de la vie*, Paris, Librairie internationale, 1864, p. 107.

35. Clive Hamilton, « The Ethical Foundations of Climate Engineering », juillet 2011, p. 12.

36. Esperanza Martínez, « The Yasuni-ITT Initiative from a Political Economy and Political Ecology Perspective », dans Leah Temper (dir.), « Towards a Post-Oil Civilization: Yasunization and Other Initiatives to Leave Fossil Fuels in the Soil », *EJOLT Report*, mai 2013, p. 12.

37. Jean-Paul Sartre, *Critique de la raison dialectique*, t. 1, Paris, Gallimard, 1960, p. 226 ; Tim Flannery, *Here on Earth: A Natural History of the Planet*, New York, Grove, p. 185.

38. Karl Marx, *Le Capital*, livre 3, ch. 47, Pantin, Le temps des cerises, 2009, p. 850.

39. « Yearly Emissions: 1987 », CAIT database, World Resources Institute, http://cait.wri. org ; Nicholas Stern, *The Economics of Climate Change: The Stern Review*, Cambridge, Cambridge University Press, 2007, p. 231 ; Judith Shapiro, *Mao's War Against Nature: Politics and the Environment in Revolutionary China*, Cambridge, Cambridge University Press, 2001 ; Mara Hvistendahl, « China's Three Gorges Dam: An Environmental Catastrophe? », *Scientific American*, 25 mars 2008 ; Will Kennedy et Stephen Bierman, « Free Khodorkovsky to Find Oil Industry Back in State Control », Bloomberg, 20 décembre 2013 ; Tom Metcalf, « Russian Richest Lost $13 Billion as Global Stocks Fell », Bloomberg News, 4 mars 2014.

40. City of Stockholm, Environment and Health Administration, « Stockholm Action Plan for Climate and Energy, 2012-2015: With an Outlook to 2030 », p. 12 ; Statoil, « Annual Report on Form 20-F », 2013, p. 117, www.statoil.com ; Statoil, « About Statoil: Oil Sands », www.statoil.com ; « Large-Scale Oil and Gas Drilling Decades Away », Reuters, 29 novembre 2013 ; Statoil, « Statoil Stepping Up in the Arctic », communiqué de presse, 28 août 2012 ; Statoil, « Iraq », Our Operations, Annual Report 2011, www.statoil.com ; Stephen A. Carney, « Allied Participation in Operation Iraqi Freedom », Center of Military History, United States Army, 2011, www.history.army.mil.

41. Instituto de Pesquisa Econômica Aplicada data, www.ipeadata.gov.br ; Mark Weisbrot et Jake Johnston, « Venezuela's Economic Recovery: Is It Sustainable? », Center for Economic and Policy Research, septembre 2012, p. 26 ; Banque mondiale, « Équateur », Données, 2014, http://donnees.banquemondiale.org/pays/equateur ; Nations Unies, Département des affaires économiques et sociales, « Argentine : population en dessous de la ligne de pauvreté nationale, urbaine, pourcentage », Indicateurs des objectifs du millénaire pour le développement, http://millenniumindicators.un.org/unsd/mdg/Data.aspx.

42. Fonds monétaire international, « Bolivia: Staff Report for the 2013 », article 5, « Consultation », février 2014, p. 6.

43. Luis Hernández Navarro, « Bolivia Has Transformed Itself by Ignoring the Washington Consensus », *The Guardian*, 21 mars 2012.

44. Nick Miroff, « In Ecuador, Oil Boom Creates Tensions », *Washington Post*, 16 février 2014 ; Dan Luhnow et José de Córdoba, « Bolivia Seizes Natural-Gas Fields in a Show of Energy Nationalism », *Wall Street Journal*, 2 mai 2006 ; « Argentine Province Suspends Open-Pit Gold Mining Project Following Protests », MercoPress, 31 janvier 2012 ; « The Green Desert », *The Economist*, 6 août 2004 ; « The Rights and Wrongs of Belo Monte », *The Economist*, 4 mai 2013 ; Nations Unies, Commission économique pour l'Amérique latine et les Caraïbes, « Exports of Primary Products as Percentage of Total Exports », *Statistical Yearbook for Latin America and the Caribbean*, 2012, p. 101 ; Joshua Schneyer et Nicolás Medina Mora Pérez, « Special Report: How China Took Control of an OPEC Country's Oil », Reuters, 26 novembre 2013.

45. Eduardo Gudynas, « Buen Vivir: Today's Tomorrow », *Development*, vol. 54, 2011, p. 442-443 ; Esperanza Martínez, *op. cit.*, p.17 ; Eduardo Gudynas, « The New Extractivism of the 21st Century: Ten Urgent Theses About Extractivism in Relation to Current South American Progressivism », Americas Program Report, Washington (DC), Center for International Policy, 21 janvier 2010.

46. Entretien de l'auteure avec Alexis Tsipras, 23 mai 2013.

47. Patricia Molina, « The "Amazon Without Oil" Campaign: Oil Activity in Mosetén Territory », dans Leah Temper (dir.), *op. cit.*, p. 75.

48. William T. Hornaday, *Wild Life Conservation in Theory and Practice*, New Haven (NJ), Yale University Press, 1914, p. v-vi.

49. « Who Was John Muir? », Sierra Club, www.sierraclub.org ; John Muir, *The Yosemite*, New York, Century, 1912, p. 261-262.

50. Henry David Thoreau, cité dans Donald Wortser, *Les Pionniers de l'écologie. Une histoire des idées écologiques*, Paris, Le sang de la Terre, coll. « La pensée écologique », 1992, p. 100 ; Aldo Leopold, « Éthique de l'environnement », *Almanach d'un comté des sables* suivi de *Quelques croquis*, Paris, Aubier, 1995, p. 258-259 ; Henry David Thoreau, *Walden ou la vie dans les bois*, Marseille, Le mot et le reste, 2010, p. 301.

51. Aldo Leopold, *op. cit.*, p. 258 ; lettre de Jay N. Darling à Aldo Leopold, 20 novembre 1935, Aldo Leopold Archives, University of Wisconsin Digital Collections.

52. Rachel Carson, *Printemps silencieux*, Marseille, Wildproject, 2009, p. 77, 86 et 283.

53. *Ibid.*, p. 283.

54. Dennis Meadows, Donella Meadows et Jørgen Randers, *Les Limites à la croissance (dans un monde fini)*, Montréal, Écosociété, 2013.

55. Christian Parenti, « "The Limits to Growth": A Book That Launched a Movement », *The Nation*, 5 décembre 2012.

## Chapitre 6

1. William Barnes et Nils Gilman, « Green Social Democracy or Barbarism: Climate Change and the End of High Modernism », dans Craig Calhoun et Georgi Derlugian (dir.), *The Deepening Crisis: Governance Challenges After Neoliberalism*, New York, New York University Press, 2011, p. 50.

2. Christine MacDonald, *Green, Inc.: An Environmental Insider Reveals How a Good Cause Has Gone Bad*, Guilford (CT), Lyons Press, 2008, p. 236.

3. Barry Commoner, « A Reporter at Large: The Environment », *The New Yorker*, 15 juin 1987, p. 68.

4. Eric Pooley, *The Climate War*, New York, Hyperion, 2010, p. 351-352.

5. Valgene W. Lehmann, « Attwater's Prairie Chicken—Its Life History and Management », *North American Fauna*, vol. 57, U.S. Fish and Wildlife Service, Department of the Interior, 1941, p. 6-7 ; « Attwater's Prairie-Chicken Recovery Plan », U.S. Fish and Wildlife Service, 2010 (2ᵉ éd.), p. 5.

6. « Texas Milestones », The Nature Conservancy, www.nature.org.

7. Joe Stephens et David B. Ottaway, « How a Bid to Save a Species Came to Grief », *Washington Post*, 5 mai 2003 ; « Texas City Prairie Preserve », The Nature Conservancy, www.nature.org, archivé sur la Wayback Machine d'Internet Archive, 8 février 2013, http://archive.org/web.

8. Richard C. Haut (dir.), « Living in Harmony—Gas Production and the Attwater's Prairie Chicken », présentation au salon et à la conférence technique de 2010 de la Society of Petroleum Engineers, Florence (Italie), 19-20 septembre 2010, p. 5 et 10 ; concession de pétrole et de gaz de The Nature Conservancy, inc. à Galveston Bay Resources, Inc., 11 mars 1999 ; Joe Stephens et David B. Ottaway, *op. cit.* ; entretien de l'auteure avec Aaron Tjelmeland, 15 avril 2013.

9. Janet Wilson, « Wildlife Shares Nest with Profit », *Los Angeles Times*, 20 août 2002 ; Joe Stephens et David B. Ottaway, *op. cit.*

10. Janet Wilson, *op. cit.*

11. Joe Stephens et David B. Ottaway, *op. cit.*

12. *Ibid.*

13. «Nature Conservancy Changes», *Living on Earth*, Public Radio International, 20 juin 2003.

14. Échanges de l'auteure par courriel avec Vanessa Martin, codirectrice du marketing et des communications, section du Texas, The Nature Conservancy, 16 mai, 21 mai et 24 juin 2013.

15. Outre le puits d'origine de 1999 et celui par lequel on l'a remplacé au même endroit en 2007, deux puits ont été forés en 2001 sur une concession de The Nature Conservancy: un puits de gaz, condamné et abandonné en 2004, et un autre qui s'est avéré improductif. Richard C. Haut (dir.), *op. cit.*, p. 5; échanges de l'auteure par courriel avec Vanessa Martin, 24 avril et 16 mai 2013.

16. Concession de pétrole et de gaz de The Nature Conservancy, inc. à Galveston Bay Resources, Inc., p. 3-5; échanges de l'auteure par courriel avec Vanessa Martin, 21 mai et 24 juin 2013; «Attwater's Prairie Chicken Background», The Nature Conservancy, remis le 24 avril 2013, p. 3; entretien de l'auteure avec James Petterson, 31 juillet 2014.

17. Échange de l'auteure par courriel avec Mike Morrow, biologiste de la faune, Atwater Prairie Chicken National Wildlife Refuge, 17 avril 2013; entretien de l'auteure avec Aaron Tjelmeland, 15 avril 2013; D.T. Max, «Green is Good», *The New Yorker*, 12 mai 2014; The Nature Conservancy, «About Us: Learn More About The Nature Conservancy», www.nature.org; The Nature Conservancy, «Consolidated Financial Statements», 30 juin 2013, p. 3; Joe Stephens et David B. Ottaway, *op. cit.*; The Nature Conservancy, «Texas City Prairie Preserve», www.nature.org.

18. Christine MacDonald, *op. cit.*, p. 25; *ibid.*, p. 139; Alexis Schwarzenbach, *WWF. Cinquante ans au service de la nature*, Paris, Buchet-Chastel, 2011, p. 145-148 et 271; World Wildlife Fund Global, «The Gamba Complex—Our Solutions», wwf.panda. org; World Resources Institute, «WRI's Strategic Relationships», www.wri.org; Conservation International, «Corporate Partners», www.conservation.org; Joe Stephens, «Nature Conservancy Faces Potential Backlash from Ties with BP», *Washington Post*, 24 mai 2010. [Note de bas de page] «Undercover with Conservation International» (vidéo), *Don't Panic*, 8 mai 2011; Tom Zeller Jr., «Conservation International Duped by Militant Greenwash Pitch», *Huffington Post*, 17 mai 2011; Peter Seligmann, «Partnerships for the Planet: Why We Must Engage Corporations», *Huffington Post*, 19 mai 2011.

19. John F. Smith Jr., ex-PDG puis président du conseil de General Motors, et E. Linn Draper Jr., ex-PDG d'American Electric Power, ont tous deux fait partie du conseil d'administration de The Nature Conservancy: The Nature Conservancy, «Past Directors of The Nature Conservancy», www.nature.org; David B. Ottaway et Joe Stephens, «Nonprofit Land Bank Amasses Billions», *Washington Post*, 4 mai 2003; The Nature Conservancy, «Working with Companies: Business Council», www.nature.org; The Nature Conservancy, «About Us: Board of Directors», www.nature.org.

20. The Nature Conservancy, «Consolidated Financial Statements», 30 juin 2012, p. 20-21; Naomi Klein, «Time for Big Green to Go Fossil Free», *The Nation*, 1er mai 2013; courriel de Mark Tercek aux cadres supérieurs, 19 août 2013.

21. Jad Mouawad, «Shell to Pay $15.5 million to Settle Nigerian Case», *The New York Times*, 8 juin 2009; Michelle Kinman et Antonia Juhasz (dir.), «The True Cost of Chevron: An Alternative Annual Report», True Cost of Chevron Network, mai 2011, p. 20; EarthRights International, «Bowoto v. Chevron», www.earthrights.org; Bryan Walsh, «How the Sierra Club Took Millions from the Natural Gas Industry—and Why They Stopped», *Time*, 2 février 2012; Michael Brune, «The Sierra Club and Natural Gas», Sierra Club, 2 février 2012; échange de l'auteure par courriel avec Bob Sipchen, directeur des communications, Sierra Club, 21 avril 2014.

22. Ford Foundation, formulaire 990 de 2012, annexe 8, p. 44, 48 et 53.

23. À l'approche des batailles parlementaires sur le marché du carbone aux États-Unis, des organismes comme la ClimateWorks Foundation ont remis des centaines de millions de dollars à un certain nombre d'organisations environnementalistes après avoir recueilli des fonds auprès de donateurs comme la Hewlett Foundation et la

Packard Foundation. Ces dons auraient contribué à la concentration des débats sur l'enjeu du système de plafonnement et d'échanges de droits d'émission de GES : Petra Bartosiewicz et Marissa Miley, « The Too Polite Revolution: Why the Recent Campaign to Pass Comprehensive Climate Legislation in the United States Failed », document présenté à un symposium sur les politiques américaines de lutte contre le changement climatique, Harvard University, février 2013, p. 30 ; entretien de l'auteure avec Jigar Shah, 9 septembre 2013 ; « Design to Win: Philanthropy's Role in the Fight Against Global Warming », California Environmental Associates, août 2007, p. 14-18, 24 et 42.

24. Robert Brulle, « Environmentalisms in the United States », dans Timothy Doyle et Sherilyn MacGregor (dir.), *Environmental Movements Around the World*, vol. 1, Santa Barbara, Praeger, 2013, p. 174.

25. Global Carbon Project, données sur les émissions, « 2013 Budget v2.4 », juillet 2014, http://cdiac.ornl.gov.

26. Pacte mondial des Nations Unies, « Caring for Climate Hosts Inaugural Business Forum to Co-Create Climate Change Solutions », communiqué de presse, 19 novembre 2013 ; Rachel Tansey, « The COP19 Guide to Corporate Lobbying: Climate Crooks and the Polish Government's Partners in Crime », Corporate Europe Observatory et Transnational Institute, octobre 2013.

27. Centre des médias, 19ᵉ Conférence des Nations Unies sur le changement climatique (COP19/CMP9), « Partners for COP19 », communiqué de presse, Varsovie, 17 septembre 2013 ; PGE Group, Investor Relations, « Who We Are », www.gkpge.pl/en ; World Coal Association, « International Coal & Climate Summit 2013 », www.worldcoal.org. Adam Vaughan et John Vidal, « UN Climate Chief Says Coal Can Be Part of Global Warming Solution », *The Guardian*, 18 novembre 2013 ; David Jolly, « Top U.N. Official Warns of Coal Risks », *The New York Times*, 18 novembre 2013.

28. Eric Pooley, *op. cit.*, p. 59 ; Environmental Defense Fund, « 25 Years After DDT Ban, Bald Eagles, Osprey Numbers Soar », communiqué de presse, 13 juin 1997.

29. Joan Martínez Alier, *L'Écologisme des pauvres*, Paris, Les Petits Matins, 2014.

30. Ramachandra Guha et Joan Martínez Alier, *Varieties of Environmentalism*, Abingdon (Oxon), Earthscan, 2006, p. 3-21 ; Joan Martínez Alier, *The Environmentalism of the Poor: A Study of Ecological Conflicts and Valuation*, Cheltenham, Edward Elgar, 2002.

31. Mark Dowie, *Losing Ground: American Environmentalism at the Close of the Twentieth Century*, Cambridge (MA), MIT Press, 1996, p. 33 et 39.

32. Lou Cannon, *Governor Reagan: His Rise to Power*, Cambridge (MA), Public Affairs, 2003, p. 177-178 ; « Watt Says Foes Want Centralization of Power », Associated Press, 21 janvier 1983.

33. Riley Dunlap (dir.), « Politics and Environment in America: Partisan and Ideological Cleavages in Public Support for Environmentalism », *Environmental Politics*, vol. 10, 2001, p. 31 ; « Endangered Earth, Planet of the Year », *Time*, 2 janvier 1989. [Note de bas de page] Riley Dunlap (dir.), *op. cit.*, p. 31.

34. « Principles of Environmental Justice », First National People of Color Environmental Leadership Summit, octobre 1991, www.ejnet.org.

35. Gus Speth, « American Environmentalism at a Crossroads », discours, Climate Ethics and Climate Equity series, Wayne Morse Center for Politics, University of Oregon, 5 avril 2011.

36. Conservation Fund, « Corporations », www.conservationfund.org ; Conservation International, « History », www.conservation.org, archivé sur la Wayback Machine d'Internet Archive, 5 décembre 2013, http://archive.org/web.

37. David B. Ottaway et Joe Stephens, « Nonprofit Land Bank Amasses Billions », *op. cit.* ; Joe Stephens et David B. Ottaway, « Nonprofit Sells Scenic Acreage to Allies at a Loss », *Washington Post*, 6 mai 2003 ; Monte Burke, « Eco-Pragmatists: The Nature Conservancy Gets in Bed with Developers, Loggers and Oil Drillers », *Forbes*, 3 septembre 2001.

38. « Environmentalists Disrupt Financial Districts in NYC, San Francisco », Associated Press, 23 avril 1990 ; Donatella Lorch, « Protesters on the Environment Tie Up Wall Street », *The New York Times*, 24 avril 1990 ; Martin Mittelstaedt, « Protesters to Tackle Wall Street », *Globe and Mail*, 23 avril 1990.

39. Elliot Diringer, « Environmental Demonstrations Take Violent Turn », *San Francisco Chronicle*, 24 avril 1990 ; « Environmentalists Disrupt Financial Districts in NYC, San Francisco », *op. cit.*

40. Eric Pooley, *op. cit.*, p. 69.

41. Fred Krupp, « New Environmentalism Factors in Economic Needs », *Wall Street Journal*, 20 novembre 1986 ; Environmental Defense Fund, « How We Work. Partnerships: The Key to Lasting Solutions », www.edf.org.

42. Michael Kranish, « The Politics of Pollution », *Boston Globe Magazine*, 8 février 1998 ; Eric Pooley, *op. cit.*, p. 74-81 ; entretien de l'auteure avec Laurie Williams et Allan Zabel, avocats à l'Environmental Protection Agency des États-Unis, qui se sont exprimés à titre personnel, 4 avril 2014.

43. Environmental Defense Fund, « Our People: Fred Krupp », www.edf.org ; Environmental Defense Fund, « About Us: Our Finances », www.edf.org ; Eric Pooley, *op. cit.*, p. 98 ; Ken Wells, « Tree-Hitter Tercek Channels Goldman at Nature Conservancy », Bloomberg, 31 mai 2012.

44. Cette somme de 65 millions de dollars a été obtenue en additionnant tous les dons versés à l'EDF de 2009 à 2013, énumérés sur le site web de la Walton Family Foundation. La valeur de ces dons figure également sur les formulaires 990 des déclarations de la fondation à l'Internal Revenue Service (agence chargée de la perception des impôts aux États-Unis) : « 2011 Grant Report », Walton Family Foundation, www.waltonfamilyfoundation.org ; Environmental Defense Fund, « 2011 Annual Report », p. 31, www.edf.org ; Environmental Defense Fund, « How We Work: Corporate Donation Policy », www.edf.org ; Eric Pooley, « Viewpoint: Naomi Klein's Criticism of Environmental Groups Missed the Mark », *Climate Progress*, 11 septembre 2013 ; Michelle Harvey, « Working Toward Sustainability with Walmart », Environmental Defense Fund, 18 septembre 2013 ; Walton Family Foundation, formulaire 990 de 2012, annexe 14, www.guidestar.org ; Stephanie Clifford, « Unexpected Ally Helps Wal-Mart Cut Waste », *The New York Times*, 13 avril 2012 ; Environmental Defense Fund, « About Us: Our Board of Trustees », www.edf.org.

45. Voir Stacy Mitchell, « Walmart Heirs Quietly Fund Walmart's Environmental Allies », *Grist*, 10 mai 2012 et « Walmart's Assault on the Climate », Institute for Local Self-Reliance, novembre 2013.

46. Walton Family Foundation, « 2011 Grant Report », www.waltonfamilyfoundation. org ; Environmental Defense Fund, « Walmart Announces Goal to Eliminate 20 million Metric Tons of Greenhouse Gas Emissions from Global Supply Chain », communiqué de presse, 25 février 2010 ; Daniel Zwerdling et Margot Lewis, « Is Sustainable-Labeled Seafood Really Sustainable? », NPR, 11 février 2013 ; Walmart, « Walmart Adds a New Facet to Its Fine Jewelry Lines: Traceability », 15 juillet 2008, news.walmart. com ; Stacy Mitchell, « Walmart Heirs Quietly Fund Walmart's Environmental Allies », *Grist*, 10 mai 2012.

47. Alastair McIntosh, « Where Now "Hell and High Water"? », *ECOS*, vol. 30, n°s 3-4, décembre 2009.

48. [Note de bas de page] Universal Pictures, « Universal Pictures, Illumination Entertainment and the Nature Conservancy Launch "The Lorax Speaks" Environmental Action Campaign on Facebook », communiqué de presse, 17 février 2012 ; Raymund Flandez, « Nature Conservancy Faces Flap Over Fundraising Deal to Promote Swimsuit Issues », *Chronicle of Philanthropy*, 6 mars 2012 ; « Sports Illustrated Swimsuit Inspired Swimwear, Surfboards and Prints on Gilt.com », *Inside Sports Illustrated*, 30 janvier 2012.

49. George Marshall, « Can This Really Save the Planet? », *The Guardian*, 12 septembre 2007.

50. Edward Roby, sans titre, UPI, 11 juin 1981 ; Joseph Romm, « Why Natural Gas Is a Bridge to Nowhere », *Energy Collective*, 24 janvier 2012 ; Martha M. Hamilton, « Natural Gas, Nuclear Backers See Opportunity in "Greenhouse" Concern », *Washington Post*, 22 juillet 1988.

51. U.S. Newswire, « Nation's Environmental Community Offers "Sustainable Energy Blueprint," to New Administration », communiqué de presse, 18 novembre 1992 ; Committee on Energy and Commerce, United States House of Representatives, 107th Congress, *National Energy Policy: Hearing Before the Subcommittee on Energy and Air Quality*, déclaration de Patricio Silva, avocat du projet, Natural Resources Defense Council, 2001.

52. Agence internationale de l'énergie, « Golden Rules for a Gold Age of Gas », rapport spécial, « World Energy Outlook », 29 mai 2012, www.worldenergyoutlook.org ; Nidaa Bakhsh et Brian Swint, « Fracking Spreads Worldwide », *Bloomberg Businessweek*, 14 novembre 2013.

53. Anthony Ingraffea, « Gangplank to a Warm Future », *The New York Times*, 28 juillet 2013.

54. Université de Manchester, « Climate Experts Call for Moratorium on UK Shale Gas Extraction », communiqué de presse, 20 janvier 2011 ; Sandra Steingraber, « A New Environmentalism for an Unfractured Future », *EcoWatch*, 6 juin 2014.

55. Entretien de l'auteure avec Mark Z. Jacobson, 7 avril 2014.

56. The Nature Conservancy, « Companies We Work With: JPMorgan Chase & Co. », www.nature.org ; Marc Gunther, « Interview: Matthew Arnold on Steering Sustainability at JP Morgan », *The Guardian*, 18 février 2013 ; Ann Chambers Noble, « The Jonah Field and Pinedale Anticline: A Natural-Gas Success Story », Wyoming State Historical Society, www.wyohistory.org ; Bryan Schutt (dir.), « For Veteran Producing States, Hydraulic Fracturing Concerns Limited », *SNL Energy Gas Utility Week*, 11 juillet 2011 ; The Nature Conservancy, « About Us: Working with Companies: BP and Development by Design », www.nature.org.

57. Center for Sustainable Shale Development, « Strategic Partners », www.sustainableshale.org ; Mijin Cha, « Voluntary Standards Don't Make Fracking Safe », *Huffington Post*, 22 mars 2013.

58. Public Accountability Initiative, « Big Green Fracking Machine », juin 2013, p. 1 ; Joyce Gannon, « Heinz Endowments President's Departure Leaves Leadership Void », *Pittsburgh Post-Gazette*, 14 janvier 2014 ; échange de l'auteure par courriel avec Carmen Lee, directrice des communications de Heinz Endowments, 25 juin 2014.

59. Environmental Defense Fund, « Environmental Defense Fund Announces Key Grant from Bloomberg Philanthropies », 24 août 2012 ; Peter Lattman, « What It Means to Manage the Mayor's Money », *The New York Times*, 15 octobre 2010 ; Capital Markets, « Company Overview of Willett Advisors LLC », *Bloomberg Businessweek*, http://investing.businessweek.com ; échange de l'auteure par courriel avec un porte-parole de Bloomberg Philanthropies, 16 avril 2014.

60. Environmental Defense Fund, « First Academic Study Released in EDF's Groundbreaking Methane Emissions Series », communiqué de presse, 16 septembre 2013 ; Michael Wines, « Gas Leaks in Fracking Disputed in Study », *The New York Times*, 16 septembre 2013 ; Cockrell School of Engineering, « University of Texas at Austin Study Measures Methane Emissions Released from Natural Gas Production », communiqué de presse, 10 octobre 2012 ; David T. Allen (dir.), « Measurements of Methane Emissions at Natural Gas Production Sites in the United States », *Proceedings of the National Academy of Sciences*, vol. 110, 2013, p. 17 et 768-773 ; Robert Howarth, « Re: Allen *et al.* Paper in the *Proceedings of the National Academy of Sciences* », communiqué de presse, Cornell University, 11 septembre 2013.

61. *Ibid.* ; Denver Nicks, « Study: Leaks at Natural Gas Wells Less Than Previously Thought », *Time*, 17 septembre 2013 ; Seth Borenstein et Kevin Begos, « Study: Methane Leaks from Gas Drilling Not Huge », Associated Press, 16 septembre 2013 ; « Fracking Methane Fears Overdone », *The Australian*, 19 septembre 2013.

62. Lindsay Abrams, « Josh Fox: "Democracy Itself Has Become Contaminated" », *Salon*, 1er août 2013.

63. Eric Pooley, *op. cit.*, p. 88-89.

64. William Drozdiak, « Global Warming Talks Collapse », *Washington Post*, 26 novembre 2000 ; « Special Report », *International Environment Reporter*, 4 février 1998.

65. Commission européenne, « Policies, Climate Action: The EU Emissions Trading System », http://ec.europa.eu ; Banque mondiale, Département de l'environnement, « State and Trends of the Carbon Market 2011 », juin 2011, p. 9 ; échange de l'auteure par courriel avec Jacob Ipsen Hansen, moniteur de recherche au Risø Centre (DTU Partnership) du Programme des Nations Unies pour l'environnement, 15 avril 2014 ; échange de l'auteure par courriel avec Larry Lohmann, expert du marché du carbone, The Corner House.

66. Oscar Reyes, « Future Trends in the African Carbon Market », dans Trusha Reddy (dir.), *Carbon Trading in Africa: A Critical Review*, Pretoria, Institute for Security Studies, 2011, p. 21-28 ; Fidelis Allen, « Niger Delta Oil Flares, Illegal Pollution and Oppression », dans Patrick Bond, Khadija Sharife et Ruth Castel-Branco (dir.), *The CDM Cannot Deliver the Money to Africa, EJOLT Report*, décembre 2012, p. 57-61 ; Carbon Limits (Nigeria), « Green Projects », http://carbonlimitsngr.com.

67. Elisabeth Rosenthal et Andrew W. Lehren, « Profits on Carbon Credits Drive Output of a Harmful Gas », *The New York Times*, 8 août 2012 ; John McGarrity, « India HFC-23 Emissions May Rise if CDM Boon Ends—Former Official », Reuters (Point Carbon), 31 octobre 2012 ; « Two Billion Tonne Climate Bomb: How to Defuse the HFC-23 Problem », Environmental Investigation Agency, juin 2013, p. 5.

68. CDM Watch et Environmental Investigation Agency, « CDM Panel Calls for Investigation over Carbon Market Scandal », communiqué de presse, 2 juillet 2010, http://eia-global.org.

69. CDM/JI Pipeline Analysis and Database, Programme des Nations Unies pour l'environnement, « CDM Projects by Type », 1er septembre 2013, www.cdmpipeline.org.

70. Rowan Callick, « The Rush Is on for Sky Money », *The Australian*, 5 septembre 2009 ; « Voices from Madagascar's Forests: "The Strangers, They're Selling the Wind" », No REDD in Africa Network, http://no-redd-africa.org.

71. Ryan Jacobs, « The Forest Mafia: How Scammers Steal millions Through Carbon Markets », *The Atlantic*, 11 octobre 2013 ; Luz Marina Herrera, « Piden que Defensoría del Pueblo investigue a presunto estafador de nacionalidad australiana », *La Región*, 4 avril 2011 ; Chris Lang, « AIDESEP and COICA Condemn and Reject "Carbon Cowboy" David Nilsson and Demand His Expulsion from Peru », *REDD-Monitor*, 3 mai 2011 ; Chris Lang, « David Nilsson: Carbon Cowboy », 22 novembre 2011, http://chrislang.org ; Servindi, « Perú: Amazónicos exigen "REDD+ Indígena" y rechazan falsas soluciones al cambio global », 2 mai 2011, http://servindi.org ; Patrick Bodenham et Ben Cubby, « Carbon Cowboys », *Sydney Morning Herald*, 23 juillet 2011 ; 8th Parliament of Queensland, « Record of Proceedings (Hansard) », 3 décembre 1996, p. 4781, www.parliament.qld.gov.au.

72. Larry Lohmann, « Carbon Trading: A Critical Conversation on Climate Change, Privatisation and Power », *Development Dialogue*, no 48, septembre 2006, p. 219 ; Deb Niemeier et Dana Rowan, « From Kiosks to Megastores: The Evolving Carbon Market », *California Agriculture*, vol. 63, 2009 ; Chris Lang, « How Forestry Offset Project in Guatemala Allowed Emissions in the USA to Increase », *REDD-Monitor*, 9 octobre 2009.

73. Amy Miller (réal.), *La Ruée vers le carbone*, Montréal, Wide Open Exposure et Byron A. Martin Productions, 2012 ; Anjali Nayar, « How to Save a Forest », *Nature*, vol. 462, 2009, p. 28.

74. Mark Schapiro, « GM's Money Trees », *Mother Jones*, novembre-décembre 2009 ; « The Carbon Hunters » (transcription), rapporté par Mark Schapiro, *Frontline/World*, PBS, 11 mai 2009 ; Chris Lang, « Uganda: Notes from a Visit to Mount Elgon », 28 février 2007, http://chrislang.org.

75. Rosie Wong, « The Oxygen Trade: Leaving Hondurans Gasping for Air », *Foreign Policy in Focus*, 18 juin 2013 ; Rosie Wong, « Carbon Blood Money in Honduras », *Foreign Policy in Focus*, 9 mars 2012.

76. Échange de l'auteure par courriel avec Chris Lang, 28 septembre 2013.

77. Bram Büscher, « Nature on the Move: The Value and Circulation of Liquid Nature and the Emergence of Fictitious Conservation », *New Proposals: Journal of Marxism and Interdisciplinary Inquiry*, vol. 6, 2013, p. 20-36 ; échange de l'auteure par courriel avec Bram Büscher, 16 avril 2014.

78. Stanley Reed et Mark Scott, « In Europe, Paid Permits for Pollution Are Fizzling », *The New York Times*, 21 avril 2013 ; « MEP's Move to Fix EU Carbon Market Praised », BBC, 4 juillet 2013 ; United Kingdom Department of Energy and Climate Change, « Digest of UK Energy Statistics 2012 », communiqué de presse, 26 juillet 2012, p. 5 ; United Kingdom Department of Energy and Climate Change, « Digest of UK Energy Statistics 2013 », communiqué de presse, 25 juillet 2013, p. 6 ; « Climate Change, Carbon Markets and the CDM: A Call to Action », rapport du groupe de travail de haut niveau sur le CDM Policy Dialogue, 2012, p. 67 ; échange de l'auteure par courriel avec Oscar Reyes, 2 mai 2014 ; Alessandro Vitelli, « UN Carbon Plan Won't Reverse 99% Price Decline, New Energy Says », Bloomberg, 12 décembre 2013.

79. Gillian Mohney, « John Kerry Calls Climate Change a "Weapon of Mass Destruction" », *ABC News*, 16 février 2014.

80. Scrap ETS, *Déclaration Abolir ETS*, s.d., anciennement disponible sur http://scrap-the-euets.makenoise.org/KV/declaration-abolir-ets-french.

81. « EU ETS Phase II—The Potential and Scale of Windfall Profits in the Power Sector », services consultatifs de Point Carbon au WWF, mars 2008 ; Suzanne Goldenberg, « Airlines "Made Billions in Windfall Profits" from EU Carbon Tax », *The Guardian*, 24 janvier 2013.

82. Michael H. Smith, Karlson Hargroves et Cheryl Desha, *Cents and Sustainability: Securing Our Common Future by Decoupling Economic Growth from Environmental Pressures*, London, EarthScan, 2010, p. 211.

83. Eric Pooley, *op. cit.*, p. 371 et 377.

84. Petra Bartosiewicz et Marissa Miley, *op. cit.*, p. 27.

85. « Comparison Chart of Waxman-Markey and Kerry-Lieberman », Center for Climate and Energy Solutions, www.c2es.org ; Petra Bartosiewicz et Marissa Miley, *op. cit.*, p. 20.

86. Brad Johnson, « Wonk Room Interviews Montana Legislator Who Introduced Bill to Declare Global Warming "Natural" », *Climate Progress*, 17 février 2011 ; Jane Mayer, « Covert Operations », *The New Yorker*, 30 août 2010 ; Ian Urbina, « Beyond Beltway, Health Debate Turns Hostile », *The New York Times*, 7 août 2009 ; Rachel Weiner, « Obama's NH Town Hall Brings Out Birthers, Deathers, and More », *Huffington Post*, 13 septembre 2009.

87. Steven Mufson, « ConocoPhillips, BP and Caterpillar Quit USCAP », *Washington Post*, 1er février 2010 ; déclaration de Red Cavaney, vice-président directeur aux affaires gouvernementales de ConocoPhillips, U.S. Climate Action Partnership, auditions devant le Committee on Energy and Commerce, United States House of Representatives, 111th Congress, 2009 ; ConocoPhillips, *2012 Annual Report*, 19 février 2013, p. 20 ; Kate Sheppard, « ConocoPhillips Works to Undermine Climate Bill Despite

Pledge to Support Climate Action », *Grist,* 18 août 2009 ; ConocoPhillips, « Conoco-Phillips Intensifies Climate Focus », communiqué de presse, 16 février 2010 ; Michael Burnham, « Conoco, BP, Caterpillar Leave Climate Coalition », Greenwire, *The New York Times,* 16 février 2010.

88. « Representative Barton on Energy Legislation » (vidéo), C-SPAN, 19 mai 2009. [Note de bas de page] « Session 4: Public Policy Realities » (vidéo), 6th International Conference on Climate Change, The Heartland Institute, 30 juin 2011 ; Chris Horner, « Al Gore's Inconvenient Enron », *National Review Online,* 28 avril 2009.

89. John M. Broder et Clifford Krauss, « Advocates of Climate Bill Scale Down Their Goals », *The New York Times,* 26 janvier 2010.

90. Theda Skocpol, « Naming the Problem: What It Will Take to Counter Extremism and Engage Americans in the Fight Against Global Warming », document présenté à un symposium sur les politiques américaines de lutte contre le changement climatique, Harvard University, février 2013, p. 11.

91. « Environmentalist Slams Exxon over EPA » (vidéo), CNN Money, 5 avril 2011 ; Colin Sullivan, « EDF Chief: "Shrillness" of Greens Contributed to Climate Bill's Failure in Washington », Greenwire, *The New York Times,* 5 avril 2011.

92. « Fortune Brainstorm Green 2011 », Fortune Conferences, www.fortuneconferences.com.

### Chapitre 7

1. Richard Branson, *Ma petite philosophie connaît pas la crise. Les leçons de la vie,* Paris, Scali, 2007, p. 106.

2. Katherine Bagley et Maria Gallucci, « Bloomberg's Hidden Legacy: Climate Change and the Future of New York City, Part 5 », *InsideClimate News,* 22 novembre 2013.

3. Richard Branson, *Du capitalisme à l'écologie. Ma petite philosophie,* Paris, Scali, 2008, p. 129-158 ; Davis Guggenheim (réal.), *Une vérité qui dérange,* Beverly Hills, Lawrence Bender Productions, 2006.

4. Richard Branson, *Du capitalisme à l'écologie, op. cit.,* p. 134-135 et 137.

5. *Ibid.,* p. 140 et 130.

6. Andrew C. Revkin, « Branson Pledges Billions to Fight Global Warming », *The New York Times,* 21 septembre 2006 ; Marius Benson, « Richard Branson Pledges $3 Billion to Tackle Global Warming », *The World Today,* ABC (Australie), 22 septembre 2006.

7. Bruce Falconer, « Virgin Airlines: Powered by Pond Scum? », *Mother Jones,* 22 janvier 2008 ; Richard Branson, *Du capitalisme à l'écologie, op. cit.,* p. 146.

8. « Virgin Founder Richard Branson Pledges $3 Billion to Fight Global Warming », Reuters, 22 septembre 2006 ; Michael Specter, « Branson's Luck », *The New Yorker,* 14 mai 2007.

9. « The Virgin Earth Challenge: Sir Richard Branson and Al Gore Announce a $25 million Global Science and Technology Prize », The Virgin Earth Challenge, Virgin Atlantic, www.virgin-atlantic.com ; « Branson, Gore Announce $25 million "Virgin Earth Challenge" », *Environmental Leader,* 9 février 2007 ; Richard Branson, *Du capitalisme à l'écologie, op. cit.,* p. 152 ; Virgin Earth Prize, « Virgin Offers $25 million Prize to Defeat Global Warming », communiqué de presse, 9 février 2007.

10. Joel Kirkland, « Branson's "Carbon War Room" Puts Industry on Front Line of U.S. Climate Debate », ClimateWire, *The New York Times,* 22 avril 2010 ; Rowena Mason, « Sir Richard Branson: The Airline Owner on His New War », *The Telegraph,* 28 décembre 2009.

11. Bryan Walsh, « Global Warming: Why Branson Wants to Step In », *Time,* 31 décembre 2009.

12. Carlo Rotella, « Can Jeremy Grantham Profit from Ecological Mayhem? », *The New York Times,* 11 août 2011 ; Jeremy Grantham, « The Longest Quarterly Letter Ever »,

*Quarterly Letter*, GMO LLC, février 2012, www.capitalinstitute.org. [Note de bas de page] The Grantham Foundation for the Protection of the Environment, «Grantees», www.granthamfoundation.org.

13. Warren Buffett, cité dans Whitney Tilson, «Whitney Tilson's 2007 Berkshire Hathaway Annual Meeting Notes», Whitney Tilson's Value Investing, 5 mai 2007, www.tilsonfunds. com.

14. MidAmerican Energy Holdings Company, «NV Energy to Join MidAmerican Energy Holdings Company», communiqué de presse, 19 mai 2013, www.midamerican.com; «Berkshire Hathaway Portfolio Tracker», CNBC, www.cnbc.com; Nick Zieminski, «Buffett Buying Burlington Rail in His Biggest Deal», Reuters, 3 novembre 2009; Alex Crippen, «CNBC Transcript: Warren Buffett Explains His Railroad "All-In Bet" on America», CNBC, 3 novembre 2009.

15. Keith McCue, «Reinsurance 101», présentation, RenaissanceRe, 2011; entretien de l'auteure avec Eli Lehrer, 20 août 2012; Eli Lehrer, «The Beach House Bailout», *Weekly Standard*, 10 mai 2010.

16. Josh Wingrove, «Meet the U.S. Billionaire Who Wants to Kill the Keystone XL Pipeline», *Globe and Mail*, 6 avril 2013. [Note de bas de page] Joe Hagan, «Tom Steyer: An Inconvenient Billionaire», *Men's Journal*, mars 2014; University of Texas at Austin, «Unprecedented Measurements Provide Better Understanding of Methane Emissions During Natural Gas Production», communiqué de presse, 16 septembre 2013; Tom Steyer et John Podesta, «We Don't Need More Foreign Oil and Gas», *Wall Street Journal*, 24 janvier 2012.

17. Mike Bloomberg, «Philanthropist: Moving Beyond Coal. Beyond Coal Campaign», mikebloomberg.com; Bloomberg Philanthropies, «Bloomberg Philanthropies Grant Awarded to Environmental Defense Fund», communiqué de presse, 27 août 2012; Katherine Bagley et Maria Gallucci, «Bloomberg's Hidden Legacy: Climate Change and the Future of New York City, Part 1», *InsideClimate News*, 18 novembre 2013. [Note de bas de page] Tom Angotti, «Is New York's Sustainability Plan Sustainable?», document présenté à la conférence commune de l'Association of Collegiate Schools of Planning et de l'Association of European Schools of Planning, juillet 2008; Michael R. Bloomberg et George P. Mitchell, «Fracking is Too Important to Foul Up», *Washington Post*, 23 août 2012.

18. «Introducing Our Carbon Risk Valuation Tool», Bloomberg, 5 décembre 2013; Dawn Lim, «Willett Advisors Eyes Real Assets for Bloomberg's Philanthropic Portfolio», Foundation & Endowment Intelligence, mai 2013.

19. Next Generation, «Risky Business Co-Chair Michael Bloomberg» (vidéo), YouTube, 23 juin 2014; Robert Kopp (dir.), «American Climate Prospectus: Economic Risks in the United States», Rhodium Group for the Risky Business Project, juin 2014; Centre d'actualités de l'ONU, «L'ex-maire de New York Bloomberg nommé Envoyé spécial de l'ONU pour les villes et le climat», communiqué de presse, 31 janvier 2014.

20. Parmi les autres grandes sociétés pétrolières et gazières dont la fondation de Bill Gates détient des actifs, mentionnons Shell, ConocoPhillips et Chevron; elle a aussi effectué des investissements dans beaucoup d'autres firmes d'exploration, de production, de services et de génie appartenant à l'industrie gazière et pétrolière: Bill & Melinda Gates Foundation Trust, formulaire 990-PF, annexe C, p. 1-18, et annexe D, p. 1-15., U.S. Securities and Exchange Commission, 31 décembre 2013, www.sec.gov.

21. Bill Gates, «Innovating to Zero!» (vidéo), conférence TED, février 2010; «Chairman of the Board», http://terrapower.com; Robert A. Guth, «A Window into the Nuclear Future», *Wall Street Journal*, 28 février 2011; Carbon Engineering, «About CE», http://carbonengineering.com; «Fund for Innovative Climate and Energy Research», http://dge.stanford.edu; brevet américain n° 8 702 982, «Water Alteration Sructure and System», déposé le 3 janvier 2008; brevet américain n° 8 685 254, «Water Alteration Structure Applications and Methods», déposé le 3 janvier 2008; brevet américain n° 8 679 331, «Water Alteration Structure Movement Method and System», déposé le

3 janvier 2008 ; brevet américain n° 8 348 550, « Water Alteration Structure and System Having Heat Transfer Conduit », déposé le 29 mai 2009 ; interview de David Leonhardt, *Washington Ideas Forum*, 14 novembre 2012 ; Dave Mosher, « Gates : "Cute" Won't Solve Planet's Energy Woes », *Wired*, 3 mai 2011 ; « Conversation with Bill Gates », *Charlie Rose Show*, 30 janvier 2013 ; Statistisches Bundesamt, « Production : Gross Electricity Production in Germany from 2011 to 2013 », www.destatis.de.

22. « Texas Oilman T. Boone Pickens Wants to Supplant Oil with Wind », *USA Today*, 11 juillet 2008 ; PickensPlan, « T. Boone Pickens TV Commercial » (vidéo), YouTube, 7 juillet 2008.

23. Dan Reed, « An Apology to Boone Pickens : Sorry, Your Plan Never Had a Chance », *Energy Viewpoints*, 9 décembre 2013 ; Carl Pope, « T. Boone and Me », *Huffington Post*, 3 juillet 2008.

24. Christopher Helman, « T. Boone Reborn », *Forbes*, 31 mars 2014 ; Kirsten Korosec, « T. Boone Pickens Finally Drops the "Clean" from His "Clean Energy" Plan », *MoneyWatch*, CBS, 19 mai 2011 ; Fen Montaigne, « A New Pickens Plan : Good for the U.S. or Just for T. Boone ? », *Yale Environment 360*, 11 avril 2011 ; « T. Boone Pickens on Why He's for the Keystone XL Pipeline, Why the Tax Code Should Be "Redone" and No One Is to Blame for Gas Prices », CNN, 25 avril 2012.

25. Nicholas Lockley, « Eco-pragmatists », *Private Equity International*, novembre 2007, p. 76-77 ; Gevo, Inc., « Khosla Ventures and Virgin Fuels Invest in Gevo, Inc. », communiqué de presse, 19 juillet 2007 ; Kabir Chibber, « How Green Is Richard Branson ? », *Wired*, 5 août 2009 ; échange de l'auteure par courriel avec Freya Burton, directrice des relations avec l'Europe, LanzaTech, 18 avril 2014 ; Ross Kelly, « Virgin Australia Researching Eucalyptus Leaves as Jet Fuel », *Wall Street Journal*, 6 juillet 2011 ; Richard Branson, *Du capitalisme à l'écologie, op. cit.*, p. 151 ; « What Happened to Biofuels ? » *The Economist*, 7 septembre 2013 ; échange de l'auteure par courriel avec Richard Branson, 6 mai 2014. [Note de bas de page] National Research Council, *Renewable Fuel Standard : Potential Economic and Environmental Effects of U.S. Biofuel Policy*, Washington, National Academies Press, 2011, p. 130-134.

26. Virgin Green Fund, « Our Companies : Gevo », archivé sur la Wayback Machine d'Internet Archive, 28 septembre 2013, http://archive.org/web ; Virgin Green Fund, « Our Companies : Seven Seas Water », archivé sur la Wayback Machine d'Internet Archive, 4 avril 2014, http://archive.org/web ; Virgin Green Fund, « Our Companies : Metrolight », archivé sur la Wayback Machine d'Internet Archive, 30 octobre 2013, http://archive.org/web ; Virgin Green Fund, « Our Companies : GreenRoad », archivé sur la Wayback Machine d'Internet Archive, 29 novembre 2013, http://archive.org/web ; entretien de l'auteure avec Evan Lovell, 3 septembre 2013.

27. Entretien de l'auteure avec Jigar Shah, 9 septembre 2013.

28. Kabir Chibber, *op. cit.*

29. Branson a participé au tour de financement D de Solazyme, qui a permis à l'entreprise de recueillir environ 60 millions de dollars d'au moins dix investisseurs. Ce tour a été mené par Morgan Stanley et Braemar Energy Ventures, qui affirme investir en général « de 1 million à 20 millions de dollars par tour de financement » jusqu'à un total de 25 millions. Même si Branson a fourni la plus grande part du financement recueilli lors du tour D, la valeur de ses investissements rendus publics demeure largement inférieure à 300 millions : Solazyme Inc., « Solazyme Announces Series D Financing Round of More Than \$50 million », communiqué de presse, 9 août 2010 ; Solazyme Inc., « Solazyme Adds Sir Richard Branson as Strategic Investor », communiqué de presse, 8 septembre 2010 ; Braemar Energy Ventures, « About Braemar Energy Ventures », www.braemarenergy.com, « Richard Branson on Climate Change » (vidéo), *The Economist*, 23 septembre 2010 ; John Vidal, « Richard Branson Pledges to Turn Caribbean Green », *The Observer*, 8 février 2014 ; entretien de l'auteure avec Evan Lovell, 3 septembre 2013.

30. Échange de l'auteure par courriel avec Richard Branson, 6 mai 2014; Irene Klotz, «Profile: Sir Richard Branson, Founder, Virgin Galactic», *SpaceNews*, 11 novembre 2013; John Vidal, *op. cit.*

31. Kabir Chibber, *op. cit.*; échange de l'auteure par courriel avec Richard Branson, 6 mai 2014.

32. Richard Branson, *Du capitalisme à l'écologie*, *op. cit.*, p. 12; Dan Reed, «Virgin America Takes Off», *USA Today*, 8 août 2007; échange de l'auteure par courriel avec Madhu Unnikrishnan, directeur des relations avec les médias, Virgin America, 6 septembre 2013; Victoria Stilwell, «Virgin America Cuts Airbus Order, Delays Jets to Survive», Bloomberg, 16 novembre 2012; Grant Robertson, «Virgin America Sets Course for Canada», *Globe and Mail*, 19 mars 2010.

33. Virgin America, «Virgin America Orders 60 New Planes, Celebrates "Growing Planes" with Sweet 60 Fare Sale», communiqué de presse, 17 janvier 2010.

34. Virgin Australia Airlines Pty Ltd, «Annual Report 2012», www.virginaustralia.com; «Richard Branson Beats off Stiff Competition for Scottish Airport Links», *Courier*, 9 avril 2013; Alastair Dalton, «Virgin's "Zero Fares" on Scots Routes in BA Battle», *Scotsman*, 18 mars 2013; Transport for London, «Taxi Fares», www.tfl.gov.uk. [Note de bas de page] Mark Pilling, «Size Does Matter for Virgin Boss Branson», *Flight Global News*, 23 juillet 2002; Leah McLennan, «Flying in Style on Branson's V Australia», *Sydney Morning Herald*, 17 avril 2009; Lucy Woods, «5 Virgin Aviation Stunts by Sir Richard Branson», *Travel Magazine*, 7 mai 2013.

35. L'expansion des flottes aériennes de Virgin Atlantic et de Virgin America m'a été confirmée par des porte-parole des deux sociétés aériennes. J'ai estimé celle de Virgin Australia en me basant sur le rapport annuel de 2007 et le rapport semestriel de 2014 de la firme; elle comprend les avions nolisés et d'autres services. Les autres sociétés aériennes dans lesquelles Virgin a effectué des investissements ponctuels, comme Brussels Airlines, Air Asia X et Virgin Nigeria (aujourd'hui Air Nigeria), ne sont pas incluses. Virgin Blue Holdings Ltd., «Annual Report 2007»; Virgin Australia Holdings Ltd., «2014 Half Year Results» (présentation), 28 février 2014. J'ai estimé la croissance des émissions en comparant les émissions totales combinées de Virgin Atlantic et de Virgin Australia pendant l'année fiscale 2006-2007 à celles des trois principales compagnies aériennes de Virgin en 2012 (Virgin America a lancé son service au milieu de l'année 2007). Les émissions de Virgin Australia s'appliquent à l'exercice fiscal 2011-2012: Virgin Atlantic, «How Big is Virgin Atlantic's Carbon Footprint?», www.virgin-atlantic.com; Virgin Atlantic Airways Ltd., «Supply Chain 2013», Carbon Disclosure Project, www.cdp.net; Virgin Blue Holdings Ltd., «Annual Report 2007»; Virgin Australia Holdings Ltd., «Annual Report 2012»; renseignements sur les émissions de 2008 et de 2012 soumis au registre sur le climat de Virgin America Inc., www.crisreport.org. Virgin Atlantic Airways Ltd., «Sustainability Report: Winter 2011/12», www.virgin-atlantic.com.

36. Mazyar Zeinali, «U.S. Domestic Airline Fuel Efficiency Ranking 2010», International Council on Clean Transportation, septembre 2013, http://theicct.org.

37. «Virgin and Brawn Agree Sponsorship to Confirm Branson's Entry to Formula One», *The Guardian*, 28 mars 2009; «What Does a $250,000 Ticket to Space with Virgin Galactic Actually Buys You?», CNN, 16 août 2013; Peter Elkind, «Space-Travel Startups Take Off», *Fortune*, 16 janvier 2013; Salvatore Babones, «Virgin Galactic's Space Tourism Venture for the 1% Will Warm the Globe for the Rest of Us», *Truthout*, 14 août 2012.

38. Kabir Chibber, *op. cit.*

39. Richard Wachman, «Virgin Brands: What Does Richard Branson Really Own?», *The Observer*, 7 janvier 2012; David Runciman, «The Stuntman», *London Review of Books*, 20 mars 2014; Heather Burke, «Bill Gates Tops Forbes List of Billionaires for the 12th Year», Bloomberg, 9 mars 2006; «The World's Billionaires: #301 Richard Branson», *Forbes*, juillet 2014; John Vidal, *op. cit.*

40. Kabir Chibber, *op. cit.*

41. James Kanter, « Cash Prize for Environmental Help Goes Unawarded », *The New York Times*, 21 novembre 2010 ; Paul Smalera, « Richard Branson Has Deep-Sea Ambitions, Launches Virgin Oceanic », *Fortune*, 5 avril 2011.

42. James Kanter, *op. cit.*

43. Échange de l'auteure par courriel avec Richard Branson, 6 mai 2014 ; Helen Craig, « Virgin Earth Challenge Announces Leading Organisations », Virgin Unite, novembre 2011.

44. *Ibid.* ; « $25 million Prize Awarded to Green Technology », SWTVChannel, YouTube, 3 novembre 2011 ; Virgin Earth Challenge, « The Finalists », www.virginearth.com ; « Biochar: A Critical Review of Science and Policy », *Biofuelwatch*, novembre 2011.

45. Helen Craig, *op. cit.* ; Calgary Economic Development, « Virgin Coming to Global Clean Energy Congress in Calgary », communiqué de presse, 9 septembre 2011.

46. Le mandat de Knight comme conseiller indépendant au développement durable auprès du groupe Virgin a pris fin en 2012, mais l'homme a maintenu ses liens avec le Virgin Earth Challenge : The Virgin Earth Challenge, « Management Team », www.virginearth. com ; Alan Knight, « My Corporate Expertise », www.dralanknight.com ; Alan Knight, « Oil Sands Revisited », 10 novembre 2011, www.dralanknight.com ; Oil Sands Leadership Initiative, « Contact », www.dralanknight.com.

47. Alan Knight, « Oil Sands Revisited », *op. cit.* ; entretien de l'auteure avec Alan Knight, 12 décembre 2011.

48. Rebecca Penty, « Calgary Firm a Finalist in Virgin's $25M Green Technology Challenge », *Calgary Herald,* 28 septembre 2011 ; Alan Knight, « Alberta Oil Sands Producers "Distracted from Ambition and Creativity" », *Financial Post*, 1ᵉʳ novembre 2011.

49. Selon l'Energy Information Administration américaine, les réserves prouvées de pétrole brut totalisaient 26,5 milliards de barils en 2012. Les réserves additionnelles estimées qui peuvent être extraites de façon rentable grâce aux technologies actuelles et futures de RAH au $CO_2$ ont été ajoutées aux données initiales de 2012 : U.S. Energy Information Administration, International Energy Statistics, « Crude Oil Proved Reserves » ; Vello A. Kuuskraa, Tyler Van Leeuwen et Matt Wallace, « Improving Domestic Energy Security and Lowering $CO_2$ Emissions with "Next Generation" $CO_2$-Enhanced Oil Recovery ($CO_2$-EOR) », National Energy Technology Laboratory, U.S. Department of Energy, DOE/NETL-2011/1504, 20 juin 2011, p. 4. Marc Gunther, « Rethinking Carbon Dioxide: From a Pollutant to an Asset », *Yale Environment 360,* 23 février 2012.

50. Marc Gunther, « Nations Stalled on Climate Action Could "Suck It Up" », Bloomberg, 18 juin 2012 ; Marc Gunther, « The Business of Cooling the Planet », *Fortune*, 7 octobre 2011.

51. Rebecca Penty, *op. cit.* ; Robert M. Dilmore, « An Assessment of Gate-to-Gate Environmental Life Cycle Performance of WaterAlternating-Gas $CO_2$-Enhanced Oil Recovery in the Permian Basin », résumé, National Energy Technology Laboratory, U.S. Department of Energy, DOE/NETL-2010/1433, 30 septembre 2010, p. 1 ; Paulina Jaramillo, W. Michael Griffin et Sean T. McCoy, « Life Cycle Inventory of $CO_2$ in an Enhanced Oil Recovery System », *Environmental Science & Technology*, vol. 43, 2009, p. 8027-8032.

52. Marc Gunther, « Direct Air Carbon Capture: Oil's Answer to Fracking? », GreenBiz, 12 mars 2012.

53. Natural Resources Defense Council, « NRDC Calls on Major Airlines to Steer Clear of Highly Polluting New Fuel Types », communiqué de presse, 10 janvier 2008 ; Liz Barratt-Brown, « NRDC Asks Airlines to Oppose Dirty Fuels and Cut Global Warming Pollution », Natural Resources Defense Council, 10 janvier 2008 ; lettre de Peter Lehner, directeur général du Natural Resources Defense Council, à Gerard J. Arpey, PDG d'American Airlines, janvier 2008, http://docs.nrdc.org.

54. Alan Knight, «Alberta Oil Sands Producers "Distracted from Ambition and Creativity"», *Financial Post*, 1er novembre 2011. [Note de bas de page] Brendan May, «Shell Refuses to Save the Arctic, but Its Customers Still Could», *Business Green*, 24 juillet 2013.

55. Julie Doyle, «Climate Action and Environmental Activism: The Role of Environmental NGOs and Grassroots Movements in the Global Politics of Climate Change», dans Tammy Boyce et Justin Lewis (dir.), *Climate Change and the Media*, New York, Peter Lang, 2009, p. 103-116; Mark Engler, «The Climate Justice Movement Breaks Through», *Yes!*, 1er décembre 2009; Heathrow Airport, «Heathrow North-west Third Runway Option Short-Listed by Airports Commission», communiqué de presse, 17 décembre 2013.

56. David Hencke, «Minister Bows to Calls on Climate Change Bill», *The Guardian*, 26 octobre 2008; George Monbiot, «Preparing for Take-off», *The Guardian*, 19 décembre 2006; Dan Milmo, «Brown Hikes Air Passenger Duty», *The Guardian*, 6 décembre 2006; «Euro MPs Push for Air Fuel Taxes», BBC News, 4 juillet 2006.

57. Jean Chemnick, «Climate: Branson Calls Carbon Tax "Completely Fair" but Dodges Question on E.U. Airline Levy», *E&E News*, 26 avril 2012; Gwyn Topham, «Virgin Atlantic Planning Heathrow to Moscow Flights», *The Guardian*, juillet 2012; Richard Branson, «Don't Run Heathrow into the Ground», *The Times* (Londres), 30 juin 2008. [Note de bas de page] Roland Gribben, «Sir Richard Branson's 5bn Heathrow Offer Rejected», *The Telegraph*, 12 mars 2012.

58. «Branson Criticises Carbon Tax, Backs Biofuels», *PM*, ABC (Australie), 6 juillet 2011; Rowena Mason, «Sir Richard Branson Warns Green Taxes Threaten to Kill Aviation», *The Telegraph*, 16 décembre 2009. [Note de bas de page] «Behind Branson», *The Economist*, 19 février 1998; Juliette Garside, «Richard Branson Denies Being a Tax Exile», *The Guardian*, 13 octobre 2013; Richard Branson, *Du capitalisme à l'écologie*, *op. cit.*, p. 119-127.

59. Matthew Lynn, «Branson's Gesture May Not Save Aviation Industry», Bloomberg, 26 septembre 2006.

60. «Virgin America Selling Carbon Offsets to Passengers», *Environmental Leader*, 5 décembre 2008; John Arlidge, «I'm in a Dirty Old Business but I Try», *Sunday Times* (Londres), 9 août 2009.

61. Alan Knight, «Alberta Oil Sands Producers "Distracted from Ambition and Creativity"», *op. cit.*

62. Karl West, «Virgin Gravy Trains Rolls On», *Sunday Times* (Londres), 16 janvier 2011; Phillip Inman, «Privatised Rail Will Remain Gravy Train», *The Guardian*, 4 juillet 2011; Richard Branson, «It's Nonsense to Suggest Virgin's Success Has Depended on State Help», *The Guardian*, 23 novembre 2011.

63. Gwyn Topham, «Privatised Rail Has Meant "Higher Fares, Older Trains and Bigger Taxpayers' Bill"», *The Guardian*, 6 juin 2013; Adam Whitnall, «Virgin Trains Set for £3.5m Refurbishment—to Remove Smell from Corridors», *The Independent* (Londres), 6 octobre 2013; Will Dahlgreen, «Nationalise Energy and Rail Companies, Say Public», YouGov, 4 novembre 2013.

64. Rebecca Penty, *op. cit.*; Marc Gunther, «The Business of Cooling the Planet», *op. cit.*

## Chapitre 8

1. Newt Gingrich, «Stop the Green Pig: Defeat the Boxer. Warner-Lieberman Green Pork Bill Capping American Jobs and Trading America's Future», *Human Events*, 3 juin 2008.

2. William James, *La Volonté de croire*, Paris, Les Empêcheurs de penser en rond, 2005, p. 83.

3. «Geoengineering the Climate: Science, Governance and Uncertainty», Royal Society, septembre 2009, p. 62; «Solar Radiation Management: the Governance of Research»,

Solar Radiation Management Governance Initiative, lancée par l'EDF, la Royal Society et la World Academy of Sciences, 2011, p. 11.

4. EDF, « Geoengineering: A "Cure" Worse Than the Disease? », *Solutions*, n° 41, printemps 2010, p. 10-11.

5. Patrick Martin (dir.), « Iron Fertilization Enhanced Net Community Production but not Downward Particle Flux During the Southern Ocean Iron Fertilization Experiment LOHAFEX », *Global Biogeochemical Cycles*, vol. 27, 2013, p. 871-881 ; Haida Salmon Restoration Corporation, « Haida Salmon Restoration Project: The Story So Far », septembre 2012 ; GeoLibrary, Oxford Geoengineering Programme, www. geoengineering.ox.ac.uk ; John Latham (dir.), « Marine Cloud Brightening », *Philosophical Transactions of the Royal Society A*, vol. 370, 2012, p. 4247-4255 ; David Rotman, « A Cheap and Easy Plan to Stop Global Warming », *MIT Technology Review*, 8 février 2013 ; Daniel Cressey, « Cancelled Project Spurs Debate over Geoengineering Patents », *Nature*, vol. 485, 2012, p. 429.

6. P.J. Crutzen, « Albedo Enhancement by Stratospheric Sulfur Injections: A Contribution to Resolve a Policy Dilemma? », *Climate Change*, vol. 77, 2006, p. 212 ; Oliver Morton, « Is This What It Takes to Save the World? », *Nature*, vol. 447, 2007, p. 132.

7. Ben Kravitz, Douglas G. MacMartin et Ken Caldeira, « Geoengineering: Whiter Skies? », *Geophysical Research Letters*, vol. 39, 2012, p. 1 et 3-5 ; Carnegie Institution for Science, « Geoengineering: A Whiter Sky », communiqué de presse, 30 mai 2012.

8. « Solar Radiation Management », *op. cit.*, p. 16.

9. Roger Revelle (dir.), « Atmospheric Carbon Dioxide », dans *Restoring the Quality of Our Environment: Report of the Panel on Environmental Pollution*, President's Science Advisory Committee, Panel on Environmental Pollution, appendice Y4, p. 127.

10. James Rodger Fleming, *Fixing the Sky: The Checkered History of Weather and Climate Control*, New York, Columbia University Press, 2010, p. 165-188.

11. P.J. Crutzen, *op. cit.*, p. 216.

12. « When Patents Attack », *Planet Money*, NPR, 22 juillet 2011.

13. « The Stratospheric Shield », *Intellectual Ventures*, 2009, p. 3, 15-16 ; « Solving Global Warming with Nathan Myhrvold », *Fareed Zakaria GPS*, CNN, 20 décembre 2009.

14. Steven D. Levitt et Stephen J. Dubner, *SuperFreakonomics*, Paris, Denoël, 2010, p. 271.

15. New America Foundation, « A Future Tense Event: Geoengineering », www.newamerica. net.

16. Eli Kintisch, *Hack the Planet: Science's Best Hope—or Worst Nightmare—for Averting Climate Catastrophe*, Hoboken (NJ), John Wiley & Sons, 2010, p. 8 ; entretien de l'auteur avec James Fleming, 5 novembre 2010.

17. Intellectual Ventures, « Inventors », www.intellectualventures.com.

18. Carnegie Institution for Science, Stanford University, « Fund for Innovative Climate and Energy Research », http://dge.stanford.edu ; Carbon Engineering, « About CE », http://carbonengineering.com ; Jason Pontin, « Q&A: Bill Gates », *MIT Technology Review*, septembre-octobre 2010 ; brevet américain n° 8 702 982, « Water Alteration Structure and System », déposé le 3 janvier 2008 ; brevet américain n° 8 685 254, « Water Alteration Structure Applications and Methods », déposé le 3 janvier 2008 ; brevet américain n° 8 679 331, « Water Alteration Structure Movement Method and System », déposé le 3 janvier 2008 ; brevet américain n° 8 348 550, « Water Alteration Structure and System Having Heat Transfer Conduit », déposé le 29 mai 2009 ; TerraPower, « Nathan Myhrvold, Ph.D. », terrapower.com ; Solar Radiation Management Governance Initiative, « Stakeholder Partners », www.srmgi.org.

19. Jon Taylor, « Geo-engineering—Useful Tool for Tackling Climate Change, or Dangerous Distraction? », WWF-UK, 6 septembre 2012, http://blogs.wwf.org.uk.

20. Alan Robock, « 20 Reasons Why Geoengineering May Be a Bad Idea », *Bulletin of the Atomic Scientists*, vol. 64, 2008, p. 14-18 ; Clive Hamilton, « The Ethical Foundations of Climate Engineering », Clivehamilton.com, juillet 2011, p. 23.

21. Francis Bacon, *La Nouvelle Atlantide*, Paris, Payot, 1983 ; John Gascoigne, *Science in the Service of Empire: Joseph Banks, the British State and the Uses of Science in the Age of Revolution*, Cambridge, Cambridge University Press, 1998, p. 175.

22. Échange de l'auteure par courriel avec Sallie Chisholm, 28 octobre 2012.

23. Matthew Herper, « With Vaccines, Bill Gates Changes the World Again », *Forbes*, 2 novembre 2011 ; « Background to the Haida Salmon Restoration Project », Haida Salmon Restoration Corporation, 19 octobre 2012, p. 2 ; « Haida Gwaii Geo-engineering, Pt 2 », *As It Happens with Carol Off & Jeff Douglas*, CBC Radio, 16 octobre 2012 ; Mark Hume et Ian Bailey, « Businessman Russ George Defends Experiment Seeding Pacific with Iron Sulphate », *Globe and Mail*, 19 octobre 2012 ; Jonathan Gatehouse, « Plan B for Global Warming », *Maclean's*, 22 avril 2009 ; entretien de l'auteure avec David Keith, 19 octobre 2010.

24. Wendell Berry, *The Way of Ignorance: And Other Essays*, Emeryville (CA), Shoemaker & Hoard, 2005, p. 54.

25. Petra Tschakert, « Whose Hands Are Allowed at the Thermostat? Voices from Africa », présenté à la conférence « The Ethics of Geoengineering: Investigating the Moral Challenges of Solar Radiation Management », University of Montana, Missoula, 18 octobre 2010.

26. Alan Robock, Martin Bunzl, Ben Kravitz et Georgiy L. Stenchikov, « A Test for Geo-engineering? », *Science*, vol. 327, 2010, p. 530 ; Alan Robock, Luke Oman et Georgiy L. Stenchikov, « Regional Climate Responses to Geoengineering with Tropical and Arctic $SO_2$ Injections », *Journal of Geophysical Research*, vol. 113, 2008, p. 1.

27. Alan Robock, Martin Bunzl, Ben Kravitz et Georgiy L. Stenchikov, *op. cit.*, p. 530.

28. Martin Bunzl, « Geoengineering Research Reservations », présentation à l'American Association for the Advancement of Science, 20 février 2010 ; James Rodger Fleming, *op. cit.*, p. 2.

29. Alan Robock, Luke Oman et Georgiy L. Stenchikov, *op. cit.* ; K. Niranjan Kumar (dir.), « On the Observed Variability of Monsoon Droughts over India », *Weather and Climate Extremes*, vol. 1, 2013, p. 42.

30. De nombreuses revues ont publié les résultats obtenus par Robock et ont constaté que la GRS pourrait avoir d'autres effets potentiellement néfastes sur le cycle mondial de l'eau et la configuration régionale des précipitations ; parmi les principales d'entre elles, mentionnons Simone Tilmes (dir.), « The Hydrological Impact of Geoenginee-ring in the Geoengineering Model Intercomparison Project (GeoMIP) », *Journal of Geophysical Research: Atmospheres*, vol. 118, 2013, p. 11 036-11 058 ; Angus J. Ferraro, Eleanor J. Highwood et Andrew J. Charlton-Perez, « Weakened Tropical Circulation and Reduced Precipitation in Response to Geoengineering », *Environmental Research Letters*, vol. 9, 2014, p. 1-7. L'étude de 2012 est la suivante : H. Schmidt, K. Alterskjaer et D. Bou Karam (dir.), « Solar Irradiance Reduction to Counteract Radiative Forcing from a Quadrupling of $CO_2$: Climate Responses Simulated by Four Earth System Models », *Earth System Dynamics*, vol. 3, 2012, p. 73. Selon une étude menée antérieu-rement par le Hadley Centre, rattaché au service national de météorologie du Royaume-Uni, l'ensemencement de nuages au large des côtes de l'Afrique australe entraînerait une chute majeure (de 30 %) des précipitations en Amazonie, ce qui, affirme le com-muniqué de presse émis par ses auteurs, « pourrait accélérer le dépérissement de la forêt tropicale ». Voir Andy Jones, Jim Haywood et Olivier Boucher, « Climate Impacts of Geoengineering Marine Stratocumulus Clouds », *Journal of Geophysical Research*, vol. 114, 2009, p. 1 ; UK Met Office, « Geoengineering Could Damage Earth's Eco-systems », communiqué de presse, 8 septembre 2009. L'étude de 2013 est la suivante : Jim M. Haywood, Andy Jones, Nicolas Bellouin et David Stephenson, « Asymmetric

Forcing from Stratospheric Aerosols Impacts Sahelian Rainfall», *Nature Climate Change*, vol. 3, 2013, p. 663.

31. Les modèles climatiques «semblent sous-estimer l'ampleur de la variation des précipitations au cours du xxᵉ siècle», laquelle, selon certains chercheurs, influe de façon particulière sur les risques inhérents à la GRS : Gabriele C. Hegerl et Susan Solomon, «Risks of Climate Engineering», *Science 325*, 2009, p. 955-956 ; Julienne Stroeve (dir.), «Arctic Sea Ice Decline: Faster than Forecast», *Geophysical Research Letters*, vol. 34, 2007, p. 1 ; Julienne C. Stroeve (dir.), «Trends in Arctic Sea Ice Extent from CMIP5, CMIP3 and Observations», *Geophysical Research Letters*, vol. 39, 2012, p. 1 ; Stefan Rahmstorf (dir.), «Recent Climate Observations Compared to Projections», *Science*, vol. 316, 2007, p. 709; Ian Allison (dir.), «The Copenhagen Diagnosis, 2009: Updating the World on the Latest Climate Science», University of New South Wales Climate Change Research Centre, 2009, p. 38.

32. Ken Caldeira, «Can Solar Radiation Management Be Tested?», contribution à la liste de diffusion Google Group «Geoengineering», 27 septembre 2010; Steven D. Levitt et Stephen J. Dubner, *op. cit.*, p. 277.

33. *Ibid.*, p. 249.

34. Entretien de l'auteure avec Aiguo Dai, 6 juin 2012; Kevin E. Trenberth et Aiguo Dai, «Effects of Mount Pinatubo Volcanic Eruption on the Hydrological Cycle as an Analog of Geoengineering», *Geophysical Research Letters*, vol. 24, 2007, p. 1-5; Programme des Nations Unies pour l'environnement, *Climate Change and Variability in Southern Africa: Impacts and Adaptation Strategies in the Agricultural Sector*, 2006, p. 2; Donatella Lorch, «In Southern Africa, Rains Return Averts Famine», *The New York Times*, 23 avril 1993; Scott Kraft, «30 million May Feel Impact of Southern Africa Drought», *Los Angeles Times*, 18 mai 1992.

35. Entretien de l'auteure avec Aiguo Dai, 6 juin 2012; Kevin E. Trenberth et Aiguo Dai, *op. cit.*, p. 4.

36. Le nom complet de Volney était Constantin-François Chassebœuf de La Giraudais, comte Volney. Entretien de l'auteure avec Alan Robock, 19 octobre 2010; Constantin-François Volney, *Voyage en Syrie et en Égypte, pendant les années 1783, 1784 et 1785*, t. 1, Paris, Bossange Frères, 1822, p. 157-158.

37. John Grattan, Sabina Michnowicz et Roland Rabartin, «The Long Shadow: Understanding the Influence of the Laki Fissure Eruption on Human Mortality in Europe», dans John Grattan and Robin Torrence (dir.), *Living Under the Shadow: Cultural Impacts of Volcanic Eruptions*, Walnut Creek (CA), Left Coast Press, 2010, p. 156; Clive Oppenheimer, *Eruptions That Shook the World*, Cambridge, Cambridge University Press, 2011, p. 293; Rudolf Brázdil (dir.), «European Floods During the Winter 1783/ 1784: Scenarios of an Extreme Event During the "Little Ice Age"» *Theoretical and Applied Climatology*, vol. 100, 2010, p. 179-185; Anja Schmidt (dir.), «Climatic Impact of the Long-lasting 1783 Laki Eruption: Inapplicability of Mass-independent Sulfur Isotopic Composition Measurements», *Journal of Geophysical Research*, vol. 117, 2012, p. 1-10; Alexandra Witze et Jeff Kanipe, *Island on Fire: The Extraordinary Story of Laki, the Volcano That Turned Eighteenth-century Europe Dark*, Londres, Profile Books, 2014, p. 141-145.

38. Luke Oman, Alan Robock et Georgiy L. Stenchikov, «High-Latitude Eruptions Cast Shadow over the African Monsoon and the Flow of the Nile», *Geophysical Research Letters*, vol. 33, 2006, p. 4; Michael Watts, *Silent Violence: Food, Famine and Peasantry in Northern Nigeria*, Berkeley, University of California Press, 1983, p. 286 et 289-290; Stephen Devereux, «Famine in the Twentieth Century», Institute of Development Studies, *IDS Working Paper*, nº 105, 2000, p. 6 et 30-31.

39. Luke Oman, Alan Robock et Georgiy L. Stenchikov, «High-Latitude Eruptions Cast Shadow», *op. cit.*, p. 4; entretien de l'auteure avec Alan Robock, 29 mai 2012.

40. David Keith, *A Case for Climate Engineering*, Cambridge (MA), MIT Press, 2013, p. 10.

41. Kevin E. Trenberth et Aiguo Dai, *op. cit.*, p. 1 et 4.

42. Ed King, « Scientists Warn Earth Cooling Proposals Are No Climate "Silver Bullet" »,
*Responding to Climate Change*, 8 juillet 2013, www.rtcc.org ; Jim M. Haywood, Andy
Jones, Nicolas Bellouin et David Stephenson, « Asymmetric Forcing from Stratospheric Aerosols Impacts Sahelian Rainfall », *Nature Climate Change*, vol. 3, 2013, p. 663-
664.

43. Pan African Climate Justice Alliance, « Why We Oppose the Copenhagen Accord »,
3 juin 2010 ; « Filipina Climate Chief: "It Feels Like We Are Negotiating on Who Is to
Live and Who Is to Die" », *Democracy Now!*, 20 novembre 2013 ; Rob Nixon, *Slow
Violence and the Environmentalism of the Poor*, Cambridge (MA), Harvard University
Press, 2011.

44. 477. Bill Gates, « Innovating to Zero! » (vidéo), conférence TED, février 2010 ; Steven
D. Levitt et Stephen J. Dubner, *op. cit.*, p. 279.

45. Bruno Latour, « Love Your Monsters: Why We Must Care for Our Technologies as We
Do Our Children », dans Michael Shellenberger and Ted Nordhaus (dir.), *Love Your
Monsters: Postenvironmentalism and the Anthropocene*, Oakland (CA), Breakthrough
Institute, 2011 ; Mark Lynas, *The God Species: How the Planet Can Survive the Age of
Humans*, Londres, Fourth Estate, 2011.

46. David Keith, *A Case for Climate Engineering*, Cambridge (MA), MIT Press, 2013,
p. 111.

47. Ed Ayres, *God's Last Offer*, New York, Four Walls Eight Windows, 1999, p. 195.

48. Steven D. Levitt et Stephen J. Dubner, *op. cit.*, p. 273 ; Carbon Engineering, « About
CE », http://carbonengineering.com ; Nathan Vardi, « The Most Important Billionaire
In Canada », *Forbes*, 10 décembre 2012.

49. « Policy Implications of Greenhouse Warming: Mitigation, Adaptation, and the Science
Base », National Academy of Sciences, National Academy of Engineering, Institute of
Medicine, 1992, p. 458, 472.

50. Dan Fagin, « Tinkering with the Environment », *Newsday*, 13 avril 1992.

51. Jason J. Blackstock (dir.), « Climate Engineering Responses to Climate Emergencies »,
*Novim*, 2009, p. i-ii et 30.

52. « Factsheet: American Enterprise Institute », www.exxonsecrets.org ; Robert J. Brulle,
« Institutionalizing Delay: Foundation Funding and the Creation of U.S. Climate
Change Counter-Movement Organizations », *Climatic Change*, 21 décembre 2013,
p. 8 ; American Enterprise Institute, *2008 Annual Report*, p. 2 et 10 ; Lee Lane, « Plan B:
Climate Engineering to Cope with Global Warming », *The Milken Institute Review*,
troisième trimestre 2010, p. 53.

53. Juliet Eilperin, « AEI Critiques of Warming Questioned », *The Washington Post*, 5 février
2007 ; « Factsheet: American Enterprise Institute », www.exxonsecrets.org ; Kenneth
Green, « Bright Idea? CFL Bulbs Have Issues of Their Own », *Journal Gazette*, Fort
Wayne (IN), 28 janvier 2011.

54. Rob Hopkins, « An Interview with Kevin Anderson: "Rapid and Deep Emissions
Reductions May Not Be Easy, but 4 °C to 6 °C Will Be Much Worse" », *Transition
Culture*, 2 novembre 2012, www.transitionculture.org.

55. « A Debate on Geoengineering: Vandana Shiva vs. Gwynne Dyer », *Democracy Now!*,
8 juillet 2010.

56. Jeremy Lovell, « Branson Offers $25 mln Global Warming Prize », Reuters, 9 février
2007.

57. Barbara Ward, *Spaceship Earth*, New York, Columbia University Press, 1966, p. 15.
[Note de bas de page] Robert Poole, *Earthrise: How Man First Saw the Earth*, New
Haven (CT), Yale University Press, 2008, p. 92-93 ; Al Reinert, « The Blue Marble Shot:
Our First Complete Photograph of Earth », *The Atlantic*, 12 avril 2011 ; Andrew
Chaikin, « The Last Men on the Moon », *Popular Science*, septembre 1994 ; Eugene
Cernan, *J'ai été le dernier homme sur la Lune*, Levallois-Perret, Altipresse, 2010, p. 443.

58. Kurt Vonnegut Jr., « Excelsior! We're Going to the Moon! Excelsior! », *The New York Times Magazine*, 13 juillet 1969, p. SM10.

59. Robert Poole, *op. cit.*, p. 144-145 et 162 ; Peder Anker, « The Ecological Colonization of Space », *Environmental History*, vol. 10, 2005, p. 249-254 ; Andrew G. Kirk, *Counterculture Green: The Whole Earth Catalog and American Environmentalism*, Lawrence (KS), University Press of Kansas, 2007, p. 170-172 ; Stewart Brand, *Whole Earth Discipline: Why Dense Cities, Nuclear Power, Transgenic Crops, Restored Wildlands, and Geoengineering Are Necessary*, New York, Penguin, 2009.

60. Leonard David, « People to Become Martians This Century? », NBC News, 25 juin 2007.

61. « Richard Branson on Space Travel: "I'm Determined to Start a Population on Mars" », *CBS This Morning*, 18 septembre 2012 ; « Branson's Invasion of Mars », *New York Post*, 20 septembre 2012 ; « Branson: Armstrong "Extraordinary Individual" » (vidéo), Sky News, 26 août 2012.

62. Ensemble, les trois compagnies aériennes de Virgin ont émis environ 8,8 millions de tonnes de $CO_2$ en 2011, soit davantage que les 8 millions de tonnes émises la même année par le Honduras : Virgin Atlantic Airways Ltd., « Sustainability Report: Autumn 2012 » ; Virgin Australia Holdings Pty Ltd., « Annual Report 2011 » ; Virgin America, Inc., renseignements sur les émissions de 2011 soumis au Climate Registry, www.crisreport.org ; U.S. Energy Information Administration, « International Energy Statistics », www.eia.gov.

63. Kenneth Brower, « The Danger of Cosmic Genius », *The Atlantic*, 27 octobre 2010.

64. Christopher Borick et Barry Rabe, « Americans Cool on Geoengineering Approaches to Addressing Climate Change », Brookings Institution, *Issues in Governance Studies*, n° 46, mai 2012, p. 3-4 ; « A Quantitative Evaluation of the Public Response to Climate Engineering », *Nature Climate Change*, vol. 4, 2013, p. 106-110 ; Massey University, « Climate Engineering—What Do the Public Think? », communiqué de presse, 13 janvier 2014.

## Chapitre 9

1. Arundhati Roy, « The Trickledown Revolution », *Outlook*, 20 septembre 2010.

2. D'après une traduction vers l'anglais de Mitchell Anderson, collaborateur de terrain d'Amazon Watch : Gerald Amos, Greg Brown et Twyla Roscovich, « Coastal First Nations from BC Travel to Witness the Gulf Oil Spill » (vidéo), 2010.

3. Assemblée générale des Nations Unies, *Rapport de la Conférence des Nations Unies sur l'environnement et le développement*, 12 août 1992, www.un.org.

4. Harold L. Ickes, *The Secret Diary of Harold L. Ickes: The First Thousand Days, 1933-1936*, New York, Simon & Schuster, 1954, p. 646.

5. Scott Parkin, « Harnessing Rebel Energy: Making Green a Threat Again », *CounterPunch*, du 18 au 20 janvier 2013.

6. « Greece Sees Gold Boom, but at a Price », *The New York Times*, 13 janvier 2013 ; Patrick Forward, David J.F. Smith et Antony Francis, *Skouries Cu/Au Project, Greece, NI 43-101 Technical Report*, European Goldfields, 14 juillet 2011, p. 96 ; Eldorado Gold Corp., « Skouries », www.eldoradogold.com ; Costas Kantouris, « Greek Gold Mine Savior to Some, Curse to Others », Associated Press, 11 janvier 2013.

7. Entretien de l'auteure avec Theodoros Karyotis, écrivain et militant grec, 16 janvier 2014.

8. Deepa Babington, « Insight: Gold Mine Stirs Hope and Anger in Shattered Greece », Reuters, 13 janvier 2014 ; Alkman Granitsas, « Greece to Approve Gold Project », *Wall Street Journal*, 21 février 2013 ; Jonathan Stearns, « Mountain of Gold Sparks Battles in Greek Recovery Test », Bloomberg, 9 avril 2013.

9. Entretien de l'auteure avec Theodoros Karyotis, 16 janvier 2014.

10. Nick Meynen, «A Canadian Company, the Police in Greece and Democracy in the Country That Invented It», *EJOLT Report*, juin 2013; Amnesty International, «A Law Unto Themselves: A Culture of Abuse and Impunity in the Greek Police», 2014, p. 11; entretien de l'auteure avec Theodoros Karyotis, 16 janvier 2014.

11. Luiza Ilie, «Romanian Farmers Choose Subsistence over Shale Gas», Reuters, 27 octobre 2013.

12. «Romania Riot Police Clear Shale Gas Protesters», Agence France-Presse, 2 décembre 2013; Alex Summerchild, «Pungesti, Romania: People Versus Chevron and Riot Police», *The Ecologist*, 12 décembre 2013; Antoine Simon et David Heller, «From the Frontline of Anti-Shale Gas Struggles: Solidarity with Pungesti», Friends of the Earth Europe, 7 décembre 2013, www.foeeurope.org; Razvan Chiruta et Petrica Rachita, «Goal of Chevron Scandal in Vaslui County: Church Wants Land Leased to US Company Back», *Romania Libera*, 18 octobre, 2013.

13. «First Nations Chief Issues Eviction Notice to SWN Resources», CBC News, 1er octobre 2013; «SWN Resources Wraps Up Shale Gas Testing in New Brunswick», CBC News, 6 décembre 2013; Daniel Schwartz and Mark Gollom, «N.B. Fracking Protests and the Fight for Aboriginal Rights», CBC News, 21 octobre 2013.

14. «Shale Gas Clash: Explosives, Firearms, Seized in Rexton», CBC News, 18 octobre 2013; «First Nations Clash with Police at Anti-Fracking Protest», Al Jazeera, 17 octobre 2013; «RCMP Says Firearms, Improvised Explosives Seized at New Brunswick Protest», Presse canadienne, 18 octobre 2013; Gloria Galloway et Jane Taber, «Native Shale-Gas Protest Erupts in Violence», *Globe and Mail*, 18 octobre 2013; «Police Cars Ablaze: Social Media Captures Scene of Violent New Brunswick Protest», *Globe and Mail*, 17 octobre 2013.

15. William Shakespeare, *Henry IV* (première partie), dans François-Victor Hugo, *Œuvres complètes de William Shakespeare*, t. 11, Paris, Pagnerre, 1872, p. 261; James Ball, «EDF Drops Lawsuit Against Environmental Activists After Backlash», *The Guardian*, 13 mars 2013.

16. John Vidal, «Russian Military Storm Greenpeace Arctic Oil Protest Ship», *The Guardian*, 19 septembre 2013; «Greenpeace Activists Being Given Russian Exit Visas After Amnesty», UPI, 26 décembre 2013.

17. David Pierson, «Coal Mining in China's Inner Mongolia Fuel Tensions», *Los Angeles Times*, 2 juin 2011; Jonathan Watts, «Herder's Death Deepens Tensions in Inner Mongolia», *The Guardian*, 27 mai 2011.

18. Front Line Action on Coal, «About», http://frontlineaction.org; Oliver Laughland, «Maules Creek Coal Mine Divides Local Families and Communities», *The Guardian*, 9 avril 2014; Hansen Bailey, «Maules Creek Coal Project Environmental Assessment, section 7: Impacts, Management and Mitigation, Whitehaven Coal Limited», juillet 2011, p. 90-91; Ian Lowe, «Maules Creek Proposed Coal Mine: Greenhouse Gas Emissions», mémoire présenté au Maules Creek Community Council, 2012, www.maulescreek.org; Australia's National Greenhouse Accounts, «Quarterly Update of Australia's National Greenhouse Gas Inventory: december 2013», Department of the Environment, Australian Government, 2014, p. 6.

19. Australian Marine Conservation Society, «Dredging, Dumping and the Great Barrier Reef», mai 2014, p. 3.

20. U.S. Department of State, «Final Environmental Impact Statement for the Keystone XL Project, Table 3.13.1-4: Reported Incidents for Existing Keystone Oil Pipeline, section 3.13», août 2011, p. 11-14; Nathan Vanderklippe, «Oil Spills Intensify Focus on New Pipeline Proposals», *Globe and Mail*, 9 mai 2011; Carrie Tait, «Pump Station Spill Shuts Keystone Pipeline», *Globe and Mail*, 31 mai 2011; Art Hovey, «TransCanada Cleaning Up Spill at N.D. Pump Station», *Lincoln Journal Star* (NE), 10 mai 2011.

21. Jamie Henn, «40,000+ Join "Forward on Climate" Rally in Washington, DC», *Huffington Post*, 17 février 2013; échange de l'auteure par courriel avec Ramsey Sprague, de Tar Sands Blockade, 22 et 23 janvier 2014.

22. Yinka Dene Alliance, « Oil Sands Export Ban: BC First Nations Unite to Declare Province-Wide Opposition to Crude Oil Pipeline », communiqué de presse, 1ᵉʳ décembre 2011.

23. Ian Ewing, « Pipe Piling Up », *CIM Magazine*, octobre 2013 ; Shawn McCarthy, « Keystone Pipeline Approval "Complete No-Brainer," Harper Says », *Globe and Mail*, 21 septembre 2011.

24. Ossie Michelin, « Amanda Polchies, the Woman in Iconic Photo, Says Image Represents "Wisp of Hope" » APTN, 24 octobre 2013 ; « Greek Granny Goads Riot Police at Gold Mining Protest with Wartime Song » (vidéo), Keep Talking Greece, 8 mars 2013 ; David Herron, « Government Still Ensuring Hydraulic Fracturing Happens in Pungesti, Romania, Despite Protests by Villagers », The Long Tail Pipe, 5 janvier 2014.

25. [Note de bas de page] Maxime Combes, « Let's Frackdown the Fracking Companies », dans Leah Temper (dir.), « Towards a Post-Oil Civilization: Yasunization and Other Initiatives to Leave Fossil Fuels in the Soil », *EJOLT Report*, mai 2013, p. 92.

26. Esperanza Martínez, « The Yasuní—ITT Initiative from a Political Economy and Political Ecology Perspective », in Leah Temper (dir.), *op. cit.*, p. 11 ; KC Golden, « The Keystone Principle », Getting a GRIP on Climate Solutions, 15 février 2013.

27. Human Rights Watch, « Chop Fine: The Human Rights Impact of Local Government Corruption and Mismanagement in Rivers State, Nigeria », janvier 2007, p. 16 ; PNUD, « Niger Delta Human Development Report », 2006, p. 76 ; Adam Nossiter, « Far from Gulf, a Spill Scourge 5 Decades Old », *The New York Times*, 16 juin 2010 ; Christian Purefoy, « Nigerians Angry at Oil Pollution Double Standards », CNN, 30 juin 2010.

28. En 2011, selon des données satellitaires de la National Oceanic and Atmospheric Administration, 14,6 milliards de mètres cubes de gaz naturel ont été mis à la torche au Nigeria ; considérant qu'un millier de pieds cubes de gaz peut dégager une énergie de 127 kilowatts-heures (selon l'Energy Information Administration américaine), le gaz brûlé aurait pu, en théorie, produire près de trois fois l'électricité consommée au Nigeria en 2011 (environ 23,1 milliards de kilowatts-heures). Environ la moitié des Nigérians n'ont pas accès à l'électricité. De plus, selon des données de l'Energy Information Administration, les émissions de $CO_2$ du Nigeria attribuables au torchage ont totalisé environ 31,1 millions de tonnes métriques en 2011, soit un peu plus de 40 % des émissions attribuables à la consommation d'énergie dans ce pays. Sources : Banque mondiale, « Global Gas Flaring Reduction: Estimated Flared Volumes from Satellite Data, 2007-2011 », http://web.worldbank.org ; U.S. Energy Information, U.S. Department of Energy, « Frequently Asked Questions: How Much Coal, Natural Gas, or Petroleum is Used to Generate a Kilowatthour of Electricity? », www.eia.gov ; U.S. Energy Information Administration, U.S. Department of Energy, « International Energy Statistics », www.eia.gov. Paul Francis, Deirdre Lapin et Paula Rossiasco, « Niger Delta: A Social and Conflict Analysis for Change », Woodrow Wilson International Center for Scholars, 2011, p. 10 ; Richard Essein, « Unemployment Highest in Niger Delta », *Daily Times Nigeria*, 30 mars 2011 ; Stakeholder Democracy Network, « Communities Not Criminals: Illegal Oil Refining in the Niger Delta », octobre 2013, p. 4.

29. Jedrzej George Frynas, « Political Instability and Business: Focus on Shell in Nigeria », *Third World Quarterly*, vol. 19, 1998, p. 463 ; Alan Detheridge and Noble Pepple (Shell), « A Response to Frynas », *Third World Quarterly*, vol. 19, 1998, p. 481-482.

30. À la suite du retrait de Shell, les oléoducs en provenance d'autres puits qui traversent le territoire ogoni ont été maintenus en service. Godwin Uyi Ojo, « Nigeria, Three Complementary Viewpoints on the Niger Delta », dans Leah Temper (dir.), *op. cit.*, p. 39-40 ; « Nigeria Ogoniland Oil Clean-up "Could Take 30 Years" », BBC News, 4 août 2011 ; Carley Petesch, « Shell Niger Delta Oil Spill: Company to Negotiate Compensation and Cleanup with Nigerians », Associated Press, 9 septembre 2013 ; Eghosa E. Osaghae, « The Ogoni Uprising: Oil Politics, Minority Agitation and the Future of the Nigerian State », *African Affairs*, vol. 94, 1995, p. 325-344.

31. Entretien de l'auteure avec Isaac Osuoka, 10 janvier 2014 ; Godwin Uyi Ojo, *op. cit.*, p. 40.

32. Elisha Bala-Gbogbo, « Nigeria Says Revenue Gap May Reach as Much as $12 Billion », Bloomberg, 1ᵉʳ novembre 2013 ; Ed Pilkington, « 14 Years After Ken Saro-Wiwa's Death, Family Points Finger at Shell in Court », *The Guardian*, 26 mai 2009 ; Frank Aigbogun, « It Took Five to Hang SaroWiwa », Associated Press, 13 novembre 1995 ; Andrew Rowell et Stephen Kretzmann, « The Ogoni Struggle », rapport, Project Underground, Berkeley (CA), 1996.

33. Bronwen Manby, « The Price of Oil: Corporate Responsibility and Human Rights Violations in Nigeria's Oil Producing Communities », Human Rights Watch, HRW Index, n° 1-56432-225-4, janvier 1999, p. 123-126.

34. Ijaw Youths of the Niger Delta, « The Kaiama Declaration », 1998, www.unitedijaw. com/kaiama.htm.

35. *Ibid.*

36. Entretien de l'auteure avec Isaac Osuoka, 10 janvier 2014.

37. Isaac Osuoka, « Operation Climate Change », dans L. Anders Sandberg et Tor Sandberg (dir.), *Climate Change: Who's Carrying the Burden? Chilly Climates of the Global Environmental Dilemma*, Ottawa, Canadian Center for Policy Alternatives, 2010, p. 166.

38. Brownen Manby, « Nigeria: Crackdown in the Niger Delta », *Human Rights Watch*, vol. 11, n° 2 (A), mai 1999, p. 2, 11 et 13-17.

39. Godwin Uyi Ojo, *op. cit.*, p. 44.

40. Paul M. Barrett, « Ecuadorian Court Cuts Chevron's Pollution Bill in Half », *Bloomberg Businessweek*, 13 novembre 2013 ; « Supreme Court Will Hear Chevron Appeal in Ecuador Environmental Damages Case », Presse canadienne, 3 avril 2014.

41. Bob Deans, « Big Coal, Cold Cash, and the GOP », *OnEarth*, 22 février 2012.

42. Clifford Krauss, « Shale Boom in Texas Could Increase U.S. Oil Output », *The New York Times*, 27 mai 2011. Voir Daniel Yergin, *Les Hommes du pétrole*, Paris, Stock, 1991.

43. Brian Milner, « "Saudi America" Heads for Energy Independence », *Globe and Mail*, 18 mars 2012 ; « Moving Crude Oil by Rail », Association of American Railroads, décembre 2013 ; Clifford Krauss et Jad Mouawad, « Accidents Surge as Oil Industry Takes the Train », *The New York Times*, 25 janvier 2014 ; Kim Makrenl, « How Bakken Crude Moved from North Dakota to Lac-Mégantic », *Globe and Mail*, 8 juillet 2014 ; Jim Monk, « Former Gov. Sinner Proposes National Rail Safety Discussion », KFGO (ND), 7 janvier 2014.

44. Nathan Vanderklippe et Shawn McCarthy, « Without Keystone XL, Oil Sands Face Choke Point », *Globe and Mail*, 8 juin 2011.

45. « Energy: The Pros and Cons of Shale Gas Drilling », *60 Minutes*, CBS, 21 juin 2011.

46. « Glenn Beck—Bernanke Confused, a Coming Caliphate and Rick Santorum », *Glenn Beck*, 23 juin 2011 ; Suzanne Goldenberg, « Fracking Hell: What It's Really Like to Live Next to a Shale Gas Well », *The Guardian*, 13 décembre 2013 ; Russell Gold et Tom McGinty, « Energy Boom Puts Wells in America's Backyards », *Wall Street Journal*, 25 octobre 2013.

47. Kim Cornelissen, « Shale Gas and Quebecers: The Broken Bridge Towards Renewable Sources of Energy », dans Leah Temper (dir.), *op. cit.*, p. 100 ; Emily Gosden, « Half of Britain to Be Offered for Shale Gas Drilling as Fracking Areas Face 50 Trucks Passing Each Day », *The Telegraph*, 17 décembre 2013 ; Damian Carrington, « Fracking Can Take Place in "Desolate" North-East England, Tory Peer Says », *The Guardian*, 30 juillet 2013.

48. David Mildenberg et Jim Efstathiou Jr., « Ranchers Tell Keystone: Not Under My Backyard », *Bloomberg Businessweek*, 8 mars 2012 ; Suzanne Goldenberg, *op. cit.*

49. Daniel Gilbert, « Exxon CEO Joins Suit Citing Fracking Concerns », *Wall Street Journal*, 20 février 2014 ; Jared Polis, « Polis Welcomes ExxonMobil CEO into "Exclusive"

Group of People Whose Neighborhood Has Been Fracked», communiqué de presse, 21 février 2014.

50. Thomas Paine, *Le Sens commun*, Sillery, Éditions du Septentrion, 1995, p. 85.

51. Nick Engelfried, «The Extraction Backlash—How Fossil Fuel Companies Are Aiding Their Own Demise», *Waging Nonviolence*, 22 novembre 2013.

52. Mark Dowie, *Losing Ground: American Environmentalism at the Close of the Twentieth Century*, Cambridge (MA), MIT Press, 1996, p. 125.

53. «Americans, Gulf Residents and the Oil Spill», sondage CBS News-*The New York Times*, 21 juin 2010; Bruce Alpert, «Obama Administration "Cannot Support" Bill Increasing Offshore Revenue Sharing», *Times-Picayune*, 23 juillet 2013; «The Damage for Gulf Coast Residents: Economic, Environmental, Emotional», sondage ABC News-*The Washington Post*, 14 juillet 2010.

54. «Current High Volume Horizontal Hydraulic Fracturing Drilling Bans and Moratoria in NY State», www.fractracker.org.

55. Federal Energy Regulatory Commission, «Minisink Compressor Project: Environmental Assessment», mars 2012; Mary Esch, «NY Town of 9/11 Workers Wages Gas Pipeline Fight», Associated Press, 14 février 2013; Stop the Minisink Compressor Station et Minisink Residents for Environmental Preservation and Safety, «Blow-Down Events at Minisink Compressor Frighten Un-Notified Residents», 11 mars 2013, www.stopmcs.org.

56. Maxime Combes, «Let's Frackdown the Fracking Companies», dans Leah Temper (dir.), *op. cit.*, p. 91 et 97.

57. Vince Devlin, «Proposed Big Rigs 9 Feet Longer than Howard Hughes' Spruce Goose», *Missoulian*, 13 novembre 2010; Boeing, «747-8: Airplane Characteristics for Airport Planning», décembre 2012, p. 7; Federal Highway Administration, «Vertical Clearance», U.S. Department of Transportation, http://safety.fhwa.dot.gov.

58. Entretien de l'auteure avec Marty Cobenais, 17 octobre 2010.

59. Betsy Z. Russell, «Judge Halts Megaloads on Highway 12 in Idaho», *Spokesman-Review* (Spokane), 13 septembre 2013; entretien de l'auteure avec Alexis Bonogofsky, 21 octobre 2010.

60. Marc Dadigan, «Umatilla Tribe Battles Mega-Loads Headed for Alberta Oil Sands», *Indian Country Today Media Network*, 11 décembre 2013.

61. Lesley Fleischman (dir.) «Ripe for Retirement: An Economic Analysis of the U.S. Coal Fleet», *The Electricity Journal*, vol. 26, 2013, p. 51-63; Michael Klare, «Let Them Eat Carbon: Like Big Tobacco, Big Energy Targets the Developing World for Future Profits», *Tom Dispatch*, 27 mai 2014.

62. KC Golden, «Live on Stage in the Great Northwest: King Coal's Tragic Puppet Show, Part 1», Getting a GRIP on Climate Solutions, 4 mars 2013.

63. Michelle Kinman et Antonia Juhasz (dir.), «The True Cost of Chevron: An Alternative Annual Report», True Cost of Chevron Network, mai 2011, p. 13-14; California Breathing, «Contra Costa County Asthma Profile», www.californiabreathing.org; Jeremy Miller, «The Bay Area Chevron Explosion Shows Gaps in Refinery Safety», *High Country News*, 3 septembre 2012; Robert Rogers, «Chevron Refinery Fire One Year Later: Fallout, Impact Show No Sign of Warning», *Contra Costa Times*, 10 août 2013.

64. David R. Baker, «Judge Deals Setback to Chevron Refinery Plan», *San Francisco Chronicle*, 9 juin 2009; Katherine Tam, «Court Rules Richmond Refinery Plan Is Inadequate», *Contra Costa Times*, 26 avril 2010; EarthJustice, «Chevron Refinery Expansion at Richmond, CA Halted», communiqué de presse, 2 juillet 2009.

65. Entretien de l'auteure avec Melina Laboucan-Massimo, 5 juillet 2013.

66. Hannibal Rhoades, «"We Draw the Line": Coal-Impacted Lummi Nation and Northern Cheyenne Unite in Solidarity», *IC Magazine*, 9 octobre 2013.

67. Jonathan Chait, « The Keystone Fight Is a Huge Environmentalist Mistake », *New York Magazine*, 30 octobre 2013 ; Joe Nocera, « How Not to Fix Climate Change », *The New York Times*, 18 février 2013 ; Joe Nocera, « A Scientist's Misguided Crusade », *The New York Times*, 4 mars 2013.

68. Jad Mouawad, « U.S. Orders Tests on Rail Shipments », *The New York Times*, 25 février 2014 ; Jad Mouawad, « Trailing Canada, U.S. Starts a Push for Safer Oil Shipping », *The New York Times*, 24 avril 2014 ; Curtis Tate, « Regulators Take Voluntary Route on Tank Car Rules », journaux de McClatchy, 7 mai 2014.

69. Il a été démontré que le dilbit peut être plus corrosif que d'autres formes de brut dans certaines conditions, surtout à températures élevées, mais ceci a été contesté récemment. Il y a aussi des indices qui prouvent que le dilbit serait plus susceptible de provoquer différentes sortes de défaillances dans les systèmes d'oléoducs, telles que des fissures. Anthony Swift, Susan Casey-Lefkowitz et Elizabeth Shope, « Tar Sands Pipelines Safety Risks », Natural Resources Defense Council, 2011, p. 3.

70. Vivian Luk, « Diluted Bitumen Sinks When Mixed with Sediments, Federal Report Says », *Globe and Mail*, 14 janvier 2014 ; Environnement Canada, Pêches et Océans Canada, Ressources naturelles Canada, *Propriétés, composition, comportement des déversements en milieu marin, devenir et transport de deux produits de bitume dilués issus des sables bitumineux canadiens*, rapport technique du gouvernement fédéral, Ottawa, Gouvernement du Canada, 30 novembre 2013.

71. [Note de bas de page] Bob Weber, « Syncrude Guilty in Death of 1,600 Ducks in Toxic Tailings Pond », Presse canadienne, 25 juin 2010 ; « Syncrude, Suncor Cleared After Duck Death Investigation », CBC News, 4 octobre 2012 ; Colleen Cassady St. Clair, Thomas Habib et Bryon Shore, « Spatial and Temporal Correlates of Mass Bird Mortality in Oil Sands Tailings Ponds », rapport préparé pour Alberta Environment, 10 novembre 2011, p. 17-18.

72. Bien qu'elle fluctue d'une année à l'autre selon la taille des réserves, la valeur des sables bitumineux a grimpé en proportion de la croissance de l'industrie, passant de 19 milliards de dollars canadiens en 1990 à 460 milliards en 2010 : Statistique Canada, « Énergie », *Annuaire du Canada 2012*, www.statcan.gc.ca/pub/11-402-x/2012000/chap/ener/ener-fra.htm. Bill Donahue n'est pas l'auteur de l'étude qu'il a commentée : « Oilsands Study Confirms Tailings Found in Groundwater, River », CBC News, 20 février 2014 ; Richard A. Frank (dir.), « Profiling Oil Sands Mixtures from Industrial Developments and Natural Groundwaters for Source Identification », *Environmental Science & Technology*, vol. 48, 2014, p. 2660-2670 ; Mike De Souza, « Scientists Discouraged from Commenting on Oilsands Contaminant Study », *Postmedia News*, 4 novembre 2012.

73. Florence Loyle, « Doctor Cleared over Suggested Link Between Cancer, Oilsands », *Edmonton Journal*, 7 novembre 2009 ; Vincent McDermott, « Fort Chipewyan Cancer Study Set to Begin », *Fort McMurray Today*, 20 février 2013 ; Michael Toledano, « We Interviewed Dr. John O'Connor, One of the First Tar Sands Whistleblowers », *Vice*, 3 mars 2014.

74. Peter Moskowitz, « Report Finds Doctors Reluctant to Link Oil Sands with Health Issues », Al Jazeera America, 20 janvier 2014 ; Mike De Souza, « Scientist Speaks Out After Finding "Record" Ozone Hole over Canadian Arctic », *Postmedia News*, 21 octobre 2011.

75. Mike De Souza, « Federal Budget Cuts Undermine Environment Canada's Mandate to Enforce Clean Air Regulations: Emails », *Postmedia News*, 17 mars 2013 ; « Silence of the Labs », *The Fifth Estate*, CBC News, 10 janvier 2014.

76. [Note de bas de page] Abha Parajulee et Frank Wania, « Evaluating Officially Reported Polycyclic Aromatic Hydrocarbon Emissions in the Athabasca Oil Sands Region with a Multimedia Fate Model », *Proceedings of the National Academy of Sciences*, vol. 111, 2014, p. 3348 ; « Oil Sands Pollution Two to Three Times Higher than Thought », Agence France-Presse, 3 février 2014.

77. Environmental Protection Agency, « Regulation of Hydraulic Fracturing Under the Safe Drinking Water Act », http://water.epa.gov ; Mary Tiemann et Adam Vann, « Hydraulic Fracturing and Safe Drinking Water Act Regulatory Issues », Congressional Research Service, rapport n° R41760, 10 janvier 2013 ; Lisa Song, « Secrecy Loophole Could Still Weaken BLM's Tougher Fracking Regs », *InsideClimate News*, 15 février 2012.

78. Robert B. Jackson, (dir.), « Increased Stray Gas Abundance in a Subset of Drinking Water Wells Near Marcellus Shale Gas Extraction », *Proceedings of the National Academy of Sciences*, vol. 110, 2013, p. 11250-11255 ; Mark Drajem, « Duke Fracking Tests Reveal Dangers Driller's Data Missed », Bloomberg, 9 janvier 2014.

79. Cliff Frohlich, « Two-Year Survey Comparing Earthquake Activity and Injection Well Locations in the Barnett Shale, Texas », *Proceedings of the National Academy of Sciences*, vol. 109, 2012, p. 13 934-13 938.

80. *Ibid.* ; Won-Young Kim, « Induced Seismicity Associated with Fluid Injection into a Deep Well in Youngstown, Ohio », *Journal of Geophysical Research: Solid Earth*, vol. 118, 2013, p. 3506-3518 ; Charles Q. Choi, « Fracking Practice to Blame for Ohio Earthquakes », *LiveScience*, 4 septembre 2013 ; Nicholas J. van der Elst (dir.), « Enhanced Remote Earthquake Triggering at Fluid-Injection Sites in the Midwestern United States », *Science*, vol. 341, 2013, p. 164-167 ; Sharon Begley, « Distant Seismic Activity Can Trigger Quakes at "Fracking" Sites », Reuters, 11 juillet 2013.

81. U.S. Department of the Interior, Bureau of Ocean Energy Management, Regulation and Enforcement, « Report Regarding the Causes of the Avril 20 2010 Macondo Well Blowout », 14 septembre 2011, p. 191 ; National Commission on the BP Deepwater Horizon Oil Spill and Offshore Drilling, « Deep Water: The Gulf Oil Disaster and the Future of Offshore Drilling », janvier 2011, p. 125 ; Joel Achenbach, « BP's Cost Cuts Contributed to Oil Spill Disaster, Federal Probe Finds », *Washington Post*, 14 septembre 2011.

82. Elizabeth McGowan et Lisa Song, « The Dilbit Disaster: Inside The Biggest Oil Spill You've Never Heard Of, Part 1 », *InsideClimate News*, 26 juin 2012.

83. *Ibid.* ; Charles Rusnell, « Enbridge Staff Ignored Warnings in Kalamazoo River Spill », CBC News, 22 juin 2012 ; U.S. Environmental Protection Agency, « Oil Cleanup Continues on Kalamazoo River », juin 2013.

84. Pour justifier ses négations antérieures, Daniel semble avoir prétendu que, parce que le dilbit qui circulait dans l'oléoduc d'Enbridge avait été extrait à l'aide d'une nouvelle technologie d'injection de vapeur sous terre et non par creusage, celui-ci ne pouvait être qualifié de pétrole issu des sables bitumineux : Todd Heywood, « Enbridge CEO Downplays Long-Term Effects of Spill », *Michigan Messenger*, 12 août 2010 ; Elizabeth McGowan et Lisa Song, *op. cit.* ; Kari Lyderson, « Michigan Oil Spill Increases Concern over Tar Sands Pipelines », *OnEarth*, 6 août 2010 ; Kari Lyderson, « Michigan Oil Spill: The Tar Sands Name Game (and Why It Matters) », *OnEarth*, 12 août 2010.

85. Entretien de l'auteure avec Marty Cobenais, 17 octobre 2010.

86. Dan Joling, « Shell Oil-Drilling Ship Runs Aground on Alaska's Sitkalidak Island », Associated Press, 1er janvier 2013 ; Rachel D'Oro, « Noble Discoverer, Shell Oil Drilling Vessel, Shows No Signs of Damage, Coast Guard Claims », Associated Press, 15 juillet 2012 ; John Ryan, « Sea Trial Leaves Shell's Arctic Oil-Spill Gear "Crushed Like a Beer Can" », KUOW.org, 30 novembre 2012.

87. Mike Soraghan, « Oil Spills: U.S. Well Sites in 2012 Discharged More Than Valdez », *EnergyWire*, 8 juillet 2013 ; Dan Frosch et Janet Roberts, « Pipeline Spills Put Safeguards Under Scrutiny », *The New York Times*, 9 septembre 2011.

88. Jim Paulin et Carey Restino, « Shell Rig Grounds off Kodiak », *Bristol Bay Times*, 4 janvier 2013.

89. Louise Leduc et Marie Tison, « MMA : une entreprise qui "coupe les cennes en deux" », *La Presse*, 9 juillet 2013.

90. Bruce Campbell, «Lac-Mégantic: Time for an Independent Inquiry», *Toronto Star*, 27 février 2014; entretien de l'auteure avec Ron Kaminkow, secrétaire général, Railroad Workers United, 29 janvier 2014; Julian Sher, «Lac Megantic: Railway's History of Cost-Cutting», *Toronto Star*, 11 juillet 2013; Grant Robertson, «Fiery North Dakota Train Derailment Fuels Oil-Shipping Fears», *Globe and Mail*, 30 décembre 2013; Daniella Silva, «Mile-Long Train Carrying Crude Oil Derails, Explodes in North Dakota», NBC News, 30 décembre 2013; Solarina Ho, «Train Carrying Oil Derails, Catches Fire in New Brunswick, Canada», Reuters, 8 janvier 2014; Selam Gebrekidan, «CSX Train Carrying Oil Derails in Virginia in Fiery Blast», Reuters, 30 avril 2014.

91. Charlie Savage, «Sex, Drug Use and Graft Cited in Interior Department», *The New York Times*, 10 septembre 2008.

92. «Americans Less Likely to Say 18 of 19 Industries Are Honest and Trustworthy This Year», sondage, Harris Interactive, 12 décembre 2013; Jeffrey Jones, «U.S. Images of Banking, Real Estate Making Comeback», sondage, Gallup, 23 août 2013; André Turcotte, Michal C. Moore et Jennifer Winter, «Energy Literacy in Canada», *School of Public Policy Research Papers*, vol. 5, n° 31, octobre 2012; Commission européenne, «Comment les entreprises influencent notre société: le point de vue des citoyens», *Rapport Eurobaromètre Flash*, n° 363, avril 2013, p. 25.

93. Sandra Steingraber, «It's Alive! In Defense of Underground Organisms», *Orion Magazine*, janvier-février 2012, p. 15.

94. Wendell E. Berry, «It All Turns on Affection», Jefferson Lecture in the Humanities, National Endowment for the Humanities, 2012, www.neh.gov.

## Chapitre 10

1. Rachel Carson, «The Real World Around Us», discours à l'association Theta Sigma Phi, Columbus (OH), 1954, dans Linda Lear (dir.), *Lost Woods: The Discovered Writing of Rachel Carson*, Boston, Beacon Press, 1998, p. 163.

2. Paige Lavender et Corbin Hiar, «Blair Mountain: Protesters March to Save Historic Battlefield», *Huffington Post*, 10 juin 2011.

3. Le plus gros modèle de superpétrolier que prévoit utiliser Enbridge en Colombie-Britannique peut transporter environ 2,2 millions de barils de pétrole, soit environ 74 % de plus que les 1 264 155 barils que contenait l'*Exxon Valdez*: TERMPOL Surveys and Studies, «Section 3.9: Ship Specifications», Northern Gateway Partnership Inc., Enbridge Northern Gateway Project, 20 janvier 2010, p. 2-7; Exxon Valdez Oil Spill Trustee Council, «Oil Spill Facts: Questions and Answers», www.evostc.state.ak.us.

4. Jess Housty, «Transformations», *Coast*, 1ᵉʳ avril 2013.

5. «Protesters Blamed for Cancelled Pipeline Hearing», *CTV News Vancouver*, 2 avril 2012.

6. Échange de l'auteure par courriel avec Tyler McCreary, doctorant, University York, 30 janvier 2014.

7. Sheri Young, lettre au Heiltsuk Tribal Council, aux chefs héréditaires heiltsuks et au Heiltsuk Economic Development Corporation au nom du Enbridge Northern Gateway Project Joint Review Panel, 2 avril 2012; Jess Housty, *op. cit.*; Alexis Stoymenoff, «Enbridge Northern Gateway Protest in Bella Bella Was "Absolutely Peaceful"», *Vancouver Observer*, 2 avril 2012.

8. Jess Housty, *op. cit.*; Kai Nagata, «Enbridge Misses Heiltsuk Pipeline Hearings», *The Tyee*, 27 juillet 2012; *ibid.*

9. Jess Housty, «At the JRP Final Hearings», *Coast*, 20 juin 2013.

10. Entretien de l'auteure avec Melachrini Laikou, 31 mai 2013.

11. Entretien de l'auteure avec Alexis Bonogofsky, 27 mars 2013.

12. Andrew Nikiforuk, *Sables bitumineux. La honte du Canada*, Montréal, Écosociété, 2010.

13. Entretien de l'auteure avec Jeff King, 23 juin 2011.

14. Luiza Ilie, « Romanian Farmers Choose Subsistence over Shale Gas », Reuters, 27 octobre 2013.

15. Yinka Dene Alliance, « Oil Sands Export Ban: BC First Nations Unite to Declare Province-Wide Opposition to Crude Oil Pipeline and Tanker Expansion », communiqué de presse, 1er décembre 2011 ; Yinka Dene Alliance, « First Nations Gain Powerful New Allies in Fight Against Enbridge Northern Gateway Pipeline and Tankers », communiqué de presse, 5 décembre 2013 ; reportage de l'auteure, 1er décembre 2011.

16. Save the Fraser Declaration, Gathering of Nations, « Read the Declaration », http://savethefraser.ca.

17. Office national de l'énergie et Agence canadienne d'évaluation environnementale, *Considérations. Rapport de la commission d'examen conjoint sur le projet Enbridge Northern Gateway*, vol. 2, Ottawa, Gouvernement du Canada, 2013, p. 249 et 304.

18. « White House Could Cast Decisive Vote to Permit 20,000 Fracking Wells in Delaware River Basin », *Democracy Now!*, 11 novembre 2011 ; Delaware River Basin Commission, « Natural Gas Development Regulations », 8 novembre 2011, p. 19.

19. U.S. Department of the Interior, U.S. Geological Survey, « High Plains Aquifer Water Quality Currently Acceptable but Human Activities Could Limit Future Use », communiqué de presse, 16 juillet 2009 ; Natural Resources Conservation Service, U.S. Department of Agriculture, « Ogallala Aquifer Initiative », www.nrcs.usda.gov.

20. Oil Sands Information Portal, Government of Alberta, « Oil Sands Water Use » (données de 2013), http://osip.alberta.ca/map ; IHS Cambridge Energy Research Associates, « Growth in the Canadian Oil Sands: Finding the New Balance », 2009, p. III-7 ; Trisha A. Smrecak, « Understanding Drilling Technology », *Marcellus Shale*, n° 6, Paleontological Research Institution, janvier 2012, p. 3 ; Seth B. Shonkoff, 11th Hour Project, Schmidt Family Foundation, « Public Health Dimensions of Horizontal Hydraulic Fracturing: Knowledge, Obstacles, Tactics, and Opportunities », 18 avril 2012, www.psr.org ; Elizabeth Ridlington et John Rumpler, « Fracking by the Numbers: Key Impacts of Dirty Drilling at the State and National Level », Environment America, octobre 2013, www.environmentamerica.org, p. 4 ; Suzanne Goldenberg, « Fracking Produces Annual Toxic Water Enough to Flood Washington D.C. », *The Guardian*, 4 octobre 2013.

21. Monika Freyman, « Hydraulic Fracturing and Water Stress: Water Demand by the Numbers », *Ceres*, février 2014, p. 49-50 et 59-63 ; David Smith, « Proposed Fracking in South Africa Beauty Spot Blasted », *The Guardian*, 23 août 2013 ; Shell South Africa, « Hydraulic Fracturing and the Karoo », juillet 2012, www.shell.com/zaf.html ; Green Renaissance for Treasure the Karoo Action Group, « Tampering with the Earth's Breath » (vidéo), mai 2011.

22. Luiza Ilie, *op. cit.*

23. Entretien de l'auteure avec Anni Vassiliou, 1er juin 2013.

24. Marion W. Howard, Valeria Pizarro et June Marie Mow, « Ethnic and Biological Diversity Within the Seaflower Biosphere Reserve », *International Journal of Island Affairs*, vol. 13, 2004, p. 113 ; Rainforest Rescue, « Caribbean Archipelago Spared from Oil Drilling », 21 juin 2012, www.rainforest-rescue.org. [Note de bas de page] International Boundaries Research Unit, Durham University, « Nicaragua Issues Further Claims Against Colombia over Disputed Archipelago », 5 novembre 2013.

25. Sierra Club, « Beyond Coal: Victories », http://content.sierraclub.org ; Mary Anne Hitt, « Protecting Americans from Power Plant Pollution », Sierra Club, 17 septembre 2013 ; Sierra Club, « Proposed Coal Plant Tracker », http://contentsierraclub.org.

26. James E. Casto, « Spokesmen for Coal Blast EPA Regulatory Mandates », *State Journal*, 15 novembre 2013.

27. Jeremy van Loon, « Canada's Oil-Sand Fields Need U.S. Workers, Alberta Minister Says », *Bloomberg News*, 7 septembre 2011 ; Shawn McCarthy et Richard Blackwell, « Oil Industry Rebuts "Trash-Talking" Celebrity Critics », *Globe and Mail*, 15 janvier 2014.

28. T.S. Sudhir, « After Police Firing, Srikakulam Power Plants Under Review », NDTV. com, 16 juillet 2010.

29. Barbara Demick, « Residents of Another South China Town Protest Development Plans », *Los Angeles Times*, 21 décembre 2011 ; Gillian Wong, « Thousands Protest China Town's Planned Coal Plant », Associated Press, 20 décembre 2011 ; Gillian Wong, « Haimen, China, Protests: Tear Gas Fired at Protesters », Associated Press, 23 décembre 2011.

30. Entretien de l'auteure avec Li Bo, 11 janvier 2014.

31. « Beijing's Air Pollution at Dangerously High Levels », Associated Press, 16 janvier 2014 ; Ma Yue, « Alarm System to Close Schools in Severe Smog », *Shanghai Daily*, 16 janvier 2014 ; « Chinese Anger over Pollution Becomes Main Cause of Social Unrest », Bloomberg, 6 mars 2013.

32. Bruce Einhorn, « Why China Is Suddenly Content with 7.5 Percent Growth », *Bloomberg Businessweek*, 5 mars 2012 ; Banque mondiale, « Croissance du PIB (% annuel) », *Données*, http://donnees.banquemondiale.org ; James T. Areddy et Brian Spegele, « China Chases Renewable Energy as Coast Chokes on Air », *Wall Street Journal*, 6 décembre 2013 ; Justin Guay, « The Chinese Coal Bubble », *Huffington Post*, 29 mai 2013 ; Katie Hunt, « China Faces Steep Climb to Exploit Its Shale Riches », *The New York Times*, 30 septembre 2013.

33. Christian Lelong (dir.), « The Window for Thermal Coal Investment Is Closing », Goldman Sachs, 24 juillet 2013 ; Dave Steves, « Goldman Sachs Bails on Coal Export Terminal Investment », *Portland Tribune*, 8 janvier 2014.

34. Parlement européen, « Gaz de schiste : les États membres ont besoin de règles solides sur la fracturation hydraulique, affirment les députés », communiqué de presse, 21 novembre 2012.

35. Andrea Schmidt, « Heirs of Anti-Apartheid Movement Rise Up », Al Jazeera, 15 décembre 2013.

36. Naomi Klein, « Time for Big Green to Go Fossil Free », *The Nation,* 1er mai 2013 ; 350. org, Fossil Free, « Commitments », http://gofossilfree.org ; Stanford University, « Stanford to Divest from Coal Companies », communiqué de presse, 6 mai 2014.

37. « Harvard University Endowment Earns 11.3% Return for Fiscal Year », *Harvard Gazette*, 24 septembre 2013 ; Andrea Schmidt, « Heirs of Anti-Apartheid Movement Rise Up », Al Jazeera, 15 décembre 2013 ; Mark Brooks, « Banking on Divestment », *Alternatives Journal*, novembre 2013.

38. Mark Brownstein, « Why EDF Is Working on Natural Gas », Environmental Defense Fund, 10 septembre 2012.

39. [Note de bas de page] Civil Society Institute *et al.*, « Lettre à Fred Krupp », 22 mai 2013, www.civilsocietyinstitute.org.

40. Ben Casselman, « Sierra Club's Pro-Gas Dilemma », *Wall Street Journal*, 22 décembre 2009 ; Bryan Walsh, « How the Sierra Club Took Millions from the Natural Gas Industry—and Why They Stopped », *Time*, 2 février 2012 ; Dave Michaels, « Natural Gas Industry Seeks Greater Role for Power Plants, Vehicles », *Dallas Morning News*, 18 septembre 2009 ; Sandra Steingraber, « Breaking Up with the Sierra Club », *Orion*, 23 mars 2012.

41. Felicity Barringer, « Answering for Taking a Driller's Cash », *The New York Times*, 13 février 2012 ; « 48 Arrested at Keystone Pipeline Protest as Sierra Club Lifts 120-Year Ban on Civil Disobedience », *Democracy Now!*, 14 février 2013 ; échange de l'auteure par courriel avec Bob Sipchen, directeur des communications du Sierra Club, 21 avril 2014.

42. Robert Friedman, «Tell Your Alma Mater, Fossil Fuel Divestment Just Went Mainstream», Natural Resources Defense Council, 30 avril 2014; Naomi Klein, *op. cit.*

43. Andrea Vittorio, «Foundations Launch Campaign to Divest from Fossil Fuels», Bloomberg, 31 janvier 2014; Divest-Invest, «Philanthropy», http://divestinvest.org.

44. «Global 500», *Fortune*, http://fortune.com; Stanley Reed, «Shell Profit Rises 15% but Disappoints Investors», *The New York Times*, 31 janvier 2013; Stanley Reed, «Shell Says Quarterly Earnings Will Fall 48%», *The New York Times*, 17 janvier 2014.

45. *Ibid.*

46. Lone Pine Resources Inc., «Notice of Arbitration Under the Arbitration Rules of the United Nations Commission on International Trade Law and Chapter Eleven of the North American Free Trade Agreement», 6 septembre 2013, p. 4 et 15-18.

47. Organisation mondiale du commerce, *Accord général sur les tarifs douaniers et le commerce (GATT) de 1947*, article XI.1.

48. Entretien de l'auteure avec Ilana Solomon, 27 août 2013.

49. Sarah Anderson et Manuel Perez-Rocha, «Mining for Profits in International Tribunals: Lessons for the Trans-Pacific Partnership», Institute for Policy Studies, avril 2013, p. 1; Lori Wallach, «Brewing Storm over ISDR Clouds: Trans-Pacific Partnership Talks—Part I», *Kluwer Arbitration Blog*, 7 janvier 2013.

50. Lindsay Abrams, «The Real Secret to Beating the Koch Brothers: How Our Broken Political System Can Still Be Won», *Salon*, 29 avril 2014; entretien de l'auteure avec Marily Papanikolaou, 29 mai 2013; Mark Strassman, «Texas Rancher Won't Budge for Keystone Pipeline», *CBS Evening News*, 19 février 2013; Kim Murphy, «Texas Judge Deals Setback to Opponents of Keystone XL Pipeline», *Los Angeles Times*, 23 août 2012.

51. [Note de bas de page] Suzanne Goldenberg, «Terror Charges Faced by Oklahoma Fossil Fuel Protesters "Outrageous"», *The Guardian*, 10 janvier 2014; Molly Redden, «A Glitter-Covered Banner Got These Protesters Arrested for Staging a Bioterror Hoax», *Mother Jones*, 17 décembre 2013; échange de l'auteure par courriel avec Moriah Stephenson, membre de l'organisation Great Plains Tar Sands Resistance, 22 janvier 2014; Will Potter, «Two Environmentalists Were Charged with "Terrorism Hoax" for Too Much Glitter on Their Banner», *Vice*, 18 décembre 2013.

52. Adam Federman, «We're Being Watched: How Corporations and Law Enforcement Are Spying on Environmentalists», *Earth Island Journal*, été 2013; Richard Black, «EDF Fined for Spying on Greenpeace Nuclear Campaign» BBC, 10 novembre 2011; Matthew Millar, «Canada's Top Spy Watchdog Lobbying for Enbridge Northern Gateway Pipeline», *Vancouver Observer*, 4 janvier 2014; Jordan Press, «Chuck Strahl Quits Security Intelligence Review Committee», Postmedia News, 24 janvier 2014.

53. Greg Weston, «Other Spy Watchdogs Have Ties to Oil Business», CBC News, 10 janvier 2014; Jordan Press, *op. cit.*

54. Office national de l'énergie et Agence canadienne d'évaluation environnementale, *op. cit.*, p. 234 et 431.

55. Selon un sondage plus récent, 64 % des Britanno-Colombiens s'opposent à l'augmentation du trafic de pétroliers; ceux qui s'y opposent «fortement» sont quatre fois plus nombreux que ceux qui se disent «fortement» en accord: Justason Market Intelligence, «Oil Tanker Traffic in B.C.: The B.C. Outlook Omnibus», janvier 2014, p. 5. Larry Pynn, «Environmentalists Pledge Renewed Fight to Stop Northern Gateway Pipeline», *Vancouver Sun*, 19 décembre 2013; Scott Simpson, «Massive Tankers, Crude Oil and Pristine Waters», *Vancouver Sun*, 5 juin 2010; Christopher Walsh, «Northern Gateway Pipeline Approved by National Energy Board», *Edmonton Beacon*, 19 décembre 2013.

56. Edgardo Lander, «Extractivism and Protest Against It in Latin America», présenté à la conférence «The Question of Power: Alternatives for the Energy Sector in Greece and Its European and Global Context», Athènes (Grèce), octobre 2013.

57. Transition Network, « Initiative Figures », mise à jour de septembre 2013, www.transition network.org ; Transition Network, « What Is a Transition Initiative? », www.transition network.org.

58. David Roberts, « Climate-Proofing Cities: Not Something Conservatives Are Going to Be Good At », *Grist*, 9 janvier 2013.

59. Jesse McKinley, « Fracking Fight Focuses on a New York Town's Ban », *The New York Times*, 23 octobre 2013.

60. Sierra Club BC, « Panel Fails to Listen to British Columbians », communiqué de presse, 19 décembre 2013.

## Chapitre 11

1. Melanie Jae Martin et Jesse Fruhwirth, « Welcome to Blockadia! », *YES!*, 11 janvier 2013.

2. Mary Jones, *Maman Jones. Autobiographie*, Pantin, Bons caractères, 2012, p. 161.

3. Gurston Dacks, « British Columbia After the *Delgamuukw* Decision: Land Claims and Other Processes », *Canadian Public Policy*, vol. 28, 2002, p. 239-255.

4. « Statement of Claim between Council of the Haida Nation and Guujaaw suing on his own behalf and on behalf of all members of the Haida Nation (plaintiffs) and Her Majesty the Queen in Right of the Province of British Columbia and the Attorney General of Canada (defendants) », poursuite n° L020662, greffe de Vancouver, 14 novembre 2002, www.haidanation.ca ; *Nation haïda c. Colombie-Britannique (ministre des Forêts)*, 3 R.C.S. 511, Jugements de la Cour suprême du Canada, http://scc-csc.lexum. com/scc-csc/scc-csc/fr/item/2189/index.do ; « Government Must Consult First Nations on Disputed Land, Top Court Rules », CBC News, 18 novembre 2004 ; entretien de l'auteure avec Arthur Manuel, 25 août 2004.

5. Échange de l'auteure par courriel avec Tyler McCreary, doctorant à l'Université York de Toronto, 30 janvier 2014.

6. *Delgamuukw c. Colombie-Britannique*, 3 R.C.S. 1010, Jugements de la Cour suprême du Canada, http://scc-csc.lexum.com/scc-csc/scc-csc/fr/item/1569/index.do ; British Columbia Treaty Commission, « A Lay Person's Guide to Delgamuukw v. British Columbia », novembre 1999, www.bctreaty.net ; Chelsea Vowel, « The Often-Ignored Facts About Elsipogtog », *Toronto Star*, 14 novembre 2013.

7. Melanie G. Wiber et Julia Kennedy, « Impossible Dreams: Reforming Fisheries Management in the Canadian Maritimes After the Marshall Decision », dans René Kuppe et Richard Potz (dir.), *Law and Anthropology: International Yearbook for Legal Anthropology*, vol. 2, La Haye, Martinus Nijhoff, 2001, p. 282-297 ; Affaires autochtones et Développement du Nord Canada, *Traité de paix et d'amitié de 1760*, www.aadnc-aandc.gc.ca/fra/1100100028596/1100100028597 ; *R. c. Marshall*, [1999] 3 R.C.S. 456, Jugements de la Cour suprême du Canada, http://scc-csc.lexum.com/scc-csc/scc-csc/ fr/item/1739/index.do ; *R. c. Marshall*, Affaires autochtones et Développement du Nord Canada, Décisions de la Cour suprême, 17 novembre 1999, www.aadnc-aandc. gc.ca/fra/1100100028614/1100100028615.

8. Affaires autochtones et Développement du Nord Canada, *Cartes de l'établissement des traités au Canada*, www.aadnc-aandc.gc.ca/fra/1100100032297/1100100032309 ; « Alberta Oil Sands », Alberta Geological Survey, www.ags.gov.ab.ca ; Affaires autochtones et Développement du Nord Canada, *Copie du Traité n° 6 conclu entre Sa Majesté la Reine et les Cris des Plaines, les Cris des Bois et d'autres tribus indiennes aux Forts Carlton et Pitt et à Battle River, et adhésions à ce dernier*, 1877, www.aadnc-aandc. gc.ca/fra/1100100028710/1100100028783.

9. Halifax Media Co-op, « Emergency Advisory: Mi'kmaq say, "We Are Still Here, and SWN Will Not Be Allowed to Frack" », communiqué de presse, 3 novembre 2013.

10. Martha Stiegman et Miles Howe, « Summer of Solidarity—A View from the Sacred Fire Encampment in Elsipogtog » (vidéo), Halifax Media Co-op, 3 juillet 2013.

11. «"Crown Land Belongs to the Government, Not to F*cking Natives"», APTN, 17 octobre 2013 ; Martin Lukacs, « New Brunswick Fracking Protests Are the Frontline of a Democratic Fight », *The Guardian*, 21 octobre 2013 ; Renee Lewis, « Shale Gas Company Loses Bid to Halt Canada Protests », Al Jazeera America, 21 octobre 2013.

12. MQO Recherche, « Résultats de recherche », présentés à la conférence FORUMe, Nouveau-Brunswick, juin 2012 ; Kevin Bissetta, « Alward Facing Opposition from N.B. Citizens over Fracking », Presse canadienne, 30 août 2011.

13. Martha Stiegman et Miles Howe, « Summer of Solidarity », *op. cit.*

14. Richard Walker, « In Washington, Demolishing Two Dams So That the Salmon May Go Home », *Indian Country Today*, 22 septembre 2011 ; Shield the People, « Press Release 02/26/2014 », communiqué de presse, 26 février 2014 ; United States Department of State et Broadcasting Board of Governors, « Keystone XL Pipeline Project Compliance Follow-up Review: The Department of State's Choice of Environmental Resources Management, Inc., To Assist in Preparing the Supplemental Environmental Impact Statement », février 2014 ; Jorge Barrera, « Keystone XL "Black Snake" Pipeline to Face "Epic" Opposition from Native American Alliance », APTN, 31 janvier 2014.

15. Steve Quinn, « U.S. Appeals Court Throws Arctic Drilling into Further Doubt », Reuters, 23 janvier 2014 ; *Native Village of Point Hope v. Jewell*, 44 ELR 20016, n° 12-35287 (9th Cir., 01/22/2014) ; World Wildlife Fund, « Native and Conservation Groups Voice Opposition to Lease Sale 193 in the Chukchi Sea », communiqué de presse, 6 février 2008 ; Faith Gemmill, « Shell Cancels 2014 Arctic Drilling—Arctic Ocean and Inupiat Rights Reality Check », *Platform,* 30 janvier 2014.

16. *Native Village of Point Hope v. Jewell, op. cit.*

17. Terry Macalister, « Shell's Arctic Drilling Set Back by US Court Ruling », *The Guardian*, 23 janvier 2014 ; Shell, « New Shell CEO Ben van Beurden Sets Agenda for Sharper Performance and Rigorous Capital Discipline », communiqué de presse, 30 janvier 2014.

18. Erin Parke, « Gas Hub Future Unclear After Native Title Dispute », ABC (Australie), 7 février 2013 ; « Environmentalists Welcome Scrapping of LNG Project », ABC (Australie), 12 avril 2013 ; Andrew Burrell, « Gas Fracking Wars to Open Up on a New Front », *The Australian*, 30 décembre 2013 ; « Native Title Challenge to Canning Gas Bill », Australian Associated Press, 20 juin 2013 ; Vicky Validakis, « Native Title Claimants Want to Ban Mining », *Australian Mining*, 14 mai 2013.

19. Amnesty International, « Ecuador: Inter-American Court Ruling Marks Key Victory for Indigenous People », communiqué de presse, 27 juillet 2012.

20. Centre d'actualités de l'Organisation des Nations Unies, « L'Assemblée générale adopte la Déclaration des droits des peuples autochtones », communiqué de presse, 13 septembre 2007 ; Haut Commissariat des Nations Unies pour les réfugiés, « Indigenous Rights Declaration Endorsed by States », communiqué de presse, 23 décembre 2010 ; *Déclaration des Nations Unies sur les droits des peuples autochtones*, Assemblée générale des Nations Unies, résolution 61/295, 13 septembre 2007, p. 11-12 ; República de Bolivia, *Constitución de 2009, Capítulo IV: Derechos de las Naciones y Pueblas Indígena Originario Campesinos*, art. 30, sec. 2, traduit de l'anglais à partir de Leah Temper (dir.), « Towards a Post-Oil Civilization », *EJOLT Report n° 6*, mai 2013, p. 71.

21. Alexandra Valencia, « Ecuador Congress Approves Yasuni Basin Oil Drilling in Amazon », Reuters, 3 octobre 2013 ; Amnesty International, « Annual Report 2013: Bolivia », 23 mai 2013.

22. John Otis, « Chevron vs. Ecuadorean Activists », *Global Post*, 3 mai 2009.

23. « Beaver Lake Cree Sue over Oil and Gas Dev't », *Edmonton Journal*, 14 mai 2008 ; Beaver Lake Cree Nation, « Beaver Lake Cree Nation Draws a Line in the (Oil) Sand », communiqué de presse, 14 mai 2008.

24. *Ibid.* ; Court of the Queen's Bench, Government of Alberta, « Memorandum of Decision of the Honourable Madam Justice B.A. Browne », 2012 ABQB 195, 28 mars 2012.

25. Bob Weber, « Athabasca Chipewyan File Lawsuit Against Shell's Jackpine Oil Sands Expansion », Presse canadienne, 16 janvier 2014; Allan Adam, « Why I'm on Tour with Neil Young and Diana Krall », *Huffington Post Canada*, 14 janvier 2014; Athabasca Chipewyan First Nation, « Administration and Finance », www.acfn.com; Shell Global, « Shell at a Glance », www.shell.com/global.

26. Emma Gilchrist, « Countdown Is On: British Columbians Anxiously Await Enbridge Recommendation », *DesmogCanada*, 17 décembre 2013; entretien de l'auteure avec Mike Scott, 21 octobre 2010.

27. Benjamin Shingler, « Fracking Protest Leads to Bigger Debate over Indigenous Rights in Canada », Al Jazeera America, 10 décembre 2013.

28. *Loi sur l'emploi, la croissance et la prospérité durable*, L.C. 2012, ch. 19, Gouvernement du Canada (« loi C-38 »); *Loi de 2012 sur l'emploi et la croissance*, L.C. 2012, ch. 31, Gouvernement du Canada (« loi C-45 »); Tonda MacCharles, « Tories Have Cancelled Almost 600 Environmental Assessments in Ontario », *Toronto Star*, 29 août 2012; Andrea Janus, « Activists Sue Feds over Rules That "Block" Canadians from Taking Part in Hearings », CTV News, 15 août 2013; *Loi sur la protection de la navigation*, L.R.C. 1985, ch. N-22, Gouvernement du Canada; « Omnibus Bill Changes Anger Water Keepers », CBC News, 19 octobre 2012; « Legal Backgrounder: Bill C-45 and the Navigable Waters Protection Act » (R.S.C. 1985), C N-22, EcoJustice, octobre 2012; « Hundreds of N.S. Waterways Taken off Protected List; Nova Scotia First Nation Joins Idle No More Protest », CBC News, 27 décembre 2012; voir les dispositions de coordination 349(5) et 349(9) de la *Loi de 2012 sur l'emploi et la croissance*, *op. cit*; Heather Scoffield, « Documents Reveal Pipeline Industry Drove Changes to "Navigable Waters" Act », Presse canadienne, 20 février 2013.

29. Parlement du Canada, *Résultats électoraux par parti, 41ᵉ élection générale, 2 mai 2011*, www.parl.gc.ca; Ian Austen, « Conservatives in Canada Expand Party's Hold », *The New York Times*, 2 mai 2011.

30. Julie Gordon et Allison Martell, « Canada Aboriginal Movement Poses New Threat to Miners », Reuters, 17 mars 2013.

31. Martin Lukacs, « Indigenous Rights Are the Best Defence Against Canada's Resource Rush », *The Guardian*, 26 avril 2013.

32. Thrasher Wheat, « Neil Young at National Farmers Union Press Conference » (vidéo), YouTube, 9 septembre 2013; Jian Ghomeshi, « Q exclusive: Neil Young Says "Canada Trading Integrity for Money" » (vidéo), CBC News, 13 janvier 2014.

33. Entretien de l'auteure avec Eriel Deranger, directrice des communications, première nation des Chipewyans d'Athabasca, 30 janvier 2014; « How Do You Feel About Neil Young Attacking the Oilsands? », sondage, *Edmonton Journal*, 12 janvier 2014.

34. Jian Ghomeshi, *op. cit.* ; Allan Adam, *op. cit.*

35. « Évaluation nationale des systèmes d'aqueduc et d'égout dans les collectivités des premières nations: rapport de synthèse régional – Atlantique », préparé par Neegan Burnside Ltd., ministère des Affaires indiennes et du Nord canadien, janvier 2011, www.aadnc-aandc.gc.ca.

36. En 2012, la subvention du Danemark au Groenland totalisait environ 3,6 milliards de couronnes danoises, ce qui représentait 31 % du PIB de l'île. En 2013, ces chiffres étaient sensiblement les mêmes: Statistics Greenland, « Greenland in Figures: 2014 », 2014, p. 7-8; Jan. M. Olsen, « No Economic Independence for Greenland in Sight », Associated Press, 24 janvier 2014; McKenzie Funk, *Windfall: The Booming Business of Global Warming*, New York, Penguin, 2014, p. 78.

37. Angela Sterritt, « Industry and Aboriginal Leaders Examine Benefits of the Oilsands », *CBC News,* 24 janvier 2014.

38. Entretien de l'auteure avec Phillip Whiteman Jr., 21 octobre 2010.

## Chapitre 12

1. Leah Temper, « Sarayaku Wins Case in the Inter-American Court of Human Rights but the Struggle for Prior Consent Continues », *Environmental Justice Organizations, Liabilities and Trade Report*, 21 août 2012.

2. Sivan Kartha, Tom Athanasiou et Paul Baer, « The North-South Divide, Equity and Development—The Need for Trust-Building for Emergency Mobilisation », *Development Dialogue*, n° 61, septembre 2012, p. 62.

3. Selon la commission géologique des États-Unis, le bassin de la rivière Powder renferme 147 milliards de tonnes de charbon techniquement extractible. En se basant sur la consommation totale de charbon aux États-Unis en 2012 (données de l'Energy Information Administration), qui a atteint 806 millions de tonnes, on estime que cette réserve pourrait durer environ cent quatre-vingt-deux ans : David C. Scott et James A. Luppens, « Assessment of Coal Geology, Resources, and Reserve Base in the Powder River Basin, Wyoming and Montana », U.S. Geological Survey, 26 février 2013 ; U.S. Energy Information Administration, U.S. Department of Energy, « International Energy Statistics », www.eia.gov.

4. « Beyond Coal: Many Stars CTL », Sierra Club, http://content.sierraclub.org ; Many Stars Project, page d'accueil, www.manystarsctl.com/index.html.

5. Entretien de l'auteure avec Mike Scott, 21 octobre 2010 ; entretien de l'auteure avec Alexis Bonogofsky, 21 octobre 2010.

6. U.S. Department of the Interior, Office of the Secretary, Office of the Assistant Secretary—Indian Affairs, « 2013 American Indian Population and Labor Force Report », janvier 2014, p. 47 ; « Cheyenne Warriors », *Day One*, ABC News, 6 juillet 1995.

7. Entretien de l'auteure avec Charlene Alden, 22 octobre 2010.

8. Entretien de l'auteure avec Henry Red Cloud, 22 juin 2011.

9. Andreas Malm, « The Origins of Fossil Capital », *Historical Materialism*, vol. 21, 2013, p. 45.

10. Entretien de l'auteure avec Larry Bell, 1er juillet 2011.

11. Carolyn Merchant, « Environmentalism: From the Control of Nature to Partnership », conférence Bernard Moses, University of California, Berkeley, mai 2010.

12. Entretien de l'auteure avec Landon Means, 24 juin 2011 ; entretien de l'auteure avec Jeff King, 23 juin 2011.

13. Entretien de l'auteure avec Henry Red Cloud, 22 juin 2011 ; entretien de l'auteure avec Alexis Bonogofsky, 22 juin 2011.

14. Matthew Brown, « Wildfires Ravage Remote Montana Indian Reservation », Associated Press, 31 août 2012 ; entretien de l'auteure avec Vanessa Braided Hair, 27 mars 2013.

15. Entretien de l'auteure avec Henry Red Cloud, 24 juin 2011.

16. Enregistrement audio, 17 janvier 2013, avec l'aimable autorisation d'Alexis Bonogofsky.

17. Black Mesa Water Coalition, « Our Work », www.blackmesawatercoalition.org ; « Black Mesa Water Coalition » (vidéo), Black Mesa Peep, YouTube, 19 décembre 2011.

18. Marc Lee, *Enbridge Pipe Dreams and Nightmares: The Economic Costs and Benefits of the Proposed Northern Gateway Pipeline*, Vancouver, Canadian Centre for Policy Alternatives, mars 2012, p. 4-7.

19. *Ibid.*, p. 6.

20. Dan Apfel, « Why Investors Must Do More Than Divest from Fossil Fuels », *The Nation*, 17 juin 2013.

21. Diane Cardwell, « Foundations Band Together to Get Rid of Fossil-Fuel Investments », *The New York Times*, 29 janvier 2014 ; Brendan Smith, Jeremy Brecher et Kristen Sheeran, « Where Should the Divestors Invest? », *Common Dreams*, 17 mai 2014.

22. *Ibid.*

23. Melanie Wilkinson, «Pipeline Fighters Dedicate Structure on Route», *York News-Times* (Nebraska), 24 septembre 2013.

24. REPOWERBalcombe, «Our Mission», www.repowerbalcombe.com.

25. Entretien de l'auteure avec Bill McKibben, 5 novembre 2011.

26. Échange de l'auteure par courriel avec John Jordan, 13 janvier 2011.

27. Patrick Quinn, «After Devastating Tornado, Town is Reborn "Green"», *USA Today*, 23 avril 2013.

28. *Ibid.*

29. Scott Wallace, «Rain Forest for Sale», *National Geographic*, janvier 2013; Kevin Gallagher, «Paying to Keep Oil in the Ground», *The Guardian*, 7 août 2009.

30. Esperanza Martínez, «The Yasuní—ITT Initiative from a Political Economy and Political Ecology Perspective», dans Leah Temper (dir.), «Towards a Post-Oil Civilization», *EJOLT Report n° 6*, mai 2013, p. 11 et 27.

31. Angélica Navarro Llanos, «Climate Debt», présentation au Ad Hoc Working Group on Long-term Cooperative Action, Convention-cadre des Nations Unies sur les changements climatiques, Bonn (Allemagne), 4 juin 2009.

32. Susan Solomon (dir.), «Persistence of Climate Changes Due to a Range of Greenhouse Gases», *Proceedings of the National Academy of Sciences*, vol. 107, 2010, p. 18355.

33. Convention-cadre des Nations Unies sur les changements climatiques, *Protocole de Kyoto*, http://unfccc.int.

34. Matthew Stilwell, «Climate Debt—A Primer», *Development Dialogue*, n° 61, septembre 2012, p. 42; Global Carbon Project, données sur les émissions, «2013 Budget v2.4», juillet 2014, http://cdiac.ornl.gov.

35. *Ibid.*; Agence internationale de l'énergie, «Global Status of Modern Energy Access», *World Energy Outlook 2012*; Barbara Freese, *Coal: A Human History*, New York, Penguin, 2004, p. 64.

36. Convention-cadre des Nations Unies sur les changements climatiques, *État des ratifications*, http://unfccc.int; *Convention-cadre des Nations Unies sur les changements climatiques*, article 3, 1992, http://unfccc.int/resource/docs/convkp/convfr.pdf; Convention-cadre des Nations Unies sur les changements climatiques, *Protocole de Kyoto, op. cit.*

37. Esperanza Martínez, *op. cit.*, p. 32; Jonathan Watts, «Ecuador Approves Yasuni National Park Oil Drilling in Amazon Rainforest», *The Guardian*, 16 août 2013.

38. Mercedes Alvaro, «Coalition to Halt Ecuador Oil-Block Development to Appeal Invalidation of Signatures», *Wall Street Journal*, 9 mai 2014; Kevin M. Koenig, «Ecuador Breaks Its Amazon Deal», *The New York Times*, 11 juin 2014.

39. James M. Taylor, «Cancun Climate Talks Fizzle, but U.S. Agrees to Expensive New Program», *Heartlander Magazine*, The Heartland Institute, 3 janvier 2011.

40. Entretien de l'auteure avec Alice Bows-Larkin, 14 janvier 2013; David Remnick, «Going the Distance: On and Off the Road with Barack Obama», *The New Yorker*, 27 janvier 2014.

41. Sustainable Buildings and Climate Initiative, *Buildings and Climate Change: Summary for Decision Makers*, Programme des Nations Unies pour l'environnement, 2009, www.unep.org; «Global Building Stock Will Expand 25 Percent by 2012, Driven by Growth in Asia Pacific, Forecasts Pike Research», *BusinessWire*, 28 décembre 2012; Navigant Research, «Retail and Multi-Unit Residential Segments to Drive Global Building Space Growth through 2020», communiqué de presse, 19 septembre 2011, www.navigantresearch.com.

42. CSD Uppsala, «Climate Change Leadership—Politics and Culture», www.csduppsala.uu.se; Tariq Banuri et Niclas Hällström, «A Global Programme to Tackle Energy Access and Climate Change», *Development Dialogue*, n° 61, septembre 2012, p. 275.

43. «"The Most Obdurate Bully in the Room": U.S. Widely Criticized for Role at Climate Talks», *Democracy Now!*, 7 décembre 2012.

44. Entretien de l'auteure avec Sunita Narain, directrice générale du Centre for Science and Environment, 6 mai 2013.

45. Nicole Itano, «No Unity at Racism Conference», *Christian Science Monitor*, 7 septembre 2001; Conférence mondiale contre le racisme, la discrimination raciale, la xénophobie et l'intolérance qui y est associée, *Déclaration*, 2001, www.un.org/french/WCAR/durban_fr.pdf; Ben Fox, «Caribbean Nations Seeking Compensation for Slavery», Associated Press, 25 juillet 2013; Caribbean Community Secretariat, «Statement by the Honorable Baldwin Spencer, Prime Minister of Antigua and Barbuda to 34th Regular Meeting of the Conference of Heads of Government of the Caribbean Community, July 2013—On the Issue of Reparations for Native Genocide and Slavery», communiqué de presse, 6 juillet 2013.

46. Ta-Nehisi Coates, «The Case for Reparations», *The Atlantic*, 21 mai 2014.

47. Eric Williams, *Capitalism and Slavery*, Chapel Hill, University of North Carolina Press, 1994 [1944]; «Legacies of British Slave-ownership», University College, Londres, www.ucl.ac.uk.

48. Sanchez Manning, «Britain's Colonial Shame: Slave-owners Given Huge Payouts After Abolition», *Independent*, 24 février 2013; «Legacies of British Slave-ownership Database», University College, Londres.

49. Paul Baer, Tom Athanasiou, Sivan Kartha et Eric Kemp-Benedict, *The Greenhouse Development Rights Framework: The Right to Development in a Climate Constrained World*, 2ᵉ édition, Heinrich Böll Foundation, Christian Aid, EcoEquity et Stockholm Environment Institute, 2008; Sivan Kartha, Tom Athanasiou et Paul Baer, *op. cit.*, p. 54.

50. Pour en savoir plus sur le programme Greenhouse Development Rights et les effets potentiels de sa mise en œuvre, on peut consulter son site web, qui propose des «calculateurs d'équité climatique» et d'autres informations: http://gdrights.org. Sivan Kartha, Tom Athanasiou et Paul Baer, *op. cit.*, p. 59-60 et 64; entretien de l'auteure avec Sivan Kartha, 11 janvier 2013.

## Chapitre 13

1. Entretien de l'auteure avec Tracie Washington, 26 mai 2010.

2. Katsi Cook, «Woman Is the First Environment», discours, Live Earth, National Museum of the American Indian, Washington, 7 juillet 2007.

3. Allied Market Research, «Global In Vitro Fertilization Market to Reach $21.6 Billion by 2020», communiqué de presse, 29 janvier 2014; F.E. van Leeuwen (dir.), «Risk of Borderline and Invasive Ovarian Tumours After Ovarian Stimulation for in Vitro Fertilization in a Large Dutch Cohort», *Human Reproduction*, vol. 26, 2011, p. 3456-3465; L. Lerner-Geva (dir.), «Infertility, Ovulation Induction Treatments and the Incidence of Breast Cancer—A Historical Prospective Cohort of Israeli Women», *Breast Cancer Research Treatment*, vol. 100, 2006, p. 201-212; Peter Henriksson (dir.), «Incidence of Pulmonary and Venous Thromboembolism in Pregnancies After In Vitro Fertilisation: Cross Sectional Study», *The BMJ*, vol. 346, 2013, p. 1-11.

4. Entretien de l'auteure avec Jonathan Henderson, 25 mai 2010.

5. Cain Burdeau et Seth Borenstein, «6 Months After Oil Spill, Scientists Say Gulf Is Sick but Not Dying», Associated Press, 18 octobre 2010.

6. Doug O'Harra, «Cordova on the Brink», *Anchorage Daily News*, 1ᵉʳ mai 1994.

7. Sandra Steingraber, *Raising Elijah: Protecting Our Children in an Age of Environmental Crisis*, Philadelphie, Da Capo, 2011, p. 28; Sandra Steingraber, *Having Faith: An Ecologist's Journey to Motherhood*, Cambridge (MA), Perseus, 2001, p. 88.

8. Lisa M. McKenzie (dir.), «Birth Outcomes and Maternal Residential Proximity to Natural Gas Development in Rural Colorado», *Environmental Health Perspectives*, vol. 122, 2014, p. 412-417.

9. Mark Whitehouse, «Study Shows Fracking Is Bad for Babies», *Bloomberg View*, 4 janvier 2014.

10. Constanze A. Mackenzie, Ada Lockridge et Margaret Keith, «Declining Sex Ratio in a First Nation Community», *Environmental Health Perspectives*, vol. 113, 2005, p. 1295-1298; Melody Petersen, «The Lost Boys of Aamjiwnaang», *Men's Health*, 5 novembre 2009; Nil Basu (dir.), «Biomarkers of Chemical Exposure at Aamjiwnaang», *McGill Environmental Health Sciences Lab Occasional Report*, 2013.

11. Échange de l'auteure par courriel avec Monique Harden, codirectrice, Advocates for Environmental and Human Rights, 13 février 2012; entretien de l'auteure avec Wilma Subra, chimiste et consultante en environnement, 26 janvier 2012; David S. Martin, «Toxic Towns: People of Mossville "Are Like an Experiment"», CNN, 26 février 2010.

12. Living on Earth, «Human Rights in Cancer Alley», 23 avril 2010, www.loe.org; échanges de l'auteure par courriel avec Monique Harden, 13 et 15 février 2012.

13. Entretien de l'auteure avec Debra Ramirez, 27 mai 2010; David S. Martin, *op. cit.*; entretien de l'auteure avec Wilma Subra, 26 janvier 2012.

14. BP Exploration & Production Inc., «Initial Exploration Plan, Mississippi Canyon Block 252», p. 14-3.

15. Entretien de l'auteure avec Donny Waters, 3 février 2012.

16. Monica Hernandez, «Fishermen Angry as BP Pushes to End Payments for Future Losses», WWLTV, 8 juillet 2011; entretiens de l'auteure avec Fred Everhardt, pêcheur de crabe et ancien conseiller de la paroisse de Saint-Bernard, 22 février 2012 et 7 mars 2014; entretiens de l'auteure avec George Barisich, président de la United Commercial Fisherman's Association, 22 février 2012 et 10 mars 2014.

17. California Academy of Sciences, «Scientists Find Higher Concentrations of Heavy Metals in Post-Oil Spill Oysters from Gulf of Mexico», communiqué de presse, 18 avril 2012; Georgia Institute of Technology, «Gulf of Mexico CleanUp Makes 2010 Spill 52-Times More Toxic», communiqué de presse, 30 novembre 2012; Roberto Rico-Martínez, Terry W. Snell et Tonya L. Shearer, «Synergistic Toxicity of Macondo Crude Oil and Dispersant Corexit 9500A(R) to the Brachionus Plicatilis Species Complex (Rotifera)», *Environmental Pollution*, vol. 173, 2013, p. 5-10.

18. Entretien de l'auteure avec Andrew Whitehead, 1er février 2012; Andrew Whitehead (dir.), «Genomic and Physiological Footprint of the *Deepwater Horizon* Oil Spill on Resident Marsh Fishes», *Proceedings of the National Academy of Sciences*, vol. 109, 2012, p. 20298-20302; Benjamin Dubansky, Andrew Whitehead, Jeffrey T. Miller, (dir.), «Multitissue Molecular, Genomic, and Developmental Effects of the *Deepwater Horizon* Oil Spill on Resident Gulf Killifish (*Fundulus grandis*)», *Environmental Science & Technology*, vol. 47, 2013, p. 5074-5082.

19. Office of Protected Resources, National Oceanic and Atmospheric Administration Fisheries, «2010-2014 Cetacean Unusual Mortality Event in Northern Gulf of Mexico», National Oceanic and Atmospheric Administration, www.nmfs.noaa.gov; Rob Williams (dir.), «Underestimating the Damage: Interpreting Cetacean Carcass Recoveries in the Context of the *Deepwater Horizon*/BP Incident», *Conservation Letters*, vol. 4, 2011, p. 228.

20. Harlan Kirgan, «Dead Dolphin Calves Found in Mississippi, Alabama», *Mobile Press-Register*, 24 février 2011; Office of Protected Resources, National Oceanic and Atmospheric Administration Fisheries, *op. cit.* [Note de bas de page] «2010-2014 Cetacean Unusual Mortality Event in Northern Gulf of Mexico», Office of Protected Resources, National Oceanic and Atmospheric Administration Fisheries, www.nmfs.noaa.gov.

21. Lori H. Schwacke, Cynthia R. Smith et Forrest I. Townsend (dir.), «Health of Common Bottlenose Dolphins (*Tursiops truncatus*) in Barataria Bay, Louisiana, Following

the *Deepwater Horizon* Oil Spill», *Environmental Science & Technology*, vol. 48, 2014, p. 93-103; National Oceanic and Atmospheric Administration Fisheries, National Oceanic and Atmospheric Administration, «Scientists Report Some Gulf Dolphins Are Gravely Ill», communiqué de presse, 18 décembre 2013.

22. «Dolphin Deaths Related to Cold Water in Gulf of Mexico, Study Says», Associated Press, 19 juillet 2012.

23. Moises Velasquez-Manoff, «Climate Turns Up Heat on Sea Turtles», *The Christian Science Monitor*, 21 juin 2007; A.P. Negri, P.A. Marshall et A.J. Heyward, «Differing Effects of Thermal Stress on Coral Fertilization and Early Embryogenesis in Four Indo Pacific Species», *Coral Reefs*, vol. 26, 2007, p. 761; Andrew C. Baker, Peter W. Glynn et Bernhard Riegl, «Climate Change and Coral Reef Bleaching: An Ecological Assessment of Long-Term Impacts, Recovery Trends and Future Outlook», *Estuarine, Coastal and Shelf Science*, vol. 80, 2008, p. 435-471.

24. L'acidification accrue des océans est probablement causée par la combinaison de l'augmentation des émissions anthropiques, qui entraîne l'absorption d'une plus grande quantité de carbone, et de la remontée naturelle des eaux profondes, plus corrosives. Entretien de l'auteure avec Richard Feely, 20 novembre 2012; Mark Hume, «Mystery Surrounds Massive Die-Off of Oysters and Scallops off B.C. Coast», *Globe and Mail*, 27 février 2014.

25. Eric Post et Mads C. Forchhammer, «Climate Change Reduces Reproductive Success of an Arctic Herbivore Through Trophic Mismatch», *Philosophical Transactions of the Royal Society B*, vol. 363, 2008, p. 2369-2372; Christiaan Both, «Food Availability, Mistiming, and Climatic Change», dans Anders Pape Moller (dir.), *Effects of Climate Change on Birds*, Oxford, Oxford University Press, 2010, p. 129-131; Christiaan Both (dir.), «Climate Change and Population Declines in a Long-Distance Migratory Bird», *Nature*, vol. 441, 2006, p. 81-82; Darryl Fears, «Biologists Worried by Migratory Bird Starvation, Seen as Tied to Climate Change», *Washington Post*, 19 juin 2013; Ed Struzik, «Trouble in the Lair», Postmedia News, 25 juin 2012; entretien de l'auteure avec Steven Amstrup, 7 janvier 2013.

26. «Arctic Rain Threatens Baby Peregrine Falcons», CBC News, 4 décembre 2013; Dan Joling, «Low-Profile Ring Seals Are Warming Victims», Associated Press, 5 mars 2007; Jon Aars, «Variation in Detection Probability of Polar Bear Maternity Dens», *Polar Biology*, vol. 36, 2013, p. 1089-1096.

27. Lori H. Schwacke, Cynthia R. Smith et Forrest I. Townsend (dir.), *op. cit.*; L. Lauria, «Reproductive Disorders and Pregnancy Outcomes Among Female Flight Attendants», *Aviation, Space and Environmental Medicine*, vol. 77, 2006, p. 533-539.

28. [Note de bas de page] C.D. Lynch (dir.), «Preconception Stress Increases the Risk of Infertility: Results from a Couple-based Prospective Cohort Study—The LIFE Study», *Human Reproduction*, vol. 29, mai 2014, p. 1067-1075.

29. Wes Jackson, «We Can Now Solve the 10,000-Year-Old Problem of Agriculture», dans Allan Eaglesham, Ken Korth et Ralph W.F. Hardy (dir.), *NABC Report 24: Water Sustainability in Agriculture*, Ithaca, National Agricultural Biotechnology Council, 2012, p. 41.

30. Wendell Berry, «It All Turns on Affection», Jefferson Lecture in the Humanities, Washington, 23 avril 2012.

31. Tyrone B. Hayes, Lloyd L. Anderson et Val R. Beasley (dir.), «Demasculinization and Feminization of Male Gonads by Atrazine: Consistent Effects Across Vertebrate Classes», *Journal of Steroid Biochemistry and Molecular Biology*, vol. 127, 2011, p. 65 et 67; Karla Gale, «Weed Killer Atrazine May Be Linked to Birth Defect», Reuters, 8 février 2010; Kelly D. Mattix, Paul D. Winchester et L.R. «Tres» Scherer, «Incidence of Abdominal Wall Defects Is Related to Surface Water Atrazine and Nitrate Levels», *Journal of Pediatric Surgery*, vol. 42, 2007, p. 947-949; Tye E. Arbuckle (dir.), «An Exploratory Analysis of the Effect of Pesticide Exposure on the Risk of Spontaneous Abortion in an Ontario Farm Population», *Environmental Health Perspectives*,

vol. 109, 2001, p. 851-857 ; Rachel Aviv, « A Valuable Reputation », *The New Yorker*, 10 février 2014.

32. Charles C. Mann, *1491. Nouvelles révélations sur les Amériques avant Christophe Colomb*, Paris, Albin Michel, 2007, p. 229.

33. « Transforming Agriculture with Perennial Polycultures », The Land Institute, http:// landinstitute.org.

34. Blair Fannin, « Updated 2011 Texas Agricultural Drought Losses Total $7.62 Billion », *Agrilife Today*, 21 mars 2012.

35. James A. Lichatowich, *Salmon Without Rivers: A History of the Pacific Salmon Crisis*, Washington (DC), Island Press, 2001, p. 54.

36. « Leanne Simpson Speaking at Beit Zatoun Jan 23rd 2012 » (vidéo), YouTube, 25 janvier 2012.

37. Entretien de l'auteure avec Leanne Simpson, 22 février 2013.

38. John Vidal, « Bolivia Enshrines Natural World's Rights with Equal Status for Mother Earth », *The Guardian*, 10 avril 2011 ; Clare Kendall, « A New Law of Nature », *The Guardian*, 23 septembre 2008. [Note de bas de page] Edgardo Lander, « Extractivism and Protest Against It in Latin America », présenté à la conférence « The Question of Power: Alternatives for the Energy Sector in Greece and Its European and Global Context », Athènes (Grèce), octobre 2013 ; República del Ecuador, *Constitución de la República del Ecuador de 2008, Capítulo Séptimo: Derechos de la Naturaleza*, art. 71 ; World People's Conference on Climate Change and the Rights of Mother Earth, « Peoples Agreement of Cochabamba », 24 avril 2010, http://pwccc.wordpress.com.

39. Fiona Harvey, « Vivienne Westwood Backs Ecocide Law », *The Guardian*, 16 janvier 2014 ; End Ecocide in Europe, « FAQ Ecocide », 16 avril 2013, https://www.endecocide.eu.

40. Entretien de l'auteure avec Mike Scott, 23 mars 2013.

41. Wes Jackson, *Consulting the Genius of the Place: An Ecological Approach to a New Agriculture*, Berkeley, Counterpoint, 2010.

42. Correspondance de l'auteure avec Gopal Dayaneni, 6 mars 2014.

## Conclusion

1. Martin Luther King Jr., « Un temps pour rompre le silence », discours du 4 avril 1967, *« Je fais un rêve » (textes choisis)*, Paris, Éditions du Centurion, 1987, p. 151-152.

2. Marlene Moses, discours au nom des États en développement des petites îles du Pacifique prononcé lors de l'événement « Youth Delegates Demand Climate Justice », tenu en marge de l'Assemblée des jeunes délégués des Nations Unies, New York, 13 octobre 2009.

3. Échange de l'auteure par courriel avec Brad Werner, 22 décembre 2012.

4. American Geophysical Union, « The Future of Human-Landscape Systems II » (vidéo), 5 décembre 2012 ; entretien de l'auteure avec Brad Werner, 2 octobre 2013 ; Dave Levitan, « After Extensive Mathematical Modeling, Scientist Declares "Earth Is F**ked" », *io9*, 7 décembre 2012.

5. American Geophysical Union, *op. cit.* ; échange de l'auteure par courriel avec Brad Werner, 22 décembre 2012 ; entretiens de l'auteure avec Brad Werner, 15 février et 2 octobre 2013.

6. American Geophysical Union, *op. cit.*

7. John Fullerton, « The Big Choice », Capital Institute, 19 juillet 2011.

8. Martin Luther King, *Où allons-nous ? La dernière chance de la démocratie américaine*, Paris, Payot, 1968, p. 12-13.

9. Johannes G. Hoogeveen et Berk Özler, « Not Separate, Not Equal: Poverty and Inequality in Post-Apartheid South Africa », document de travail n° 739, William Davidson Institute, University of Michigan Business School, janvier 2005.

10. Pour des études plus générales sur les multiples parallèles entre le changement climatique, l'esclavage et l'abolitionnisme, voir Jean-François Mouhot, « Past Connections and Present Similarities in Slave Ownership and Fossil Fuel Usage », *Climatic Change*, vol. 105, 2011, p. 329-355 ; Jean-François Mouhot, *Des esclaves énergétiques. Réflexions sur le changement climatique*, Seyssel, Champ Vallon, 2011 ; Andrew Nikiforuk, *The Energy of Slaves*, Vancouver, Greystone Books, 2012 ; Christopher Hayes, « The New Abolitionism », *The Nation*, 22 avril 2014.

11. Greg Grandin, « The Bleached Bones of the Dead », *TomDispatch*, 23 février 2014 ; Adam Hochschild, *Bury the Chains: Prophets and Rebels in the Fight to Free an Empire's Slaves*, New York, Houghton Mifflin, 2006, p. 13-14 et 54-55.

12. Christopher Hayes, *op. cit.* [Note de bas de page] Seth Rockman et Sven Beckert (dir.), *Slavery's Capitalism: A New History of American Economic Development*, Philadelphie, University of Pennsylvania Press, à paraître ; Sven Beckert et Seth Rockman, « Partners in Iniquity », *The New York Times*, 2 avril 2011 ; Julia Ott, « Slaves: The Capital That Made Capitalism », séminaire public, 9 avril 2014 ; Edward E. Baptist et Louis Hyman, « American Finance Grew on the Back of Slaves », *Chicago Sun-Times*, 7 mars 2014 ; Katie Johnston, « The Messy Link Between Slave Owners and Modern Management », *Forbes*, 16 janvier 2013.

13. Lauren Dubois, *Haiti: The Aftershocks of History*, New York, Metropolitan Books, 2012, p. 97-100.

14. Frantz Fanon, *Les Damnés de la Terre*, Paris, François Maspéro, 1961, p. 73.

15. Kari Marie Norgaard, *Living in Denial: Climate Change, Emotions, and Everyday Life*, Cambridge (MA), MIT Press, 2011, p. 61.

16. Adam Smith, *Enquête sur la nature et les causes de la richesse des nations*, Paris, Presses universitaires de France, 1995, livre I, ch. 8, p. 94 ; livre III, ch. 3, p. 453-459.

17. Seymour Drescher, *The Mighty Experiment: Free Labor Versus Slavery in British Emancipation*, Oxford, Oxford University Press, 2002, p. 34-35, 233 ; Thomas Clarkson, *The History of the Rise, Progress, and Accomplishment of the Abolition of the African Slave-Trade, by the British Parliament*, vol. 2, Londres, Longman, Hurst, Rees and Orme, 1808, p. 580-581.

18. Wendell Phillips, « Philosophy of the Abolition Movement: Speech Before the Massachusetts Antislavery Society (1853) », dans *Speeches, Lectures, and Letters*, Boston, James Redpath, 1863, p. 109-110 ; Frederick Douglass, « Que signifie le 4-Juillet pour l'esclave ? », dans Frederick Douglass et Henry David Thoreau, *De l'esclavage en Amérique*, Paris, Éditions Rue d'Ulm, 2007, p. 7.

19. David Brion Davis, *Inhuman Bondage: The Rise and Fall of Slavery in the New World*, New York, Oxford University Press, 2006, p. 1.

20. Desmond Tutu, « We Need an Apartheid-Style Boycott to Save the Planet », *The Guardian*, 10 avril 2014.

21. Luis Hernández Navarro, « Repression and Resistance in Oaxaca », *CounterPunch*, 21 novembre 2006.

22. Entretien de l'auteure avec Sivan Kartha, 11 janvier 2013.

# Index

Cohen, Nick, 184
collectivités, 16, 71, 88-89, 92, 108,
114, 117-118, 123, 129, 136-137,
149, 156, 158-160, 183-184, 193,
205, 229, 256, 270, 319, 346-347,
350, 352, 354-357, 365, 367, 380,
388, 391-393, 409-411, 425, 427-
429, 431, 434, 436, 449-451, 454-
456, 459, 482, 499-501, 515, 517
Colombie, 234, 394, 425
Colombie-Britannique, 40, 295, 306,
344, 363, 383, 386-387, 419, 432,
473, 492, 500
  Cour suprême de la, 417
  dépérissement des étoiles de mer
    de la, 40
  effondrement de la population de
    mollusques en, 297, 489
  voir aussi oléoduc Northern
    Gateway
CO₂, 11, 35, 50, 57, 75, 95, 102-103,
138, 171, 176, 186, 257, 260, 267,
283-284, 348, 461-463, 468, 470;
  voir aussi dioxyde de carbone; gaz
    carbonique
colonialisme, 181, 199, 202, 205, 468-
469, 498, 513, 516
Colorado, 71, 121, 357, 403, 482
Colorado School of Public Health,
482
Combes, Maxime, 346, 361
combustibles fossiles:
  dépendance de l'économie mon-
    diale aux, 56, 173, 209, 231, 358,
    364, 396, 494
  et affranchissement de la nature,
    202
  épuisement des, 353
  extractivisme et, 37, 61, 189-216,
    337, 354, 359, 374, 392, 400,
    456, 501-502, 522, 530
  extraits des réserves naturelles,
    173
  recherche de nouvelles réserves
    de, 155, 174-175, 215, 365
  réglementation des, 60, 137, 143,
    155, 165, 169-172, 227, 229,
    354, 375, 377, 413
  voir aussi industrie de l'extraction

comité consultatif scientique, 95
commerce international, 90-102, 233;
  voir aussi traités de libre-échange
Commission économique pour
  l'Amérique latine et les Caraïbes
  (CEPALC), 63, 209
commission présidentielle spéciale
  sur le déversement de pétrole, 375
Committee for a Constructive
  Tomorrow, 63
«communalisation», 119
Communauté européenne, 233
communisme, 32, 56, 60-61, 150, 159,
205, 207, 333, 398
Compagnie Pétrolière Impériale, 172
compensation carbone, 56, 133, 142,
253-256, 287, 380, 437
Competitive Enterprise Institute, 48,
63, 464
compostage, 132, 457, 503
Conant, Lionel, 429
Conference Board du Canada, 173
Conférence de Copenhague de 2009
  sur le climat, 23-24, 51, 177, 299-
  300, 507
Conférence de Varsovie sur le changement climatique (2013), 231, 315
Conférence des Nations Unies sur
  l'environnement (1972), 233
Conférence mondiale contre le
  racisme (2001), 468
Conférence mondiale des peuples
  contre le changement climatique
  (2010), 498
Conférence mondiale sur l'atmosphère en évolution (1988), 74, 95
conférences TED, 243, 272
Congo, 253
Congrès national africain, 511
ConocoPhillips, 259, 261, 282
consensus de Washington, 103
conservation de l'énergie, 443
Conservation Fund, 226, 237, 562
Conservation International, 219, 226,
237, 241, 243
consommation, 33, 39, 51, 56, 61, 78,
84, 97, 101, 103, 108, 112-116, 123,
138-141, 157, 160, 164, 189, 191,
194, 197, 199, 202, 207, 209, 242,

# Table des matières

CET OUVRAGE A ÉTÉ IMPRIMÉ EN MARS 2015 SUR LES
PRESSES DES ATELIERS DE L'IMPRIMERIE MARQUIS
POUR LE COMPTE DE LUX, ÉDITEUR À L'ENSEIGNE D'UN
CHIEN D'OR DE LÉGENDE DESSINÉ PAR ROBERT LAPALME

La mise en page est de Claude BERGERON

La révision du texte a été réalisée
par Robert LALIBERTÉ

La correction des épreuves a été effectuée
par Edith SANS CARTIER

Lux Éditeur
c.p. 60191
Montréal, Qc H2J 4E1

Diffusion et distribution
Au Canada : Flammarion

Imprimé au Québec